A-Z BIRM

G000019198

CONT

Key to Map Pages	2-3
Large Scale City Centres	4-5,170
Map Pages	6-169

Index to Hospitals and Hospices 271-272

REFERENCE

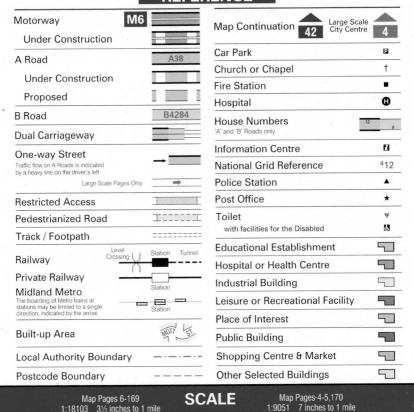

Motorway	**M6**
Under Construction	
A Road	A38
Under Construction	
Proposed	
B Road	B4284
Dual Carriageway	
One-way Street	→
Traffic flow on A Roads is indicated by a heavy line on the driver's left	
Large Scale Pages Only	⇒
Restricted Access	
Pedestrianized Road	
Track / Footpath	
Railway	Level Crossing / Station / Tunnel
Private Railway	Station
Midland Metro	Station
The boarding of Metro trains at stations may be limited to a single direction, indicated by the arrow.	
Built-up Area	
Local Authority Boundary	—·—·—
Postcode Boundary	— — —

Map Continuation	**42** / Large Scale City Centre **4**
Car Park	P
Church or Chapel	†
Fire Station	■
Hospital	⊞
House Numbers	12 / 8
'A' and 'B' Roads only	
Information Centre	⏹
National Grid Reference	⁴12
Police Station	▲
Post Office	★
Toilet	▽
with facilities for the Disabled	♿
Educational Establishment	⬔
Hospital or Health Centre	⬔
Industrial Building	⬔
Leisure or Recreational Facility	⬔
Place of Interest	⬔
Public Building	⬔
Shopping Centre & Market	⬔
Other Selected Buildings	⬔

SCALE

Map Pages 6-169	Map Pages 4-5,170
1:18103 3½ inches to 1 mile	1:9051 7 inches to 1 mile

0	¼	½ Mile	0	⅛	¼ Mile

0	250	500	750 Metres	0	100	200	300 Metres

5.52 cm to 1 km   8.89 cm to 1 mile   11.05 cm to 1 km   17.78 cm to 1 mile

Copyright of Geographers' A-Z Map Company Ltd.

Head Office:
Fairfield Road, Borough Green, Sevenoaks, Kent, TN15 8PP
Telephone 01732 781000 (General Enquiries & Trade Sales)

Showrooms:
44 Gray's Inn Road, London, WC1X 8HX
Telephone 020 7440 9500 (Retail Sales)

Ordnance Survey* This product includes mapping data licenced from Ordnance Survey ® with the permission of the Controller of Her Majesty's Stationery Office. © Crown Copyright 2001. Licence number 100017302

Edition 3 2000 Edition 3A (part revision) 2001
Copyright © Geographers' A-Z Map Co. Ltd. 2001

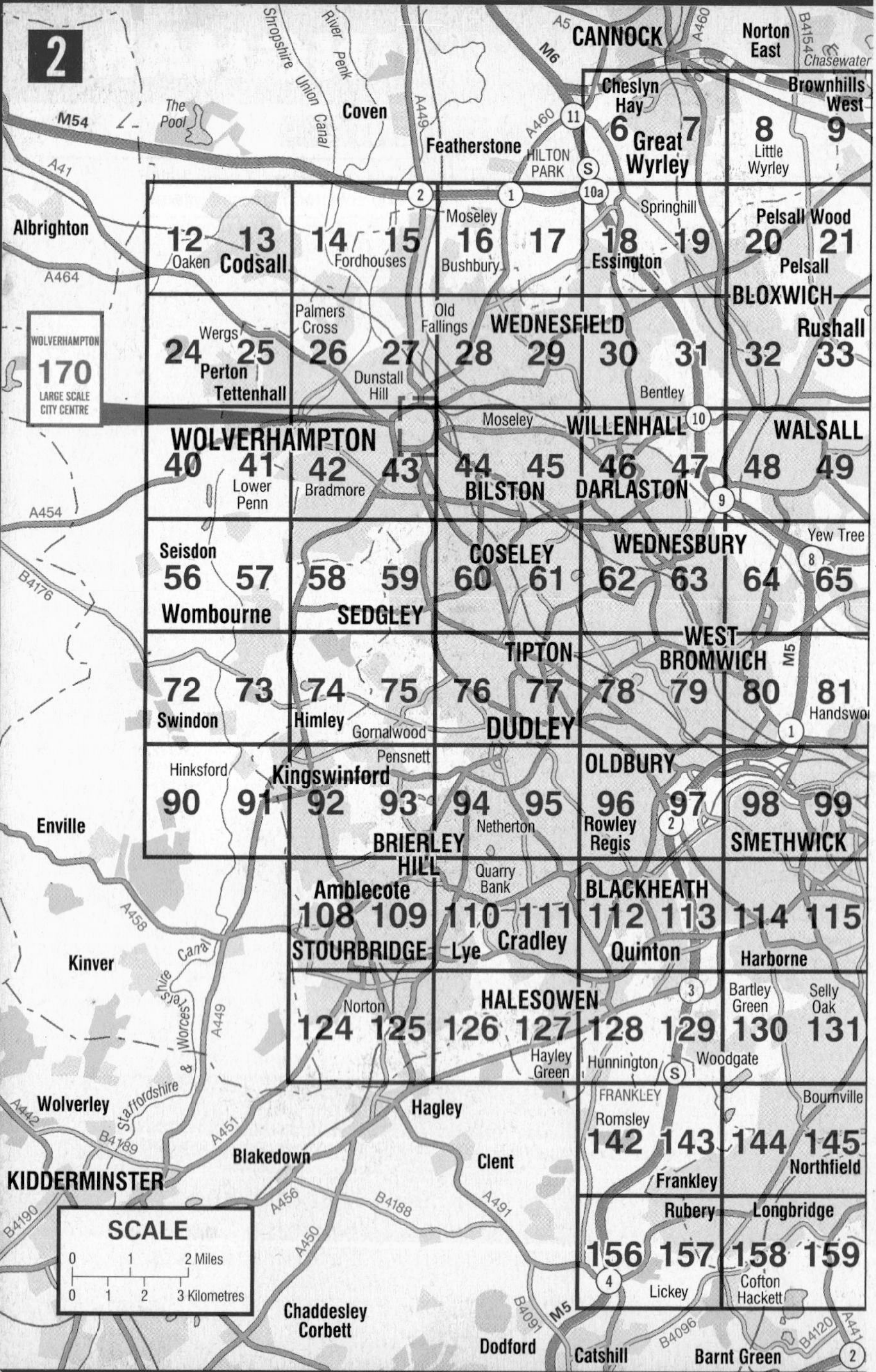

2

M54

Shropshire Union Canal

River Penk

The Pool

M6

A5

CANNOCK

Norton East
Chasewater

B4154

Coven

A449

A460

Featherstone

Cheslyn Hay

6 Great **7** Wyrley

Brownhills West

8 Little Wyrley **9**

Albrighton

A464

M54

A41

HILTON PARK

11

2

1

S

10a

Springhill

Moseley

12 Oaken **13** Codsall

14 Fordhouses **15**

16 Bushbury **17**

18 Essington **19**

Pelsall Wood
20 Pelsall **21**

BLOXWICH

WOLVERHAMPTON **170** LARGE SCALE CITY CENTRE

Palmers Cross

Wergs

24 Perton **25** Tettenhall

26

27 Dunstall Hill

Old Fallings

WEDNESFIELD

28 **29**

30 Bentley **31**

Rushall

32 **33**

A454

B4176

WOLVERHAMPTON

40 **41** Lower Penn

42 Bradmore **43**

Moseley

44 BILSTON **45**

WILLENHALL 10

46 DARLASTON **47**

WALSALL

48 **49**

9

Seisdon

56 **57**

58 **59**

SEDGLEY

COSELEY

60 **61**

WEDNESBURY

62 **63**

Yew Tree

64 **65**

8

Wombourne

72 Swindon **73**

74 Himley **75**

Gornalwood

TIPTON

76 **77**

DUDLEY

WEST BROMWICH

78 **79**

M5

80 **81** Handswo

1

Hinksford

Pensnett

90 **91**

Kingswinford

92 **93**

94 **95** Netherton

OLDBURY

96 Rowley Regis **97**

2

98 **99**

Enville

A458

Canal

SMETHWICK

BRIERLEY HILL

Amblecote

108 **109**

Quarry Bank

110 **111** Cradley
Lye

BLACKHEATH

112 **113** Quinton

114 **115**

STOURBRIDGE

Harborne

Kinver

Staffordshire & Worcs Canal

Norton

124 **125**

HALESOWEN

126 **127**

Hayley Green

Hunnington

128 **129**

Bartley Green

Selly Oak

130 **131**

Woodgate

3

S

Wolverley

A442

B4189

Staffordshire & Worcs Canal

A451

Hagley

Blakedown

A456

Clent

A491

FRANKLEY
Romsley

142 **143**
Frankley

Bournville

144 **145** Northfield

KIDDERMINSTER

B4190

A450

B4188

Rubery

Longbridge

156 **157** Lickey

158 **159** Cofton Hackett

4

SCALE

0 — 1 — 2 Miles

0 — 1 — 2 — 3 Kilometres

Chaddesley Corbett

B4091

M5

Dodford

Catshill

Barnt Green

B4120

2

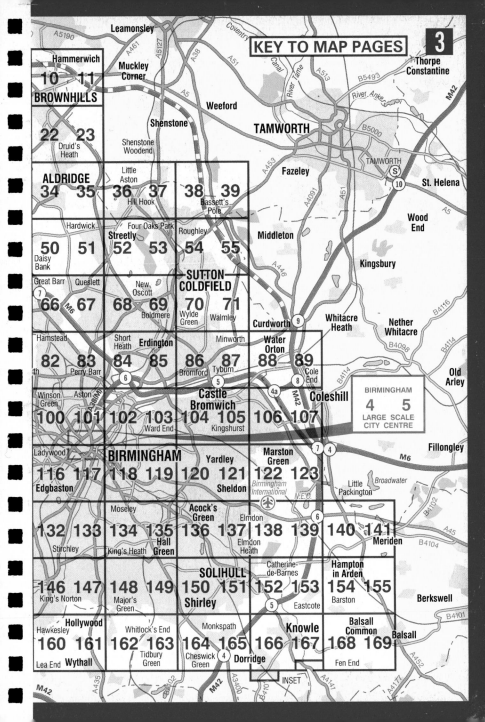

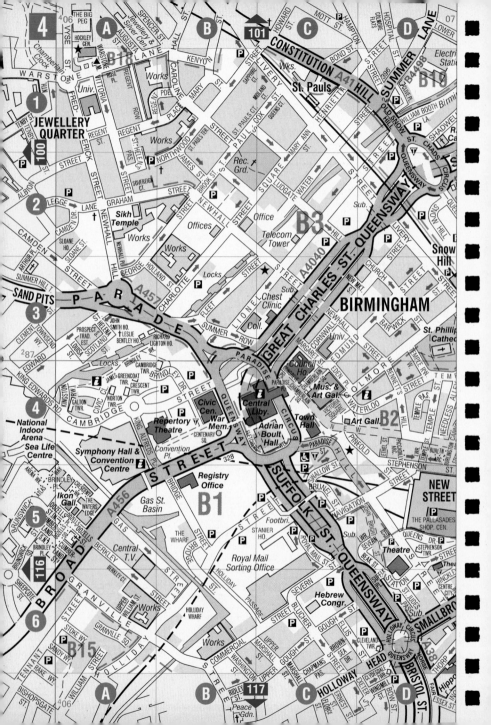

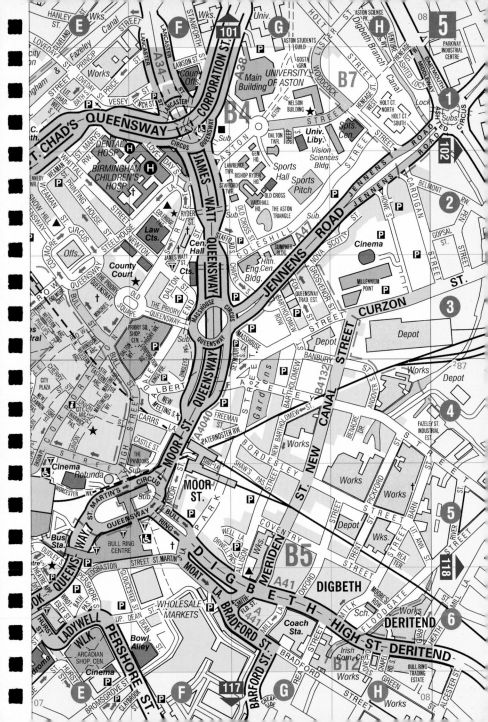

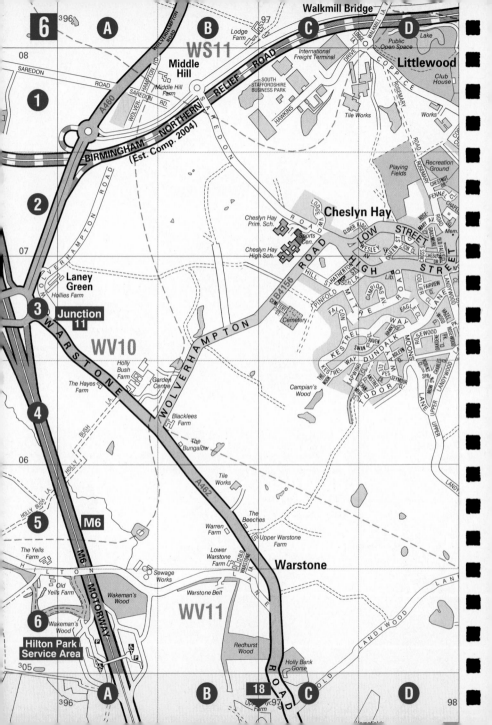

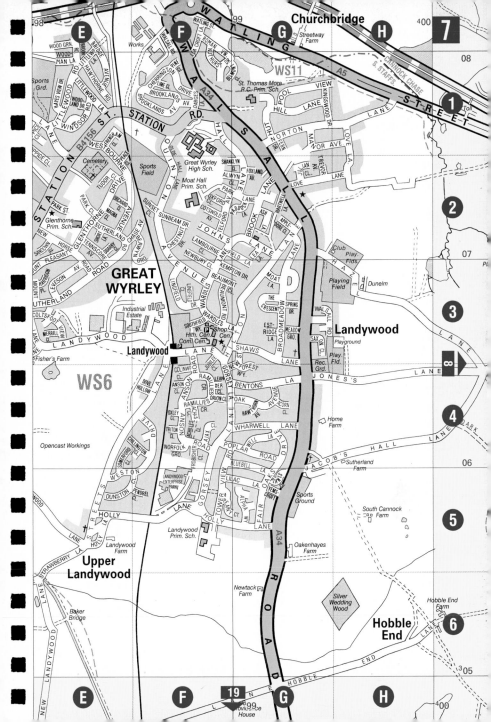

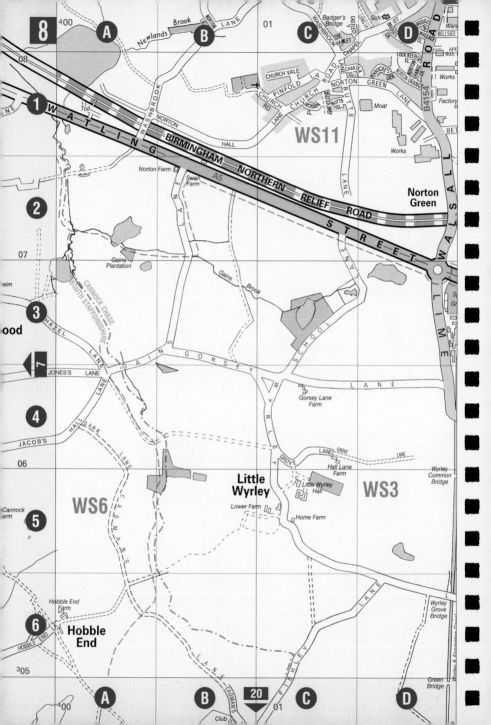

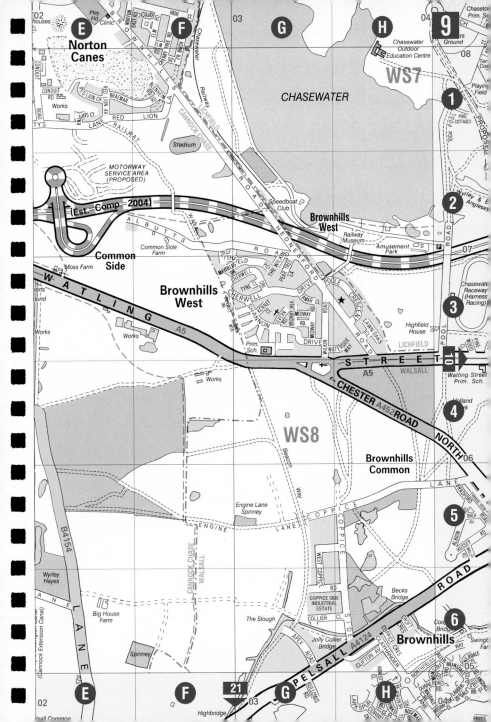

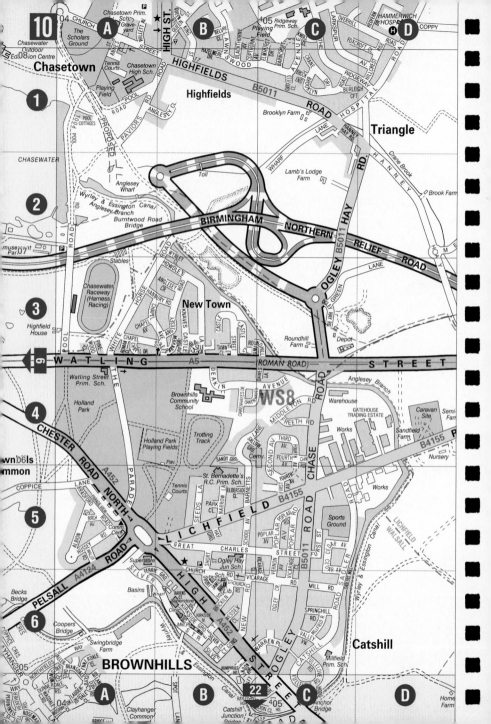

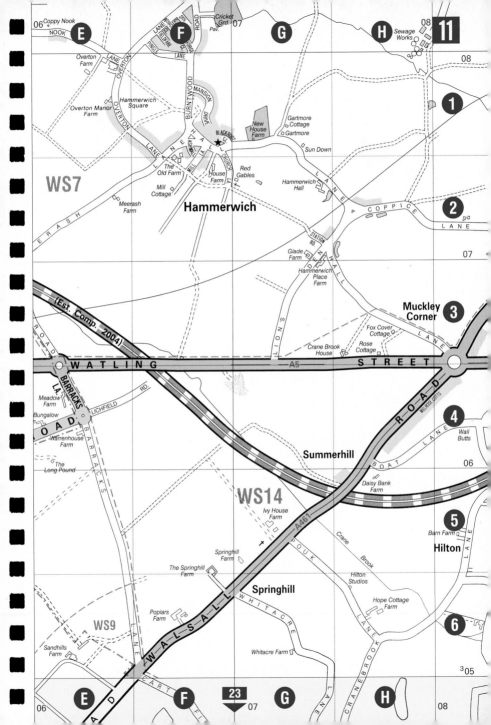

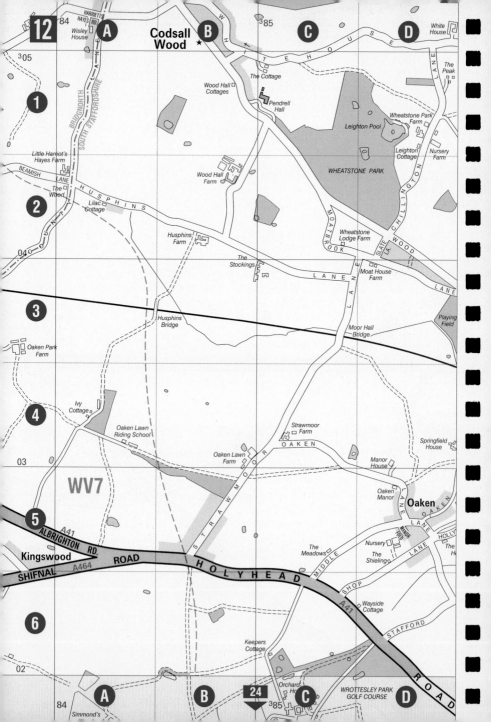

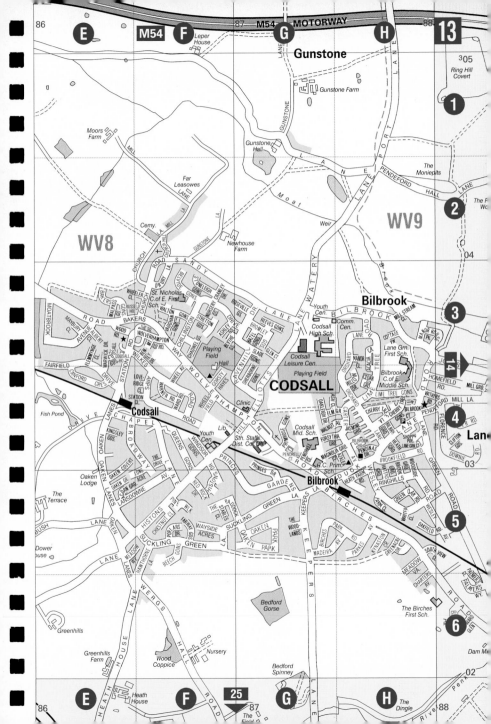

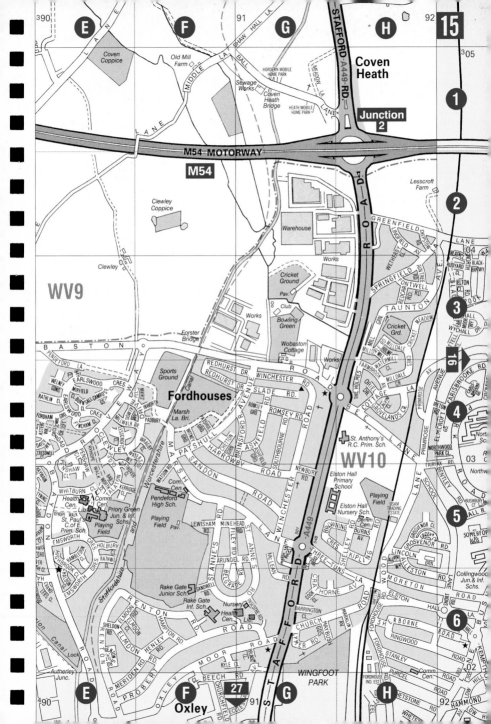

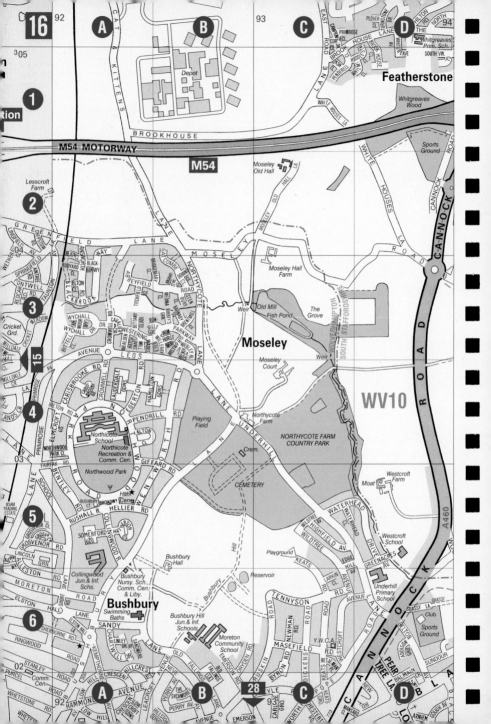

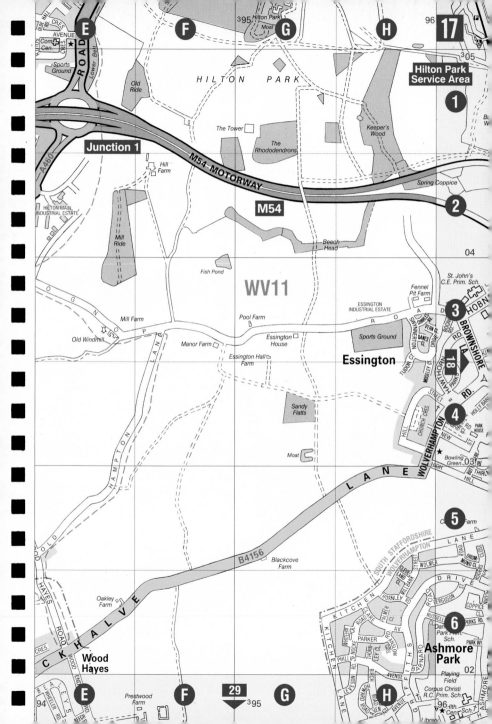

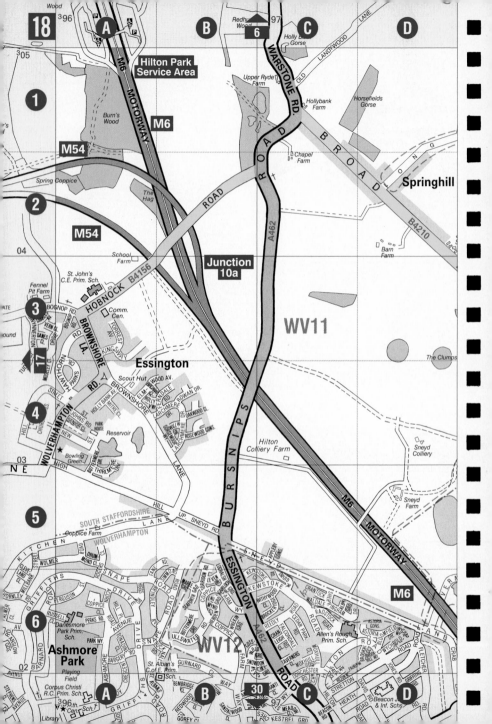

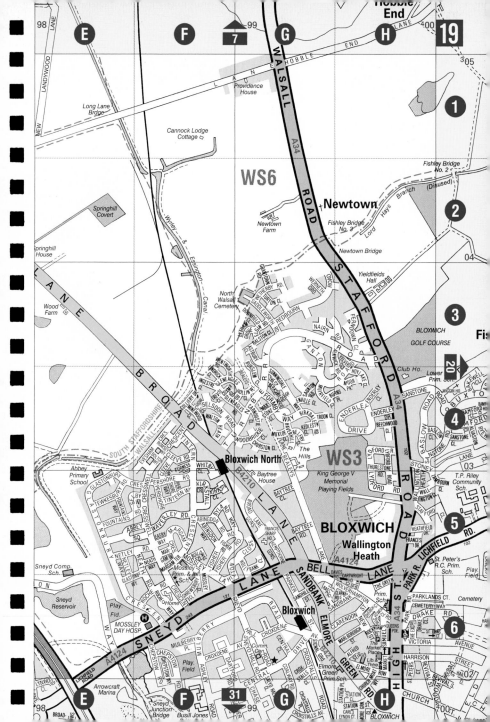

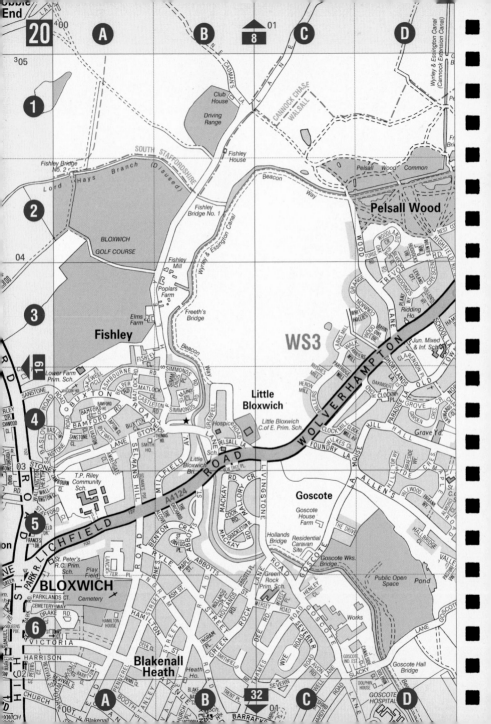

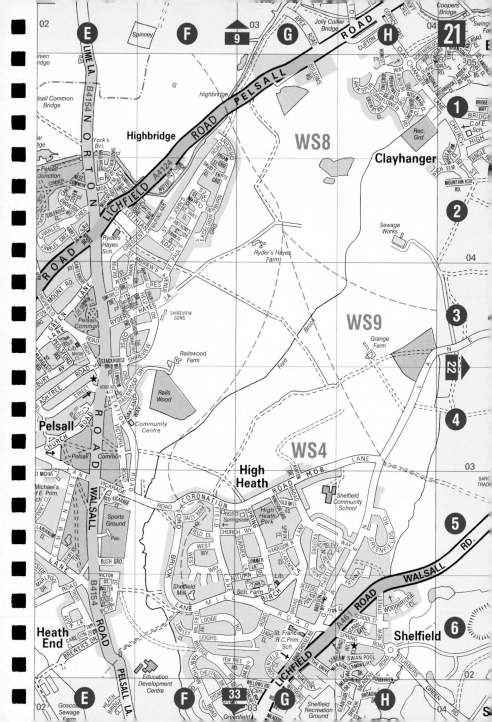

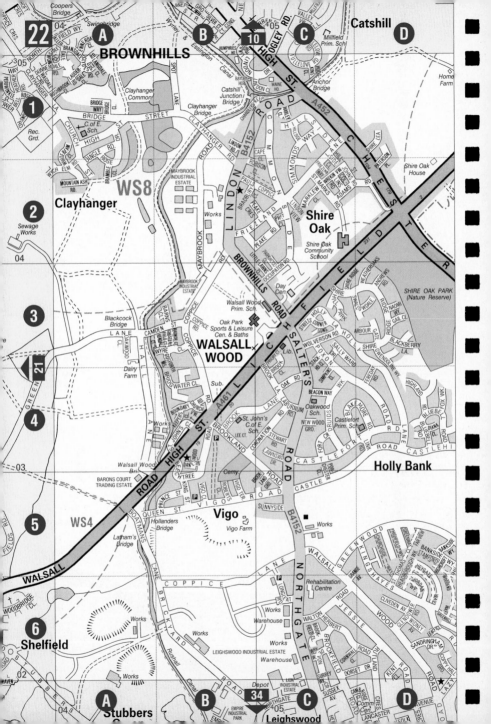

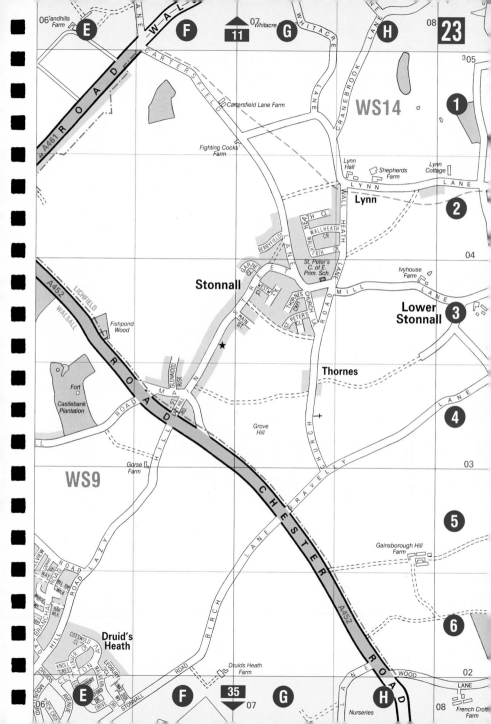

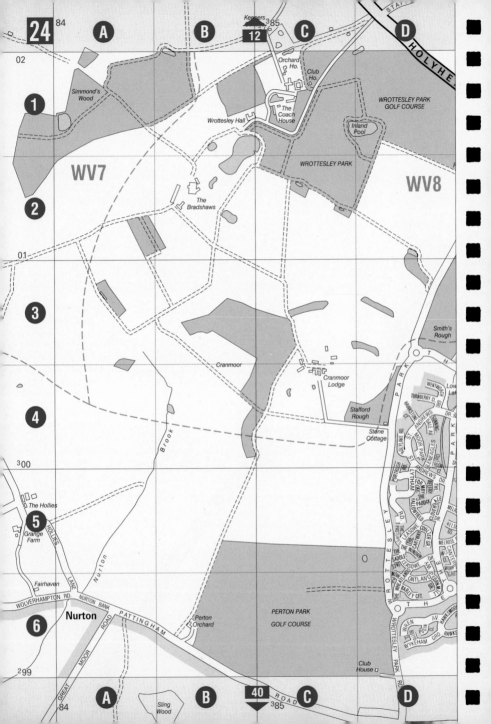

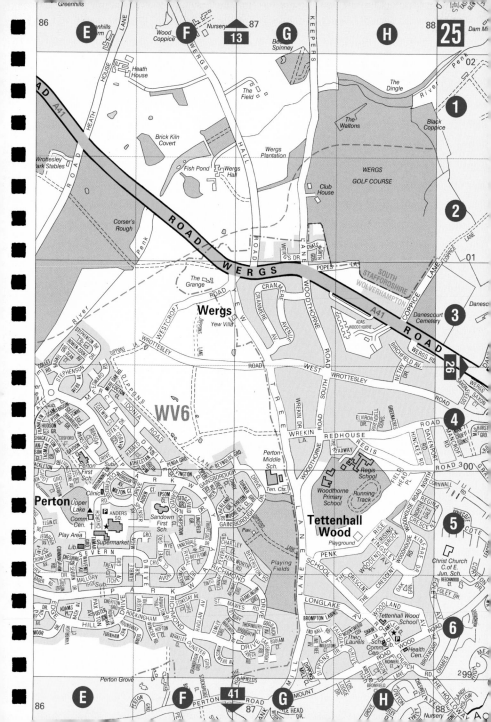

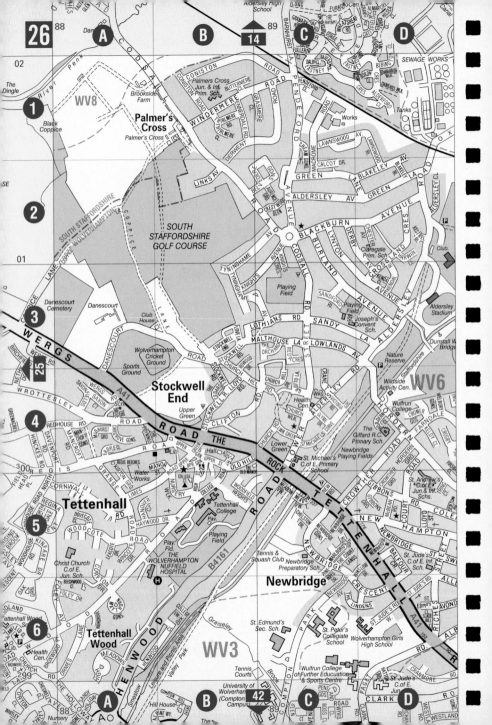

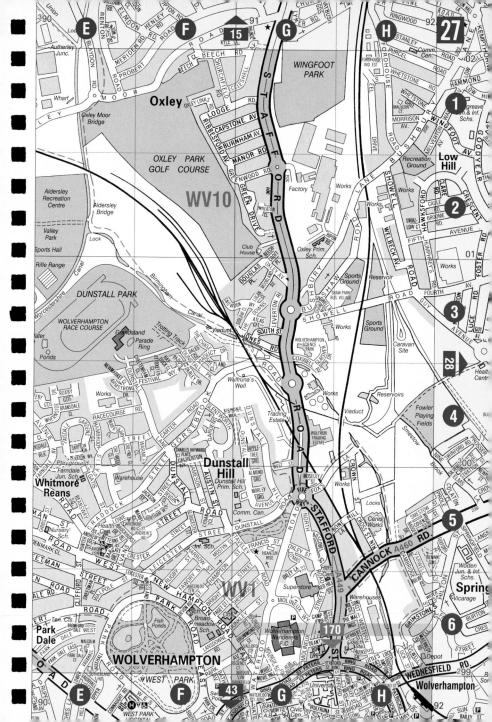

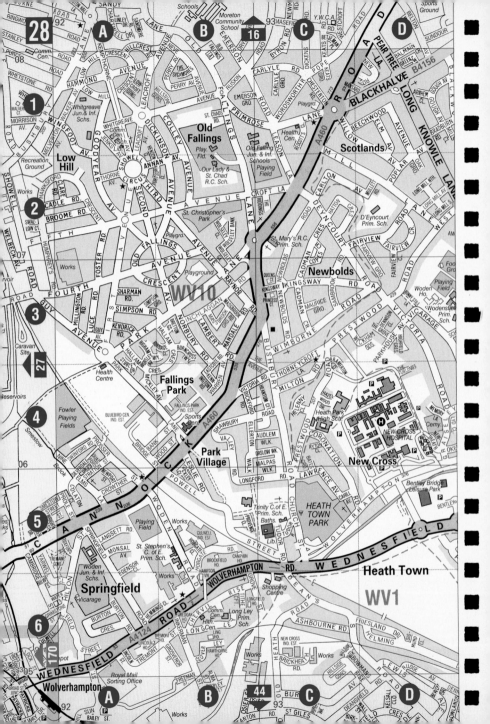

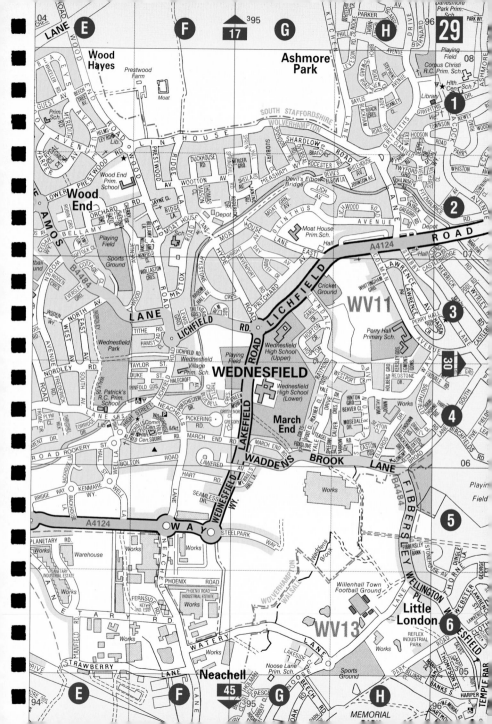

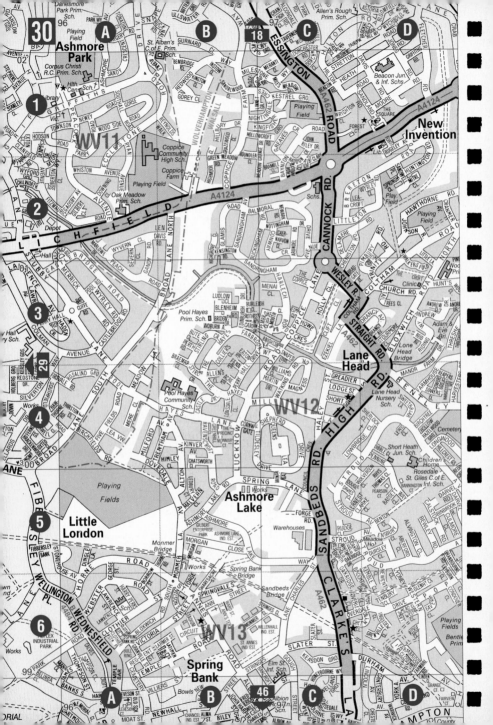

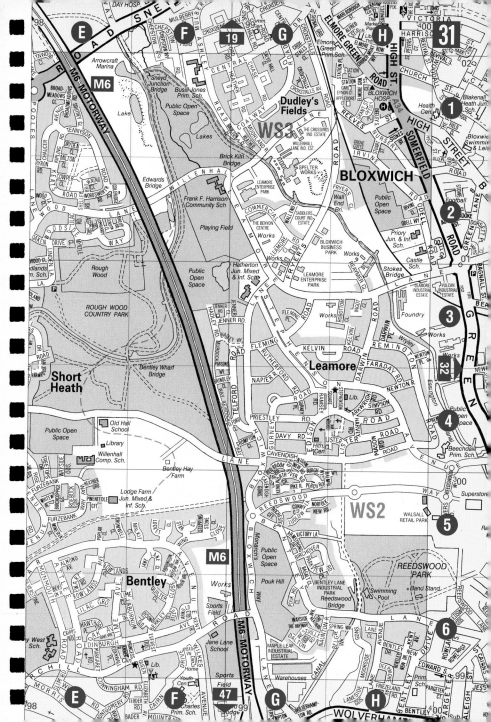

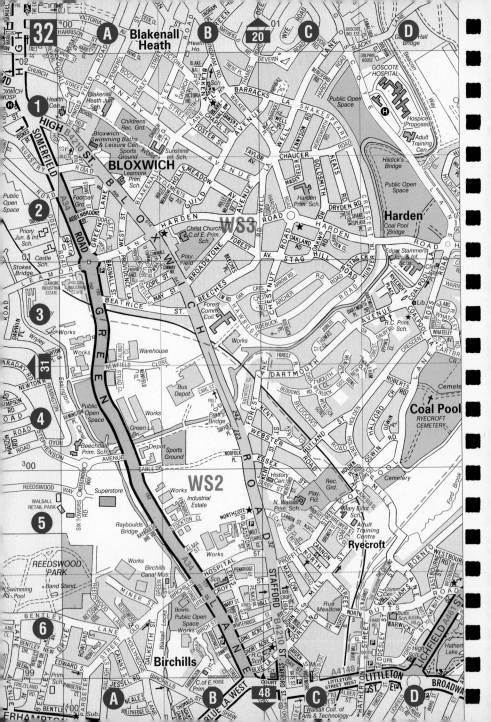

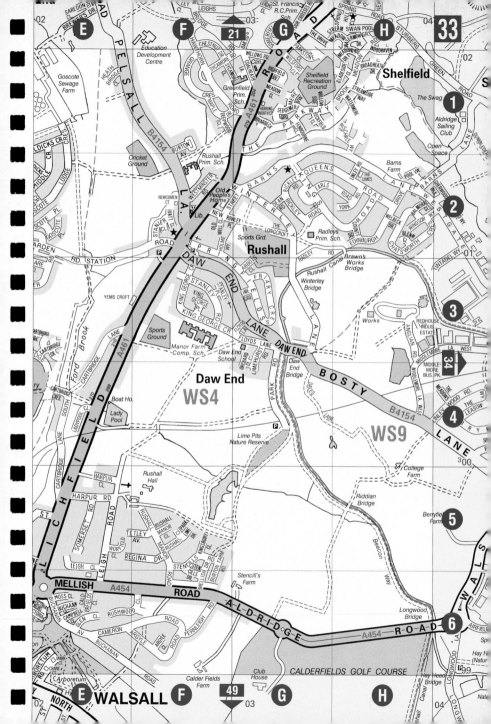

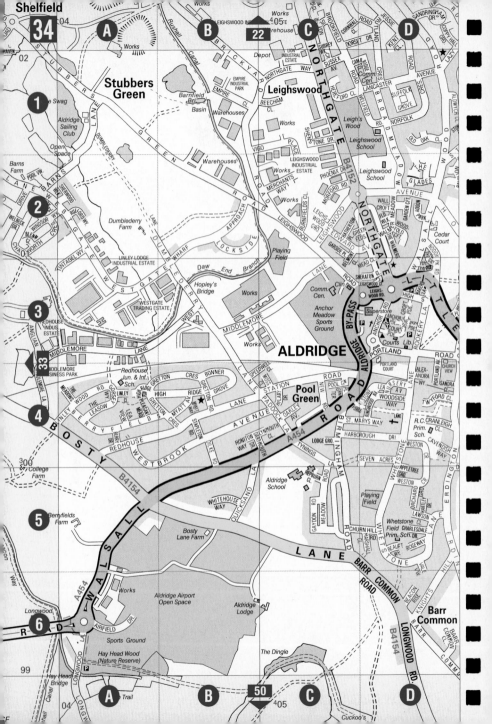

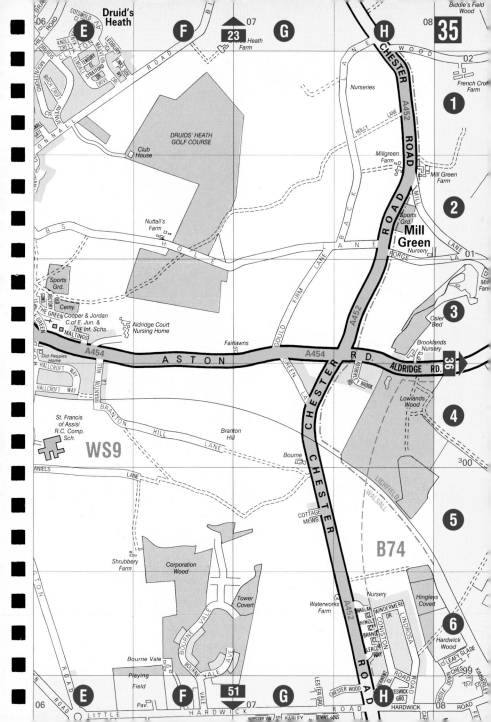

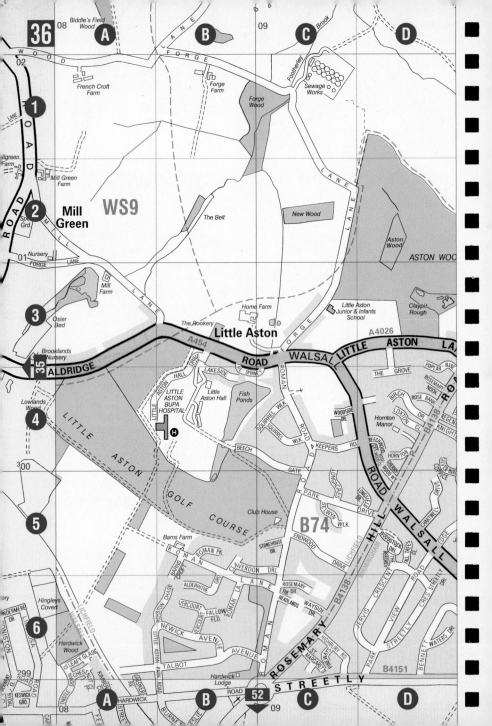

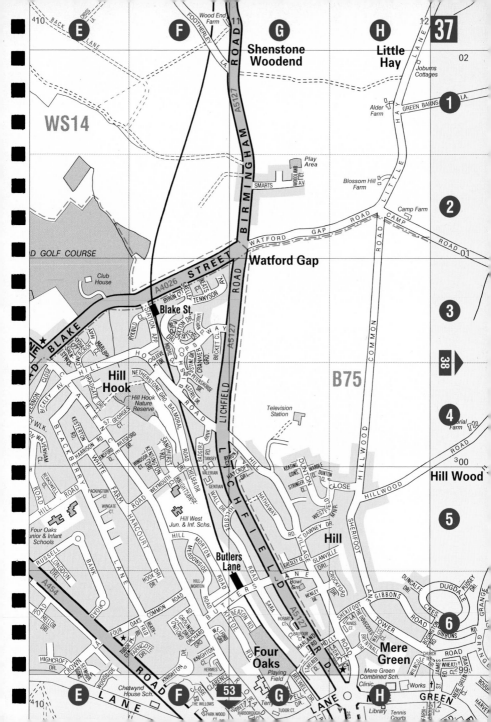

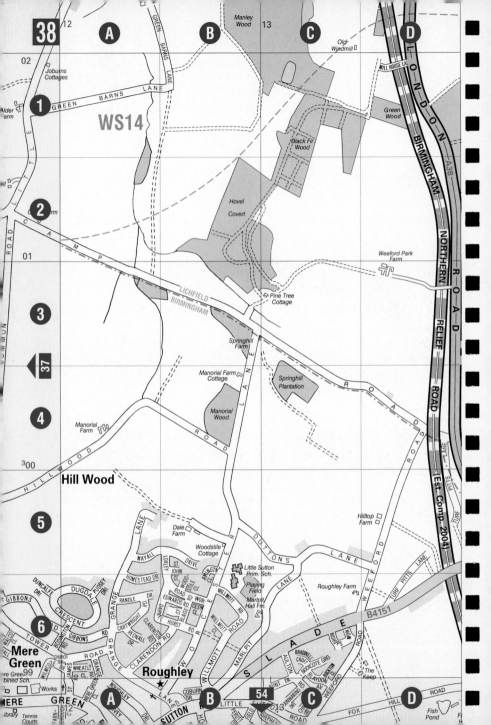

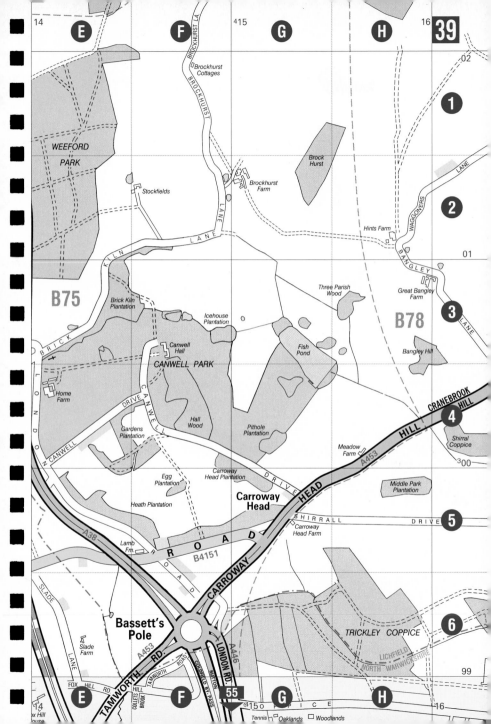

40 84

299

98

97

96

84 385

A **B** 24 **C** **D**

GREAT MOOR ROAD

PATTINGHAM

Sling Wood

Middle Wood

Freehold Wood

Club House

PERTON PARK
GOLF COURSE

WROTTESLEY PARK ROAD

Perton Court

South Perton Farm

WALKERS LANE

WV6

BENNETTS LANE

JENNY WALKERS LANE

ROAD

BRI

Sewage Works

Perton Mill Farm

Pool Hall

Ford

Trescott

SHOP LANE

A454

East Trescott Farm

Poolhall Cottages

West Trescott Farm

BRIDGNORTH

Trescott Grange

The Pool

Staffords

Brook

Furnace Grange

WV5

Twin Oaks Farm

Smestow Brook

EBSTREE ROAD

Wor

A **B** 56 **C** **D**

Ebstree

385

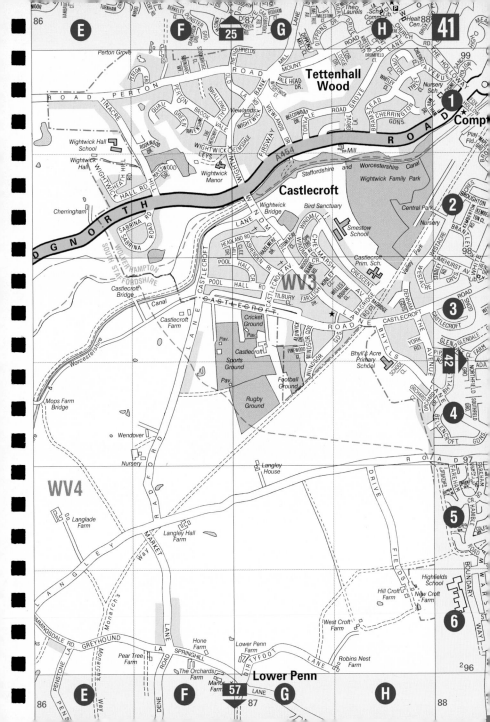

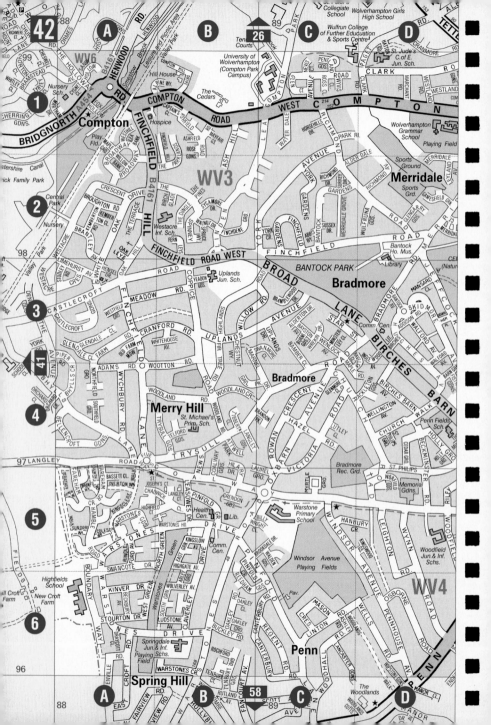

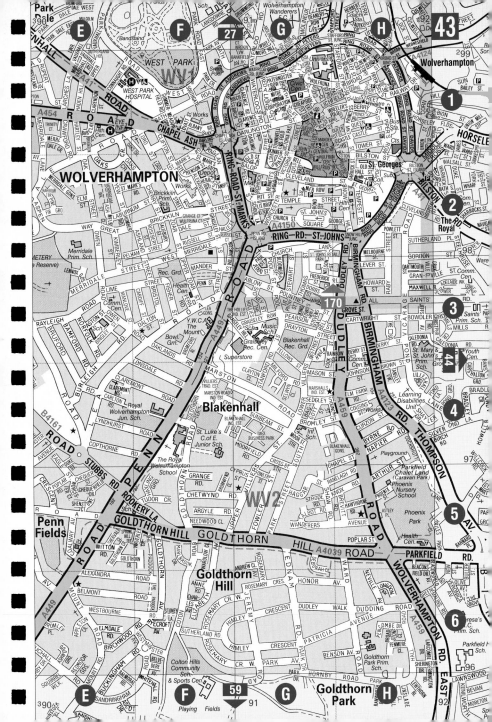

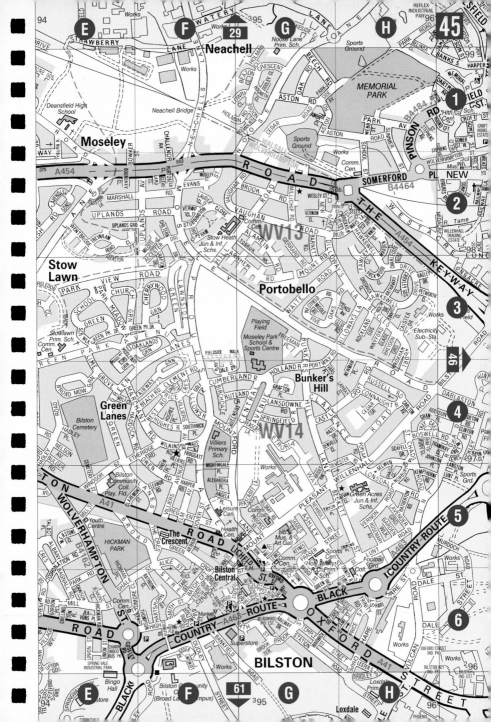

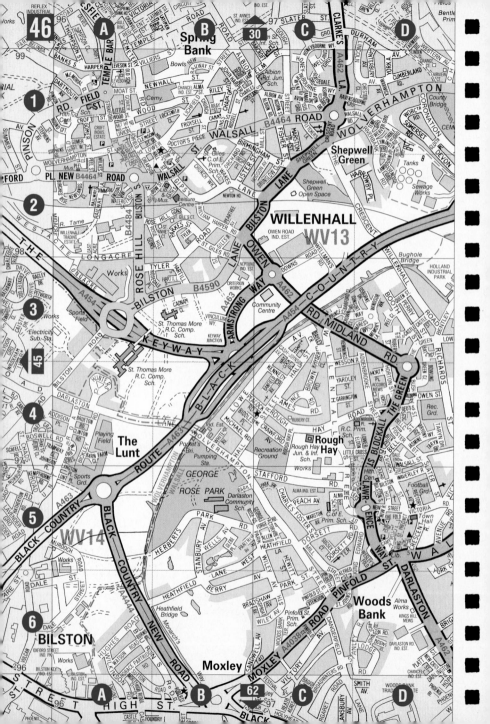

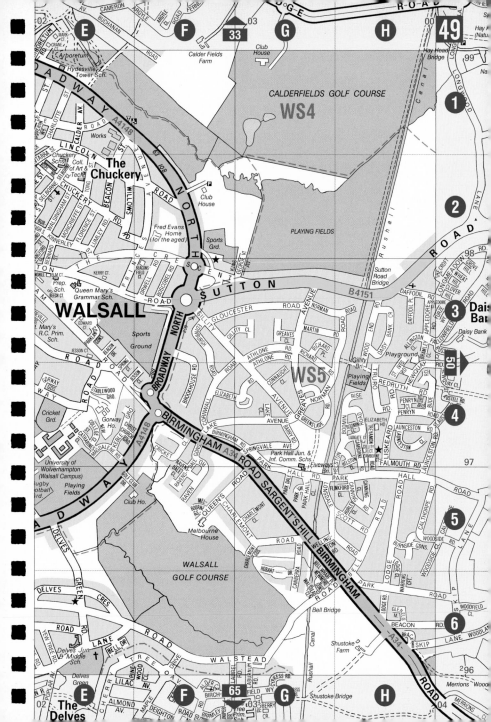

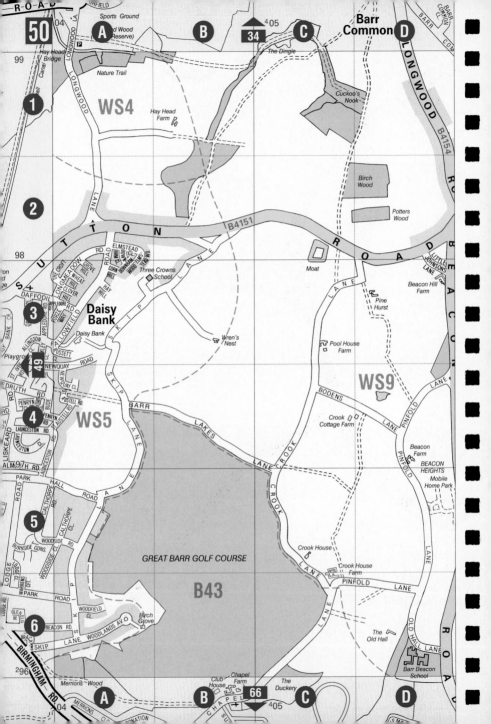

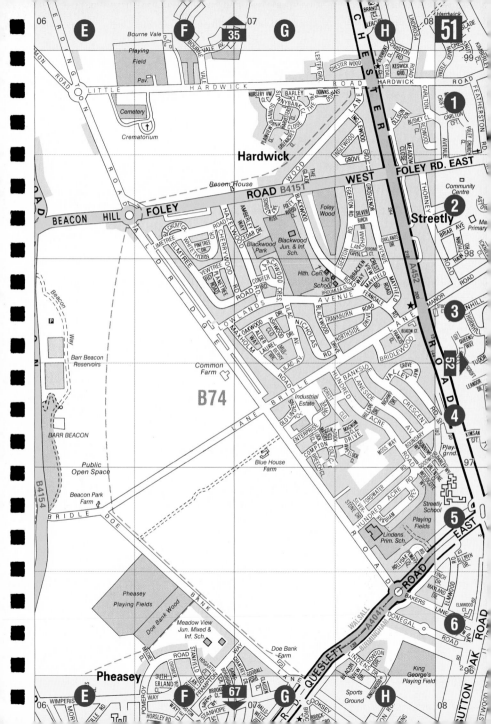

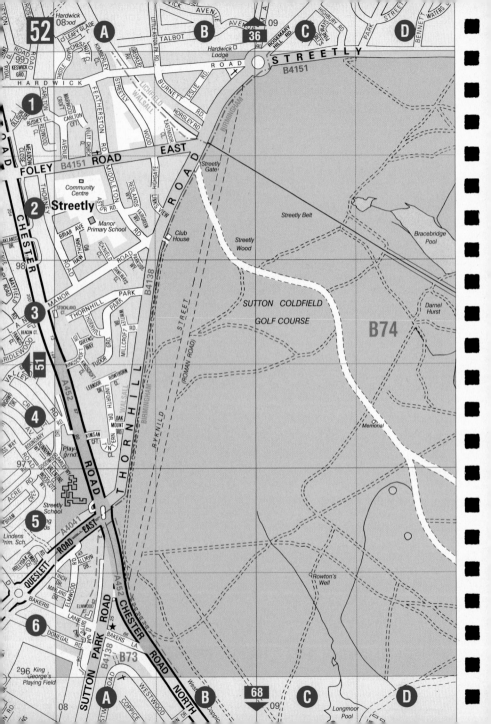

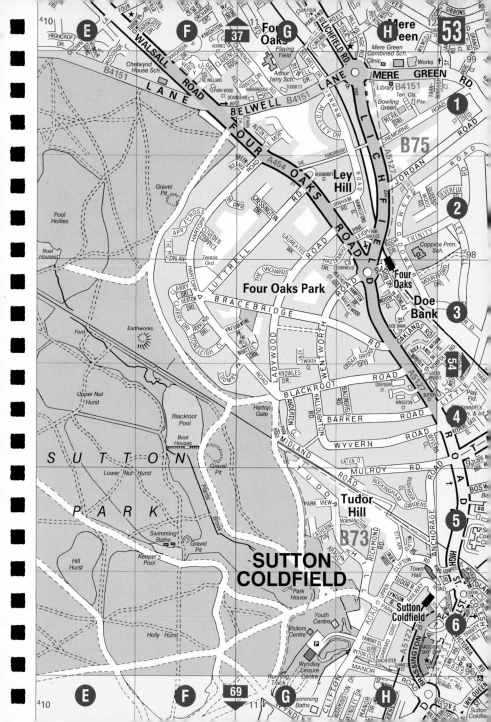

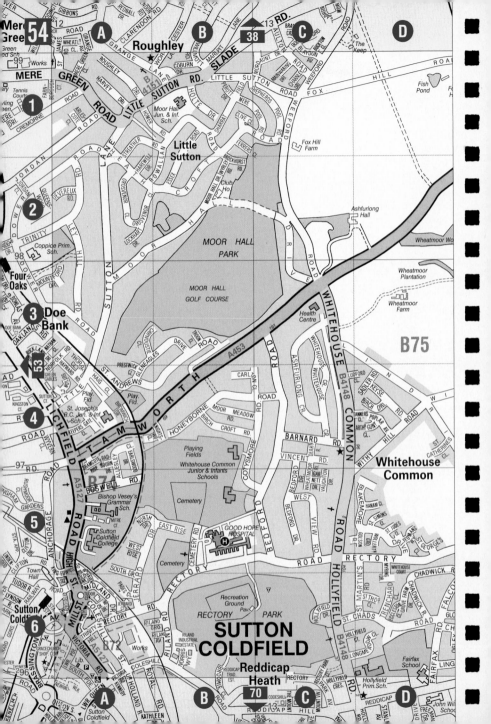

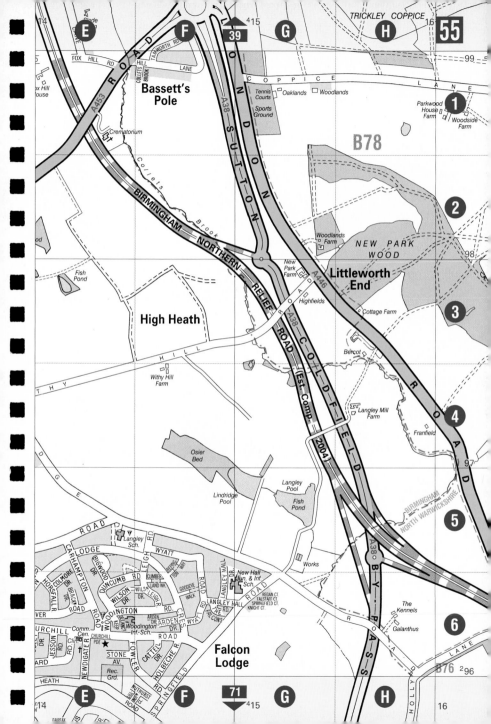

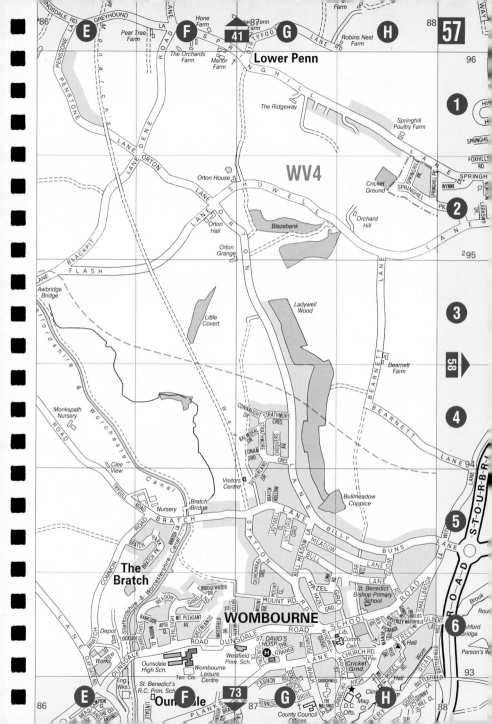

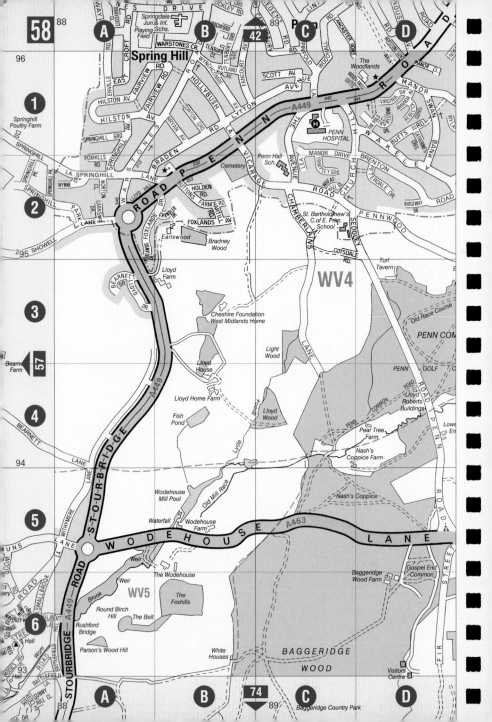

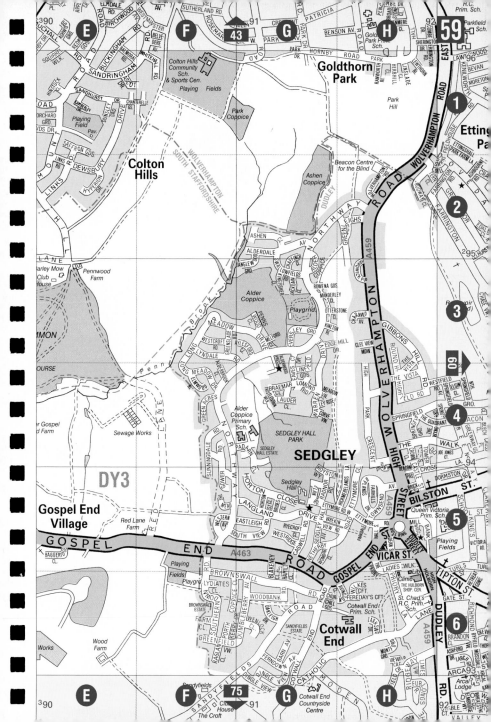

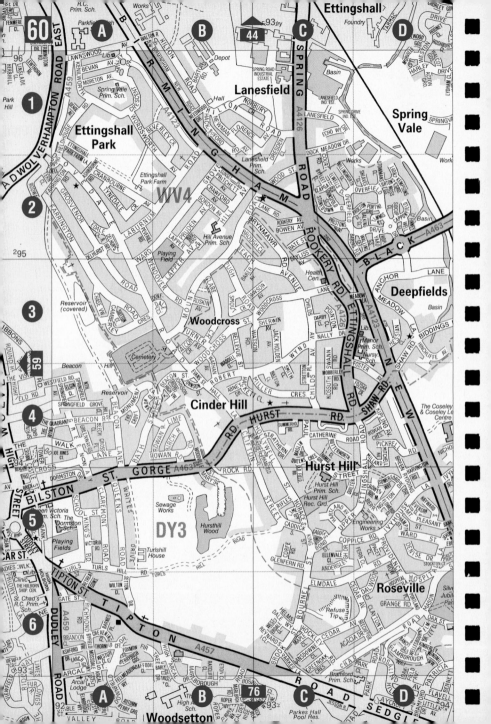

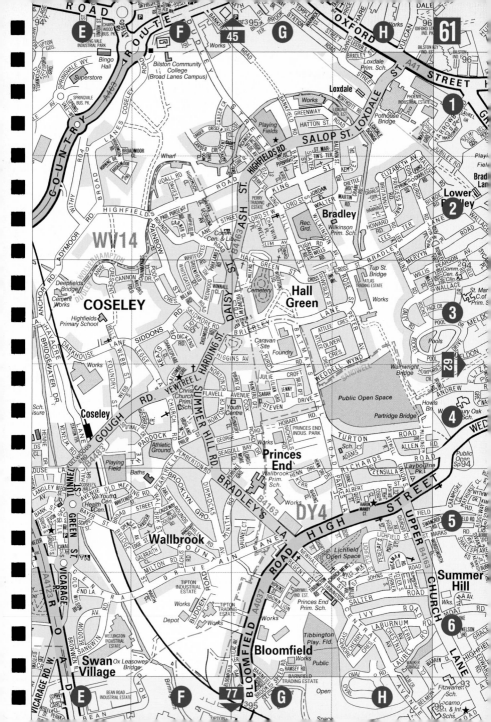

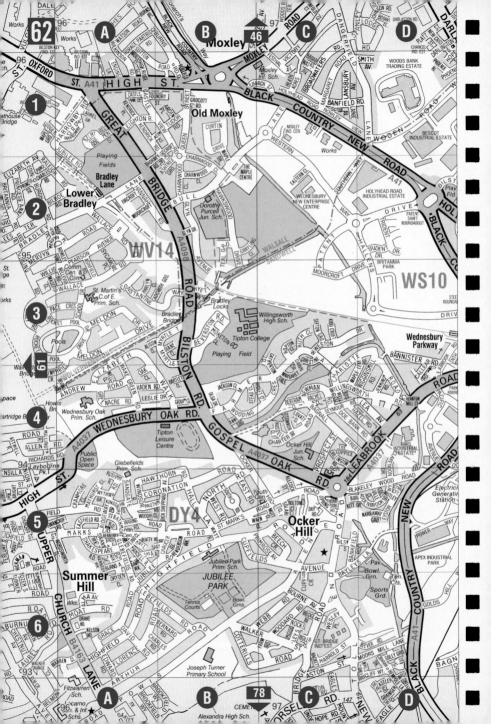

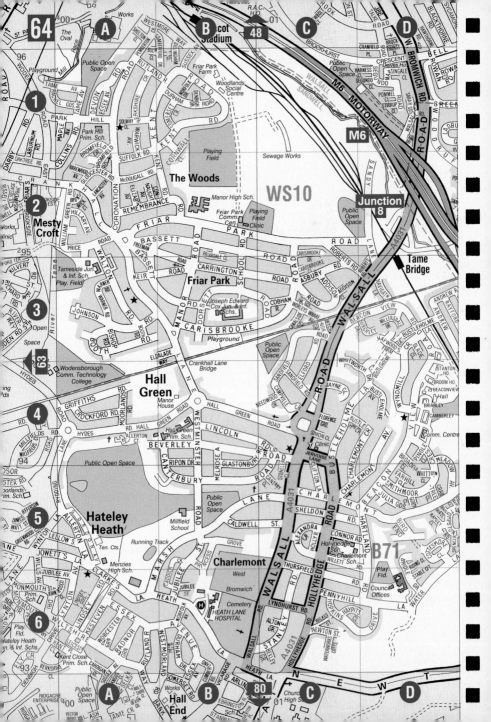

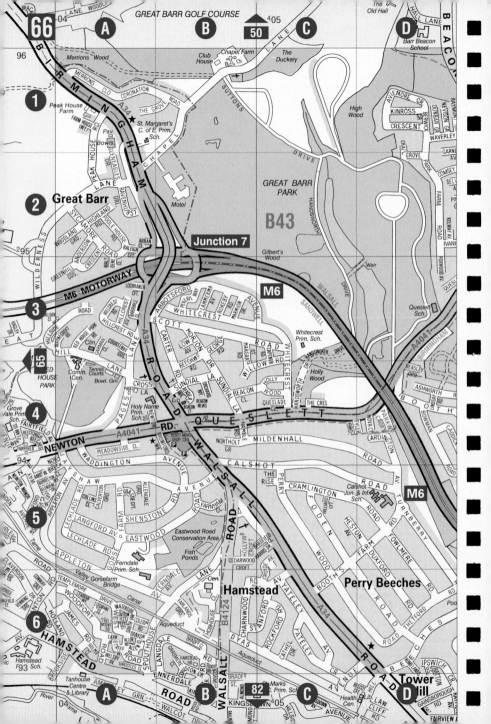

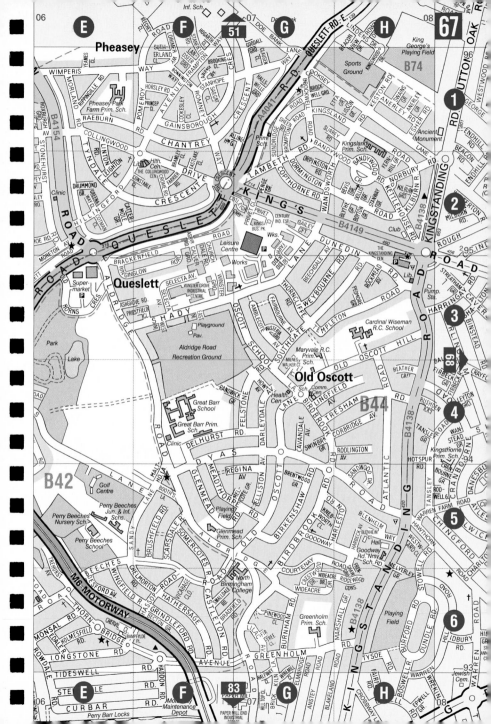

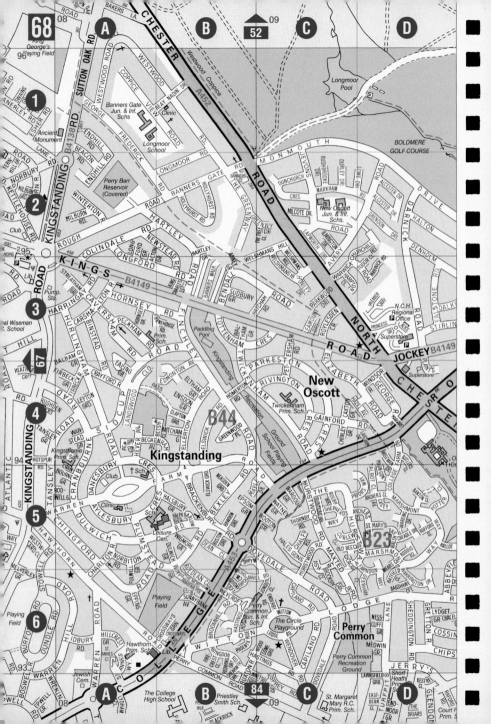

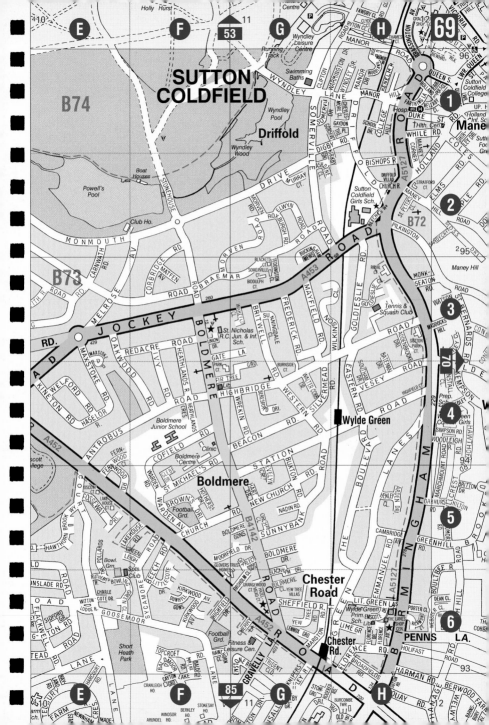

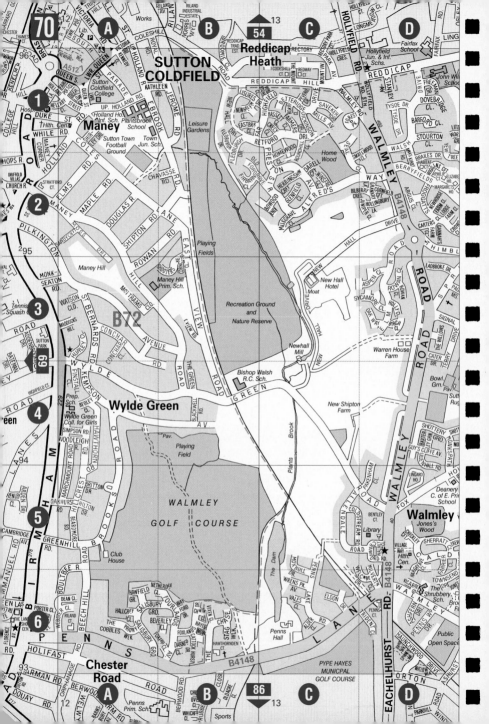

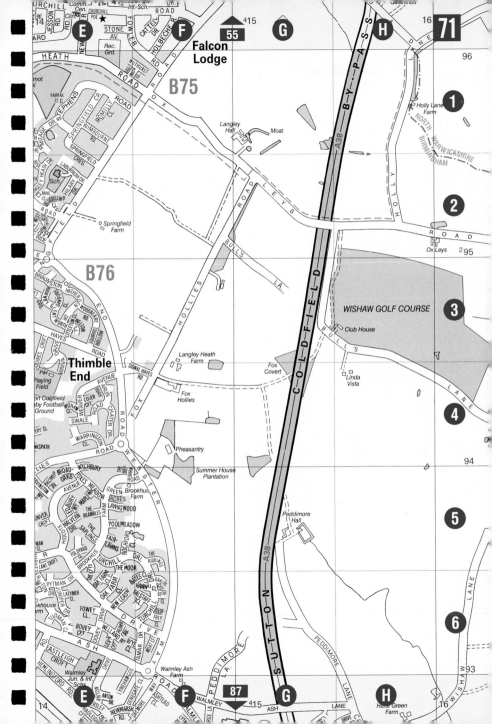

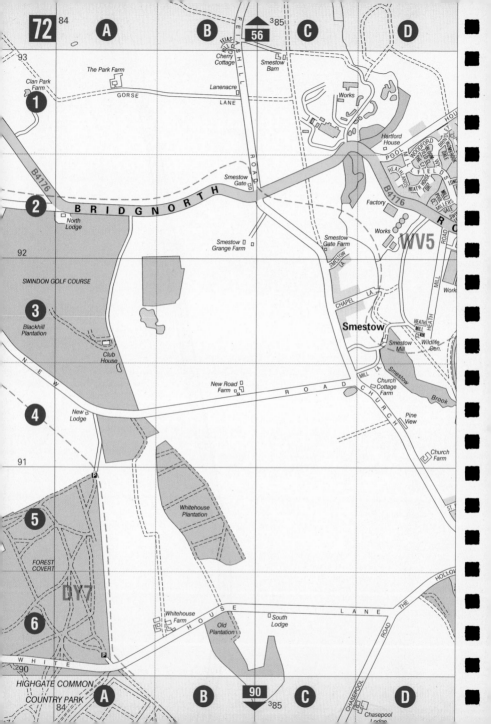

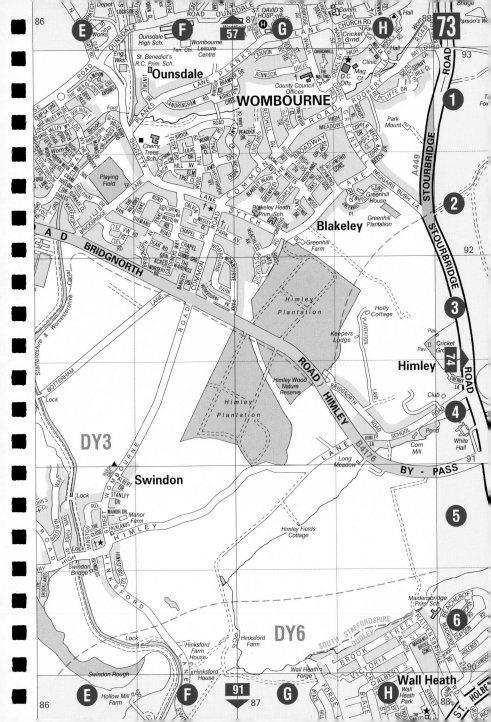

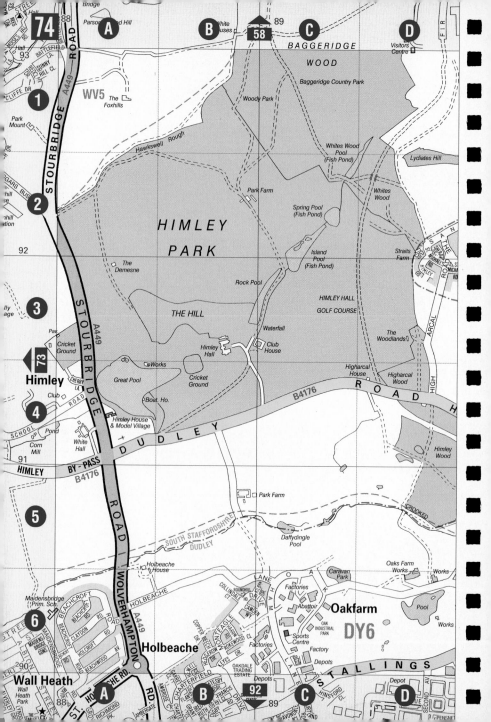

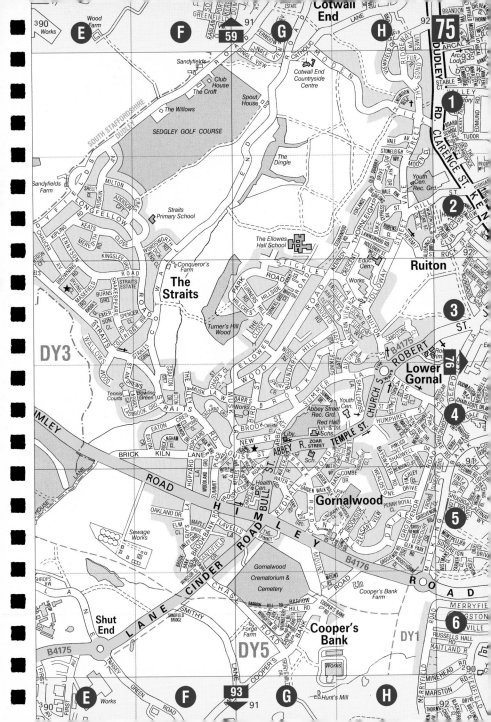

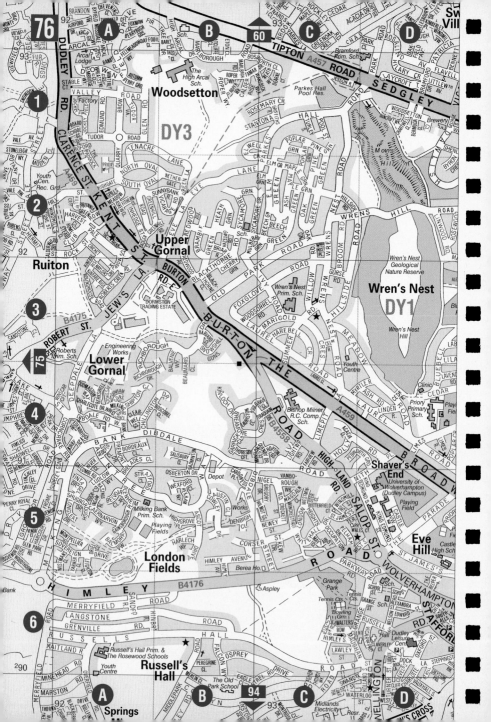

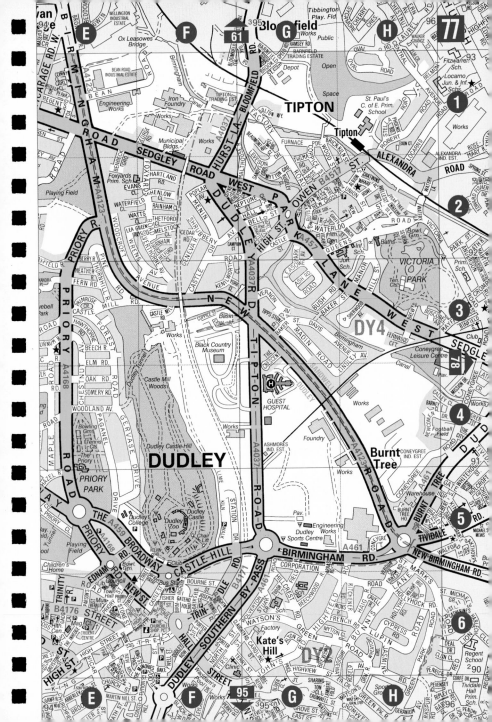

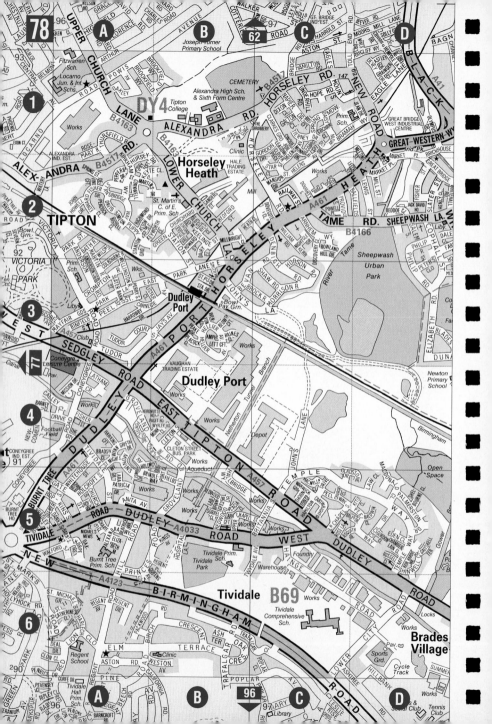

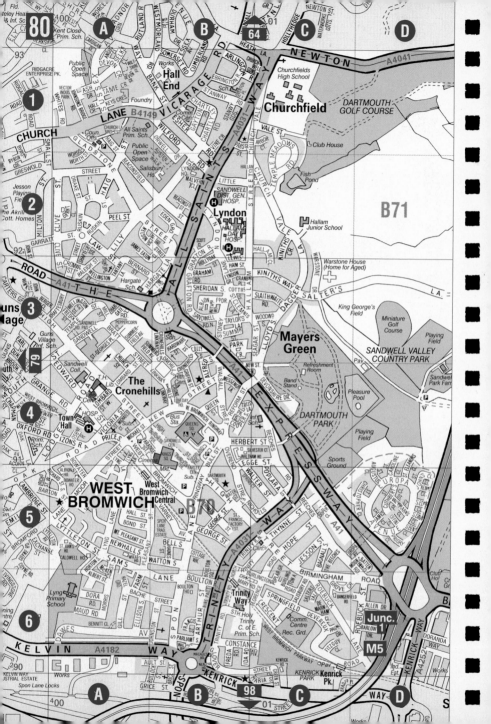

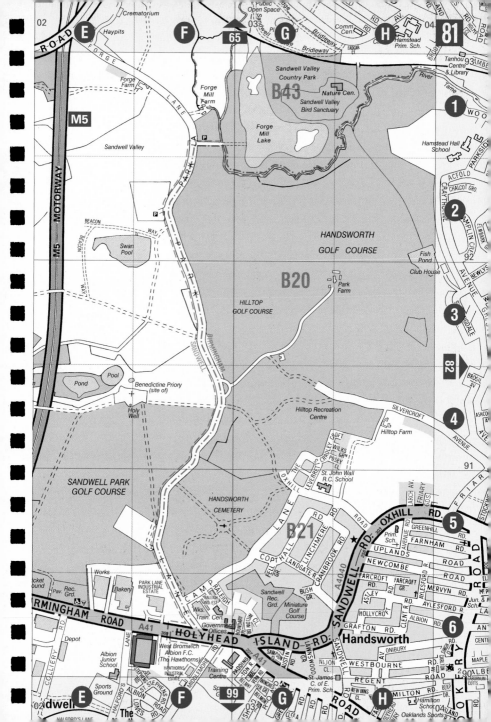

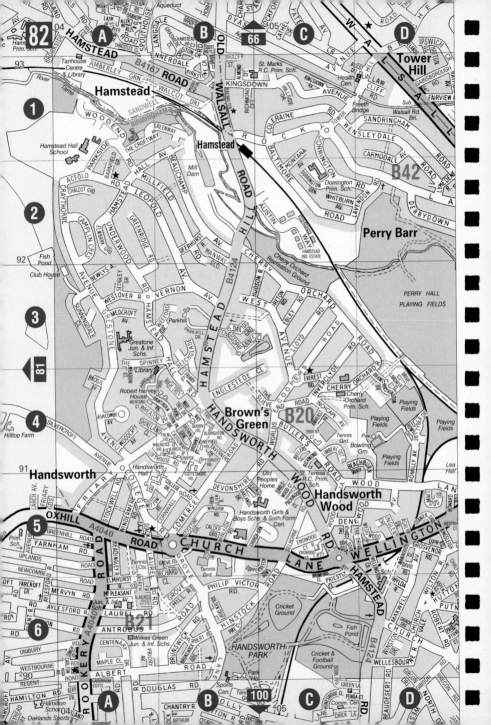

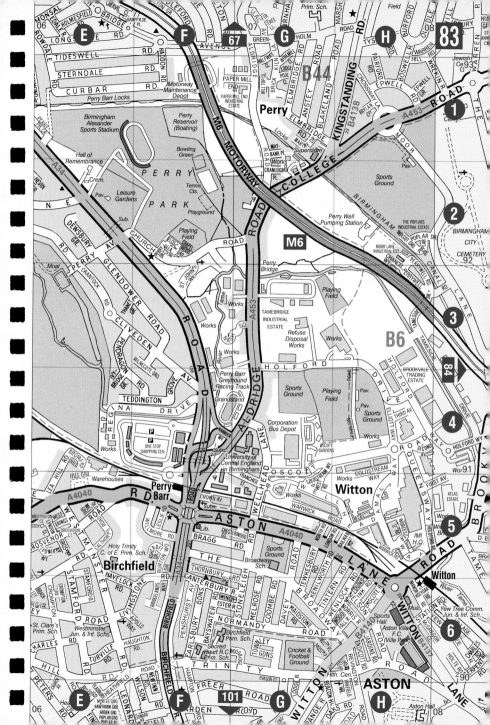

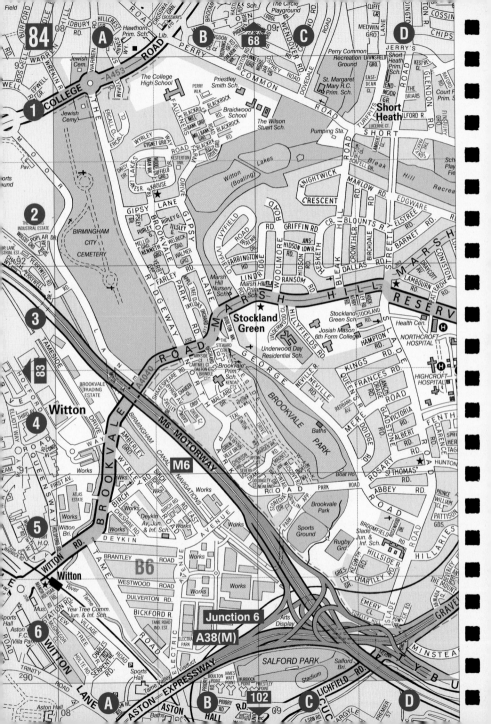

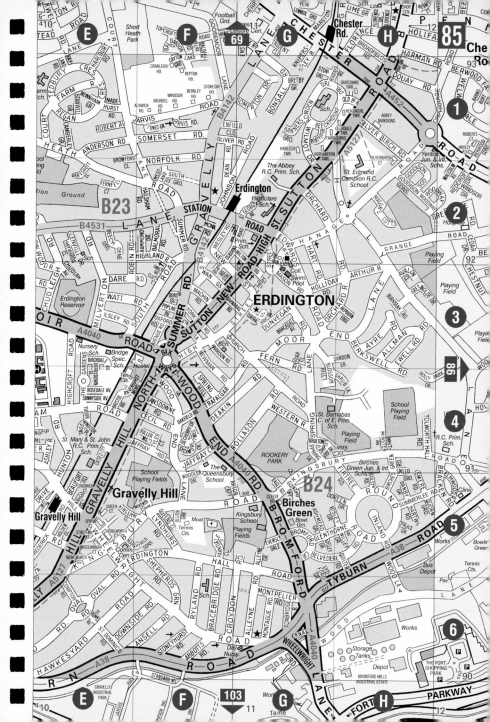

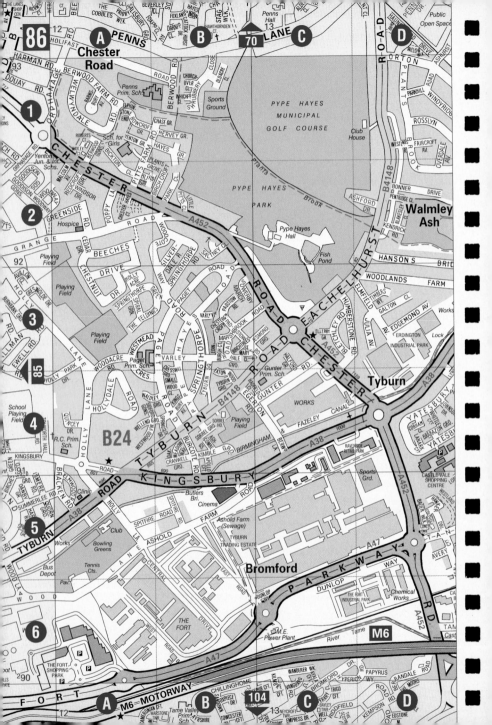

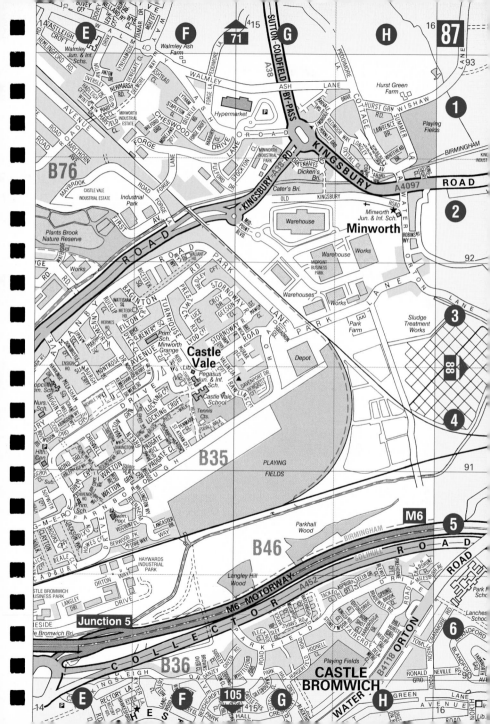

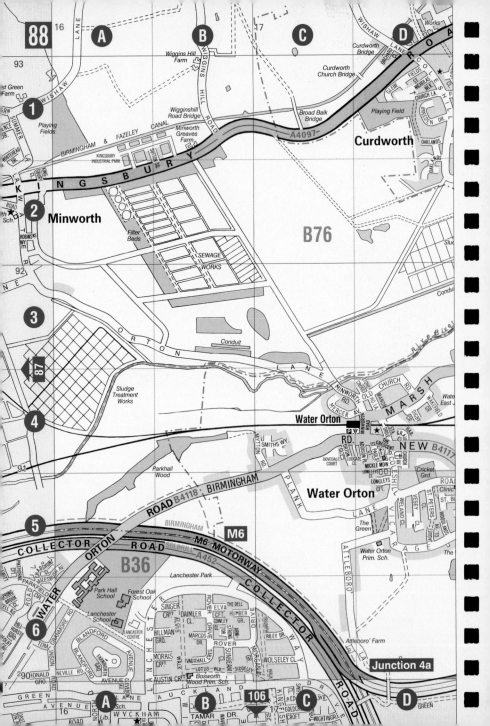

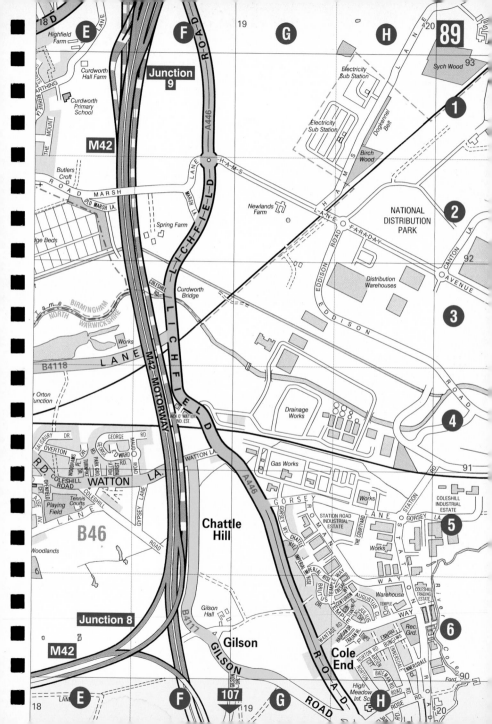

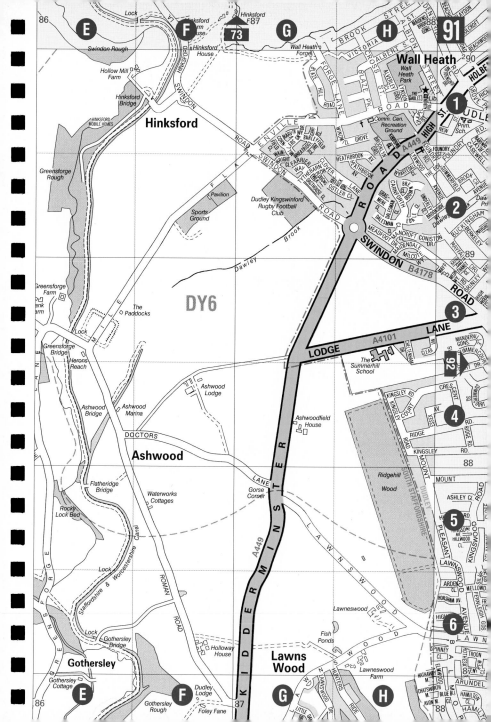

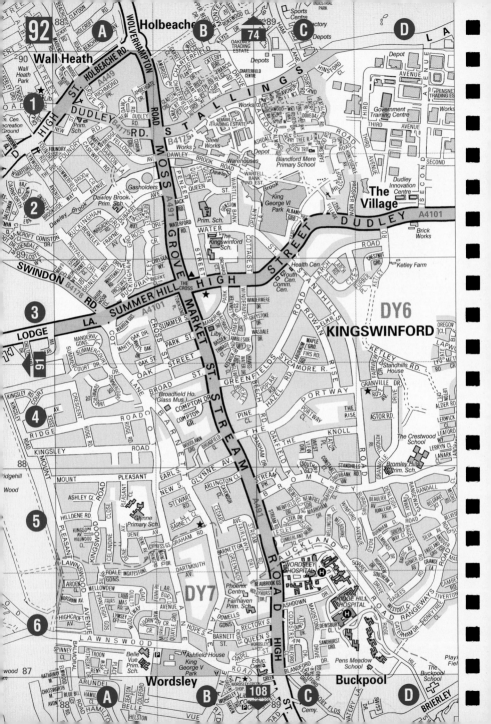

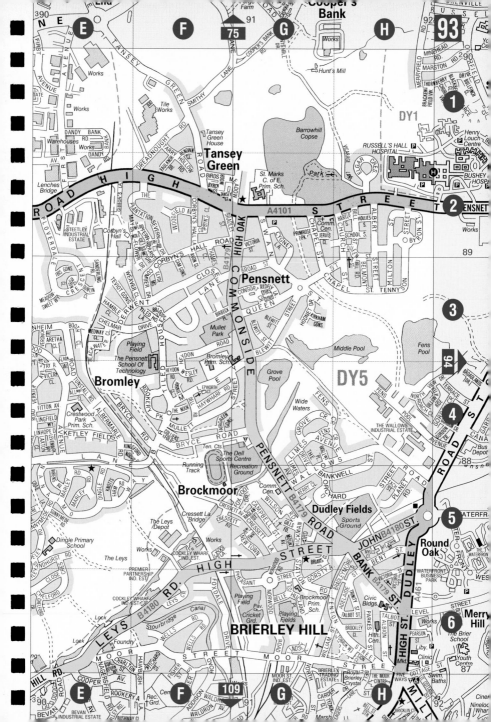

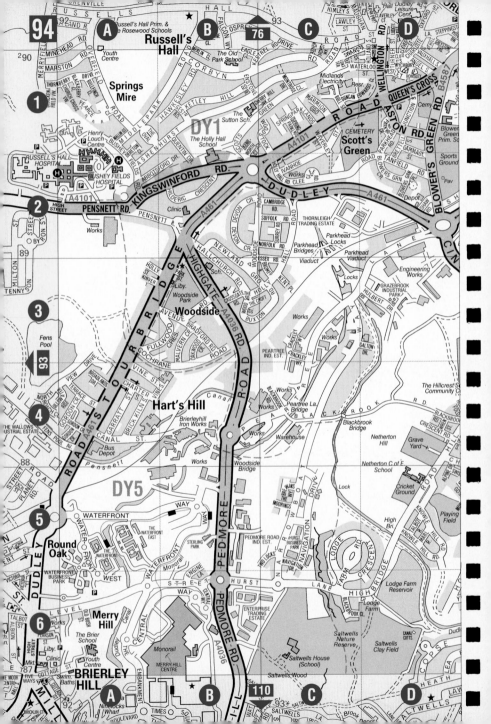

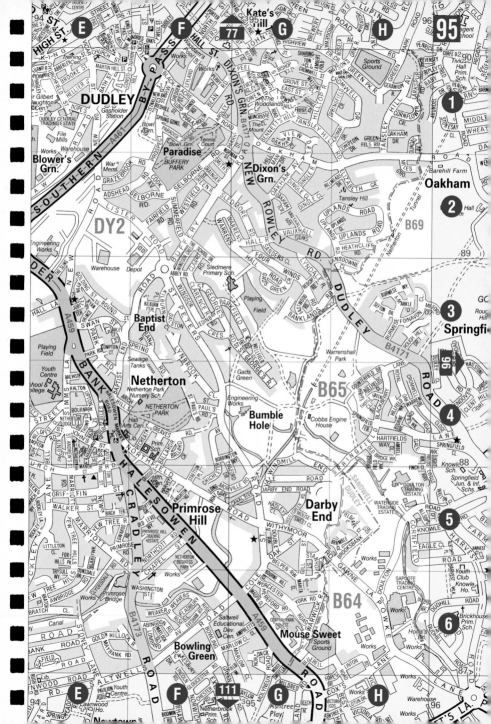

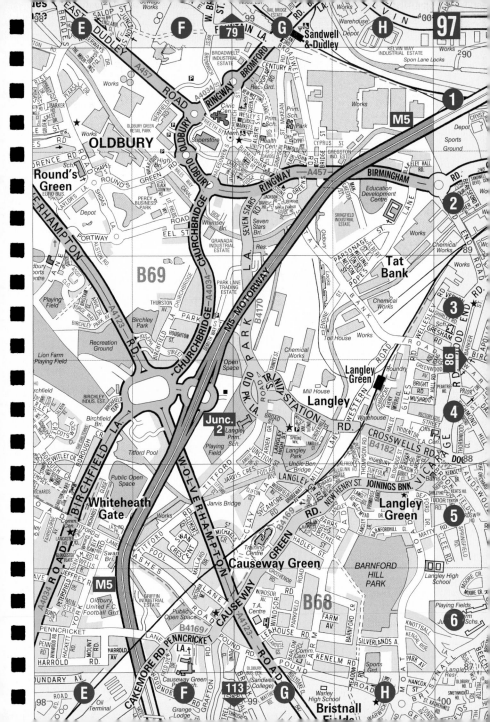

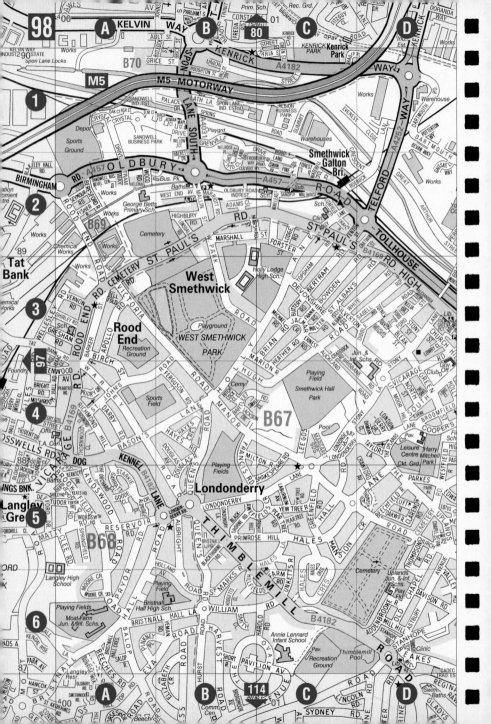

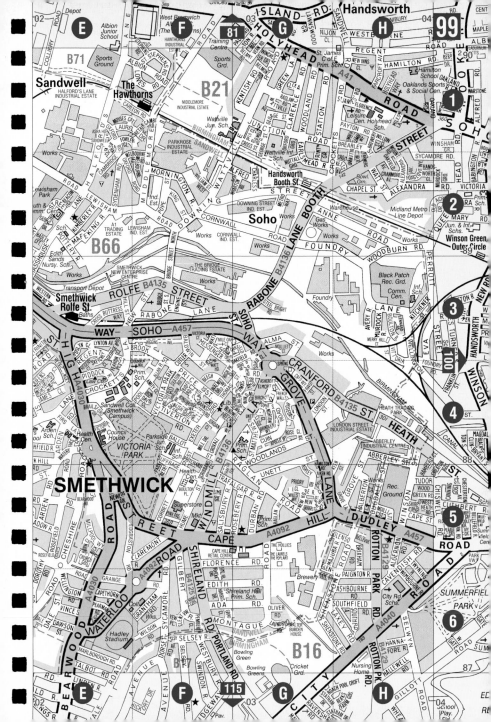

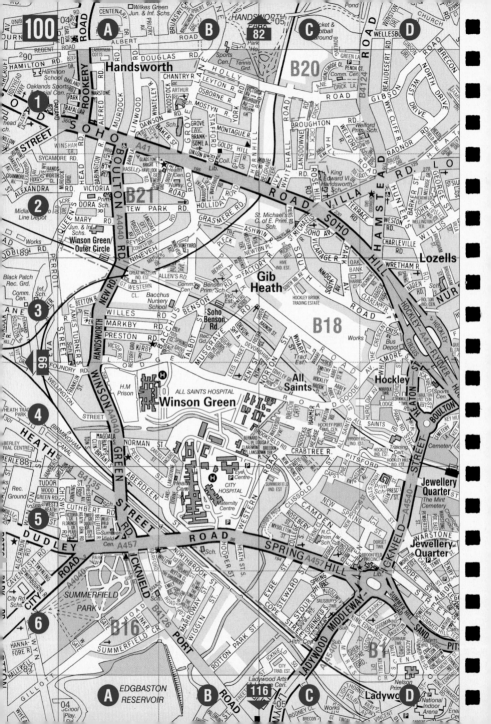

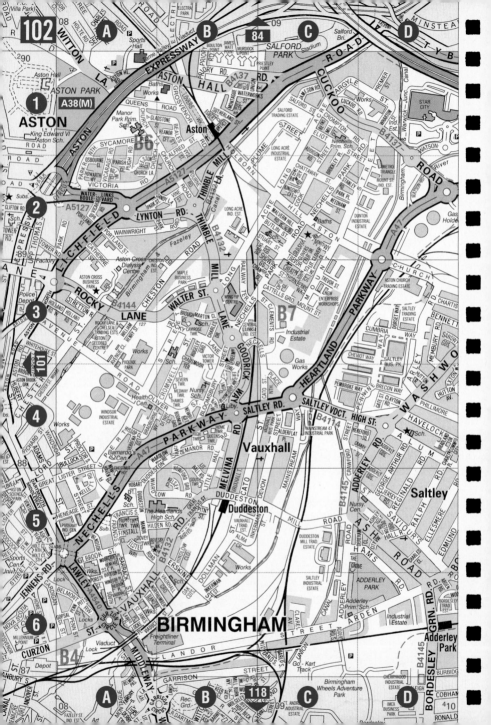

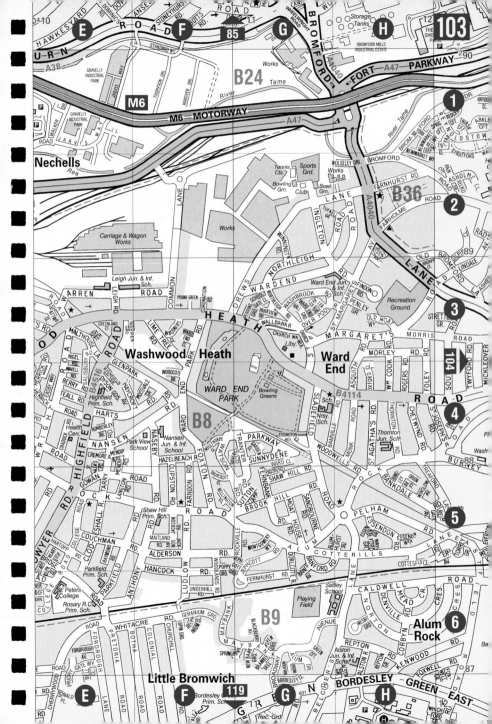

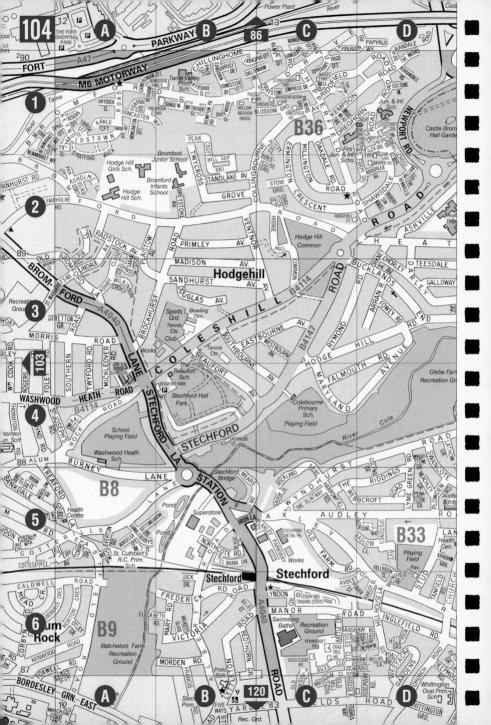

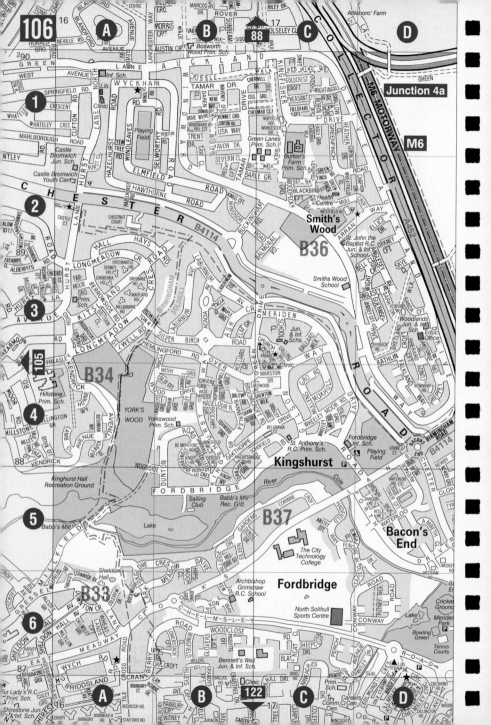

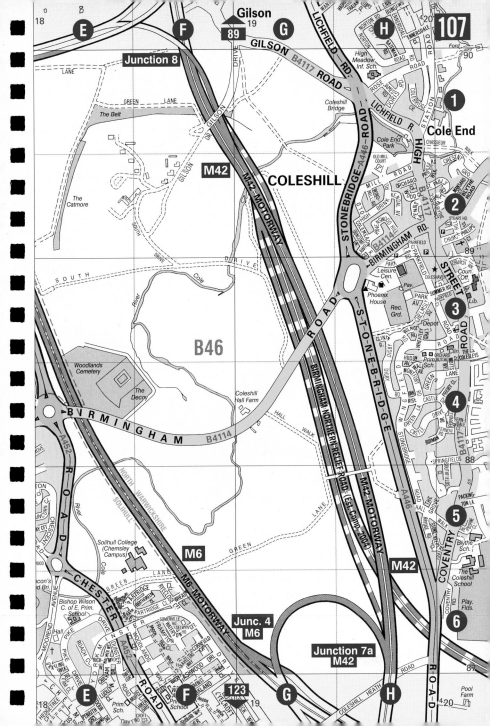

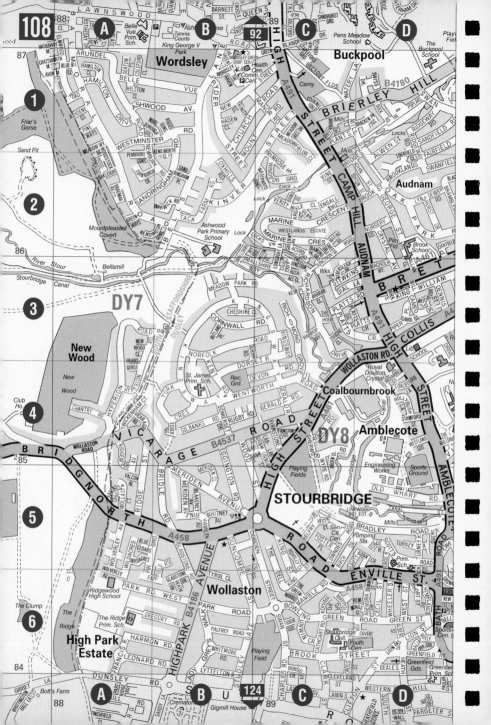

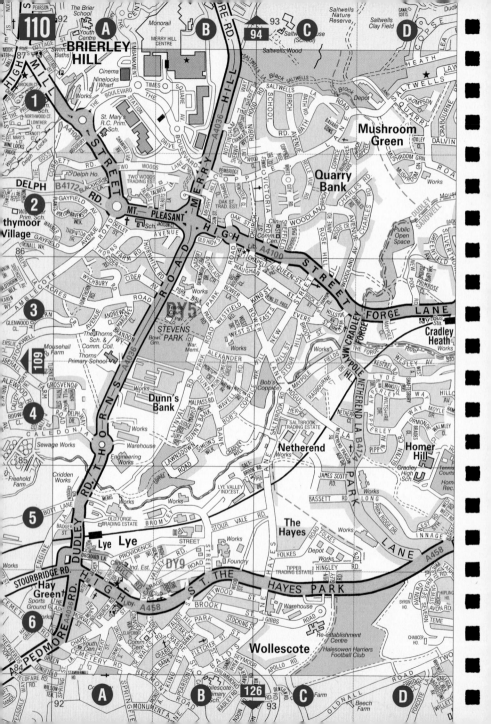

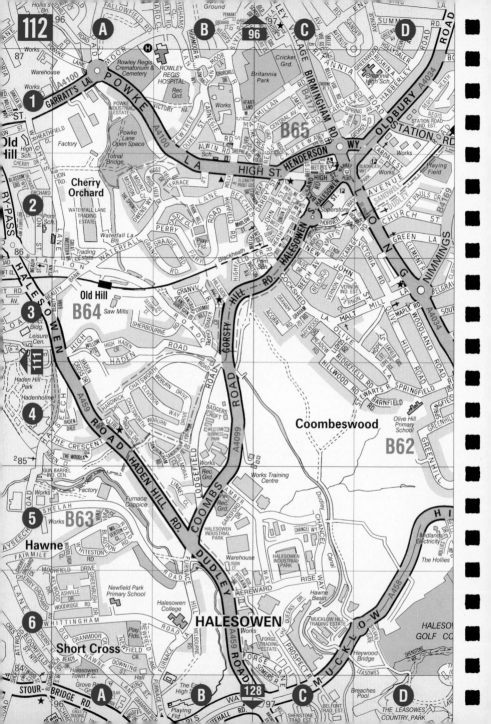

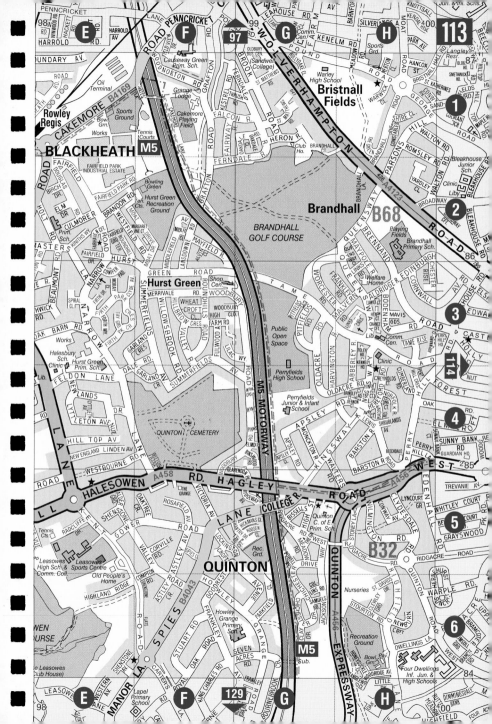

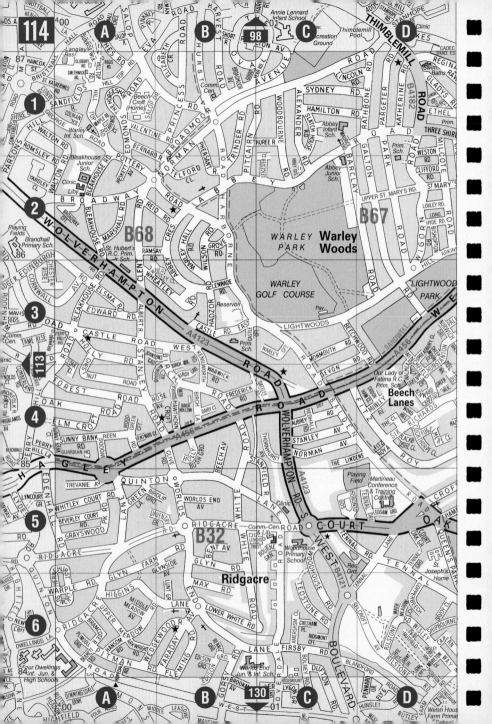

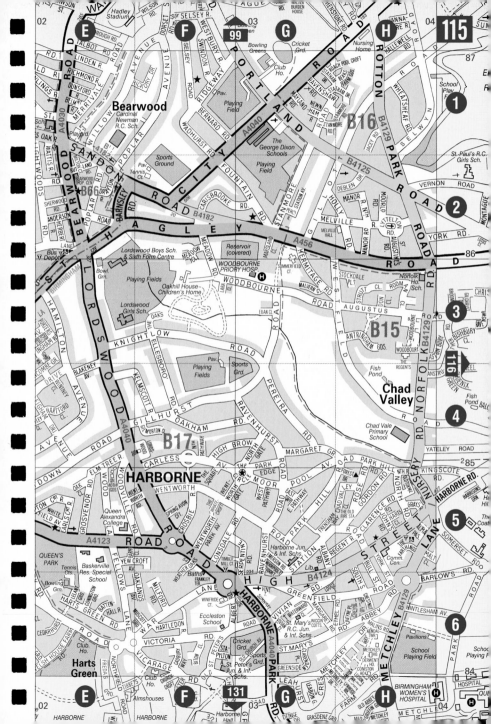

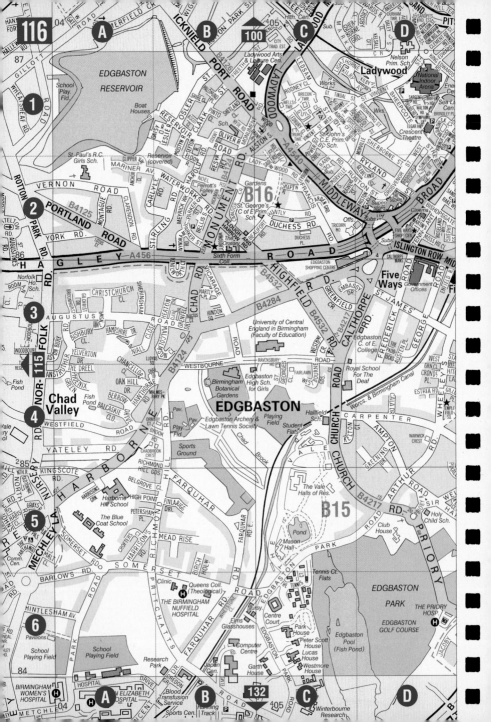

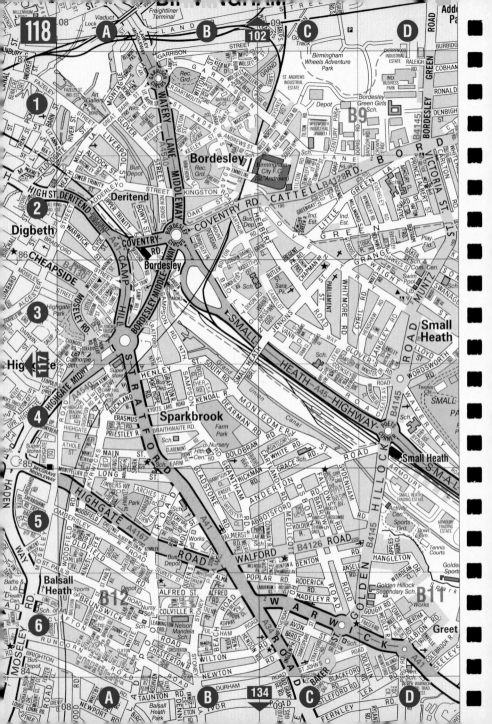

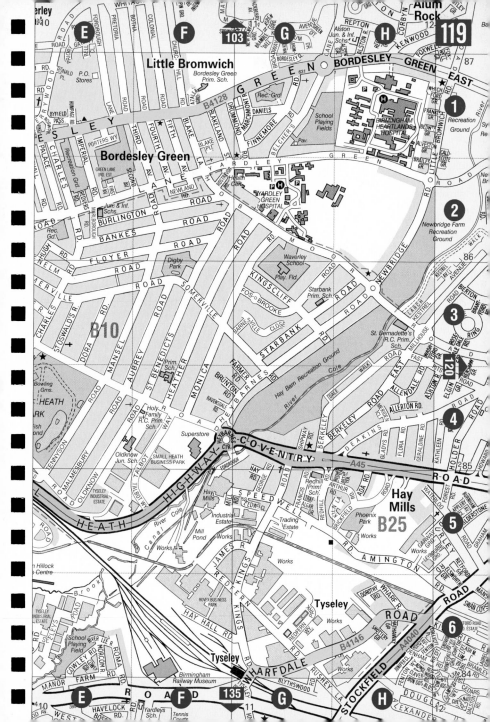

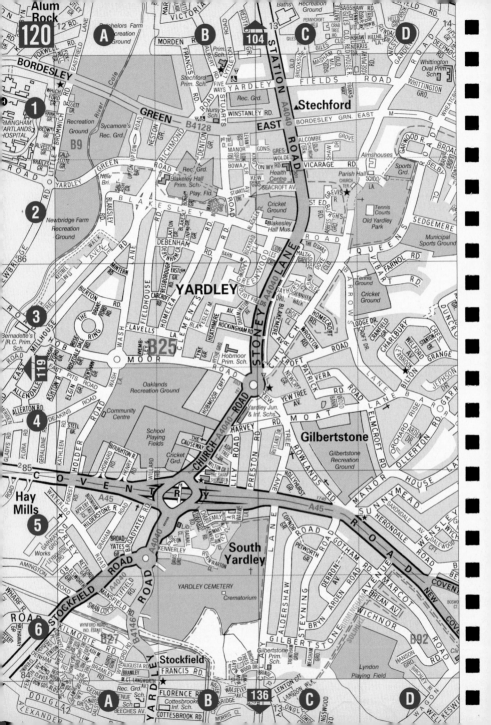

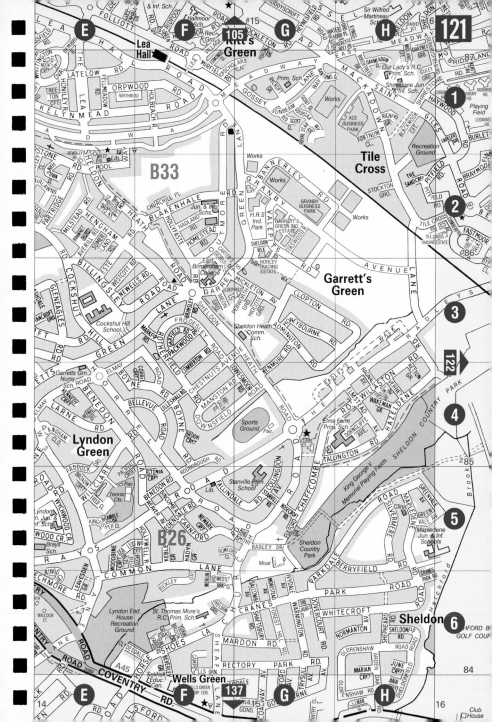

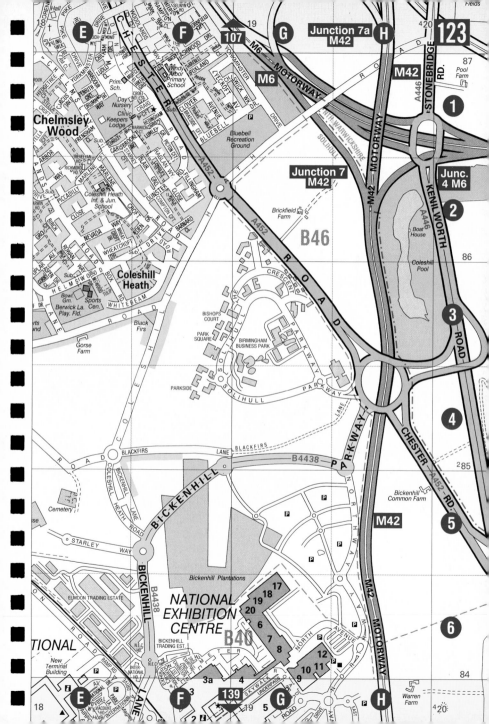

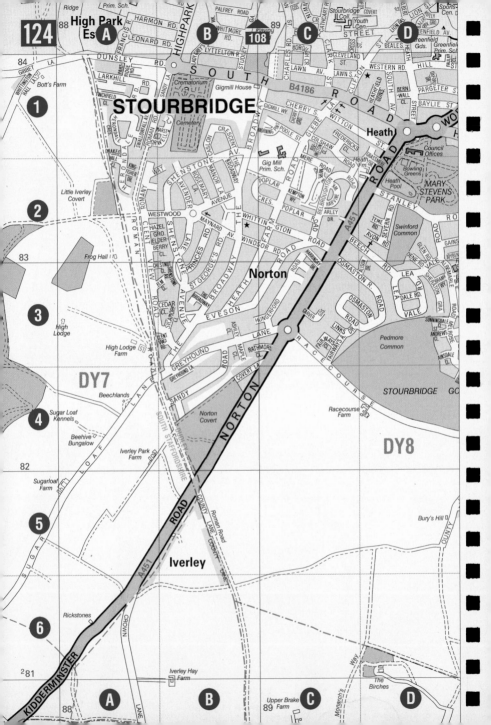

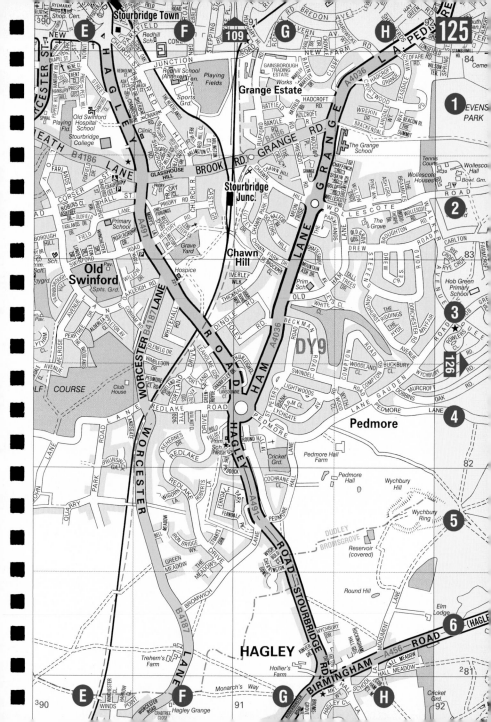

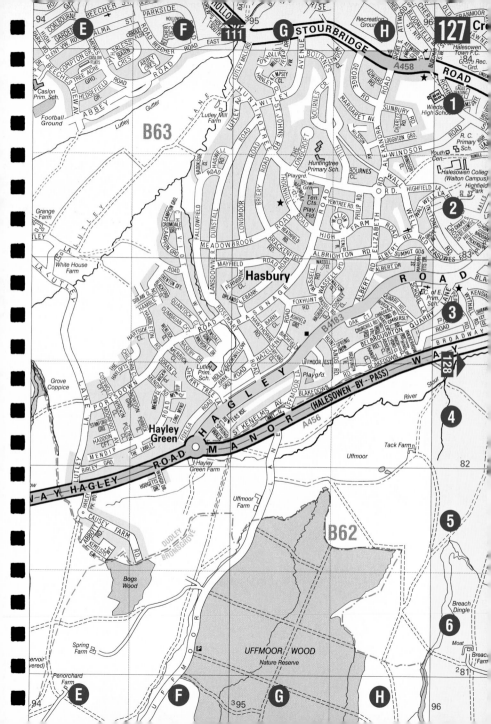

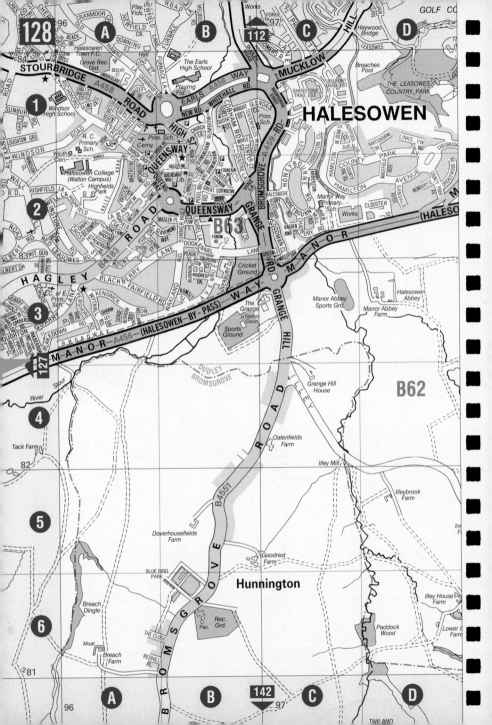

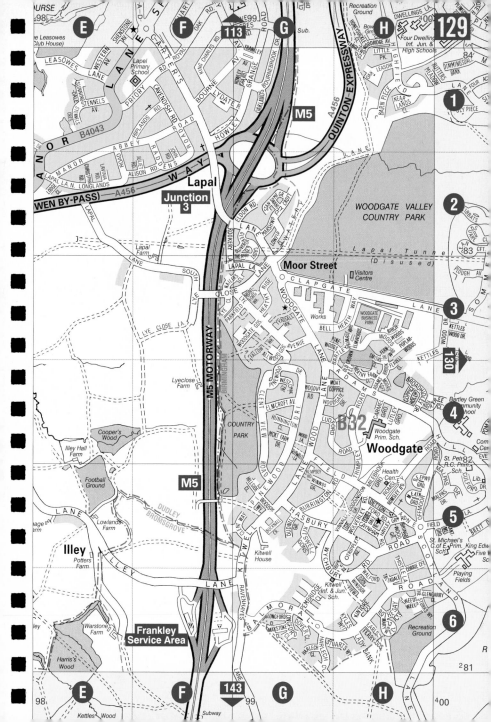

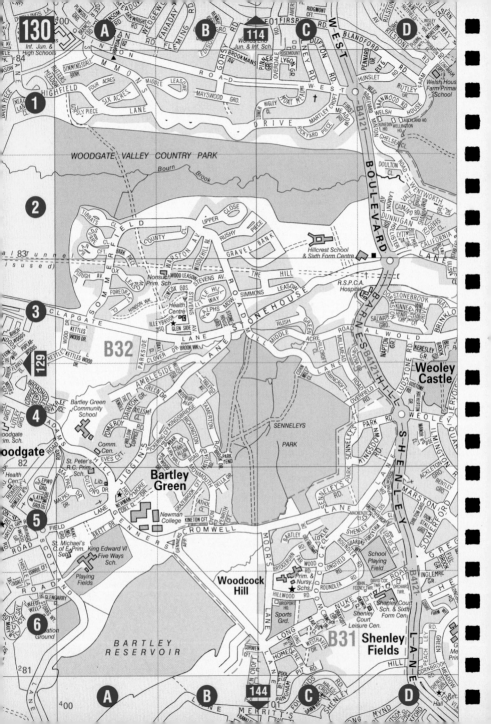

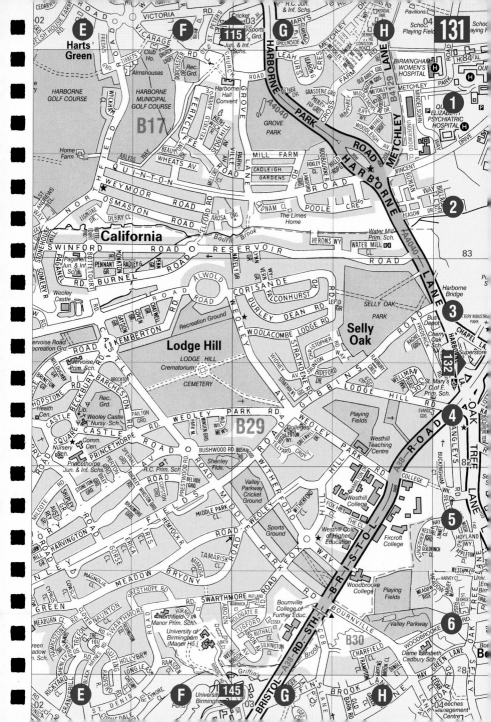

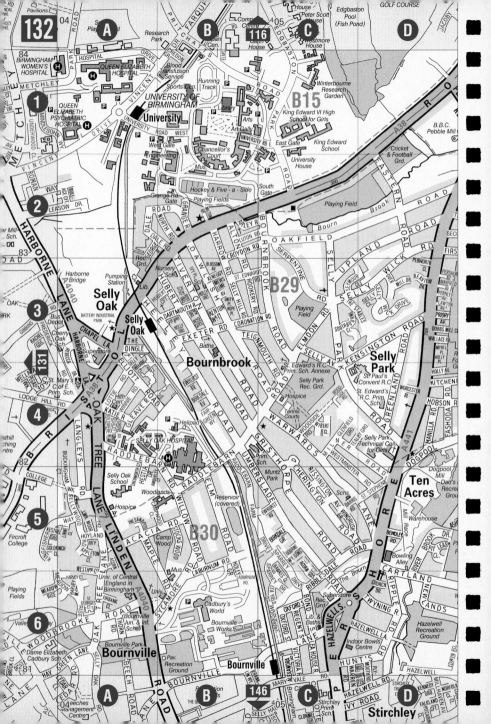

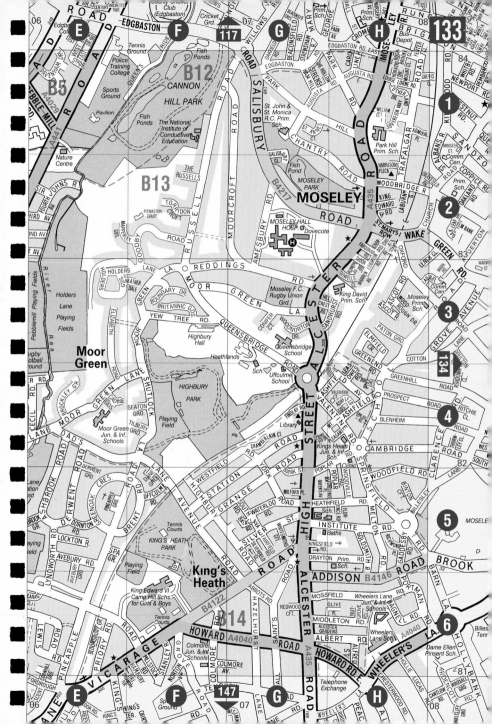

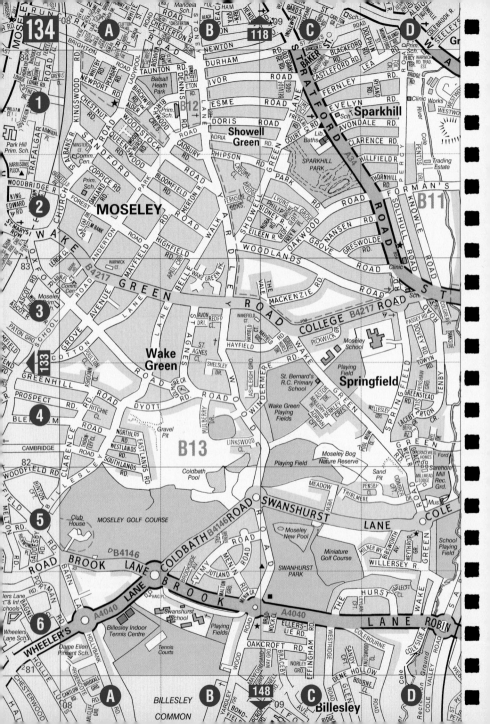

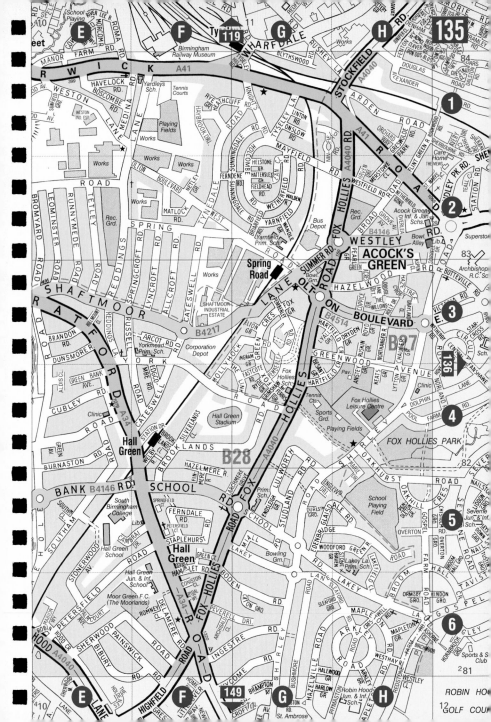

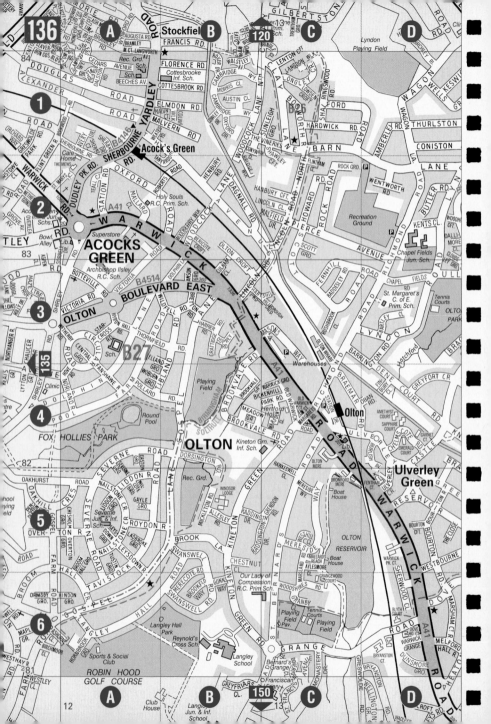

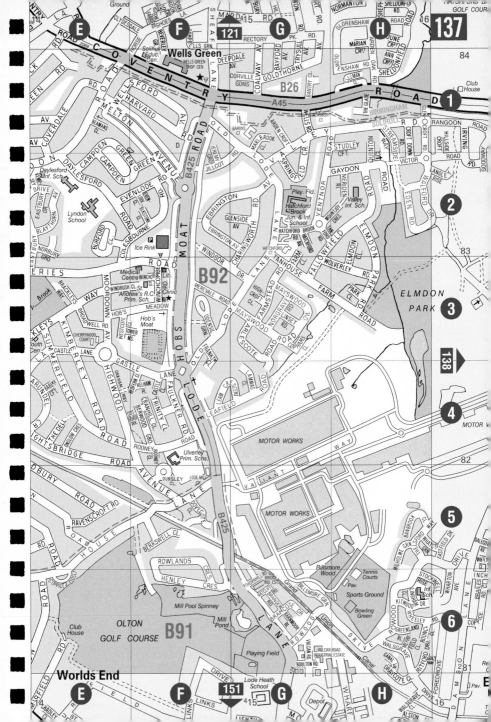

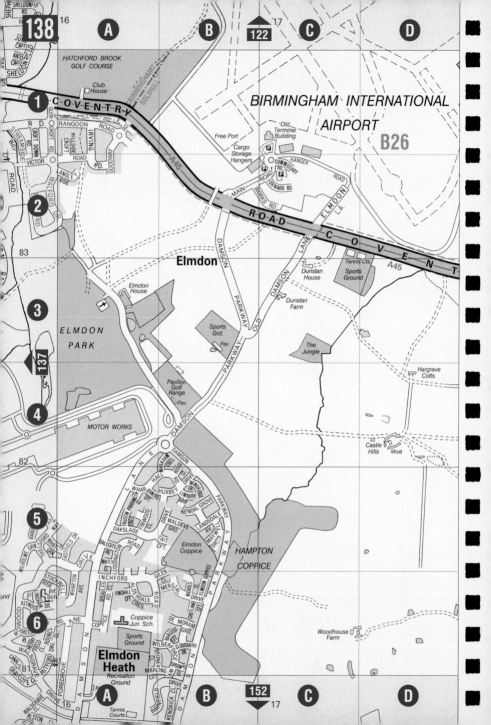

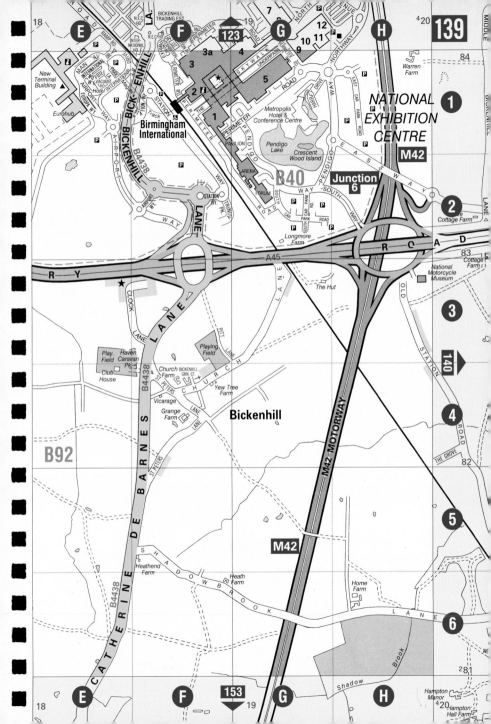

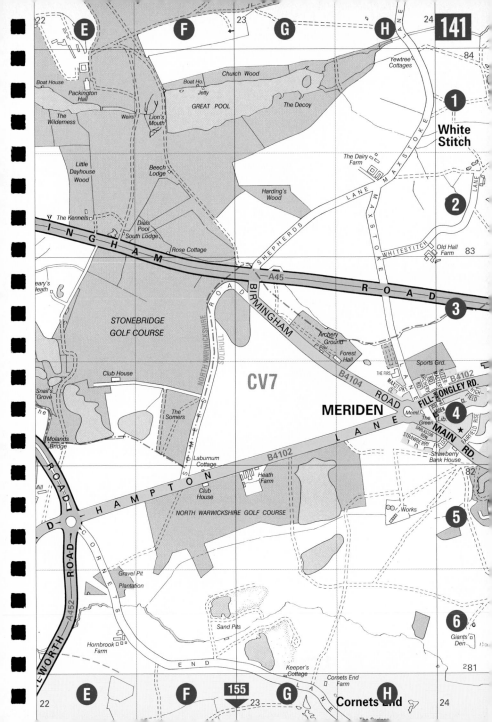

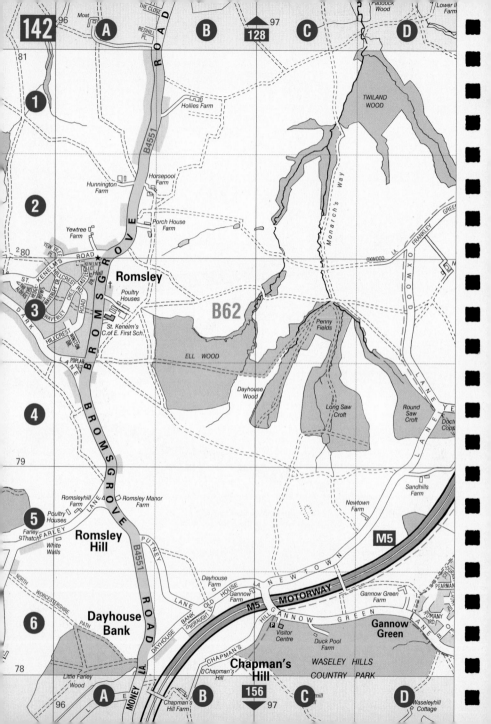

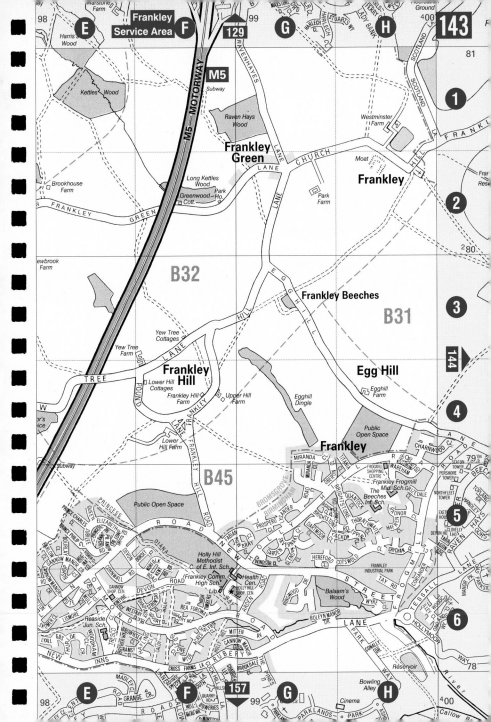

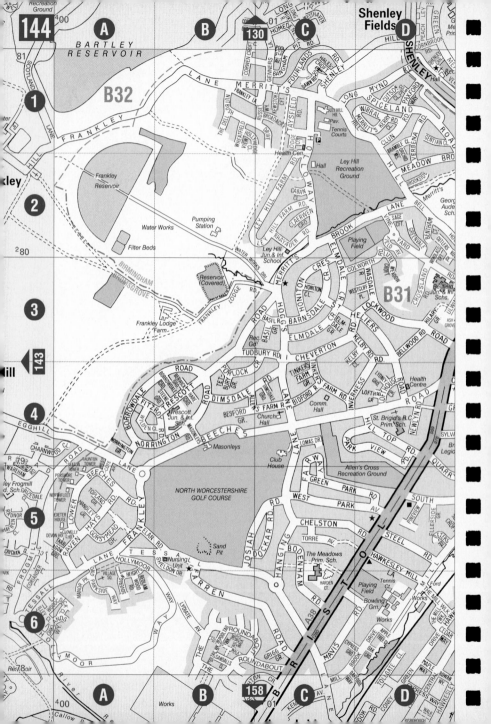

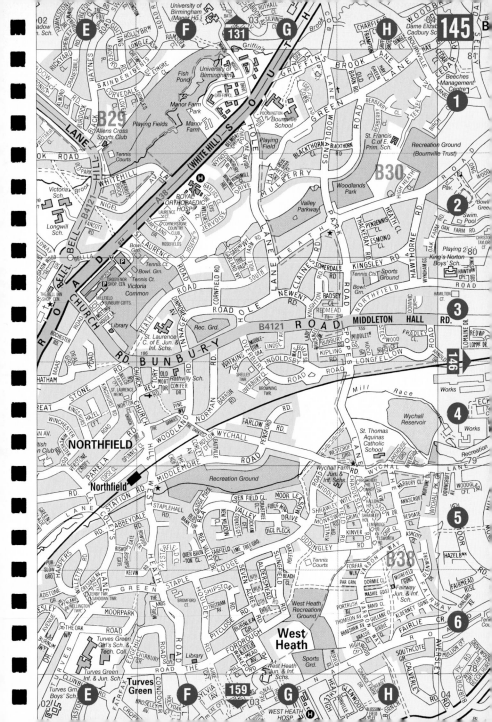

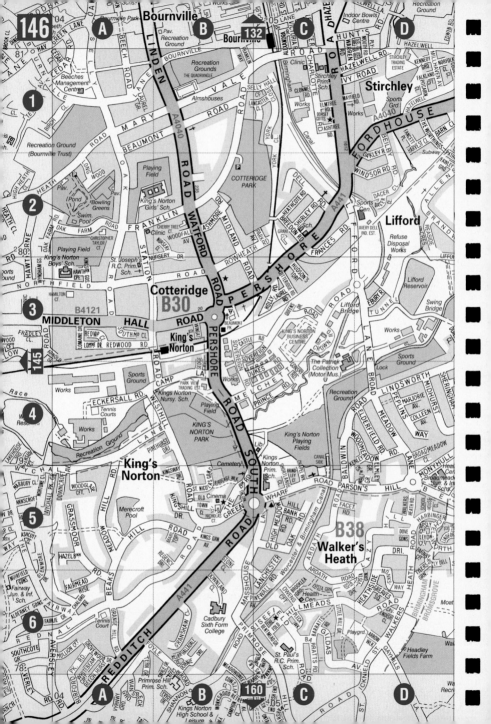

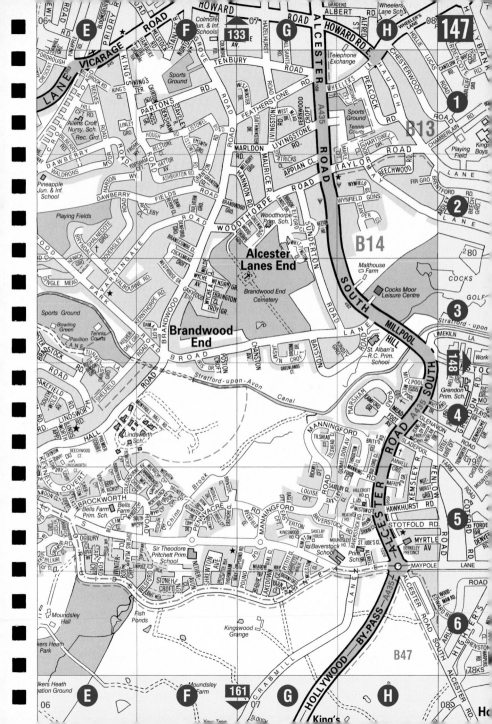

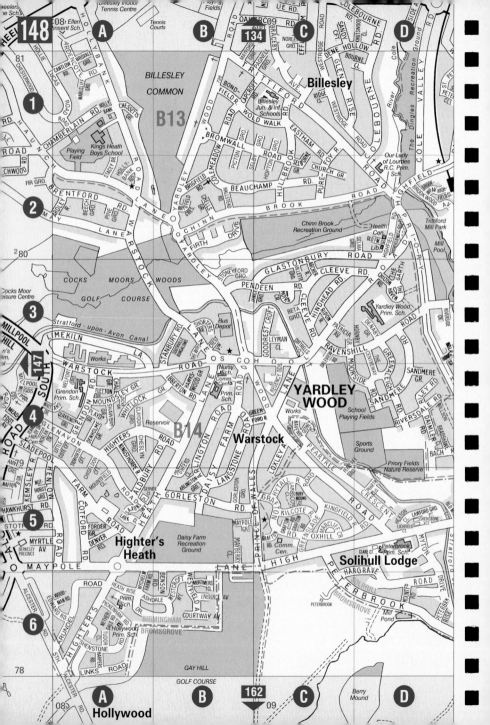

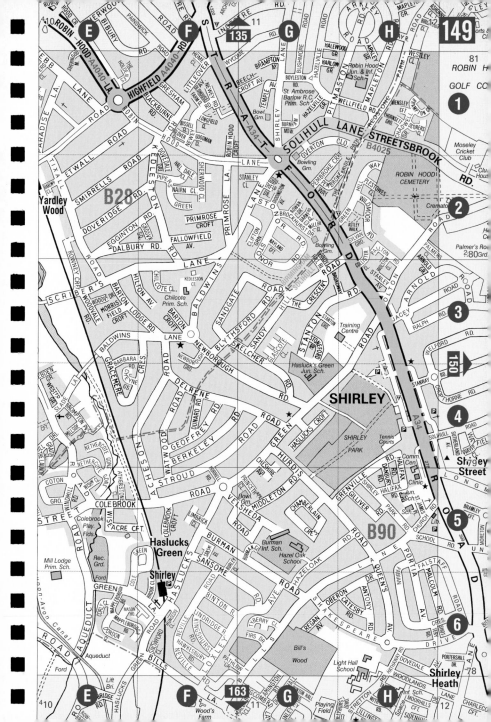

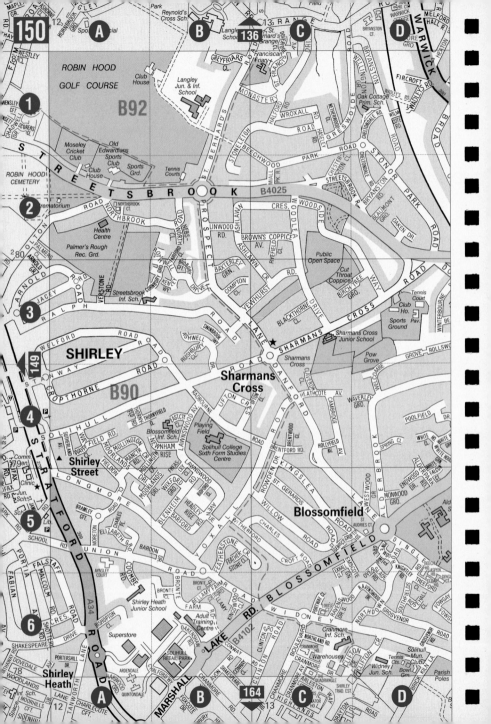

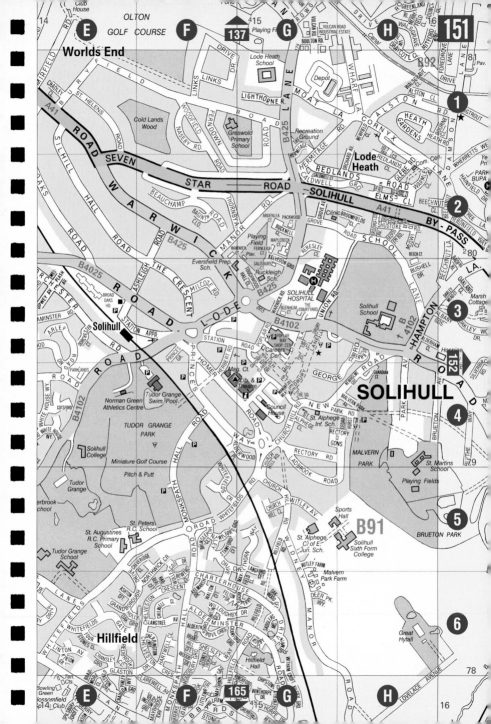

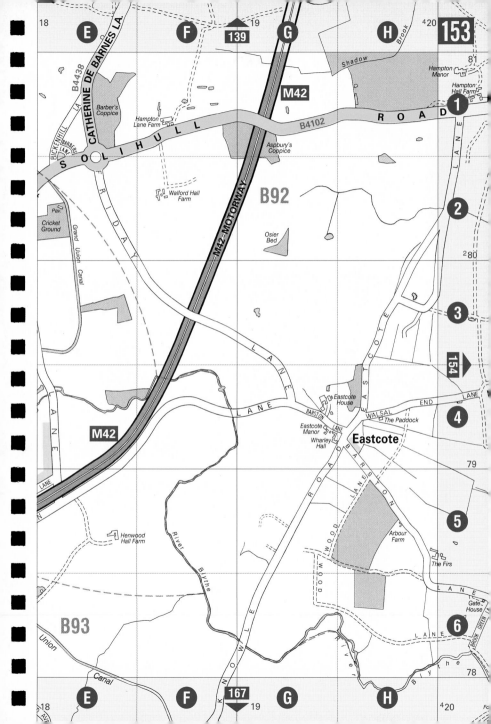

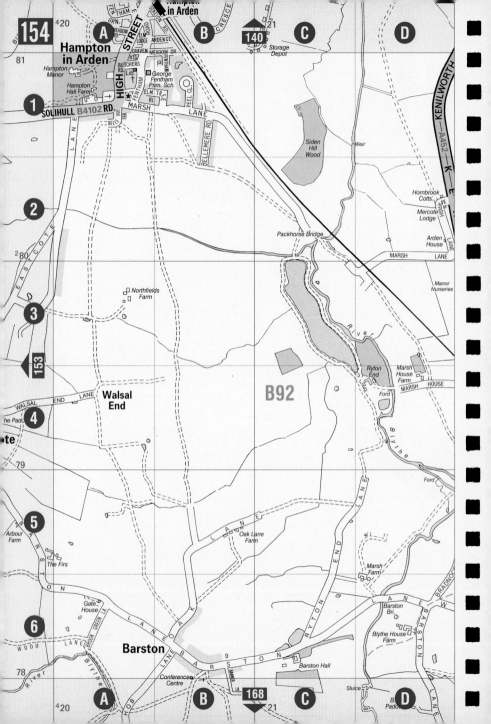

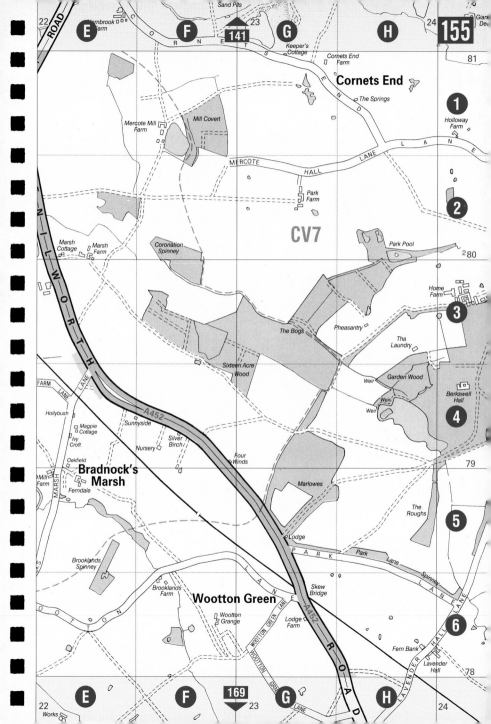

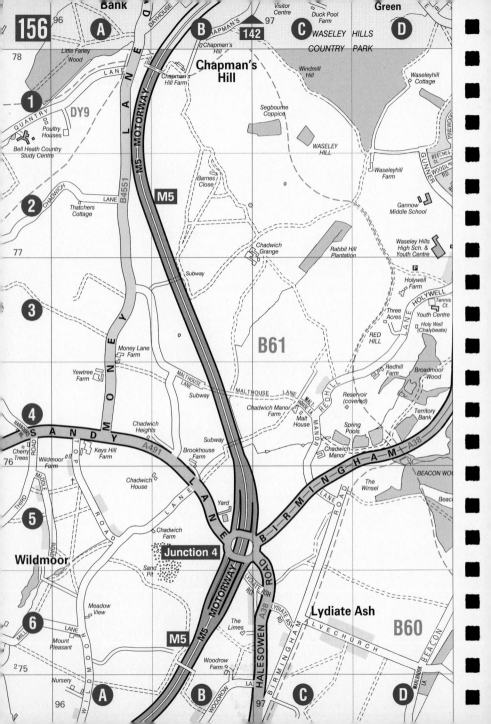

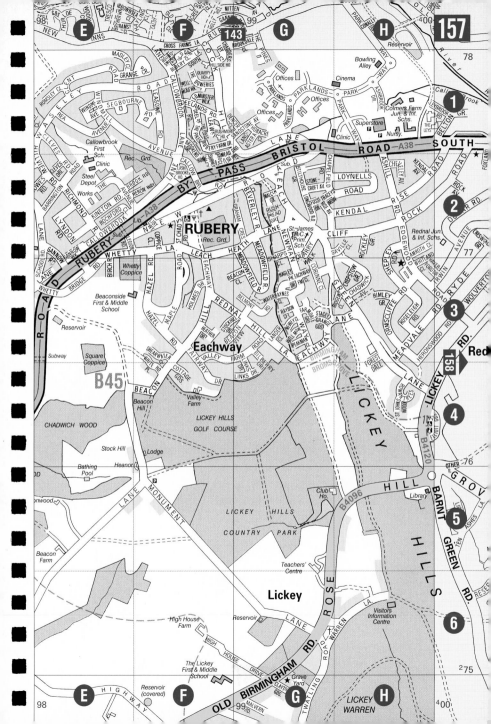

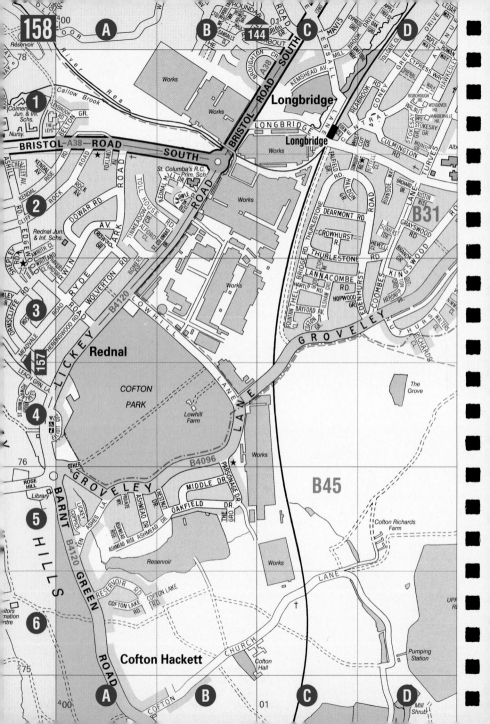

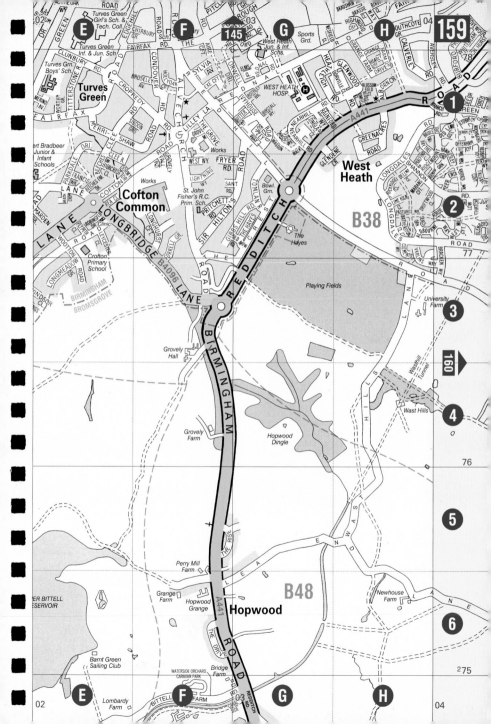

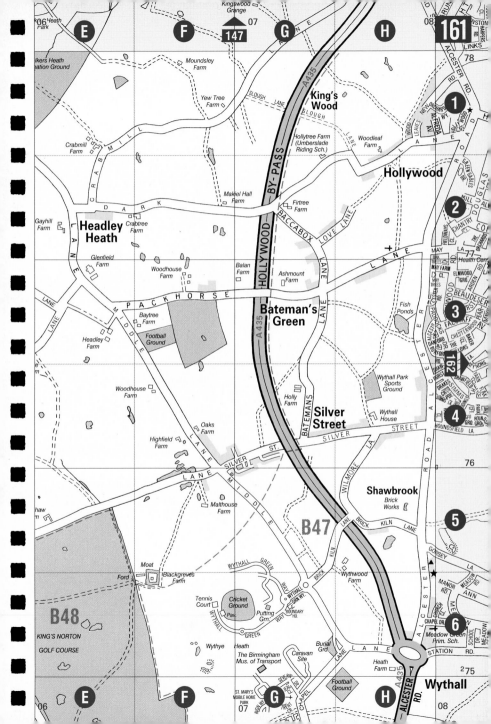

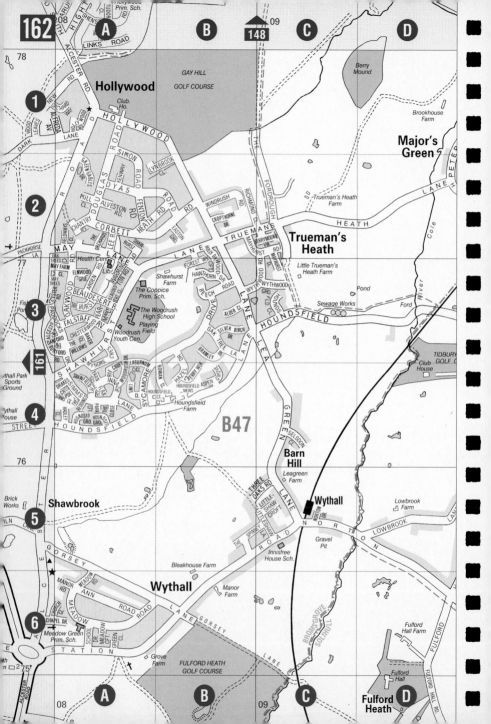

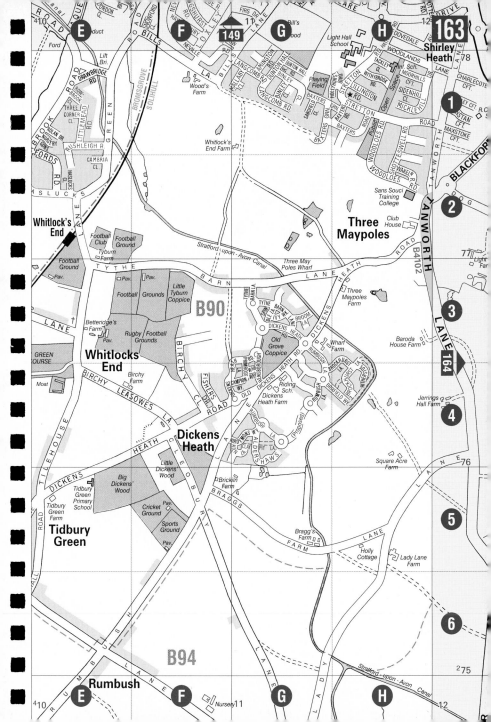

Three Maypoles

B90

Whitlocks End

Dickens Heath

Tidbury Green

Rumbush

B94

Whitlock's End

Sans Souci Training College

Club House

Three Maypoles Farm

Baroda House Farm

Jerrings Hall Farm

Wharf Farm

Square Acre Farm

Dickens Heath Farm

Old Grove Coppice

Riding Sch.

Little Tyburn Coppice

Tyburn Farm

Betteridge's Farm

Birchy Farm

Little Dickens' Wood

Big Dickens' Wood

Tidbury Green Primary School

Tidbury Green Farm

Cricket Ground

Sports Ground

Bragg's Farm

Holly Cottage

Lady Lane Farm

Bricklin Farm

Whitlock's End Farm

Wood's Farm

Bill's Wood

Light Hall School

Football Club

Football Ground

Football Ground

Rugby Football Grounds

Football Grounds

Moat

GREEN COURSE

Three May Poles Wharf

Stratford upon Avon Canal

Stratford - upon - Avon Canal

BILLS

BROMSGROVE SOLIHULL

TANWORTH

B4102

LANE 164

BLACKFORD

DOG LANE

1

2

3

4

5

6

77

76

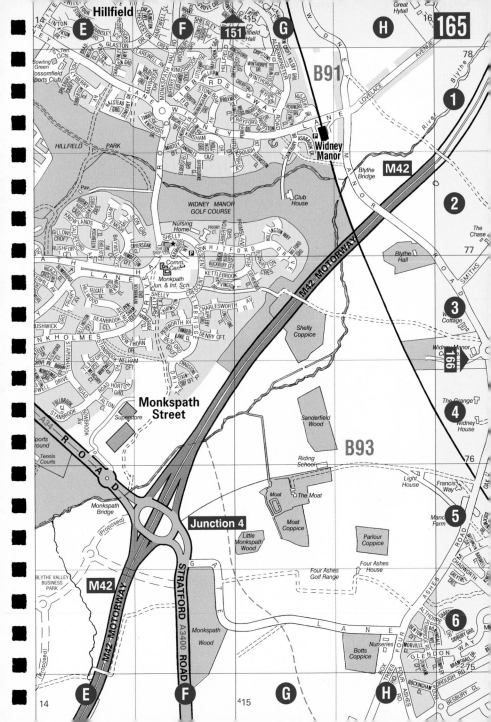

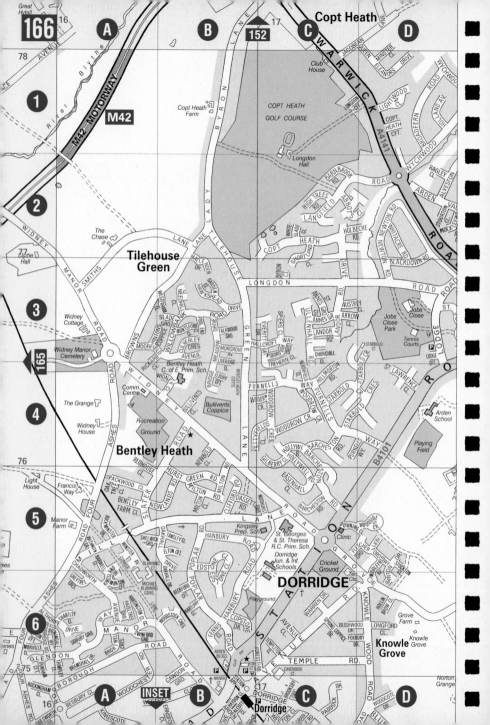

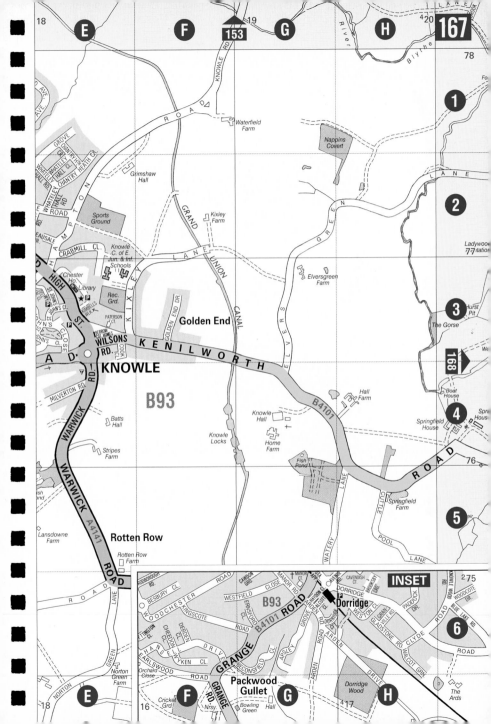

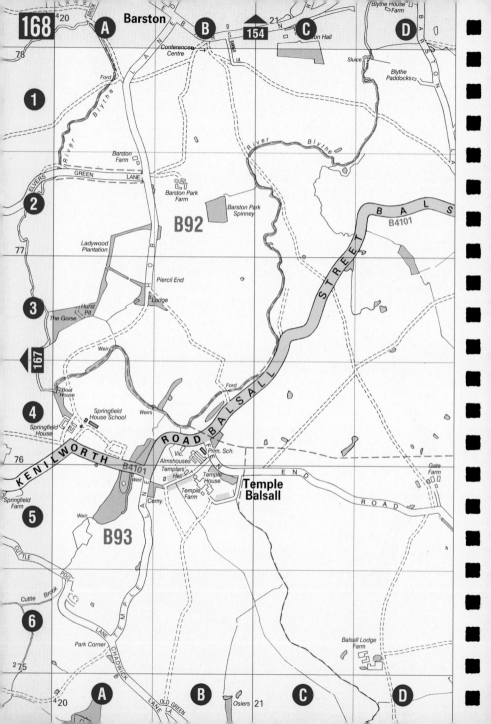

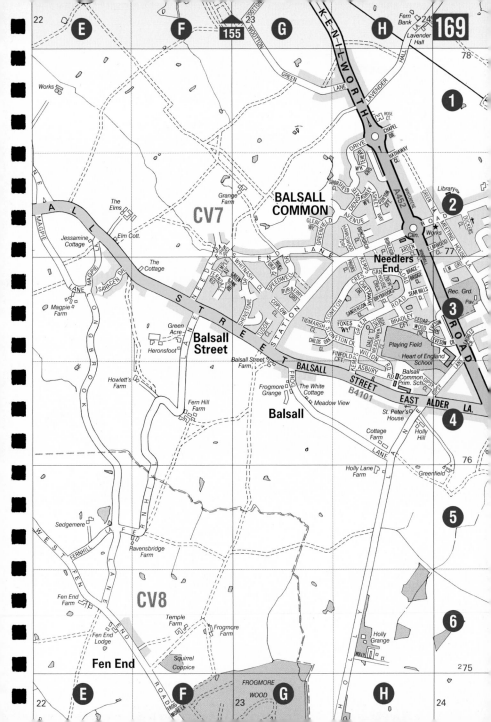

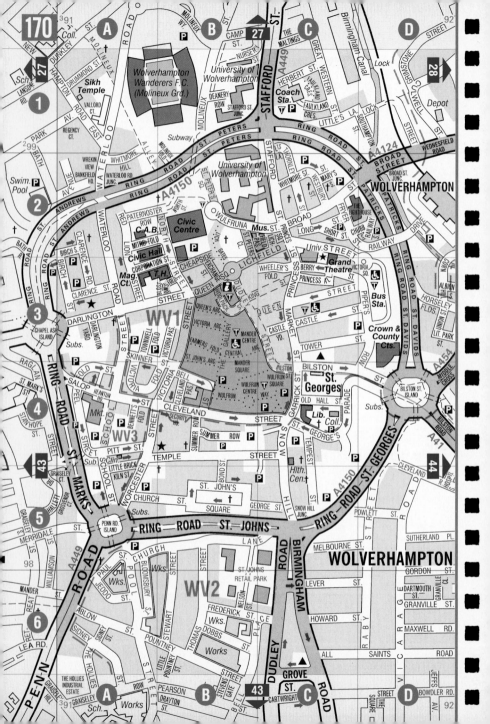

INDEX

Including Streets, Places & Areas, Industrial Estates, Selected Subsidiary Addresses
and Selected Places of Interest.

HOW TO USE THIS INDEX

1. Each street name is followed by its Postal District (or, if outside the Birmingham Postal Districts by its Posttown or
Postal Locality, and then by its map reference; e.g. Abberley Rd. *O'bry* —4H **113** is in the Oldbury Posttown and is to be
found in square 4H on page **113**. The page number being shown in bold type.
A strict alphabetical order is followed in which Av., Rd., St., etc. (though abbreviated) are read in full and as part of the street
name; e.g. Abbeydale Rd. appears after Abbey Cres. but before Abbey Dri.

2. Streets and a selection of Subsidiary names not shown on the Maps, appear in the index in *Italics* with the thoroughfare to
which it is connected shown in brackets; e.g. *Adelphi Ct. Brie H —1H 109 (off Promenade, The)*

3. Places and areas are shown in the index in **bold type**, the map reference referring to the actual map square in which the town
or area is located and not to the place name; e.g. **Acock's Green. —2H 135**

4. An example of a selected place of interest is *Aston Manor Transport Mus. —6H 83*

5. Map references shown in brackets; e.g. Albert St. *B4 & B5* —1G **117** (4F **5**) refer to entries that also appear on the large scale
pages 4, 5 and 170.

GENERAL ABBREVIATIONS

All : Alley
App : Approach
Arc : Arcade
Av : Avenue
Bk : Back
Boulevd : Boulevard
Bri : Bridge
B'way : Broadway
Bldgs : Buildings
Bus : Business
Cvn : Caravan
Cen : Centre
Chu : Church
Chyd : Churchyard
Circ : Circle
Cir : Circus
Clo : Close
Comn : Common
Cotts : Cottages

Ct : Court
Cres : Crescent
Cft : Croft
Dri : Drive
E : East
Embkmt : Embankment
Est : Estate
Fld : Field
Gdns : Gardens
Gth : Garth
Ga : Gate
Gt : Great
Grn : Green
Gro : Grove
Ho : House
Ind : Industrial
Info : Information
Junct : Junction
La : Lane

Lit : Little
Lwr : Lower
Mc : Mac
Mnr : Manor
Mans : Mansions
Mkt : Market
Mdw : Meadow
M : Mews
Mt : Mount
Mus : Museum
N : North
Pal : Palace
Pde : Parade
Pk : Park
Pas : Passage
Pl : Place
Quad : Quadrant
Res : Residential
Ri : Rise

Rd : Road
Shop : Shopping
S : South
Sq : Square
Sta : Station
St : Street
Ter : Terrace
Trad : Trading
Up : Upper
Va : Vale
Vw : View
Vs : Villas
Vis : Visitors
Wlk : Walk
W : West
Yd : Yard

POSTTOWN AND POSTAL LOCALITY ABBREVIATIONS

A Grn : Acocks Green
Alb : Albrighton
A'rdge : Aldridge
Alum R : Alum Rock
A'chu : Alvechurch
Amb : Amblecote
Aston : Aston
Bal C : Balsall Common
Bal H : Balsall Heath
B Grn : Barnt Green
Bars : Barston
Bart G : Bartley Green
Bass P : Bassetts Pole
Belb : Belbroughton
Bntly : Bentley
Ben H : Bentley Heath
Berk : Berkswell
Bick : Bickenhill
Bils : Bilston
Bstne : Bilstone
B'fld : Birchfield
Birm P : Birmingham Bus. Pk.
Birm A : Birmingham
    International Airport
B'hll : Blakenhall

Bloom : Bloomfield
Blox : Bloxwich
Bord : Bordesley
Bord G : Bordesley Green
B'brk : Bournbrook
B'vlle : Bournville
Brad : Bradley
B'mre : Bradmore
Brad M : Bradnocks Marsh
Brie H : Brierley Hill
B'frd : Brinsford
Brock : Brockmoor
Bwnhls : Brownhills
Buc E : Buckland End
Burn : Burntwood
Bush : Bushbury
Camp H : Camp Hill
Cann : Cannock
Can : Canwell
Cas B : Castle Bromwich
Cas : Castlecroft
Cas V : Castle Vale
Cath B : Catherine-de-Barnes
Cats : Catshill
Chad : Chadwich

Chase : Chasetown
Chel W : Chelmsley Wood
C Hay : Cheslyn Hay
C'bri : Churchbridge
Clay : Clayhanger
Clent : Clent
Cod : Codsall
Cod W : Codsall Wood
Col : Coleshill
Comp : Compton
Cong E : Congreaves Trad. Est.
Cose : Coseley
Coven : Coven
Cov H : Coven Heath
Crad H : Cradley Heath
Curd : Curdworth
Darl : Darlaston
Der : Deritend
Dorr : Dorridge
Dray B : Drayton Bassett
Dud : Dudley
Dud P : Dudley Port
Earls : Earlswood
Edg : Edgbaston
Elmd : Elmdon

Env : Enville
Erd : Erdington
Ess : Essington
E'shll : Ettingshall
E'shll P : Ettingshall Park
Fall P : Fallings Park
F'stne : Featherstone
Finc : Finchfield
Foot : Footherley
F'bri : Fordbridge
F'hses : Fordhouses
Four O : Four Oaks
Fran : Frankley
Fren W : French Walls
G Hill : Golds Hill
Gold P : Goldthorn Park
Gorn W : Gornal Wood
Gt Barr : Great Barr
Gt Bri : Great Bridge
Gt Wyr : Great Wyrley
Greet : Greet
Hag : Hagley
Hale : Halesowen
Hall G : Hall Green
Hamm : Hammerwich

Posttown and Postal Locality Abbreviations

Hamp I : Hampstead Ind. Est.
H Ard : Hampton-in-Arden
Hand : Handsworth
Harb : Harborne
Hasb : Hasbury
Hay G : Hayley Green
Hth T : Heath Town
Hill T : Hill Top
Hltn : Hilton
Himl : Himley
Hints : Hints
Hock : Hockley
H'ley H : Hockley Heath
Holf : Holford
H'wd : Hollywood
Hunn : Hunnington
Hurst B : Hurst Bus. Pk.
H Grn : Hurst Green
Ism : Ismere
I'ley : Iverley (Kidderminster)
Iver : Iverley (Stourbridge)
Ken : Kenilworth
K Hth : Kings Heath
K'hrst : Kingshurst
K Nor : Kings Norton
K'sdng : Kingstanding
K'wfrd : Kingswinford
Kinv : Kinver
Kitts G : Kitts Green
Know : Knowle
Lady : Ladywood
Lane : Lanesfield
Lapw : Lapworth
Lea M : Lea Marston
Lich : Lichfield
L End : Lickey End
Lit A : Little Aston
Lwr G : Lower Gornal
Lwr P : Lower Penn
Loz : Lozells
L Ash : Lydiate Ash

Lye : Lye
Lyng : Lyng
Lynn : Lynn
Maney : Maney
Marl : Marlbrook
Mars : Marston
Mars G : Marston Green
May : Maypole
Mer : Meriden
Mer H : Merry Hill
Midd I : Middlemore Ind. Est.
(Birmingham)
Mid I : Middlemore Ind. Est.
(Smethwick)
Midd : Middleton
Min : Minworth
Mose : Moseley
Mose V : Moseley Village
Mox : Moxley
Nech : Nechells
Neth : Netherton
N'bri : Newbridge
New O : New Oscott
New S : New Shires Ind. Est.
N'fld : Northfield
Nort C : Norton Canes
Oaken : Oaken
Ock H : Ocker Hill
O'bry : Oldbury
Oxl : Oxley
P'flds : Parkfields
Park V : Park Village
Patt : Pattingham
Pels : Pelsall
Pend : Pendeford
Penn : Penn
Penn F : Penn Fields
Pens : Pensnett
Pens T : Pensnett Trad. Est.
P Barr : Perry Barr
Pert : Perton

Prem B : Premier Bus. Pk.
P End : Princes End
Quar B : Quarry Bank
Quin : Quinton
Redn : Rednal
Rom : Romsley
Row R : Rowley Regis
Row V : Rowley Village
Rus : Rushall
Salt : Saltley
San : Sandwell
Sed : Sedgley
Seis : Seisdon
S Oak : Selly Oak
S Park : Selly Park
S End : Shard End
Share : Shareshill
Sheld : Sheldon
Shelf : Shelfield
Shen W : Shenstone Wood
End
Shir : Shirley
Small H : Small Heath
Smeth : Smethwick
Sol : Solihull
S'brk : Sparkbrook
S'hll : Sparkhill
Spring : Springhill
Stech : Stechford
Stir : Stirchley
Stock G : Stockland Green
Ston : Stonnall
Stourb : Stourbridge
Stow H : Stow Heath
S'tly : Streetly
S Cold : Sutton Coldfield
Swan V : Swan Village
Swind : Swindon
Tett : Tettenhall
Tett W : Tettenhall Wood
Tid G : Tidbury Green

Tip : Tipton
Tiv : Tividale
Tres : Trescott
Try : Trysull
Tys : Tyseley
Up Gor : Upper Gornal
Vaux : Vauxhall
W Hth : Wall Heath
Wals : Walsall
Wals W : Walsall Wood
W End : Ward End
Wash H : Washwood Heath
Wat O : Water Orton
W'bry : Wednesbury
Wed : Wednesfield
W Cas : Weoley Castle
Wergs : Wergs
W Brom : West Bromwich
Westc : Westcroft
Wtgtn : Whittington
Wild : Wildmoor
W'hall : Willenhall
Win G : Winson Green
Wis : Wishaw
Witt : Witton
Woll : Wollaston
W'cte : Wollescote
Wolv : Wolverhampton
Wom : Wombourne
Woodc : Woodcross
W'gte : Woodgate
Woods : Woodsetton
Word : Wordsley
W Grn : Wylde Green
Wyt : Wythall
Yard : Yardley
Yard W : Yardley Wood
Yew T : Yew Tree Est.

INDEX

Aaron Manby Ct. *P End*
—5H **61**
Abberley Clo. *Hale* —3H **127**
Abberley Ind. Est. *Smeth*
—4H **99**
Abberley Rd. *Dud* —3G **75**
Abberley Rd. *O'bry* —4H **113**
Abberley St. *Dud* —1E **95**
Abberley St. *Smeth* —4H **99**
Abberton Clo. *Hale* —2C **128**
Abberton Gro. *Shir* —2F **165**
Abbess Gro. *B25* —2C **120**
Abbey Clo. *Sol* —2H **151**
Abbey Ct. *O'bry* —5H **97**
Abbey Cres. *Hale* —1F **127**
Abbey Cres. *O'bry* —3B **114**
Abbeydale Rd. *B31* —5E **145**
Abbey Dri. *Wals* —2E **21**
Abbeyfield Rd. *B23* —6D **68**
Abbeyfield Rd. *Wolv* —3A **16**
Abbey Gdns. *Smeth* —2C **114**
Abbey Mans. *Erd* —1H **85**
Abbey Rd. *Dud* —3F **95**
Abbey Rd. *Erd* —5D **84**
Abbey Rd. *Gorn W* —4G **75**
Abbey Rd. *Hale* —1E **127**
Abbey Rd. *Harb* —6H **115**
Abbey Rd. *Smeth* —2B **114**
Abbey Sq. *Wals* —5E **19**
Abbey St. *B18* —4C **100**
Abbey St. *Dud* —4G **75**

Abbey St. N. *B18* —4C **100**
Abbots Clo. *Know* —2C **166**
Abbots Clo. *Wals* —3G **33**
Abbotsford Av. *B43* —3B **66**
Abbotsford Dri. *Dud* —2A **94**
Abbotsford Rd. *B11* —5C **118**
Abbots Rd. *B14* —6G **133**
Abbots Way. *B18* —3D **100**
Abbots Way. *Wolv* —2C **42**
Abbott Rd. *Hale* —5E **127**
Abbotts M. *Brie H* —2H **109**
Abbotts Pl. *Wals* —6B **20**
Abbotts Rd. *B24* —6F **85**
Abbotts St. *Wals* —5B **20**
Abdon Av. *B29* —6F **131**
Aberdeen St. *B18* —5A **100**
Aberford Clo. *W'hall* —5D **30**
Abigails Clo. *B26* —4F **121**
Abingdon Clo. *Wolv* —1D **44**
Abingdon Rd. *B23* —6B **68**
Abingdon Rd. *Dud* —6F **95**
Abingdon Rd. *Wals* —5F **19**
Abingdon Rd. *Wolv* —1D **44**
Abingdon Way. *B35* —4E **87**
Abingdon Way. *Wals* —5F **19**
Ablewell St. *Wals* —2D **48**
Ablow St. *Wolv*
—3G **43** (6A **170**)
Abney Dri. *Bils* —4G **60**
Abney Gro. *B44* —3B **68**
Aboyne Clo. *B5* —5F **117**

Acacia Av. *B37* —3B **106**
Acacia Av. *Wals* —1E **65**
Acacia Clo. *B37* —3B **106**
Acacia Clo. *Dud* —4C **76**
Acacia Clo. *Tiv* —5B **78**
Acacia Cres. *Cod* —3H **13**
Acacia Dri. *Bils* —6C **60**
Acacia Rd. *B30* —5A **132**
Acacia Ter. *B12* —6A **118**
Accord M. *W'bry* —4D **46**
Ace Bus. Pk. *B33* —1H **121**
Acfold Rd. *B20* —2A **82**
Acheson Rd. *Shir & Hall G*
—5F **149**
Achilles Clo. *Wals* —4F **7**
(in two parts)
Ackleton Gdns. *Wolv* —4D **42**
Ackleton Gro. *B29* —5D **130**
Acock's Green. —2H 135
Acorn Clo. *B27* —6H **119**
Acorn Clo. *B'vlle* —5A **132**
Acorn Clo. *Gt Wyr* —4G **7**
Acorn Clo. *W Brom* —4H **79**
Acorn Gdns. *B30* —5C **132**
Acorn Gro. *B1* —6D **100**
Acorn Gro. *Cod* —5E **13**
Acorn Gro. *Stourb* —2C **108**
Acorn Rd. *Hale* —3C **112**
Acorn Rd. *Wolv* —6A **18**
Acorn St. *W'hall* —1C **46**
Acre Ri. *W'hall* —4B **30**

Acres Rd. *Brie H* —3H **109**
Acton Dri. *Dud* —4F **75**
Acton Gro. *B44* —2A **68**
Acton Gro. *Bils* —1D **60**
Adams Brook Dri. *B32*
—4H **129**
Adams Clo. *Smeth* —2B **98**
Adams Clo. *Tip* —4H **61**
Adams Hill. *B32* —4H **129**
Adams Rd. *Wals* —2C **22**
Adams Rd. *Wolv* —4A **42**
Adams St. *B7* —4H **101**
Adams St. *Wals* —1B **48**
Adams St. *W Brom* —4G **79**
Ada Rd. *Bord* —1B **118**
Ada Rd. *Smeth* —6F **99**
Ada Rd. *Yard* —5H **119**
Adas Woodthorne. *Wolv*
—3H **25**
Ada Wrighton Clo. *W'hall*
—2C **30**
Addenbrooke Ct. *Crad H*
—3H **111**
Addenbrooke Dri. *S Cold*
—3H **69**
Addenbrooke Pl. *W'bry*
—4D **46**
Addenbrooke Rd. *Smeth*
—6D **98**
Addenbrooke St. *Wals*
—2A **32**

Addenbrooke St. *W'bry*
—3D **46**
Addenbrook Way. *Tip* —5D **62**
Adderley Gdns. *B8* —4D **102**
(in two parts)
Adderley Pk. Clo. *B8* —5E **103**
Adderley Rd. *B8 & Salt*
—6C **102**
Adderley Rd. S. *B8* —6C **102**
Adderley St. *B9* —2A **118**
Addison Clo. *W'bry* —3C **64**
Addison Cft. *Dud* —2E **75**
Addison Gro. *Wolv* —6D **16**
Addison Pl. *Bils* —4A **46**
Addison Pl. *Wat O* —4D **88**
Addison Rd. *Brie H* —1F **109**
Addison Rd. *K Hth* —6H **133**
Addison Rd. *Nech* —1C **102**
Addison Rd. *W'bry* —3C **64**
Addison Rd. *Wolv* —3D **42**
Addison St. *W'bry* —3F **63**
Addison Ter. *W'bry* —3F **63**
Adelaide Av. *W Brom* —6G **63**
Adelaide St. *B12* —3H **117**
Adelaide St. *Brie H* —6H **93**
Adelaide Wlk. *Wolv* —3A **44**
Adelphi Ct. *Brie H* —1H **109**
(off Promenade, The)
Adey Rd. *Wolv* —1H **29**
Adkins La. *Smeth* —2D **114**
Admington Rd. *B33* —3G **121**
Admiral Pl. *Mose* —1H **133**
Admirals Way. *Row R*
—1B **112**
Adrian Cft. *B13* —4C **134**
Adria Rd. *B11* —1B **134**
Adshead Rd. *Dud* —2E **95**
Adstone Gro. *B31* —6E **145**
Advent Gdns. *W Brom* —4H **79**
Adwalton Rd. *Wolv* —6F **25**
Agenoria Dri. *Stourb* —6D **108**
Aiken Ho. *Smeth* —5G **99**
Ainsdale Clo. *Stourb* —3D **124**
Ainsdale Gdns. *B24* —2A **86**
Ainsdale Gdns. *Hale* —3F **127**
Ainsworth Rd. *Wolv* —2A **16**
Aintree Gro. *B34* —3H **105**
Aintree Rd. *Wolv* —3H **15**
Aintree Way. *Dud* —4A **76**
Aire Cft. *B31* —6F **145**
Airfield Dri. *A'rdge* —6A **34**
Airport Way. *Birm A* —1E **139**
Ajax Clo. *Wals* —4F **7**
Akrill Clo. *W Brom* —2H **79**
Alamein Rd. *W'hall* —2G **45**
Albany Cres. *Bils* —5E **45**
Albany Gdns. *Sol* —3A **152**
Albany Gro. *Ess* —6C **18**
Albany Gro. *K'wfrd* —2C **92**
Albany Ho. *B34* —2E **105**
Albany Rd. *B17* —5G **115**
Albany Rd. *Wolv* —1F **43**
Albemarle Rd. *Stourb*
—3D **124**
Albermarle Rd. *K'wfrd* —4E **93**
Albert Av. *B12* —5A **118**
Albert Clarke Dri. *W'hall*
—2C **30**
Albert Clo. *Cod* —3E **13**
Albert Dri. *Hale* —3H **127**
Albert Dri. *Swind* —5E **73**
Albert Ho. *W'bry* —5C **46**
(off Factory St.)
Albert Pl. *B12* —6G **117**
Albert Rd. *Aston* —1G **101**
Albert Rd. *Erd* —4D **84**

Albert Rd. *Hale* —3H **127**
Albert Rd. *Hand* —6A **82**
Albert Rd. *Harb* —6F **115**
Albert Rd. *K Hth* —6G **133**
Albert Rd. *O'bry* —3A **114**
Albert Rd. *Stech* —1B **120**
Albert Rd. *Wolv* —6D **26**
Albert Smith Pl. *Row R*
—5A **96**
Albert St. *B4 & B5*
—1G **117** (4F **5**)
Albert St. *Lye* —6A **110**
Albert St. *O'bry* —1G **97**
Albert St. *Pens* —2H **93**
Albert St. *Stourb* —6D **108**
Albert St. *Tip* —5H **61**
Albert St. *W Hth* —1H **91**
Albert St. *Wals* —1C **48**
Albert St. *W'bry* —3E **63**
Albert St. *W Brom* —6A **80**
Albert St. E. *O'bry* —2H **97**
Albert Wlk. *B17* —6G **115**
Albion Av. *W'hall* —1C **46**
Albion Bus. Pk. *Smeth* —1C **98**
Albion Fld. Dri. *W Brom*
—3B **80**
Albion Ho. *W Brom* —5A **80**
Albion Ind. Est. *W Brom*
—5G **79**
Albion Ind. Est. Rd. *W Brom*
—5F **79**
Albion Pde. *K'wfrd* —1H **91**
Albion Rd. *Hand* —6H **81**
Albion Rd. *San* —1F **99**
Albion Rd. *S'hll* —6D **118**
Albion Rd. *Wals* —5A **10**
Albion Rd. *W Brom* —5F **79**
(in two parts)
Albion Roundabout. *W Brom*
—3H **79**
Albion St. *B1* —6D **100** (2A **4**)
Albion St. *Brie H* —6H **93**
Albion St. *O'bry* —6E **79**
Albion St. *Tip* —2H **77**
Albion St. *W Hth* —6H **73**
Albion St. *W'hall* —1B **46**
Albion St. *Wolv*
—1H **43** (3D **170**)
Alborn Cres. *B38* —1H **159**
Albright Ho. *O'bry* —5E **97**
(off Kempsey Clo.)
Albrighton Ho. *B20* —4B **82**
Albrighton Rd. *Alb* —5A **12**
Albrighton Rd. *Hale* —2G **127**
Albright Rd. *O'bry* —5B **98**
Albury Wlk. *B11* —4A **118**
Albutts Rd. *Wals* —2E **9**
Alcester Dri. *S Cold* —2D **68**
Alcester Dri. *W'hall* —2F **45**
Alcester Gdns. *B14* —6G **133**
Alcester Lanes End. —2G **147**
Alcester Rd. *B13* —3G **133**
Alcester Rd. *H'wd & Wyt*
—1A **162**
Alcester Rd. S. *B14* —6G **133**
(in two parts)
Alcester St. *B12*
—3H **117** (6H **5**)
Alcombe Gro. *B33* —1C **120**
Alcott Clo. *Dorr* —6G **167**
Alcott Gro. *B33* —6H **105**
Alcott La. *B37* —3B **122**
Alcove, The. *Wals* —5B **20**
Aldbourne Way. *B38* —2H **159**

Aldbury Rd. *B14* —5A **148**
Aldeburgh Clo. *Wals* —4G **19**
Aldeford Dri. *Brie H* —3H **109**
Alderbrook Clo. *Dud* —4F **59**
Alderbrook Rd. *Sol* —5D **150**
Alder Clo. *H'wd* —3B **162**
Alder Clo. *S Cold* —6C **70**
Alder Coppice. *Dud* —3G **59**
Alder Cres. *Wals* —1F **65**
Alder Dale. *Wolv* —2C **42**
Alderdale Av. *Dud* —2G **59**
Alderdale Cres. *Sol* —6A **138**
Alder Dri. *B37* —2D **122**
Alder Gro. *Hale* —5E **113**
Alderford Clo. *Wolv* —1D **26**
Alderham Clo. *Sol* —3H **151**
Alderhithe Gro. *S Cold* —6B **36**
Alder La. *B30* —1G **145**
Alder La. *Bal C* —4H **169**
Alderlea Clo. *Stourb* —3E **125**
Alderminster Rd. *Sol* —6F **151**
Alderney Gdns. *B38* —6H **145**
Alderpark Rd. *Sol* —4D **150**
Alderpits Rd. *B34* —2H **105**
(in two parts)
Alder Rd. *B12* —1A **134**
Alder Rd. *K'wfrd* —4D **92**
Alder Rd. *W'bry* —6G **47**
Aldersea Dri. *B6* —2H **101**
Aldershaw Rd. *B26* —6C **120**
Aldershaws. *Shir* —4G **163**
Aldersley Av. *Wolv* —2C **26**
Aldersley Clo. *Wolv* —2D **26**
Aldersley Rd. *Wolv* —4C **26**
Aldersmead Rd. *B31* —5G **145**
Alderson Rd. *B8* —5F **103**
Alders, The. *Rom* —3A **142**
Alderton Clo. *Sol* —6F **151**
Alderton Dri. *Wolv* —3C **42**
Alder Way. *S Cold* —3G **51**
Alderwood Pl. *Sol* —4F **151**
Alderwood Precinct. *Dud*
—3G **59**
Alderwood Ri. *Dud* —2H **75**
Aldgate Dri. *Brie H* —4G **109**
Aldgate Gro. *B19* —4F **101**
Aldis Clo. *B28* —4E **135**
Aldis Clo. *Wals* —4G **47**
Aldis Rd. *Wals* —4G **47**
Aldridge. —3D **34**
Aldridge By-Pass. *A'rdge*
—4D **34**
Aldridge Clo. *O'bry* —5B **98**
Aldridge Clo. *Stourb* —3C **108**
Aldridge Rd. *A'rdge & Lit A*
—4H **35**
Aldridge Rd. *Gt Barr & P Barr*
—3E **67**
Aldridge Rd. *O'bry* —3H **113**
Aldridge Rd. *S Cold & S'tly*
—2F **51**
Aldridge Rd. *Wals* —6G **33**
Aldridge St. *W'bry* —4D **46**
Aldwych Clo. *Wals* —1D **34**
Aldwyck Dri. *Wolv* —3G **41**
Aldwyn Av. *B13* —3H **133**
Alexander Hill. *Brie H* —3B **110**
Alexander Rd. *B27* —1H **135**
Alexander Rd. *Cod* —4A **14**
Alexander Rd. *Smeth* —1C **114**
Alexander Rd. *Wals* —1F **47**
Alexander Ter. *Smeth* —3D **98**
Alexandra Av. *B21* —2H **99**
Alexandra Cres. *W Brom*
—5C **64**

Alexandra Ind. Est. *Tip* —1A **78**
Alexandra Pl. *Bils* —5F **45**
Alexandra Pl. *Dud* —3D **76**
Alexandra Rd. *B5* —5G **117**
Alexandra Rd. *Hale* —1H **127**
Alexandra Rd. *Hand* —2H **99**
Alexandra Rd. *Stir* —6C **132**
Alexandra Rd. *Tip* —2H **77**
Alexandra Rd. *Wals* —4C **48**
Alexandra Rd. *W'bry* —5E **47**
Alexandra Rd. *Wolv* —6E **43**
Alexandra St. *Dud* —6D **76**
Alexandra St. *Wolv* —2F **43**
Alexandra Way. *Tiv* —5A **78**
Alexandra Way. *Wals* —4D **34**
Alford Clo. *Redn* —2A **158**
Alfreda Av. *H'wd* —1H **161**
Alfred Gunn Ho. *O'bry* —5H **97**
Alfred Rd. *Hand* —1A **100**
Alfred Rd. *S'hll* —6B **118**
Alfred Squire Rd. *Wolv*
—4E **29**
Alfred St. *Aston* —1B **102**
Alfred St. *K Hth* —6H **133**
Alfred St. *Smeth* —2G **99**
Alfred St. *S'brk* —6B **118**
Alfred St. *Wals* —6H **19**
Alfred St. *W'bry* —6C **46**
Alfred St. *W Brom* —4B **80**
Algernon Rd. *B16* —5H **99**
Alice St. *Bils* —5F **45**
Alice Wlk. *Bils* —6F **45**
Alison Clo. *Tip* —3A **62**
Alison Dri. *Stourb* —3D **124**
Alison Rd. *Hale* —2F **129**
Allan Clo. *Smeth* —4F **99**
Allan Clo. *Stourb* —3D **108**
All Angels Wlk. *O'bry* —5H **97**
Allbut St. *Crad H* —2F **111**
Allcock St. *B9* —2A **118**
Allcock St. *Tip* —5C **62**
Allcroft Rd. *B11* —3F **135**
Allenby Clo. *K'wfrd* —4E **93**
Allen Clo. *B43* —6A **66**
Allendale Gro. *B43* —5A **66**
Allendale Rd. *B25* —4H **119**
Allendale Rd. *S Cold* —5C **70**
Allen Dri. *W'bry* —5C **46**
Allen Dri. *W Brom* —6D **80**
Allen Ho. *B43* —6A **66**
Allen Rd. *Tip* —4H **61**
Allen Rd. *W'bry* —6F **47**
Allen Rd. *Wolv* —6D **26**
Allen's Av. *B18* —3B **100**
Allens Av. *W Brom* —6G **63**
Allen's Clo. *W'hall* —4B **30**
Allens Cft. Rd. *B14* —2D **146**
Allens Farm Rd. *B31* —4B **144**
Allen's La. *Wals* —5D **20**
Allen's Rd. *B18* —3B **100**
Allerdale Rd. *Clay* —6A **10**
Allerton Ct. *W Brom* —4A **64**
Allerton La. *W Brom* —5A **64**
Allerton Rd. *B25* —4H **119**
Allesley Clo. *S Cold* —5A **54**
Allesley Rd. *Sol* —5B **136**
Allesley St. *B6* —4G **101**
Alleston Rd. *Wolv* —5H **15**
Alleston Wlk. *Wolv* —5H **15**
Alleyne Gro. *B24* —5G **85**
Alleyne Rd. *B24* —6G **85**
Alley, The. *Dud* —4F **75**
Allingham Gro. *B43* —1G **67**
Allington Clo. *Wals* —3H **49**
Allison St. *B5* —1H **117** (5G **5**)

Allman Rd. *B24* —3H **85**
Allmyn Dri. *S Cold* —5A **52**
All Saints. —4C 100
All Saints Dri. *S Cold* —1F **53**
All Saints Rd. *Hock* —4D **100**
All Saint's Rd. *K Hth* —6G **133**
All Saints Rd. *W'bry* —5E **47**
All Saints' Rd. *Wolv*
　　　　　—3H **43** (6C **170**)
All Saints St. *B18* —4C **100**
All Saints Way. *W Brom*
　　　　　—3B **80**
Allsops Clo. *Row R* —5H **95**
Allwell Dri. *B14* —5H **147**
Allwood Gdns. *B32* —3G **129**
Alma Av. *Tip* —6A **62**
Alma Cres. *B7* —5B **102**
Alma Ind. Est. *W'bry* —5C **46**
Alma Pas. *Harb* —5H **115**
Alma Pl. *Bal H* —6B **118**
Alma Pl. *Dud* —6E **77**
Almar Ct. *Wolv* —6D **14**
Alma St. *B19* —3G **101**
Alma St. *Darl* —5C **46**
Alma St. *Hale* —6E **111**
Alma St. *Smeth* —3G **99**
Alma St. *Wals* —5B **32**
Alma St. *W'bry* —2H **63**
Alma St. *W'hall* —1B **46**
Alma St. *Wolv* —6B **28**
Alma Way. *B19* —2F **101**
Almond Av. *Bntly* —5E **31**
Almond Av. *Yew T* —1E **65**
Almond Clo. *B29* —1E **145**
Almond Clo. *Wals* —5D **20**
Almond Cft. *B42* —1B **82**
Almond Gro. *Wolv* —5G **27**
Almond Rd. *K'wfrd* —1C **92**
Almsbury Ct. *B26* —1G **137**
Alnwick Ho. *B23* —1F **85**
Alnwick Rd. *Wals* —3H **19**
Alperton Dri. *Stourb* —3A **126**
Alpha Clo. *B12* —5G **117**
Alpha Way. *Wals* —5G **7**
Alpine Dri. *Dud* —5D **94**
Alpine Way. *Wolv* —1A **42**
Alport Cft. *B9* —1B **118**
Alston Clo. *Sol* —1H **151**
Alston Clo. *S Cold* —1G **53**
Alston Gro. *B9* —6H **103**
Alston Ho. *O'bry* —3D **96**
Alston Rd. *B9* —6H **103**
Alston Rd. *O'bry* —2E **97**
Alston Rd. *Sol* —1H **151**
Alston St. *B16* —1C **116**
Althorpe Dri. *Dorr* —6H **165**
Alton Av. *W'hall* —5B **30**
Alton Clo. *Wolv* —4A **16**
Alton Gro. *Dud* —6G **77**
Alton Gro. *W Brom* —6C **64**
Alton Rd. *B29* —2B **132**
Alum Dri. *B9* —6G **103**
Alumhurst Av. *B8* —5H **103**
Alum Rock. —6H 103
Alum Rock Rd. *B8 & Salt*
　　　　　—4D **102**
Alumwell Clo. *Wals* —2H **47**
Alumwell Rd. *Wals* —2H **47**
Alvaston Clo. *Wals* —4A **20**
Alvechurch Highway. *L Ash*
　　　　　—6C **156**
Alvechurch Rd. *B31* —1F **159**
Alvechurch Rd. *Hale* —3H **127**
Alvecote Clo. *Sol* —2H **151**
Alverley Clo. *K'wfrd* —1H **91**
Alverstoke Clo. *Wolv* —5E **15**

Alveston Gro. *B9* —1H **119**
Alveston Gro. *Know* —2D **166**
Alveston Rd. *H'wd* —2A **162**
Alvin Clo. *Hale* —2F **113**
Alvington Clo. *W'hall* —5D **30**
Alvis Wlk. *B36* —6B **88**
Alwen St. *Stourb* —1D **108**
Alwin Rd. *Row R* —1B **112**
Alwold Rd. *B29* —3D **130**
Alwyn Clo. *Wals* —2F **7**
Alwynn Wlk. *B23* —4B **84**
Amal Way. *Witt* —5H **83**
(in two parts)
Amanda Av. *Penn* —1D **58**
Amanda Dri. *B26* —2E **121**
Ambell Clo. *Row R* —4H **95**
Amber Dri. *O'bry* —4G **97**
Ambergate Clo. *Wals* —4A **20**
Ambergate Dri. *K'wfrd* —1A **92**
Amberley Ct. *B29* —5A **132**
Amberley Grn. *B43* —1A **82**
Amberley Gro. *B6* —4A **84**
Amberley Rd. *Sol* —1D **136**
Amberley Way. *S Cold* —2G **51**
Amber Way. *Hale* —5B **112**
Amber Wood Clo. *Wals*
　　　　　—6D **30**

Amblecote. —4D 108
Amblecote Av. *B44* —3G **67**
Amblecote Rd. *Brie H*
　　　　　—4G **109**
Ambleside. *B32* —4A **130**
Ambleside Clo. *Brad* —2G **61**
Ambleside Dri. *Brie H*
　　　　　—3G **109**
Ambleside Way. *K'wfrd*
　　　　　—3B **92**
Ambrose Clo. *W'hall* —1G **45**
Ambrose Cres. *K'wfrd* —1B **92**
Ambury Way. *B43* —5H **65**
Amelas Clo. *Brie H* —2E **109**
Amersham Clo. *B32* —6C **114**
Amesbury Rd. *B13* —2G **133**
Ames Rd. *W'bry* —4C **46**
Amethyst Ct. *Sol* —4D **136**
Amherst Av. *B20* —4C **82**
Amington Clo. *S Cold* —5B **38**
Amington Rd. *B25 & Yard*
　　　　　—5H **119**
Amington Rd. *Shir* —1G **163**
Amiss Gdns. *B10* —3C **118**
Amity Clo. *Smeth* —4F **99**
Amos Av. *Wolv* —2D **28**
Amos La. *Wolv* —2E **29**
Amos Rd. *Stourb* —3B **126**
Amphlett Cft. *Tip* —3B **78**
Amphletts Clo. *Dud* —6G **77**
Ampton Rd. *B15* —4D **116**
Amroth Clo. *Redn* —2H **157**
Amwell Gro. *B14* —4H **147**
Anchorage Rd. *B23* —4D **84**
Anchorage Rd. *S Cold* —5H **53**
Anchor Clo. *B16* —2A **116**
Anchor Hill. *Brie H* —2G **109**
Anchor La. *Bils* —3D **60**
(in two parts)
Anchor Pde. *Wals* —3D **34**
Anchor Rd. *A'rdge* —3D **34**
Anchor Rd. *Bils* —3E **61**
Andersleigh Dri. *Bils* —5C **60**
Anderson Cres. *B43* —2A **66**
Anderson Gdns. *Tip* —3A **78**
Anderson Rd. *B23* —1E **85**
Anderson Rd. *Smeth* —2E **115**
Anderson Rd. *Tip* —2A **78**
Anders Sq. *Pert* —5E **25**

Anderton Clo. *S Cold* —4G **53**
Anderton Pk. Rd. *B13*
　　　　　—2A **134**
Anderton Rd. *B11* —5C **118**
Anderton St. *B1* —6D **100**
Andover Cres. *K'wfrd* —5D **92**
Andover St. *B5*
　　　　　—1H **117** (4H **5**)
Andrew Clo. *W'hall* —3D **30**
Andrew Dri. *W'hall* —3D **30**
Andrew Gdns. *B21* —6A **82**
Andrew Rd. *Hale* —2A **128**
Andrew Rd. *Tip* —4A **62**
Andrew Rd. *W Brom* —3D **64**
Andrews Clo. *Brie H* —3A **110**
Andrews Rd. *Wals W* —3D **22**
Anerley Gro. *B44* —1H **67**
Anerley Rd. *B44* —1H **67**
Angela Av. *Row R* —5D **96**
Angela Pl. *Bils* —5F **45**
Angelica Clo. *Wals* —2E **65**
Angelina St. *B12* —4H **117**
Angel Pas. *Stourb* —6E **109**
Angel St. *Dud* —1D **94**
Angel St. *W'hall* —1A **46**
Anglesey Av. *B36* —2D **106**
Anglesey Clo. *Burn* —1A **10**
Anglesey Cres. *Wals* —3B **10**
Anglesey Rd. *Wals* —3B **10**
Anglesey St. *B19* —2E **101**
Anglian Rd. *Wals* —3H **33**
Anglo African Ind. Pk. *O'bry*
　　　　　—5E **79**
Angus Clo. *W Brom* —1A **80**
Anita Av. *Tip* —5A **78**
Anita Cft. *B23* —5D **84**
Ankadine Rd. *Stourb* —5F **109**
Ankerdine Ct. *Hale* —2A **128**
Ankermoor Clo. *B34* —3F **105**
Annan Av. *Wolv* —2A **28**
Ann Cft. *B26* —1H **137**
Anne Clo. *W Brom* —4E **79**
Anne Ct. *S Cold* —2E **71**
Anne Gro. *Tip* —4B **62**
Anne Rd. *Brie H* —2C **110**
Anne Rd. *Smeth* —2G **99**
Anne Rd. *Wolv* —6F **43**
Ann Rd. *Wyt* —6A **162**
Annscroft. *B38* —5H **145**
Ann St. *W'hall* —6B **30**
Ansbro Clo. *B18* —4B **100**
Anscuff Rd. *Brie H* —2F **109**
Ansell Rd. *Erd* —6F **85**
Ansell Rd. *S'brk* —5C **118**
Ansley Rd. *Sol* —6H **137**
Anslow Gdns. *Wolv* —6H **17**
Anslow Rd. *B23* —2C **84**
Anson Clo. *Wals* —4F **7**
Anson Clo. *Wolv* —4E **25**
Anson Ct. *W Brom* —6F **63**
Anson Gro. *B27* —3B **136**
Anson Rd. *Gt Wyr* —4F **7**
Anson Rd. *Wals* —1E **47**
Anson Rd. *W Brom* —1E **79**
Anstey Cft. *F'bri* —5C **106**
Anstey Gro. *B27* —4H **135**
Anstey Rd. *B44* —1G **83**
Anston Junct. *Wals* —2E **47**
Anston Way. *Wed* —2F **29**
Anstree Clo. *C Hay* —4D **6**
Anstruther Rd. *B15* —4H **115**
Anthony Rd. *B8* —6E **103**
Anton Dri. *Min* —1E **87**
Antony Rd. *Shir* —6H **149**
Antringham Gdns. *B15*
　　　　　—3H **115**

Antrobus Rd. *B21* —6A **82**
Antrobus Rd. *S Cold* —4E **69**
Anvil Cres. *Cose* —3E **61**
Anvil Dri. *O'bry* —3E **97**
Anvil Wlk. *W Brom* —3F **79**
A1 Trad. Est. *Smeth* —2E **99**
Apex Bus. Pk. *Nort C* —1D **8**
Apex Ind. Est. *Tip* —5D **62**
Apex Rd. *Wals* —6G **9**
Apley Rd. *Stourb* —4C **108**
Apollo Cft. *Erd* —4B **86**
Apollo Rd. *O'bry* —3A **98**
Apollo Rd. *Stourb* —6C **110**
Apollo Way. *B20* —6F **83**
Apollo Way. *Smeth* —4G **99**
Apperley Way. *Hale* —4D **110**
Appian Clo. *B14* —2G **147**
Appian Way. *Shir* —5B **164**
Appleby Clo. *B14* —2F **147**
Appleby Gdns. *Ess* —5C **18**
Appleby Gro. *Shir* —3F **165**
Applecross. *S Cold* —2F **53**
Appledore Clo. *Gt Wyr* —2G **7**
Appledore Ct. *Blox* —1H **31**
Appledore Rd. *Wals* —3H **49**
Appledore Ter. *Wals* —3H **49**
Appledorne Gdns. *B34*
　　　　　—3F **105**
Applesham Clo. *B11* —5D **118**
Appleton Av. *B43* —5H **65**
Appleton Av. *Stourb* —3E **125**
Appleton Clo. *B30* —5A **132**
Appleton Cres. *Wolv* —6E **43**
Apple Tree Clo. *B23* —3B **84**
Apple Tree Clo. *B31* —6D **144**
Appletree Clo. *Cath B* —2D **152**
Appletree Gro. *A'rdge* —5D **34**
Appletree Gro. *Wolv* —4G **27**
Applewood Gro. *Crad H*
　　　　　—3H **111**
April Cft. *B13* —3B **134**
Apse Clo. *Wom* —6F **57**
Apsley Clo. *O'bry* —4G **113**
Apsley Cft. *B38* —5D **146**
Apsley Gro. *B24* —5G **85**
Apsley Gro. *Dorr* —6G **167**
Apsley Ho. *Crad H* —1H **111**
Apsley Rd. *O'bry* —4G **113**
Aqueduct Rd. *Shir* —6E **149**
Aragon Dri. *S Cold* —5G **53**
Arbor Ct. *W Brom* —1C **80**
Arboretum Rd. *Wals* —1D **48**
Arbor Way. *B37* —2E **123**
Arbour Ga. *Wals W* —3D **22**
Arbury Dri. *Stourb* —6B **92**
Arbury Hall Rd. *Shir* —1B **164**
Arbury Wlk. *Min* —2H **87**
Arcade. *N'fld* —3E **145**
Arcade. *Wals* —2C **48**
Arcade, The. *Up Gor* —2A **76**
Arcadia. W Brom —4A *80*
(off Paradise St.)
Arcadian Shop. Cen. *B5*
　　　　　—2G **117** (6E **5**)
Arcal St. *Dud* —6A **60**
Archer Clo. *O'bry* —4H **97**
Archer Clo. *W'bry* —2E **63**
Archer Ct. *Stourb* —3A **126**
Archer Rd. *B14* —3C **148**
Archer Rd. *Wals* —3C **32**
Archers Clo. *B23* —5C **68**
(in two parts)
Archery Rd. *Mer* —4H **141**
Arches, The. *B10* —3B **118**
Arch Hill St. *Dud* —4E **95**
Archibald Rd. *B19* —1E **101**

Archway, The. *Wals* —6D **32**
Arcot Rd. *B28* —3F **135**
Ardath Rd. *B38* —5C **146**
Ardav Rd. *W Brom* —5F **63**
Ardedale. *Shir* —6A **150**
Arden Bldgs. *Dorr* —6B **166**
Arden Clo. *Bal C* —2H **169**
Arden Clo. *Mer* —4H **141**
Arden Clo. *Woll* —4C **108**
Arden Clo. *Word* —6A **92**
Ardencote Rd. *B13* —1A **148**
Arden Ct. *Erd* —4H **85**
Arden Ct. *H Ard* —6B **140**
Arden Cft. *Col* —6H **89**
Arden Cft. *Sol* —1G **137**
Arden Dri. *B26* —4D **120**
Arden Dri. *Dorr* —6G **167**
Arden Dri. *S Cold* —5H **69**
  (B73)
Arden Dri. *S Cold* —6F **55**
  (B75, in two parts)
Arden Gro. *B19* —1E **101**
Arden Gro. *Lady* —2C **116**
Arden Gro. *O'bry* —4G **97**
Ardenlea Ct. *Sol* —2G **151**
Arden Oak Rd. *B26* —6H **121**
Arden Pl. *Bils* —1B **62**
Arden Rd. *A Grn* —1H **135**
Arden Rd. *Aston* —1F **101**
Arden Rd. *Dorr* —6G **167**
Arden Rd. *H'wd* —3A **162**
Arden Rd. *Redn* —6G **143**
Arden Rd. *Salt* —6D **102**
Arden Rd. *Smeth* —5E **99**
Arden Va. Rd. *Know* —2D **166**
Arderne Dri. *B37* —2C **122**
Ardingley Wlk. *Brie H*
  —4F **109**
Ardley Clo. *Dud* —1F **95**
Ardley Rd. *B14* —2A **148**
Arena Wlk. *B1* —5A **4**
Aretha Clo. *K'wfrd* —3E **93**
Argus Clo. *S Cold* —2D **70**
Argyle Clo. *Stourb* —2C **108**
Argyle Rd. *Wals* —6F **33**
Argyle Rd. *Wals* —6F **33**
Argyle Rd. *Wolv* —5F **43**
Argyle St. *B7* —1C **102**
Argyll Ho. *Wolv* —5G **27**
  (off Lomas St.)
Arkle Cft. *B36* —1A **104**
Arkle Cft. *Row R* —3H **95**
Arkley Gro. *B28* —6H **135**
Arkley Rd. *B28* —6H **135**
Arkwright Rd. *B32* —6A **114**
Arkwright Rd. *Wals* —4H **31**
Arlen Dri. *B43* —4H **65**
Arlescote Clo. *S Cold* —1A **54**
Arlescote Rd. *Sol* —3G **137**
Arless Way. *B17* —2E **131**
Arleston Way. *Shir* —1C **164**
Arley Clo. *O'bry* —4D **96**
Arley Ct. *Dud* —3E **95**
Arley Dri. *Stourb* —2C **124**
Arley Gro. *Wolv* —6B **42**
Arley Ho. *B26* —2E **121**
Arley Rd. *B'brk* —2B **132**
Arley Rd. *Salt* —4D **102**
Arley Rd. *Sol* —3E **151**
Arlidge Clo. *Bils* —1F **61**
Arlington Clo. *K'wfrd* —5B **92**
Arlington Ct. *Stourb* —1F **125**
Arlington Gro. *B14* —5B **148**
Arlington Rd. *B14* —5B **148**
Arlington Rd. *W Brom* —1B **80**
Armada Clo. *B23* —6D **84**

Armoury Clo. *B9* —2D **118**
Armoury Rd. *B11* —5D **118**
Armoury Trad. Est. *B11*
  —5D **118**
Armside Clo. *Wals* —3F **21**
Armstead Rd. *Pend* —4D **14**
Armstrong Clo. *Stourb*
  —4F **109**
Armstrong Dri. *B36* —6B **88**
Armstrong Dri. *Wals* —5G **31**
Armstrong Dri. *Wolv* —4E **27**
Armstrong Way. *W'hall*
  —3B **46**
Arnhem Clo. *Wolv* —1D **28**
Arnhem Rd. *W'hall* —3G **45**
Arnhem Way. *Tip* —2C **78**
Arnold Clo. *Wals* —6F **31**
Arnold Gro. *B30* —3H **145**
Arnold Gro. *Shir* —3H **149**
Arnold Rd. *Shir* —3H **149**
Arnside Ct. *B23* —3B **84**
Arnwood Clo. *Wals* —1F **47**
Arosa Dri. *B17* —2F **131**
Arps Rd. *Cod* —4F **13**
Arran Clo. *B43* —2A **66**
Arran Rd. *B34* —3D **104**
Arran Way. *B36* —2C **106**
Arras Rd. *Dud* —5G **77**
Arrow Clo. *Know* —3C **166**
Arrowfield Grn. *B38* —2H **159**
Arrow Rd. *Wals* —3C **32**
Arrow Wlk. *B38* —6D **146**
Arsenal St. *B9* —2C **118**
Arter St. *Bal H* —5H **117**
Arthur Gunby Clo. *S Cold*
  —4D **54**
Arthur Pl. *B1* —6D **100** (3A **4**)
Arthur Rd. *Edg* —5D **116**
Arthur Rd. *Erd* —3H **85**
Arthur Rd. *Hand* —1B **100**
Arthur Rd. *Tip* —6A **62**
Arthur Rd. *Yard* —5H **119**
Arthur St. *B10* —2B **118**
Arthur St. *Bils* —5F **45**
Arthur St. *Wals* —4H **47**
Arthur St. *W Brom* —6B **80**
Arthur St. *Wolv* —5H **43**
Arthur Ter. *Yard* —5H **119**
Artillery St. *B9* —1B **118**
Arton Cft. *B24* —5F **85**
Arundel Av. *W'bry* —2F **63**
Arundel Cres. *Sol* —4E **137**
Arundel Dri. *Tiv* —1A **96**
Arundel Gro. *Pert* —6F **25**
Arundel Ho. *B23* —1F **85**
Arundel Pl. *B11* —5A **118**
Arundel Rd. *B14* —6A **148**
Arundel Rd. *Stourb* —1A **108**
Arundel Rd. *W'hall* —2C **30**
Arundel Rd. *Wolv* —5F **15**
Arundel St. *Wals* —4C **48**
Arun Way. *S Cold* —4E **71**
Asbury Rd. *Bal C* —4H **169**
Asbury Rd. *W'bry* —3C **64**
Ascot Clo. *B16* —1B **116**
Ascot Clo. *O'bry* —3E **97**
Ascot Dri. *Dud* —5B **76**
Ascot Dri. *Wolv* —1E **59**
Ascot Gdns. *Stourb* —1B **108**
Ascot Rd. *B13* —3H **133**
Ascot Wlk. *O'bry* —3E **97**
Ash Av. *B12* —6A **118**
Ashborough Dri. *Sol* —2G **165**
Ashbourne Gro. *Aston*
  —1G **101**
Ashbourne Rd. *B16* —6H **99**

Ashbourne Rd. *E'shll P*
  —2A **60**
Ashbourne Rd. *Wals* —4A **20**
Ashbourne Rd. *Wolv* —6C **28**
Ashbourne Way. *Shir* —1C **164**
Ashbrook Cres. *Sol* —1G **165**
Ashbrook Dri. *Redn* —1H **157**
Ashbrook Gro. *B30* —5E **133**
Ashbrook Rd. *B30* —5E **133**
Ashburn Gro. *W'hall* —1C **46**
Ashburton Rd. *B14* —2F **147**
Ashbury Covert. *B30* —4E **147**
Ashby Clo. *B8* —3A **104**
Ashby Ct. *Sol* —6G **151**
Ash Clo. *Cod* —4G **13**
Ashcombe Av. *B20* —4A **82**
Ashcombe Gdns. *Erd* —4B **86**
Ashcott Clo. *B38* —5H **145**
Ash Ct. *Smeth* —1A **98**
Ash Ct. *Stourb* —1E **125**
Ash Cres. *B37* —3B **106**
Ash Cres. *K'wfrd* —3C **92**
Ashcroft. *Smeth* —4G **99**
Ashcroft Gro. *B20* —5F **83**
Ashdale Clo. *K'wfrd* —1C **92**
Ashdale Dri. *B14* —6B **148**
Ashdale Gro. *B26* —3E **121**
Ashdene Clo. *S Cold* —2G **69**
Ashdene Gdns. *Stourb*
  —1A **108**
Ashdown Clo. *B13* —4A **134**
Ashdown Clo. *Redn* —5G **143**
Ashdown Dri. *Stourb* —6C **92**
Ash Dri. *W Brom* —1A **80**
Ashen Clo. *Dud* —2G **59**
Ashenden Ri. *Wolv* —2G **41**
Ashenhurst Rd. *Dud* —2A **94**
Ashenhurst Wlk. *Dud* —1C **94**
Ashes Rd. *O'bry* —5F **97**
Ashfern Dri. *S Cold* —6D **70**
Ashfield Av. *B14* —4H **133**
Ashfield Clo. *Wals* —5C **32**
Ashfield Cres. *Dud* —6E **95**
Ashfield Cres. *Stourb* —2B **126**
Ashfield Gdns. *B14* —4H **133**
Ashfield Gro. *Hale* —3G **127**
Ashfield Gro. *Wolv* —4G **15**
Ashfield Rd. *B14* —4H **133**
Ashfield Rd. *Bils* —3A **62**
Ashfield Rd. *Comp* —1B **42**
Ashfield Rd. *F'hses* —4G **15**
Ashford Dri. *Dud* —6A **60**
Ashford Dri. *S Cold* —2D **86**
Ash Furlong Clo. *Bal C*
  —3H **169**
Ashfurlong Cres. *S Cold*
  —4C **54**
Ash Grn. *Dud* —2C **76**
Ash Gro. *B9* —1B **118**
Ash Gro. *Bal H* —6B **118**
Ash Gro. *Dud* —5G **75**
Ash Gro. *N'fld* —3D **144**
Ash Gro. *Stourb* —2H **125**
Ashgrove Rd. *B44* —3E **67**
Ash Hill. *Wolv* —2B **42**
Ashill Rd. *Redn* —2H **157**
Ashland St. *Wolv* —2F **43**
Ash La. *Wals* —2G **7**
Ashlawn Cres. *Sol* —2B **150**
Ashleigh Dri. *B20* —5D **82**
Ashleigh Gro. *B13* —4B **134**
Ashleigh Rd. *Sol* —3F **151**
Ashleigh Rd. *Tiv* —1C **96**
Ashley Clo. *B15* —4E **117**
Ashley Clo. *K'wfrd* —5A **92**
Ashley Clo. *Stourb* —3B **124**

Ashley Gdns. *B8* —5D **102**
Ashley Gdns. *Cod* —3F **13**
Ashley Mt. *Wolv* —4B **26**
Ashley Rd. *B23* —4E **85**
Ashley Rd. *Smeth* —5G **99**
Ashley Rd. *Wals* —6F **19**
Ashley Rd. *Wolv* —6C **42**
Ashley St. *Bils* —5G **45**
Ashley St. *Row R* —2C **112**
Ashley Ter. *B29* —4A **132**
Ashley Way. *Bal C* —2H **169**
Ashmall. *Hamm* —1F **11**
Ashmead Dri. *Redn* —5A **158**
Ashmead Gro. *B24* —5G **85**
Ashmead Ri. *Redn* —5A **158**
Ash M. *B27* —6A **120**
Ashmole Rd. *W Brom* —6F **63**
Ashmore Av. *Wolv* —1A **30**
Ashmore Lake. —5B 30
Ashmore Lake Ind. Est. *W'hall*
  —5B **30**
Ashmore Lake Rd. *W'hall*
  —5B **30**
Ashmore Lake Way. *W'hall*
  —5B **30**
Ashmore Park. —6A 18
Ashmore Rd. *B30* —2B **146**
Ashmores Ind. Est. *Dud*
  —4G **77**
Ashold Farm Rd. *B24* —5B **86**
Asholme Clo. *B36* —2A **104**
Ashorne Clo. *B28* —6H **135**
Ashover Gro. *B18* —5A **100**
  (off Heath Grn. Rd.)
Ashover Rd. *B44* —2F **67**
Ash Rd. *B8* —5D **102**
Ash Rd. *Dud* —4D **76**
Ash Rd. *Tip* —3G **77**
Ash Rd. *W'bry* —6F **47**
Ash St. *Bils* —2G **61**
Ash St. *Crad H* —1G **111**
Ash St. *Wals* —6B **20**
Ash St. *Wolv* —2E **43**
Ashtead Clo. *Min* —1F **87**
Ashted Cir. *B7* —1H **5**
Ashted Lock. *B7*
  —5H **101** (1H **5**)
Ashted Wlk. *B7* —5B **102**
Ash Ter. *Tiv* —6B **78**
Ash Ter. *Wash H* —3E **103**
Ashtoncroft. *B16* —1C **116**
Ashton Cft. *Sol* —6E **151**
Ashton Dri. *Wals* —4G **21**
Ashton Pk. Dri. *Brie H*
  —3G **109**
Ashton Rd. *B25* —4H **119**
Ashtree Clo. *Brie H* —3E **109**
Ash Tree Dri. *B26* —4B **120**
Ashtree Dri. *Stourb* —2E **125**
Ashtree Gro. *Bils* —2B **62**
Ashtree Rd. *B30* —1C **146**
Ashtree Rd. *Crad H* —1G **111**
Ashtree Rd. *Tiv & O'bry*
  —6C **78**
Ashtree Rd. *Wals* —4E **21**
Ashurst Rd. *S Cold* —1D **86**
Ashville Av. *B34* —2D **104**
Ashville Dri. *Hale* —6A **112**
Ashwater Dri. *B14* —5F **147**
Ash Way. *B23* —5C **68**
Ashway. *B11* —6B **118**
Ashwell Dri. *Shir* —3B **150**
Ashwells Gro. *Wolv* —5E **15**
Ashwood. —4E 91
Ashwood Av. *Stourb* —1A **108**

Ashwood Clo. *S Cold* —3G **51**
Ashwood Ct. *B34* —4B **104**
Ashwood Dri. *B37* —6F **107**
Ashwood Gro. *Wolv* —6E **43**
Ashworth Rd. *B42* —4D **66**
Askew Bri. Rd. *Dud* —4F **75**
Askew Clo. *Dud* —2A **76**
Aspbury Cft. *B36* —6H **87**
Aspen Clo. *B27* —3H **135**
Aspen Clo. *S Cold* —3D **70**
Aspen Dri. *B37* —3E **123**
Aspen Gdns. *Hand* —6D **82**
Aspen Gro. *B9* —6G **103**
Aspen Gro. *W'hall* —2E **31**
Aspen Gro. *Wyt* —4B **162**
Aspen Ho. *Sol* —5D **150**
Aspen Way. *Wolv* —2E **43**
Asquith Dri. *Tiv* —5C **78**
Asquith Rd. *B8* —4H **103**
Asra Clo. *Smeth* —1E **99**
Asra Ho. *Smeth* —1E **99**
Astbury Av. *Smeth* —6D **98**
Astbury Clo. *Wals* —3G **19**
Astbury Clo. *Wolv* —2C **44**
Astbury Ct. *O'bry* —4H **113**
Aster Wlk. *Pend* —4E **15**
Astley Av. *Hale* —5F **113**
Astley Clo. *Tip* —1D **78**
Astley Cres. *Hale* —6F **113**
Astley Pl. *Wolv* —5H **43**
Astley Rd. *B21* —6H **81**
Astley Wlk. *Shir* —2H **149**
Aston. —1H 101
Aston Bri. *B6* —4H **101**
Aston Brook Grn. *B6* —4H **101**
Aston Brook St. *B6* —3H **101**
 (in two parts)
Aston Brook St. E. *B6*
 —4H **101**
Aston Bury. *B15* —3H **115**
Aston Chu. Rd. *Nech & Salt*
 —2C **102**
Aston Chu. Trad. Est. *Nech*
 —3D **102**
Aston Clo. *Bils* —1B **62**
Aston Cross Bus. Pk. *Aston*
 —3A **102**
Aston Expressway. *B6*
 —4H **101**
Aston Hall. —1H 101
Aston Hall Rd. *B6* —1A **102**
Aston La. *Hand & Aston*
 —5F **83**
Aston Manor Transport Mus.
 —6H 83
Aston Rd. *B6* —4H **101**
 (in three parts)
Aston Rd. *Dud* —1D **94**
Aston Rd. *Tiv* —6A **78**
Aston Rd. *W'hall* —1G **45**
Aston Rd. N. *B6* —3H **101**
Aston Science Pk. *B7*
 —5H **101** (1H **5**)
Aston's Clo. *Brie H* —4H **109**
Aston Seedbed Cen. *Nech*
 —3A **102**
Aston's Fold. *Brie H* —4H **109**
Aston St. *B4* —5H **101** (2F **5**)
 (in two parts)
Aston St. *Tip* —6C **62**
Aston St. *Wolv* —3E **43**
Aston Students Guild. *B4*
 —1G **5**
Aston Triangle. *B4*
 —6H **101** (2G **5**)
Astor Dri. *B13* —4C **134**

Astoria Clo. *W'hall* —6D **18**
Astoria Gdns. *W'hall* —6D **18**
Astor Rd. *K'wfrd* —4D **92**
Astor Rd. *S Cold* —2A **52**
Athelney Ct. *Wals* —4E **21**
Athelstan Gro. *Wolv* —4F **25**
Atherstone Clo. *Shir* —5E **149**
Atherstone Rd. *Wolv* —1D **44**
Athlone Rd. *Wals* —3G **49**
Athol Clo. *B32* —5B **130**
Athole St. *B12* —4A **118**
Atlantic Ct. *W'hall* —2A **46**
 (off Cheapside)
Atlantic Rd. *B44* —5H **67**
Atlantic Way. *W'bry* —4E **63**
Atlas Cft. *Wolv* —3G **27**
Atlas Est. *Witt* —5A **84**
Atlas Gro. *W Brom* —4F **79**
Atlas Trad. Est. *Bils* —3H **61**
Atlas Way. *B1* —5A **4**
Attenborough Clo. *B19*
 —4G **101**
Attingham Dri. *B43* —3H **65**
Attleboro La. *Wat O* —5C **88**
Attlee Clo. *Tiv* —5D **78**
Attlee Cres. *Bils* —3G **61**
Attlee Rd. *Wals* —5E **31**
Attwell Pk. *Wolv* —4B **42**
Attwell Rd. *Tip* —4H **61**
Attwood Clo. *B8* —3E **103**
Attwood Gdns. *Wolv* —6A **44**
Attwood St. *Hale* —6H **111**
Attwood St. *Stourb* —6B **110**
Aubrey Rd. *B32* —4C **114**
Aubrey Rd. *Small H* —3F **119**
Auchinleck Sq. *B15* —2D **116**
 (off Islington Row Middleway)
Aucinleck Ho. *B15*
 —2D **116** (6A **4**)
 (off Broad St.)
Auckland Dri. *B36* —1B **106**
Auckland Ho. *B32* —1D **130**
Auckland Rd. *B11* —4A **118**
Auckland Rd. *K'wfrd* —5C **92**
Auckland Rd. *Smeth* —3C **98**
Auden Ct. *Pert* —5F **25**
Audleigh Ho. *B15* —3E **117**
Audlem Wlk. *Wolv* —4C **28**
Audley Rd. *B33* —5C **104**
Audnam. —2D 108
Audnam. *Stourb* —2D **108**
Augusta Rd. *A Grn* —6A **120**
Augusta Rd. *Mose* —1G **133**
Augusta Rd. E. *B13* —1H **133**
Augusta St. *B18*
 —5E **101** (1A **4**)
Augustine Gro. *B18* —3B **100**
Augustine Gro. *S Cold* —4F **37**
Augustus Clo. *Col* —6H **89**
Augustus Ct. *B15* —3B **116**
Augustus Rd. *B15* —3H **115**
Augustus St. *Wals* —2B **48**
Aulton Rd. *S Cold* —6C **38**
Ault St. *W Brom* —6B **80**
Austcliff Dri. *Sol* —1G **165**
Austen Pl. *B15* —3D **116**
Austen Wlk. *W Brom* —2B **80**
Austin Clo. *B27* —1B **136**
Austin Clo. *Dud* —5B **76**
Austin Cft. *B36* —6B **88**
Austin Ho. *Wals* —6D **32**
Austin Ri. *B31* —2D **158**
Austin Rd. *B21* —6G **81**
Austin St. *Wolv* —5F **27**
Austin Way. *B42 & Hamp I*
 —2C **82**

Austrey Clo. *Know* —3C **166**
Austrey Gro. *B29* —5E **131**
Austrey Rd. *K'wfrd* —4E **93**
Austy Clo. *B36* —1C **104**
Autumn Berry Gro. *Sed*
 —1A **76**
Autumn Clo. *Wals* —6G **21**
Autumn Dri. *Dud* —3H **75**
Autumn Dri. *Wals* —6F **21**
Autumn Gro. *Hock* —3E **101**
Avalon Clo. *B24* —3H **85**
Avebury Gro. *B30* —6E **133**
Avebury Rd. *B30* —5E **133**
Ave Maria Clo. *Crad H*
 —2G **111**
Avenbury Dri. *Sol* —3A **152**
Avenue Clo. *B7* —3A **102**
Avenue Clo. *Dorr* —6C **166**
Avenue Rd. *Aston* —3H **101**
Avenue Rd. *Bils* —5E **61**
Avenue Rd. *Dorr* —6C **166**
Avenue Rd. *Dud* —3B **94**
Avenue Rd. *Erd* —3F **85**
Avenue Rd. *Hand & Nech*
 —5H **81**
Avenue Rd. *K Hth* —5F **133**
Avenue Rd. *Row R* —2D **112**
Avenue Rd. *W'bry* —5D **46**
Avenue Rd. *Wolv* —1C **42**
Avenue, The. *A Grn* —1B **136**
Avenue, The. *Cas* —3H **41**
Avenue, The. *Fall P* —4B **28**
Avenue, The. *F'stne* —1D **16**
Avenue, The. *Penn* —1C **58**
Avenue, The. *Redn* —2E **157**
Avenue, The. *Row R* —6A **96**
Averill Rd. *B26* —2E **121**
Avern Clo. *Tip* —1B **78**
Aversley Rd. *B38* —6H **145**
Avery Ct. *O'bry* —4H **113**
Avery Cft. *B35* —5D **86**
Avery Dell Ind. Est. *B30*
 —2D **146**
Avery Dri. *B27* —1A **136**
Avery Myers Clo. *O'bry*
 —4H **97**
Avery Rd. *Smeth* —3H **99**
Avery Rd. *S Cold* —3C **68**
Aviemore Cres. *B43* —1D **66**
Avington Clo. *Dud* —6H **59**
Avion Cen. *Wolv* —5E **27**
Avion Clo. *Wals* —4D **48**
Avocet Clo. *B33* —6C **104**
Avon Clo. *B14* —6F **147**
Avon Clo. *Brie H* —3F **93**
Avon Clo. *Wolv* —6F **25**
Avon Cres. *Wals* —6E **21**
Avoncroft Ho. *B37* —1C **122**
Avondale Clo. *K'wfrd* —1C **92**
Avondale Rd. *B11* —1C **134**
Avondale Rd. *Wolv* —6D **26**
Avon Dri. *Cas B* —1B **106**
Avon Dri. *Mose* —3B **134**
Avon Dri. *W'hall* —1C **46**
Avon Gro. *Wals* —2E **65**
Avon Ho. *B15* —3F **117**
Avon M. *Stourb* —6H **91**
Avon Rd. *Hale* —6D **110**
Avon Rd. *Shir* —6B **150**
Avon Rd. *Stourb* —2D **124**
Avon Rd. *Wals* —6C **20**
Avon St. *B11* —6G **103**
Avon Way. *Wyt* —6G **161**
Awbridge Rd. *Dud* —6E **95**
Awefields Cres. *Smeth* —5B **98**
Axletree Way. *W'bry* —5G **47**

Ayala Cft. *B36* —6C **86**
Aylesbury Cres. *B44* —5A **68**
Aylesford Clo. *Dud* —3G **59**
Aylesford Dri. *B37* —4C **122**
Aylesford Dri. *S Cold* —4E **37**
Aylesford Rd. *B21* —6H **81**
Aylesmore Clo. *B32* —4A **130**
Aylesmore Clo. *Sol* —5C **136**
Aynsley Ct. *Shir* —5A **150**
Ayre Rd. *B24* —3H **85**
Ayrshire Clo. *B36* —1B **104**
Ayrton Clo. *Wolv* —5G **25**
Azalea Clo. *Cod* —4H **13**
Azalea Gro. *B9* —1F **119**
Aziz Isaac Clo. *O'bry* —4A **98**

Babington Rd. *B21* —2A **100**
Bablake Cft. *Sol* —4E **137**
Babors Fld. *Bils* —2C **60**
Babworth Clo. *Wolv* —5E **15**
Baccabox La. *H'wd* —2G **161**
Bacchus Rd. *B18* —3B **100**
Bache St. *W Brom* —6A **80**
Bach Mill Dri. *B28* —4D **148**
Backhouse La. *Wolv* —5E **29**
Back La. *Crad H* —2D **110**
Back La. *Wals* —2H **35**
Back La. *Wtgtn* —1E **37**
Back Rd. *K Nor* —5B **146**
Back Rd. *K'wfrd* —2B **92**
Bacon's End. —5D 106
Bacons End. *B37* —4D **106**
Baddesley Rd. *Sol* —3C **136**
Bader Rd. *Wals* —1F **47**
Bader Rd. *Wolv* —6E **25**
Bader Wlk. *B35* —5D **86**
Badger Clo. *Shir* —4B **164**
Badger Dri. *Wolv* —5H **27**
Badgers Bank Rd. *S Cold*
 —4F **37**
Badgers Clo. *Wals* —2E **21**
Badgers Cft. *Hale* —4B **112**
Badger St. *Dud* —2A **76**
Badger St. *Stourb* —5A **110**
Badgers Way. *B34* —4E **105**
 (in two parts)
Badminton Clo. *Dud* —4B **76**
Badon Covert. *B14* —5F **147**
Badsey Clo. *B31* —3G **145**
Badsey Rd. *O'bry* —4D **96**
Baggeridge Clo. *Dud* —5E **59**
Baggeridge Country Pk.
 —1C 74
Baggeridge Country Pk.
 Vis. Cen. —6D 58
Baggott St. *Wolv* —4G **43**
Baginton Clo. *Sol* —2F **151**
Baginton Rd. *B35* —3E **87**
Bagley's Rd. *Brie H* —5B **109**
Bagley St. *Stourb* —6G **109**
Bagnall Clo. *B25* —5B **120**
Bagnall Rd. *Bils* —6E **45**
Bagnall St. *Ock H* —4G **62**
Bagnall St. *Ock H & G Hill*
 —6D **62**
Bagnall St. *Wals* —3A **32**
Bagnall St. *W Brom* —5C **80**
Bagnall Wlk. *Brie H* —2H **109**
Bagnell Rd. *B13* —6H **133**
Bagot St. *B4* —5G **101**
Bagridge Clo. *Wolv* —3H **41**
Bagridge Rd. *Wolv* —3H **41**
Bagshawe Cft. *B23* —6D **68**
Bagshaw Rd. *B33* —6C **104**
Bailey Rd. *Bils* —4D **44**

Baileys Ct. *Row R* —6B **96**
Bailey St. *W Brom* —3G **79**
Bailey St. *Wolv* —1A **44**
Baker Av. *Bils* —3B **60**
Baker Ho. Gro. *B43* —6H **65**
Baker Rd. *Bils* —2G **61**
Bakers Gdns. *Cod* —3E **13**
Bakers La. *A'rdge* —3D **34**
Bakers La. *S Cold* —6H **51**
Baker St. *Hand* —1B **100**
Baker St. *Small H* —2D **118**
Baker St. *S'hll* —1C **134**
Baker St. *Tip* —3G **77**
(in two parts)
Baker St. *W Brom* —4H **79**
Bakers Way. *Cod* —3E **13**
Bakewell Clo. *Wals* —4A **20**
Balaclava Rd. *B14* —5G **133**
Balcaskie Clo. *B15* —4A **116**
Balden Rd. *B32* —4C **114**
Baldmoor Lake Rd. *B23*
—6F **69**
Bald's La. *Stourb* —6B **110**
Baldwin Clo. *Tiv* —5D **78**
Baldwin Ho. *B19* —3G **101**
Baldwin Rd. *B30* —5C **146**
Baldwins Ho. Brie H —3B 110
(off Maughan St.)
Baldwins La. *B28* —3E **149**
Baldwin St. *Bils* —1H **61**
Baldwin St. *Smeth* —3F **99**
Baldwin Way. *Swind* —5E **73**
Balfour Ct. *S Cold* —6G **37**
Balfour Cres. *Wolv* —5D **26**
Balfour Dri. *Tiv* —5C **78**
Balfour Rd. *K'wfrd* —1C **92**
Balfour St. *B12* —5G **117**
Balham Gro. *B44* —3A **68**
Balking Clo. *Bils* —2D **60**
Ballarat Wlk. *Stourb* —6D **108**
Ballard Cres. *Dud* —4F **95**
Ballard Rd. *Dud* —4F **95**
Ballard Wlk. *B37* —3C **106**
Ballfields. *Tip* —2D **78**
Ball Ho. Wals —1H 31
(off Somerfield Rd.)
Balliol Bus. Pk. *Wolv* —4B **14**
Balliol Ho. *B37* —1B **122**
Ball La. *Cov H* —1G **15**
Ballot St. *Smeth* —4F **99**
Balls Hill. —5G 63
Balls Hill. *Wals* —1D **48**
Balls St. *Wals* —2D **48**
Balmain Cres. *Wolv* —1D **28**
Balmoral Clo. *Hale* —4B **112**
Balmoral Clo. *Wals* —2H **33**
Balmoral Dri. *W'hall* —2B **30**
Balmoral Dri. *Wom* —4G **57**
Balmoral Rd. *Bart G* —6G **129**
Balmoral Rd. *Erd* —2F **85**
Balmoral Rd. *K'hrst* —2C **106**
Balmoral Rd. *Stourb* —6A **92**
Balmoral Rd. *S Cold* —4F **37**
Balmoral Rd. *Wolv* —6E **43**
Balmoral Vw. *Dud* —5A **76**
Balmoral Way. *Row R* —5D **96**
Balmoral Way. *Wals* —5G **31**
Balsall. —4G 169
Balsall Common. —2G 169
Balsall Heath. —6H 117
Balsall Heath Rd. *B5 & B12*
—4F **117**
Balsall Street. —3F 169
Balsall St. *Bal C* —4B **168**
Balsall St. E. *Bal C* —4G **169**
Baltimore Rd. *B42* —1C **82**

Balvenie Way. *Dud* —4B **76**
Bamber Clo. *Wolv* —3C **42**
Bamford Clo. *Wals* —4A **20**
Bamford Ho. *Wals* —4A **20**
Bamford Rd. *Wals* —4A **20**
Bamford Rd. *Wolv* —3E **43**
Bampfylde Pl. *B42* —6E **67**
Bamville Rd. *B8* —4G **103**
Banbery Dri. *Wom* —3F **73**
Banbrook Clo. *Sol* —5H **137**
Banbury Clo. *Sed* —1A **76**
Banbury Cft. *B37* —1B **122**
Banbury Ho. *B33* —1A **122**
Banbury St. *B5*
—6H **101** (3G **5**)
Bancroft Clo. *Cose* —6D **60**
Bandywood Cres. *B44*
—2H **67**
Bandywood Rd. *B44* —1G **67**
Banfield Av. *W'bry* —4C **46**
Banfield Rd. *Wolv* —1C **62**
Banford Av. *B8* —5G **103**
Banford Rd. *B8* —5G **103**
Bangham Pit Rd. *B31*
—1C **144**
Bangley La. *Hints* —3H **39**
(in two parts)
Bangor Rd. *B37* —5D **106**
Bangor Rd. *B9* —1D **118**
Bankdale Rd. *B8* —5H **103**
Bankes Rd. *B10* —2E **119**
Bank Farm Clo. *Stourb*
—4G **125**
Bankfield Ho. *Wolv*
—1G **43** (2A **170**)
Bankfield Rd. *Bils* —6F **45**
(in two parts)
Bankfield Rd. *Tip* —5C **62**
Banklands Rd. *Dud* —3G **95**
Bank Rd. *Gorn W* —4G **75**
(in two parts)
Bank Rd. *Neth* —3F **95**
Bankside. *Gt Barr* —6A **66**
Bankside. *Mose* —3D **134**
Bankside. *Wom* —6F **57**
Bankside Cres. *S Cold*
—4H **51**
Bankside Way. *Wals* —5D **22**
Banks St. *W'hall* —1A **46**
Bank St. *B14* —5G **133**
Bank St. *Brad* —2G **61**
Bank St. *Brie H* —5H **93**
Bank St. *Cose* —5D **60**
Bank St. *Crad H* —2E **111**
Bank St. *Stourb* —6B **110**
Bank St. *Wals* —2D **48**
Bank St. *W Brom* —1A **80**
Bank St. *Wolv* —4A **28**
Bankwell St. *Brie H* —5G **93**
Banner La. *Bars* —6B **154**
Bannerlea Rd. *B37* —4B **106**
Bannerley Rd. *B33* —2G **121**
Banners Ct. *S Cold* —2B **68**
Banners Ga. Rd. *S Cold*
—2B **68**
Banners Gro. *B23* —1G **85**
Banner's La. *Hale* —5F **111**
Banner's St. *Hale* —5F **111**
Banners Wlk. *B44* —3B **68**
Bannington Ct. *W'hall* —5D **30**
Bannister Rd. *W'bry* —3D **62**
Bannister St. *Crad H* —2F **111**
Banstead Clo. *Wolv* —4A **44**
Bantams Clo. *B33* —1G **121**
Bantock Av. *Wolv* —3D **42**
Bantock Gdns. *Wolv* —2C **42**

Bantock House Mus. —2D 42
Bantocks, The. *W Brom*
—1G **79**
Bantock Way. *B17* —6H **115**
Banton Clo. *B23* —5D **68**
Bantry Clo. *B26* —1G **137**
Baptist End. —3F 95
Baptist End Rd. *Dud* —4E **95**
Barber Institute of Fine Arts.
—1C 132
Barbers La. *Cath B* —1E **153**
Barbourne Clo. *Sol* —2F **165**
Barbrook Dri. *Brie H* —4F **109**
Barcheston Rd. *B29* —4E **131**
Barcheston Rd. *Know*
—4C **166**
Barclay Ct. *Wolv* —1E **43**
Barclay Rd. *Smeth* —2C **114**
Bar Common. —6D 34
Barcroft. *W'hall* —6B **30**
Bardfield Clo. *B42* —5C **66**
Bardon Dri. *Shir* —5A **150**
Bard St. *B11* —6C **118**
Bardwell Clo. *Wolv* —1D **26**
Barford Clo. *S Cold* —1D **70**
Barford Clo. *W'bry* —3C **46**
Barford Cres. *B38* —5E **147**
Barford Ho. *B5* —4G **117**
Barford Rd. *B16* —5A **100**
Barford Rd. *Shir* —5B **150**
Barford St. *B5*
—3G **117** (6G **5**)
Bargate Dri. *Wolv* —5E **27**
Bargehorse Wlk. *B38* —2A **160**
Bargery Rd. *Wolv* —6A **18**
Barham Clo. *Shir* —4E **165**
Barker Ho. *O'bry* —1E **97**
Barker Rd. *S Cold* —4H **53**
Barker St. *Loz* —2D **100**
Barker St. *O'bry* —3A **98**
Bark Piece. *B32* —2A **130**
Barlands Cft. *B34* —3G **105**
Barle Gro. *B36* —2B **106**
Barley Clo. *A'rdge* —1G **51**
Barley Clo. *Dud* —6B **60**
Barley Clo. *Wolv* —6C **14**
Barley Cft. *Pert* —6D **24**
Barleyfield Ho. Wals —3C 48
(off Bath St.)
Barleyfield Ri. *K'wfrd* —1G **91**
Barleyfield Row. *Wals* —3C **48**
Barlow Clo. *O'bry* —6G **97**
Barlow Clo. *Redn* —5E **143**
Barlow Dri. *W Brom* —6D **80**
Barlow Rd. *W'bry* —6G **47**
Barlow's Rd. *B15* —6H **115**
Barmouth Clo. *W'hall* —3C **30**
Barnabas Rd. *B23* —3F **85**
Barnaby Sq. *Wolv* —3B **16**
Barnard Clo. *B37* —2F **123**
Barnardo's Cen. B7 —4A 102
(off Rupert St.)
Barnard Pl. *Wolv* —5A **44**
Barnard Rd. *S Cold* —4C **54**
Barnard Rd. *Wolv* —6H **17**
Barn Av. *Dud* —6G **59**
Barnbrook Rd. *Know* —2C **166**
Barn Clo. *B30* —1D **146**
Barn Clo. *Crad H* —5G **111**
Barn Clo. *Hale* —3G **127**
Barn Clo. *Stourb* —1G **125**
Barncroft. *B32* —4C **130**
Barncroft. *Burn* —1C **10**
Barncroft Rd. *Tiv* —1A **96**
Barncroft St. *W Brom* —5G **63**

Barnes Clo. *B37* —1A **122**
Barnes Hill. *B29* —3D **130**
Barnesville Clo. *B10* —3G **119**
Barnet Rd. *B23* —2D **84**
Barnett Clo. *Bils* —1F **61**
Barnett Clo. *K'wfrd* —5B **92**
Barnett Grn. *K'wfrd* —5B **92**
Barnett La. *K'wfrd & Stourb*
—4B **92**
Barnett Rd. *W'hall* —2G **45**
Barnetts La. *Wals* —5B **10**
Barnett St. *Stourb* —6B **92**
Barnett St. *Tip* —3A **78**
Barnett St. *Tiv* —5A **78**
Barney Clo. *Tip* —4H **77**
Barn Farm Clo. *Bils* —4A **46**
Barnfield Dri. *Sol* —1A **152**
Barnfield Gro. *B20* —2A **82**
Barnfield Rd. *Hale* —4D **112**
Barnfield Rd. *Tip* —6G **61**
Barnfield Rd. *Wolv* —1C **44**
Barnfield Trad. Est. *Tip*
—1G **77**
Barnford Clo. *B10* —2C **118**
Barnford Cres. *O'bry* —6H **97**
Barnfordhill Clo. *O'bry* —5H **97**
Barn Grn. *Wolv* —4D **42**
Barn Hill. —4C 162
Barnhurst La. *Cod & Wolv*
—4B **14**
Barn La. *Hand* —2A **100**
Barn La. *Mose* —6A **134**
Barn La. *Sol* —1C **136**
Barn Mdw. *B25* —2B **120**
Barnmoor Ri. *Sol* —6G **137**
Barn Owl Dri. *Wals* —3D **20**
Barn Owl Wlk. *Brie H* —5G **109**
Barnpark Covert. *B14* —5E **147**
Barn Piece. *B32* —1H **129**
Barnsbury Av. *S Cold* —1A **86**
Barns Clo. *Wals* —3B **22**
Barns Cft. *S Cold* —5B **36**
Barnsdale Cres. *B31* —3C **144**
Barns La. *Wals & A'rdge*
—2G **33**
Barnsley Rd. *B17* —2E **115**
Barnstaple Rd. *Smeth* —4F **99**
Barn St. *B5* —1H **117** (5H **5**)
Barnt Grn. Rd. *Redn* —5A **158**
Barnwood Rd. *B32* —1D **130**
Barnwood Rd. *Wolv* —6C **14**
Barons Clo. *B17* —5E **115**
Barons Ct. *Sol* —1G **137**
Barons Ct. Trad. Est. *Wals*
—5A **22**
Barracks Clo. *Wals* —1C **32**
Barracks La. *Bwnhls & Wals W*
—4E **11**
Barracks La. *Wals* —1B **32**
Barracks Pl. *Wals* —1C **32**
Barrack St. *B7* —5A **102**
Barrack St. *W Brom* —5G **63**
Barra Cft. *B35* —3F **87**
Barrar Clo. *Stourb* —3C **108**
Barratts Cft. *Brie H* —6G **75**
Barratts Rd. *B38* —6C **146**
Barrington Clo. *Wals* —2E **65**
Barrington Clo. *Wolv* —6G **15**
Barrington Rd. *Redn* —2E **157**
Barrington Rd. *Sol* —3C **136**
Barr Lakes La. *A'rdge* —4A **50**
Barron Rd. *B31* —4F **145**

Barrow Hill Rd. *Brie H* —6G **75**
(in two parts)
Barrows La. *B26* —3C **120**
(in two parts)
Barrows Rd. *B11* —5C **118**
Barrow Wlk. *B5* —4G **117**
(in two parts)
Barrs Cres. *Crad H* —3H **111**
Barrs Rd. *Crad H* —4G **111**
Barrs St. *O'bry* —5G **97**
Barr St. *B19* —4E **101**
(in two parts)
Barr St. *Dud* —4G **75**
Barry Jackson Tower. *B6*
—2H **101**
Barry Rd. *Wals* —4G **49**
Barsham Clo. *B5* —5E **117**
Barsham Dri. *Brie H* —3G **109**
Barston. —6A 154
Barston La. *Bal C* —6D **154**
Barston La. *H Ard & Bars*
(in two parts) —4G **153**
Barston La. *Know* —5B **152**
Barston La. *Sol* —5D **152**
(in three parts)
Barston Rd. *O'bry* —4H **113**
Bartholomew Row. *B5*
—6H **101** (3G **5**)
Bartholomew St. *B5*
—1H **117** (4G **5**)
Bartic Av. *K'wfrd* —5D **92**
Bartleet Rd. *Smeth* —4B **98**
Bartlett Clo. *Tip* —4B **62**
Bartley Clo. *Sol* —3D **136**
Bartley Dri. *B31* —5C **130**
Bartley Green. —5B 130
Bartley Woods. *B32* —3H **129**
Barton Cft. *B28* —3F **149**
Barton Dri. *Know* —6D **166**
Barton La. *K'wfrd* —1A **92**
Barton Lodge Rd. *B28*
—3E **149**
Barton Rd. *Wolv* —1B **60**
Bartons Bank. *B6* —2G **101**
Barton St. *W Brom* —5H **79**
Bar Wlk. *Wals* —6E **23**
Barwell Clo. *Dorr* —5A **166**
Barwell Ct. *B9* —1B **118**
Barwell Rd. *B9* —1B **118**
Barwick St. *B3*
—6F **101** (3D **4**)
Basalt Clo. *Wals* —5G **31**
Basil Gro. *B31* —3C **144**
Basil Rd. *B31* —3C **144**
Baslow Clo. *B33* —5D **104**
Baslow Clo. *Wals* —4H **19**
Baslow Rd. *Wals* —4H **19**
Bason's La. *O'bry* —4A **98**
Bassano Rd. *Row R* —2C **112**
Bassenthwaite Ct. *K'wfrd*
—3B **92**
Bassett Clo. *S Cold* —1C **70**
Bassett Clo. *W'hall* —5D **30**
Bassett Clo. *Wolv* —5A **42**
Bassett Cft. *B10* —3B **118**
Bassett Rd. *Hale* —5C **110**
Bassett Rd. *W'bry* —3A **64**
(in two parts)
Bassetts Gro. *B37* —4B **106**
Bassett's Pole. —1F 55
Bassett St. *Wals* —2H **47**
Bassnage Rd. *Hale* —3G **127**
Batch Cft. *Bils* —6F **45**
Batchcroft. *W'bry* —3D **46**
Batchelor Clo. *Stourb*
—3D **108**

Bateman Dri. *S Cold* —3H **69**
Bateman Rd. *Col* —6H **89**
Bateman's Green. —3G 161
Batemans La. *H'wd & Wyt*
—4G **161**
Bates Clo. *S Cold* —6F **71**
Bates Gro. *Wolv* —4C **28**
Bate St. *Wals* —6C **32**
Bate St. *Wolv* —2C **60**
Bath Av. *Wolv*
—1F **43** (1A **170**)
Bath Ct. *B29* —6F **131**
Bath Ct. *B15* —2E **117**
Batheaston Clo. *B38* —2H **159**
Bath Mdw. *Hale* —6G **111**
Bath Pas. *B5* —2G **117** (6E **5**)
Bath Rd. *Brie H* —1C **110**
Bath Rd. *Stourb* —6D **108**
Bath Rd. *Tip* —2A **78**
Bath Rd. *Wals* —3C **48**
Bath Rd. *Wolv*
—1F **43** (2A **170**)
Bath Row. *B15* —2E **117**
Bath Row. *O'bry* —1D **96**
Bath St. *B4* —5G **101** (1E **5**)
Bath St. *Bils* —6G **45**
Bath St. *Dud* —1E **95**
Bath St. *Sed* —4A **60**
Bath St. *Wals* —2C **48**
Bath St. *W'hall* —2B **46**
Bath St. *Wolv* —2A **44**
Bath Wlk. *B12* —6G **117**
Batmans Hill Rd. *Bils & Tip*
—3G **61**
Batson Ri. *Brie H* —3E **109**
Battenhall Rd. *B17* —6E **115**
Battery Ind. Pk. *S Oak*
—3A **132**
Battlefield Hill. *Wom* —6A **58**
Battlefield La. *Wom* —1H **73**
Bavaro Gdns. *Brie H* —1C **110**
Baverstock Rd. *B14* —5G **147**
Baxterley Grn. *Sol* —3B **150**
Baxterley Grn. *S Cold* —4D **70**
Baxter Rd. *Brie H* —1G **109**
Baxters Grn. *Shir* —1G **163**
(in two parts)
Baxters Rd. *Shir* —1H **163**
Bayer St. *Bils* —5E **61**
Bayford Av. *N'fld* —3C **158**
Bayford Av. *Sheld* —1G **137**
Bayley Cres. *W'bry* —3C **46**
Bayley Ho. *Bwnhls* —1B **22**
Bayleys La. *Tip* —5C **62**
Bayley Tower. *B36* —1C **104**
Baylie St. *Stourb* —1D **124**
Baylis Av. *Wolv* —1H **29**
Bayliss Av. *Wolv* —2C **60**
Bayliss Clo. *B31* —2F **145**
Bayliss Clo. *Bils* —4E **45**
Baynton Rd. *W'hall* —2C **30**
Bayston Av. *Wolv* —3C **42**
Bayston Rd. *B14* —3G **147**
Bayswater Rd. *B20* —6F **83**
Bayswater Rd. *Dud* —4H **75**
Bay Tree Clo. *B38* —1H **159**
Baytree Clo. *Wals* —5G **19**
Baytree Rd. *Wals* —5G **19**
Baywell Clo. *Shir* —2E **165**
Beach Av. *Bal H* —6B **118**
Beach Av. *Bils* —2B **60**
Beach Brook Clo. *B11*
—6B **118**
Beachburn Way. *B20* —4C **82**
Beach Clo. *B31* —6G **145**
Beachcroft Rd. *K'wfrd* —6A **74**

Beach Dri. *Hale* —6A **112**
Beach Rd. *B11* —6B **118**
Beach Rd. *Bils* —4F **45**
Beach St. *Hale* —6A **112**
Beachwood Av. *K'wfrd* —6A **74**
Beacon Clo. *Gt Barr* —4B **66**
Beacon Clo. *Redn* —3G **157**
Beacon Clo. *Smeth* —2E **99**
Beacon Ct. *B43* —4B **66**
Beacon Ct. *S Cold* —3H **51**
Beacon Dri. *Wals* —3E **49**
Beacon Hill. *Aston* —1G **101**
Beacon Hill. *Redn* —4F **157**
Beacon Hill. *Wals* —2E **51**
Beacon La. *Dud* —4A **60**
Beacon La. *Marl & Redn*
—6D **156**
Beacon M. *B43* —4B **66**
Beacon Pas. *Dud* —5H **59**
Beacon Ri. *Dud* —4A **60**
Beacon Ri. *Stourb* —1H **125**
Beacon Ri. *Wals* —6D **34**
Beacon Rd. *K'sdng* —1A **68**
Beacon Rd. *S Cold* —4G **69**
Beacon Rd. *Wals* —6H **49**
Beacon Rd. *A'rdge & Gt Barr*
—3D **50**
Beacon Rd. *W'hall* —1C **30**
Beaconsfield Av. *Wolv* —5H **43**
Beaconsfield Ct. *Wals* —3F **49**
Beaconsfield Cres. *B12*
—6G **117**
Beaconsfield Dri. *Wolv*
—5H **43**
Beaconsfield Rd. *B12*
—1G **133**
Beaconsfield Rd. *S Cold*
—4H **53**
Beaconsfield St. *W Brom*
—2A **80**
Beacon St. *Bils* —4B **60**
Beacon St. *Wals* —2E **49**
Beacon Vw. *Redn* —3F **157**
Beacon Vw. *Wals* —1F **47**
(in two parts)
Beacon Vw. Dri. *S Cold*
—6H **51**
Beaconview Ho. *W Brom*
—4D **64**
Beacon Vw. Rd. *W Brom*
—3C **64**
Beacon Way. *Wals* —4C **22**
Beacon Way. *W Brom* —2E **81**
Beakes Rd. *Smeth* —6D **98**
Beaks Farm Gdns. *B16*
—1H **115**
Beaks Hill Rd. *B38* —6A **146**
Beak St. *B1* —1F **117** (5D **4**)
Beale Clo. *B35* —5E **87**
Beales St. *B6* —1B **102**
Beale St. *Stourb* —6D **108**
Bealeys Av. *Wolv* —1E **29**
Bealeys Fold. Wolv —4F **29**
(off Nicholls Fold)
Bealeys La. *Wals* —4G **19**
(in two parts)
Beamans Clo. *Sol* —1E **137**
Beaminster Rd. *Sol* —3E **151**
Beamish La. *Cod W* —2A **12**
Beamont Clo. *Tip* —1G **77**
Bean Cft. *B32* —2A **130**
Bean Rd. *Dud* —1F **95**
Bean Rd. *Tip* —1E **77**
Bean Rd. Ind. Est. *Tip* —1E **77**
Beardmore Rd. *S Cold* —5A **70**
Bearley Cft. *Shir* —1A **164**

Bearmore Rd. *Crad H*
—2G **111**
Bearnett Dri. *Wolv* —3A **58**
Bearnett La. *Wolv* —4H **57**
Bearwood. —1E 115
Bearwood Ho. *Smeth* —5E **99**
Bearwood Shop. Cen. *Smeth*
—2E **115**
Beasley Gro. *B43* —4D **66**
Beaton Clo. *W'hall* —1G **45**
Beaton Rd. *S Cold* —6G **37**
Beatrice St. *Wals* —3A **32**
Beatrice Wlk. *Tiv* —5A **78**
Beatty Ho. *Tip* —5A **62**
Beaubrook Gdns. *Word*
—6C **92**
Beauchamp Av. *B20* —2B **82**
Beauchamp Clo. *B37* —1D **122**
Beauchamp Clo. *S Cold*
—6F **71**
Beauchamp Rd. *B13* —2B **148**
Beauchamp Rd. *Sol* —2F **151**
Beaudesert Clo. *H'wd*
—3A **162**
Beaudesert Rd. *B20* —1D **100**
Beaudesert Rd. *H'wd* —3A **162**
Beaufort Av. *B34* —3B **104**
Beaufort Pk. *B36* —4B **104**
Beaufort Rd. *Edg* —2B **116**
Beaufort Rd. *Erd* —5E **85**
Beaufort Way. *Wals* —5D **34**
Beaulieu Av. *K'wfrd* —5D **92**
Beaumaris Clo. *Dud* —4B **76**
Beaumont Clo. *Wals* —3F **7**
Beaumont Dri. *B17* —1F **131**
Beaumont Dri. *Brie H* —4F **109**
Beaumont Gdns. *B18* —3B **100**
Beaumont Gro. *Sol* —2D **150**
Beaumont Pk. *K Nor* —3B **146**
Beaumont Rd. *B30* —1A **146**
Beaumont Rd. *Hale* —3E **113**
Beaumont Rd. *Wals* —3F **7**
Beaumont Rd. *W'bry* —1F **63**
Beausale Dri. *Know* —2E **167**
Beauty Bank. *Crad H* —3A **112**
Beauty Bank Cres. *Stourb*
—5C **108**
Beaver Clo. *Wolv* —4H **29**
Beaver Rd. *Tip* —6D **62**
Bebington Clo. *Wolv* —1D **26**
Beccles Dri. *W'hall* —3H **45**
Beckbury Av. *Wolv* —6A **42**
Beckbury Rd. *B29* —4E **131**
Beck Clo. *Smeth* —5E **99**
Beckenham Av. *B44* —4A **68**
Becket Clo. *S Cold* —3F **37**
Beckett St. *Bils* —5G **45**
Beckfield Clo. *B14* —5G **147**
Beckfield Clo. *Wals* —1G **33**
Beckford Cft. *Dorr* —6B **166**
Beckman Rd. *Stourb* —3G **125**
Beckminster Rd. *Wolv* —4D **42**
Beconsfield Clo. *Dorr*
—6G **167**
Becton Gro. *B42* —6F **67**
Bedcote Pl. *Stourb* —6F **109**
Beddoe Clo. *Tip* —2D **78**
Beddow Av. *Bils* —6E **61**
Beddows Rd. *Wals* —4C **32**
Bedford Dri. *S Cold* —5C **54**
Bedford Ho. *B36* —3D **106**
Bedford Ho. Wolv —5G **27**
(off Lomas St.)
Bedford Rd. *Camp H* —2A **118**
Bedford Rd. *S Cold* —5C **54**
Bedford Rd. *W Brom* —6H **63**

Bedford St. *Tip* —2B **78**
Bedford St. *Wolv* —4D **44**
Bedlam Wood Rd. *B31*
—6A **144**
Bedworth Cft. *Tip* —3B **78**
Bedworth Gro. *B9* —1H **119**
Beebee Rd. *W'bry* —5F **47**
Beecham Clo. *Wals* —1C **34**
Beech Av. *B12* —6A **118**
Beech Av. *Chel W* —2D **122**
Beech Av. *Hale* —3C **112**
Beech Av. *Quin* —4B **114**
Beech Clo. *Dud* —4A **60**
Beech Clo. *Wolv* —1F **27**
Beech Ct. *B43* —4H **65**
Beech Ct. *Sol* —3H **151**
Beech Ct. *Stourb* —1F **125**
Beech Ct. *Wals* —3E **49**
Beech Cres. *Tip* —5C **62**
Beech Cres. *W'bry* —6F **47**
Beechcroft Av. *B28* —1G **149**
Beechcroft Ct. *S Cold* —2G **53**
Beechcroft Cres. *S Cold*
—2F **51**
Beechcroft Est. *Hale* —5E **111**
Beechcroft Pl. *Wolv* —2G **27**
Beechcroft Rd. *B36* —1F **105**
Beechcroft Rd. *Crad H*
—2G **111**
Beechdale. *O'bry* —4H **113**
Beechdale Av. *B44* —3G **67**
Beech Dene Gro. *B23* —2E **85**
Beecher Pl. *Hale* —6F **111**
Beecher Rd. *Hale* —6F **111**
Beecher Rd. E. *Hale* —6F **111**
Beecher St. *Hale* —6E **111**
Beeches Av. *B27* —1A **136**
Beeches Clo. *K'wfrd* —4B **92**
Beeches Clo. *Redn* —2D **156**
Beeches Dri. *B24* —2A **86**
Beeches Farm Dri. *B31*
—2E **159**
Beeches Pl. *Wals* —2B **32**
Beeches Rd. *B42* —6D **66**
Beeches Rd. *O'bry* —6A **98**
Beeches Rd. *Row R* —2B **112**
Beeches Rd. *Wals* —3B **32**
Beeches Rd. *W Brom* —4C **80**
(in two parts)
Beeches, The. *B15* —3E **117**
Beeches, The. *S Cold* —5D **36**
Beeches, The. *W Brom*
—5C **80**
Beeches Vw. Av. *Hale* —1E **127**
Beeches Wlk. *S Cold* —2H **69**
Beeches Way. *B31* —2E **159**
Beechey Clo. *B43* —6F **51**
Beech Farm Cft. *B31* —4E **145**
Beechfield Av. *B11* —5B **118**
Beechfield Clo. *Hale* —3C **112**
Beechfield Gro. *Bils* —6D **60**
Beechfield Rd. *B11* —5B **118**
Beechfield Rd. *Smeth* —5D **98**
Beech Gdns. *Cod* —5F **13**
Beech Ga. *S Cold* —4B **36**
Beechglade. *B20* —3B **82**
Beech Grn. *Dud* —2C **76**
Beech Gro. *B14* —2A **148**
Beech Hill Rd. *S Cold* —6A **70**
Beech Ho. *Sol* —5D **150**
Beechhouse La. *Seis* —5A **56**
Beech Hurst. *B38* —1A **160**
Beech Hurst Gdns. *Seis*
—3A **56**
Beech Lanes. —4D 79
Beech M. *Crad H* —1G **111**

Beechmore Rd. *B26* —6D **120**
Beechmount Dri. *B23* —1G **85**
Beechnut Clo. *Sol* —2H **151**
Beechnut La. *Sol* —3A **152**
(in two parts)
Beech Rd. *B'ville* —6A **132**
Beech Rd. *Dud* —3E **77**
Beech Rd. *Erd* —6F **69**
Beech Rd. *H'wd* —3B **162**
Beech Rd. *K'wfrd* —4C **92**
Beech Rd. *Stourb* —2C **124**
Beech Rd. *Tiv* —1A **96**
Beech Rd. *W'bry* —6F **47**
Beech Rd. *W'hall* —1G **45**
Beech Rd. *Wolv* —1F **27**
Beech St. *Bils* —5E **61**
Beech Tree Av. *Wolv* —1E **29**
Beech Tree Clo. *K'wfrd*
—1C **92**
Beechtree Rd. *Wals* —4B **22**
Beech Wlk. *B38* —1B **160**
Beech Way. *Smeth* —4F **99**
Beechwood Av. *Wolv* —1D **28**
Beechwood Clo. *Shir* —5C **164**
Beechwood Clo. *Wals* —4H **19**
Beechwood Ct. *B30* —4E **147**
Beechwood Ct. *Wolv* —6A **26**
Beechwood Cft. *Lit A* —4D **36**
Beechwood Dri. *Wolv* —1G **41**
Beechwood Pk. Rd. *Sol*
—6G **77**
Beechwood Rd. *Dud* —6G **77**
Beechwood Rd. *Gt Barr*
—4B **66**
Beechwood Rd. *K Hth*
—2H **147**
Beechwood Rd. *Smeth*
—3C **114**
Beechwood Rd. *W Brom*
—4H **79**
Beehive La. *Curd* —1E **89**
Beehive Wlk. *Tip* —2G **77**
Bee La. *Wolv* —4H **15**
Beeston Clo. *B6* —2A **102**
Beeston Clo. *Brie H* —3H **109**
Beeton Rd. *B18* —3A **100**
Beet St. *Row R* —2C **112**
Beggars Bush La. *Wom*
—2H **73**
Beighton Clo. *S Cold* —3F **37**
Beilby Rd. *B30* —1D **146**
Belbroughton Rd. *Hale*
—3H **127**
Belbroughton Rd. *Stourb*
—2C **124**
Belcher's La. *B9 & B8*
—1G **119**
Beldray Rd. *Bils* —5G **45**
Belfont Trad. Est. *Hale*
—1C **128**
Belfry Clo. *Wals* —4G **19**
Belfry Dri. *Woll* —5C **108**
Belfry, The. *Pert* —5D **24**
Belgrade Rd. *Wolv* —6F **15**
Belgrave Ct. *K'wfrd* —5D **92**
Belgrave Middleway. *B5 &*
B12 —4G **117**
Belgrave Rd. *Hale* —3D **112**
Belgrave Ter. *B21* —2C **100**
Belgrave Wlk. *Wals* —6H **31**
Belgravia Clo. *B5* —4G **117**
Belgravia Clo. Walkway. *B5*
—4G **117**
Belgravia Ct. *B37* —4C **106**
Belgrove Clo. *B15* —5A **116**
Belinda Clo. *W'hall* —6H **29**

Bellamy Clo. *Shir* —6B **150**
Bellamy Farm Rd. *Shir*
—6B **150**
Bellamy La. *Wolv* —2E **29**
Bell Av. *W'hall* —1A **46**
Bell Barn Clo. *B15* —3E **117**
Bell Barn Rd. *B15* —3E **117**
Bell Barn Shop. Cen. *B15*
—3E **117**
Bell Clo. *B36* —3D **106**
Bell Clo. *B9* —6E **103**
Bell Clo. *W'bry* —4D **46**
Bellcroft. *B16* —1D **116**
Bell Dri. *Wals* —6E **49**
Bellefield Av. *B18* —5A **100**
Bellefield Rd. *B18* —5A **100**
Belle Isle. *Brie H* —6G **93**
Bellemere Rd. *H Ard* —2B **154**
Bellencroft Gdns. *Wolv*
—4A **42**
Bell End. *Row R* —6C **96**
Bellevale. *Hale* —6G **111**
Bellevue. *B5* —4F **117**
Bellevue. *Edg* —5H **99**
Belle Vue. *Stourb* —1A **108**
Belle Vue Dri. *Hale* —5D **112**
Belle Vue Gdns. *Row R*
—6C **96**
Bellevue Rd. *B26* —4F **121**
Bellevue Rd. *Bils* —3A **62**
Belle Vue Rd. *Brie H* —2C **110**
Belle Vue Rd. *Row R* —1C **112**
Bellevue St. *Bils* —3B **60**
Belle Vue Ter. *H Ard* —1A **154**
Belle Wlk. *B13* —3B **134**
Bell Fold. *O'bry* —3A **98**
Bell Grn. La. *B38* —4D **160**
Bell Heather Rd. *Clay* —1H **21**
Bell Heath Way. *B32* —3G **129**
Bell Hill. *B31* —2E **145**
Bell Holloway. *B31* —2D **144**
Bellington Cft. *Shir* —3E **165**
Bell Inn Shop. Cen., The. *N'fld*
—3E **145**
Bellis St. *B16* —2B **116**
Bell La. *Blox* —5G **19**
Bell La. *Kitts G* —2A **122**
Bell La. *N'fld* —3E **145**
Bell La. *Wals* —1D **64**
Bellman Clo. *W'bry* —4D **46**
Bell Mdw. *Stourb* —5F **125**
Bell Mdw. Way. *B14* —5G **147**
Bell Pl. *Wolv* —3G **43**
(in two parts)
Bell Rd. *Dud* —4E **95**
Bell Rd. *Try* —4C **56**
Bell Rd. *Wals* —5H **49**
Bells Farm Clo. *B14* —5E **147**
Bellsize Clo. *Cann* —1D **8**
Bell's La. *B14* —5D **146**
Bells La. *Stourb* —2B **108**
Bells Moor Rd. *W Brom*
—1G **79**
Bell St. *Bils* —5E **45**
Bell St. *Cose* —3E **61**
Bell St. *Pens* —2H **93**
(in two parts)
Bell St. *Stourb* —6D **108**
Bell St. *Tip* —2G **77**
Bell St. *W'bry* —4D **46**
Bell St. *W Brom* —5B **80**
Bell St. *Wolv* —2G **43** (4B **170**)
Bell St. S. *Brie H* —1H **109**
Bell Wlk. *B37* —2B **122**
Bell Wharf Pl. *Wals* —5G **49**
Bellwood Rd. *B31* —3D **144**

Belmont Clo. *Cann* —1F **7**
Belmont Clo. *Tip* —1H **77**
Belmont Clo. *Wals* —3C **34**
Belmont Covert. *B31* —1F **145**
Belmont Gdns. *Bils* —1A **62**
Belmont Pas. *B9 & B4*
—1A **118**
Belmont Rd. *B21* —1G **99**
Belmont Rd. *Brie H* —3H **93**
Belmont Rd. *Redn* —3G **157**
Belmont Rd. *Smeth* —1E **115**
Belmont Rd. *Stourb* —1A **126**
Belmont Rd. *Wolv* —6E **43**
Belmont Rd. E. *B21* —1G **99**
Belmont Row. *B4*
—6A **102** (2H **5**)
Belmont St. *Bils* —1A **62**
Belper Ind. Pk. *W Brom*
—4F **79**
Belper Rd. *Wals* —4A **20**
Belper Rd. *W Brom* —4F **79**
Belper Row. *Dud* —5G **95**
Belper, The. *Dud* —6D **76**
Belstone Clo. *B14* —1F **147**
Belton Av. *Wolv* —6D **16**
Belton Gro. *Redn* —1A **158**
Belvedere Av. *Wolv* —6F **43**
Belvedere Clo. *Burn* —1B **10**
Belvedere Clo. *K'wfrd* —5D **92**
Belvedere Gdns. *Wolv* —2C **26**
Belvedere Rd. *B24* —5G **85**
Belvide Gdns. *Cod* —3F **13**
Belvide Gro. *B29* —5F **131**
Belvidere Gdns. *B11* —1C **134**
Belvidere Rd. *Wals* —3D **48**
Belvoir Clo. *Dud* —5A **76**
Belwell Dri. *S Cold* —1G **53**
Belwell La. *S Cold* —1G **53**
Bembridge Clo. *W'hall* —1B **30**
Bembridge Rd. *B33* —6E **105**
Benacre Dri. *B5*
—1H **117** (4H **5**)
Benbeck Gro. *Tip* —2E **77**
Bendall Rd. *B44* —3B **68**
Benedon Rd. *B26* —4E **121**
Benmore Av. *B5* —4F **117**
Bennett Av. *Dud* —1D **76**
Bennett Rd. *S Cold* —6D **36**
Bennett's Fold. *Wolv*
—2G **43** (4A **170**)
Bennett's Hill. *B2*
—1F **117** (4D **4**)
Bennett's Hill. *Dud* —1G **95**
Bennett's La. *Patt* —3A **40**
Bennett's Rd. *B8* —3D **102**
Bennett St. *B19* —1F **101**
Ben Nevis Way. *Stourb*
—5E **109**
Bennitt Clo. *W Brom* —6A **80**
Benson Av. *Wolv* —6G **43**
Benson Clo. *Wolv* —4E **25**
Benson Rd. *Hock* —3B **100**
Benson Rd. *K Hth* —6B **148**
Bent Av. *B32* —5B **114**
Bentham Ct. *B31* —2D **144**
Bentley. —6F 31
Bentley Bri. Way. *Wed* —5D **28**
Bentley Ct. *S Cold* —5D **70**
Bentley Dri. *Cod* —3F **13**
Bentley Dri. *Wals* —1H **47**
Bentley Farm Clo. *Ben H*
—5A **166**
Bentley Gro. *B29* —5D **130**
Bentley Heath. —4A 166
Bentley Heath Cotts. *Know*
—4B **166**

Bentley La. *Wals* —5G **31**
Bentley La. *W'hall* —4D **30**
Bentley La. Ind. Est. *Wals*
—5H **31**
Bentley La. Ind. Pk. *Wals*
—6G **31**
Bentley Mill Clo. *Wals* —2F **47**
Bentley Mill La. *Wals* —2F **47**
Bentley Mill Way. *Wals* —2F **47**
Bentley New Dri. *Wals* —6H **31**
Bentley Pl. *Wals* —1H **47**
Bentley Rd. *B36* —2H **105**
Bentley Rd. *Wolv* —5A **16**
Bentley Rd. N. *Wals* —2E **47**
Bentley Rd. S. *W'bry* —3D **46**
Bentmead Gro. *B38* —6C **146**
Benton Av. *B11* —5C **118**
Benton Clo. *W'hall* —5D **30**
Benton Cres. *Wals* —5A **20**
Benton Rd. *B11* —5C **118**
Bentons La. *Wals* —4G **7**
Bentons Mill Cft. *B7* —1C **102**
Bent St. *Brie H* —5H **93**
Ben Willetts Wlk. *Row R*
—2C **112**
Benyon Cen., The. *Wals*
—2G **31**
Beoley Clo. *S Cold* —4A **70**
Beoley Gro. *Redn* —2F **157**
Berberry Clo. *B30* —1H **145**
Berberry Ct. *Tip* —5A **62**
Beresford Cres. *W Brom*
—4H **79**
Beresford Dri. *S Cold* —4G **69**
Beresford Rd. *O'bry* —2A **98**
Beresford Rd. *Wals* —1C **32**
Bericote Cft. *B27* —2B **136**
Berkeley Clo. *Wolv* —6F **25**
Berkeley Dri. *K'wfrd* —2A **92**
Berkeley Precinct. *B14*
—5H **147**
Berkeley Rd. *B25* —4G **119**
Berkeley Rd. *Shir* —4F **149**
Berkeley Rd. E. *B25* —4H **119**
Berkeley St. *Wals* —4H **47**
Berkley Clo. *Wals* —6F **31**
Berkley Ct. *B1* —2E **117** (5A **4**)
Berkley Cres. *B13* —4C **134**
Berkley Ho. *B23* —1F **85**
Berkley St. *B1* —1E **117** (5A **4**)
Berkshire Clo. *W Brom*
—6H **63**
Berkshire Cres. *W'bry* —1A **64**
Berkshire, The. *Wals* —4G **19**
Berkswell Clo. *Dud* —4A **76**
Berkswell Clo. *Sol* —5F **137**
Berkswell Clo. *S Cold* —5E **37**
Berkswell Rd. *B24* —3H **85**
Bermuda Clo. *Dud* —1D **76**
Bernard Pl. *B18* —4B **100**
Bernard Rd. *B17* —1F **115**
Bernard Rd. *O'bry* —1A **114**
Bernard Rd. *Tip* —6B **62**
Bernard St. *Wals* —3E **49**
Bernard St. *W Brom* —3A **80**
Berners St. *B19* —2F **101**
Bernhard Rd. *B21* —1A **100**
Bernwall Clo. *Stourb* —1D **124**
Berrington Dri. *Bils* —5D **60**
Berrington Wlk. *B5* —4G **117**
Berrow Cottage Homes. *Know*
—3E **167**
Berrow Dri. *B15* —4A **116**
Berrowside Rd. *B34* —3A **106**
Berry Av. *W'bry* —6B **46**

Berrybush Gdns. *Sed* —6A **60**
Berry Clo. *B19* —3F **101**
Berry Cres. *Wals* —1G **65**
Berry Dri. *Wals* —4A **34**
Berryfield Rd. *B26* —5H **121**
Berryfields. *A'rdge* —4A **34**
Berryfields. *Ston* —2G **23**
Berryfields Rd. *S Cold* —2D **70**
Berry Hall La. *Cath B* —3C **152**
Berrymound Vw. *H'wd*
—2C **162**
Berry Rd. *B8* —4E **103**
Berry Rd. *Dud* —2E **77**
Berry St. *B18* —3B **100**
Berry St. *Wolv*
—1H **43** (3C **170**)
Bertha Rd. *B11* —6D **118**
Bertram Clo. *Tip* —4C **62**
Bertram Rd. *B9 & B10*
—2D **118**
Bertram Rd. *Smeth* —3C **98**
Berwick Gro. *Gt Barr* —1D **66**
Berwick Gro. *N'fld* —4B **144**
Berwicks La. *B37* —2D **122**
(in two parts)
Berwood Farm Rd. *S Cold*
—1A **86**
Berwood Gdns. *B24* —1A **86**
Berwood Gro. *Sol* —4F **137**
Berwood La. *B24* —4C **86**
Berwood Pk. *Cas V* —5E **87**
Berwood Rd. *S Cold* —1B **86**
Berwyn Gro. *Wals* —2F **7**
Besant Gro. *B27* —4G **135**
Besbury Clo. *Dorr* —6F **167**
Bescot. —6H 47
Bescot Cres. *Wals* —5B **48**
Bescot Cft. *B42* —1D **82**
Bescot Dri. *Wals* —5H **47**
Bescot Ind. Est. *W'bry* —1D **62**
Bescot Rd. *Wals* —5H **47**
Bescot St. *Wals* —4B **48**
Besford Gro. *B31* —4B **144**
Besford Gro. *Shir* —3F **165**
Bessborough Rd. *B25*
—3B **120**
Best Rd. *Bils* —4F **45**
Best St. *Crad H* —1H **111**
Beswick Gro. *B33* —5E **105**
Beta Gro. *B14* —3C **148**
Betjeman Pl. *Wolv* —6C **16**
Betley Gro. *B33* —4E **105**
Betony Clo. *Wals* —2E **65**
Betsham Clo. *B44* —4B **68**
Bettany Glade. *Wolv* —3A **16**
Betteridge Dri. *S Cold* —1C **70**
Betton Rd. *B14* —2G **147**
Bett Rd. *B20* —4B **82**
Betty's La. *Cann* —1D **8**
Beulah Ct. *Hale* —1A **128**
Bevan Av. *Wolv* —1A **60**
Bevan Clo. *Bils* —5H **45**
Bevan Clo. *Wals* —6G **21**
Bevan Ind. Est. *Brie H*
—1E **109**
Bevan Rd. *Brie H* —1E **109**
Bevan Rd. *Tip* —3B **78**
Bevan Way. *Smeth* —1D **98**
Beverley Clo. *S Cold* —6A **70**
Beverley Clo. *W'bry* —2G **79**
Beverley Ct. Rd. *B32* —5A **114**
Beverley Cres. *Wolv* —1B **60**
Beverley Cft. *B23* —6D **84**
Beverley Dri. *K'wfrd* —2A **92**
Beverley Gro. *B26* —6F **121**
Beverley Rd. *Redn* —2G **157**
Beverley Rd. *W Brom* —4B **64**

Beverston Rd. *Tip* —3B **62**
Beverston Rd. *Wolv* —5G **25**
Bevington Rd. *B6* —6H **83**
Bevin Rd. *Wals* —6E **31**
Bevis Gro. *B44* —2H **67**
Bewdley Av. *B12* —5A **118**
Bewdley Dri. *Wolv* —1D **44**
Bewdley Ho. *B26* —2E **121**
Bewdley Rd. *B30* —5D **132**
Bewlay Clo. *Brie H* —4F **109**
Bewley Rd. *W'hall* —5D **30**
Bewlys Av. *B20* —3A **82**
Bexhill Gro. *B15* —2E **117**
Bexley Gro. *W Brom* —6C **64**
Bexley Rd. *B44* —5B **68**
Bhylls Cres. *Wolv* —4A **42**
Bhylls La. *Wolv* —3H **41**
Bibbey's Grn. *Wolv* —3B **16**
Bibsworth Av. *B13* —5D **134**
Bibury Rd. *B28* —6E **135**
Bicester Sq. *B35* —3F **87**
Bickenhill. —4F 139
Bickenhill Grn. Ct. *Bick*
—4F **139**
Bickenhill La. *B37 & B40*
(in two parts) —5F **123**
Bickenhill La. *Cath B* —1E **153**
Bickenhill Pk. Rd. *Sol*
—4B **136**
Bickenhill Rd. *B37* —4C **122**
Bickenhill Trad. Est. *B37*
—6F **123**
Bickford Rd. *B6* —6A **84**
Bickford Rd. *Wolv* —4B **28**
Bickington Rd. *B32* —4B **130**
Bickley Av. *B11* —5C **118**
Bickley Av. *S Cold* —4E **37**
Bickley Gro. *B26* —6F **121**
Bickley Rd. *Bils* —4A **46**
Bickley Rd. *Wals* —2G **33**
Bicknell Cft. *B14* —5G **147**
Bickton Clo. *B24* —1A **86**
Biddings La. *Bils* —3D **60**
Biddlestone Gro. *Wals* —2G **65**
Biddlestone Pl. *W'bry* —4B **46**
Biddulph Ct. *S Cold* —3G **69**
Bideford Dri. *B29* —4G **131**
Bideford Rd. *Smeth* —4F **99**
Bidford Clo. *Shir* —5B **150**
Bidford Rd. *B31* —4C **144**
Bierton Rd. *B25 & Yard*
—3A **120**
Biggin Clo. *B35* —4E **87**
Biggin Clo. *Wolv* —4E **25**
Big Peg, The. *B18 & Hock*
—5E **101** (1A **4**)
Bigwood Dri. *B32* —4B **130**
Bigwood Dri. *S Cold* —5E **55**
Bilberry Cres. *S Cold* —2D **70**
Bilberry Dri. *Redn* —3G **157**
Bilberry Rd. *B14* —1E **147**
Bilboe Rd. *Bils* —2H **61**
Bilbrook. —3H 13
Bilbrook Ct. *Cod* —4H **13**
Bilbrook Gro. *B29* —3D **130**
Bilbrook Gro. *Cod* —4H **13**
Bilbrook Ho. *Cod* —4H **13**
Bilbrook Rd. *Cod* —3H **13**
Bilhay La. *W Brom* —2G **79**
Bilhay St. *W Brom* —2G **79**
Billau Rd. *Bils* —3F **61**
Billesley. —1C 148
Billesley La. *Mose* —5H **133**
Billingham Clo. *Sol* —1F **165**
Billingsley Rd. *B26* —3E **121**
Bills La. *Shir* —6F **149**

Billsmore Grn. *Sol* —6G **137**
Bills St. *W'bry* —4E **47**
Billy Buns La. *Wom* —5G **57**
Billy Wright Clo. *Wolv* —5C **42**
Bilport La. *W'bry* —5F **63**
Bilston. —6H 45
Bilston Ind. Est. *Bils* —6A **46**
Bilston Key Ind. Est. *Bils*
—6H **45**
Bilston La. *W'hall* —3A **46**
Bilston Mus. & Art Gallery.
—5G **45**
Bilston Rd. *Tip* —3B **62**
Bilston Rd. *W'bry* —2D **62**
Bilston Rd. *W'hall* —4A **46**
Bilston Rd. *Wolv*
—2H **43** (4D **170**)
Bilston St. *Dud* —5H **59**
Bilston St. *W'bry* —5D **46**
(in two parts)
Bilston St. *W'hall* —2A **46**
Bilston St. *Wolv*
—2H **43** (4C **170**)
Bilston St. Island. *Wolv*
—2H **43** (4D **170**)
Bilton Grange Rd. *B26*
—4D **120**
Bilton Ind. Est. *B38* —1A **160**
Binbrook Rd. *W'hall* —5D **30**
Bincomb Av. *B26* —5F **121**
Binfield St. *Tip* —3A **78**
Bingley Av. *B8* —5H **103**
Bingley St. *Wolv* —3E **43**
Binley Clo. *B26* —5B **120**
Binley Clo. *Shir* —1G **163**
Binstead Rd. *B44* —3A **68**
Binswood Rd. *Hale* —4G **113**
Binton Cft. *B13* —5H **133**
Binton Rd. *Shir* —6F **149**
Birbeck Ho. *B36* —3D **106**
Birbeck Pl. *Brie H* —3F **93**
Birchall St. *B12* —2H **117**
Birch Av. *Brie H* —1C **110**
Birch Av. *Bwnhls* —5H **9**
Birch Clo. *B30* —1H **145**
Birch Clo. *S Cold* —3D **70**
Birch Coppice. *Brie H*
(in two parts) —2C **110**
Birch Coppice. *Wom* —1E **73**
Birchcoppice Gdns. *W'hall*
—5E **31**
Birch Ct. *Smeth* —1B **98**
Birch Ct. Wals —5E **33**
(off Lichfield Rd.)
Birch Ct. Wolv —5G **27**
(off Boscobel Cres.)
Birch Cres. *Tiv* —6A **78**
Birch Cft. *Chel W* —2E **123**
Birch Cft. *Erd* —2B **86**
Birchcroft. *Fren W* —4G **99**
Birch Cft. *Wals* —1E **35**
Birch Cft. Rd. *S Cold* —4B **54**
Birchdale. *Bils* —4F **45**
Birchdale Av. *B23* —3E **85**
Birchdale Rd. *B23* —2D **84**
Birch Dri. *Hale* —2E **113**
Birch Dri. *Lit A* —4D **36**
Birch Dri. *Stourb* —5C **108**
Birch Dri. *S Cold* —4D **54**
Birches Av. *Cod* —6A **14**
Birches Barn Av. *Wolv* —4D **42**
Birches Barn Rd. *Wolv*
—3D **42**
Birches Clo. *B13* —4H **133**
Birches Green. —5G 85
Birches Grn. Rd. *B24* —5H **85**

Birches Pk. Rd. *Cod* —5G **13**
Birches Ri. *W'hall* —2A **46**
Birches Rd. *Cod* —5G **13**
Birchfield. —5E 83
Birchfield Av. *Wolv* —3H **25**
Birchfield Clo. *Hale* —3G **127**
Birchfield Cres. *Stourb*
—2B **126**
Birchfield Gdns. *B6* —1G **101**
Birchfield Gdns. *Wals* —1G **65**
Birchfield La. *O'bry* —5E **97**
(in three parts)
Birchfield Rd. *B20 & B19*
—6F **83**
Birchfield Rd. *Stourb* —2B **126**
Birchfields Rd. *W'hall* —4A **30**
Birchfield Way. *Wals* —1F **65**
Birch Ga. *Stourb* —1B **126**
Birchglade. *Wolv* —2B **42**
Birch Gro. *O'bry* —4B **114**
Birch Hill Av. *Wom* —2F **73**
Birch Hollow. *B15* —5B **116**
Birch Hollow. *O'bry* —4B **114**
Birchills. —6A 32
Birchills Canal Mus. —6B 32
Birchills St. *Wals* —6A **32**
Birch La. *A'rdge* —6F **23**
Birch La. *O'bry* —4B **114**
Birch La. *Pels* —6G **21**
Birchley Ho. *O'bry* —3D **96**
Birchley Ind. Est. *O'bry*
—4E **97**
Birchley Pk. Av. *O'bry* —3E **97**
Birchley Ri. *Sol* —6D **120**
Birchmoor Clo. *B28* —6H **135**
Birchover Rd. *Wals* —5G **31**
Birch Rd. *Dud* —4B **60**
Birch Rd. *O'bry* —3B **114**
Birch Rd. *Redn* —3E **157**
Birch Rd. *Witt* —5A **84**
Birch Rd. *Wolv* —6H **17**
Birch Rd. E. *B6* —5B **84**
Birch St. *O'bry* —3A **98**
Birch St. *Tip* —2H **77**
Birch St. *Wals* —6B **32**
Birch St. *Wolv*
—1G **43** (2A **170**)
Birch Ter. *Dud* —5E **95**
Birchtree Gdns. *Brie H*
—2C **110**
Birch Tree Gro. *Sol* —3C **150**
Birchtree Hollow. *W'hall*
—4D **30**
Birchtrees. *B24* —3B **86**
Birchtrees Cft. *B26* —6B **120**
Birchtrees Dri. *B33* —1H **121**
Birch Wlk. *O'bry* —3B **114**
Birchwood Clo. *Ess* —4A **18**
Birchwood Cres. *B12* —1B **134**
Birchwood Rd. *B12* —1A **134**
Birchwood Rd. *Wolv* —6E **43**
Birchwoods. *B32* —3H **129**
Birchwood Wlk. *K'wfrd*
—1C **92**
Birchy Clo. *Shir* —3F **163**
Birchy Leasowes La. *Shir*
—4E **163**
Birdbrook Rd. *B44* —4G **67**
Birdcage Wlk. *B38* —5B **146**
Birdcage Wlk. *Dud* —6F **77**
Bird End. *W Brom* —5D **64**
Birdie Clo. *B38* —6H **145**
Birdlip Gro. *B32* —5A **114**
Birds Mdw. *Brie H* —2F **93**
Bird St. *Dud* —4G **75**
Birdwell Cft. *B13* —1H **147**

Birkdale Av. *B29* —4B **132**
Birkdale Clo. *Stourb* —4D **124**
Birkdale Clo. *Wolv* —1C **44**
Birkdale Dri. *Tiv* —2A **96**
Birkdale Gro. *B29* —5C **132**
Birkdale Rd. *Wals* —4G **19**
Birkenshaw Rd. *B44* —5G **67**
Birley Gro. *Hale* —5E **127**
Birmingham. —1F 117 (5D 4)
Birmingham Airport Info.
Desk. —1E 139
Birmingham Botanical
Gardens. —4B 116
Birmingham Bus. Pk. *Birm P*
—3G **123**
Birmingham Cathedral.
—6F 101
Birmingham City Info. Cen.
—1E 117
Birmingham Convention &
(City) Vis. Bureau. —1G 117
Birmingham Convention &
Vis. Bureau. —1F 117
(Colmore Row)
Birmingham Convention &
(ICC) Vis. Bureau. —1E 117
Birmingham Convention &
(NEC) Vis. Bureau. —1F 139
Birmingham Mus. &
Art Gallery. —1F 117
Birmingham Mus. of
Transport, The. —6G 161
Birmingham Nature Cen.
—1E 133
Birmingham New Rd. *Dud &*
Tip —2E **77**
Birmingham New Rd. *Wolv*
—6A **44**
Birmingham One Bus. Pk. B1
—6D **100**
Birmingham Railway Mus.
—6F 119
Birmingham R.C. Cathedral.
—5F 101
Birmingham Rd. *A'rdge*
—4C **34**
Birmingham Rd. *Cas B*
—1E **105**
Birmingham Rd. *Dud* —5G **77**
Birmingham Rd. *Hag* —6G **125**
Birmingham Rd. *Hale*
—2B **128**
Birmingham Rd. *K'hrst & Col*
—4D **106**
Birmingham Rd. *L Ash &*
Redn —5C **156**
Birmingham Rd. *Mer* —2D **140**
Birmingham Rd. *N'fld*
—3F **159**
Birmingham Rd. *O'bry*
—2H **97**
Birmingham Rd. *Row R*
—1C **112**
Birmingham Rd. *Shen W &*
Lich —2G **37**
Birmingham Rd. *S Cold*
—6H **69**
Birmingham Rd. *Wals* —2D **48**
Birmingham Rd. *Wals &*
Gt Barr —5G **49**
Birmingham Rd. *Wat O*
—5B **88**
Birmingham Rd. *W Brom*
—6C **80**
Birmingham Rd. *Wolv*
—2H **43** (5C **170**)

Birmingham St. *Dud* —6F **77**
Birmingham St. *Hale* —2B **128**
Birmingham St. *O'bry* —2G **97**
Birmingham St. *Stourb*
—6E **109**
Birmingham St. *Wals* —2D **48**
Birmingham St. *W'bry* —5D **46**
Birmingham St. *W'hall* —1B **46**
Birnham Clo. *Tip* —2F **77**
Birstall Way. *B38* —1G **159**
Bisell Way. *Brie H* —4H **109**
Bishbury Clo. *B15* —3A **116**
Bishop Asbury Cottage.
—5G 65
Bishop Asbury Cres. *B43*
—5G **65**
Bishop Clo. *Dud* —1G **95**
Bishop Clo. *Redn* —6E **143**
Bishop Rd. *W'bry* —3A **64**
Bishop Ryder Ho. *B4* —2G **5**
Bishops Clo. *Smeth* —5G **99**
Bishops Ct. *Birm P* —3F **123**
Bishops Ga. *B31* —5E **145**
Bishopsgate St. *B15*
—2D **116** (6A **4**)
Bishops Mdw. *S Cold* —6C **38**
Bishops Rd. *S Cold* —2H **69**
Bishop St. *B5* —3G **117**
Bishops Way. *S Cold* —4F **37**
Bishopton Clo. *Shir* —6A **150**
Bishopton Rd. *Smeth*
—2D **114**
Bishton Gro. *Neth* —5F **95**
Bisley Gro. *B24* —5G **85**
Bissell Clo. *B28* —1F **149**
Bissell Dri. *W'bry* —2H **63**
Bissell St. *B5* —3G **117**
Bissell St. *Bils* —6H **45**
Bissell St. *Quin* —5G **113**
Biton Clo. *B17* —6F **115**
Bittell Clo. *B31* —2D **158**
Bittell Clo. *Wolv* —3A **16**
Bittell Farm Rd. *B Grn & A'chu*
—6F **159**
Bitterne Dri. *Wolv* —5E **27**
Bittern Wlk. *Brie H* —5G **109**
Blackacre Rd. *Dud* —1F **95**
Blackberry Av. *B9* —6G **103**
Blackberry Clo. *Dud* —1A **94**
Blackberry La. *Hale* —3A **128**
Blackberry La. *Row R* —4H **95**
Blackberry La. *S Cold* —4E **37**
Blackberry La. *Wals* —3D **22**
Blackbird Cft. *B36* —2C **106**
Blackbrook Clo. *Dud* —6C **94**
Blackbrook Rd. *Dud* —4C **94**
(in two parts)
Blackbrook Way. *Wolv* —3A **16**
Blackburn Av. *Wolv* —2C **26**
Blackburne Rd. *B28* —1F **149**
Blackbushe Clo. *B17* —4D **114**
Blackcat Clo. *B37* —6C **106**
Black Country Ho. *O'bry*
—2F **97**
Black Country Mus. —3F 77
Black Country New Rd.
Bstne & W'bry —5A **46**
Black Country New Rd. *Tip &*
W Brom —1E **79**
Black Country Route. *Bils*
—2D **60**
Black Country Route. *W'hall*
—4B **46**
Blackdown Clo. *Redn*
—5G **143**

Blackdown Rd. *Know*
—3D **166**
Blackett Ct. *S Cold* —3G **69**
Blackfirs La. *B37* —4E **123**
Blackford Clo. *Hale* —3F **127**
Blackford Rd. *B11* —1C **134**
Blackford Rd. *Shir* —2A **164**
Blackford St. *B18* —4A **100**
Blackhalve La. *Wolv* —1D **28**
Blackham Dri. *S Cold* —6G **69**
Blackham Rd. *Wolv* —1H **29**
Black Haynes Rd. *B29*
—1E **145**
Blackheath Mkt. *Row R*
—2D **112**
Blackhorse La. *Brie H*
—2A **110**
Blacklake. —1G 79
Black Lake. *W Brom* —1G **79**
Black Lake Ind. Est. *W Brom*
—1H **79**
Blacklea Clo. *B25* —2B **120**
Blackmoor Cft. *B33* —1H **121**
Blackpit La. *Lwr P* —2E **57**
Blackrock Rd. *B23* —1B **84**
Blackroot Clo. *Hamm* —1F **11**
Blackroot Rd. *S Cold* —4G **53**
Blackthorn Clo. *B30* —1G **145**
Blackthorne Av. *Burn* —1B **10**
Blackthorne Clo. *Dud* —3B **76**
Blackthorne Clo. *Sol* —3C **150**
Blackthorne Rd. *Dud* —3B **76**
Blackthorne Rd. *Smeth*
(in two parts) —5B **98**
Blackthorne Rd. *Wals* —6D **48**
Blackthorn Rd. *Cas B* —1G **105**
Blackthorn Rd. *K Nor*
—1G **145**
Blackthorn Rd. *Stourb*
—2D **108**
Blackwater Clo. *Brie H* —3E **93**
Blackwell Rd. *S Cold* —4B **70**
Blackwood Av. *Wolv* —1D **28**
Blackwood Dri. *S Cold* —3G **51**
Blackwood Rd. *S Cold* —2G **51**
Blades Ho. *W Brom* —5E **65**
Blades Rd. *W Brom* —3D **78**
Blaenwern Dri. *Hale* —4D **110**
Blagdon Rd. *Hale* —5A **112**
Blair Gro. *B37* —2F **123**
Blakedon Rd. *W'bry* —2E **63**
Blakedown Rd. *Hale* —4G **127**
Blakedown Way. *O'bry* —5F **97**
Blake Hall Clo. *Brie H* —4G **109**
Blake Ho. Wals —3A **48**
(off St Johns Rd.)
Blakeland Rd. *B44* —1G **83**
Blakeland St. *B9* —1F **119**
Blake La. *B9* —1F **119**
Blakeley. —2G 73
Blakeley Av. *Wolv* —2D **26**
Blakeley Hall Rd. *O'bry*
—2H **97**
Blakeley Heath Dri. *Wom*
—2G **73**
Blakeley Ri. *Wolv* —2D **26**
Blakeley Wlk. *Dud* —5E **95**
Blakeley Wood Rd. *Tip* —5C **62**
Blakemere Av. *B25* —3C **120**
Blakemere Ho. *B16* —1C **116**
(off Graston Clo.)
Blakemore Clo. *B32* —2D **130**
Blakemore Dri. *S Cold* —5D **54**
Blakemore Rd. *Wals* —4C **22**
Blakemore Rd. *W Brom*
—5G **79**

Blakenall Clo.—Boundary Hill

Blakenall Clo. *Wals* —1B **32**
Blakenall Heath. —6A 20
Blakenall Heath. *Wals* —1B **32**
Blakenall La. *Wals* —2A **32**
Blakenall Row. *Wals* —1B **32**
Blakeney Av. *B17* —4E **115**
Blakeney Av. *Stourb* —5B **108**
Blakeney Clo. *Dud* —6G **59**
Blakenhale Rd. *B33* —2F **121**
Blakenhall. —4F 43
Blakenhall Gdns. *Wolv* —4G **43**
Blakenhall Ind. Est. *Wolv*
—4F **43**
Blake Pl. *B9* —1F **119**
Blakesley Clo. *S Cold* —2D **86**
Blakesley Gro. *B25* —2B **120**
Blakesley Hall. —2C 120
Blakesley M. *B25* —3B **120**
Blakesley Rd. *B25* —2A **120**
Blake St. *S Cold* —3E **37**
Blakewood Clo. *B34* —4G **105**
Blandford Av. *B36* —6A **88**
Blandford Dri. *Stourb* —6C **92**
Blandford Rd. *B32* —6C **114**
Blanefield. *Wolv* —5C **14**
Blanning Ct. *Dorr* —5A **166**
Blay Av. *Wals* —1H **47**
Blaydon Av. *S Cold* —6C **38**
Blaydon Rd. *Wolv* —5E **15**
Blaythorn Av. *Sol* —2E **137**
Blaze Hill Rd. *K'wfrd* —1G **91**
Blaze Pk. *K'wfrd* —1H **91**
Bleak Hill Rd. *B23* —3C **84**
Bleakhouse Rd. *O'bry*
—2A **114**
Bleak St. *Smeth* —3D **98**
Blenheim Clo. *Wals* —2H **33**
Blenheim Ct. *B44* —5H **67**
Blenheim Ct. *Sol* —3G **151**
Blenheim Dri. *B43* —5H **65**
Blenheim Rd. *B13* —4H **133**
Blenheim Rd. *Cann* —1F **9**
Blenheim Rd. *K'wfrd* —3D **92**
Blenheim Rd. *Shir* —5B **150**
Blenheim Rd. *W'hall* —3B **30**
Blenheim Way. *B44* —5H **67**
Blenheim Way. *Cas V* —5F **87**
Blenheim Way. *Dud* —5A **76**
Bletchley Rd. *B32* —3C **86**
Blewitt Clo. *B36* —5H **87**
Blewitt St. *Brie H* —3G **93**
Blews St. *B6* —4G **101**
Blithe Clo. *Stourb* —3E **109**
Blithfield Dri. *Brie H* —4F **109**
Blithfield Gro. *B24* —2A **86**
Blithfield Rd. *Wals* —3F **9**
Blockall. *W'bry* —4D **46**
Blockall Clo. *W'bry* —5C **46**
Bloomfield. —6G 61
Bloomfield Clo. *Wom* —1D **72**
Bloomfield Dri. *W'hall* —6D **18**
Bloomfield Rd. *B13* —2B **134**
Bloomfield Rd. *Tip & Bloom*
—1G **77**
Bloomfield St. N. *Hale*
—6H **111**
Bloomfield St. W. *Hale*
—1H **127**
Bloomfield Ter. *Tip* —1F **77**
Bloomsbury Gro. *B30 & B14*
—6E **133**
Bloomsbury St. *B7* —4B **102**
Bloomsbury St. *Wolv*
—3G **43** (5A **170**)
Bloomsbury Wlk. *B7* —4B **102**
(in two parts)

Blossom Av. *B29* —3B **132**
Blossomfield. —5D 150
Blossomfield Clo. *B38*
—1H **159**
Blossomfield Clo. *K'wfrd*
—1C **92**
Blossomfield Ct. *B38* —1H **159**
Blossomfield Rd. *Sol* —6C **150**
Blossom Gro. *B36* —1C **104**
Blossom Gro. *Crad H* —2H **111**
Blossom Hill. *B24* —4G **85**
Blossom's Fold. *Wolv*
—1G **43** (3B **170**)
Blossomville Way. *B27*
—1H **135**
Blower's Green. —2D 94
Blower's Grn. Cres. *Dud*
—2D **94**
Blower's Grn. Pl. *Dud* —2D **94**
Blower's Grn. Rd. *Dud* —2D **94**
Bloxcidge St. *O'bry* —5H **97**
Bloxwich. —6H 19
Bloxwich Bus. Pk. *Wals*
—2G **31**
Bloxwich La. *Wals* —5G **31**
Bloxwich Rd. *Wals* —2A **32**
Bloxwich Rd. N. *W'hall*
—3D **30**
Bloxwich Rd. S. *W'hall*
—6A **30**
Blucher St. *B1* —2F **117** (6C **4**)
Blue Ball La. *Hale* —5E **111**
Blue Bell Clo. *Stourb* —1A **108**
Bluebell Cres. *Wed* —4F **29**
Bluebell Dri. *B37* —1F **123**
Bluebell La. *Wals* —4G **7**
Bluebell Rd. *Crad H* —6G **95**
Bluebell Rd. *Dud* —4D **76**
Bluebell Rd. *Wals W* —4D **22**
Bluebellwood Clo. *S Cold*
—2E **71**
Bluebird Cen. Ind. Est. *Wolv*
—4A **28**
Blue Bird Pk. *Hunn* —5A **128**
Blue Cedars. *Stourb* —5A **108**
Blue Lake Rd. *Dorr* —6H **167**
Blue La. E. *Wals* —6B **32**
Blue La. W. *Wals* —1B **48**
Blue Rock Pl. *Tiv* —2C **96**
Blue Stone Wlk. *Row R*
—3C **96**
Blundell Rd. *B11* —6D **118**
Blyth Ct. *Sol* —6D **136**
Blythe Dri. *Col* —2H **107**
Blythefield Av. *B43* —3G **65**
Blythe Gdns. *Cod* —3F **13**
Blythe Gro. *B44* —2H **67**
Blythe Rd. *Col* —2H **107**
Blythe Valley Bus. Pk. *H'ley H*
—6E **165**
Blythe Way. *Sol* —4A **152**
Blythewood Clo. *Sol* —6B **152**
Blythsford Rd. *B28* —3F **149**
Blythswood Rd. *B11* —1G **135**
Blyton Clo. *B16* —6B **100**
Board School Gdns. *Dud*
—1A **76**
Boar Hound Clo. *B18* —5C **100**
Boat La. *Lich* —4H **11**
Boatmans La. *Wals* —5A **22**
Bobbington Way. *Dud* —4F **95**
Bob's Coppice Wlk. *Brie H*
—4B **110**
Bodenham Rd. *B31* —5C **144**
Bodenham Rd. *O'bry* —3H **113**

Boden Rd. *B28* —6F **135**
Bodens La. *Wals* —4C **50**
Bodiam Ct. *Wolv* —6G **25**
Bodicote Gro. *S Cold* —6C **38**
Bodington Rd. *S Cold* —6H **37**
Bodmin Clo. *Wals* —4H **49**
Bodmin Ct. *Brie H* —1H **109**
Bodmin Gro. *B7* —4B **102**
Bodmin Ri. *Wals* —4H **49**
Bodmin Rd. *Dud* —1F **111**
Bognop Rd. *Ess* —3E **17**
Boldmere. —5F 69
Boldmere Clo. *S Cold* —6G **69**
Boldmere Ct. *B43* —6A **66**
(off South Vw.)
Boldmere Dri. *S Cold* —5G **69**
Boldmere Gdns. *S Cold*
—5F **69**
Boldmere Rd. *S Cold* —3F **69**
Boldmere Ter. *B29* —4A **132**
Boleyn Clo. *Wals* —3D **6**
Boleyn Mnr. Dri. *Redn*
—6G **143**
Boleyn Rd. *Redn* —6D **142**
Bolney Rd. *B32* —6C **114**
Bolton Ct. *Tip* —5G **62**
Bolton Ind. Cen. *B19* —3D **100**
Bolton Rd. *B10* —3B **118**
Bolton Rd. *Wolv* —4E **29**
Bolton St. *B9* —1B **118**
Bolton Way. *Wals* —4F **19**
Bomers Fld. *Redn* —3A **158**
Bond Dri. *B35* —4E **87**
Bondfield Rd. *B13* —1B **148**
Bond Sq. *B18* —5C **100**
Bond St. *Bils* —5C **60**
Bond St. *Hock* —5F **101** (1C **4**)
Bond St. *Row R* —6E **97**
Bond St. *Stir* —6C **132**
Bond St. *W Brom* —5A **80**
Bond St. *Wolv*
—2G **43** (5B **170**)
Bond, The. *B5* —1A **118**
Bone Mill La. *Wolv* —5H **27**
Bonham Gro. *B25* —2B **120**
Boningale Way. *Dorr* —6H **165**
Bonner Dri. *S Cold* —2D **86**
Bonner Gro. *Wals* —4B **34**
Bonnington Way. *B43* —1F **67**
Bonny Stile La. *Wolv* —3D **28**
Bonsall Rd. *B23* —1G **85**
Bonville Gdns. *Wolv* —3A **16**
Booth Clo. *K'wfrd* —3E **93**
Booth Clo. *Wals* —1B **32**
Booth Ct. *Brie H* —1H **109**
Booth Ho. *Wals* —6D **32**
Booth Rd. *W'bry* —3A **64**
Booth's Farm Rd. *B42* —6C **66**
Booth's La. *B42* —4D **66**
Booth St. *Smeth & B21*
—2G **99**
Booth St. *Wals* —1A **32**
Booth St. *W'bry* —3D **46**
Bordeaux Clo. *Dud* —4A **76**
Borden Clo. *Wolv* —1D **26**
Bordesley. —2B 118
Bordesley Cir. *B10* —2B **118**
Bordesley Clo. *B9* —1G **119**
Bordesley Green. —1E 119
Bordesley Grn. *B9* —1D **118**
Bordesley Grn. E. *Bord G &
Stech* —1H **119**
Bordesley Grn. Rd. *B9 & B8*
—1D **118**
Bordesley Grn. Trad. Est. *B8*
—6D **102**

Bordesley Middleway. *Camp H*
—3A **118**
Bordesley Pk. Rd. *B10*
—2B **118**
Bordesley St. *B5*
—1H **117** (4G **5**)
Borneo St. *Wals* —5D **32**
Borough Cres. *O'bry* —4E **97**
Borough Cres. *Stourb*
—6C **108**
Borrowdale Clo. *Brie H*
—4F **109**
Borrowdale Gro. *B31* —4B **144**
Borrowdale Rd. *B31* —4A **144**
Borrow St. *W'hall* —6A **30**
Borwick Av. *W Brom* —4G **79**
Bosbury Ter. *B30* —6D **132**
Boscobel Av. *Tip* —3H **77**
Boscobel Clo. *Dud* —4B **76**
Boscobel Cres. *Wolv* —5G **27**
Boscobel Rd. *B43* —3H **65**
Boscobel Rd. *Shir* —4B **164**
Boscobel Rd. *Wals* —3F **49**
Boscombe Av. *B11* —5C **118**
Boscombe Rd. *B11* —1E **135**
Bossgate Clo. *Wom* —3G **73**
Boston Gro. *B44* —5B **68**
Bosty La. *Wals* —4G **33**
Boswell Clo. *Dud* —6D **46**
Boswell Clo. *W'bry* —4C **62**
Boswell Rd. *B44* —1H **83**
Boswell Rd. *Bils* —4H **45**
Boswell Rd. *S Cold* —5A **54**
Bosworth Clo. *Dud* —1B **76**
Bosworth Ct. *Sheld* —6E **121**
Bosworth Dri. *B37* —1B **122**
Bosworth Rd. *B26* —1C **136**
Botany Dri. *Dud* —2H **75**
Botany Rd. *Wals* —6D **48**
Botany Wlk. *B16* —1C **116**
Botha Rd. *B9* —6E **103**
Botteley Rd. *W Brom* —1G **79**
Botterham La. *Swind* —4E **73**
Bottetourt Rd. *B29* —2E **131**
(in two parts)
Botteville Rd. *B27* —3A **136**
Bott La. *Stourb* —5H **109**
Bott La. *Wals* —2D **48**
Bouchall. —5F 109
Boughton Rd. *B25* —4A **120**
Boulevard, The. *Brie H*
—1A **110**
Boulevard, The. *S Cold*
—5H **69**
Boultbee Rd. *S Cold* —6A **70**
Boulton Ho. *W Brom* —6B **80**
Boulton Ind. Cen. *Hock*
—4D **100**
Boulton Middleway. *Hock*
—4D **100**
Boulton Pl. *Smeth* —5F **99**
Boulton Point. *B6* —1B **102**
Boulton Retreat. *B21* —2A **100**
Boulton Rd. *B21* —2A **100**
Boulton Rd. *Smeth* —3H **99**
Boulton Rd. *Sol* —6G **137**
Boulton Rd. *W Brom* —6B **80**
Boulton Sq. *W Brom* —6B **80**
Boulton Ter. *B21* —2A **100**
Boulton Wlk. *B23* —3B **84**
Boundary Av. *Row R* —1E **113**
Boundary Clo. *W'hall* —2E **45**
Boundary Ct. *B37* —1A **122**
Boundary Cres. *Dud* —4G **75**
Boundary Dri. *Mose* —3F **133**
Boundary Hill. *Dud* —4G **75**

Boundary Ho. *B5* —6E **117**
Boundary Ho. *Wyt* —6G **161**
Boundary Pl. *B21* —6G **81**
Boundary Rd. *S Cold* —4H **51**
Boundary Rd. *Wals W* —4B **22**
Boundary Way. *Comp* —1F **41**
Boundary Way. *Penn* —6A **42**
Bourlay Clo. *Redn* —5E **143**
Bournbrook. —3B 132
Bournbrook Rd. *B29* —2C **132**
Bourne Av. *Hale* —1F **129**
Bourne Av. *Tip* —6C **62**
Bournebrook Clo. *Dud* —4E **95**
Bournebrook Cres. *Hale*
—1G **129**
Bourne Clo. *B13* —1D **148**
Bourne Clo. *Sol* —1H **151**
Bourne Grn. *B32* —5C **114**
Bourne Hill Clo. *Dud* —6G **95**
Bourne Rd. *B6* —2B **102**
Bournes Clo. *Hale* —2H **127**
Bournes Cres. *Hale* —1G **127**
Bournes Hill. *Hale* —1G **127**
Bourne St. *Dud* —6F **77**
Bourne St. *Woods & Bils*
—6C **60**
Bourne Va. *Wals* —6F **35**
Bournvale Wlk. *B32* —2D **130**
Bournville. —6A 132
Bournville La. *B30* —6H **131**
Bourton Clo. *Wals* —2E **65**
Bourton Cft. *Sol* —5D **136**
Bourton Rd. *Sol* —5D **136**
Bovey Cft. *S Cold* —6E **71**
Bovingdon Rd. *B35* —4E **87**
Bowater Av. *B33* —2B **120**
Bowater Ho. B19 —4F 101
(off Aldgate Gro.)
Bowater Ho. *W Brom* —5A **80**
Bowater St. *W Brom* —4A **80**
Bowbrook Av. *Shir* —4E **165**
Bowcroft Gro. *B24* —1A **86**
Bowden Rd. *Smeth* —3C **98**
Bowdler Rd. *Wolv*
—3H **43** (6D **170**)
Bowen Av. *Wolv* —2C **60**
Bowen-Cooke Av. *Pert* —3E **25**
Bowen St. *Wolv* —6A **44**
Bowercourt Clo. *Sol* —6F **151**
Bower Ho. *B19* —3F **101**
Bower La. *Brie H* —3B **110**
Bowes Rd. *Redn* —2E **157**
Bowker St. *W'hall* —2E **45**
Bowlas Av. *S Cold* —3H **53**
Bowling Green. —6F 95
Bowling Grn. Clo. *B23* —6E **69**
Bowling Grn. Clo. *W'bry*
—4D **46**
Bowling Grn. La. *B20* —1C **100**
Bowling Grn. Rd. *Dud* —6F **95**
Bowling Grn. Rd. *Small H*
—2C **118**
Bowling Grn. Rd. *Stourb*
—6C **108**
Bowman Rd. *B42* —4D **66**
Bowmans Ri. *Wolv* —6C **28**
Bowood Cres. *B31* —5F **145**
Bowood Dri. *Wolv* —3B **26**
Bowood End. *S Cold* —2C **70**
Bowshot Clo. *B36* —6H **87**
Bowstoke Rd. *B43* —5G **65**
Bow St. *B1* —2F **117** (6D **4**)

Bow St. *Bils* —5G **45**
Bow St. *W'hall* —2B **46**
Bowyer Rd. *B8* —5E **103**
Bowyer St. *B10* —2A **118**
Boxhill Clo. *B6* —3H **101**
Box Rd. *B37* —3E **123**
Box St. *Wals* —2D **48**
Box Trees Rd. *H'ley H & Dorr*
—6H **165**
Boyd Gro. *B27* —3H **135**
Boydon Clo. *Wolv* —5C **44**
Boyleston Rd. *B28* —1G **149**
Boyne Rd. *B26* —4E **121**
Boyton Gro. *B44* —2H **67**
Brabazon Gro. *B35* —4D **86**
Brabham Cres. *S Cold* —5H **51**
Bracadale Av. *B24* —3G **85**
Bracebridge Clo. *Bal C*
—3H **169**
Bracebridge Rd. *B24* —6F **85**
Bracebridge Rd. *S Cold*
—3F **53**
Bracebridge St. *B6* —3G **101**
Braceby Av. *B13* —6C **134**
Brace St. *Wals* —3C **48**
(in two parts)
Brackenbury Rd. *B44* —5B **68**
Bracken Clo. *Wolv* —6C **14**
Bracken Cft. *B37* —6E **107**
Brackendale Dri. *Wals* —2F **65**
Brackendale Way. *Stourb*
—1H **125**
Bracken Dri. *S Cold* —6E **55**
Brackenfield Rd. *B44* —3E **67**
Brackenfield Rd. *Hale*
—2G **127**
Brackenfield Vw. *Dud* —1H **93**
Bracken Pk. Gdns. *Word*
—1D **108**
Bracken Rd. *B24* —5A **86**
Bracken Way. *B38* —2A **160**
Bracken Way. *S Cold* —3H **51**
Brackenwood. *Wals* —6H **49**
Brackenwood Dri. *Wolv*
—4H **29**
Brackley Av. *B20* —6E **83**
Brackleys Way. *Sol* —3D **136**
Bradburne Way. *B7* —4A **102**
Bradburn Rd. *Wolv* —1D **28**
Bradbury Clo. *Wals* —2B **22**
Bradbury Rd. *Sol* —4D **136**
Brades Clo. *Hale* —4D **110**
Brades Ri. *O'bry* —1D **96**
Brades Rd. *O'bry* —6E **79**
Brades Village. —6E 79
Bradewell Rd. *B36* —6H **87**
Bradfield Rd. *B42* —6F **67**
Bradford Clo. *B43* —6B **66**
Bradford Cotts. *Tip* —4A **78**
Bradford Ct. *B12* —3A **118**
Bradford La. *Wals* —2C **48**
Bradford Mall. *Wals* —2C **48**
Bradford Pl. *B11* —5A **118**
Bradford Pl. *Wals* —2C **48**
Bradford Pl. *W Brom* —1C **98**
Bradford Rd. *B36* —1E **105**
Bradford Rd. *Dud* —3B **94**
Bradford Rd. *Wals* —5A **10**
Bradford St. *B42* —1B **82**
Bradford St. *B5 & B12*
—2H **117** (6F **5**)
Bradford St. *Wals* —2C **48**
Bradgate Clo. *W'hall* —3C **30**
Bradgate Dri. *S Cold* —4E **37**
Bradley. —2G 61

Bradley Cft. *Bal C* —3H **169**
Bradley La. *Bils* —2H **61**
Bradleymore Rd. *Brie H*
—6H **93**
Bradley Rd. *B34* —3H **105**
Bradley Rd. *Stourb* —5D **108**
Bradley Rd. *Wolv* —4A **44**
Bradleys Clo. *Crad H* —4G **111**
Bradley's La. *Bils & Tip*
—5F **61**
Bradley St. *Bils* —1H **61**
Bradley St. *Brie H* —2F **93**
Bradley St. *Tip* —5H **77**
Bradmore. —3C 42
Bradmore Clo. *Sol* —1E **165**
Bradmore Gro. *B29* —5E **131**
Bradmore Rd. *Wolv* —3D **42**
Bradnock Clo. *B13* —6C **134**
Bradnock's Marsh. —4D 154
Bradnocks Marsh La. *H Ard*
—6D **154**
Bradshaw Av. *B38* —6H **145**
Bradshaw Av. *W'bry* —6B **46**
Bradshaw Clo. *Tip* —4A **78**
Bradshawe Clo. *B28* —4D **148**
Bradshaw St. *Wolv* —1A **44**
Bradstock Rd. *B30* —3E **147**
Bradwell Cft. *S Cold* —6C **38**
Braemar Av. *Stourb* —2A **108**
Braemar Clo. *Dud* —4G **59**
Braemar Clo. *W'hall* —3B **30**
Braemar Dri. *B23* —2B **84**
Braemar Rd. *Cann* —1E **9**
Braemar Rd. *Sol* —4C **136**
Braemar Rd. *S Cold* —3F **69**
Braeside Cft. *B37* —1F **123**
Braeside Way. *Wals* —4D **20**
Bragg Rd. *B20* —5F **83**
Braggs Farm La. *Shir* —5F **163**
Braid Clo. *B38* —6H **145**
Brailes Clo. *Sol* —6A **138**
Brailes Dri. *S Cold* —2D **70**
Brailes Gro. *B9* —2H **119**
Brailsford Clo. *Wolv* —1G **29**
Brailsford Dri. *Smeth* —4E **99**
Braithwaite Dri. *K'wfrd* —3B **92**
Braithwaite Rd. *B11* —4B **118**
Bramah Way. *Tip* —1C **78**
Bramber Dri. *Wom* —1F **73**
Bramber Way. *Stourb*
—3D **124**
Bramble Clo. *Aston* —2G **101**
Bramble Clo. *Col* —2H **107**
Bramble Clo. *Crad H* —4H **95**
Bramble Clo. *N'fld* —1D **144**
Bramble Clo. *Wals* —2A **22**
Bramble Clo. *W'hall* —2C **30**
Bramble Dell. *B9* —6G **103**
Bramble Dri. *B26* —5E **121**
Bramble Grn. *Dud* —2B **76**
Brambleside. *Stourb* —2D **108**
Brambles, The. *Stourb*
—2H **125**
Brambles, The. *S Cold* —5E **71**
Bramblewood Dri. *Wolv*
—3C **42**
Bramblewoods. *B34* —4G **105**
Brambling Wlk. *B15* —4E **117**
Brambling Wlk. *Brie H*
—5G **109**
Bramcote Dri. *Sol* —6G **137**
Bramcote Ri. *S Cold* —4A **54**
Bramcote Rd. *B32* —6A **114**
Bramdean Wlk. *Wolv* —5A **42**
Bramerton Clo. *Wolv* —3C **28**
Bramford Dri. *Dud* —1D **76**

Bramley Clo. *B43* —2F **67**
Bramley Clo. *Wals* —3H **49**
Bramley Cft. *Shir* —5A **150**
Bramley Dri. *Hand* —4D **82**
Bramley Dri. *H'wd* —3B **162**
Bramley M. Ct. *B27* —6A **120**
Bramley Rd. *B27* —6A **120**
Bramley Rd. *Wals* —1F **65**
Brampton Av. *B28* —1G **149**
Brampton Cres. *Shir* —1H **149**
Bramshall Dri. *Dorr* —6A **166**
Bramshaw Clo. *B14* —5H **147**
Bramstead Av. *Wolv* —1H **41**
Branchal Rd. *Wals* —6E **23**
Branch Rd. *B38* —1A **160**
Brandhall. —3H 113
Brandhall Ct. *O'bry* —1G **113**
Brandhall La. *O'bry* —2H **113**
Brandhall Rd. *O'bry* —1H **113**
Brandon Clo. *Dud* —6A **60**
Brandon Clo. *Wals* —6H **35**
Brandon Clo. *W Brom* —5G **79**
Brandon Gro. *B31* —2D **158**
Brandon Pk. *Wolv* —4C **42**
Brandon Pas. *B16* —6A **100**
Brandon Pl. *B34* —2H **105**
Brandon Rd. *B28* —3E **135**
Brandon Rd. *Hale* —2E **113**
Brandon Rd. *Sol* —6G **137**
Brandon Thomas Ct. *B6*
—1B **102**
Brandon Way. *Brie H* —3A **110**
Brandon Way. *W Brom*
—4G **79**
Brandon Way Ind. Est.
W Brom —5F **79**
Brandwood End. —3F 147
Brandwood Gro. *B14* —2F **147**
Brandwood Pk. Rd. *B14*
—2D **146**
Brandwood Rd. *B14* —3F **147**
Branfield Clo. *Bils* —4C **60**
Branksome Av. *B21* —1B **100**
Branscombe Clo. *B14* —2F **147**
Bransdale Clo. *Wolv* —4E **27**
Bransdale Rd. *Clay* —6A **10**
Bransford Ri. *Cath B* —2D **152**
Branston St. *B18* —5A **101**
Branston St. *B18* —4E **101**
Brantford Rd. *B25* —3A **120**
Branthill Cft. *Sol* —6F **151**
Brantley Av. *Wolv* —2A **42**
Brantley Rd. *B6* —5A **84**
Branton Hill La. *Wals* —4E **35**
Brasshouse La. *Smeth*
—3D **98**
Brassie Clo. *B38* —6H **145**
Brassington Av. *S Cold*
—1H **69**
Bratch Clo. *Dud* —6E **95**
Bratch Comn. Rd. *Wom*
—6E **57**
Bratch Hollow. *Wom* —5G **57**
Bratch La. *Wom* —5F **57**
Bratch Pk. *Wom* —5F **57**
Bratch, The. —5E 57
Bratt St. *W Brom* —3A **80**
Braunston Clo. *S Cold* —3E **71**
Brawnes Hurst. *B26* —2E **121**
Brayford Av. *Brie H* —4F **109**
Braymoor Rd. *B33* —2A **122**
Brays Rd. *B26* —5E **121**
Bray St. *W'hall* —1B **46**
Bream Clo. *B37* —1E **123**
Breamore Cres. *Dud* —4B **76**
Brean Av. *B26* —6D **120**

Brearley Clo. *B19* —4G **101**
Brearley St. *Hand* —1H **99**
Brearley St. *Hock* —4F **101**
Breaside Wlk. *B37* —6E **107**
Brecknock Rd. *W Brom*
—1G **79**
Brecon Dri. *Stourb* —5F **109**
Brecon Rd. *B20* —1D **100**
Brecon Tower. *B16* —1C **116**
Brecon Way. *Salt* —4D **102**
Bredon Av. *Stourb* —6G **109**
Bredon Ct. *Hale* —2A **128**
Bredon Cft. *B18* —4C **100**
Bredon Rd. *O'bry* —4D **96**
Bredon Rd. *Stourb* —5E **109**
Breech Clo. *S Cold* —4G **51**
Breeden Dri. *Curd* —1D **88**
Breedon Rd. *B30* —2C **146**
Breedon Ter. *B18* —4C **100**
Breedon Way. *Wals* —6G **21**
Breener Ind. Est. *Brie H*
—2F **109**
Breen Rydding Dri. *Bils*
—4D **60**
Brelades Clo. *Dud* —5A **76**
Brennand Clo. *O'bry* —3H **113**
Brennand Rd. *O'bry* —2H **113**
Brentford Rd. *B14* —2A **148**
Brentford Rd. *Sol* —4C **150**
Brentmill Clo. *Wolv* —3B **16**
Brentnall Dri. *S Cold* —6H **37**
Brenton Rd. *Wolv* —2D **58**
Brent Rd. *B30* —5F **133**
Brentwood Clo. *Sol* —4C **150**
Brentwood Gro. *B44* —5G **67**
Brenwood Clo. *K'wfrd* —2H **91**
Brereton Clo. *Dud* —1G **95**
Brereton Rd. *W'hall* —2C **30**
Bretby Gro. *B23* —1G **85**
Bretshall Clo. *Shir* —4D **164**
Brett Dri. *B32* —5A **130**
Brettell La. *Stourb & Brie H*
—3D **108**
Brettell St. *Dud* —1D **94**
Bretton Gdns. *Wolv* —3B **28**
Bretton Rd. *B27* —3B **136**
Brett St. *W Brom* —2H **79**
Brevitt Rd. *Wolv* —5H **43**
Brewer's Dri. *Wals* —6E **21**
Brewers Ter. *Wals* —5E **21**
Brewer St. *Wals* —5C **32**
Brewery St. *Aston* —4G **101**
Brewery St. *Dud* —6G **77**
Brewery St. *Hand* —1H **99**
Brewery St. *Smeth* —3D **98**
Brewery St. *Tip* —3H **77**
Brewins Way. *Hurst B* —5C **94**
Brewster St. *Dud* —4E **95**
Breydon Gro. *W'hall* —3H **45**
Brian Rd. *Smeth* —3C **98**
Briar Av. *S Cold* —2A **52**
Briarbeck. *Wals* —1G **33**
Briar Clo. *B24* —3G **85**
Briar Coppice. *Shir* —5C **164**
Briar Ct. *Brie H* —1H **109**
(off Hill St.)
Briarfield Rd. *B11* —2G **135**
Briarley. *W Brom* —4D **64**
Briar Rd. *Dud* —2B **76**
Briars Clo. *Brie H* —5G **93**
Briars, The. *B23* —1D **84**
Briarwood Clo. *Shir* —5C **164**
Briarwood Clo. *Wolv* —4C **44**
Brickbridge La. *Wom* —2E **73**
Brickfield Rd. *B25* —5H **119**
Brickheath Rd. *Wolv* —6C **28**

Brickhill Dri. *B37* —1C **122**
Brickhouse La. *W Brom*
—1E **79**
Brickhouse La. S. *Gt Brii & Tip*
—1D **78**
Brickhouse Rd. *Row R* —5A **96**
Brickiln Ct. *Brie H* —1H **109**
Brickiln St. *Wals* —6B **10**
Brick Kiln La. *Dud* —4E **75**
Brick Kiln La. *Gt Barr* —1G **83**
Brick Kiln La. *Sol* —1D **164**
Brick Kiln La. *S Cold* —3E **39**
Brick Kiln La. *Wyt* —6G **161**
Brick Kiln St. *Brie H* —4A **94**
Brick Kiln St. *Quar B* —3C **110**
Brick Kiln St. *Tip* —1G **77**
Brickkiln St. *W'hall* —2H **45**
Bricklin Ct. *Brie H* —1H **109**
Brick St. *Dud* —5H **59**
Brickyard Rd. *Wals* —6B **22**
Briddsland Rd. *B33* —1A **122**
Brides Row. *Bils* —5G **45**
Brides Wlk. *B38* —2A **160**
Bridge Av. *Tip* —6C **62**
Bridge Av. *Wals* —1E **7**
Bridgeburn Rd. *B31* —5C **130**
Bridge Clo. *B11* —2B **134**
Bridge Clo. *Clay* —1A **22**
Bridge Ct. *Crad H* —3H **111**
Bridge Cft. *B12* —5G **117**
Bridgefield Wlk. *Row R*
—4H **95**
Bridgefoot Wlk. *Pend* —6D **14**
Bridgeford Rd. *B34* —3F **105**
Bridgehead Wlk. *S Cold*
—6D **70**
Bridge Ind. Est. *Sol* —6G **137**
Bridge Ind. Est., The. *Smeth*
—3F **99**
Bridgelands Way. *B20* —6F **83**
Bridgeman Cft. *B36* —1G **105**
Bridgeman St. *Wals* —2B **48**
Bridgemary Clo. *Wolv* —3B **16**
Bridge Mdw. Dri. *Know*
—4B **166**
Bridgemeadow Ho. *B36*
—1C **104**
Bridgend Cft. *Brie H* —3F **93**
Bridge Piece. *B31* —5F **145**
Bridge Rd. *B11* —1D **134**
Bridge Rd. *Salt* —5E **103**
Bridge Rd. *Tip* —1C **78**
Bridge Rd. *Wals* —6F **21**
Bridges Cres. *Cann* —1D **8**
Bridges Rd. *Cann* —1D **8**
Bridge St. *B1* —1E **117** (5B **4**)
Bridge St. *Bils* —6G **45**
Bridge St. *Bwnhls* —1A **22**
Bridge St. *Cose* —5E **61**
Bridge St. *Hale* —4E **111**
Bridge St. *O'bry* —2G **97**
Bridge St. *Park V* —4A **28**
Bridge St. *Stourb* —2C **108**
Bridge St. *Wals* —1C **48**
Bridge St. *W'bry* —4F **63**
Bridge St. *W Brom* —3H **79**
Bridge St. *W'hall* —2H **45**
Bridge St. N. *Smeth* —3F **99**
Bridge St. S. *Smeth* —3F **99**
Bridge St. W. *B19* —3E **101**
(in two parts)
Bridge, The. *Wals* —2C **48**
Bridge Wlk. *B27* —2B **136**
Bridgewater Av. *O'bry* —5G **97**
Bridgewater Cres. *Dud* —6G **77**
Bridgewater Dri. *Bils* —3E **61**

Bridgewater Dri. *Wom* —6F **57**
Bridge Way. *Clay* —1A **22**
Bridgnorth Av. *Wom* —3F **73**
Bridgnorth Gro. *W'hall*
—3B **30**
Bridgnorth Rd. *Patt & Wolv*
—5A **40**
Bridgnorth Rd. *Stourb & Woll*
—4A **108**
Bridgnorth Rd. *Swind & Wom*
—2A **72**
Bridgwater Clo. *Wals* —4B **22**
Bridle Gro. *W Brom* —5D **64**
Bridle La. *Wals & S Cold*
—5E **51**
Bridle Mead. *B38* —1H **159**
Bridle Path, The. *Shir*
—2G **149**
Bridle Rd. *Stourb* —5B **108**
Bridle Ter. *Hand* —1A **100**
Bridlewood. *S Cold* —3H **51**
Bridport Ho. *B31* —6C **130**
Brierley Hill. —6H **93**
Brierley Hill Rd. *Stourb &
Brie H* —1C **108**
Brierley La. *Bils* —3G **61**
Brierley Trad. Est. *Brie H*
—6G **93**
Brier Mill Rd. *Hale* —2C **128**
Briery Clo. *Crad H* —4H **111**
Briery Rd. *Hale* —2G **127**
Briffen Ho. *B16* —1D **116**
Brigfield Cres. *B13* —2B **148**
Brigfield Rd. *B13* —2B **148**
Brighton Clo. *Wals* —6B **32**
Brighton Pl. *Wolv* —1E **43**
Brighton Rd. *B12* —6H **117**
Bright Rd. *O'bry* —4H **97**
Brightstone Clo. *Wolv* —3B **16**
Brightstone Rd. *Redn*
—5H **143**
Bright St. *Stourb* —6B **108**
Bright St. *W'bry* —6D **46**
Bright St. *Wolv* —6F **27**
Bright Ter. *Hand* —2A **100**
Brightwell Cres. *Dorr* —6A **166**
Brindle Clo. *Sheld* —6C **120**
Brindle Ct. *B23* —4B **84**
Brindlefields Way. *Tip* —5A **78**
Brindle Rd. *Wals* —1G **65**
Brindley Av. *Wolv* —6A **18**
Brindley Clo. *Stourb* —2C **108**
Brindley Clo. *Wals* —4F **31**
Brindley Clo. *Wom* —1D **72**
Brindley Ct. *B30* —5C **146**
Brindley Ct. *O'bry* —4H **113**
Brindley Ct. *Tip* —2G **77**
Brindley Dri. *B1*
—1E **117** (4A **4**)
Brindley Pl. *B1*
—1D **116** (5A **4**)
Brindley Rd. *W Brom* —5G **63**
Brindley Way. *Smeth* —4G **99**
Brineton Gro. *B29* —4E **131**
Brineton Ind. Est. *Wals*
—2A **48**
Brineton St. *Wals* —2A **48**
Bringewood Gro. *B32*
—5H **129**
Brinklow Cft. *B34* —2H **105**
Brinklow Rd. *B29* —3D **130**
Brinley Way. *K'wfrd* —3A **92**
Brinsford Rd. *Wolv* —4G **15**
Brinsley Clo. *Sol* —5F **151**
Brinsley Rd. *B26* —3F **121**
Brisbane Ho. *B34* —3A **106**

Brisbane Rd. *Smeth* —4C **98**
Briseley Clo. *Brie H* —3H **109**
Bristam Clo. *O'bry* —3E **97**
Bristnall Fields. —1H **113**
Bristnall Hall Cres. *O'bry*
—6A **98**
Bristnall Hall La. *O'bry* —6A **98**
Bristnall Hall Rd. *O'bry*
—1H **113**
Bristnall Ho. *Smeth* —5B **98**
Bristol Pas. *B5* —3F **117**
Bristol Rd. *Dud* —1F **111**
Bristol Rd. *Erd* —4E **85**
Bristol Rd. *S Oak & B5*
—6H **131**
Bristol Rd. S. *Redn & N'fld*
—1G **157**
Bristol St. *B5* —3F **117** (6D **4**)
Bristol St. *Wolv* —3F **43**
Briston Clo. *Brie H* —3G **109**
Britannia Gdns. *Row R*
—6C **96**
Britannia Grn. *Dud* —2A **76**
Britannia Pk. *W'bry* —3D **62**
Britannia Rd. *Bils* —2H **61**
Britannia Rd. *Row R* —1C **112**
Britannia Rd. *Wals* —6B **48**
Britannia St. *Tiv* —5C **78**
Britannic Gdns. *Mose* —3F **133**
Britford Clo. *B14* —4H **147**
Brittan Clo. *B34* —3A **106**
Britton Drs. *S Cold* —5A **70**
Britwell Rd. *S Cold* —3G **69**
Brixfield Way. *Shir* —4G **163**
Brixham Rd. *B16* —5H **99**
Broadacres. *B31* —1C **144**
Broad Cft. *Tip* —1C **78**
Broadfern Rd. *Know* —1D **166**
Broadfield Clo. *K'wfrd* —4B **92**
Broadfield Clo. *W Brom*
—4D **64**
Broadfield House Glass Mus.
—4B **92**
Broadfields Rd. *B23* —6H **69**
Broadfield Wlk. *B16* —2D **116**
Broadheath Dri. *Shelf* —1H **33**
Broadhidley Dri. *B32* —4H **129**
Broadlands Dri. *Brie H* —4A **94**
Broad La. *B14* —3F **147**
Broad La. *Ess & Wals* —1C **18**
Broad La. *Pels* —6G **21**
Broad La. *Wolv* —3C **42**
Broad La. Gdns. *Wals* —5G **19**
Broad La. N. *W'hall* —3B **30**
Broad Lanes. *Bils* —2E **61**
Broad La. S. *Wolv* —4H **29**
Broadmeadow. *K'wfrd* —1C **92**
Broadmeadow. *Wals* —1D **34**
Broadmeadow Clo. *B30*
—4D **146**
Broad Mdw. Grn. *Bils* —4E **45**
Broad Mdw. La. *B30* —4D **146**
Broadmeadow La. *Wals* —3G **7**
Broadmeadows Clo. *W'hall*
—1E **31**
Broadmeadows Rd. *W'hall*
—1E **31**
Broadmoor Av. *O'bry & Smeth*
—1B **114**
Broadmoor Clo. *Bils* —1E **61**
Broadmoor Rd. *Bils* —1E **61**
Broadoaks. *S Cold* —5E **71**
Broad Oaks Ho. *Sol* —3E **151**
Broad Oaks Rd. *Sol* —1D **150**
Broad Rd. *B27* —2H **135**
Broadstone Av. *Hale* —1D **126**

Broadstone Av. *Wals* —3B **32**
Broadstone Clo. *Wolv* —6H **43**
Broadstone Rd. *B26* —1D **120**
Broad St. *B15 & B1*
—2D **116** (6A **4**)
Broad St. *Bils* —5E **45**
Broad St. *Cose* —5E **61**
Broad St. *O'bry* —4G **97**
Broad St. *Pens* —3G **93**
Broad St. *Wolv*
—1H **43** (2C **170**)
Broad St. Junct. *Wolv*
—1H **43** (2D **170**)
Broadwalk Retail Pk. *Wals*
—5B **48**
Broadwaters Av. *W'bry*
—1C **62**
Broadwaters Rd. *W'bry*
—1C **62**
Broadway. *Bush* —5A **16**
Broadway. *Cod* —4E **13**
Broadway. *Finc* —2A **42**
Broadway. *O'bry* —2A **114**
Broad Way. *Pels* —5G **21**
Broadway. *Shir* —3G **149**
Broadway. *Wals* —5D **48**
Broadway Av. *B9* —1G **119**
Broadway Av. *Hale* —3A **128**
Broadway Cft. *B26* —5E **121**
Broadway Cft. *O'bry* —2A **114**
Broadway Ho. *B31* —5H **145**
Broadway N. *Wals* —1D **48**
Broadway, The. *B20* —5F **83**
Broadway, The. *Dud* —4C **76**
Broadway, The. *Stourb*
—3B **124**
Broadway, The. *W Brom*
—6G **63**
Broadway, The. *Wom* —2G **73**
Broadway W. *Wals* —5A **48**
Broadwell Ind. Est. *O'bry*
—1F **97**
Broadwell Rd. *O'bry* —1G **97**
Broadwell Rd. *Sol* —3E **137**
Broadyates Gro. *B25* —5A **120**
Broadyates Rd. *B25* —5A **120**
Brobury Cft. *Sol* —3B **150**
Brockeridge Clo. *W'hall*
—6C **18**
Brockfield Ho. *Wolv* —5B **28**
Brockhall Gro. *B37* —4B **106**
Brockhill La. *A'chu* —6D **160**
Brockhurst Cres. *Wals* —6C **48**
Brockhurst Dri. *B28* —2G **149**
Brockhurst Dri. *Wolv* —5E **27**
Brockhurst Ho. *Wals* —6B **32**
Brockhurst La. *Can* —1F **39**
Brockhurst Pl. *Wals* —6D **48**
Brockhurst Rd. *B36* —3A **104**
Brockhurst Rd. *S Cold* —2B **54**
Brockhurst St. *Wals* —5C **48**
Brockley Clo. *Brie H* —6H **93**
Brockley Gro. *B13* —4E **133**
Brockley Pl. *B7* —2C **102**
Brockmoor. —5F 93
Brockmoor Clo. *Stourb*
—3G **125**
Brock Rd. *Tip* —3C **78**
Brockton Rd. *B29* —4E **131**
Brockwell Gro. *B44* —1G **67**
Brockwell Rd. *B44* —1G **67**
Brockworth Rd. *B14* —5E **147**
Brocton Clo. *Bils* —2D **60**
Brocton Clo. *Wals* —1F **31**
Brogden Clo. *W Brom* —5D **64**

Bromfield Clo. *B6* —2G **101**
Bromfield Ct. *Wolv* —1H **41**
Bromfield Cres. *W'bry* —1A **64**
Bromfield Rd. *W'bry* —2A **64**
Bromford. —5B 86
Bromford Clo. *B20* —6C **82**
Bromford Clo. *Erd* —2E **85**
Bromford Ct. *B31* —6F **145**
Bromford Cres. *B24* —5G **85**
Bromford Dale. *Wolv* —6E **27**
Bromford Dri. *B36* —1H **103**
Bromford Hill. *B20* —4E **83**
Bromford La. *Erd* —5G **85**
Bromford La. *Wash H*
—3H **103**
Bromford La. *W Brom* —6G **79**
Bromford Mere. *Sol* —5C **136**
Bromford Mills Ind. Est. *Erd*
—6H **85**
Bromford Pk. Ind. Est.
W Brom —6G **79**
Bromford Ri. *Wolv* —3F **43**
Bromford Rd. *B36* —2H **103**
Bromford Rd. *Dud* —3C **94**
Bromford Rd. *O'bry & W Brom*
—1G **97**
Bromford Rd. Ind. Est. *O'bry*
—6G **79**
Bromford Wlk. *B43* —4B **66**
Bromley. —4E 93
Bromley. *Brie H* —4F **93**
Bromley Gdns. *Cod* —3G **13**
Bromley Ho. *Wals* —1F **65**
Bromley La. *K'wfrd* —5C **92**
Bromley Pl. *Wolv* —6E **43**
Bromley St. *B9* —2A **118**
Bromley St. *Stourb* —5B **110**
Bromley St. *Wolv* —4G **43**
Brompton Dri. *Brie H* —4F **109**
Brompton Lawns. *Wolv*
—6G **25**
Brompton Pool Rd. *B28*
—4E **149**
Brompton Rd. *B44* —1G **67**
Bromsgrove Rd. *Hag & Clent*
—6G **125**
Bromsgrove Rd. *Hale*
—2C **128**
Bromsgrove Rd. *Rom & Hunn*
—3A **142**
Bromsgrove St. *B5*
—2G **117** (6E **5**)
Bromsgrove St. *Hale* —1C **128**
Bromwall Rd. *B13* —1B **148**
Bromwich Dri. *S Cold* —4A **54**
Bromwich La. *Stourb* —6F **125**
Bromwich Wlk. *B9* —6G **103**
Bromwynd Clo. *Wolv* —5F **43**
Bromyard Av. *S Cold* —5E **71**
Bromyard Rd. *B11* —2E **135**
Bronte Clo. *Shir* —6B **150**
Bronte Ct. *Shir* —6B **150**
Bronte Farm Rd. *Shir* —6B **150**
Bronte Rd. *Wolv* —5B **44**
Bronwen Rd. *Bils* —6E **61**
Brookbank Av. *B34* —3H **105**
Brookbank Gdns. *Dud* —5F **75**
Brookbank Rd. *Dud* —5F **75**
Brook Clo. *B33* —5C **104**
Brook Clo. *Shir* —6F **149**
Brook Clo. *Wals* —4C **22**
Brook Cres. *K'wfrd* —2A **92**
Brook Cres. *Stourb* —2B **126**
Brook Cft. *Mars G* —4D **122**
Brook Cft. *Sheld* —4F **121**
Brookdale. *Dud* —4G **75**

Brookdale Clo. *Redn* —6G **143**
Brookdale Dri. *Wolv* —5C **42**
Brook Dri. *B32* —4B **130**
Brook End. *Burn* —1C **10**
Brookend Dri. *Redn* —1F **157**
Brookes Ho. *Wals* —2D **48**
(off Paddock La.)
Brooke St. *Dud* —1E **95**
Brook Farm Wlk. *B37* —6F **107**
Brookfield Clo. *Wals* —6C **22**
Brookfield Precinct. *B18*
—5D **100**
Brookfield Rd. *B18* —4C **100**
Brookfield Rd. *Cod* —4H **13**
Brookfield Rd. *Wals* —6C **22**
Brookfields Rd. *O'bry* —5A **98**
Brookfield Way. *Sol* —6B **136**
Brookfield Way. *Tip* —1A **78**
Brook Grn. La. *Bars* —6A **154**
Brook Gro. *Cod* —4H **13**
Brookhill Clo. *W'hall* —6D **18**
Brook Hill Rd. *B8* —5G **103**
Brookhill Way. *W'hall* —6D **18**
Brook Holloway. *Stourb*
—1B **126**
Brook Ho. Clo. *F'stne* —1D **16**
Brook Ho. La. *F'stne* —1A **16**
Brookhouse Rd. *Wals* —4F **49**
Brookhurst La. *Shir* —4H **163**
Brookhus Farm Rd. *S Cold*
—5E **71**
Brooking Clo. *B43* —1F **67**
Brookland Gro. *Wals* —5C **22**
Brookland Rd. *Wals* —6B **22**
Brooklands. *Stourb* —2D **108**
Brooklands. *Wals* —2F **65**
Brooklands Av. *Wals* —1F **7**
Brooklands Clo. *B28* —4F **135**
Brooklands Dri. *B14* —2G **147**
Brooklands Pde. *Wolv* —2C **44**
Brooklands Rd. *B28* —4F **135**
Brooklands, The. *Swind*
—6E **73**
Brook La. *B13* —5A **134**
Brook La. *Crad H* —1G **111**
Brook La. *Gt Wyr* —2G **7**
Brook La. *Sol* —5B **136**
Brook La. *Wals W* —4B **22**
Brooklea Gro. *B38* —6C **146**
Brooklyn Av. *B6* —2H **101**
Brooklyn Gro. *Bils* —5F **61**
Brooklyn Gro. *K'wfrd* —1H **91**
Brooklyn Rd. *Burn* —1C **10**
Brookmans Av. *B32* —1B **130**
Brook Mdw. Rd. *B34* —3E **105**
Brook Mdw. Rd. *Shelf* —1H **33**
Brook Piece Wlk. *B35* —4F **87**
Brook Rd. *Edg* —4B **116**
Brook Rd. *O'bry* —1G **113**
Brook Rd. *Redn* —2E **157**
Brook Rd. *Stourb* —2F **125**
Brook Rd. *Wals* —1E **7**
Brook Rd. *W'hall* —2G **45**
Brook Rd. *Wom* —1F **73**
Brooksbank Dri. *Crad H*
—5H **95**
Brooksby Gro. *Dorr* —6H **167**
Brooks Cft. *B35* —5E **87**
Brookside. *Dud* —5H **75**
Brookside. *Gt Barr* —6A **66**
Brookside. *N'fld* —2D **144**
Brookside. *Shir* —5B **164**
Brookside. *W'bry* —2H **63**
Brookside Av. *B13* —6B **134**
Brookside Clo. *B23* —6C **68**
Brookside Clo. *Hale* —2F **127**

Brookside Clo. *Wom* —1E **73**
Brookside Ind. Est. *W'bry*
—2H **63**
Brookside Way. *K'wfrd*
—2H **91**
Brooks Rd. *S Cold* —5A **70**
Brook St. *B3* —6E **101** (2B **4**)
Brook St. *Bils* —6G **45**
Brook St. *Gorn W* —4G **75**
Brook St. *Lye* —6B **110**
Brook St. *Prem B* —2B **48**
Brook St. *Quar B* —3C **110**
Brook St. *Smeth* —3F **99**
Brook St. *Stourb* —6C **108**
Brook St. *Tip* —1G **77**
Brook St. *W Hth* —6H **73**
Brook St. *W Brom* —4H **79**
Brook St. *Woods* —6C **60**
Brook St. *Word* —2D **108**
Brook Ter. *Bils* —6G **45**
Brookthorpe Dri. *W'hall*
—5C **30**
Brook Vw. Clo. *B19* —3E **101**
Brook Wlk. *B32* —3B **130**
Brookwillow Rd. *Hale* —4F **127**
Brookwood Av. *B28* —2D **148**
Broomcroft Rd. *B37* —4B **106**
Broomdene Av. *B34* —2E **105**
Broom Dri. *B14* —3G **147**
Broome Av. *B43* —6G **65**
Broome Clo. *Hale* —2A **128**
Broome Ct. *B36* —1G **105**
Broomehill Clo. *Brie H*
—4G **109**
Broome Rd. *Wolv* —2A **28**
Broomfield. *Smeth* —4D **98**
Broomfield Rd. *B23* —5D **84**
Broomfields Av. *Sol* —2H **151**
Broomfields Clo. *Sol* —2H **151**
Broomfields Farm Rd. *Sol*
—2H **151**
Broomhall Av. *Wolv* —3F **29**
Broom Hall Cres. *B27*
—6H **135**
Broom Hall Gro. *B27* —5A **136**
Broomhill Clo. *B43* —5H **65**
Broomhill La. *B43* —5H **65**
Broomhill Rd. *B23* —6B **68**
(in two parts)
Broom Ho. *W Brom* —4D **64**
Broomhurst. *B15* —3A **116**
Broomie Clo. *S Cold* —6B **54**
Broom La. *Shir* —3G **163**
Broomlea Clo. *S Cold* —3G **51**
Broom Rd. *Dud* —2C **76**
Broom Rd. *Wals* —2F **65**
Broom St. *B12* —3A **118**
Broomy Clo. *B34* —4E **105**
Broseley Av. *B31* —1F **159**
Broseley Brook Clo. *B9*
—2C **118**
Brosil Av. *B20* —4A **82**
Brougham St. *B19* —2D **100**
(in two parts)
Brough Clo. *B7* —3B **102**
Brough Clo. *Wolv* —2B **60**
Broughton Ct. *Pert* —6G **25**
Broughton Cres. *B31* —1B **158**

Broughton Rd. *B20* —1C **100**
Broughton Rd. *Stourb*
　　　　　　　—2H **125**
Broughton Rd. *Wolv* —2A **42**
Brownfield Rd. *B34* —3G **105**
Brownhills. —6B 10
Brownhills Common. —4H 9
Brownhills Rd. *Nort C* —1E **9**
Brownhills Rd. *Wals* —2B **22**
Brownhills West. —3G 9
Browning Clo. *W'hall* —2E **31**
Browning Cres. *Wolv* —5G **15**
Browning Gro. *Pert* —5E **25**
Browning Rd. *Dud* —3E **75**
Browning St. *B16* —1D **116**
Browning Tower. *B31*
　　　　　　　—4G **145**
Brownley Rd. *Shir* —2B **164**
Brown Lion St. *Tip* —6G **61**
Brown Rd. *W'bry* —4C **46**
Brown's Coppice Av. *Sol*
　　　　　　　—2B **150**
Brown's Dri. *S Cold* —5F **69**
Brownsea Clo. *Redn* —6E **143**
Brownsea Dri. *B1*
　　　　—2F **117** (6C **4**)
Brown's Green. —4B 82
Browns Grn. *B20* —4B **82**
Brownshore La. *Ess* —3A **18**
Browns La. *Know* —3A **166**
Brownsover Clo. *B36* —6F **87**
Brown St. *Tip* —2H **77**
Brown St. *Wolv* —4H **43**
Brownswall Est. *Dud* —6F **59**
Brownswall Rd. *Dud* —6F **59**
Broxwood Pk. *Wolv* —6H **25**
Brueton Av. *Sol* —4H **151**
Brueton Dri. *B24* —4G **85**
Brueton Rd. *Bils* —4A **46**
Bruford Rd. *Wolv* —3E **43**
Brunel Clo. *B12* —6A **118**
Brunel Ct. *Bils* —5G **61**
Brunel Ct. *W'bry* —5F **47**
Brunel Gro. *Pert* —3E **25**
Brunel Rd. *O'bry* —3D **96**
Brunel St. *B2* —1F **117** (5C **4**)
Brunel Wlk. *W'bry* —5F **47**
Brunel Way. *E'shll* —4C **44**
Brunslow Clo. *W'hall* —2C **46**
Brunslow Clo. *Wolv* —6G **15**
Brunswick Ct. *W'bry* —2A **64**
Brunswick Gdns. *B21* —6B **82**
Brunswick Gdns. *B19*
　　　　　　　—2E **101**
Brunswick Ga. *Stourb*
　　　　　　　—4E **125**
Brunswick Ho. *B34* —2E **105**
Brunswick Ho. *B37* —3B **122**
Brunswick Pk. Rd. *W'bry*
　　　　　　　—2G **63**
Brunswick Rd. *Hand* —6B **82**
Brunswick Rd. *S'brk* —6A **118**
Brunswick Sq. *B1*
　　　　　—1D **116** (5A **4**)
Brunswick St. *B1*
　　　　　—1D **116** (5A **4**)
Brunswick St. *Wals* —4A **48**
Brunswick Ter. *W'bry* —2F **63**
Brunton Rd. *B10* —4F **119**
Brushfield Rd. *B42* —5F **67**
Brutus Dri. *Col* —6G **89**
Bryan Av. *Wolv* —1B **58**
Bryan Rd. *Wals* —5A **48**
Bryanston Ct. *Sol* —6D **136**
Bryanston Rd. *Sol* —1D **150**
Bryant St. *B18* —4A **100**

Bryce Rd. *Brie H* —4E **93**
(in two parts)
Bryher Wlk. *Redn* —6E **143**
Brylan Cft. *B44* —1H **83**
Brymill Ind. Est. *Tip* —6G **61**
Bryn Arden Rd. *B26* —6C **120**
Bryndale Av. *B14* —2E **147**
Brynmawr Rd. *Bils* —2C **60**
Brynside Clo. *B14* —5F **147**
Bryony Cft. *Erd* —6B **68**
Bryony Gdns. *Darl* —4D **46**
Bryony Rd. *B29* —6F **131**
Buchanan Av. *Wals* —6E **33**
Buchanan Clo. *Wals* —6E **33**
Buchanan Rd. *Wals* —6E **33**
Buckbury Clo. *Stourb*
　　　　　　　—4H **125**
Buckbury Cft. *Shir* —3F **165**
Buckingham Clo. *W'bry*
　　　　　　　—1A **64**
Buckingham Ct. *B29* —4A **132**
Buckingham Dri. *W'hall*
　　　　　　　—2B **30**
Buckingham Gro. *K'wfrd*
　　　　　　　—2A **92**
Buckingham M. *S Cold*
　　　　　　　—2G **69**
Buckingham Ri. *Dud* —5A **76**
Buckingham Rd. *B36* —2B **106**
Buckingham Rd. *Row R*
　　　　　　　—5D **96**
Buckingham Rd. *Wolv* —1E **59**
Buckingham St. *B19* —5F **101**
Buckland End. —2D **104**
Buckland End. *B34* —3E **105**
Bucklands End La. *B34*
　　　　　　　—3D **104**
Buckle Clo. *Wals* —3D **48**
Buckley Rd. *Wolv* —6B **42**
Bucklow Wlk. *B33* —5D **104**
Buckminster Dri. *Dorr*
　　　　　　　—5A **166**
Bucknall Cres. *B32* —5G **129**
Bucknall Rd. *Wolv* —6B **18**
Bucknell Clo. *Sol* —2G **151**
Buckpool. —1C 108
Buckridge Clo. *B38* —2H **159**
Buckton Clo. *S Cold* —6C **38**
Budbrooke Gro. *B34* —3A **106**
Budden Rd. *Cose* —6F **61**
Bude Rd. *Wals* —4H **49**
Buffery Rd. *Dud* —2F **95**
Bufferys Clo. *Sol* —1F **165**
Buildwas Clo. *Wals* —5F **19**
Bulford Clo. *B14* —5H **147**
Bulger Rd. *Bils* —4E **45**
Bullace Cft. *B15* —2A **132**
Buller St. *Wolv* —6A **44**
Bullfields Clo. *Row R* —4H **95**
Bullfinch Clo. *Dud* —1A **94**
Bullivents Clo. *Ben H*
　　　　　　　—4B **166**
Bull La. *Bils* —2B **62**
Bull La. *W Brom* —4G **79**
Bull La. *Wom* —5G **57**
Bull Mdw. La. *Wom* —5G **57**
Bullock's Row. *Wals* —2D **48**
Bullock St. *B7* —4A **102**
Bullock St. *W Brom* —1B **98**
Bullows Rd. *Bwnhls* —1G **21**
Bull Ring. *B5* —1G **117** (5F **5**)
Bull Ring. *Dud* —5H **59**
Bull Ring. *Hale* —2B **128**
Bull Ring. *W'hall* —6A **30**
Bull Ring Cen. *B5*
　　　　—1G **117** (5E **5**)

Bull Ring Trad. Est. *B12*
　　　　—2H **117** (6H **5**)
Bull's La. *Wis* —2F **71**
(in two parts)
Bull St. *B4* —6G **101** (3E **5**)
Bull St. *Brie H* —1E **109**
(in two parts)
Bull St. *Dud* —1C **94**
Bull St. *Gorn W* —5G **75**
Bull St. *Harb* —5H **115**
Bull St. *W'bry* —5E **47**
Bull St. *W Brom* —4B **80**
Bull St. Trad. Est. *Brie H*
　　　　　　　—2F **109**
Bulwell Clo. *B6* —2A **102**
Bulwer St. *Wolv* —6H **27**
Bumble Hole. —4G 95
Bumblehole Meadows. *Wom*
　　　　　　　—6F **57**
Bunbury Gdns. *B30* —3G **145**
Bunbury Rd. *B31* —3F **145**
Bundle Hill. *Hale* —1A **128**
Bungalow, The. *W Brom*
　　　　　　　—3F **79**
Bunker's Hill. —4G 45
Bunkers Hill La. *Bils* —3G **45**
Bunn's La. *Dud* —6H **77**
Burbage Clo. *Wolv* —3B **28**
Burberry Gro. *Bal C* —3G **169**
Burbidge Rd. *B9* —6D **102**
Burbury St. *B19* —2E **101**
Burbury St. S. *B19* —3E **101**
Burcombe Tower. *B23* —1H **85**
Burcot Av. *Wolv* —1C **44**
Burcote Rd. *B24* —4B **86**
Burcot Wlk. *Wolv* —1C **44**
Burdock Clo. *Wals* —2E **65**
Burdock Rd. *B29* —1E **145**
Bure Gro. *W'hall* —1D **46**
Burfield Rd. *Hale* —5E **111**
Burford Clo. *Sol* —2E **137**
Burford Clo. *Wals* —2E **65**
Burford Pk. Rd. *B38* —1A **160**
Burford Rd. *H'wd* —3H **161**
Burford Rd. *K'sdng* —6H **67**
Burgess Cft. *Sol* —6B **138**
Burghley Dri. *W Brom* —3D **64**
Burghley Wlk. *Brie H* —3F **109**
Burgh Way. *Wals* —4G **31**
Burhill Way. *B37* —4D **106**
Burke Av. *B13* —4D **134**
Burkitt Dri. *Tip* —5C **62**
Burland Av. *Wolv* —2C **26**
Burleigh Clo. *Bal C* —2H **169**
Burleigh Clo. *W'hall* —3B **30**
Burleigh Cft. *Burn* —1C **10**
Burleigh Rd. *Wolv* —4E **43**
Burleigh St. *Wals* —2E **49**
Burleton Rd. *B33* —1A **122**
Burley Clo. *Shir* —5F **149**
Burley Way. *B38* —1G **159**
Burlington Arc. *B2* —4D **4**
Burlington Av. *W Brom*
　　　　　　　—6C **80**
Burlington Pas. *B2* —4D **4**
Burlington Rd. *B10* —2E **119**
Burlington Rd. *W Brom*
　　　　　　　—6C **80**
Burlington St. *B6* —3G **101**
Burlish Av. *Sol* —4D **136**
Burman Clo. *Shir* —5G **149**
Burman Dri. *Col* —4H **107**
Burman Rd. *Shir* —5F **149**
Burmarsh Wlk. *Wolv* —1D **26**
Burmese Way. *Row R* —3H **95**

Burnaston Cres. *Shir* —3G **165**
Burnaston Rd. *B28* —4E **135**
Burnbank Gro. *B24* —3H **85**
Burn Clo. *Smeth* —5E **99**
Burncross Way. *Wolv* —3B **28**
Burnell Gdns. *Wolv* —3C **42**
Burnel Rd. *B29* —3E **131**
Burnett Ho. *O'bry* —4D **96**
Burnett Rd. *S Cold* —1B **52**
Burney La. *B8* —4A **104**
Burnfields Clo. *Wals* —2C **34**
Burnham Av. *B25* —5A **120**
Burnham Av. *Wolv* —1F **27**
Burnham Clo. *K'wfrd* —5D **92**
Burnham Ct. *Brie H* —1H **109**
(off Hill St.)
Burnham Mdw. *B28* —1G **149**
Burnham Rd. *B44* —6G **67**
Burnhill Gro. *B29* —5E **131**
Burnlea Gro. *B31* —6G **145**
Burnsall Clo. *B37* —1B **122**
Burnsall Clo. *Pend* —4E **15**
Burns Av. *Tip* —5A **62**
Burns Av. *Wolv* —5H **15**
Burns Clo. *Stourb* —3E **109**
Burns Gro. *Dud* —3E **75**
Burnside Ct. *S Cold* —4G **69**
Burnside Gdns. *Wals* —5H **49**
Burnside Way. *B31* —2D **158**
Burns Pl. *W'bry* —6A **46**
Burns Rd. *W'bry* —6A **46**
Burnthurst Cres. *Shir* —2E **165**
Burnt Oak Dri. *Stourb* —6F **109**
Burnt Tree. —5H 77
Burnt Tree. *Tip* —5H **77**
Burnt Tree Ho. *Tip* —5H **77**
Burntwood Rd. *Hamm* —1F **11**
Burrelton Way. *B43* —5H **65**
Burrington Rd. *B32* —5G **129**
Burrowes St. *Wals* —6B **32**
Burrow Hill Clo. *B36* —1G **105**
Burrows Ho. *Wals* —6B **32**
(off Burrowes St.)
Burrows Rd. *K'wfrd* —5D **92**
Bursledon Wlk. *Wolv* —3E **45**
Burslem Clo. *Wals* —3G **19**
Bursnips Rd. *Ess* —5B **18**
Burton Av. *Wals* —1F **33**
Burton Cres. *Wolv* —6A **28**
Burton Farm Rd. *Wals* —6F **33**
Burton Rd. *Dud* —3B **76**
Burton Rd. *Wolv* —6A **28**
Burton Rd. E. *Dud* —3B **76**
Burton Wood Dri. *B20* —5F **83**
Buryfield Rd. *Sol* —1E **151**
Bury Hill Rd. *O'bry* —1D **96**
Bury Mound Ct. *Shir* —5C **148**
Bush Av. *Smeth* —4G **99**
Bushbury. —6A 16
Bushbury Cft. *Bush* —5A **16**
Bushbury Cft. *B37* —6E **107**
Bushbury La. *Wolv* —3G **27**
Bushbury Rd. *B33* —4E **105**
Bushbury Rd. *Wolv* —3C **28**
Bushell Dri. *Sol* —3H **151**
Bushey Clo. *S Cold* —1H **51**
Bushey Fields Rd. *Dud*
　　　　　　　—1A **94**
Bush Gro. *B21* —6G **81**
Bush Gro. *Wals* —5E **21**
Bushley Cft. *Sol* —1F **165**
Bushman Way. *B34* —4A **106**
Bushmore Rd. *B28* —1G **149**
Bush Rd. *Dud* —1E **111**
Bush Rd. *Tip* —3G **77**
Bush St. *W'bry* —4D **46**

Bushway Clo. *Brie H* —1E **109**
Bushwood Dri. *Dorr* —6C **166**
Bushwood Rd. *B29* —4F **131**
(in two parts)
Bustleholme Av. *W Brom*
—4D **64**
Bustleholme Cres. *W Brom*
—4C **64**
Bustleholme La. *W Brom*
(in two parts) —4C **64**
Butchers La. *Hale* —4E **111**
Butchers Rd. *H Ard* —1A **154**
Butcroft. **—5E 47**
Butcroft Gdns. *W'bry* —5E **47**
Bute Clo. *Redn* —6E **143**
Bute Clo. *W'hall* —3B **30**
Butler Rd. *Sol* —2D **136**
Butlers Clo. *Erd* —4D **68**
Butlers Clo. *Hand* —4C **82**
Butlers La. *S Cold* —6F **37**
Butlers Precinct. *Wals* —1C **48**
Butler's Rd. *B20* —4C **82**
Butler St. *Small H* —3C **118**
Butler St. *W Brom* —3G **79**
Butlin St. *B7* —2C **102**
Buttercup Clo. *Wals* —2E **65**
Butterfield Clo. *Pert* —6D **24**
Butterfield Ct. *Dud* —5C **76**
Butterfield Rd. *Brie H* —2F **93**
Butterfly Way. *Crad H*
—2H **111**
Buttermere Clo. *Brie H*
—4F **109**
Buttermere Clo. *Tett* —1B **26**
Buttermere Ct. *Pert* —5F **25**
Buttermere Dri. *B32* —2D **130**
Buttermere Dri. *Ess* —5A **18**
Buttermere Gro. *W'hall*
—6B **18**
Butter Wlk. *B38* —1G **159**
Butterworth Clo. *Bils* —4C **60**
Buttery Rd. *Smeth* —3C **98**
Buttons Farm Rd. *Wolv*
—2B **58**
Buttress Way. *Smeth* —3E **99**
Butts Clo. *Cann* —1C **8**
Butts La. *Cann* —1C **8**
Butts Rd. *Wals* —6D **32**
Butts Rd. *Wolv* —1D **58**
Butts St. *Wals* —6D **32**
Butts, The. *Wals* —6D **32**
Butts Way. *Cann* —1C **8**
Buxton Clo. *Wals* —4A **20**
Buxton Rd. *B23* —1B **84**
Buxton Rd. *Dud* —3B **94**
Buxton Rd. *S Cold* —5G **69**
Buxton Rd. *Wals* —4A **20**
Byeways. *Wals* —4A **20**
Byfield Clo. *B33* —3A **122**
Byfield Pas. *B9* —1E **119**
Byfield Vw. *Dud* —6A **60**
Byfleet Clo. *Bils* —2C **60**
Byland Way. *Wals* —5F **19**
By-Pass Link. *Sol* —4A **152**
Byrchen Moor Gdns. *Brie H*
—2F **93**
Byrne Rd. *Wolv* —4H **43**
Byron Av. *B23* —4B **84**
Byron Clo. *B10* —4D **118**
Byron Ct. *Know* —3C **166**
Byron Ct. *S Cold* —4G **37**
Byron Cres. *Dud* —2D **94**
Byron Cft. *Dud* —2E **75**
Byron Cft. *S Cold* —3F **37**
Byron Gdns. *W Brom* —2H **79**
Byron Ho. *Hale* —6D **110**

Byron Rd. *B10* —4D **118**
Byron Rd. *W'hall* —2E **31**
Byron Rd. *Wolv* —1C **28**
Byron St. *Brie H* —2H **93**
Byron St. *W Brom* —1H **79**
Bywater Ho. *Wals* —2D **48**
(off Paddock La.)

C

Caban Clo. *B31* —2C **144**
Cable Dri. *Wals* —4A **32**
Cable St. *Wolv* —3A **44**
Cabot Gro. *Wolv* —5E **25**
Cadbury Dri. *B35* —6E **87**
Cadbury Ho. B19 —4F **101**
(off Gt. Hampton Row)
Cadbury Rd. *B13* —1B **134**
Cadbury Way. *B17* —6F **115**
Cadbury World. —6B 132
Caddick Cres. *W Brom* —6B **64**
Caddick Rd. *B42* —4D **66**
Caddick St. *Bils* —5C **60**
(in two parts)
Cadec Trad. Est. *Smeth*
—6D **98**
Cadgwith Gdns. *Bils* —3A **62**
Cadine Gdns. *B13* —4E **133**
Cadleigh Gdns. *B17* —2G **131**
Cadle Rd. *Wolv* —2A **28**
Cadman Cres. *Wolv* —3C **28**
Cadman's La. *Wals* —5A **8**
(in two parts)
Cadnam Clo. *B17* —2G **131**
Cadnam Clo. *W'hall* —3B **46**
Caernarvon Clo. *W'hall*
—2C **30**
Caernarvon Way. *Dud* —4A **76**
Caesar Way. *Col* —6H **89**
Cahill Av. *Wolv* —5C **28**
Cairn Dri. *Wals* —1F **47**
Cairns St. *Wals* —6A **32**
Caister Dri. *W'hall* —3H **45**
Cakemore La. *O'bry* —1F **113**
Cakemore Rd. *Row R* —1E **113**
Cala Dri. *B15* —4D **116**
Calcot Dri. *Wolv* —2C **26**
Caldecote Gro. *B9* —1A **120**
Caldeford Av. *Shir* —2E **165**
Calder Av. *Wals* —1E **49**
Calder Dri. *S Cold* —5D **70**
Calderfields Clo. *Wals* —6E **33**
Calder Gro. *B20* —5B **82**
Calder Ri. *Dud* —1B **76**
Caldmore. —3B 48
Caldmore Grn. *Wals* —3C **48**
Caldmore Rd. *Wals* —2C **48**
Caldwell Ct. *Sol* —2G **151**
Caldwell Gro. *Sol* —2G **151**
Caldwell Ho. *W Brom* —5A **80**
Caldwell Rd. *B9* —6H **103**
Caldwell St. *W Brom* —5B **64**
Caldy Wlk. *Redn* —6F **143**
Caledonia. *Brie H* —4H **109**
Caledonian Clo. *Wals* —2G **65**
Caledonia Rd. *Wolv* —3H **43**
(in two parts)
Caledonia St. *Bils* —5G **45**
Caledon Pl. *Wals* —4A **48**
Caledon St. *Wals* —4A **48**
(in two parts)
Calewood Rd. *Brie H* —4H **109**
California. —2E 131
California Rd. *Tiv* —1B **96**
California Way. *B32* —2D **130**
Callcott Dri. *Brie H* —4H **109**
Callear Rd. *W'bry* —4D **62**

Calley Clo. *Tip* —4H **77**
Callow Bri. Rd. *Redn* —2F **157**
Callowbrook La. *Redn*
—1F **157**
Calshot Rd. *B42* —4B **66**
Calstock Rd. *W'hall* —5D **30**
Calthorpe Clo. *Wals* —5A **50**
Calthorpe Mans. *Edg* —2D **116**
Calthorpe Rd. *Edg* —3C **116**
Calthorpe Rd. *Hand* —5E **83**
Calthorpe Rd. *Wals* —5H **49**
Calver Cres. *Wed* —4H **29**
Calver Gro. *B44* —2F **67**
Calverley Rd. *B38* —6H **145**
Calverton Gro. *B43* —5A **66**
Calverton Wlk. *Wolv* —4F **27**
Calves Cft. *W'hall* —6A **30**
Calvin Clo. *Wolv* —4H **15**
Calvin Clo. *Wom* —2F **73**
Camberley. *W Brom* —4D **64**
Camberley Cres. *Wolv* —3A **60**
Camberley Dri. *Wolv* —1E **59**
Camberley Gro. *B23* —1E **85**
Camberley Rd. *K'wfrd* —6D **92**
Camborne Clo. *B6* —2G **101**
Camborne Ct. *Wals* —4H **49**
Camborne Rd. *Wals* —4H **49**
Cambourne Rd. *Row R*
—6C **96**
Cambrai Dri. *B28* —5E **135**
Cambria Clo. *Shir* —2E **163**
Cambridge Av. *Sol* —4C **150**
Cambridge Av. *S Cold* —5H **69**
Cambridge Clo. *Wals* —1C **34**
Cambridge Cres. *B15* —4E **117**
Cambridge Dri. *B37* —3B **122**
Cambridge Rd. *B14 & B13*
—4H **133**
Cambridge Rd. *Dud* —2C **94**
Cambridge Rd. *Smeth* —2E **99**
(Halford's La.)
Cambridge Rd. *Smeth* —1F **99**
(Middlemore Rd.)
Cambridge St. *B1*
—1E **117** (4A **4**)
Cambridge St. *Wals* —4C **48**
Cambridge St. *W Brom*
—5H **79**
Cambridge St. *Wolv* —5H **27**
Cambridge Tower. *B1*
—1E **117** (4A **4**)
Cambridge Way. *B27* —1B **136**
Camden Clo. *B36* —1E **105**
Camden Clo. *Wals* —2E **65**
Camden Dri. *B1*
—6D **100** (2A **4**)
Camden Gro. *B1*
—6D **100** (2A **4**)
Camden St. *B18 & Hock*
—5C **100** (2A **4**)
Camden St. *Wals W* —3A **22**
Camden Way. *K'wfrd* —6B **74**
Camellia Gdns. *Pend* —4G **14**
Camelot Way. *B10* —3C **118**
Cameo Dri. *Stourb* —3D **108**
Cameronian Cft. *B36* —1A **104**
Cameron Rd. *Wals* —6E **33**
Camford Gro. *B14* —4H **149**
Cam Gdns. *Brie H* —3F **93**
Camino Rd. *B32* —2D **130**
Camomile Clo. *Wals* —2E **65**
Campbell Clo. *Wals* —6E **33**
Campbell Pl. *W'bry* —5D **46**
Campbells Grn. *B26* —6F **121**
Campbell St. *Brie H* —5G **93**

Campden Grn. *Sol* —2E **137**
Camp Hill. *B12* —3A **118**
Camp Hill. *Stourb* —2C **108**
Camp Hill Ind. Est. *B12*
—4A **118**
Camphill La. *W'bry* —3F **63**
Camphill Precinct. *W'bry*
—3F **63**
Campion Clo. *B34* —3F **105**
Campion Clo. *B38* —1B **160**
Campion Clo. *Wals* —2E **65**
Campion Clo. *Wom* —1E **73**
Campion Ct. *Tip* —2F **77**
Campion Dri. *F'stne* —1C **16**
Campion Gro. *Hale* —2F **127**
Campion Ho. *Wolv* —5B **28**
Campions Av. *Wals* —3D **6**
Campion Way. *Shir* —4G **163**
Camp La. *B21 & Hand* —6F **81**
Camp La. *K Nor* —4B **146**
Camplea Cft. *B37* —1C **122**
Camplin Cres. *B20* —2A **82**
Camp Rd. *Lich & S Cold*
—2H **37**
Camp St. *B9* —2C **118**
Camp St. *W'bry* —3F **63**
Camp St. *Wolv*
—6G **27** (1B **170**)
Campville Cres. *W Brom*
—4C **64**
Campville Gro. *B37* —4B **106**
Campwood Clo. *B30* —5A **132**
Camrose Cft. *Bal H* —6H **117**
Camrose Cft. *Buc E* —4F **105**
Camrose Gdns. *Pend* —4E **15**
Camrose Tower. *B7* —3B **102**
Canal Cotts. *Neth* —6D **94**
Canal La. *B24* —6G **85**
Canal Side. *Dud* —5G **95**
Canal Side. *K Nor* —4C **146**
Canal Side. *O'bry* —1G **97**
(in two parts)
Canalside Clo. *Wals* —6D **20**
Canalside Clo. *W'bry* —3C **64**
Canalside Ind. Est. *Brie H*
—2G **109**
Canal St. *Bils* —5E **61**
Canal St. *Brie H* —4A **94**
Canal St. *O'bry* —2F **97**
Canal St. *Stourb* —5D **108**
Canal St. *Tip* —3F **77**
Canal Vw. Ind. Est. *Brie H*
—2F **109**
Canary Gro. *B19* —1E **101**
Canberra Ho. *B34* —3A **106**
Canberra Rd. *Wals* —6G **49**
Canberra Way. *B12* —3A **118**
Canford Clo. *B12* —4H **117**
Canford Cres. *Cod* —4E **13**
Canning Clo. *Wals* —5H **49**
Canning Gdns. *B18* —5A **100**
Canning Rd. *Wals* —5H **49**
Cannock Rd. *F'stne* —2D **16**
Cannock Rd. *W'hall* —2C **30**
Cannock Rd. *Wolv* —5H **27**
Cannon Dri. *Bils* —3E **61**
Cannon Hill Gro. *B12* —6G **117**
Cannon Hill Pl. *B12* —6G **117**
Cannon Hill Rd. *B12* —6F **117**
Cannon Rd. *Wom* —1G **73**
Cannon St. *B2*
—1G **117** (4D **4**)
Cannon St. *Wals* —5C **32**
Cannon St. *W'hall* —1B **46**
Cannon St. N. *Wals* —5C **32**

Canterbury Av. *W'hall* —1D **46**
Canterbury Clo. *Row R*
    —5E **97**
Canterbury Clo. *Wals* —3E **21**
Canterbury Clo. *W Brom*
    —5C **64**
Canterbury Dri. *B37* —4C **122**
Canterbury Dri. *Pert* —5D **24**
Canterbury Rd. *B20* —6F **83**
Canterbury Rd. *W Brom*
    —5B **64**
Canterbury Rd. *Wolv* —6C **42**
Canterbury Tower. B1
  (off St Marks St.) —6D **100**
Cantlow Rd. *B13* —1A **148**
Canton La. *Col* —2H **89**
Canute Clo. *Wals* —4D **48**
Canvey Clo. *Redn* —6E **143**
Canwell Av. *B37* —4B **106**
Canwell Dri. *Can* —4E **39**
Canwell Gdns. *Bils* —1E **61**
Capcroft Rd. *B13* —1B **148**
Cape Clo. *Wals* —1C **22**
Cape Hill. *Smeth* —5F **99**
Cape Hill Retail Cen. *Smeth*
    —5F **99**
Capener Rd. *B43* —3C **66**
Capern Gro. *B32* —6D **114**
Cape St. *B18* —5H **99**
Cape St. *W Brom* —3E **79**
Capethorn Rd. *Smeth* —6E **99**
Capilano Rd. *B23* —6C **68**
Capponfield Clo. *Bils* —2D **60**
Capstone Av. *B18* —5C **100**
Capstone Av. *Wolv* —1F **27**
Captain's Clo. *Wolv* —1B **42**
Carcroft Rd. *B25* —3B **120**
Cardale St. *Row R* —1D **112**
Carden Clo. *W Brom* —3F **79**
Carder Cres. *Bils* —1F **61**
Carder Dri. *Brie H* —1G **109**
Cardiff St. *Wolv* —3F **43**
Cardigan Clo. *W Brom* —6A **64**
Cardigan Dri. *W'hall* —3B **30**
Cardigan St. *B4*
    —6H **101** (2H **5**)
Cardington Av. *B42* —4D **66**
Cardoness Pl. *Dud* —5B **76**
Careless Grn. *Stourb* —1B **126**
Careynon Ct. *Blox* —1H **31**
Carhampton Rd. *S Cold*
    —5E **55**
Carisbrooke Av. *B37* —1E **123**
Carisbrooke Clo. *W'bry*
    —3C **64**
Carisbrooke Cres. *W'bry*
    —2C **64**
Carisbrooke Dri. *Hale* —1D **128**
Carisbrooke Gdns. *Wolv*
    —4A **16**
Carisbrooke Rd. *B17* —2F **115**
Carisbrooke Rd. *Bush* —4A **16**
Carisbrooke Rd. *Pert* —6G **25**
Carisbrooke Rd. *W'bry*
    —3B **64**
Carless Av. *B17* —4F **115**
Carless St. *Wals* —3C **48**
Carlisle St. *B18* —4A **100**
Carl St. *Wals* —4B **32**
Carlton Av. *B21* —6A **82**
Carlton Av. *Bils* —4H **45**
Carlton Av. *Stourb* —2A **126**
Carlton Av. *S Cold* —1H **51**
Carlton Av. *Wolv* —2C **28**
Carlton Clo. *Dud* —1E **77**
Carlton Clo. *S Cold* —4B **54**

Carlton Cft. *S Cold* —1A **52**
Carlton Gro. *S'hll* —6C **118**
Carlton M. *Bils* —4H **105**
Carlton M. Flats. *B36* —1H **105**
Carlton Rd. *Small H* —2D **118**
Carlton Rd. *Smeth* —1E **99**
Carlton Rd. *Wolv* —4E **43**
Carlyle Bus. Pk. *Swan V*
    —2F **79**
Carlyle Gro. *Wolv* —1C **28**
Carlyle Rd. *Edg* —2A **116**
Carlyle Rd. *Loz* —1E **101**
Carlyle Rd. *Row R* —1C **112**
Carlyle Rd. *Wolv* —1C **28**
Carmel Gro. *B32* —4H **129**
Carmodale Av. *B42* —1D **82**
Carnegie Av. *Tip* —3A **78**
Carnegie Dri. *W'bry* —2G **63**
Carnegie Rd. *Row R* —1B **112**
Carnford Rd. *B26* —5F **121**
Carnforth Clo. *K'wfrd* —2H **91**
Carnoustie Clo. *S Cold* —3A **54**
Carnoustie Clo. *Wals* —4G **19**
Carnwath Rd. *S Cold* —3E **69**
Carol Cres. *Hale* —6H **111**
Carol Cres. *Wolv* —3G **29**
Carol Gdns. *Stourb* —3D **108**
Caroline Rd. *B13* —1H **133**
Caroline St. *B3*
    —5E **101** (1B **4**)
Caroline St. *Dud* —6G **77**
Caroline St. *W Brom* —5H **79**
Carpenter Rd. *B15* —4C **116**
Carpenter's Rd. *B19* —2E **101**
Carrick Clo. *Wals* —2E **21**
Carriers Clo. *Wals* —2E **47**
Carrington Rd. *W'bry* —3B **64**
Carroway Head. —5G 39
Carroway Head Hill. *Can*
    —6F **39**
Carrs La. *B4* —1G **117** (4F **5**)
Carshalton Gro. *Wolv* —4A **44**
Carshalton Rd. *B44* —3A **68**
Cartbridge Cres. *Wals* —3D **32**
  (in two parts)
Cartbridge La. *Wals* —4E **33**
Cartbridge La. S. *Wals*
    —5E **33**
Cartbridge Wlk. *Wals* —3E **33**
Carter Av. *Cod* —4H **13**
Carter Rd. *B43* —3B **66**
Carter Rd. *Wolv* —4F **27**
Carters Clo. *S Cold* —2D **70**
Cartersfield La. *Wals* —1F **23**
Carters Grn. *W Brom* —3H **79**
Carter's Hurst. *B33* —2F **121**
Carter's La. *Hale* —6F **113**
Cartland Rd. *S'brk* —4C **118**
Cartland Rd. *Stir & K Hth*
    —5D **132**
Cartmel Ct. *B23* —3B **84**
Cartway, The. *Pert* —5D **24**
Cartwright Gdns. *Tiv* —5C **78**
Cartwright Ho. *Blox* —6H **19**
Cartwright Rd. *S Cold* —6A **38**
Cartwright St. *Wolv*
    —3H **43** (6C **170**)
Carver Gdns. *Stourb* —3C **124**
Carver St. *B1* —5D **100**
Casewell Rd. *K'wfrd* —1A **92**
Casey Av. *B23* —5D **68**
Cash-Joynson Av. *W'bry*
    —3C **46**
Caslon Cres. *Stourb* —1B **124**
Caslon Rd. *Hale* —5E **111**
Caslow Flats. *Hale* —1E **127**

Cassandra Clo. *Brie H* —6G **75**
Cassowary Rd. *B20* —4B **82**
Castello Dri. *B36* —6H **87**
Castlebridge Gdns. *Wolv*
    —2H **29**
Castlebridge Rd. *Wolv* —3H **29**
Castle Bromwich. —6G 87
Castle Bromwich Bus. Pk.
  Cas V —6D **86**
Castle Bromwich Hall. *Cas B*
    —1E **105**
Castle Bromwich Hall
    Gardens. —1E **105**
Castle Clo. *Crad H* —2B **112**
Castle Clo. *Sol* —4F **137**
Castle Clo. *Wals* —3B **10**
Castle Ct. *B34* —2A **106**
Castle Cres. *B36* —1G **105**
Castlecroft. —2G 41
Castlecroft. *Cann* —1C **8**
Castlecroft Av. *Wolv* —3G **41**
Castlecroft Gdns. *Wolv*
    —3A **42**
Castlecroft La. *Wolv* —3F **41**
Castle Cft. Rd. *Bils* —4G **45**
Castlecroft Rd. *Wolv* —3F **41**
Castle Dri. *Col* —4H **107**
Castle Dri. *W'hall* —4B **30**
Castleford Gro. *B11* —1C **134**
Castleford Rd. *B11* —1C **134**
Castlefort Rd. *Wals* —4C **22**
Castle Gro. *Stourb* —2F **125**
Castle Heights. *Crad H*
    —3B **112**
Castle Hill. *Dud* —5F **77**
Castlehill Rd. *Wals* —4D **22**
Castlehills Dri. *B36* —1E **105**
Castle La. *Sol* —4D **136**
Castle Mill Rd. *Dud* —3E **77**
Castle Rd. *B29* —3E **131**
Castle Rd. *B30* —3B **146**
Castle Rd. *Tip* —3F **77**
Castle Rd. *Wals* —5C **22**
Castle Rd. E. *O'bry* —3B **114**
Castle Rd. W. *O'bry* —3A **114**
Castle Sq. *B29* —4E **131**
Castle St. *B4* —1G **117** (4F **5**)
Castle St. *Bils* —5E **61**
Castle St. *Dud* —6F **77**
Castle St. *Sed* —5H **59**
Castle St. *Tip* —2G **77**
Castle St. *Wals* —3B **10**
Castle St. *W'bry* —3D **46**
  (in two parts)
Castle St. *W Brom* —5G **63**
Castle St. *Wolv*
    —1H **43** (3C **170**)
Castleton Rd. *B42* —6F **67**
Castleton Rd. *Wals* —4A **20**
Castleton St. *Dud* —4E **95**
Castle Vale. —3F 87
Castle Va. Ind. Est. *Min*
    —2E **87**
Castle Va. Shop. Cen. *B35*
    —5D **86**
Castle Vw. *Dud* —5D **76**
Castle Vw. Clo. *Mox* —1A **62**
Castle Vw. Rd. *Bils* —1A **62**
Castle Vw. Ter. *Bils* —5D **60**
Castle Yd. *Wolv*
    —1H **43** (3C **170**)
Caswell Rd. *Dud* —5G **59**
Cat & Kittens La. *F'stne*
    —1A **16**
Cater Dri. *S Cold* —3D **70**

Caterham Dri. *K'wfrd* —6D **92**
Catesby Dri. *K'wfrd* —1B **92**
Catesby Ho. *B37* —4B **106**
Catesby Rd. *Shir* —6H **149**
Cateswell Rd. *Hall G* —4F **135**
Cateswell Rd. *S'hll* —3F **135**
Cathcart Rd. *Stourb* —6C **108**
Cathel Dri. *B42* —6C **66**
Catherine-de-Barnes.
    —2D 152
Catherine de Barnes La. *Bick*
    —1E **153**
Catherine Dri. *S Cold* —5G **53**
Catherine Rd. *Bils* —4D **60**
Catherines Clo. *Cath B*
    —3D **152**
Catherine St. *B6* —2A **102**
Catherton Clo. *Tip* —3C **62**
Catholic La. *Dud* —1G **75**
Catisfield Cres. *Wolv* —6D **14**
Cat La. *B34* —2F **105**
Caton Gro. *B28* —6G **135**
Cato St. *B7* —5B **102**
Cato St. N. *B7* —4C **102**
Catshill. —6C 10
Catshill Rd. *Wals* —6C **10**
Cattell Dri. *S Cold* —6F **55**
Cattell Rd. *B9* —2C **118**
Cattells Gro. *B7* —3C **102**
Cattermole Gro. *B43* —2E **67**
Cattock Hurst Dri. *S Cold*
    —6B **70**
Causeway. *Row R* —1C **112**
Causeway Green. —6F 97
Causeway Grn. Rd. *O'bry*
    —6F **97**
Causeway Rd. *Bils* —5F **61**
Causeway, The. *B25* —4B **120**
Causey Farm Rd. *Hale*
    —5E **127**
Cavalier Cir. *Wolv* —3A **16**
Cavandale Av. *B44* —4G **67**
Cavell Clo. *Wals* —1B **48**
Cavell Rd. *Dud* —6H **77**
Cavendish Clo. *B38* —6D **146**
Cavendish Clo. *K'wfrd* —5B **92**
Cavendish Ct. *Dorr* —6C **166**
Cavendish Gdns. *Wals* —5G **31**
Cavendish Gdns. *Wolv* —2E **45**
Cavendish Rd. *B16* —6H **99**
Cavendish Rd. *Hale* —1F **129**
Cavendish Rd. *Wals* —4G **31**
Cavendish Rd. *Wolv* —2D **44**
Cavendish Way. *Wals* —4D **34**
Caversham Rd. *B44* —3A **68**
Cawdor Cres. *B16* —2B **116**
Cawney Hill. *Dud* —1G **95**
Caxton Gro. *B44* —4C **68**
Caynham Rd. *B32* —5H **129**
Cayton Gro. *B23* —1F **85**
Cecil Dri. *Tiv* —5D **78**
Cecil Rd. *Erd* —4F **85**
Cecil Rd. *S Oak* —4E **133**
Cecil St. *B19* —5G **101**
Cecil St. *Stourb* —6D **108**
Cecil St. *Wals* —6D **32**
Cedar Av. *B36* —1G **105**
Cedar Av. *Bils* —6D **60**
Cedar Av. *Wals* —5C **10**
Cedar Bri. Cft. *S Cold* —3H **53**
Cedar Clo. *B30* —1A **146**
Cedar Clo. *O'bry* —3A **114**
Cedar Clo. *Stourb* —3B **124**
Cedar Clo. *Wals* —1F **65**
Cedar Dri. *B24* —2A **86**

Cedar Dri. *S Cold* —2G **51**
Cedar Gro. *Bils* —4H **45**
Cedar Gro. *Cod* —4H **13**
Cedar Gro. *Wolv* —4D **42**
Cedar Ho. *B36* —1D **104**
Cedar Ho. *Sol* —6D **150**
Cedarhurst. *B32* —6E **115**
Cedarhurst. *Sol* —4H **151**
Cedar Pk. Rd. *W'hall* —6C **18**
Cedar Rd. *B30* —1A **146**
Cedar Rd. *Dud* —4D **76**
(in two parts)
Cedar Rd. *Tip* —2F **77**
Cedar Rd. *W'bry* —3G **63**
Cedar Rd. *W'hall* —1G **45**
Cedars Av. *B27* —1A **136**
Cedars Av. *K'wfrd* —5B **92**
Cedars Av. *Wom* —2G **73**
Cedars, The. *B25* —2C **120**
Cedars, The. *Wolv* —4B **26**
Cedar Wlk. *B37* —1D **122**
Cedar Way. *B31* —6D **144**
Cedar Way. *Wolv* —2E **29**
Cedarwood. *S Cold* —3H **53**
Cedarwood Cft. *B42* —5B **66**
Cedarwood Dri. *Bal C*
—3H **169**
Cedarwood Rd. *Dud* —2H **75**
Celandine Clo. *K'wfrd* —5A **92**
Celandine Rd. *Dud* —3C **76**
Celandines, The. *Wom*
—1E **73**
Celbury Way. *B43* —5H **65**
Celts Clo. *Row R* —5C **96**
Cemetery La. *Hock* —4D **100**
Cemetery Rd. *O'bry* —3A **98**
Cemetery Rd. *Smeth* —5D **98**
Cemetery Rd. *Stourb*
(in two parts) —6H **109**
Cemetery Rd. *S Cold* —5B **54**
Cemetery Rd. *W'bry* —3F **47**
Cemetery Rd. *W'hall* —6A **30**
Cemetery St. *Bils* —5E **45**
Cemetery St. *Wals* —3C **6**
Cemetery Way. *Wals* —6H **19**
Centenary Clo. *B31* —6E **145**
Centenary Dri. *B21* —6A **82**
Centenary Sq. *B1*
—1E **117** (4B **4**)
Central Arc. *Wolv*
—1G **43** (3B **170**)
Central Av. *B31* —1C **158**
Central Av. *Bils* —4G **45**
Central Av. *Crad H* —3E **111**
Central Av. *Row R* —1C **112**
Central Av. *Stourb* —2A **126**
Central Av. *Tip* —6H **61**
Central Clo. *Wals* —6G **19**
Central Dri. *B24* —5A **86**
Central Dri. *Bils* —6E **61**
Central Dri. *Dud* —5G **75**
Central Dri. *Wals* —1F **31**
Central Gro. *B27* —3A **136**
Central Links Ind. Est. *B7*
—3B **102**
Central Pk. Ind. Est. *Dud*
—6G **95**
Central Sq. *Erd* —3G **85**
Central Trad. Est. *Wolv*
—3B **44**
Central Way. *Brie H* —6A **94**
Centre City. *B5* —6D **4**
Centre La. *Hale* —2B **128**
Centreway, The. *B14* —3D **148**
Centurion Clo. *Col* —6H **89**
Century Ho. *O'bry* —3D **96**

Century Ind. Est. *B44* —2G **67**
Century Pk. *B9* —1C **118**
Century Rd. *O'bry* —1G **97**
Century Tower. *B5* —6E **117**
Ceolmund Cres. *B37* —1D **122**
Chaceley Gro. *B23* —6D **68**
Chadbrook Crest. *B15*
—4A **116**
Chadbury Cft. *Sol* —1F **165**
Chadbury Rd. *Hale* —2C **128**
Chaddersley Clo. *Redn*
—6F **143**
Chaddesley Clo. *O'bry* —4D **96**
Chaddesley Dri. *Stourb*
—4F **125**
Chaddesley Rd. *B31* —5H **145**
Chaddesley Rd. *Hale* —3H **127**
Chadley Clo. *Sol* —1E **151**
Chad Rd. *B15* —3B **116**
Chad Rd. *Bils* —6C **60**
Chadshunt Clo. *B36* —5H **87**
Chadsmoor Ter. *B7* —3B **102**
Chad Sq. *B15* —4A **116**
Chadstone Clo. *Shir* —4F **165**
Chad Valley. —4H 115
Chad Valley Clo. *B17* —5H **115**
Chadwell Dri. *Shir* —1H **149**
Chadwell Gdns. *Cod* —3F **13**
Chadwich La. *Belb & Chad*
—2A **156**
Chadwick Av. *Redn* —3H **157**
Chadwick Clo. *Wolv* —5A **42**
Chadwick La. *Know* —6A **168**
Chadwick Rd. *S Cold* —6D **54**
Chadworth Av. *Dorr* —5A **166**
Chaffcombe Rd. *B26* —5G **121**
Chaffinch Clo. *Dud* —3G **59**
Chaffinch Dri. *B36* —2D **106**
Chaffinch Rd. *Stourb* —2H **125**
Chainmakers Clo. *Cose*
—3F **61**
Chain Wlk. *B19* —1F **101**
Chalcot Gro. *B20* —2A **82**
Chaldon Clo. *Wolv* —6E **15**
Chale Gro. *B14* —4A **148**
Chalfont Pl. *Stourb* —3A **126**
Chalfont Rd. *B20* —5D **82**
Chalford Rd. *B23* —5C **68**
Chalford Way. *Shir* —6B **150**
Chalgrove Av. *B38* —6A **146**
Chalgrove Cres. *Sol* —6F **151**
Challenor Av. *W'hall* —1F **45**
Chalybeate Clo. *Redn* —6F **143**
Chamberlain Clo. *Tiv* —5D **78**
Chamberlain Ct. *K Hth*
—4G **133**
Chamberlain Cres. *Shir*
—5G **149**
Chamberlain Rd. *B13* —1H **147**
Chamberlains La. *Wolv*
—2C **58**
Chamberlain Sq. *B3*
—1F **117** (4C **4**)
Chamberlain Wlk. *Smeth*
—4F **99**
Chance Cft. *O'bry* —3H **113**
Chancel Ind. Est. *W'bry*
—6D **46**
Chancel Ind. Est. *W'hall*
—1B **46**
Chancel Ind. Est. *Wolv* —2C **103**
Chancellors Clo. *B15* —4A **116**
Chancel Way. *B6* —2H **83**
Chancel Way. *Hale* —5C **112**
Chancery Way. *Brie H*
—1B **110**

Chandler Dri. *Penn* —2B **58**
Chandler Ho. *O'bry* —5D **96**
Chandlers Clo. *Wolv* —6E **15**
Chandlers Keep. *Bwnhls*
—1B **22**
Chandos Av. *B13* —2H **133**
Chandos Rd. *B12* —3A **118**
Channon Dri. *Brie H* —3H **109**
Chanston Av. *B14* —3G **147**
Chanterelle Gdns. *Wolv*
—1E **59**
Chantrey Cres. *B43* —1F **67**
Chantrey Cres. *Bils* —4H **45**
Chantry Av. *Wals* —1A **32**
Chantry Clo. *H'wd* —2A **162**
Chantry Dri. *Hale* —5G **113**
Chantry Heath Cres. *Know*
—1E **167**
Chantry Rd. *Hand* —1B **100**
Chantry Rd. *Mose* —1G **133**
Chantry Rd. *Stourb* —4A **108**
Chapel Ash. *Wolv* —1F **43**
Chapel Ash Island. *Wolv*
—1G **43** (3A **170**)
Chapel Av. *Wals* —3A **10**
Chapel Clo. *Crad H* —3B **112**
Chapel Clo. *Wom* —2F **73**
Chapel Ct. *Brie H* —1H **109**
(off Promenade, The)
Chapel Dri. *Bal C* —1H **169**
Chapel Dri. *Wals* —3A **10**
Chapel Dri. *Wyt* —6H **161**
Chapelfield Rd. *Redn* —2G **157**
Chapel Fields Rd. *Sol* —3D **136**
Chapel Grn. *W'hall* —1B **46**
Chapel Ho. La. *Hale* —5E **111**
Chapelhouse Rd. *B37*
—1B **122**
Chapel Ho. St. *B12*
—2H **117** (6H **5**)
Chapel La. *Cod* —4E **13**
Chapel La. *Gt Barr* —2A **66**
Chapel La. *S Oak* —3A **132**
Chapel La. *Swind* —3C **72**
Chapel La. *Wyt* —6G **161**
Chapel Pas. *O'bry* —5G **97**
Chapel Sq. *Wals* —2D **6**
Chapel St. *B4* —6H **101** (3G **5**)
Chapel St. *Bils* —6H **45**
Chapel St. *Bwnhls* —3A **10**
Chapel St. *Dud* —5F **95**
Chapel St. *Hale* —2A **128**
Chapel St. *Hand* —2H **99**
Chapel St. *Lye* —6A **109**
Chapel St. *Nort C* —1C **8**
Chapel St. *O'bry* —2E **97**
Chapel St. *Pels* —4D **20**
Chapel St. *Pens* —2G **93**
Chapel St. *Quar B* —3C **110**
Chapel St. *Stourb* —1E **125**
Chapel St. *Tip* —2G **77**
(in two parts)
Chapel St. *W Hth* —1H **91**
Chapel St. *Wals* —1B **32**
Chapel St. *W'bry* —2E **63**
Chapel St. *W Brom* —2H **79**
Chapel St. *Wolv* —4H **43**
Chapel St. *Wom* —2F **73**
(in two parts)
Chapel St. *Word* —6B **92**
Chapel Vw. *Smeth* —5D **98**
Chapel Wlk. *B30* —5C **146**
Chapel Wlk. *Dud* —5G **75**
Chapelwood Gro. *B42* —2F **83**
Chapman Rd. *Small H*
—3C **118**

Chapman's Hill. —1B 156
Chapman's Hill. *Rom* —6B **142**
Chapmans Pas. *B1*
—2F **117** (6C **4**)
Chapman St. *W Brom* —4H **79**
Charfield Clo. *B30* —6H **131**
Charingworth Rd. *Sol*
—3G **137**
Charlbury Av. *B37* —1B **122**
Charlbury Cres. *B26* —3D **120**
Charlecoat Tower. B15
(off Dorking Gro.) —2E **117**
Charlecote Cft. *Shir* —1A **164**
Charlecote Dri. *B23* —6E **69**
Charlecote Dri. *Dud* —4A **76**
Charlecote Gdns. *S Cold*
—5G **69**
Charlecote Ri. *W'hall* —3H **45**
Charlecott Clo. *B13* —6D **134**
Charlemont. —5B 64
Charlemont Av. *W Brom*
—5C **64**
Charlemont Clo. *Wals* —5G **49**
Charlemont Cres. *W Brom*
—5C **64**
Charlemont Gdns. *Wals*
—5G **49**
Charlemont Rd. *Wals* —5F **49**
Charlemont Rd. *W Brom*
—5C **64**
Charles Av. *Ess* —3H **17**
Charles Av. *Row R* —5C **96**
Charles Av. *Wolv* —6F **43**
Charles Clo. *B8* —3G **103**
Charles Clo. *C Hay* —4D **6**
Charles Ct. *S Cold* —2D **70**
Charles Cres. *Wals* —2E **21**
Charlesdale Dri. *Wals* —5D **34**
Charles Dri. *B7* —3B **102**
Charles Edward Rd. *B26*
—5B **120**
Charles Foster St. *W'bry*
—5C **46**
Charles Hayward Flats. *Wolv*
—4F **27**
Charles Henry St. *B12*
—3H **117**
Charles Holland St. *W'hall*
—1B **46**
Charles Pearson Ct. Smeth
(off Mill Dri.) —4F **99**
Charles Rd. *Aston* —6A **84**
Charles Rd. *Brie H* —2C **110**
Charles Rd. *Hale* —1H **127**
Charles Rd. *Hand* —6E **83**
Charles Rd. *Small H* —1E **119**
Charles Rd. *Sol* —5C **150**
Charles Rd. *Stourb* —1C **124**
Charles Rd. *Tip* —6A **62**
Charles St. *Smeth* —2G **99**
Charles St. *Wals* —1B **48**
Charles St. *W Brom* —2E **79**
Charles St. *W'hall* —6C **30**
Charles Wlk. *Row R* —4C **96**
Charles Wesley Ct. W'hall
(off Claremont Rd.) —4E **43**
Charlesworth Av. *Shir* —3F **165**
Charleville Rd. *B19* —2D **100**
Charlotte Clo. *Tiv* —5A **78**
Charlotte Gdns. *Smeth* —4F **99**
Charlotte Rd. *Edg* —4E **117**
Charlotte Rd. *Stir* —1C **166**
Charlotte Rd. *W'bry* —4C **62**
Charlotte St. *B3*
—6E **101** (3B **4**)
Charlotte St. *Dud* —1D **94**

Charlotte St. Wals —1E 49
Charlton Dri. Cong E —4F 111
Charlton Pl. B8 —4D 102
Charlton Rd. B44 —5A 68
Charlton St. Brie H —6E 93
Charlton St. Dud —6D 76
Charminster Av. B25 —3B 120
Charnley Dri. S Cold —1C 54
Charnwood Av. Dud —3H 59
Charnwood Bus. Pk. Bils
—6E 45
Charnwood Clo. Bils —2B 62
Charnwood Clo. Brie H
—4F 109
Charnwood Clo. Redn
—4H 143
Charnwood Ct. Stourb
—3A 126
Charnwood Rd. B42 —6B 66
Charnwood Rd. Wals —1E 65
Charter Cl. Tip —2G 77
Charter Clo. Cann —1C 8
Charter Cres. Crad H —3B 112
Charterfield Cen. K'wfrd
—1B 92
Charterfield Dri. K'wfrd
—1B 92
Charterhouse Dri. Sol —6F 151
Charter Rd. Tip —4C 62
Charters Av. Cod —6H 13
Charter St. Brie H —4A 94
Chartist Rd. B8 —3D 102
Chartley Clo. Dorr —6A 166
Chartley Clo. Wolv —5F 25
Chartley Rd. B23 —6D 84
Chartley Rd. W Brom —1B 80
Chartway, The. Wals —3E 21
Chartwell Clo. Dud —1D 76
Chartwell Dri. Shir —4B 164
Chartwell Dri. S Cold —5D 36
Chartwell Dri. Wolv —6A 16
Chartwell Dri. Wom —2F 73
Chase Av. Wals —2F 7
Chase Gro. B24 —1B 86
Chasepool Rd. Swind —2C 90
Chase Rd. Bwnhls —4C 10
Chase Rd. Dud & Brie H
—6F 75
Chase Rd. Wals —1G 31
Chase, The. S Cold —6B 70
Chase, The. Wolv —3F 27
Chasetown. —1B 10
Chase Vw. Wolv —3A 60
Chasewater Railway & Mus.
—2G 9
Chassieur Wlk. Col —1H 107
Chater Dri. S Cold —4E 71
Chatham Rd. B31 —4E 145
Chatsworth Av. B43 —4G 65
Chatsworth Clo. Shir —4B 164
Chatsworth Clo. S Cold
—6B 70
Chatsworth Clo. W'hall
—4B 30
Chatsworth Cres. Wals
—2H 33
Chatsworth Gdns. Wolv
—2G 25
Chatsworth M. Stourb —6H 91
Chatsworth Rd. Hale —4A 112
Chatsworth Tower. B15
—3E 117
Chattaway Dri. Bal C —3H 169
Chattaway St. B7 —2C 102
Chattle Hill. —5F 89
Chattle Hill. Col —5G 89

Chattock Av. Sol —3A 152
Chattock Clo. B36 —2C 104
Chatwell Gro. B29 —3F 131
Chatwin Pl. Bils —2G 61
Chatwin St. Smeth —2D 98
Chatwins Wharf. Tip —2H 77
Chaucer Av. Dud —2E 75
Chaucer Av. Tip —5B 62
Chaucer Av. W'hall —2E 31
Chaucer Clo. B23 —4B 84
Chaucer Clo. Bils —5F 61
Chaucer Clo. Stourb —3E 109
Chaucer Gro. B27 —3H 135
Chaucer Ho. Hale —6D 110
Chaucer Rd. Wals —1C 32
Chauson Gro. Sol —1E 165
Chavasse Rd. S Cold —2A 70
Chawnhill. —2H 125
Chawn Hill. Stourb —2G 125
Chawn Hill Clo. Stourb
—2G 125
Chawn Pk. Dri. Stourb
—2G 125
Chaynes Gro. B33 —6H 105
Cheadle Dri. B23 —5D 68
Cheam Gdns. Wolv —1C 26
Cheapside. B5 & B12
—2H 117 (6G 5)
Cheapside. W'hall —2A 46
Cheapside. Wolv
—1G 43 (3B 170)
Cheapside Ind. Est. B12
—2H 117
Cheatham St. B7 —3C 102
Checketts St. Wals —1A 48
Checkley Cft. S Cold —5D 70
Cheddar Rd. B12 —5G 117
Chedworth Clo. B29 —1E 145
Chedworth Ct. B29 —5A 132
Cheedon Clo. Dorr —6F 167
Chelford Cres. K'wfrd —6E 93
Chells Gro. B13 —2B 148
Chelmar Clo. B36 —1B 106
Chelmar Dri. Brie H —3E 93
Chelmarsh Av. Wolv —2G 41
Chelmorton Rd. B42 —6F 67
Chelmscote Rd. Sol —4D 136
Chelmsley Av. Col —3H 107
Chelmsley Circ. B37 —1D 122
Chelmsley Gro. B33 —6A 106
Chelmsley La. B37 —3B 122
(in two parts)
Chelmsley Rd. B37 —6B 106
Chelmsley Wood. —1E 123
Chelsea Clo. B32 —1D 130
Chelsea Dri. S Cold —5F 37
Chelsea Trad. Est. B7 —3A 102
Chelsea Way. K'wfrd —3B 92
Chelston Dri. Wolv —5C 26
Chelston Rd. B31 —5C 144
Cheltenham Clo. Wolv —3F 27
Cheltenham Dri. B36 —1B 104
Cheltenham Dri. K'wfrd
—3H 91
Chelthorn Way. Sol —5G 151
Cheltondale Rd. Sol —1D 150
Chelveston Cres. Sol —6F 151
Chelwood Gdns. Bils —6D 44
Chelworth Rd. B38 —5D 146
Chem Rd. Bils —6E 45
Cheniston Rd. W'hall —3C 30
Chepstow Gro. Redn —3H 157
Chepstow Rd. Wals —6F 19
Chepstow Rd. Wolv —2H 15
Chepstow Way. Wals —6F 19

Chequerfield Dri. Wolv —5E 43
Chequers Av. Wom —4G 57
Chequer St. Wolv —5E 43
Cherhill Covert. B14 —5E 147
Cherington Rd. B29 —5C 132
Cheriton Gro. Wolv —6E 25
Cheriton Wlk. B23 —4B 84
Cherrington Clo. B31 —6D 130
Cherrington Dri. Wals —1F 7
Cherrington Gdns. Stourb
—5G 125
Cherrington Gdns. Wolv
—1H 41
Cherrington Way. Sol —6F 151
Cherry Cres. Erd —4F 85
Cherry Dri. B9 —2B 118
Cherry Dri. Crad H —2H 111
Cherry Grn. Dud —3B 76
Cherry Gro. Smeth —4G 99
(off Rosedale Av.)
Cherry Gro. Stourb —1C 124
Cherry Gro. Wolv —2E 29
Cherry Hill Wlk. Dud —1C 94
Cherry La. Himl —4A 74
Cherry La. S Cold —6G 69
Cherry La. W'bry —3G 63
Cherry Lea. B34 —3F 105
Cherry Orchard. —2A 112
Cherry Orchard. Crad H
—2H 111
Cherry Orchard Av. Hale
—6H 111
Cherry Orchard Cres. Hale
—6H 111
Cherry Orchard Rd. B20
—2B 82
Cherry Rd. Tip —6H 61
Cherry St. B2 —1G 117 (4E 5)
Cherry St. Hale —6H 111
Cherry St. Stourb —1C 124
Cherry St. Wolv —2F 43
Cherry Tree Av. Wals —1E 65
Cherry Tree Ct. B30 —2B 146
Cherrytree Ct. Stourb —2A 126
Cherry Tree Cft. B27 —6A 120
Cherry Tree Gdns. Cod
—4H 13
Cherry Tree La. Cod —4H 13
Cherry Tree La. Hale —4F 127
Cherry Tree Rd. K'wfrd
—1C 92
Cherry Tree Rd. Nort C —1F 9
Cherry Wlk. H'wd —4B 162
Cherrywood Ct. Sol —3E 137
Cherrywood Cres. Sol
—1G 165
Cherrywood Grn. Bils —3F 45
Cherrywood Ind. Est. B9
—1D 118
Cherrywood Rd. B9 —1D 118
Cherrywood Rd. S Cold
—2F 51
Cherrywood Way. Lit A
—4D 36
Chervil Clo. B42 —6E 67
Chervil Ri. Wolv —6B 28
Cherwell Dri. Wals —3G 9
(in two parts)
Cherwell Gdns. B6 —1F 101
Cheshire Av. Shir —4G 149
Cheshire Clo. Stourb —3B 108
Cheshire Ct. B34 —2F 105
Cheshire Gro. Pert —5E 25
Cheshire Rd. B6 —5A 84
Cheshire Rd. Smeth —5E 99

Cheshire Rd. Wals —1F 47
Cheshunt Ho. B37 —1D 122
Cheslyn Dri. Wals —2D 6
Cheslyn Gro. B14 —4A 148
Cheslyn Hay. —2C 6
Chessetts Gro. B13 —1A 148
Chester Av. Wolv —2D 26
Chester Clo. B37 —1C 122
Chester Clo. W'hall —1D 46
Chester Ct. B37 —1F 123
(off Hedingham Gro.)
Chesterfield Clo. B31 —5F 145
Chesterfield Ct. Wals W
—3B 22
Chestergate Cft. B24 —3B 86
Chester Hayes Ct. Erd —2A 86
Chester House. —3E 167
Chester Pl. Wals —2H 47
Chester Ri. O'bry —3H 113
Chester Road. —6A 70
Chester Rd. Bwnhls &
Wals W —2D 22
Chester Rd. Cas B & K'hrst
—1E 105
Chester Rd. Chel W & Col
—4D 106
Chester Rd. Crad H —3E 111
Chester Rd. Dud —1F 111
Chester Rd. Erd & Cas V
—2A 86
Chester Rd. S'tly —2H 51
Chester Rd. S Cold & Erd
—4D 68
Chester Rd. Wals & S Cold
—4G 35
Chester Rd. W Brom —4H 63
Chester Rd. N. Bwnhls —4H 9
Chester Rd. N. S Cold —6A 52
Chester St. B6 & Aston
—4H 101
Chester St. Wolv —5F 27
Chester St. Wharf. B6
—4H 101
Chesterton Av. B18 —5A 100
Chesterton Av. B12 —6B 118
Chesterton Clo. Sol —2C 150
Chesterton Rd. B12 —6B 118
Chesterton Rd. Wolv —1C 28
Chesterwood. A'rdge —1H 51
Chesterwood. H'wd —3A 162
Chesterwood Gdns. B20
—5F 83
Chesterwood Rd. B13
—1H 147
Chestnut Av. Dud —4E 77
Chestnut Av. Tip —6H 61
Chestnut Clo. B27 —1A 136
Chestnut Clo. Cod —5F 13
Chestnut Clo. Sol —5B 136
Chestnut Clo. Stourb —3A 124
Chestnut Clo. S Cold —6A 36
Chestnut Ct. Cas B —2A 106
Chestnut Ct. Smeth —2C 98
Chestnut Dri. Cas B —1E 105
Chestnut Dri. C Hay —2D 6
Chestnut Dri. Erd —3A 86
Chestnut Dri. Gt Wyr —2F 7
Chestnut Dri. Redn —5B 158
Chestnut Dri. Wals —6F 21
Chestnut Dri. Wom —2G 73
Chestnut Gro. Col —2H 107
Chestnut Gro. Harb —6H 115
Chestnut Gro. K'wfrd —2D 92
Chestnut Gro. Wolv —2E 29
Chestnut Ho. B7 —5A 102
Chestnut Pl. B12 —5A 118

Chestnut Pl. *K Hth* —5H **133**
Chestnut Pl. *Wals* —3B **32**
Chestnut Rd. *B13* —1A **134**
Chestnut Rd. *O'bry* —4A **114**
Chestnut Rd. *Wals* —3C **32**
Chestnut Rd. *W'bry* —4G **63**
Chestnuts Av. *B26* —4F **121**
Chestnut Wlk. *B37* —1D **122**
Chestnut Way. *Wolv* —3B **42**
Chestom Rd. *Bils* —5D **44**
Chestom Rd. Ind. Est. *Bils*
—5D **44**
Cheston Ind. Est. *B7* —3B **102**
Cheston Rd. *B7* —3A **102**
Cheswell Clo. *Wolv* —1H **41**
Cheswick Clo. *W'hall* —3H **45**
Cheswick Green. —5A 164
Cheswick Way. *Shir* —5B **164**
Cheswood Dri. *Min* —1F **87**
Chetland Cft. *Sol* —6B **138**
Chettle Rd. *Bils* —2H **61**
Chetton Grn. *Wolv* —4F **15**
Chetwood Clo. *Wolv* —4E **27**
Chetwynd Clo. *Wals* —6C **30**
Chetwynd Rd. *B8* —4H **103**
Chetwynd Rd. *Wolv* —5F **43**
Cheveley Av. *Redn* —2H **157**
Chevening Clo. *Dud* —6A **60**
Cheveridge Clo. *Sol* —5F **151**
Cheverton Rd. *B31* —3C **144**
Cheviot Rd. *Stourb* —5E **109**
Cheviot Rd. *Wolv* —4B **44**
Cheviot Way. *Hale* —2F **127**
Cheviot Way. *Salt* —3C **102**
Cheylesmore Clo. *S Cold*
—1H **69**
Cheyne Gdns. *B28* —4E **149**
Cheyne Pl. *Harb* —6H **115**
Cheyne Wlk. *Brie H* —4G **109**
Cheyney Clo. *Wolv* —4E **27**
Chichester Av. *Dud* —5F **95**
Chichester Ct. *S Cold* —6H **53**
Chichester Dri. *B32* —6G **113**
Chichester Gro. *B37* —2C **122**
Chigwell Clo. *B35* —4E **87**
Chilcote Clo. *B28* —3F **149**
Childs Av. *Bils* —3C **60**
Childs Oak Clo. *Bal C* —3G **169**
Chilgrove Gdns. *Wolv* —4A **26**
Chilham Dri. *B37* —1E **123**
Chillenden Ct. *W'hall* —1C **46**
(off Mill St.)
Chillinghome Rd. *B36*
—1B **104**
Chillington Clo. *Wals* —4F **7**
Chillington Dri. *Cod* —3F **13**
Chillington Dri. *Dud* —4A **76**
Chillington Fields. *Wolv*
—2C **44**
Chillington La. *Cod* —2D **12**
Chillington Pl. *Bils* —6E **45**
Chillington Rd. *Tip* —4C **62**
Chillington St. *Wolv* —3B **44**
Chillington Wlk. *Row R*
—6C **96**
Chiltern Clo. *Dud* —4H **75**
Chiltern Clo. *Hale* —3E **127**
Chiltern Dri. *W'hall* —2F **45**
Chiltern Rd. *Stourb* —5F **109**
Chilterns, The. *O'bry* —4E **97**
Chilton Ct. *B23* —5C **84**
(off Park App.)
Chilton Rd. *B14* —3D **148**
Chilwell Clo. *Sol* —6F **151**
Chilwell Cft. *B19* —4G **101**

Chilworth Av. *Wolv* —2H **29**
Chilworth Clo. *B6* —3H **101**
Chimes Clo. *B33* —2A **122**
Chimney Rd. *Tip* —6D **62**
Chingford Clo. *Stourb* —5A **92**
Chingford Rd. *B44* —5A **68**
Chinley Gro. *B44* —4C **68**
Chinn Brook Rd. *B13* —2B **148**
Chip Clo. *B38* —5H **145**
Chipperfield Rd. *B36* —1C **104**
Chipstead Rd. *B23* —6D **68**
Chipstone Clo. *Sol* —1G **165**
Chirbury Gro. *B31* —6F **145**
Chirton Gro. *B14* —1F **147**
Chiseldon Cft. *B14* —4A **148**
Chisholm Gro. *B27* —5A **136**
Chiswell Rd. *B18* —5A **100**
Chiswick Ct. *B23* —5E **85**
Chiswick Ho. *B15* —3E **117**
(off Bell Barn Rd.)
Chiswick Wlk. *B37* —1F **123**
Chivenor Ho. *B35* —5E **87**
Chivers Gro. *B37* —4B **106**
Chivington Clo. *Shir* —3F **165**
Chorley Av. *B34* —3D **104**
Chorley Gdns. *Bils* —6D **44**
Christchurch Clo. *B15*
—3A **116**
Christ Chu. Gro. *Wals* —4E **49**
Christine Clo. *Tip* —3C **62**
Christopher Rd. *B29* —3G **131**
Christopher Rd. *Hale* —2E **129**
Christopher Rd. *Wolv* —3A **44**
Christopher Taylor Ct. *B30*
—2A **146**
Chubb St. *Wolv*
—1H **43** (2D **170**)
Chuckery Rd. *Wals* —2E **49**
Chuckery, The. —2E 49
Chudleigh Av. *B23* —3E **85**
Chudleigh Gro. *B43* —5H **65**
Chudleigh Rd. *B23* —3E **85**
Churchacre. *B23* —5C **68**
Church Av. *B20* —1E **101**
Church Av. *Mose* —2H **133**
Church Av. *Stourb* —4E **109**
Church Av. *Wat O* —4D **88**
Churchbridge. *O'bry* —4F **97**
(in two parts)
Churchbridge Ind. Est. *O'bry*
(off Churchbridge) —4F **97**
Church Clo. *B37* —3C **106**
Church Clo. *Wyt* —6A **162**
Church Ct. *Crad H* —2G **111**
Church Cres. *Ess* —4H **17**
Churchcroft. *B17* —1F **131**
Church Cft. *Hale* —1A **128**
Chu. Cross Vw. *Dud* —1A **94**
Chu. Dale Rd. *B44* —2F **67**
Church Dri. *Stir* —6D **132**
Churchfield. —1C 80
Churchfield Av. *Tip* —5H **61**
Churchfield Clo. *B7* —3C **102**
Churchfield Rd. *Wolv* —1F **27**
Churchfields Rd. *W'bry*
—1F **63**
Churchfield St. *Dud* —1E **95**
Church Gdns. *Smeth* —5E **99**
Church Grn. *B20* —5B **82**
Church Grn. *Bils* —3E **45**
Church Gro. *Hand* —6D **82**
Church Gro. *Mose* —2C **148**
Church Hill. —2F 63
Church Hill. *Brie H* —1H **109**
Church Hill. *Cod* —2F **13**
Church Hill. *Col* —2H **107**

Church Hill. *N'fld* —4F **145**
(in two parts)
Church Hill. *Penn* —2C **58**
Church Hill. *Quin* —2G **143**
Church Hill. *S Cold* —6A **54**
Church Hill. *Wals* —2D **48**
Church Hill. *W'bry* —2F **63**
(in two parts)
Chu. Hill Clo. *Sol* —5G **151**
Chu. Hill Ct. *W'bry* —2F **63**
Chu. Hill Dri. *Wolv* —4C **26**
Chu. Hill Rd. *B20* —6D **82**
Chu. Hill Rd. *Sol* —4G **151**
Chu. Hill Rd. *Wolv* —3B **26**
Chu. Hill St. *Smeth* —3D **98**
Church Ho. *Wals* —4A **48**
Church Ho. Dri. *S Cold*
—6A **54**
Churchill Clo. *Tiv* —5C **78**
Churchill Dri. *Row R* —1B **112**
Churchill Dri. *Stourb* —4E **109**
Churchill Gdns. *Dud* —6G **59**
Churchill Ho. *Wals* —1F **65**
Churchill Pde. *S Cold* —6E **55**
Churchill Pl. *B33* —2F **121**
Churchill Rd. *B9* —6F **103**
Churchill Rd. *Hale* —3H **127**
Churchill Rd. *New O* —2D **68**
Churchill Rd. *S Cold* —6E **55**
Churchill Rd. *Wals* —1D **46**
Churchill Shop. Precinct, The.
Dud —6F **77**
Churchill Wlk. *Tip* —5A **62**
Church La. *B6 & Aston*
—1A **102**
Church La. *Bick* —4F **139**
Church La. *Cod* —3F **13**
Church La. *Curd* —1D **88**
Church La. *Hale* —1B **128**
Church La. *Hamm* —2F **11**
Church La. *Hand* —5B **82**
Church La. *Kitts G* —6D **104**
Church La. *Seis* —3A **56**
(in two parts)
Church La. *Ston* —3G **23**
Church La. *W Brom* —1H **79**
Church La. *Wolv*
—2G **43** (5A **170**)
Church La. Ind. Est. *W Brom*
—1A **80**
Chu. Moat Way. *Wals* —1H **31**
Churchover Clo. *S Cold*
—1B **86**
Church Pl. *Wals* —1B **32**
Church Rd. *Aston* —2B **102**
Church Rd. *Bils* —4F **61**
Church Rd. *B'mre* —4C **42**
Church Rd. *Bwnhls* —6B **10**
Church Rd. *Cod* —3F **13**
Church Rd. *Dud* —4D **94**
Church Rd. *Edg* —4C **116**
Church Rd. *Erd* —3F **85**
Church Rd. *Hale* —4E **111**
Church Rd. *Lye* —6A **110**
Church Rd. *Maney* —2H **69**
Church Rd. *Mose* —2A **134**
Church Rd. *N'fld* —3E **145**
Church Rd. *Nort C* —1C **8**
Church Rd. *Oxl* —6G **15**
Church Rd. *Pels* —4E **21**
Church Rd. *P Barr* —2F **83**
Church Rd. *Pert* —5E **25**
Church Rd. *Row R* —6C **96**
Church Rd. *Sheld* —6F **121**
Church Rd. *Shir* —5H **149**

Church Rd. *Smeth* —5D **98**
Church Rd. *Ston* —4G **23**
Church Rd. *Stourb* —2F **125**
Church Rd. *S Cold* —5F **69**
Church Rd. *Swind* —4D **72**
Church Rd. *Tett* —4C **26**
Church Rd. *Tett W* —6H **25**
Church Rd. *W'hall* —3D **30**
Church Rd. *Wom* —6H **57**
Church Rd. *Word* —1B **108**
Church Rd. *Yard* —4B **120**
Churchside Way. *Wals*
—5D **22**
Church Sq. *O'bry* —2G **97**
Church St. *B3* —6F **101** (3D **4**)
Church St. *Bils* —6F **45**
Church St. *Brie H* —2G **109**
Church St. *Chase* —1A **10**
Church St. *Clay* —1A **22**
Church St. *Crad H* —2G **111**
Church St. *Darl* —4D **46**
Church St. *Dud* —1E **95**
Church St. *Gorn W* —4H **75**
Church St. *Hale* —2D **112**
Church St. *Hth T* —5C **28**
Church St. *Loz* —2E **101**
Church St. *Mox* —1B **62**
Church St. *O'bry* —1G **97**
Church St. *Pens* —2H **93**
Church St. *Quar B* —2B **110**
Church St. *Stourb* —6E **109**
Church St. *Tip* —5A **78**
Church St. *Wals* —2D **48**
(WS1)
Church St. *Wals* —1H **31**
(WS3)
Church St. *Wed* —4E **29**
Church St. *W Brom* —3A **80**
Church St. *W'hall* —1B **46**
(in two parts)
Church St. *Wolv*
—2G **43** (5A **170**)
Church Ter. *S Cold* —6H **37**
Church Ter. *Yard* —2C **120**
Church Va. *B20* —6D **82**
Church Va. *Cann* —1C **8**
Church Va. *W Brom* —1B **80**
Church Vw. *Wals* —4D **34**
Church Vw. *Wals W* —4B **22**
Church Vw. Clo. *Wals* —1A **32**
Church Vw. Dri. *Crad H*
—2H **111**
Church Wlk. *B8* —3G **103**
Church Wlk. *Col* —2H **107**
Church Wlk. *Penn F* —4D **42**
Church Wlk. *Row R* —5C **96**
Church Wlk. *Tett* —4C **26**
Church Wlk. *W'hall* —2B **46**
Churchward Clo. *Stourb*
—5F **109**
Churchward Gro. *Wolv*
—6G **57**
Church Way. *Wals* —5F **21**
Churchwell Ct. *Hale* —2B **128**
Churchwell Gdns. *W Brom*
—1C **80**
Churchyard Rd. *Tip* —2B **78**
Churnet Gro. *Wolv* —5F **25**
Churn Hill Rd. *Wals* —5C **34**
Churston Clo. *Wals* —4G **19**
Churwell Ct. *Wom* —1G **73**
Cider Av. *Brie H* —3A **110**
(in two parts)
Cinder Bank. *Dud* —2D **94**
Cinder Hill. —4B 60
Cinder Rd. *Dud* —6F **75**

Cinder Way. *W'bry* —2E **63**
Cinquefoil Leasow. *Tip* —1C **78**
Circle, The. *B17* —5G **115**
Circuit Clo. *W'hall* —6B **30**
Circular Rd. *B27* —3A **136**
Circus Av. *B37* —1E **123**
City Arc. *B2* —1G **117** *(4E 5)*
(off Corporation St.)
City Est. *Crad H* —3F **111**
City Plaza. *B2* —4E **5**
City Rd. *B17 & B16* —2F **115**
City Rd. *Tiv* —2B **96**
City, The. *Tip* —4A **78**
City Trad. Est. *B16* —6C **100**
City Vw. *B8* —5D **102**
City Wlk. *B5* —2G **117** (6E **5**)
Civic Clo. *B1* —1E **117** (4A **4**)
Claerwen Gro. *B31* —2C **144**
Claines Rd. *B31* —3G **145**
Claines Rd. *Hale* —6F **111**
Claire Ct. *B26* —4G **121**
Clandon Clo. *B14* —5E **147**
Clanfield Av. *Wolv* —1H **29**
Clapgate Gdns. *Bils* —2C **60**
Clap Ga. Gro. *Wom* —1E **73**
Clapgate La. *B32* —3G **129**
Clapgate Rd. *Wom* —6E **57**
Clapton Gro. *B44* —4B **68**
Clare Av. *Wolv* —6H **17**
Clare Ct. *Shir* —5D **148**
Clare Cres. *Bils* —3B **60**
Clare Dri. *B15* —3B **116**
Clarel Av. *B8* —6C **102**
Claremont Ct. *Crad H* —2G **111**
Claremont M. *Wolv* —4E **43**
Claremont Pl. *B18* —4A **100**
Claremont Rd. *Dud* —5A **60**
Claremont Rd. *Hock* —3D **100**
Claremont Rd. *Smeth* —5F **99**
Claremont Rd. *S'brk* —4B **118**
Claremont Rd. *Wolv* —4E **43**
Claremont St. *Bils* —5E **45**
Claremont St. *Crad H* —2G **111**
Claremont Way. *Hale* —2B **128**
Clarence Av. *B21* —1G **99**
Clarence Ct. *O'bry* —1A **114**
Clarence Gdns. *S Cold* —1F **53**
Clarence Rd. *Bils* —4G **45**
Clarence Rd. *Dud* —3F **95**
Clarence Rd. *Erd* —4D **84**
Clarence Rd. *Hand* —1G **99**
Clarence Rd. *Harb* —5H **115**
Clarence Rd. *K Hth & Mose*
—4A **134**
Clarence Rd. *S'hll* —1C **134**
Clarence Rd. *S Cold* —4E **37**
Clarence Rd. *Wolv*
—1G **43** (2A **170**)
Clarence St. *Dud* —1A **76**
Clarence St. *Wolv*
—1G **43** (3A **170**)
Clarendon Pl. *B17* —6G **115**
Clarendon Dri. *Tip* —4D **62**
Clarendon Pl. *Hale* —5G **113**
Clarendon Pl. *Wals* —3D **20**
Clarendon Rd. *B16* —2A **116**
Clarendon Rd. *Smeth* —5D **98**
Clarendon Rd. *S Cold* —6A **38**
Clarendon Rd. *Wals* —5G **21**
Clarendon St. *Wals* —6H **19**
Clarendon St. *Wolv* —1E **43**
Clarendon Way. *S Cold* —4G **151**
Clare Rd. *Wals* —3D **32**
Clare Rd. *Wolv* —2A **28**
Clarewell Av. *Sol* —1F **165**
Clarke Ho. *Wals* —6H **19**

Clarkes Gro. *Tip* —1C **78**
Clarke's La. *W Brom* —6A **64**
Clarke's La. *W'hall* —6C **30**
Clark Rd. *Wolv* —1D **42**
Clarkson Rd. *W'bry* —1G **63**
Clark St. *B16* —1B **116**
Clark St. *Stourb* —6C **108**
Clarry Dri. *S Cold* —3F **53**
Clary Gro. *Wals* —2E **65**
Clatterbatch. —6F **109**
Claughton Rd. *Dud* —6F **77**
Clausen Clo. *B43* —1G **67**
Clavedon Clo. *B31* —6C **130**
Claverdon Clo. *Sol* —4C **150**
Claverdon Dri. *B43* —5H **65**
Claverdon Dri. *S Cold* —5B **36**
Claverdon Gdns. *B27* —6H **119**
Claverley Ct. *Dud* —6D **76**
Claverley Dri. *Wolv* —6B **42**
Claybrook St. *B5*
—2G **117** (6E **5**)
Claycroft Pl. *Stourb* —6A **110**
Claycroft Ter. *Dud* —1D **76**
Claydon Gro. *B14* —4A **148**
Claydon Rd. *K'wfrd* —6A **74**
Clay Dri. *B32* —6G **113**
Clayhanger. —1A **22**
Clayhanger La. *Wals* —6H **9**
Clayhanger Rd. *Wals* —1B **22**
Clay La. *B26* —6C **120**
Clay La. *O'bry* —5G **97**
Claypit Clo. *W Brom* —4G **79**
Claypit La. *W Brom* —4G **79**
Clayton Clo. *Wolv* —4G **43**
Clayton Dri. *B36* —1G **105**
Clayton Gdns. *Redn* —6G **157**
Clayton Rd. *B8* —4D **102**
Clayton Rd. *Bils* —6D **60**
Clayton Wlk. *B35* —5E **87**
Clear Vw. *K'wfrd* —3H **91**
Clearwell Gdns. *Dud* —4A **76**
Clee Hill Dri. *Wolv* —2G **41**
Clee Hill Rd. *Dud* —3G **75**
Clee Rd. *B31* —1E **159**
Clee Rd. *Dud* —2C **94**
Clee Rd. *O'bry* —5A **98**
Clee Rd. *Stourb* —5E **109**
Cleeve Dri. *S Cold* —3F **37**
Cleeve Ho. *Erd* —5G **85**
Cleeve Rd. *B14* —3C **148**
Cleeve Rd. *Wals* —4F **19**
Cleeve Way. *Wals* —5F **19**
Clee Vw. Mdw. *Dud* —3H **59**
Clee Vw. Rd. *Wom* —2E **73**
Clematis Dri. *Pend* —4D **14**
Clement Pl. *Bils* —4F **45**
Clement Rd. *Bils* —4F **45**
Clement Rd. *Hale* —2D **112**
Clements Clo. *O'bry* —5F **97**
Clements Rd. *B25* —3B **120**
Clement St. *B1*
—6D **100** (3A **4**)
Clement St. *Prem B* —2B **48**
Clements Way. *B38* —2H **159**
Clemson St. *W'hall* —1A **46**
Clent Ct. *Dud* —6D **76**
Clent Hill Dri. *Row R* —4A **96**
Clent Rd. *Hand* —6H **81**
Clent Rd. *O'bry* —3A **114**
Clent Rd. *Redn* —1E **157**
Clent Rd. *Stourb* —5E **109**
Clent Vw. *Smeth* —6F **99**
Clent Vw. Rd. *B32* —4G **129**
Clent Vw. Rd. *Hale* —1E **127**
Clent Vw. Rd. *Stourb* —2A **124**

Clent Vs. *B12* —1B **134**
Clent Way. *B32* —5G **129**
Cleobury La. *Shir & Earls*
—4F **163**
Cleton St. *Tip* —4B **78**
Cleton St. Bus. Pk. *Tip* —4B **78**
Clevedon Av. *B36* —1A **106**
Clevedon Rd. *B12* —5H **117**
Cleveland Clo. *W'hall* —2F **45**
Cleveland Clo. *Wolv* —6H **17**
Cleveland Pas. *Wolv*
—2G **43** (4B **170**)
Cleveland Rd. *Wolv*
—2H **43** (5D **170**)
Cleveland St. *Dud* —6D **76**
Cleveland St. *Stourb* —1C **124**
Cleveland St. *Wolv*
—2G **43** (4B **170**)
Cleveland Tower. *B1* —6D **4**
Cleves Cres. *C Hay* —4D **6**
Cleves Dri. *Redn* —2E **157**
Cleves Rd. *Redn* —1E **157**
Clewley Dri. *Wolv* —4E **15**
Clewley Gro. *B32* —6H **113**
Clews Clo. *Wals* —4C **48**
Clewshaw La. *B38* —5D **160**
Cley Clo. *B5* —5F **117**
Cliffe Dri. *B33* —6G **105**
Clifford Rd. *Ben H* —5B **166**
Clifford Rd. *Smeth* —2D **114**
Clifford Rd. *W Brom* —5H **79**
Clifford St. *B19* —2F **101**
Clifford St. *Dud* —1D **94**
Clifford St. *Wolv* —6E **27**
Clifford Wlk. *B19* —2F **101**
(in two parts)
Cliff Rock Rd. *Redn* —2H **157**
Clift Clo. *W'hall* —3C **30**
Clifton Av. *A'rdge* —1E **35**
Clifton Av. *Bwnhls* —6H **9**
Clifton Clo. *B6* —2H **101**
Clifton Clo. *O'bry* —5G **97**
Clifton Cres. *Sol* —6C **150**
Clifton Dri. *S Cold* —6H **53**
Clifton Gdns. *Cod* —4A **14**
Clifton Grn. *B28* —2G **149**
Clifton Ho. *Bal H* —6A **118**
Clifton La. *W Brom* —5C **64**
Clifton Rd. *Aston* —2H **101**
Clifton Rd. *Bal H* —6H **117**
Clifton Rd. *Cas B* —1A **106**
Clifton Rd. *Hale* —3D **112**
Clifton Rd. *Smeth* —5D **98**
Clifton Rd. *S Cold* —1G **69**
Clifton Rd. *Wolv* —4B **26**
Clifton St. *Bils* —4B **60**
Clifton St. *Crad H* —2H **111**
Clifton St. *Stourb* —1C **124**
Clifton St. *Wolv* —1F **43**
Clifton Ter. *Erd* —3F **85**
Clinic Dri. *Stourb* —6A **110**
Clinton Gro. *Shir* —6C **150**
Clinton Rd. *Bils* —4A **46**
Clinton Rd. *Col* —3H **107**
Clinton Rd. *Shir* —1B **164**
Clinton St. *B18* —4A **100**
Clipper Vw. *B16* —2A **116**
Clipston Rd. *B8* —5F **103**
Clissold Clo. *B12* —4G **117**
Clissold Pas. *B18* —5C **100**
Clissold St. *B18* —5C **100**
Clive Clo. *S Cold* —1B **54**
Cliveden Av. *B42* —3E **83**
Cliveden Av. *Wals* —6D **22**
Cliveden Coppice. *S Cold*
—2F **53**

Clivedon Way. *Hale* —4A **112**
Cliveland St. *B19*
—5G **101** (1E **5**)
Clive Pl. *B19* —5F **101** (1D **4**)
Clive Rd. *B32* —4B **114**
Clive St. *W Brom* —2A **80**
Clockfields Dri. *Brie H*
—2E **109**
Clock La. *Bick* —3E **139**
Clockmill Av. *Wals* —4C **20**
Clockmill Pl. *Wals* —4D **20**
Clockmill Rd. *Wals* —4C **20**
Clodeshall Rd. *B8* —5E **103**
Cloister Dri. *Hale* —2D **128**
Clonmel Rd. *B30* —1C **146**
Clopton Cres. *B37* —5D **106**
Clopton Rd. *B33* —3G **121**
Close, The. *Dud* —3G **75**
Close, The. *Hale* —5F **111**
Close, The. *Harb* —4D **114**
Close, The. *H'wd* —4A **162**
Close, The. *Hunn* —6A **128**
Close, The. *S Oak* —5H **131**
Close, The. *Sol* —5D **136**
Close, The. *Swind* —5E **73**
Close, The. *W'bry* —2E **63**
Clothier Gdns. *W'hall* —6A **30**
Clothier St. *W'hall* —6A **30**
Cloudbridge Dri. *Sol* —6B **138**
Cloudsley Gro. *Sol* —2D **136**
Clovelly Ho. *B31* —5A **144**
Clover Av. *B37* —1F **123**
Cloverdale. *Pert* —5D **24**
Clover Dri. *B32* —3A **130**
Clover Hill. *Wals* —3A **50**
Clover La. *K'wfrd* —2G **91**
Clover Lea Sq. *B8* —3G **103**
Clover Ley. *Wolv* —6B **28**
Clover Piece. *Tip* —1C **78**
Clover Ridge. *C Hay* —2C **6**
Clover Rd. *B29* —6E **131**
Club Row. *Dud* —2A **76**
Club Vw. *B38* —5H **145**
Clunbury Cft. *B34* —4F **105**
Clunbury Rd. *B31* —1E **159**
Clun Clo. *Tiv* —6H **77**
Clun Rd. *B31* —1D **144**
Clyde Av. *Hale* —3E **113**
Clyde Ct. *S Cold* —6H **53**
Clyde M. *Brie H* —3F **93**
Clyde Rd. *Dorr* —6H **167**
Clydesdale. *B26* —6E **121**
Clydesdale Rd. *B32* —5H **113**
Clydesdale Rd. *Clay* —1A **22**
Clydesdale Rd. *Dud* —6E **95**
Clydesdale Tower. *B1* —6D **4**
Clyde St. *Bord* —2A **118**
Clyde St. *Crad H* —2G **111**
Clyde Tower. *B19* —2F **101**
Coalbournbrook. —3D **108**
Coalbourne Gdns. *Hale*
—6E **111**
Coalbourn La. *Stourb*
—4D **108**
Coalbourn Way. *Brie H*
—6E **93**
Coalheath La. *Wals* —1G **33**
Coalmeadow Clo. *Wals* —4F **19**
Coal Pool. —4D **32**
Coalpool La. *Wals* —5C **32**
Coalpool Pl. *Wals* —3D **32**
Coalport La. *Wals* —3D **32**
Coalport Rd. *Wolv* —2C **44**
Coalway Av. *B26* —1G **137**
Coalway Av. *Wolv* —5E **43**
Coalway Gdns. *Wolv* —5B **42**

Coalway Rd. *Wals* —1G **31**
Coalway Rd. *Wolv* —5B **42**
Coatsgate Wlk. *Pend* —6D **14**
Cobbles, The. *S Cold* —6A **70**
Cobble Wlk. *B18* —4C **100**
Cobb's Engine House.
        —4G 95
Cobbs Wlk. *Row R* —4H **95**
Cobden Clo. *Tip* —5H **61**
Cobden Clo. *W'bry* —5F **47**
Cobden Gdns. *B12* —5G **117**
Cobden St. *Stourb* —5B **108**
Cobden St. *Wals* —4B **48**
Cobden St. *W'bry* —5F **47**
Cobham Clo. *B35* —4D **86**
Cobham Ct. M. *Hag* —6H **125**
Cobham Rd. *B9* —1D **118**
Cobham Rd. *Hale* —1B **128**
Cobham Rd. *Stourb* —3E **125**
Cobham Rd. *W'bry* —3C **64**
Cob La. *B30* —6G **131**
Cobs Fld. *B30* —1G **145**
Coburg Clo. *Tip* —1C **78**
Coburn Dri. *S Cold* —1B **54**
Cochrane Clo. *Stourb*
        —5G **125**
Cochrane Clo. *Tip* —1C **78**
Cochrane Rd. *Dud* —3A **94**
Cock Green. —5A 96
Cock Hill La. *Redn* —6F **143**
Cockley Wharf Ind. Est. *Brie H*
        —5F **93**
Cockshed La. *Hale* —3C **112**
Cockshut Hill. *B26* —3E **121**
Cockshutt La. *Wolv* —4H **43**
Cocksmead Cft. *B14* —2F **147**
Cockthorpe Clo. *B17* —4D **114**
Cocton Clo. *Wolv* —4E **25**
Codeshill Ct. *S Cold* —1C **70**
Codsall. —3F 13
Codsall Gdns. *Cod* —3E **13**
Codsall Ho. *Cod* —3E **13**
Codsall Rd. *Cod* —6A **14**
Codsall Rd. *Crad H* —3G **111**
Codsall Rd. *Wolv* —2C **26**
Codsall Wood. —1B 12
Cofield Rd. *S Cold* —4F **69**
Cofton Chu. La. *Redn & B Grn*
        —6A **158**
Cofton Ct. *Redn* —2B **158**
Cofton Gro. *B31* —3C **158**
Cofton Lake Rd. *Redn*
        —6A **158**
Cofton Rd. *B31* —2E **159**
Cokeland Pl. *Crad H* —3F **111**
Colaton Clo. *Wolv* —5A **28**
Colbourne Rd. *Tip* —3A **78**
Colbrand Gro. *B15* —3F **117**
Coldbath Rd. *B13* —5B **134**
Coldridge Clo. *Pend* —6D **14**
Coldstream Dri. *Stourb*
        —6C **92**
Coldstream Rd. *S Cold*
        —5C **70**
Coldstream Way. *Witt* —5G **83**
(in two parts)
Cole Bank Rd. *Mose & Hall G*
        —5D **134**
Colebourne Rd. *B13* —6C **134**
Colebridge Cres. *Col* —1H **107**
Colebrook Cft. *Shir* —5A **149**
Colebrook Rd. *B11* —6D **118**
Colebrook Rd. *Shir* —5E **149**
Cole Ct. *B37* —1D **122**
Cole End. —1H 107
Coleford Clo. *Stourb* —1A **108**

Coleford Dri. *B37* —1C **122**
Cole Grn. *Shir* —6E **149**
Colehall. —4F 105
Cole Hall La. *B34 & B33*
   (in three parts)   —3E **105**
Cole Holloway. *B31* —5C **130**
Colehurst Cft. *Shir* —3D **164**
Coleman Rd. *W'bry* —6G **47**
Coleman St. *Wolv* —5D **26**
Colemeadow Rd. *B13*
        —2B **148**
Colemeadow Rd. *Col* —2H **107**
Colenso Rd. *B16* —5H **99**
Coleraine Rd. *B42* —1C **82**
Coleridge Clo. *Wals* —2E **21**
Coleridge Clo. *W'hall* —2E **31**
Coleridge Dri. *Wolv* —5E **25**
Coleridge Pas.
        —6G **101** (2F **5**)
Coleridge Ri. *Dud* —3E **75**
Coleridge Rd. *B43* —6A **66**
Colesbourne Av. *B14* —5E **147**
Colesbourne Rd. *Sol* —2E **137**
Coles Cres. *W Brom* —6H **63**
Colesden Wlk. *Wolv* —5A **42**
Coleshaven. *Col* —3H **107**
Coleshill. —3H 107
Coleshill Heath. —3E 123
Coleshill Heath Rd. *B37 & Col*
        —4E **123**
Coleshill Ind. Est. *Col* —5H **89**
Coleshill Rd. *B36* —3B **104**
Coleshill Rd. *Curd* —1D **88**
(in two parts)
Coleshill Rd. *Mars G* —4C **122**
Coleshill Rd. *S Cold* —6A **54**
Coleshill Rd. *Wat O* —4D **88**
Coleshill St. *B4*
        —6H **101** (2G **5**)
Coleshill St. *S Cold* —6A **54**
Coleshill Trad. Est. *Col*
        —6H **89**
Coleside Av. *B13* —6D **134**
Coles La. *S Cold* —1A **70**
Coles La. *W Brom* —6G **63**
Colesleys, The. *Col* —3H **107**
Cole St. *Dud* —6G **95**
Cole Valley Rd. *B28* —1D **148**
Coleview Cres. *B33* —6A **106**
Coleville Rd. *Min* —1F **87**
Coley's La. *B31* —5E **145**
Colgreave Av. *B11* —3D **134**
Colindale Rd. *B44* —2A **68**
Colinwood Clo. *Wals* —4F **7**
Collector Rd. *B36* —6F **87**
Colleen Av. *B30* —4D **146**
College Clo. *W'bry* —4G **63**
College Ct. *Tett* —5B **26**
College Dri. *B20* —5B **82**
College Farm Dri. *B23* —5D **68**
College Gro. *Hand* —2D **100**
College Hill. *S Cold* —1H **69**
College Rd. *B8* —6E **103**
College Rd. *B44 & P Barr*
        —2G **83**
College Rd. *Hand* —5A **82**
College Rd. *Mose* —3C **134**
College Rd. *Quin* —5G **113**
College Rd. *Stourb* —1E **125**
College Rd. *Wolv* —5B **26**
College St. *B18* —5C **100**
College Vw. *Wolv* —6B **26**
College Wlk. *B29* —5H **131**
Collet Rd. *Pert* —4E **25**
Collets Brook. *Bass P* —1F **55**
Collett Clo. *Stourb* —5E **109**

Colletts Gro. *B37* —4B **106**
Colley Av. *Wolv* —1B **28**
Colley Ga. *Hale* —5E **111**
Colley La. *Hale* —4E **111**
Colley Orchard. *Hale* —5E **111**
Colley St. *W Brom* —3B **80**
Collier Clo. *C Hay* —3D **6**
Collier Clo. *Wals* —6G **9**
Collier's Clo. *W'hall* —3B **30**
Colliers Fold. *Brie H* —4F **93**
Colliery Dri. *Wals* —4F **19**
Colliery Rd. *W Brom* —6E **81**
Colliery Rd. *Wolv* —1B **44**
Collindale Ct. *K'wfrd* —6B **74**
Collingbourne Av. *B36*
        —2B **104**
Collingdon Av. *B26* —5G **121**
Colling Wlk. *B37* —3C **106**
Collingwood Cen., The. *B43*
        —2F **67**
Collingwood Dri. *B43* —1E **67**
Collingwood Rd. *Wolv* —5A **16**
Collins Clo. *B32* —6G **113**
Collins Rd. *Wals* —2C **22**
Collins Rd. *W'bry* —2A **64**
Collins St. *Wals* —4C **48**
Collins St. *W Brom* —4E **79**
Collis St. *Stourb* —3D **108**
Collister Clo. *Shir* —3H **149**
Colly Cft. *B37* —4B **106**
Collycroft Pl. *A Grn* —6H **119**
Colman Av. *Wolv* —3H **29**
Colman Cres. *O'bry* —1A **114**
Colman Hill. *Hale* —6F **111**
Colman Hill Av. *Hale* —5F **111**
Colmers Wlk. *B31* —6B **144**
Colmore Av. *B14* —6F **133**
Colmore Cir. Queensway. *B4*
        —6G **101** (3E **5**)
Colmore Cres. *B13* —4B **134**
Colmore Dri. *S Cold* —6E **55**
Colmore Flats. *B19*
        —5F **101** (1D **4**)
Colmore Ga. *B2* —3E **5**
Colmore Rd. *B14* —6F **133**
Colmore Row. *B3*
        —1F **117** (4C **4**)
Coln Clo. *B31* —1D **144**
Colonial Rd. *B9* —6F **103**
Colshaw Rd. *Stourb* —1C **124**
Colston Rd. *B24* —5H **85**
Colt Clo. *S Cold* —4G **51**
Coltham Rd. *W'hall* —3C **30**
Coltishall Clo. *B35* —5D **86**
Colton Hills. —2E 59
Coltsfoot Clo. *Wed* —4G **29**
Coltsfoot Vw. *Wals* —3E **7**
Columbia Clo. *B5* —4F **117**
Columbine Clo. *Wals* —2E **65**
Colville Clo. *Tip* —5D **62**
Colville Rd. *B12* —6B **118**
Colville Wlk. *B12* —6B **118**
Colwall Rd. *Dud* —3H **75**
Colwall Wlk. *B27* —1B **136**
Colworth Rd. *B31* —3C **144**
Colyns Gro. *B33* —4D **104**
Comber Cft. *B13* —5D **134**
Comber Dri. *Brie H* —3F **93**
Comberford Ct. *W'bry*
        —3G **63**
Comberford Dri. *W'bry*
        —6B **48**
Comberton Rd. *B26* —4F **121**
Combrook Grn. *B34* —3H **105**
Commercial Rd. *Wals* —2G **31**
Commercial Rd. *Wolv* —2A **44**

Commercial St. *B1*
        —2E **117** (6B **4**)
Commissary Rd. *Birm A*
        —2C **138**
Commonfield Cft. *B8* —4D **102**
Common La. *Sheld* —6E **121**
Common La. *Wash H* —3F **103**
Common La. *Wolv* —3F **73**
Common Side. —3E 9
Commonside. *Brie H* —3G **93**
Commonside. *Bwnhls* —1C **22**
Commonside. *Pels* —5E **21**
Communication Row. *B15*
        —2E **117**
Compton. —1A **42**
Compton Clo. *Sol* —3B **150**
Compton Ct. *Dud* —3E **95**
Compton Ct. *Wolv* —1D **42**
Compton Cft. *B37* —2F **123**
Compton Dri. *Dud* —1H **95**
Compton Dri. *K'wfrd* —4B **92**
Compton Dri. *S Cold* —4G **51**
Compton Gro. *Hale* —1E **127**
Compton Gro. *K'wfrd* —4B **92**
Compton Hill Dri. *Wolv*
        —1B **42**
Compton Pk. *Wolv* —1C **42**
Compton Rd. *B24* —6E **85**
Compton Rd. *Crad H* —2E **111**
Compton Rd. *Hale* —6F **113**
Compton Rd. *Stourb* —4H **125**
Compton Rd. *Wolv* —1C **42**
Compton Rd. W. *Wolv* —1A **42**
Comsey Rd. *B43* —2D **66**
Comwall Clo. *Wals* —3A **32**
(in two parts)
Conally Dri. *Redn* —6H **143**
Conchar Clo. *S Cold* —3A **70**
Conchar Rd. *S Cold* —3A **70**
Concorde Tower. *B35* —5D **86**
Condover Clo. *Wals* —6D **30**
Condover Rd. *B31* —1F **159**
Conduit Rd. *Nort C* —1E **9**
Coneybury Wlk. *Min* —2H **87**
Coneyford Rd. *B34* —3G **105**
(in two parts)
Coneygree Ind. Est. *Tip*
        —4H **77**
Coney Grn. *Stourb* —6F **109**
Coney Grn. Dri. *B31* —1D **158**
Coneygree Rd. *Tip* —5H **77**
Coneygree Ter. *Dud* —5H **77**
Congreve Pas. *B3*
        —1F **117** (4C **4**)
Conifer Clo. *Brie H* —3G **109**
Conifer Ct. *B13* —3G **133**
Conifer Dri. *B31* —4F **145**
Conifer Dri. *Hand* —2A **100**
Conifer Paddock. *Hale*
        —3E **113**
Conifer Rd. *S Cold* —3G **51**
Conington Gro. *B17* —6E **115**
Coniston Av. *Sol* —1D **136**
Coniston Clo. *B28* —6F **135**
Coniston Cres. *B43* —6B **66**
Coniston Dri. *K'wfrd* —2H **91**
Coniston Ho. *B17* —6H **115**
Coniston Ho. *O'bry* —4D **96**
Coniston Rd. *B23* —2D **84**
Coniston Rd. *S Cold* —6H **35**
Coniston Rd. *Wolv* —1B **26**
Conker La. *Dorr* —5A **166**
Connaught Av. *W'bry* —2A **64**
Connaught Clo. *Wals* —4G **49**
Connaught Dri. *Wom* —4G **57**
Connaught Rd. *Bils* —4H **45**

Connaught Rd. *Wolv* —1E **43**
Connops Way. *Stourb*
—6A **110**
Connor Rd. *W Brom* —5C **64**
Conrad Clo. *B11* —4A **118**
Consort Cres. *Brie H* —3G **93**
Consort Dri. *W'bry* —3D **46**
Consort Rd. *B30* —4C **146**
Constable Clo. *B43* —2F **67**
Constables, The. *O'bry*
—1H **113**
Constance Av. *W Brom*
—6B **80**
Constance Rd. *B5* —6F **117**
Constantine La. *Col* —6H **89**
Constantine Way. *Bils* —3A **62**
Constitution Hill. *B19*
—5F **101** (1C **4**)
Constitution Hill. *Dud* —1E **95**
Conway Av. *B32* —5H **113**
Conway Av. *O'bry* —1H **113**
Conway Av. *W Brom* —4H **63**
Conway Clo. *Dud* —1E **77**
Conway Clo. *K'wfrd* —5D **92**
Conway Clo. *Shir* —6B **150**
Conway Cres. *W'hall* —2C **30**
Conway Gro. *B43* —6H **65**
Conway Ho. *Wals* —3B **32**
Conway Rd. *F'bri* —6D **106**
Conway Rd. *Shir* —6B **150**
Conway Rd. *S'brk* —5C **118**
Conway Rd. *Wolv* —6F **25**
Conwy Clo. *Wals* —5G **31**
Conybere St. *B12* —4G **117**
Conyworth Clo. *B27* —1B **136**
Cook Av. *Dud* —2F **95**
Cook Clo. *Know* —3E **167**
Cook Clo. *Wolv* —5E **25**
Cooke Ct. *B37* —4D **106**
Cookes Cft. *B31* —5F **145**
Cookesley Clo. *B43* —1F **67**
Cooke St. *Wolv* —4G **43**
Cookley Clo. *Hale* —3H **127**
Cookley Way. *O'bry* —4E **97**
Cooknell Dri. *Stourb* —1C **108**
Cook Rd. *Wals* —5B **20**
Cooksey La. *B43 & B44*
—1G **67**
Cooksey Rd. *B10* —4C **118**
Cook's La. *B37* —6B **106**
Cookspiece Wlk. *B33* —6D **104**
Cook St. *B7* —2C **102**
Cook St. *W'bry* —5F **47**
Coombe Cft. *Wolv* —4E **15**
Coombe Hill. *Crad H* —3B **112**
Coombe Hill Rd. *Crad H*
—3B **112**
Coombe Pk. *S Cold* —4F **53**
Coombe Rd. *B20* —6G **83**
Coombe Rd. *Shir* —5A **150**
Coombes La. *B31* —3D **158**
Coombeswood. —4C 112
Coombs Rd. *Hale* —5B **112**
Cooper Av. *Brie H* —1E **109**
Cooper Clo. *W Brom* —5C **80**
Cooper's Bank. —6G 75
Cooper's Bank Rd. *Brie H &
Dud* —6G **75**
Cooper's La. *Smeth* —4D **98**
Coopers Rd. *B20* —4C **82**
Cooper St. *W Brom* —4B **80**
Cooper St. *Wolv* —3B **44**
Copeley Hill. *B23* —6C **84**
Copes Cres. *Wolv* —3C **28**
Cope St. *B18* —6C **100**
Cope St. *Wals* —3A **32**

Cope St. *W'bry* —5E **47**
Cophall St. *Tip* —2D **78**
Cophams Clo. *Sol* —3G **137**
Coplow Clo. *Bal C* —3G **169**
Coplow Cotts. *B16* —6B **100**
Coplow St. *B16* —6B **100**
*Coplow Ter. B16 —6B 100
(off Coplow St.)*
Copnor Gro. *B26* —5C **120**
Coppenhall Gro. *B33* —6E **105**
Copperbeech Clo. *B32*
—6D **114**
Copperbeech Dri. *B12*
—6A **118**
Copper Beech Dri. *K'wfrd*
—6B **74**
Copper Beech Dri. *Wom*
—1H **73**
Copperbeech Gdns. *Hand*
—5B **82**
Coppice Ash Cft. *B19* —1F **101**
Coppice Av. *Stourb* —2B **126**
Coppice Clo. *Brie H* —2B **110**
Coppice Clo. *C Hay* —1D **6**
Coppice Clo. *Dud* —6F **59**
Coppice Clo. *Redn* —2F **157**
Coppice Clo. *Shir* —3A **164**
Coppice Clo. *Sol* —6E **137**
Coppice Clo. *Wolv* —6A **18**
Coppice Cres. *Wals* —6H **9**
Coppice Dri. *B27* —3H **135**
Coppice Farm Way. *W'hall*
—6B **18**
Coppice Hollow. *B32* —4H **129**
Coppice La. *Brie H* —2B **110**
Coppice La. *Bwnhls* —5G **9**
Coppice La. *C Hay* —1D **6**
Coppice La. *Hamm* —2H **11**
Coppice La. *Midd* —1G **55**
Coppice La. *Wals W* —6B **22**
Coppice La. *W'hall* —3C **30**
Coppice La. *Wolv* —3H **25**
Coppice Ri. *Brie H* —2C **110**
Coppice Rd. *B13* —2A **134**
Coppice Rd. *Bils* —5C **60**
Coppice Rd. *Crad H* —4G **111**
Coppice Rd. *Sol* —6A **138**
Coppice Rd. *Wals* —3B **22**
Coppice Rd. *Wolv* —3B **42**
Coppice Side. *Bwnhls* —5H **9**
Coppice Side Ind. Est. *Wals*
—6G **9**
Coppice St. *Dud* —3F **77**
Coppice St. *Tip* —1G **77**
Coppice St. *W Brom* —3G **79**
Coppice, The. *B20* —5C **82**
Coppice, The. *Tip* —4C **62**
Coppice, The. *W'hall* —3C **30**
Coppice Vw. Rd. *S Cold*
—1A **68**
Coppice Wlk. *Shir* —3A **164**
Coppice Way. *B37* —1D **122**
Copplestone Clo. *B34* —3F **105**
Coppy Hall Gro. *Wals* —6D **22**
Coppy Nook La. *Hamm*
—1D **10**
Copse Clo. *B31* —5E **145**
Copse Cres. *Wals* —3E **21**
Copse Rd. *Dud* —6D **94**
Copse, The. *S Cold* —2F **53**
Copstone Dri. *Dorr* —6B **166**
Copston Gro. *B29* —5F **131**
Copthall Rd. *B21* —5G **81**
Copt Heath. —6C 152
Copt Heath Cft. *Know*
—1D **166**

Copt Heath Dri. *Know*
—2C **166**
Copthorne Av. *Burn* —1B **10**
Copthorne Rd. *B44* —2G **67**
Copthorne Rd. *Wolv* —4E **43**
Coralin Clo. *B37* —1D **122**
Corbett Cres. *Stourb* —4E **109**
Corbett Rd. *Brie H* —2H **109**
Corbett Rd. *H'wd* —2A **162**
Corbetts Clo. *H Ard* —6B **140**
Corbett St. *Smeth* —5F **99**
Corbridge Av. *B44* —4H **67**
Corbridge Rd. *S Cold* —3F **69**
Corbyn Rd. *B9* —6H **103**
Corbyn Rd. *Dud* —1B **94**
Corbyn's Clo. *Brie H* —2F **93**
Corbyn's Hall La. *Brie H*
—2F **93**
Corbyn's Hall Rd. *Brie H*
—3F **93**
Cordley St. *W Brom* —3H **79**
Corfe Clo. *B32* —6D **114**
Corfe Clo. *Wolv* —6F **25**
Corfe Dri. *Tiv* —1A **96**
Corfe Rd. *Bils* —5C **60**
Corfton Dri. *Wolv* —5A **26**
Coriander Clo. *Redn* —6H **143**
Corinne Clo. *Redn* —3G **157**
Corinne Cft. *B37* —5C **106**
Corisande Rd. *B29* —3G **131**
Corley Av. *B31* —4F **145**
Corley Clo. *Shir* —6E **149**
Cornbrook Rd. *B29* —6D **130**
Cornbury Gro. *Sol* —3B **150**
Corncrake Clo. *S Cold* —3B **70**
Corncrake Dri. *B36* —1C **106**
Corncrake Rd. *Dud* —4A **76**
Cornel Clo. *B37* —3E **123**
Cornerstone Country Club. *B31*
—2F **145**
Cornerway. *B38* —2B **160**
Cornets End. —1H 155
Cornets End La. *Mer* —6E **141**
Cornfield. *Wolv* —6C **14**
Cornfield Clo. *W Hth* —1G **91**
Cornfield Cft. *B37* —6F **107**
Cornfield Cft. *S Cold* —2D **70**
Cornfield Pl. *Row R* —5H **95**
Cornfield Rd. *B31* —3H **145**
Cornfield Rd. *Row R* —5H **95**
Cornflower Clo. *F'stne* —1C **16**
Cornflower Cres. *Dud* —1H **95**
Cornflower Rd. *Clay* —1H **21**
Corngreaves Rd. *Crad H*
—2F **111**
Corngreaves, The. *B34*
—3G **105**
Corngreaves Trad. Est. *Crad H*
—4F **111**
Corngreaves Wlk. *Crad H*
—4G **111**
Corn Hill. *Wals* —3A **50**
Corn Hill. *Wolv*
—1H **43** (3D **170**)
Cornhill Gro. *B30* —6E **133**
Corn Mill Clo. *B32* —4C **130**
Corn Mill Clo. *Wals* —4B **48**
Cornmill Gro. *Pert* —6D **24**
Cornovian Clo. *Wolv* —4E **25**
Corns Gro. *Wom* —2F **73**
*Corns Ho. W'bry —5E 47
(off Birmingham St.)*
Corns St. *W'bry* —6E **47**
Cornwall Av. *O'bry* —3H **113**
Cornwall Clo. *K'wfrd* —1C **92**
Cornwall Clo. *Wals* —6C **22**

Cornwall Clo. *W'bry* —1B **64**
Cornwall Ga. *W'hall* —4B **30**
Cornwall Ind. Est. *Smeth*
—2F **99**
Cornwallis Rd. *W Brom*
—6G **79**
Cornwall Pl. *Wals* —6E **31**
Cornwall Rd. *B20* —5B **82**
Cornwall Rd. *Redn* —6E **143**
Cornwall Rd. *Smeth* —2F **99**
Cornwall Rd. *Stourb* —3B **108**
Cornwall Rd. *Wals* —4F **49**
Cornwall Rd. *Wolv* —5A **26**
Cornwall St. *B3*
—6F **101** (3C **4**)
Cornwall Tower. *B18* —4D **100**
Cornwell Clo. *Tip* —2A **78**
Cornyx La. *Sol* —1H **151**
Coronation Av. *W'hall* —1D **46**
Coronation Rd. *Bils* —6E **45**
Coronation Rd. *Gt Barr*
—1A **66**
Coronation Rd. *Pels* —5F **21**
Coronation Rd. *Salt* —3F **103**
Coronation Rd. *S Oak*
—3B **132**
Coronation Rd. *Tip* —5A **62**
Coronation Rd. *Wals W*
—4C **22**
Coronation Rd. *W'bry* —2A **64**
Coronation Rd. *Wolv* —4C **28**
Corporation Rd. *Dud* —5G **77**
Corporation Sq. *B4*
—6G **101** (3F **5**)
Corporation St. *B2 & B4*
—1G **117** (4E **5**)
(in two parts)
Corporation St. *Wals* —3C **48**
Corporation St. *W'bry* —3G **63**
Corporation St. *Wolv*
—1G **43** (3A **170**)
Corporation St. W. *Wals*
—3B **48**
Corrie Cft. *B26* —4F **121**
Corrie Cft. *Bart G* —5H **129**
Corrin Gro. *K'wfrd* —1A **92**
*Corron Hill. Hale —1B 128
(off Cobham Rd.)*
Corser St. *Dud* —5B **76**
Corser St. *Stourb* —2E **125**
Corser St. *Wolv* —2B **44**
Corsican Clo. *W'hall* —2E **31**
Corvedale Rd. *B29* —1E **145**
Corve Gdns. *Wolv* —4C **26**
Corve Vw. *Dud* —4G **59**
Corville Gdns. *B26* —1G **137**
Corville Rd. *Hale* —5F **113**
Corwen Cft. *B31* —6B **130**
(in two parts)
Cory Cft. *Tip* —2A **78**
Coseley. —2E 61
Coseley Hall. *Bils* —5E **61**
Coseley Rd. *Bils* —6E **45**
Cosford Ct. *Wolv* —4E **25**
Cosford Cres. *B35* —4E **87**
Cosford Dri. *Dud* —5G **95**
Cosgrove Wlk. *Wolv* —6D **14**
Cossington Rd. *B23* —6D **68**
Cotford Rd. *B14* —5A **148**
Cotheridge Clo. *Shir* —3G **165**
Cot La. *K'wfrd & Stourb*
—3A **92**
Cotleigh Gro. *B43* —2F **67**
Cotman Clo. *B43* —2E **67**
Coton Gro. *Shir* —5E **149**
Coton La. *B23* —3F **85**

Coton Rd. *Wolv* —6F **43**
Cotsdale Rd. *Wolv* —2C **58**
Cotsford. *Sol* —4E **151**
Cotswold Av. *Gt Wyr* —2F **7**
Cotswold Clo. *A'rdge* —6E **23**
Cotswold Clo. *O'bry* —4E **97**
Cotswold Clo. *Redn* —5H **143**
Cotswold Cft. *Hale* —4E **127**
Cotswold Gro. *W'hall* —6B **18**
Cotswold Rd. *Stourb* —5F **109**
Cotswold Rd. *Wolv* —4B **44**
Cottage Clo. *Wed* —3E **29**
(in two parts)
Cottage Gdns. *Redn* —4F **157**
Cottage La. *Min* —1H **87**
Cottage La. *Wolv* —4H **15**
Cottage M. *A'rdge* —5G **35**
Cottage St. *Brie H* —6H **93**
Cottage St. *K'wfrd* —2B **92**
Cottage Vw. *Cod* —3H **13**
Cottage Wlk. *W Brom* —5B **80**
Cotteridge. —3B 146
Cotteridge Rd. *B30* —3C **146**
Cotterills Av. *B8* —5A **104**
Cotterills La. *B8* —5G **103**
Cotterills Rd. *Tip* —6B **62**
Cottesbrook Rd. *B27* —1B **136**
Cottesfield Clo. *B8* —5H **103**
Cottesmore Clo. *W Brom*
—5D **64**
Cottesmore Ho. *B20* —4B **82**
Cottle Clo. *Wals* —6F **31**
Cotton La. *B13* —3H **133**
Cottrells Clo. *B14* —3C **148**
Cottrell St. *W Brom* —3B **80**
Cottsmeadow Dri. *B8* —5A **104**
Cotwall End. —6G 59
Cotwall End Countryside
Cen. —1G **75**
Cotwall End Rd. *Dud* —3F **75**
Cotysmore Rd. *S Cold* —5B **54**
Couchman Rd. *B8* —5E **103**
Coulter Gro. *Pert* —5D **24**
Council Cres. *W'hall* —5C **30**
Counterfield Dri. *Row R*
—4H **95**
Countess Dri. *Wals* —2H **33**
Countess St. *Wals* —4B **48**
County Bridge. —1E 47
County Clo. *B30* —1D **146**
County Clo. *W'gte* —2A **130**
County La. *Alb & Cod W*
—2A **12**
County La. *Iver* —5B **124**
(in two parts)
County Pk. Av. *Hale* —2C **128**
Court Cres. *K'wfrd* —4H **91**
Courtenay Gdns. *B43* —3A **66**
Courtenay Rd. *B44* —6G **67**
Ct. Farm Rd. *B23* —1E **85**
Ct. Farm Way. *B29* —6D **130**
Courtland Rd. *K'wfrd* —1C **92**
Courtlands Clo. *B5* —5E **117**
Courtlands, The. *Wolv* —5C **26**
Court La. *B23* —5E **69**
Ct. Oak Gro. *B32* —5D **114**
Ct. Oak Rd. *B32 & B17*
—5C **114**
Court Pde. *Wals* —3D **34**
Court Pas. *Dud* —6E **77**
Court Rd. *Bal H* —5G **117**
Court Rd. *Lane* —2C **60**
Court Rd. *S'hll* —1C **134**
Court Rd. *Wolv* —5D **26**
Court St. *Crad H* —2G **111**
Court St. *Stourb* —6E **109**

Court Way. *Wals* —1C **48**
Courtway Av. *B14* —6B **148**
Courtyard, The. *Col* —5H **89**
Courtyard, The. *Sol* —3G **151**
Cousins St. *Wolv* —4H **43**
Coveley Gro. *B18* —4C **100**
Coven Gro. *B29* —3F **131**
Coven Heath. —1H 15
Coven La. *Coven* —2D **14**
Coven St. *Wolv* —5H **27**
Coventry Rd. *Bick* —2C **138**
Coventry Rd. *Col* —6H **107**
Coventry Rd. *Sheld & Elmd*
—5C **120**
Coventry Rd. *Small H & Yard*
—2A **118**
Coventry St. *B5*
—1H **117** (5G **5**)
Coventry St. *Stourb* —6E **109**
Coventry St. *Wolv* —1C **44**
Cover Cft. *S Cold* —4E **71**
Coverdale Rd. *Sol* —1E **137**
Covert La. *Stourb* —4B **124**
Covert, The. *Wolv* —6C **14**
Cowles Cft. *B25* —2C **120**
Cowley Dri. *B27* —1B **136**
Cowley Dri. *Dud* —5B **76**
Cowley Gro. *B11* —6E **119**
Cowley Rd. *B11* —6E **119**
Cowper Clo. *W'hall* —2E **31**
Cowslip Clo. *K Nor* —1B **160**
Cowslip Clo. *S Oak* —6E **131**
Cowslip Wlk. *Brie H* —5G **109**
Coxcroft Av. *Brie H* —3B **110**
Coxmoor Clo. *Wals* —4F **19**
Cox Rd. *Bils* —4G **61**
Cox's La. *Crad H* —1H **111**
Cox St. *B3* —5F **101** (1B **4**)
Coxwell Av. *Wolv* —3G **27**
Coxwell Gdns. *B16* —1B **116**
Coyne Clo. *Tip* —2F **77**
Coyne Rd. *W Brom* —5H **79**
Crabbe St. *Stourb* —6B **110**
Crab La. *K'wfrd* —5E **93**
Crab La. *W'hall* —6D **18**
Crabmill Clo. *B38* —2A **160**
Crabmill Clo. *Know* —2E **167**
Crabmill La. *B38* —2E **161**
Crabourne Rd. *Dud* —1D **101**
Crabtree Clo. *B31* —5G **145**
Crabtree Clo. *Hag* —6F **125**
Crabtree Clo. *W Brom* —5D **64**
Crabtree Dri. *B37* —1B **122**
Crab Tree Ho. *B33* —6C **104**
Crabtree Rd. *B18* —4C **100**
Crackley Way. *Dud* —3C **94**
Craddock Rd. *Smeth* —3C **98**
Craddock St. *Wolv* —5E **27**
Cradley Cft. *B21* —4G **81**
Cradley Fields. *Hale* —6F **111**
Cradley Forge. *Brie H*
—3C **110**
Cradley Heath. —3E 111
Cradley Heath Factory Cen.
Crad H —3E **111**
Cradley Mill. *Brie H* —4B **110**
Cradley Pk. Rd. *Dud* —1E **111**
Cradley Rd. *Crad H* —3E **111**
Cradley Rd. *Dud* —5F **95**
Cradock Rd. *Salt* —4E **103**
Craig Cft. *B37* —1F **123**
Crail Gro. *B43* —1D **66**
Cramlington Rd. *B42* —5C **66**
Cramp Hill. *W'bry* —5D **46**

Cranbourne Av. *Wolv* —2A **60**
Cranbourne Clo. *Redn*
—5G **143**
Cranbourne Gro. *B44* —5A **68**
Cranbourne Pl. *W Brom*
—3B **80**
Cranbourne Rd. *B44* —5A **68**
Cranbourne Rd. *Stourb*
—1E **125**
Cranbrook Ct. W'hall —1C **46**
(off Mill St.)
Cranbrook Gro. *Wolv* —6F **25**
Cranbrook Rd. *B21* —6G **81**
Cranby St. *B8* —4D **102**
Craneberry Rd. *B33 & B37*
—1A **122**
Cranebrook Hill. *Dray B*
—4H **39**
Cranebrook La. *Hltn* —1H **23**
Crane Ct. *Wals* —6E **33**
Crane Dri. *Burn* —1C **10**
Crane Hollow. *Wom* —2E **73**
Cranehouse Rd. *B44* —3B **68**
Cranemoor Clo. *B7* —3C **102**
Crane Rd. *Bils* —2H **61**
Cranesbill Rd. *B29* —1E **145**
Cranes Pk. Rd. *B26* —6G **121**
Crane Ter. *Wolv* —4C **26**
Cranfield Gro. *B26* —3D **120**
Cranfield Pl. *Wals* —1D **64**
Cranford Gro. *Sol* —6E **151**
Cranford Rd. *Wolv* —3A **42**
Cranford St. *Smeth* —4G **99**
Cranford Way. *Smeth* —4G **99**
Cranham Dri. *K'wfrd* —4C **92**
Cranhill Clo. *Sol* —4F **137**
Crankhall La. *W'bry & W Brom*
—2H **63**
Cranleigh Clo. *Wals* —4D **34**
Cranleigh Clo. *W'hall* —6C **18**
Cranleigh Ho. *B23* —1F **85**
Cranleigh Pl. *B44* —2G **83**
Cranley Dri. *Cod* —3F **13**
Cranmer Av. *W'hall* —2D **30**
Cranmere Av. *Wolv* —3G **25**
Cranmere Clo. *C Hay* —4D **6**
Cranmer Gro. *S Cold* —3F **37**
Cranmoor Cres. *Hale* —6A **112**
Cranmore Av. *B21* —2H **99**
Cranmore Av. *Shir* —1C **164**
Cranmore Boulevd. *Shir*
—1B **164**
Cranmore Clo. *Tip* —5A **62**
Cranmore Dri. *Shir* —6C **150**
Cranmore Rd. *B36* —6H **87**
Cranmore Rd. *Shir* —1B **164**
Cranmore Rd. *Wolv* —6D **26**
Cransley Gro. *Sol* —6E **151**
Crantock Clo. *Ess* —6C **18**
Crantock Rd. *B42* —3E **83**
Cranwell Grn. *Wom* —2F **73**
Cranwell Gro. *B24* —4B **86**
Cranwell Way. *B35* —4E **87**
Crathorne Av. *Wolv* —6G **15**
Craufurd Ct. *Stourb* —2E **125**
Craufurd St. *Stourb* —2E **125**
Craven Heights. *H Ard*
—6A **140**
Craven St. *Wolv* —5B **44**
Crawford Av. *Smeth* —5D **98**
Crawford Av. *W'bry* —4C **46**
Crawford Av. *Wolv* —6H **43**
Crawford Rd. *S Cold* —5D **70**
Crawford Rd. *Wolv* —1E **43**
Crawford St. *B8* —4C **102**
Crawley Wlk. *Crad H* —2F **111**

Crawshaws Rd. *B36* —6G **87**
Crayford Rd. *B44* —4A **68**
Craythorne Av. *B20* —2A **82**
Crecy Clo. *S Cold* —1C **70**
Credenda Rd. *W Brom* —6G **79**
Credon Gro. *Edg* —1B **132**
Cregoe St. *B15* —2E **117**
Cremore Av. *B8* —4E **103**
Cremorne Rd. *S Cold* —1H **53**
Crendon Rd. *Row R* —3A **96**
Crescent Av. *Brie H* —1G **109**
Crescent Av. *Hock* —3D **100**
Crescent Rd. *Dud* —4D **94**
Crescent Rd. *W'bry* —5D **46**
Crescent Rd. *W'hall* —1C **46**
Crescent, The. *B43* —2F **67**
(Collingwood Dri.)
Crescent, The. *B43* —4C **66**
(Queslett Rd.)
Crescent, The. *Bils* —5F **45**
Crescent, The. *Birm*[something]
—3G **123**
Crescent, The. *Crad H*
—4A **112**
Crescent, The. *Dud* —3G **77**
Crescent, The. *Gt Wyr* —3G **7**
Crescent, The. *H Ard* —6B **140**
Crescent, The. *Hock* —3D **100**
Crescent, The. *Row R*
—1C **112**
Crescent, The. *Shir* —3G **149**
Crescent, The. *Sol* —3F **151**
Crescent, The. *Stourb*
—1G **125**
Crescent, The. *Wals* —3E **49**
Crescent, The. *Wat O* —4D **88**
Crescent, The. *W'bry* —1G **63**
Crescent, The. *W'hall* —2C **46**
Crescent, The. *Wolv* —6H **25**
Crescent Tower. *B1* —4A **4**
Crescent Wlk. *B1* —5A **4**
Cressage Av. *B31* —6E **145**
Cressett Av. *Brie H* —5F **93**
Cressett La. *Brie H* —5G **93**
Cressington Dri. *S Cold*
—2G **53**
Cresswell Ct. *Pend* —4E **15**
Cresswell Cres. *Wals* —5F **19**
Cresswell Gro. *B24* —3B **86**
Crest, The. *B31* —2F **159**
Crest Vw. *B14* —3B **148**
Crest Vw. *S Cold* —3H **51**
Crestwood Dri. *B44* —6G **67**
Crestwood Glen. *Wolv* —2C **26**
Creswell Rd. *B28* —6H **135**
Creswick Gro. *Redn* —2A **158**
Creynolds Clo. *Shir* —5B **164**
Creynolds La. *Shir* —6B **164**
Cricket Clo. *Wals* —4F **49**
Cricketers Mdw. *Crad H*
—4G **111**
Cricket Mdw. *Dud* —2A **76**
Cricket Mdw. *Wolv* —3H **15**
Cricket St. *W Brom* —6F **63**
Crick La. *B20* —1C **100**
Cricklewood Dri. *Hale*
—2D **128**
Crimmond Ri. *Hale* —6G **111**
Crimscote Gro. *Shir* —3D **164**
Cripps Rd. *Wals* —6E **31**
Criterion Works. *W'hall*
—3B **46**
Crockets Av. *B21* —2H **99**
Crockett's La. *Smeth* —4E **99**
Crocketts Rd. *B21* —2G **99**

Crockett St. *Dud* —5C **76**
Crockford Dri. *S Cold* —6H **37**
Crockford Rd. *W Brom*
—4A **64**
Crockington La. *Seis* —3A **56**
Crocus Cres. *Pend* —4E **15**
Croft Apartments. *W'hall*
(off Croft St.) —1A **46**
Croft Clo. *B25* —3C **120**
Croft Ct. *Cas B* —1F **105**
Croft Cres. *Wals* —6H **9**
Croftdown Rd. *B17* —5D **114**
Cft. Down Rd. *Sol* —1H **137**
Croft Dri. *B26* —3D **120**
Crofters Clo. *Stourb* —1F **125**
Crofters Ct. *B15* —5A **116**
Crofters Wlk. *Wolv* —6C **14**
Croft Gdns. *B36* —1D **104**
Croft Ho. Wals —2D **48**
(off Paddock La.)
Croft Ind. Est. *B37* —1F **123**
Croft Ind. Est. *W'hall* —1A **46**
Croft La. *Wolv* —2C **28**
Croftleigh Gdns. *Sol* —5C **150**
Crofton Common. —2E 159
Crofton Hackett. —6B 158
Croft Pde. *Wals* —3D **34**
Croft Rd. *B26* —3C **120**
Crofts, The. *S Cold* —6E **71**
Croft St. *Wals* —6B **32**
Croft St. *W'hall* —1A **46**
(in two parts)
Croft, The. *B31* —4F **145**
Croft, The. *Dud* —3B **94**
Croft, The. *Sed* —4A **60**
Croft, The. *Wals* —3A **50**
Croft, The. *W'hall* —3D **30**
Croft, The. *Wom* —2D **72**
Croftway, The. *B20* —1A **82**
Croftwood Rd. *Stourb*
—1H **125**
Cromane Sq. *B43* —6A **66**
Cromdale Dri. *Hale* —2F **127**
Cromer Gdns. *Wolv* —4D **26**
Crome Rd. *B43* —2F **67**
Cromer Rd. *B12* —6H **117**
Crompton Av. *Hand* —6E **83**
Crompton Clo. *Wals* —4G **31**
Crompton Rd. *Hand* —6E **83**
Crompton Rd. *Nech* —1C **102**
Crompton Rd. *Redn* —6D **142**
Crompton Rd. *Tip* —3A **78**
Cromwell Clo. *Bntly* —5E **31**
Cromwell Clo. *Row R* —4H **95**
Cromwell Dri. *Dud* —1H **95**
Cromwell La. *B31* —5B **130**
Cromwell Rd. *Wolv* —4A **16**
Cromwell St. *B7* —4B **102**
Cromwell St. *Dud* —1G **95**
Cromwell St. *W Brom* —3A **80**
Crondal Pl. *B15* —4D **116**
Cronehills Linkway. *W Brom*
—3B **80**
Cronehills St. *W Brom* —4B **80**
Cronehills, The. —4A 80
Crooked Ho. La. *Dud* —5D **74**
Crookham Clo. *B17* —4D **114**
Crookhay La. *W Brom* —5G **63**
Crook La. *Wals* —4C **50**
Croome Clo. *S'hll* —2B **134**
Cropredy Rd. *B31* —1E **159**
Cropthorne Dri. *H'wd* —2B **162**
Cropthorne Rd. *Shir* —4A **150**
Crosbie Rd. *B17* —5F **115**
Crosby Clo. *B1* —6D **100**
Crosby Clo. *Wolv* —4D **26**

Cross Clo. *Crad H* —1H **111**
Cross Farm Rd. *B17* —1G **131**
Cross Farms La. *Redn*
—6F **143**
Crossfield Rd. *B33* —5F **105**
Crossgate Rd. *Dud* —3B **94**
Crossings Ind. Est., The. *Wals*
—1G **31**
Crosskey Clo. *B33* —1A **122**
Crossland Cres. *Wolv* —3D **26**
Crossland Rd. *B31* —3D **144**
Cross La. *B43* —4A **66**
Cross La. *Dud* —5H **59**
Cross La. *Wtgtn* —1E **37**
Crossley St. *Dud* —5F **95**
Cross Pl. *Dud* —4A **60**
Cross St. *B21* —1G **99**
Cross St. *Bils* —3G **61**
(in two parts)
Cross St. *C Hay* —3D **6**
Cross St. *Dud* —6E **77**
Cross St. *Hale* —2A **128**
Cross St. *K'wfrd* —1H **91**
Cross St. *O'bry* —5G **97**
Cross St. *Pels* —6E **21**
Cross St. *Row R* —2C **112**
Cross St. *Smeth* —3E **99**
Cross St. *Stourb* —6C **108**
Cross St. *W'bry* —4D **46**
(Blockhall)
Cross St. *W'bry* —2E **63**
(Meeting Rd.)
Cross St. *W'hall* —2A **46**
Cross St. *Wolv* —2B **44**
Cross St. *Word* —6B **92**
Cross St. N. *Wolv* —6H **27**
Cross St. S. *Wolv* —4G **43**
Cross, The. *K'wfrd* —3B **92**
Cross Wlk. *Tiv* —1C **96**
Cross Walks Rd. *Stourb*
—6A **110**
Crossway La. *B44* —1H **83**
Crossways Ct. *B44* —6B **68**
Crossways Grn. *B44* —6B **68**
Crosswells Rd. *O'bry* —4H **97**
Crowberry Clo. *Clay* —1H **21**
Crowesbridge M. *Bils* —5D **60**
Crowhurst Rd. *B31* —2C **158**
Crownall Av. *Wolv* —5E **25**
Crowle Dri. *Stourb* —6G **109**
Crown Av. *B20* —5F **83**
Crown Cen., The. *Stourb*
—6E **109**
Crown Clo. *Dud* —4H **59**
Crown Clo. *Row R* —5D **96**
Crown Ct. *W'bry* —3C **46**
Crown La. *Iver* —6A **124**
Crown La. *Stourb* —6D **108**
Crown La. *S Cold* —6E **37**
Crownmeadow Dri. *Tip*
—6D **62**
Crown Rd. *B9* —1D **118**
Crown Rd. *B30* —3C **146**
Crown St. *Wolv* —5H **27**
Crown Wlk. *Tip* —5A **78**
Crows Nest Clo. *S Cold*
—2D **70**
Crowther Gdns. *Hale* —4E **111**
Crowther Gro. *Wolv* —5D **26**
Crowther Rd. *B23* —2C **84**
Crowther Rd. *Wolv* —5C **26**
Crowther St. *Wolv* —5A **28**
Croxall Way. *Smeth* —4F **99**
Croxdene Av. *Wals* —6F **19**
(in two parts)
Croxley Gdns. *W'hall* —3H **45**

Croxstalls Av. *Wals* —1G **31**
Croxstalls Clo. *Wals* —6G **19**
Croxstalls Pl. *Wals* —1G **31**
Croxstalls Rd. *Wals* —6G **19**
Croxton Gro. *B33* —5E **105**
Croyde Av. *B42* —6C **66**
Croydon Rd. *B'brk* —2B **132**
Croydon Rd. *Erd* —6F **85**
Croy Dri. *B35* —3F **87**
Crusader Clo. *O'bry* —4E **97**
Crychan Clo. *Redn* —5H **143**
Cryersoak Clo. *Shir* —2F **165**
Crystal Av. *Stourb* —2D **108**
Crystal Dri. *Smeth* —1A **98**
Crystal Ho. *Smeth* —3F **99**
Cubley Rd. *B28* —4E **135**
Cuckoo Rd. *B6 & B7* —1C **102**
Cuin Dri. *Smeth* —4G **99**
Cuin Rd. *Smeth* —4G **99**
Cuin Wlk. *Smeth* —4G **99**
(off Cuin Rd.)
Culey Gro. *B33* —1H **121**
Culey Wlk. *B37* —1F **123**
Culford Dri. *B32* —5A **130**
Culham Clo. *B27* —3B **136**
Cullwick St. *Wolv* —4C **44**
Culmington Rd. *B31* —1D **158**
Culmore Clo. *W'hall* —5D **30**
Culmore Rd. *Hale* —2E **113**
Culverhouse Dri. *Brie H*
—2E **109**
Culverley Cres. *Know* —3B **166**
Culvert Way. *Smeth* —2B **98**
Culwell Ind. Est. *Wolv* —5B **28**
Culwell St. *Wolv*
—6H **27** (1D **170**)
Cumberford Av. *B33* —2A **122**
Cumberland Av. *B5* —4G **117**
Cumberland Clo. *K'wfrd*
—5C **92**
Cumberland Ho. *Wolv* —5G **27**
(off Lomas St.)
Cumberland Rd. *Bils* —4F **45**
Cumberland Rd. *O'bry*
—4H **113**
Cumberland Rd. *W Brom*
—1B **80**
Cumberland Rd. *W'hall*
—1D **46**
Cumberland St. *B1*
—1E **117** (5A **4**)
Cumberland St. N. *B1*
—1D **116** (5A **4**)
Cumberland Wlk. *S Cold*
—6F **55**
Cumbrian Cft. *Hale* —3F **127**
Cumbria Way. *Salt* —3D **102**
Cunningham Rd. *Pert* —5E **25**
Cunningham Rd. *Wals* —1E **47**
Cupfields Av. *Tip* —5B **62**
Cupfields Cres. *Tip* —6C **62**
Curbar Rd. *B42* —1E **83**
Curdale Rd. *B32* —5H **129**
Curdworth. —1D 88
Curlews Clo. *B23* —5C **68**
Curral Rd. *Row R* —6C **96**
Curtin Dri. *W'bry* —1B **62**
Curtis Clo. *Smeth* —5G **99**
Curzon Circ. *B4* —6A **102**
Curzon St. *B4* —6H **101** (3H **5**)
Curzon St. *Wolv* —4H **43**
Cuthbert Rd. *B18* —5A **100**
Cutlers Rough Clo. *B31*
—2D **144**
Cutler St. *Smeth* —3F **99**
Cutsdean Clo. *B31* —1D **144**

Cutshill Clo. *B36* —1G **105**
Cutting, The. *Wals* —6D **32**
Cuttle Pool La. *Know* —5H **167**
Cutworth Clo. *S Cold* —2E **71**
Cwerne Ct. *Dud* —4G **75**
Cygnet Clo. *Wolv* —1A **42**
Cygnet Gro. *B23* —1A **84**
Cygnet La. *Pens* —2G **93**
Cygnet Rd. *W Brom* —2G **79**
Cygnus Bus. Pk. Ind. Cen.
W Brom —1F **79**
Cygnus Way. *W Brom* —2F **79**
Cypress Av. *Dud* —2H **75**
Cypress Gdns. *K'wfrd* —5A **92**
Cypress Gdns. *Wals* —1G **65**
Cypress Gro. *B31* —6C **144**
Cypress Rd. *Dud* —6H **77**
Cypress Rd. *Wals* —1G **65**
Cypress Sq. *B27* —6A **120**
Cypress Way. *B31* —1D **158**
Cyprus Clo. *B29* —6E **131**
Cyprus St. *O'bry* —1G **97**
(in two parts)
Cyprus St. *Wolv* —5G **43**
Cyril Rd. *B10* —3D **118**

Dacer Clo. *B30* —2D **146**
Dadford Vw. *Brie H* —1F **109**
Dad's La. *B13* —4E **133**
Daffodil Clo. *Dud* —6A **60**
Daffodil Pl. *Wals* —3H **49**
Daffodil Rd. *Wals* —3H **49**
Daffodil Way. *B31* —6C **144**
Dagger La. *W Brom* —3C **80**
Dagnall Rd. *B27* —2B **136**
Daimler Clo. *B36* —6B **88**
Daimler Rd. *B14* —4D **148**
Dainton Gro. *B32* —4A **130**
Dairy Clo. *Tip* —2B **78**
Dairy Ct. *O'bry* —4B **114**
Daisy Bank. —3A 50
Daisy Bank Clo. *Wals* —5F **21**
Daisy Bank Cres. *Wals* —3H **49**
Daisy Dri. *Erd* —2A **84**
Daisy Farm Rd. *B14* —5B **148**
Daisy Mdw. *Tip* —1C **78**
Daisy Rd. *B16* —1B **116**
Daisy St. *Bils* —3F **61**
Daisy Wlk. *Pend* —4E **15**
Dalbeg Clo. *Wolv* —1C **26**
Dalbury Rd. *B28* —2E **149**
Dalby Rd. *Wals* —3D **32**
Dale Clo. *B43* —4H **65**
Dale Clo. *Smeth* —6E **99**
Dale Clo. *Tip* —2D **78**
Dalecote Av. *Sol* —5A **138**
Dale End. *B4* —6G **101** (4F **5**)
Dale End. *W'bry* —4D **46**
(in two parts)
Dale Mdw. Clo. *Bal C* —3H **169**
Dale Rd. *B29* —2A **132**
Dale Rd. *Hale* —4E **113**
Dale Rd. *Stourb* —3D **124**
Dales Clo. *Wolv* —3F **27**
Dales La. *Wals* —4G **33**
Dalesman Clo. *K'wfrd* —2H **91**
Dale St. *Bils* —6H **45**
Dale St. *Smeth* —6E **99**
Dale St. *Tip* —1D **78**
Dale St. *Wals* —4B **48**
(in two parts)
Dale St. *W'bry* —2E **63**
Dale St. *Wolv* —2F **43**
Dale Ter. *Tiv* —1C **96**
Daleview Rd. *B14* —3C **148**

Dale Wlk. *B25* —4H **119**
Dalewood Cft. *B26* —5D **120**
Dalewood Rd. *B37* —4B **106**
Daley Clo. *B1* —6D **100**
Daley Rd. *Bils* —3H **61**
Dalkeith Rd. *S Cold* —3D **68**
Dalkeith St. *Wals* —6A **32**
Dallas Rd. *B23* —3C **84**
Dallimore Clo. *Sol* —2D **136**
Dalloway Clo. *B5* —5F **117**
Dalston Clo. *Dud* —3F **95**
Dalston Rd. *B27* —1A **136**
Dalton Ct. *B23* —3B **84**
Dalton Rd. *Wals* —6G **31**
Dalton St. *B4* —6G **101** (3F **5**)
Dalton St. *Wolv* —3F **43**
Dalton Tower. *B4* —1G **5**
Dalton Way. *B4*
　　—6G **101** (3E **5**)
Dalvine Rd. *Dud* —1D **110**
Dalwood Clo. *Bils* —6D **60**
Damar Cft. *B14* —3F **147**
Damian Clo. *Smeth* —4D **98**
Damson La. *Sol* —2A **152**
Damson Parkway. *Sol*
　　—2B **138**
Danbury Clo. *S Cold* —3E **71**
Danbury Rd. *Shir* —5H **149**
Danby Gro. *B24* —5H **85**
Dando Rd. *Dud* —1F **95**
Dandy Bank Rd. *K'wfrd*
　　—1E **93**
Dandy's Wlk. *Wals* —2D **48**
Dane Gro. *B13* —5F **133**
Danehill Wlk. *Wolv* —1D **26**
Danesbury Cres. *B44* —5A **68**
Danes Clo. *Ess* —3H **17**
Danescourt Rd. *Wolv* —3A **26**
Daneswood Dri. *Wals* —4B **22**
Dane Ter. *Row R* —4C **96**
Daneways Clo. *S Cold* —3A **52**
Danford Clo. *Stourb* —1E **125**
Danford Gdns. *B10* —3C **118**
Danford La. *Sol* —4C **150**
Danford Rd. *H'wd* —3H **161**
Danford Way. *B43* —5H **65**
Dangerfield Ho. *W Brom*
　　—6C **80**
Dangerfield La. *W'bry* —5E **35**
Daniels La. *Wals* —5E **35**
Daniels Rd. *B9* —1G **119**
Danks St. *Tip* —5A **78**
Danzey Grn. Rd. *B36* —6F **87**
Danzey Gro. *B14* —4E **147**
Darby Clo. *Bils* —3C **60**
Darby End. —5G 95
Darby End Rd. *Dud* —5G **95**
Darby Ho. Wals —4A **48**
(off Caledon St.)
Darby Rd. *O'bry* —4A **98**
Darby Rd. *W'bry* —2H **63**
Darby's Hill Rd. *Tiv* —1A **96**
Darby St. *Row R* —2C **112**
Darell Cft. *S Cold* —2C **70**
Daren Clo. *B36* —1B **106**
Dare Rd. *B23* —3E **85**
Darfield Wlk. *B12* —3H **117**
Darges La. *Wals* —1F **7**
Darkhouse La. *Bils* —3E **61**
Darkies, The. *N'fld* —4F **145**
(in two parts)
Dark La. *K Nor & H'wd*
　　—2E **161**
Dark La. *Rom* —3A **142**
Dark La. *Wals* —4A **8**
Darlaston. —5D 46

Darlaston Central Trad. Est.
　　W'bry —4E **47**
Darlaston Green. —3D 46
Darlaston La. *Bils* —4A **46**
Darlaston Rd. *Wals* —4F **47**
Darlaston Rd. *W'bry* —5D **46**
Darlaston Rd. Ind. Est. *W'bry*
　　—6D **46**
Darlaston Row. *Mer* —4H **141**
Darley Av. *B34* —3D **104**
Darleydale Av. *B44* —4G **67**
Darley Dri. *Wolv* —4F **27**
Darley Ho. *O'bry* —3D **96**
Darley Mead Ct. *Sol* —3A **152**
Darley Way. *S Cold* —4A **52**
Darlington St. *W'bry* —1D **62**
Darlington St. *Wolv* —1F **43**
Darlington Yd. *Wolv*
　　—1G **43** (3A **170**)
Darnel Cft. *B10* —2B **118**
Darnel Hurst Rd. *S Cold*
　　—6A **38**
Darnford Clo. *B28* —2G **149**
Darnford Clo. *S Cold* —6B **70**
Darnick Rd. *S Cold* —2D **68**
Darnley Rd. *B16* —1C **116**
Darris Rd. *B29* —5C **132**
Dartford Rd. *Wals* —6F **19**
Dartmoor Clo. *Redn* —5G **143**
Dartmouth Av. *Stourb* —5B **92**
Dartmouth Av. *Wals* —4C **32**
Dartmouth Av. *W'hall* —1A **46**
Dartmouth Cir. *B6* —4H **101**
Dartmouth Clo. *Wals* —4C **32**
Dartmouth Cres. *Bils* —4A **46**
Dartmouth Dri. *Wals* —4B **34**
Dartmouth Middleway. *B6 &*
　　B7 —4H **101** (1H **5**)
Dartmouth Pl. *Wals* —3D **32**
Dartmouth Rd. *Oak* —3B **132**
Dartmouth Rd. *Smeth* —1D **98**
Dartmouth Sq. *W Brom*
　　—5B **80**
Dartmouth St. *W Brom*
　　—4H **79**
Dartmouth St. *Wolv* —3H **43**
Dart St. *B9* —2B **118**
Darvel Rd. *W'hall* —5D **30**
Darwall St. *Wals* —1C **48**
Darwin Ct. *Wolv* —5E **25**
Darwin Ho. *B37* —2D **122**
Darwin Pl. *Wals* —3H **31**
Darwin Rd. *Wals* —4H **31**
Darwin St. *B12* —3H **117**
(in two parts)
Dassett Gro. *B9* —1A **120**
Dassett Rd. *Ben H* —5B **166**
Dauntsey Covert. *B14*
　　—5F **147**
Davena Dri. *B29* —3C **130**
Davena Gro. *Bils* —2F **61**
Davenport Dri. *B35* —4G **87**
Davenport Rd. *Tett* —4H **25**
Davenport Rd. *Wed* —3G **29**
Daventry Gro. *B32* —5B **114**
Davey Rd. *B20* —6G **83**
Davey Rd. *W Brom* —2G **79**
David Cox Tower. *B31*
　　—6D **130**
David Peacock Clo. *Tip*
　　—2A **78**
David Rd. *B20* —5D **82**
David Rd. *Tip* —6A **62**
Davids, The. *B31* —1G **145**
Davies Av. *Bils* —2F **61**
Davies Ho. *Blox* —5H **19**

Davis Av. *Tip* —3G **77**
Davis Gro. *B25* —5B **120**
Davis Ho. *O'bry* —2G **97**
Davison Rd. *Smeth* —6D **98**
Davis Rd. *W'hall* —1D **30**
Davy Rd. *Wals* —4G **31**
Dawberry Clo. *B14* —2F **147**
Dawberry Fields Rd. *B14*
　　—2E **147**
Dawberry Rd. *B14* —2E **147**
Daw End. —3G 33
Daw End La. *Wals* —3G **33**
Daw End La. *Wals* —2F **33**
Dawes Av. *W Brom* —6A **80**
Dawes La. *Wals* —4C **10**
Dawley Brook Rd. *K'wfrd*
　　—2B **92**
Dawley Clo. *Wals* —4H **47**
Dawley Cres. *B37* —2D **122**
Dawley Rd. *K'wfrd* —1A **92**
Dawley Trad. Est. *K'wfrd*
　　—1B **92**
Dawlish Rd. *B29* —2B **132**
Dawlish Rd. *Dud* —1D **76**
Dawlish Rd. *Smeth* —4F **99**
Dawn Dri. *Tip* —3C **62**
Dawney Dri. *S Cold* —5G **37**
Dawn Rd. *B31* —1C **144**
Dawson Av. *Bils* —3D **60**
Dawson Rd. *B21* —1A **100**
Dawson Sq. *Bils* —6E **45**
Dawson St. *Smeth* —6E **99**
Dawson St. *Wals* —1B **32**
Day Av. *Wolv* —2G **29**
Day Ho. *Tip* —5C **62**
Dayhouse Bank. —6A 142
Dayhouse Bank. *Rom*
　　—6B **142**
Daylesford Rd. *Sol* —2E **137**
Day St. *Wals* —6C **32**
Deakin Av. *Wals* —4B **10**
Deakin Rd. *B24* —4F **85**
Deakin Rd. *S Cold* —4C **54**
Deakins Rd. *B25* —4H **119**
Deal Dri. *Tiv* —6A **78**
Deal Gro. *B31* —3E **145**
Deanbrook Clo. *Shir* —3E **165**
Dean Clo. *B44* —5B **68**
Dean Clo. *Stourb* —6F **109**
Dean Clo. *S Cold* —6A **70**
Dean Ct. Brie H —1H 109
(off Promenade, The)
Dean Ct. *Pert* —3E **25**
Deanery Row. *Wolv*
　　—6G **27** (1B **170**)
Dean Rd. *B23* —2F **85**
Dean Rd. *Wals* —2G **33**
Dean Rd. *Wom* —2F **73**
Deans Bank Cen., The. *Wals*
　　—3B **48**
Deansfield Rd. *Wolv* —1C **44**
Deans Pl. *Wals* —3D **32**
Dean's Rd. *Wolv* —6C **28**
Dean St. *B5* —2G **117** (6F **5**)
Dean St. *Dud* —5H **59**
Dearman Rd. *B11* —4B **118**
Dearmont Rd. *B31* —2C **158**
Dearne Ct. *Dud* —1C **76**
Debdale Clo. *Sol* —2H **151**
Debden Clo. *Dorr* —6F **167**
Debenham Cres. *B25* —2B **120**
Debenham Rd. *B25* —2B **120**
Deblen Dri. *B16* —2H **115**
Deborah Clo. *Wolv* —5G **43**
Dee Gro. *B38* —1A **160**
Deelands Rd. *Redn* —1F **157**

Deeley Clo. *B15* —4E **117**
Deeley Clo. *Crad H* —4G **111**
Deeley Dri. *Tip* —1C **78**
Deeley Pl. *Wals* —1H **31**
Deeley St. *Brie H* —2A **110**
Deeley St. *Wals* —1H **31**
Deepdale Av. *B26* —1F **137**
Deepdale La. *Dud* —4A **76**
Deepdales. *Wom* —1E **73**
Deepfields. —3D 60
Deeplow Clo. *S Cold* —1A **70**
Deepmoor Rd. *B33* —6D **104**
Deepmore Av. *Wals* —6H **31**
Deepwood Clo. *Wals* —1F **33**
Deepwood Gro. *B32* —5H **129**
Deerham Clo. *B23* —6D **68**
Deerhurst Ct. *Sol* —3H **151**
Deerhurst Rd. *B20* —2B **82**
Dee Rd. *Wals* —6C **20**
Deer Pk. Way. *Sol* —6G **151**
Deer Wlk. *Wolv* —5D **14**
Dee Wlk. *B36* —1C **106**
(in two parts)
Defford Av. *Wals* —6G **21**
Defford Dri. *O'bry* —5H **97**
Deighton Rd. *Wals* —1F **65**
Delamere Clo. *B36* —6H **87**
Delamere Dri. *Wals* —2G **65**
Delamere Rd. *B28* —6F **135**
Delamere Rd. *W'hall* —2C **30**
Delancey Keep. *S Cold* —6E **55**
Delhurst Rd. *B44* —4F **67**
Delhurst Rd. *Wolv* —2A **60**
Della Dri. *B29* —5B **130**
Dellows Clo. *B38* —2H **159**
Dell Rd. *B30* —2C **146**
Dell Rd. *Brie H* —4F **93**
Dell, The. *B36* —6B **88**
Dell, The. *N'fld* —1B **144**
Dell, The. *Sol* —4E **137**
Dell, The. *Stourb* —5C **108**
Dell, The. *S Cold* —3G **53**
Delmore Way. *Min* —1F **87**
Delph Dri. *Brie H* —4A **110**
Delphinium Clo. *B9* —6F **103**
Delph La. *Brie H* —3H **109**
Delph Rd. *Brie H* —2G **109**
Delph Rd. Ind. Est. *Brie H*
　　—2G **109**
Delrene Rd. *Hall G & Shir*
　　—4F **149**
Delves Cres. *Wals* —6E **49**
Delves Grn. Rd. *Wals* —5E **49**
Delves Rd. *Wals* —4D **48**
Delville Clo. *W'bry* —1F **63**
Delville Rd. *W'bry* —1F **63**
Delville Ter. *W'bry* —1F **63**
De Marnham Clo. *W Brom*
　　—6C **80**
De Montfort Ho. *B37* —4B **106**
De Moram Gro. *Sol* —6B **138**
Demuth Way. *O'bry* —3F **97**
Denaby Gro. *B14* —3D **148**
Denbigh Clo. *Dud* —1B **76**
Denbigh Cres. *W Brom*
　　—1H **79**
Denbigh Dri. *W'bry* —1B **64**
Denbigh Dri. *W Brom* —6G **63**
Denbigh Rd. *Tip* —2C **78**
Denbigh St. *B9* —1D **118**
Denby Clo. *B7* —4B **102**
Denby Cft. *Shir* —3F **165**
Dencer Clo. *Redn* —1G **157**

Dencil Clo. *Hale* —6F **111**
Dene Av. *K'wfrd* —5A **92**
Dene Ct. Rd. *Sol* —4D **136**
Denegate Clo. *Min* —1E **87**
Dene Hollow. *B13* —1C **148**
Dene Rd. *Stourb* —2D **124**
Dene Rd. *Wolv* —1F **57**
Denewood Av. *B20* —5C **82**
Denford Gro. *B14* —2F **147**
Dengate Dri. *Bal C* —2H **169**
Denham Ct. B23 —*5C* ***84***
  (off Park App.)
Denham Gdns. *Wolv* —3H **41**
Denham Rd. *B27* —6H **119**
Denholme Gro. *B14* —4A **148**
Denholm Rd. *S Cold* —2D **68**
Denise Dri. *Bils* —5D **60**
Denise Dri. *Harb* —1G **131**
Denise Dri. *K'hrst* —5B **106**
Denleigh Rd. *K'wfrd* —5D **92**
Denmark Clo. *Wolv* —5E **27**
Denmead Dri. *Wolv* —1H **29**
Denmore Gdns. *Wolv* —1D **44**
Dennis Hall Rd. *Stourb*
  —3E **109**
Dennis Rd. *B12* —1B **134**
Dennis St. *Stourb* —3D **108**
Denshaw Rd. *B14* —1F **147**
Denton Cft. *Dorr* —6H **165**
Denton Gro. *Gt Barr* —6H **65**
Denton Gro. *Stech* —1B **120**
Denton Rd. *Stourb* —1C **126**
Denver Rd. *B14* —5A **148**
Denville Clo. *Bils* —4G **45**
Denville Cres. *B9* —6H **103**
Derby Av. *Wolv* —2C **26**
Derby Dri. *B37* —1D **122**
Derby St. *B9* —1A **118**
Derby St. *Wals* —5B **32**
Dereham Clo. *B8* —5D **102**
Dereham Wlk. *Bils* —3G **61**
Dereton Clo. *Dud* —1A **94**
Deritend. —2A 118 (6H 5)
Derron Av. *B26* —6C **120**
Derry Clo. *B17* —2E **131**
Derrydown Clo. *B23* —4E **85**
Derrydown Rd. *B42* —2D **82**
Derry St. *Brie H* —1H **109**
Derry St. *Wolv* —3H **43**
Derwent Clo. *Brie H* —3E **93**
Derwent Clo. *S Cold* —1H **51**
Derwent Clo. *W'hall* —1C **46**
Derwent Gro. *B30* —5E **133**
Derwent Ho. *B17* —6H **115**
Derwent Ho. *O'bry* —4D **96**
Derwent Rd. *B30* —5E **133**
Derwent Rd. *Wolv* —1B **26**
Desford Av. *B42* —6E **67**
Dettonford Rd. *B32* —5H **129**
Devereux Clo. *B36* —1G **105**
Devereux Rd. *S Cold* —2A **54**
Devereux Rd. *W Brom* —6C **80**
Devey Dri. *Tip* —1D **78**
Devil's Elbow La. *Wolv*
  —2G **29**
Devine Cft. *Tip* —2A **78**
Devitts Clo. *Shir* —2D **164**
Devon Clo. *B20* —5B **82**
Devon Cres. *Dud* —2B **94**
Devon Cres. *Wals* —6C **22**
Devon Cres. *W Brom* —1A **80**
Devon Ho. *B31* —5A **144**
Devon Rd. *Redn* —5E **143**
Devon Rd. *Smeth* —4C **114**
Devon Rd. *Stourb* —4C **108**
Devon Rd. *W'bry* —1A **64**

Devon Rd. *W'hall* —1D **46**
Devon Rd. *Wolv* —6F **27**
Devonshire Av. *B18* —3D **100**
Devonshire Ct. *S Cold* —1F **53**
Devonshire Dri. *W Brom*
  —4C **80**
Devonshire Rd. *B20* —5B **82**
Devonshire Rd. *Smeth* —3C **98**
Devonshire St. *B18* —3D **100**
Devon St. *B7* —5C **102**
Devoran Clo. *Wolv* —5F **27**
Dewberry Dri. *Wals* —2E **65**
Dewberry Rd. *Stourb* —2D **108**
Dewhurst Cft. *B33* —6F **105**
Dewsbury Clo. *Stourb* —6C **92**
Dewsbury Dri. *Wolv* —2E **59**
Dewsbury Gro. *B42* —2E **83**
Deykin Av. *B6* —5A **84**
Deyncourt Rd. *Wolv* —2C **28**
Dial Clo. *B14* —5G **147**
Dial La. *Stourb* —3C **108**
Dial La. *W Brom* —1F **79**
Diamond Pk. Dri. *Stourb*
  —2C **108**
Diana Clo. *Wals W* —4D **22**
Diane Clo. *Tip* —3B **62**
Dibble Clo. *W'hall* —4D **30**
Dibble Rd. *Smeth* —3D **98**
Dibdale Rd. *Dud* —4A **76**
Dibdale Rd. W. *Dud* —4A **76**
Dibdale St. *Dud* —5B **76**
Dice Pleck. *B31* —5G **145**
Dickens Clo. *Dud* —2F **75**
Dickens Gro. *B14* —4A **148**
Dickens Heath. —4F 163
Dickens Heath Rd. *Tid G &
  Shir* —5E **163**
Dickens Rd. *Bils* —3F **61**
Dickens Rd. *Wolv* —1C **28**
Dickinson Av. *Wolv* —1A **28**
Dickinson Dri. *S Cold* —1C **70**
Dickinson Dri. *Wals* —5A **48**
Dickinson Rd. *Wom* —3G **73**
Dick Sheppard Av. *Tip* —5B **62**
Diddington Av. *B28* —2G **149**
Diddington La. *H Ard* —5C **140**
Didgley Gro. *B37* —4C **106**
Digbeth. —2H 117 (6G 5)
Digbeth. *B5* —2H **117** (5F **5**)
Digbeth. *Wals* —2C **48**
Digby Cres. *Wat O* —4D **88**
Digby Dri. *B37* —5C **122**
Digby Ho. *B37* —5B **106**
Digby Rd. *Col* —3H **107**
Digby Rd. *K'wfrd* —1B **92**
Digby Rd. *S Cold* —1G **69**
Digby Wlk. *B33* —3G **121**
Dilke Rd. *Wals* —4B **34**
Dilliars Wlk. *W Brom* —2G **79**
Dillington Ho. *B37* —1D **122**
Dilloway's La. *W'hall* —2G **45**
Dimmingsdale Bank. *B32*
  —1A **130**
Dimmingsdale Rd. *Wolv*
  —6E **41**
Dimminsdale. *W'hall* —2A **46**
Dimmocks Av. *Bils* —5F **61**
Dimmock St. *Wolv* —6A **44**
Dimsdale Gro. *B31* —4C **144**
Dimsdale Rd. *B31* —4B **144**
Dingle Av. *Crad H* —3G **111**
Dingle Clo. *B30* —6H **131**
Dingle Clo. *Dud* —2G **95**
Dingle Ct. *O'bry* —1E **97**
Dingle Ct. *Sol* —6D **150**
Dingle Hollow. *O'bry* —1D **96**

Dingle La. *Sol* —5D **150**
Dingle La. *W'hall* —5A **30**
Dingle Mead. *B14* —3E **147**
Dingle Rd. *Dud* —2G **95**
Dingle Rd. *K'wfrd* —5E **93**
Dingle Rd. *Wom* —1F **73**
Dingle Rd. *Wals* —1A **22**
Dingle St. *O'bry* —1D **96**
Dingle, The. *O'bry* —1D **96**
Dingle, The. *S Oak* —3A **132**
Dingle, The. *Shir* —4B **164**
Dingle, The. *Wolv* —2B **42**
Dingle Vw. *Dud* —1G **75**
Dingley Rd. *W'bry* —6G **47**
Dingleys Pas. *B2*
  —6G **101** (4F **5**)
Dinham Gdns. *Dud* —4A **76**
Dinmore Av. *B31* —3F **145**
Dinsdale Wlk. *Wolv* —4E **27**
Dippons Dri. *Wolv* —6G **25**
Dippons La. *Wergs* —3F **25**
Dippons La. *Wolv* —3E **25**
Dippons Mill Clo. *Wolv*
  —6G **25**
Dirtyfoot La. *Wolv* —6G **41**
Discovery Clo. *Tip* —2C **78**
Ditch, The. *Wals* —2D **48**
Ditton Gro. *B31* —3D **158**
Dixon Clo. *B35* —5E **87**
Dixon Clo. *Tip* —1C **78**
Dixon Rd. *B10* —3B **118**
Dixon's Green. —2G 95
Dixon's Grn. Ct. Dud —1G ***95***
  (off Dixon's Grn.)
Dixon's Grn. Rd. *Dud* —1F **95**
Dixon St. *Wolv* —5A **44**
Dobbins Oak Rd. *Stourb*
  —4H **125**
Dobbs Mill Clo. *B29* —3D **132**
Dobbs St. *Wolv*
  —3G **43** (6B **170**)
Dockar Rd. *B31* —5C **144**
Dockers Clo. *Bal C* —2H **169**
Dock La. Dud —6D **76**
Dock La. Ind. Est. Dud
  (off Dock La.) —6D ***76***
Dock Mdw. Dri. *Wolv* —1C **60**
Dock Rd. *Stourb* —1D **108**
Dock, The. *Stourb* —6B **110**
Doctors Hill. *Stourb* —2G **125**
Doctors La. *K'wfrd* —4F **91**
Doctor's Piece. *W'hall* —1B **46**
Doddington Gro. *B32* —5H **129**
Dodford Clo. *Redn* —2F **157**
Doe Bank. —3H 53
Doe Bank Ct. *S Cold* —3H **53**
Doe Bank La. *Wals & B43*
  —5E **51**
Doe Bank Rd. *Tip* —4C **62**
Dogge La. Cft. *B27* —3H **135**
Dogkennel La. *Hale* —2B **128**
Dogkennel La. *O'bry* —4A **98**
Dog Kennel La. *Shir* —2A **164**
Dog Kennel La. *Wals* —1D **48**
Dogpool La. *B30* —4D **132**
Doidge Rd. *B23* —4D **84**
Dollery Dri. *B5* —6E **117**
Dollis Gro. *B44* —2H **67**
Dollman St. *B7* —6B **102**
Dolman Rd. *B6* —1G **101**
Dolobran Rd. *B11* —4B **118**
Dolphin Clo. *Wals* —6D **20**
Dolphin Ho. *Wals* —1D **32**
Dolphin La. *B27* —4H **135**
  (in two parts)

Dolphin Rd. *B11* —6D **118**
Dolton Way. *Tip* —1G **77**
Dominic Dri. *B30* —3H **145**
Doncaster Way. *B36* —1A **104**
Don Clo. *B15* —3H **115**
Donegal Rd. *S Cold* —6H **51**
Donibristle Cft. *B35* —3E **87**
Dooley Clo. *W'hall* —1G **45**
Doran Clo. *Hale* —4F **127**
Doranda Way. *W Brom*
  —6D **80**
Dora Rd. *Hand* —2A **100**
Dora Rd. *Small H* —3E **119**
Dora Rd. *W Brom* —6A **80**
Dora St. *Wals* —4H **47**
Dorchester Clo. *W'hall* —1C **30**
Dorchester Ct. *Sol* —3E **151**
Dorchester Dri. *B17* —1F **131**
Dorchester Rd. *Sol* —3E **151**
Dorchester Rd. *Stourb*
  —3H **125**
Dorchester Rd. *W'hall* —1C **30**
Dordon Clo. *Shir* —6E **149**
Doreen Gro. *B24* —5H **85**
Doris Rd. *Bord G* —1C **118**
Doris Rd. *Col* —1H **107**
Doris Rd. *S'hll* —1B **134**
Dorking Gro. *B15* —2E **117**
Dorlcote Rd. *B8* —5G **103**
Dormie Clo. *B38* —6H **145**
Dormington Rd. *B44* —2G **67**
Dormston Clo. *Sol* —2G **165**
Dormston Dri. *B29* —3D **130**
Dormston Dri. *Dud* —5A **60**
Dormston Trad. Est. *Dud*
  —3A **76**
Dormy Dri. *B31* —2E **159**
Dorncliffe Av. *B33* —4H **121**
Dornie Dri. *B38* —6B **146**
Dornton Rd. *B30* —5E **133**
Dorothy Gdns. *Hand* —5C **82**
Dorothy Rd. *B11* —6H **119**
Dorothy Rd. *Smeth* —6E **99**
Dorothy St. *Wals* —4B **48**
Dorridge. —6C 166
Dorridge Cft. *Dorr* —6G **167**
Dorridge Rd. *Dorr* —6H **167**
Dorrington Grn. *B42* —2C **82**
Dorrington Rd. *B42* —1C **82**
Dorset Clo. *Redn* —5F **143**
Dorset Cotts. *B30* —1C **146**
Dorset Dri. *Wals* —6C **22**
Dorset Rd. *B17* —6F **99**
Dorset Rd. *Stourb* —4B **108**
Dorset Tower. *Hock* —5D **100**
Dorsett Pl. *Wals* —2A **32**
Dorsett Rd. *Darl* —5C **46**
Dorsett Rd. *W'bry* —3B **64**
Dorsett Rd. Ter. *W'bry* —5C **46**
Dorset Way. *Salt* —3D **102**
Dorsheath Gdns. *B23* —3F **85**
Dorsington Rd. *B27* —4B **136**
Dorstone Covert. *B14* —5E **147**
Dorville Clo. *B38* —1H **159**
Douay Rd. *B23 & B24* —1H **85**
Double Row. *Dud* —5G **95**
Doughty St. *Tip* —2C **78**
Douglas Av. *B36* —3B **104**
Douglas Av. *O'bry* —4B **98**
Douglas Davies Clo. *W'hall*
  —5C **30**
Douglas Pl. *Wolv* —3G **27**
Douglas Rd. *A Grn* —1H **135**
Douglas Rd. *Bils* —5F **61**
Douglas Rd. *Dud* —1F **95**
Douglas Rd. *Hale* —2E **113**

Douglas Rd. *Hand* —1A **100**
Douglas Rd. *H'wd* —2A **162**
Douglas Rd. *O'bry* —5B **98**
Douglas Rd. *S Cold* —2A **70**
Doulton Clo. *B32* —2D **130**
Doulton Rd. *Crad H & Row R*
—6H **95**
Doulton Trad. Est. *Row R*
—5H **95**
Dovebridge Clo. *S Cold*
—1D **70**
Dove Clo. *B25* —3C **120**
Dove Clo. *W'bry* —1G **63**
Dovecote Clo. *Sol* —5F **137**
Dovecote Clo. *Tip* —2C **78**
Dovecote Clo. *Wolv* —5A **26**
Dovecotes, The. *S Cold*
—6H **37**
Dovedale Av. *Shir* —6H **149**
Dovedale Av. *Wals* —2E **21**
Dovedale Av. *W'hall* —4A **30**
Dovedale Ct. *Wat O* —4C **88**
Dovedale Ct. *Wolv* —3B **60**
Dovedale Dri. *B28* —1F **149**
Dovedale Rd. *B23* —5C **68**
Dovedale Rd. *K'wfrd* —1C **92**
Dovedale Rd. *Wolv* —2A **60**
Dove Dri. *Stourb* —3E **109**
Dove Gdns. *B38* —5D **146**
Dove Hollow. *Wals* —4F **7**
Dove Ho. Ct. *Sol* —6D **136**
Dove Ho. La. *Sol* —6D **136**
Dovehouse Pool Rd. *B6*
—1G **101**
Dover Clo. *B32* —6G **129**
Dovercourt Rd. *B26* —6G **121**
Doverdale Clo. *Hale* —6F **111**
Dove Ridge. *Stourb* —4E **109**
Doveridge Clo. *Sol* —6C **136**
Doveridge Pl. *Wals* —3D **48**
Doveridge Rd. *B28* —2E **149**
Doversley Rd. *B14* —2E **147**
Dover St. *B18* —3C **100**
Dover St. *Bils* —5F **45**
Dove Way. *B36* —1B **106**
Dovey Dri. *S Cold* —6E **71**
Dovey Rd. *B13* —3D **134**
Dovey Rd. *Tiv* —1D **96**
Dovey Tower. *B7* —5A **102**
Dowar Rd. *Redn* —2A **158**
Dowells Clo. *B13* —3H **133**
Dowells Gdns. *Stourb* —6B **92**
Doweries, The. *Redn* —1F **157**
Dower Rd. *S Cold* —2H **53**
Dowles Clo. *B29* —1F **145**
Downcroft Av. *B38* —5A **146**
Downend Clo. *Wolv* —3B **16**
Downes Ct. *Tip* —2G **77**
Downey Clo. *B11* —4B **118**
Downfield Clo. *Wals* —3G **19**
Downfield Dri. *Sed* —1A **76**
Downham Clo. *Wals* —2A **50**
Downham Pl. *Wolv* —3D **42**
Downham Wood. *Wals*
—3A **50**
Downie Rd. *Cod* —4A **14**
Downing Clo. *Know* —5C **166**
Downing Clo. *Row R* —2C **112**
Downing Clo. *Wolv* —2A **30**
Downing Ct. *O'bry* —4H **113**
Downing Ho. *B37* —2D **122**
Downing St. *Hale* —6A **112**
Downing St. *Smeth* —2F **99**
Downing St. Ind. Est. *Smeth*
—2G **99**
Downland Clo. *B38* —6B **146**

Downsfield Rd. *B26* —4F **121**
Downside Rd. *B24* —6E **85**
Downs Rd. *W'hall* —3C **46**
Downs, The. *A'rdge* —1G **51**
Downs, The. *Wolv* —3G **27**
Downton Cres. *B33* —6A **106**
Dowry Ho. *Redn* —1F **157**
(off Rubery La. S.)
Dowty Way. *Wolv* —4E **15**
Drake Clo. *Wals* —6H **19**
Drake Ho. *Tip* —6A **62**
Drake Rd. *B23* —5B **84**
Drake Rd. *Smeth* —2C **98**
Drake Rd. *Wals* —6H **19**
Drakes Cross Pde. *H'wd*
—4A **162**
Drakes Grn. *Bils* —2H **61**
Drakes Hill Clo. *Stourb*
—1A **124**
Drake St. *W Brom* —2A **80**
Drancy Av. *W'hall* —3D **30**
Drawbridge Rd. *Shir* —1E **163**
Draycote Clo. *Sol* —6H **137**
Draycott Av. *B23* —3D **84**
Draycott Clo. *Wolv* —6A **42**
Draycott Dri. *B31* —6C **130**
Draycott Rd. *Smeth* —2C **98**
Drayton Clo. *S Cold* —6H **37**
Drayton Rd. *B14* —5G **133**
Drayton Rd. *Shir* —1C **164**
Drayton Rd. *Smeth* —2E **115**
Drayton St. *Wals* —1H **47**
Drayton St. *Wolv*
—3G **43** (6B **170**)
Drayton St. E. *Wals* —1A **48**
Dreadnought Rd. *Brie H*
—2F **93**
Dreel, The. *B15* —4A **116**
Dreghorn Rd. *B36* —1C **104**
Drem Cft. *B35* —5E **87**
Dresden Clo. *Wolv* —1C **60**
Drew Cres. *Stourb* —2H **125**
Drew Rd. *Stourb* —2H **125**
Drew's Holloway. *Hale*
—6F **111**
Drew's Holloway S. *Hale*
—6F **111**
Drews La. *B8* —3G **103**
Drews Mdw. Clo. *B14*
—5E **147**
Driffold. —1G 69
Driffold. *S Cold* —1H **69**
Driffold Vs. *S Cold* —2H **69**
Driftwood Clo. *B38* —2H **159**
Drive Fields. *Wolv* —5H **41**
Drive, The. *A'chu* —6F **159**
Drive, The. *Brie H* —4G **93**
Drive, The. *Cod* —4F **13**
Drive, The. *Erd* —5E **85**
Drive, The. *Hale* —6F **111**
(Drew's Holloway)
Drive, The. *Hale* —2A **128**
(Hagley Rd.)
Drive, The. *Hand* —5C **82**
Drive, The. *Wals* —5C **20**
(WS3)
Drive, The. *Wals* —6G **21**
(WS4)
Drive, The. *Wolv* —4A **26**
Droveway, The. *Wolv* —5C **14**
Droxford Wlk. *Wolv* —6C **14**
Druid Pk. Rd. *W'hall* —6C **18**
Druids Av. *Row R* —5D **96**
Druids Av. *Wals* —6E **23**
Druid's Heath. —6E 23
Druids La. *B14* —5E **147**

Druids Wlk. *Wals* —4C **22**
Drummond Clo. *Wolv* —5A **18**
Drummond Gro. *B43* —2E **67**
Drummond Rd. *B9* —1F **119**
Drummond Rd. *Stourb*
—1B **126**
Drummond St. *Wolv*
—6G **27** (1A **170**)
Drummond Way. *B37* —1E **123**
Drury La. *Cod* —3F **13**
Drury La. *Sol* —4G **151**
(in two parts)
Drury La. *Stourb* —6E **109**
Drybrook Clo. *B38* —1A **160**
Drybrooks Clo. *Bal C* —3H **169**
Dryden Clo. *Tip* —6A **62**
Dryden Clo. *W'hall* —1E **31**
Dryden Gro. *B27* —3H **135**
Dryden Pl. *Wals* —2C **32**
Dryden Rd. *Wals* —2C **32**
Dryden Rd. *Wolv* —6B **16**
Drylea Gro. *B36* —1D **104**
Dubarry Av. *K'wfrd* —2A **92**
Duchess Pl. *B16* —2C **116**
Duchess Rd. *B16* —2C **116**
Duchess Rd. *Wals* —6B **48**
Duckhouse Rd. *Wolv* —2F **29**
Duck La. *Bils* —6G **45**
Duck La. *Cod* —5H **13**
Duddeston Dri. *B8* —5D **102**
Duddeston Mnr. Rd. *B7*
—5A **102**
Duddeston Mill Rd. *Vaux &
Salt* —5B **102**
Duddeston Mill Trad. Est. *Salt*
—5C **102**
Dudding Rd. *Wolv* —6H **43**
Dudhill Rd. *Row R* —6A **96**
Dudhill Wlk. *Row R* —6H **95**
Dudley. —6E 77
Dudley Castle. —5F 77
Dudley Central Trad. Est. *Dud*
—1E **95**
Dudley Clo. *Row R* —3H **96**
Dudley Cres. *Wolv* —3G **29**
Dudley Fields. —5G 93
Dudley Gro. *B18* —5A **100**
Dudley Mus. & Art Gallery.
—6E **77**
Dudley Pk. Rd. *B27* —2A **136**
Dudley Port. —3A 78
Dudley Port. *Tip* —4A **78**
Dudley Rd. *B18* —5H **99**
Dudley Rd. *Brie H* —6H **93**
Dudley Rd. *Dud* —6A **60**
Dudley Rd. *Hale* —5B **112**
Dudley Rd. *Himl* —4A **74**
Dudley Rd. *O'bry* —6E **79**
Dudley Rd. *Row R* —3H **95**
Dudley Rd. *Stourb* —5A **110**
Dudley Rd. *Tip* —2F **77**
Dudley Rd. *W Hth* —1A **92**
Dudley Rd. *Wolv* —3H **43**
Dudley Rd. E. *Tiv & O'bry*
—5C **78**
Dudley Rd. W. *Tip & Tiv*
—5A **78**
Dudley Row. *Dud* —6F **77**
Dudley's Fields. —1G 31
Dudley Southern By-Pass.
Dud —2C **94**
Dudley St. *B5* —1G **117** (5E **5**)
Dudley St. *Bils* —6F **45**
Dudley St. *Crad H* —1H **111**
Dudley St. *Sed* —5H **59**
Dudley St. *Wals* —2C **48**

Dudley St. *W'bry* —3E **63**
Dudley St. *W Brom* —2F **79**
Dudley St. *Wolv*
—1G **43** (3B **170**)
Dudley Tourist Info. Cen.
—6F **77**
Dudley Tunnel. —3F 77
(Black Country Mus.)
Dudley Wlk. *Wolv* —6G **43**
Dudley Wood Av. *Dud*
—1E **111**
Dudley Wood Rd. *Dud*
—2E **111**
Dudley Zoo. —5F 77
Dudmaston Way. *Dud* —4A **76**
Dudnill Gro. *B32* —5G **129**
Duffield Clo. *Pend* —6D **14**
Dufton Rd. *B32* —6C **114**
Dugdale Cres. *S Cold* —6A **38**
Dugdale Ho. *W Brom* —5E **65**
Dugdale St. *B18* —5H **99**
Dukes Rd. *B30* —4C **146**
Duke St. *Dud* —2H **75**
Duke St. *Penn F* —4E **43**
Duke St. *Row R* —1B **112**
Duke St. *Stourb* —5E **109**
Duke St. *S Cold* —1H **69**
Duke St. *Wed* —4F **29**
Duke St. *W Brom* —3H **79**
Duke St. *Wolv* —2A **44**
Dulvern Gro. *B14* —2F **147**
Dulverton Rd. *B6* —6A **84**
Dulwich Gro. *B44* —5B **68**
Dulwich Rd. *B44* —5A **68**
Dumbleberry Av. *Dud* —6G **59**
Dumblederry La. *Wals*
(in two parts) —1A **34**
Dunard Rd. *Shir* —4F **149**
Dunbar Clo. *B32* —4B **130**
Dunbar Gro. *B43* —1D **66**
Duncalfe Dri. *S Cold* —6H **37**
Duncan Edwards Clo. *Dud*
—1C **94**
Duncan St. *Wolv* —4G **43**
Dunchurch Clo. *Bal C*
—2H **169**
Dunchurch Cres. *S Cold*
—2C **68**
Dunchurch Dri. *B31* —6C **130**
Duncombe Grn. *Col* —2H **107**
Duncombe Gro. *B17* —4D **114**
Duncombe St. *Stourb*
—5B **108**
Duncroft Rd. *B26* —3D **120**
Duncroft Wlk. *Dud* —1D **76**
Duncumb Rd. *S Cold* —6E **55**
Dundalk La. *Wals* —3D **6**
Dundas Av. *Dud* —1H **95**
Dunedin Ho. *B32* —1D **130**
Dunedin Rd. *B44* —2G **67**
Dunham Cft. *Dorr* —6H **165**
Dunkirk Av. *W Brom* —3D **78**
Dunkley St. *Wolv*
—6G **27** (1A **170**)
Dunley Cft. *Shir* —3D **164**
Dunlin Clo. *B23* —5C **84**
Dunlin Clo. *K'wfrd* —3E **93**
Dunlop Way. *Cas V* —6C **86**
(in two parts)
Dunnerdale Rd. *Clay* —1H **21**
Dunnigan Rd. *B32* —2D **130**
Dunn's Bank. *Brie H* —4B **110**
Dunsfold Clo. *Bils* —2C **60**
Dunsfold Cft. *B6* —3H **101**
Dunsford Clo. *Brie H* —4F **109**
Dunsford Rd. *Smeth* —1E **115**

Dunsink Rd. *B6* —6H **83**
Dunslade Cres. *Brie H*
    —3B **110**
Dunslade Rd. *B23* —6E **69**
Dunsley Dri. *Stourb* —6C **92**
Dunsley Gro. *Wolv* —1E **59**
Dunsley Rd. *Stourb* —1A **124**
Dunsmore Dri. *Brie H*
    —3B **110**
Dunsmore Gro. *Sol* —6D **136**
Dunsmore Rd. *B28* —3E **135**
Dunstall Av. *Wolv* —4G **27**
Dunstall Gro. *B29* —5D **130**
Dunstall Hill. —4F 27
Dunstall Hill. *Wolv* —4G **27**
Dunstall La. *Wolv* —4E **27**
Dunstall Pk. *Wolv* —3F **27**
Dunstall Pk. Race Course.
    —3E *27*
Dunstall Rd. *Hale* —2F **127**
Dunstall Rd. *Wolv* —5F **27**
Dunstan Cft. *Shir* —1A **164**
Dunster Clo. *B30* —3D **146**
Dunster Gro. *Wolv* —6F **25**
Dunster Rd. *B37* —6E **107**
Dunston Clo. *K'wfrd* —2B **92**
Dunston Clo. *Wals* —5E **7**
Dunton Clo. *S Cold* —5G **37**
Dunton Hall Rd. *Shir* —1G **163**
Dunton Ind. Est. *B7* —2D **102**
Dunton Rd. *K'hrst* —5B **106**
Dunvegan Rd. *B24* —3G **85**
Durant Clo. *Redn* —5D **142**
Durban Rd. *Smeth* —5G **99**
D'Urberville Clo. *Wolv* —5B **44**
(off D'Urberville Rd.)
D'Urberville Rd. *Wolv* —4B **44**
(in two parts)
Durham Av. *W'hall* —6C **30**
Durham Ct. Wolv —5G 27
(off Waterloo Rd.)
Durham Cft. *B37* —1D **122**
Durham Dri. *W Brom* —6B **64**
Durham Pl. *Wals* —2H **47**
Durham Rd. *B11* —1B **134**
Durham Rd. *Dud* —1F **111**
Durham Rd. *Row R* —5E **97**
Durham Rd. *Stourb* —3B **108**
Durham Rd. *Wals* —3H **47**
Durham Rd. *W'bry* —1B **64**
Durham Tower. *B1* —6D **100**
Durley Dean Rd. *B29* —3G **131**
Durley Dri. *S Cold* —2C **68**
Durley Rd. *B25* —5A **120**
Durlston Gro. *B28* —5G **135**
Durnford Cft. *B14* —6G **147**
Dursley Clo. *Sol* —5F **137**
Dursley Clo. *W'hall* —5D **30**
Dutchess Pde. *W Brom*
    —4B **80**
Dutton's La. *S Cold* —5C **38**
Duxford Rd. *B42* —5D **66**
Dwellings La. *B32* —6H **113**
Dyas Av. *B42* —6B **66**
Dyas Rd. *Gt Barr* —4F **67**
Dyas Rd. *H'wd* —2A **162**
Dyce Clo. *B35* —3E **87**
Dymoke St. *B12* —3H **117**
Dynes Wlk. *Smeth* —4E **99**
Dyott Rd. *B13* —4A **134**
Dyson Clo. *Wals* —6F **31**
Dyson Gdns. *Wash H* —4E **103**

Eachelhurst Rd. *B24* &
    S Cold —3C **86**

Eachus Rd. *Bils* —5F **61**
Eachway. —3F 157
Eachway. *Redn* —3F **157**
Eachway Farm Clo. *Redn*
    —3G **157**
Eachway La. *Redn* —3G **157**
Eadgar Ct. *B43* —6H **65**
Eagle Clo. *Row R* —5H **95**
Eagle Clo. *Wals* —3D **6**
Eagle Cft. *B14* —5G **147**
Eagle Gdns. *Erd* —5G **85**
Eagle Gro. *B36* —1C **106**
Eagle Ind. Est. *Tip* —6E **63**
Eagle La. *Tip* —1D **78**
Eagle St. *Penn F* —4E **43**
Eagle St. *Tip* —1C **78**
Eagle St. *Wolv* —3A **44**
Eagle Trad. Est. *Hale* —1A **128**
Ealing Gro. *B44* —4A **68**
Earlsbury Gdns. *B20* —6F **83**
Earls Ct. Rd. *B17* —5E **115**
Earls Ferry Gdns. *B32*
    —6H **129**
Earlsmead Rd. *B21* —1G **99**
Earls Rd. *Wals* —2G **33**
Earlston Way. *B43* —5H **65**
Earl St. *Bils* —6F **45**
Earl St. *Cose* —5F **61**
Earl St. *K'wfrd* —5B **92**
Earl St. *Wals* —3B **48**
Earl St. *W Brom* —3H **79**
Earls Way. *Hale* —1B **128**
Earlswood Cft. *B20* —5C **82**
Earlswood Cres. *Pend* —4E **15**
Earlswood Dri. *S Cold* —4A **54**
Earlswood Rd. *Dorr* —6F **167**
Earlswood Rd. *K'wfrd* —2C **92**
Easby Way. *B8* —4E **103**
Easby Way. *Wals* —5F **19**
Easenhall Clo. *Know* —5C **166**
Easmore Clo. *B14* —5F **147**
Eastacre. *W'hall* —2A **46**
East Av. *Tiv* —2C **96**
East Av. *Wolv* —3E **29**
Eastbourne Av. *B34* —3B **104**
Eastbourne St. *Wals* —6D **32**
Eastbrook Clo. *S Cold* —1B **70**
Eastbury Dri. *Sol* —2E **137**
Eastbury Dri. *Sol* —2E **137**
E. Car Pk. Rd. *B40* —1H **139**
Eastcote. —4H 153
Eastcote Clo. *Shir* —4B **150**
Eastcote La. *Brad M* —4H **153**
Eastcote Rd. *B27* —4G **135**
Eastcote Rd. *Wolv* —4B **28**
E. Croft Rd. *Wolv* —1A **58**
Eastdean Clo. *B23* —1D **84**
East Dri. *B5* —1E **133**
Eastern Av. *Brie H* —1F **109**
Eastern Clo. *W'bry* —2C **62**
Eastern Rd. *B29* —2D **132**
Eastern Rd. *S Cold* —4H **69**
Easterton Cft. *B14* —5G **147**
E. Farm Cft. *B10* —3D **118**
Eastfield Dri. *Sol* —5A **138**
Eastfield Gro. *Wolv* —1B **44**
Eastfield Retreat. *Wolv* —1B **44**
Eastfield Rd. *Salt & Bord G*
    —5A **104**
Eastfield Rd. *Tip* —5A **62**
Eastfield Rd. *Wolv* —1B **44**
East Ga. *B16* —6A **100**
East Grn. *Wolv* —5B **42**
Eastham Rd. *B13* —1C **148**
E. Holme. *B9* —1C **118**

Easthope Rd. *B33* —5E **105**
Eastlake Clo. *B43* —2F **67**
Eastlands Rd. *B13* —4A **134**
Eastleigh. *Dud* —5G **59**
Eastleigh Cft. *S Cold* —6E **71**
Eastleigh Dri. *Rom* —3A **142**
Eastleigh Gro. *B25* —3B **120**
E. Meadway. *B33* —1H **121**
East M. *B44* —3F **67**
E. Moor Clo. *S Cold* —1B **52**
Eastney Cres. *Wolv* —1C **26**
Easton Gdns. *Wolv* —4H **29**
Easton Gro. *B27* —4A **136**
Easton Gro. *H'wd* —2B **162**
E. Park Trad. Est. *Wolv*
    —3B **44**
East Pk. Way. *Wolv* —2D **44**
E. Pathway. *B17* —5G **115**
East Ri. *S Cold* —5B **54**
East St. *B24* —5B **86**
East Rd. *B'frd* —1C **16**
East Rd. *Tip* —5B **62**
East St. *Brie H* —3C **110**
East St. *Dud* —1G **95**
East St. *Gorn W* —4H **75**
East St. *Wals* —4D **48**
East St. *Wolv* —2A **44**
E. View Rd. *S Cold* —2B **70**
Eastville. *B31* —4F **145**
Eastwood Glen. *Cod* —6A **14**
East Way. *B17* —5G **115**
Eastway. *B40* & *H Ard*
    —2H **139**
Eastwood Rd. *Bal H* —6F **117**
Eastwood Rd. *Dud* —3G **95**
Eastwood Rd. *Gt Barr* —5A **66**
Eatesbrook Rd. *B33* —6G **105**
Eathorpe Clo. *B34* —3H **105**
Eaton Av. *W Brom* —3G **79**
Eaton Ct. *S Cold* —4H **53**
Eaton Cres. *Dud* —4F **75**
Eaton Pl. *K'wfrd* —4C **92**
Eaton Ri. *W'hall* —3B **30**
Eaton Wood. *B24* —4B **86**
Eaton Wood Dri. *B26*
    —6B **120**
Eaves Ct. Dri. *Dud* —4G **59**
Eaves Grn. Gdns. *B27*
    —6H **119**
Ebenezer St. *Bils* —5D **60**
Ebenezer St. *W Brom* —1F **79**
Ebley Rd. *B20* —3C **82**
Ebmore Dri. *B14* —5F **147**
Ebrington Av. *Sol* —2F **137**
Ebrington Clo. *B14* —3F **147**
Ebrington Rd. *W Brom*
    —1B **80**
Ebrook Rd. *S Cold* —1A **70**
Ebstree. —1C 56
Ebstree Rd. *Seis* —3A **56**
Ebury Rd. *B30* —3D **146**
Eccleshall Av. *Wolv* —1F **27**
Eccleston Clo. *S Cold* —6D **54**
Ecclestone Rd. *Wolv* —1A **30**
Echo Way. *Wolv* —1C **60**
Eckersall Rd. *B38* —4A **146**
Edale Clo. *K'wfrd* —2H **91**
Edale Clo. *Wolv* —4A **60**
Edale Rd. *B42* —6E **67**
Eddish Rd. *B33* —6F **105**
Eddison Rd. *Col* —3G **89**
Edenbridge Rd. *B28* —5G **135**
Edenbridge Vw. *Dud* —4A **76**
Eden Clo. *B31* —1C **158**
Eden Clo. *Tiv* —5D **78**

Edendale Rd. *B26* —5F **121**
Eden Gro. *B37* —2F **123**
Eden Gro. *W Brom* —2B **80**
Edenhall Rd. *B32* —5H **113**
Edenhurst Rd. *B31* —3D **158**
Eden Pl. *B3* —1F **117** (4C **4**)
Eden Rd. *Sol* —2H **137**
Edensor Clo. *Wolv* —5A **28**
Edgbaston. —4B 116
Edgbaston Pk. Rd. *B15*
    —6C **116**
Edgbaston Rd. *B5* —6F **117**
Edgbaston Rd. *B12* —1G **133**
Edgbaston Rd. *Smeth* —5E **99**
Edgbaston Rd. E. *B12*
    —6H **117**
Edgbaston Shop. Cen. *B16*
    —3C **116**
Edgbaston St. *B5*
    —2G **117** (6E **5**)
Edgcombe Rd. *B28* —4F **135**
Edge Hill Av. *Wolv* —5C **16**
Edge Hill Dri. *Dud* —3G **59**
Edge Hill Dri. *Pert* —6E **25**
Edgehill Rd. *B31* —6E **145**
Edge Hill Rd. *S Cold* —5D **36**
Edgemond Av. *B24* —3D **86**
Edge St. *Bils* —5F **61**
Edgewood Clo. *Crad H*
    —3H **111**
Edgewood Rd. *K Nor* —2A **160**
Edgewood Rd. *Redn* —2H **157**
Edgeworth Clo. *W'hall* —5C **30**
Edgware Rd. *B23* —2D **84**
Edinburgh Av. *Wals* —6E **31**
Edinburgh Ct. *B24* —3B **86**
Edinburgh Cres. *Stourb*
    —2A **108**
Edinburgh Dri. *Wals* —2H **33**
Edinburgh Dri. *W'hall* —3B **30**
Edinburgh La. *Wals* —5G **31**
Edinburgh Rd. *Bils* —2H **61**
Edinburgh Rd. *Dud* —3F **95**
Edinburgh Rd. *O'bry* —3H **113**
Edinburgh Rd. *Wals* —3F **49**
Edison Gro. *B32* —6B **114**
Edison Rd. *Wals* —4G **31**
Edison Wlk. *Wals* —4H **31**
Edith Rd. *Smeth* —6F **99**
Edith St. *W Brom* —4H **79**
Edmonds Clo. *B33* —1F **121**
Edmonds Rd. *O'bry* —1A **114**
Edmonton Av. *B44* —4B **68**
Edmoor Clo. *W'hall* —3C **30**
Edmund Rd. *B8* —5D **102**
Edmund Rd. *Dud* —1A **76**
Edmund St. *B3*
    —6F **101** (3C **4**)
Ednam Clo. *W Brom* —5D **64**
Ednam Gro. *Wom* —4G **57**
Ednam Rd. *Dud* —6E **77**
Ednam Rd. *Wolv* —5G **43**
Edsome Way. *B36* —1D **104**
Edstone Clo. *Dorr* —5B **166**
Edstone M. *B36* —1D **104**
Edward Av. *Wals* —2C **34**
Edward Clo. *Bils* —2G **61**
Edward Ct. *Wals* —3E **49**
Edward Fisher Dri. *Tip* —2A **78**
Edward Rd. *Bal H* —5F **117**
Edward Rd. *Hale* —1H **127**
Edward Rd. *May* —6H **147**
Edward Rd. *O'bry* —3A **114**
Edward Rd. *Smeth* —5D **98**
Edward Rd. *Tip* —6A **62**
Edward Rd. *Wat O* —4E **89**

Edward Rd. *Wolv* —4E **25**
Edwards Rd. *B24* —2G **85**
Edwards Rd. *Dud* —5E **95**
Edwards Rd. *S Cold* —6B **38**
Edward St. *B1* —1D **116** (4A **4**)
Edward St. *Dud* —6D **76**
Edward St. *O'bry* —5G **97**
Edward St. *P'flds* —5B **44**
Edward St. *Wals* —6H **31**
Edward St. *W'bry* —5E **47**
Edward St. *W Brom* —4A **80**
Edwin Rd. *B30* —6D **132**
Eel St. *O'bry* —2F **97**
Effingham Rd. *B13* —1C **148**
Egbert Clo. *B6* —1B **102**
Egelwin Clo. *Wolv* —4E **25**
Egerton Rd. *B24* —4B **86**
Egerton Rd. *S Cold* —2H **51**
Egerton Rd. *Wolv* —4A **16**
Egg Hill. —4H 143
Egghill La. *Fran & N'fld*
　　　　　　　—3G **143**
Eggington Rd. *Stourb*
　　　　　　　—4B **108**
Egginton Rd. *B28* —2E **149**
Egmont Gdns. *Wolv* —4H **29**
Eileen Gdns. *B37* —5B **106**
Eileen Rd. *B11* —2B **134**
Elan Clo. *Dud* —4H **75**
Elan Rd. *B31* —5A **144**
Elan Rd. *Dud* —5G **59**
Elbow St. *Crad H* —1H **111**
Elbury Cft. *Know* —4B **166**
Elcock Dri. *B42* —2F **83**
Eldalade Way. *W'bry* —3B **64**
Elderberry Clo. *Stourb*
　　　　　　　—2A **124**
Elderfield. *B33* —3F **121**
Elderfield Rd. *B30* —4D **146**
Elder Gro. *Wom* —1F **73**
Eldersfield Gro. *Sol* —2F **165**
Elderside Rd. *Bwnhls* —5B **10**
Elder Way. *B23* —5E **85**
Eldon Ct. Wals —2D 48
　(off Eldon St.)
Eldon Dri. *S Cold* —6C **70**
Eldon Rd. *B16* —2B **116**
Eldon Rd. *Hale* —2G **129**
Eldon St. *Wals* —2D **48**
Eldridge Clo. *Wolv* —5D **14**
Eleanor Rd. *Bils* —5F **45**
Electra Pk. *B6* —6B **84**
Electric Av. *B6* —6B **84**
Elford Clo. *B14* —2G **147**
Elford Gro. *B37* —2D **122**
Elford Gro. *Bils* —1E **61**
Elford Rd. *B17 & B29* —2F **131**
Elford Rd. *W Brom* —4C **64**
Elgar Cres. *Brie H* —2H **93**
Elgar Ho. *B1* —1D **116**
Elgin Clo. *Dud* —4A **60**
Elgin Clo. *Stourb* —4E **109**
Elgin Ct. *Wolv* —5E **25**
Elgin Gro. *B25* —4A **120**
Elgin Rd. *Wals* —3G **19**
Eliot Cft. *Bils* —3F **61**
Eliot St. *B7* —1C **102**
Elizabeth Av. *Bils* —2H **61**
Elizabeth Av. *W'bry* —2A **64**
Elizabeth Av. *Wolv* —6F **43**
Elizabeth Cres. *O'bry* —1B **114**
Elizabeth Gro. *Dud* —2H **95**
Elizabeth Gro. *Shir* —5A **150**
Elizabeth Ho. *S Cold* —2D **70**
Elizabeth Ho. *Wals* —4H **49**
Elizabeth M. *Tiv* —5A **78**

Elizabeth Prout Gdns. *Row R*
　　　　　　　—2B **112**
Elizabeth Rd. *Hale* —2H **127**
Elizabeth Rd. *Mose* —3E **133**
Elizabeth Rd. *Stech* —6A **104**
Elizabeth Rd. *S Cold* —4C **68**
Elizabeth Rd. *Wals* —4F **49**
Elizabeth Rd. *W Brom* —3D **78**
Elizabeth Wlk. *Tip* —4A **62**
Elkington Cft. *Shir* —4E **165**
Elkington St. *B6* —4G **101**
Elkstone Clo. *Sol* —2F **137**
Elkstone Covert. *B14* —5E **147**
Elland Gro. *B27* —3A **136**
Ellards Dri. *Wolv* —4H **29**
Ellen St. *B18* —5C **100**
　(in two parts)
Ellenvale Clo. *Bils* —5C **60**
Ellerby Gro. *B24* —3C **86**
Ellerside Gro. *B31* —5D **144**
Ellerslie Clo. *Brie H* —3H **109**
Ellerslie Rd. *B13* —6C **134**
Ellerton Rd. *B44* —4B **68**
Ellerton Wlk. *Wolv* —4B **28**
Ellesborough Rd. *B17*
　　　　　　　—3F **115**
Ellesmere Ct. *O'bry* —1D **96**
Ellesmere Rd. *B8* —5D **102**
Ellice Dri. *B36* —2D **106**
Elliott Gdns. *Redn* —4A **158**
Elliott Rd. *B29* —4A **132**
Elliotts La. *Cod* —4G **13**
Elliotts Rd. *Tip* —2G **77**
Elliot Way. *Witt* —4H **83**
Ellis Av. *Brie H* —1E **109**
Ellison St. *W Brom* —6A **80**
Ellis St. *B1* —2F **117** (6C **4**)
Elliston Av. *B44* —5G **67**
Ellowes Rd. *Dud* —3G **75**
Elm Av. *B12* —6A **118**
Elm Av. *Bils* —5F **45**
Elm Av. *W'bry* —1F **63**
Elm Av. *Wolv* —1D **28**
Elmay Rd. *B26* —4E **121**
Elm Bank. *Mose* —2A **134**
Elmbank Gro. *B20* —2A **82**
Elmbank Rd. *Wals* —1G **65**
Elmbridge Clo. *Hale* —6F **111**
Elmbridge Dri. *Shir* —3F **165**
Elmbridge Ho. *B31* —5H **145**
Elmbridge Rd. *B44* —1G **83**
Elmbridge Way. *Sed* —1A **76**
Elm Clo. *Dud* —5F **75**
Elm Clo. *Stourb* —3B **124**
Elm Ct. *Smeth* —1A **98**
Elm Ct. *Wals* —3E **49**
Elm Cres. *Tip* —1H **77**
Elm Cft. *O'bry* —4A **114**
Elmcroft. *Smeth* —4G **99**
Elmcroft Av. *B32* —4G **129**
Elmcroft Gdns. *Wolv* —4A **16**
Elmcroft Rd. *B26* —4D **120**
Elmdale. *Hale* —4G **113**
Elmdale Cres. *B31* —2C **144**
Elmdale Dri. *Wals* —1E **35**
Elmdale Gro. *B31* —3C **144**
Elmdale Rd. *Bils* —6C **60**
Elmdale Rd. *Wolv* —6E **43**
Elmdon. —3B 138
Elmdon Clo. *Sol* —3H **137**
Elmdon Clo. *Wolv* —6E **15**
Elmdon Coppice. *Sol* —6B **138**
Elmdon Ct. *Mars G* —4C **122**
Elmdon Heath. —1A 152
Elmdon La. *Birm A* —2C **138**
Elmdon La. *Mars G* —4B **122**

Elmdon Pk. Rd. *Sol* —2H **137**
Elmdon Rd. *A Grn* —1B **136**
Elmdon Rd. *Mars G* —4C **122**
Elmdon Rd. *S Oak* —3C **132**
Elmdon Rd. *Wolv* —6E **15**
Elmdon Trad. Est. *B37*
　　　　　　　—6E **123**
Elm Dri. *B43* —4H **65**
Elm Dri. *Hale* —2E **113**
Elm Farm Av. *B37* —4B **122**
Elm Farm Rd. *Wolv* —4H **43**
Elmfield Av. *B24* —3D **86**
Elmfield Cres. *B13* —3H **133**
Elmfield Rd. *B36* —2A **106**
Elm Grn. *Dud* —2C **76**
Elm Gro. *B37* —3B **106**
Elm Gro. *Bal C* —3H **169**
Elm Gro. *Cod* —4G **13**
Elmhurst Av. *Row R* —6C **96**
Elmhurst Dri. *Burn* —1C **10**
Elmhurst Dri. *K'wfrd* —5D **92**
Elmhurst Rd. *B21* —6A **82**
Elmley Clo. *Cose* —6D **60**
Elmley Gro. *B30* —5D **146**
Elmley Gro. *Wolv* —6F **25**
Elm Lodge. *H'wd* —2A **162**
Elmore Clo. *F'bri* —5C **106**
Elmore Grn. Clo. *Wals* —1H **31**
Elmore Grn. Rd. *Wals* —6G **19**
Elmore Rd. *B33* —6E **105**
Elmore Row. *Wals* —6H **19**
Elm Rd. *B30* —5B **132**
Elm Rd. *Cann* —1F **9**
Elm Rd. *Dud* —3E **77**
Elm Rd. *K'wfrd* —3C **92**
Elm Rd. *S Cold* —3D **70**
Elm Rd. *Wals* —3B **32**
Elms Clo. *B38* —1G **159**
Elms Clo. *Sol* —2H **151**
Elmsdale. *Wolv* —1G **41**
Elmsdale Ct. *Wals* —3D **48**
Elms Rd. *Edg* —1B **132**
Elms Rd. *S Cold* —2A **70**
Elmstead Av. *B33* —4H **121**
Elmstead Clo. *Wals* —2A **50**
Elmstead Wood. *Wals* —2A **50**
Elms, The. *B16* —6B **100**
Elm St. *W'hall* —1C **46**
Elm St. *Wolv* —2E **43**
Elm Ter. *Tiv* —6A **78**
Elm Tree Clo. *Wom* —2F **73**
Elm Tree Gro. *Hale* —5F **111**
Elm Tree Ri. *H Ard* —1A **154**
Elm Tree Rd. *Harb* —4H **115**
Elmtree Rd. *Stir* —1C **146**
Elmtree Rd. *S Cold* —2F **51**
Elm Tree Way. *Crad H*
　　　　　　　—2H **111**
Elmwood Av. *Ess* —4A **18**
Elmwood Clo. *B5* —5F **117**
Elmwood Clo. *Bal C* —2H **169**
Elmwood Ct. *S Cold* —6A **52**
Elmwood Gdns. *B20* —5D **82**
Elmwood Gro. *H'wd* —3A **162**
Elmwood Ri. *Dud* —4F **59**
Elmwood Rd. *B24* —5A **86**
Elmwood Rd. *Stourb* —6A **92**
Elmwood Rd. *S Cold* —6A **52**
Elmwoods. *B32* —3H **129**
Elphinstone End. *B24* —1A **86**
Elsma Rd. *O'bry* —3A **114**
Elston Hall La. *Wolv* —6H **15**
Elstree Rd. *B23* —2D **84**
Elswick Gro. *B44* —5B **68**
Elswick Rd. *B44* —4B **68**
Elsworth Gro. *B25* —5A **120**

Elsworth Ho. *B31* —5H **145**
Eltham Gro. *B44* —4B **68**
Elton Clo. *Wolv* —3A **16**
Elton Cft. *Dorr* —5B **166**
Elton Gro. *B27* —3G **135**
Eltonia Cft. *B26* —5F **121**
Elva Cft. *B36* —6B **88**
Elvers Grn. La. *Know* —3G **167**
Elvetham Rd. *B15* —3E **117**
Elvetham Rd. N. *B15* —3E **117**
Elviron Dri. *Wolv* —4H **25**
Elwell Cres. *Dud* —1B **76**
Elwells Clo. *Bils* —2C **60**
Elwell St. *W'bry* —2H **63**
Elwell St. *W Brom* —2E **79**
Elwyn Rd. *S Cold* —2G **69**
Ely Clo. *B37* —1D **122**
Ely Clo. *Row R* —5E **97**
Ely Cres. *W Brom* —6H **63**
Ely Gro. *B32* —1D **130**
Ely Pl. *Wals* —2H **47**
Ely Rd. *Wals* —2H **47**
Emay Clo. *W Brom* —5F **63**
Embankment, The. *Brie H*
　　　　　　　—6A **94**
Embassy Dri. *Edg* —3C **116**
Embassy Dri. *O'bry* —1E **97**
Embassy Rd. *O'bry* —1E **97**
Embleton Gro. *B34* —3E **105**
Emerald Ct. *B8* —4A **104**
Emerald Ct. *Sol* —4D **136**
Emerson Clo. *Dud* —3E **75**
Emerson Gro. *Wolv* —1B **28**
Emerson Rd. *B17* —5G **115**
Emerson Rd. *Wolv* —6B **16**
Emery Clo. *B23* —6D **84**
Emery Clo. *Wals* —3D **48**
Emery St. *Wals* —3D **48**
Emily Gdns. *B16* —6B **100**
Emily Rd. *B26* —5B **120**
Emily St. *B12* —3H **117**
Emily St. *W Brom* —5H **79**
Emmanuel Rd. *S Cold* —6H **69**
Emmeline St. *B9* —2B **118**
Empire Clo. *Wals* —1B **34**
Empire Ind. Pk. *A'rdge* —1B **34**
Empress Dri. *B36* —1C **104**
Empress Way. *Darl* —3D **46**
Emscote Dri. *S Cold* —6H **69**
Emscote Gro. *Sol* —5C **150**
Emscote Rd. *B6* —6H **83**
Emsworth Cres. *Wolv* —5E **15**
Emsworth Gro. *B14* —1F **147**
Enderby Dri. *Wolv* —1D **58**
Enderby Rd. *B23* —6C **68**
Enderley Clo. *Wals* —4H **19**
Enderley Dri. *Wals* —4H **19**
End Hall Rd. *Wolv* —6G **25**
Endhill Rd. *B44* —1A **68**
Endicott Rd. *B6* —6H **83**
Endmoor Gro. *B23* —1D **84**
Endsleigh Gro. *B28* —5G **135**
Endwood Ct. *Hand* —5C **82**
Endwood Ct. Rd. *B20* —5C **82**
Endwood Dri. *Sol* —5D **150**
Endwood Dri. *S Cold* —5C **36**
Enfield Clo. *B23* —1F **85**
Enfield Rd. *B15* —3D **116**
Enfield Rd. *Row R* —6D **96**
Enford Clo. *B34* —3H **105**
Engine La. *Brie H* —6B **94**
Engine La. *Bwnhls* —5F **9**
Engine La. *Stourb* —5H **109**
Engine La. *W'bry* —1A **62**
Engine St. *O'bry* —3G **97**
Engine St. *Smeth* —3F **99**

Englestede Clo.—Fallowfield Av.

Englestede Clo. *B20* —4B **82**
Englewood Dri. *B28* —5G **135**
Ennerdale Clo. *Clay* —6A **10**
Ennerdale Dri. *Hale* —3F **127**
Ennerdale Dri. *Pert* —5F **25**
Ennerdale Rd. *B43* —1B **82**
Ennerdale Rd. *Tett* —1B **26**
Ennersdale Bungalows. *Col*
　　　　　—6H **89**
Ennersdale Clo. *Col* —6H **89**
Ennersdale Rd. *Col* —6H **89**
Ensall Dri. *Stourb* —2C **108**
Ensbury Clo. *W'hall* —5D **30**
Ensdale Row. *W'hall* —2A **46**
Ensdon Gro. *B44* —4B **68**
Ensford Clo. *S Cold* —4E **37**
Ensign Ho. *B35* —3E **87**
Enstone Rd. *B23* —6G **69**
Enstone Rd. *Dud* —1B **94**
Enterprise Dri. *Stourb*
　　　　　—5B **110**
Enterprise Dri. *S Cold* —4G **51**
Enterprise Gro. *Pels* —2F **21**
Enterprise Trad. Est. *Brie H*
　　　　　—6B **94**
Enterprise Way. *B7* —5H **101**
Enville Clo. *Wals* —4G **19**
Enville Gro. *B11* —6D **118**
Enville Rd. *Dud* —3H **75**
Enville Rd. *K'wfrd* —1G **91**
Enville Rd. *Wolv* —1A **58**
Enville St. *Stourb* —6D **108**
*Enville Towermill. —5B **90***
Epping Clo. *Redn* —5H **143**
Epping Clo. *Wals* —3D **32**
Epping Gro. *B44* —6A **68**
Epsom Clo. *Pert* —5F **25**
Epsom Gro. *B44* —5B **68**
Epwell Gro. *B44* —1H **83**
Epwell Rd. *B44* —1H **83**
Epworth Ct. *Brie H* —4F **93**
Erasmus Rd. *B11* —4A **118**
Erdington. —3G 85
Erdington Hall Rd. *B24* —5F **85**
Erdington Ind. Pk. *B24*
　　　　　—3D **86**
Erdington Rd. *Wals* —5D **34**
Erica Clo. *B29* —5E **131**
Erica Rd. *Wals* —2F **65**
Ermington Cres. *B36* —1C **104**
Ermington Rd. *Wolv* —6H **43**
Ernest Clarke Clo. *W'hall*
　　　　　—5C **30**
Ernest Rd. *B12* —1B **134**
Ernest Rd. *Dud* —6H **77**
Ernest Rd. *Smeth* —3C **98**
Ernest St. *B1* —2F **117** (6C 4)
Ernsford Clo. *Dorr* —6G **167**
Erskine St. *B7* —5B **102**
Esher Rd. *B44* —1H **67**
Esher Rd. *W Brom* —1B **80**
Eskdale Clo. *Wolv* —1C **44**
Eskdale Wlk. *Brie H* —3F **109**
Esme Rd. *B11* —1B **134**
Esmond Clo. *B30* —2H **145**
Essendon Gro. *B8* —5H **103**
Essendon Rd. *B8* —5H **103**
Essendon Wlk. *B8* —5H **103**
Essex Av. *K'wfrd* —4H **91**
Essex Av. *W'bry* —1A **64**
Essex Av. *W Brom* —6A **64**
Essex Ct. *B29* —6G **131**
Essex Gdns. *Stourb* —4B **108**
Essex Ho. *Wolv* —5G **27**
　(off Lomas St.)

Essex Rd. *Dud* —3C **94**
Essex Rd. *S Cold* —2B **54**
Essex St. *B5* —2G **117** (6D **4**)
Essex St. *Wals* —4C **32**
Essington. —3H 17
Essington Clo. *Stourb*
　　　　　—2C **108**
Essington Ho. *B8* —4G **103**
Essington Ind. Est. *Ess*
　　　　　—3H **17**
Essington Rd. *Ess & W'hall*
　　　　　—5B **18**
Essington St. *B16* —2D **116**
Essington Way. *Wolv* —2D **44**
Este Rd. *B26* —3E **121**
Estone Wlk. *B6* —2H **101**
Estria Rd. *B15* —4D **116**
Estridge La. *Wals* —3G **7**
Ethelfleda Ter. *W'bry* —2F **63**
Ethelred Clo. *S Cold* —6G **37**
Ethel Rd. *B17* —6H **115**
Ethel St. *B2* —1F **117** (4D **4**)
Ethel St. *O'bry* —5G **97**
Ethel St. *Smeth* —1D **114**
Etheridge Rd. *Bils* —4E **45**
Eton Clo. *Dud* —6B **60**
Eton Dri. *Stourb* —2E **125**
Eton Rd. *B12* —1B **134**
Etruria Way. *Bils* —4G **45**
Etta Gro. *B44* —1H **67**
Ettingshall. —6C 44
Ettingshall Park. —1A 60
Ettingshall Pk. Farm La. *Wolv*
　　　　　—1A **60**
Ettingshall Rd. *Bils* —3C **60**
Ettingshall Rd. *Wolv* —4C **44**
Ettington Clo. *Dorr* —6F **167**
Ettington Rd. *B6* —1G **101**
Ettymore Clo. *Dud* —5H **59**
Ettymore Rd. *Dud* —5H **59**
Ettymore Rd. W. *Dud* —5G **59**
Etwall Rd. *B28* —2E **149**
Euan Clo. *B17* —3G **115**
Euro Bus. Pk. *O'bry* —2E **97**
Europa Av. *W Brom* —5D **80**
Europa Way. *Birm A* —1E **139**
Evans Clo. *Tip* —2E **77**
Evans Gdns. *B29* —4H **131**
Evans Pl. *Bils* —4G **45**
Evans St. *Bils* —4B **60**
Evans St. *W'hall* —2F **45**
Evans St. *Wolv* —5E **27**
Eva Rd. *B18* —3H **99**
Eva Rd. *O'bry* —6A **98**
Evason Ct. *B6* —6G **83**
Eve Hill. —5D 76
Eve La. *Dud* —2B **76**
Evelyn Cft. *S Cold* —5G **69**
Evelyn Rd. *B11* —1C **134**
Evenlode Clo. *Sol* —2F **137**
Evenlode Gro. *W'hall* —2D **46**
Evenlode Rd. *Sol* —2E **137**
Evered Bardon Ho. O'bry
　　　　　—2E **97**
　(off Round's Grn. Rd.)
Everest Clo. *Smeth* —1C **98**
Everest Rd. *B20* —4C **82**
Everest Rd. *Wals* —6F **31**
Evergreen Clo. *Cose* —5D **60**
Everitt Dri. *Know* —3C **166**
Eversley Dale. *B24* —5G **85**
Eversley Gro. *Dud* —3G **59**
Eversley Gro. *Wolv* —3E **29**
Eversley Rd. *B9* —2D **118**
　(in two parts)
Evers St. *Brie H* —3C **110**

Everton Rd. *B8* —5A **104**
Eves Cft. *B32* —4A **130**
Evesham Cres. *Wals* —4F **19**
Evesham Ri. *Dud* —6F **95**
Eveson Rd. *Stourb* —3B **124**
Ewart Rd. *Wals* —6E **31**
Ewell Rd. *B24* —3H **85**
Ewhurst Av. *B29* —4B **132**
　(Heeley Rd.)
Ewhurst Av. *B29* —5C **132**
　(Umberslade Rd.)
Ewhurst Clo. *W'hall* —3H **45**
Exbury Clo. *Wolv* —5D **14**
Excelsior Gro. *Pels* —2F **21**
Exchange St. *Brie H* —5H **93**
Exchange St. *W Brom* —5H **79**
Exchange St. *Wolv*
　　　　　—1G **43** (3B **170**)
Exchange, The. *Wals* —6H **19**
Exe Cft. *B31* —1F **159**
Exeter Dri. *B37* —3B **122**
Exeter Ho. *B31* —5A **144**
Exeter Pas. *B1* —2F **117**
Exeter Pl. *Wals* —2H **47**
Exeter Rd. *B29* —3B **132**
Exeter Rd. *Dud* —1F **111**
Exeter Rd. *Smeth* —4F **99**
Exeter St. *B1* —2F **117** (6D **4**)
Exford Clo. *Brie H* —4F **109**
Exhall Clo. *Sol* —5C **150**
Exhibition Way. *B40* —6F **123**
Exmoor Grn. *Wed* —2E **29**
Exon Ct. *Tip* —1H **77**
Expressway, The. *W Brom*
　　　　　—3A **80**
Exton Clo. *Wolv* —1H **29**
Exton Way. *B8* —4D **102**
Eyland Gro. *Wals* —1D **48**
Eymore Clo. *B29* —1F **145**
Eyre St. *B18* —6C **100**
Eyston Av. *Tip* —5D **62**
Eyton Cft. *B12* —4H **117**
Ezekiel La. *W'hall* —3C **30**

Fabian Clo. *Redn* —5F **143**
Fabian Cres. *Shir* —6H **149**
Facet Rd. *B38* —5C **146**
Factory Rd. *B18* —3B **100**
Factory Rd. *Tip* —1G **77**
Factory St. *W'bry* —5C **46**
Fairbourne Av. *B44* —3G **67**
Fairbourne Av. *Row R* —5E **97**
Fairbourn Tower. *B23* —1G **85**
Fairburn Cres. *Pels* —2F **21**
Faircroft Av. *S Cold* —1D **86**
Faircroft Rd. *B36* —6H **87**
Fairdene Way. *B43* —5H **65**
Fairfax Ct. *S Cold* —1H **71**
Fairfax Rd. *B31* —1E **159**
Fairfax Rd. *S Cold* —6D **54**
Fairfax Rd. *Wolv* —5H **15**
Fairfield Dri. *Cod* —3E **13**
Fairfield Dri. *Hale* —2E **113**
Fairfield Dri. *Wals* —3F **21**
Fairfield Gro. *Hale* —2E **113**
Fairfield Mt. *Wals* —3D **48**
Fairfield Pk. Ind. Est. *Hale*
　　　　　—1E **113**
Fairfield Pk. Rd. *Hale* —2E **113**
Fairfield Ri. *Mer* —4H **141**
Fairfield Ri. *Stourb* —6A **108**
Fairfield Rd. *B14* —5G **133**
Fairfield Rd. *Dud* —2F **95**
Fairfield Rd. *Hale* —3A **128**
Fairfield Rd. *H Grn* —2E **113**

Fairfield Rd. *Stourb* —1D **108**
Fairford Clo. *Sol* —2B **150**
Fairford Gdns. *Stourb* —6C **92**
Fairford Rd. *B44* —1H **83**
Fairgreen Gdns. *Brie H* —4F **93**
Fairgreen Way. *B29* —4B **132**
Fairgreen Way. *S Cold* —2A **52**
Fair Ground Way. *Wals*
　　　　　—3B **48**
Fairhaven Cft. *H Grn* —2E **113**
Fairhills. *Dud* —5H **59**
Fairhill Way. *B11* —4B **118**
Fairholme Rd. *B8 & B36*
　　　　　—2H **103**
Fairlawn. *Edg* —4C **116**
Fairlawn Clo. *W'hall* —6C **18**
Fairlawn Dri. *K'wfrd* —5B **92**
Fairlawns. *B26* —2E **121**
Fairlawns. *S Cold* —5E **71**
Fairlawn Way. *W'hall* —6C **18**
Fairlie Cres. *B38* —6H **145**
Fairmead Ri. *B38* —6A **146**
Fairmile Rd. *Hale* —5H **111**
Fairoak Dri. *Wolv* —6H **25**
Fair Oaks Dri. *Wals* —5G **7**
Fairview Av. *B42* —1D **82**
Fairview Clo. *C Hay* —3D **6**
Fairview Clo. *Wolv* —3D **28**
Fairview Ct. *Wals* —1D **46**
Fairview Cres. *K'wfrd* —4D **92**
Fairview Cres. *Wolv* —2D **28**
Fairview Gro. *Wolv* —2D **28**
Fairview Rd. *Dud* —4C **76**
Fairview Rd. *Penn* —1A **58**
Fairview Rd. *Wed* —2D **28**
Fairway. *N'fld* —5C **144**
Fairway. *Wals* —6H **21**
Fairway Av. *Tiv* —1A **96**
Fairway Dri. *Redn* —3F **157**
Fairway Grn. *Bils* —4F **45**
Fairway Rd. *O'bry* —1F **113**
Fairways Av. *Stourb* —3C **124**
Fairways Clo. *Stourb* —3C **124**
Fairway, The. *K Nor* —5H **145**
Fairyfield Av. *B43* —4H **65**
Fairyfield Ct. *B43* —4H **65**
Fakenham Cft. *B17* —4D **114**
Falcon Clo. *Wals* —3C **6**
Falcon Cres. *Bils* —3B **60**
Falcondale Rd. *W'hall* —6C **18**
Falconhurst Rd. *B29* —3G **131**
Falcon Lodge. —6F 55
Falcon Lodge Cres. *S Cold*
　　　　　—6D **54**
Falcon Pl. *Tiv* —2C **96**
Falcon Ri. *Stourb* —5A **108**
Falcon Rd. *O'bry* —1F **113**
Falcons, The. *S Cold* —6F **55**
Falcon Way. *Dud* —6B **76**
Falfield Clo. *Row R* —3D **96**
Falfield Gro. *B31* —2C **158**
Falkland Cft. *B30* —1D **146**
Falklands Clo. *Swind* —5E **73**
Falkland Way. *B36* —4D **106**
Falkwood Gro. *Know* —3B **166**
Fallindale Rd. *B26* —5F **121**
Fallings Heath. —5F 47
Fallings Heath Clo. *W'bry*
　　　　　—4F **47**
Fallings Park. —4B 28
Fallings Pk. Ind. Est. *Wolv*
　　　　　—4B **28**
Fallowfield. *Pend* —5C **14**
Fallowfield. *Pert* —5D **24**
Fallow Fld. *S Cold* —6B **36**
Fallowfield Av. *B28* —2F **149**

Fallowfield Rd. *Hale* —2F **127**
Fallowfield Rd. *Row R* —6A **96**
Fallowfield Rd. *Sol* —3G **137**
Fallowfield Rd. *Wals* —3A **50**
Fallows Ho. *B19* —4G **101**
Fallows Rd. *B11* —5C **118**
Fallow Wlk. *B32* —3G **129**
Falmouth Rd. *B34* —4C **104**
Falmouth Rd. *Wals* —4H **49**
Falstaff Av. *H'wd* —3A **162**
Falstaff Clo. *S Cold* —6F **71**
Falstaff Ct. *S Cold* —6G **55**
Falstaff Rd. *Shir* —5H **149**
Falstone Rd. *S Cold* —3D **68**
Fancott Rd. *B31* —2E **145**
Fancourt Av. *Wolv* —1B **58**
Fane Rd. *Wolv* —6A **18**
Fanshawe Rd. *B27* —4A **136**
Fanum Ho. *Hale* —2B **128**
Faraday Av. *B32* —6B **114**
Faraday Av. *Col* —2H **89**
Faraday Rd. *Wals* —3H **31**
Farbrook Way. *W'hall* —3B **30**
Farcroft Av. *B21* —1H **99**
Farcroft Gro. *B21* —6H **81**
Farcroft Rd. *B21* —6H **81**
Fareham Cres. *Wolv* —5A **42**
Farfield Clo. *B31* —5F **145**
Far Highfield. *S Cold* —1B **70**
Farhill Clo. *W Brom* —5D **64**
Farlands Dri. *Stourb* —2E **125**
Farlands Gro. *B43* —6B **66**
Farlands Rd. *Stourb* —2E **125**
Farleigh Dri. *Wolv* —3G **41**
Farleigh Rd. *Pert* —6G **25**
Farley Cen. *W Brom* —5B **80**
Farley La. *Rom* —5A **142**
Farley Rd. *B23* —3B **84**
Farley St. *Tip* —2D **78**
Farlow Cft. *Mars G* —3B **122**
Farlow Rd. *B31* —4G **145**
Farmacre. *B9* —1B **118**
Farm Av. *O'bry* —6G **97**
Farmbridge Clo. *Wals* —6D **30**
Farmbridge Rd. *Wals* —6D **30**
Farmbridge Way. *Wals* —6D **30**
Farmbrook Av. *Wolv* —4H **15**
Farm Clo. *Cod* —5H **13**
Farm Clo. *Dud* —6F **59**
Farm Clo. *Sol* —3G **137**
Farmcote Rd. *B33* —5E **105**
Farm Cft. *B19* —3E **101**
Farmcroft Rd. *Stourb* —2A **126**
Farmdale Gro. *Redn* —3G **157**
Farmer Rd. *B10* —4G **119**
Farmers Clo. *S Cold* —1C **70**
Farmers Ct. *Hale* —1H **127**
Farmers Fold. *Wolv* —3B **170**
Farmers Wlk. *B21* —2H **99**
Farmer Way. *Tip* —4B **62**
Farmhouse Rd. *W'hall* —4D **30**
Farm Ho. Way. *B43* —1A **66**
Farmhouse Way. *Shir* —2F **165**
Farmhouse Way. *W'hall*
—4E **31**
Farmoor Gro. *B34* —3A **106**
Farmoor Way. *Wolv* —3A **16**
Farm Rd. *B11* —4B **118**
Farm Rd. *Brie H* —2A **110**
Farm Rd. *Dud* —6C **94**
Farm Rd. *O'bry* —6G **97**
Farm Rd. *Row R* —4A **96**
Farm Rd. *Smeth* —6C **98**
Farm Rd. *Tip* —6C **62**
Farm Rd. *Wolv* —3A **42**
Farmside Grn. *Wolv* —5D **14**

Farmstead Rd. *Sol* —3G **137**
Farm St. *B19* —3D **100**
Farm St. *Wals* —5C **32**
Farm St. *W Brom* —6A **80**
Farnborough Ct. *S Cold*
—1H **53**
Farnborough Dri. *Shir*
—3D **164**
Farnborough Rd. *B35* —5E **87**
Farnbury Cft. *B38* —5D **146**
Farn Clo. *B33* —6D **104**
Farncote Dri. *S Cold* —6F **37**
Farndale Av. *Wolv* —4D **26**
Farndale Clo. *Brie H* —5F **109**
Farndon Av. *Mars G* —4D **122**
Farndon Rd. *B8* —5F **103**
Farndon Way. *B23* —6D **68**
Farnham Clo. *B43* —5B **66**
Farnham Rd. *B21* —5H **81**
Farnhurst Rd. *B8 & B36*
—2H **103**
Farnol Rd. *B26* —3D **120**
Farnworth Gro. *B36* —6A **88**
Farquhar Rd. *Edg* —5B **116**
Farquhar Rd. *Mose* —2H **133**
Farquhar Rd. E. *B15* —5B **116**
Farran Way. *B43* —6A **66**
Farren Rd. *B31* —6B **144**
Farrier Clo. *S Cold* —5D **70**
Farrier Rd. *B43* —2F **67**
Farriers Mill. *Pels* —3C **20**
Farriers, The. *B26* —6F **121**
Farrier Way. *K'wfrd* —2G **91**
Farringdon Ho. *Wals* —6B **32**
(off Green La.)
Farringdon St. *Wals* —1B **48**
Farrington Rd. *B23* —2B **84**
Farrington Rd. *Wolv* —2H **59**
Farrow Rd. *B44* —2G **67**
Farthing La. *Curd* —1E **89**
Farthing La. *S Cold* —1H **69**
Farthing Pools Clo. *S Cold*
—1A **70**
Farthings, The. *B17* —5H **115**
Farvale Rd. *Min* —1G **87**
Far Vw. *Wals* —5D **22**
Farway Gdns. *Cod* —5F **13**
Far Wood Rd. *B31* —5C **130**
Fashoda Rd. *B29* —4D **132**
Fastlea Rd. *Bart G* —4B **130**
Fastmoor Oval. *B33* —2A **122**
Fast Pits Rd. *B25* —3H **119**
Fatherless Barn Cres. *Hale*
—1E **127**
Faulkland Cres. *Wolv*
—6H **27** (1C **170**)
Faulkner Clo. *Stourb* —1D **124**
Faulkner Rd. *Sol* —4F **137**
Faulkners Farm Dri. *B23*
—1B **84**
Faulknor Dri. *Brie H* —2F **93**
Faversham Clo. *Wals* —6D **30**
Faversham Clo. *Wolv* —1C **26**
Fawdry Clo. *S Cold* —6H **53**
Fawdry St. *B9* —1A **118**
Fawdry St. *Smeth* —4G **99**
Fawley Clo. *Wolv* —6F **27**
Fawley Clo. *W'hall* —3H **45**
Fawley Gro. *B14* —2D **146**
Fazeley St. *B5* —1H **117** (4G **5**)
Fazeley St. Ind. Est. *B5*
—1A **118** (4H **5**)
Fearon Pl. *Smeth* —4E **99**
Featherstone. —1D 16
Featherstone Clo. *Shir*
—5B **150**

Featherstone Cres. *Shir*
—5B **150**
Featherstone Rd. *B14*
—1G **147**
Featherston Rd. *S Cold*
—1A **52**
Feiashill. —6B 56
Feiashill Clo. *Try* —6B **56**
Feiashill Rd. *Try* —5B **56**
Felbrigg Clo. *Brie H* —3G **109**
Feldings, The. *B24* —3A **86**
Feldon La. *Hale* —4E **113**
Felgate Clo. *Shir* —3E **165**
Fellbrook Clo. *B33* —5D **104**
Fell Gro. *B21* —5G **81**
Fellmeadow Rd. *B33* —1E **121**
Fellmeadow Way. *Sed* —1A **76**
Fellows Av. *K'wfrd* —1A **92**
Fellows La. *B17* —5E **115**
Fellows Rd. *Bils* —4F **45**
Fellows St. *Wolv* —3G **43**
Felsted Way. *B7* —5A **102**
Felstone Rd. *B44* —4G **67**
Feltham Clo. *B33* —2A **122**
Felton Cft. *B33* —6E **105**
Felton Gro. *Sol* —6F **151**
Fenbourne Clo. *Wals* —1G **33**
Fenchurch Clo. *Wals* —5B **32**
Fencote Av. *F'bri* —5C **106**
Fen End Rd. *Ken* —6E **169**
Fen End Rd. W. *Know*
—4B **168**
Fenmere Clo. *Wolv* —6H **43**
Fennel Clo. *Wals* —2D **6**
Fennel Cft. *B34* —2F **105**
Fennel Rd. *Brie H* —4G **109**
Fennis Clo. *Dorr* —6B **166**
Fenn Ri. *Stourb* —6A **92**
Fenn Ri. *W'hall* —3B **30**
Fens Cres. *Brie H* —4G **93**
Fens Pool Av. *Brie H* —4H **93**
Fensway, The. *B34* —4E **105**
Fenter Clo. *B13* —6H **117**
Fentham Clo. *H Ard* —1B **154**
Fentham Ct. *Sol* —5D **136**
Fentham Grn. *H Ard* —6A **140**
Fentham Rd. *Aston* —1F **101**
Fentham Rd. *Erd* —4D **84**
Fentham Rd. *H Ard* —1A **154**
Fenton Rd. *B27* —6H **119**
Fenton Rd. *H'wd* —2A **162**
Fenton St. *Brie H* —6G **93**
Fenton St. *Smeth* —2C **98**
Fenton Way. *B27* —1H **135**
Fereday Rd. *Wals* —4D **22**
Fereday's Cft. *Dud* —6H **59**
Fereday St. *Tip* —5H **61**
Ferguson Rd. *O'bry* —4B **98**
Ferguson St. *Wolv* —6A **18**
Fern Av. *Tip* —6H **61**
Fern Bank Clo. *Hale* —3F **127**
Fernbank Cres. *Wals* —1G **65**
Fernbank Rd. *B8* —5G **103**
Ferncliffe Rd. *B17* —1F **131**
Fern Clo. *Bils* —5D **60**
Fern Clo. *Shelf* —6G **21**
Ferndale Av. *B43* —6B **66**
Ferndale Ct. *Col* —4H **107**
Ferndale Cres. *B12* —3A **118**
Ferndale M. *Col* —4H **107**
Ferndale Pk. *Stourb* —5F **125**
Ferndale Rd. *B28* —5F **135**
Ferndale Rd. *Bal C* —3F **169**
Ferndale Rd. *Col* —4H **107**
Ferndale Rd. *Ess* —4B **18**
Ferndale Rd. *O'bry* —2F **113**

Ferndale Rd. *S Cold* —3H **51**
Ferndene Rd. *B11* —2F **135**
Ferndown Av. *Dud* —6G **59**
Ferndown Clo. *B26* —2E **121**
Ferndown Clo. *Wals* —3H **19**
Ferndown Gdns. *Wolv*
—4H **29**
Ferndown Rd. *Sol* —1F **151**
Fern Dri. *Wals* —1G **7**
Fernfell Ct. *B23* —2E **85**
Fernhill Gro. *B44* —2H **67**
Fernhill La. *Ken* —5E **169**
Fernhill Rd. *Sol* —3C **136**
Fernhurst Dri. *Brie H* —2F **93**
Fernhurst Rd. *B8* —6G **103**
Fernleigh Ct. *Sol* —2G **151**
Fernleigh Gdns. *Stourb*
—6A **92**
Fernleigh Rd. *Wals* —6F **33**
Fernley Av. *B29* —3D **132**
Fernley Rd. *B11* —1C **134**
Fern Leys. *Wolv* —2B **42**
Fern Rd. *B24* —3G **85**
Fern Rd. *Dud* —3E **77**
Fern Rd. *Wolv* —3F **43**
Fernside Gdns. *B13* —2B **134**
Fernside Rd. *W'hall* —6F **29**
Fernwood Clo. *S Cold* —4E **69**
Fernwood Cft. *B14* —1G **147**
Fernwood Cft. *Tip* —3H **77**
Fernwood Rd. *S Cold* —5E **69**
Fernwoods. *B32* —3H **129**
Ferrers Clo. *S Cold* —1B **54**
Ferrie Gro. *Bwnhls* —6A **10**
Ferris Gro. *B27* —4G **135**
Festival Av. *W'bry* —1C **62**
Festival Way. *Wolv* —4F **27**
Fibbersley. *Wolv & W'hall*
—5H **29**
Fibbersley Bank. *W'hall*
—5H **29**
Fiddlers Grn. *H Ard* —6A **140**
Field Av. *B31* —2D **144**
Field Clo. *B26* —5E **121**
Field Clo. *Blox* —1A **32**
Field Clo. *Pels* —5F **21**
Field Clo. *Stourb* —1E **109**
Fld. Cottage Dri. *Stourb*
—2F **125**
Field Ct. *Wals* —5F **21**
Fieldfare. *Hamm* —1F **11**
Fieldfare Clo. *Crad H* —5H **95**
Fieldfare Cft. *B36* —1C **106**
Fieldfare Rd. *Stourb* —1H **125**
Fieldgate Trad. Est. *Wals*
—2D **48**
Fld. Head Pl. *Wolv* —5H **25**
Fieldhouse Rd. *B25* —3A **120**
Fieldhouse Rd. *Wolv* —1A **60**
Field La. *B32* —5G **129**
Field La. *Gt Wyr* —2G **7**
Field La. *Pels* —5F **21**
Field La. *Sol* —1C **152**
Field La. *Stourb* —2E **125**
Fieldon Clo. *Shir* —4A **150**
Field Rd. *Dud* —6G **77**
Field Rd. *Tip* —5H **61**
Field Rd. *Wals* —1A **32**
Fieldside Wlk. *Bils* —3F **45**
Field St. *Bils* —2G **61**
Field St. *W'hall* —1A **46**
Field St. *Wolv* —6A **28**
Fieldview Clo. *Cose* —3G **61**
Field Vw. Dri. *Row R* —6F **97**

Field Wlk. *Wals* —2D **34**
Fieldways Clo. *H'wd* —2A **162**
Fifield Gro. *B33* —6D **104**
Fifth Av. *B9* —1F **119**
Fifth Av. *Wolv* —2H **27**
Filey Rd. *Wolv* —5F **15**
Fillingham Clo. *B37* —2F **123**
Fillongley Rd. *Mer* —4H **141**
Filton Cft. *B35* —3E **87**
Fimbrell Clo. *Brie H* —3E **109**
Finbury Clo. *Sol* —4D **136**
Finchall Cft. *Sol* —6A **138**
Fincham Clo. *Wolv* —4E **15**
Finch Clo. *Row R* —5H **95**
Finchdene Gro. *Wolv* —2B **42**
Finch Dri. *S Cold* —6A **52**
Finches End. *B34* —4G **105**
Finchfield Clo. *Stourb*
—1A **124**
Finchfield Gdns. *Wolv* —2C **42**
Finchfield Hill. *Wolv* —1A **42**
Finchfield La. *Wolv* —3A **42**
Finchfield Rd. *Wolv* —2C **42**
Finchfield Rd. W. *Wolv* —2B **42**
Finchley Av. *B19* —1E **101**
Finchley Clo. *Dud* —5H **75**
Finchley Rd. *B44* —3B **68**
Finchmead Rd. *B33* —2A **122**
Finchpath Rd. *W Brom*
—1G **79**
Finch Rd. *B19* —1E **101**
Findlay Rd. *B14* —4G **133**
Findon Rd. *B8* —3H **103**
Finfold Cft. *Bal C* —3H **169**
Fingerpost Dri. *Pels* —2E **21**
Finlarigg Dri. *B15* —5B **116**
Finmere Rd. *B28* —5F **135**
Finnemore Rd. *B9* —1G **119**
Finneywell Clo. *Bils* —2D **60**
Finsbury Dri. *Brie H* —4G **109**
Finsbury Gro. *B23* —1D **84**
Finstall Clo. *B7* —5A **102**
Finstall Clo. *S Cold* —4A **70**
Finwood Clo. *Sol* —5A **138**
Fir Av. *B12* —6A **118**
Firbank Clo. *B30* —6A **132**
Firbank Way. *Wals* —5D **20**
Firbarn Clo. *S Cold* —2B **70**
Firbeck Gro. *B44* —4A **68**
Firbeck Rd. *B44* —4A **68**
Fircroft. *B31* —5D **130**
Fircroft. *Bils* —2A **62**
Fir Cft. *Brie H* —3G **109**
Fircroft. *Sol* —1D **150**
Fircroft Ho. *B37* —1C **122**
Firecrest Clo. *Erd* —6B **68**
Fire Sta. Rd. *Birm A* —6D **122**
Fir Gro. *B14* —2H **147**
Fir Gro. *Stourb* —5A **108**
Fir Gro. *Wolv* —2E **43**
Firhill Cft. *B14* —5F **147**
Firmstone Ct. *Stourb* —4C **108**
Firmstone St. *Stourb* —4C **108**
Firsbrook Clo. *Wolv* —4D **26**
Firsby Rd. *B32* —6C **114**
Firs Clo. *Smeth* —4E **99**
Firs Dri. *Shir* —6G **149**
Firs Farm Dri. *B36* —1D **104**
Firsholm Clo. *S Cold* —6G **69**
Firs Ho. *B36* —1D **104**
Firs La. *Smeth* —4E **99**
Firs Rd. *K'wfrd* —3C **92**
Firs St. *Dud* —6F **77**
First Av. *Bord G* —2E **119**
First Av. *Min* —2E **87**
First Av. *Pens T* —6E **75**

First Av. *S Oak* —2D **132**
First Av. *Wals* —5C **10**
First Av. *Witt* —5H **83**
First Av. *Wolv* —3A **28**
First Exhibition Av. *B40*
—6F **123**
Firs, The. *B11* —5C **118**
Firs, The. *Mer* —4H **141**
First Mdw. Piece. *B32*
—1C **130**
Fir St. *Sed* —6D **58**
Firsvale Rd. *Wolv* —4H **29**
Firsway. *Wolv* —1G **41**
Firswood Rd. *B33* —2G **121**
Firth Dri. *B14* —2B **148**
Firth Dri. *Hale* —3E **113**
Firth Pk. Cres. *Hale* —3E **113**
Firtree Clo. *B44* —6G **67**
Fir Tree Dri. *Dud* —6A **60**
Fir Tree Dri. *Wals* —1F **65**
Fir Tree Gro. *S Cold* —4F **69**
Firtree Rd. *B24* —4H **85**
Fir Tree Rd. *Wolv* —3B **42**
Fisher Clo. *Redn* —5E **143**
Fisher Rd. *O'bry* —2A **98**
Fisher Rd. *Wals* —5F **19**
Fishers Dri. *Shir* —4F **163**
Fisher St. *Brie H* —6F **93**
Fisher St. *Dud* —6F **77**
Fisher St. *Dud P* —4A **78**
Fisher St. *Gt Bri* —2D **78**
Fisher St. *W'hall* —1C **46**
Fisher St. *Wolv* —3F **43**
Fishley. —3A 20
Fishley Clo. *Wals* —3A **20**
Fishley La. *Wals* —4H **20**
Fishpool Clo. *B36* —1A **104**
Fistral Gdns. *Wolv* —4D **42**
Fithern Clo. *Dud* —2A **76**
Fitters Mill Clo. *B5* —5G **117**
Fitton Av. *K'wfrd* —4B **92**
Fitzgerald Pl. *Brie H* —5F **109**
Fitzguy Clo. *W Brom* —6C **80**
Fitzmaurice Rd. *Wolv* —2H **29**
Fitz Roy Av. *B17* —4D **114**
Fitzroy Rd. *B31* —4A **144**
Five Fields Rd. *W'hall* —4A **30**
Five Oaks Rd. *W'hall* —3G **45**
Five Ways. —3D 116
Five Ways. *Brie H* —1H **109**
Five Ways. *Dud* —4H **75**
Five Ways. *Stech* —1B **120**
Five Ways. *Wolv* —5G **27**
(WV1)
Five Ways. *Wolv* —4A **42**
(WV3)
Five Ways Shop. Cen. *B15*
—2D **116**
Flackwell Rd. *B23* —6E **69**
Fladbury Clo. *Dud* —6F **95**
Fladbury Cres. *B29* —4H **131**
Fladbury Gdns. *Hand* —1E **101**
Fladbury Pl. *B19* —2E **101**
Flamborough Clo. *B34*
—2E **105**
Flamborough Way. *Cose*
—6D **60**
Flanders Dri. *K'wfrd* —1B **92**
Flash La. *Lwr P* —3E **57**
Flash Rd. *O'bry* —2G **97**
Flatts, The. *W'bry* —4E **47**
Flavell Av. *Bils* —4F **61**
Flavell Clo. *B32* —4H **129**
Flavells La. *B25* —3A **120**
Flavells La. *Dud* —5F **75**
Flavell St. *Dud* —1D **76**

Flax Clo. *H'wd* —4A **162**
Flax Gdns. *B38* —1B **160**
Flaxhall St. *Wals* —3H **47**
Flaxley Clo. *B33* —6D **104**
Flaxley Parkway. *B33* —5C **104**
Flaxley Rd. *B33* —5B **104**
Flaxton Gro. *B33* —5E **105**
Flaxton Wlk. *Wolv* —4E **27**
Flecknoe Clo. *B36* —6G **87**
Fledburgh Dri. *S Cold* —1B **70**
Fleet St. *B3* —6E **101** (3B **4**)
Fleet St. *Bils* —6F **45**
Fleetwood Gro. *B26* —2E **121**
Fleming Pl. *Wals* —3G **31**
Fleming Rd. *B32* —6B **114**
Fleming Rd. *Wals* —3G **31**
Flemmynge Clo. *Cod* —3E **13**
Fletcher Gro. *Know* —5C **166**
Fletcher Rd. *W'hall* —6D **18**
Fletcher's La. *W'hall* —1C **46**
Fletcher St. *Stourb* —6B **110**
Fletchers Wlk. *B3*
—1E **117** (4B **4**)
Fletton Gro. *B14* —4A **148**
Flinkford Clo. *Wals* —5H **49**
Flint Grn. Rd. *B27* —2H **135**
Flintham Clo. *B27* —2C **136**
Flint Ho. *Wolv* —5G **27**
(off Lomas St.)
Flintway, The. *B33* —5C **104**
Floodgate St. *B5*
—2H **117** (6H **5**)
Flood St. *Dud* —1F **95**
Flora Rd. *B25* —4H **119**
Florence Av. *S'hll* —5C **118**
Florence Av. *S Cold* —6H **69**
Florence Av. *Wolv* —1B **60**
Florence Bldgs. *B29* —3B **132**
Florence Dri. *S Cold* —6H **69**
Florence Gro. *W Brom* —4C **64**
Florence Gro. *A Grn* —1B **136**
Florence Rd. *Cod* —4A **14**
Florence Rd. *Hand* —1H **99**
Florence Rd. *K Hth* —5H **133**
Florence Rd. *O'bry* —2D **96**
Florence Rd. *Smeth* —5F **99**
Florence Rd. *S Cold* —6H **69**
Florence Rd. *Tip* —6A **62**
Florence Rd. *W Brom* —6C **80**
Florence St. *B1*
—2F **117** (6C **4**)
Florence St. *Wals* —2E **49**
Florian Gro. *W'bry* —4E **47**
Florida Way. *K'wfrd* —3E **93**
Flowerdale Clo. *Bils* —5D **60**
Floyds La. *Wals* —3G **33**
Floyer Rd. *B10* —2E **119**
Flyford Cft. *B29* —3D **130**
Foden Rd. *B42* —5C **66**
Foinavon Clo. *Row R* —3H **95**
Fold St. *Wolv*
—2G **43** (4A **170**)
Fold, The. *B38* —6C **146**
Fold, The. *Seis* —3A **56**
Fold, The. *W'bry* —5D **46**
Fold, The. *Wolv* —1D **58**
Foldyard Clo. *S Cold* —5E **71**
Foley Av. *Wolv* —6A **26**
Foley Chu. Clo. *S Cold* —1A **52**
Foley Dri. *Wolv* —6A **26**
Foley Gro. *Wom* —2E **73**
Foley Ho. *O'bry* —3H **113**
Foley Rd. *B8* —4H **103**
Foley Rd. *Stourb* —3F **125**
Foley Rd. E. *S Cold* —2H **51**

Foley Rd. W. *S Cold* —2F **51**
Foley St. *W'bry* —2G **63**
Foley Wood Clo. *S Cold*
—2G **51**
Foliot Fields. *B25* —3B **120**
Folkes Rd. *Stourb* —5C **110**
Folkestone Cft. *B36* —1C **104**
Folliott Rd. *B33* —6E **105**
Follyhouse Clo. *Wals* —4D **48**
Follyhouse La. *Wals* —4D **48**
Fontley Clo. *B26* —2D **120**
Fontwell Rd. *Wolv* —3H **15**
Fordbridge. —6C 106
Fordbridge Rd. *B37* —5B **106**
Ford Brook La. *Wals* —5F **21**
Forder Gro. *B14* —5A **148**
Forde Way Gdns. *B38*
—2A **160**
Fordfield Rd. *B33* —5G **105**
Fordham Gro. *Pend* —4E **15**
Fordhouse Ind. Est. *Wolv*
—1H **27**
Fordhouse La. *B30* —1D **146**
Fordhouse Rd. *Wolv* —6H **15**
Fordhouses. —4F 15
Fordraught La. *Rom* —6B **142**
Fordrift, The. *B37* —5C **122**
Fordrough. *Yard* —4F **119**
Fordrough Av. *B9* —6E **103**
Fordrough La. *B9* —6E **103**
Fordrough, The. *N'fld* —6F **145**
Fordrough, The. *Shir* —1B **162**
Fordrough, The. *S Cold*
—2G **53**
Fords Rd. *Shir* —2E **163**
Ford St. *B18* —4D **100**
Ford St. *Smeth* —3D **98**
Ford St. *Wals* —4A **48**
Fordwater Rd. *S Cold* —5H **51**
Foredraft Clo. *B32* —3A **130**
Foredraft St. *Hale* —6F **111**
Foredrove La. *Sol* —1A **152**
Forest Av. *Wals* —2B **32**
Forest Clo. *Smeth* —2C **98**
Forest Clo. *S Cold* —4G **51**
Forest Ct. *Dorr* —6B **166**
Forest Ct. *W'hall* —1C **30**
Forest Dale. *Redn* —3H **157**
Forest Dri. *B17* —5H **115**
Forest Dri. *Crad H* —1H **111**
Forest Ga. *W'hall* —1D **30**
Forest Hill Rd. *B26* —6G **121**
Forest La. *Wals* —4B **32**
Forest Pk. *S Cold* —1C **70**
Forest Pl. *Wals* —3C **32**
Fore St. *B2* —1G **117** (4E **5**)
Forest Rd. *Dorr* —6C **166**
Forest Rd. *Dud* —3E **77**
Forest Rd. *Mose* —2A **134**
Forest Rd. *O'bry* —4A **114**
Forest Rd. *Yard* —5A **120**
Forest Way. *H'wd* —3B **162**
Forest Way. *Wals* —4G **7**
Forfar Wlk. *B38* —5H **145**
Forge Clo. *Hamm* —1F **11**
Forge Clo. *Pend* —6C **14**
Forge Cft. *Min* —1F **87**
Forge La. *A'rdge* —4C **34**
Forge La. *Crad H* —3D **110**
Forge La. *Foot & Lit A* —1B **36**
Forge La. *Hale* —6C **112**
Forge La. *K'wfrd* —1G **91**
Forge La. *Min* —1F **87**
(in two parts)
Forge La. *Wals* —2H **35**
Forge La. *W Brom* —6E **65**

Forge Leys. *Wom* —1E **73**
Forge Rd. *Stourb* —5D **108**
Forge Rd. *Wals* —2D **20**
Forge Rd. *W'bry* —5C **46**
Forge Rd. *W'hall* —5C **30**
Forge St. *Wals* —6B **32**
Forge St. *W'bry* —1E **63**
Forge St. *W'hall* —6B **30**
Forge, The. *Hale* —3D **110**
Forge Trad. Est. *Hale* —6C **112**
Forge Valley Way. *Wom*
    —1E **73**
Forge Way. *O'bry* —3E **97**
Forhill. —5C 160
Forman's Rd. *B11* —2D **134**
Formby Av. *Pert* —5D **24**
Formby Way. *Wals* —4G **19**
Forrell Gro. *B31* —2F **159**
Forrest Av. *Ess* —3A **18**
Forrester St. *Wals* —1A **48**
Forrester St. Precinct. *Wals*
    —1A **48**
Forster St. *B4 & B7* —6A **102**
Forster St. *Smeth* —2C **98**
Forsythia Clo. *B31* —5D **130**
Forsythia Gro. *Cod* —4G **13**
Fort Cres. *Wals* —4C **22**
Forth Dri. *B37* —5D **106**
Forth Gro. *B38* —1A **160**
Forth Way. *Hale* —3E **113**
Fort Ind. Est., The. *Cas V*
    —6C **86**
Fortnum Clo. *B33* —1H **121**
Forton Clo. *Wolv* —1H **41**
Fort Parkway. *B24* —1H **103**
Fort Shop. Pk., The. *B24*
    —6H **85**
Forward Rd. *Birm A* —2C **138**
Fosbrooke Rd. *B10* —3G **119**
Fosseway Dri. *B23* —5E **69**
Fossil Dri. *Redn* —2G **157**
Foster Av. *Bils* —4D **60**
Foster Gdns. *B18* —3B **100**
Foster Grn. *Pert* —6E **25**
Foster Pl. *Stourb* —5C **108**
Foster Rd. *Wolv* —3A **28**
Foster St. *Stourb* —6E **109**
Foster St. *Wals* —1B **32**
Foster St. *W'bry* —4D **46**
Foster St. E. *Stourb* —6E **109**
Foster Way. *B5* —6E **117**
    (in two parts)
Fotherley Brook Rd. *Wals*
    —4H **35**
Foundry La. *Smeth* —2G **99**
Foundry La. *Wals* —4C **20**
Foundry Rd. *B18* —4H **99**
Foundry Rd. *K'wfrd* —1H **91**
Foundry St. *Bils* —4E **61**
Foundry St. *K'wfrd* —1H **91**
Foundry St. *Mox* —1A **62**
Foundry St. *Tip* —5G **61**
Fountain Arc. *Dud* —6E **77**
Fountain Clo. *B31* —3C **158**
Fountain Ho. *Hale* —2B **128**
Fountain La. *Bils & Tip* —5F **61**
Fountain La. *O'bry* —6F **79**
Fountain Rd. *B17* —2F **115**
Fountains Rd. *Wals* —1B **146**
Fountains Way. *Wals* —5E **19**
Four Acres. *B32* —1A **130**
Four Ashes Rd. *Dorr & Ben H*
    —6H **165**
Four Crosses Rd. *Wals*
    —6G **21**
Fourlands Av. *S Cold* —6B **70**

Fourlands Rd. *B31* —1C **144**
Four Oaks. —6G 37
Four Oaks Comn. Rd. *S Cold*
    —6E **37**
Four Oaks Park. —3G 53
Four Oaks Rd. *S Cold* —1G **53**
Four Stones Clo. *Sol* —6E **151**
Four Stones Gro. *B5* —5G **117**
Fourth Av. *Bord G* —1F **119**
Fourth Av. *S Oak* —2E **133**
Fourth Av. *Wals* —4C **10**
Fourth Av. *Wolv* —3H **27**
Four Winds Rd. *Dud* —3G **95**
Fowey Clo. *S Cold* —6E **71**
Fowey Rd. *B34* —3D **104**
Fowgay Dri. *Sol* —6D **150**
Fowler Clo. *Pert* —3E **25**
Fowler Clo. *Smeth* —1E **99**
Fowler Rd. *S Cold* —6E **55**
Fowler St. *B7* —4B **102**
Fowler St. *Wolv* —5G **43**
Fowlmere Rd. *B42* —5D **66**
Fox & Goose Shop. Cen. *B8*
    —4A **104**
Foxbury Dri. *Dorr* —6C **166**
Foxcote. —2C 126
Foxcote Av. *B21* —2A **100**
Foxcote Clo. *Shir* —1B **164**
Foxcote Dri. *Shir* —1B **164**
Foxcote La. *Hale* —2D **126**
Fox Covert. *Stourb* —6D **108**
Fox Cres. *B11* —1D **134**
Foxcroft Clo. *Burn* —1C **10**
Foxdale Dri. *Brie H* —6F **93**
Foxdale Gro. *B33* —1G **121**
Foxes Mdw. *S Cold* —5E **71**
Foxes Ridge. *Crad H* —3G **111**
Foxes Way. *Bal C* —3H **169**
Foxfield Dri. *Stourb* —2E **125**
Fox Foot Dri. *Brie H* —5G **93**
Foxford Clo. *B36* —6H **87**
Foxford Clo. *S Cold* —6B **70**
Foxglove Clo. *Wals* —2E **21**
Foxglove Clo. *Wed* —4G **29**
Foxglove Cres. *B37* —6A **106**
Foxglove Rd. *Dud* —3B **76**
Foxglove Way. *Hand* —2H **99**
Fox Grn. Cres. *B27* —4G **135**
Fox Gro. *B27* —3G **135**
Fox Hill. *B29* —5G **131**
Fox Hill Clo. *B29* —5G **131**
Fox Hill Rd. *S Cold* —1C **54**
Foxhills Pk. *Dud* —5E **95**
Foxhills Rd. *Stourb* —2B **108**
Foxhills Rd. *Wolv* —2A **58**
Foxhollies Dri. *Hale* —1G **127**
Fox Hollies Rd. *Hall G & A Grn*
    —6F **135**
Fox Hollies Rd. *S Cold* —5D **70**
    (in two parts)
Fox Hollow. *Wolv* —1A **42**
Foxhope Clo. *B38* —5E **147**
Foxhunt Rd. *Hale* —3G **127**
Foxland Av. *Redn* —2A **158**
Foxland Av. *Wals* —2G **7**
Foxland Clo. *B37* —1F **123**
Foxland Clo. *Shir* —5B **164**
Foxlands Av. *Wolv* —2B **58**
Foxlands Cres. *Wolv* —2A **58**
Foxlands Dri. *Dud* —2H **75**
Foxlands Dri. *S Cold* —6B **70**
Foxlands Dri. *Wolv* —2A **58**
Foxlea Rd. *Hale* —4F **127**
Foxley Dri. *Cath B* —2D **152**
Foxmeadow Clo. *Sed* —6A **60**
Foxoak St. *Crad H* —2E **111**

Fox's La. *Wolv* —5G **27**
Fox St. *B5* —6H **101** (3G **5**)
Fox St. *Dud* —1E **77**
Foxton Rd. *B8* —4F **103**
Fox Wlk. *Wals W* —4D **22**
Foxwell Gro. *B9* —6A **104**
Foxwell Rd. *B9* —6H **103**
Foxwood Av. *B43* —3D **66**
Foxwood Gro. *B37* —4B **106**
Foxyards Rd. *Tip* —2F **77**
Foyle Rd. *B38* —6A **146**
Fozdar Cres. *Bils* —4D **60**
Fradley Clo. *B30* —3H **145**
Framefield Dri. *Sol* —1A **152**
Framlingham Gro. *Pert*
    —6G **25**
Frampton Clo. *B30* —6H **131**
Frampton Clo. *Chel V*
    —6F **107**
Frampton Way. *B43* —1F **67**
Frances Dri. *Wals* —5H **19**
Frances Rd. *Erd* —4D **84**
Frances Rd. *K Nor* —2C **146**
Frances Rd. *Loz* —1E **101**
Franchise Gdns. *W'bry* —6F **47**
Franchise St. *B42* —5G **83**
Franchise St. *W'bry* —6E **47**
Francis Clo. *K'wfrd* —1B **92**
Francis Clo. *S Cold* —3H **51**
Francis Rd. *A Grn* —6B **120**
Francis Rd. *Edg* —2C **116**
Francis Rd. *Smeth* —4B **98**
Francis Rd. *Stech* —1B **120**
Francis Rd. *Stourb* —6A **108**
Francis Rd. *Yard* —5G **119**
Francis Sharp Ho. *Wals*
    —5G **19**
Francis St. *B7* —5A **102**
Francis St. *W Brom* —6B **80**
Francis St. *Wolv* —5G **27**
Francis Wlk. *B31* —2E **159**
Francis Ward Clo. *W Brom*
    —5G **63**
Frankburn Rd. *S Cold* —3G **51**
Frankfort St. *B19* —3F **101**
Frankholmes Dri. *Shir*
    —3D **164**
Frankley. —4G 143
Frankley Av. *Hale* —6F **113**
Frankley Beeches. —3G 143
Frankley Beeches Rd. *B31*
    —5A **144**
Frankley Grn. *B32* —2D **142**
Frankley Grn. La. *B32* —2E **143**
Frankley Hill. —4F 143
Frankley Hill La. *B32* —4F **143**
Frankley Hill Rd. *Redn*
    —4F **143**
Frankley Ind. Pk. *Redn*
    —5H **143**
Frankley La. *Quin & N'fld*
    —1A **144**
Frankley Lodge Rd. *B31*
    —5A **144**
Frankley Rd. *O'bry* —3H **113**
Frankley Ter. *B17* —6F **115**
Frankley Rd. *B30* —2A **146**
Franklin St. *B18* —4A **100**
Franklin Way. *B'vlle* —1B **146**
Franklyn Clo. *Wolv* —4E **25**
Frank Rd. *Smeth* —3C **98**
Frank St. *B12* —4H **117**
Franks Way. *B33* —1C **120**
Frank Tommey Clo. *Row R*
    —2C **112**
Frankton Clo. *Sol* —3F **137**

Frankton Gro. *B9* —1H **119**
Fraser Rd. *B11* —6D **118**
Fraser St. *Bils* —6G **45**
    (in two parts)
Frayne Av. *K'wfrd* —2A **92**
Freasley Clo. *Shir* —5B **150**
Freasley Rd. *B34* —4H **105**
Freda Ri. *Tiv* —1D **96**
Freda Rd. *W Brom* —6B **80**
Freda's Gro. *B17* —6E **115**
Frederick Rd. *Aston* —1G **101**
Frederick Rd. *Edg* —3D **116**
Frederick Rd. *Erd* —5E **85**
Frederick Rd. *O'bry* —4B **114**
Frederick Rd. *S Oak* —3H **131**
Frederick Rd. *S'hll* —1C **134**
Frederick Rd. *Stech* —6B **104**
Frederick Rd. *S Cold* —3G **69**
Frederick Rd. *Wolv* —4E **29**
Fredericks Clo. *Stourb*
    —1C **124**
Frederick St. *B1*
    —5E **101** (1A **4**)
Frederick St. *Wals* —1B **48**
Frederick St. *W Brom* —3A **80**
Frederick St. *Wolv*
    —3G **43** (6B **170**)
Frederick William St. *W'hall*
    —1B **46**
Freeland Gro. *K'wfrd* —5D **92**
Freeman Dri. *S Cold* —1D **70**
Freeman Pl. *Bils* —3G **45**
Freeman Rd. *B7* —3B **102**
Freeman Rd. *W'bry* —2A **64**
Freeman St. *B5*
    —1G **117** (4F **5**)
Freeman St. *Wolv* —1B **44**
Freemantle Ho. *B34* —3A **106**
Freemount Sq. *B43* —6A **66**
Freer Rd. *B6* —1F **101**
Freer St. *Wals* —1C **48**
Freeth St. *B16* —1B **116**
Freeth St. *O'bry* —1F **97**
Freezeland St. *Bils* —5D **44**
Fremont Dri. *Dud* —4A **76**
French Rd. *Dud* —6G **77**
French Walls. *Smeth* —4G **99**
Frensham Clo. *B37* —1E **123**
Frensham Clo. *Wals* —1E **7**
Frensham Way. *B17* —5G **115**
Frenshaw Gro. *B44* —4H **67**
Freshwater Dri. *Brie H*
    —3F **109**
Friardale Clo. *W'bry* —2B **64**
Friar Park. —3B 64
Friar Pk. Rd. *W'bry* —2A **64**
Friars Clo. *Stourb* —6A **92**
Friars Gorse. *Stourb* —4A **108**
Friar St. *W'bry* —2H **63**
Friars Wlk. *B37* —1F **123**
Friary Av. *Shir* —3E **165**
Friary Clo. *B20* —4B **82**
Friary Cres. *Wals* —3G **33**
Friary Gdns. *B21* —5H **81**
Friary Rd. *B20* —5A **82**
Friday La. *Cath B & Bars*
    —2E **153**
Friesland Dri. *Wolv* —6D **28**
Friezeland Rd. *Wals* —1H **47**
Friezland La. *Wals* —2B **22**
Friezland Way. *Wals* —2C **22**
Frinton Gro. *B21* —2G **99**
Friston Av. *B16* —2D **116**
Frobisher Clo. *Wals* —4F **7**
Frobisher Way. *Smeth* —2B **98**

Frodesley Rd. *B26* —3F **121**
Froggatt Rd. *Bils* —4F **45**
Froggatts Ride. *S Cold*
　　　　　　—2D **70**
Frog La. *Bal C* —4G **169**
Frogmill Rd. *Redn* —6H **143**
Frogmill Shop. Cen. *Redn*
　　　　　　—5H **143**
Frogmore La. *Ken* —6F **169**
Frome Clo. *Dud* —5H **75**
Frome Dri. *Wolv* —4E **29**
Frome Way. *B14* —1E **147**
Frost St. *Wolv* —5C **44**
Froxmere Clo. *Sol* —1F **165**
Froyle Clo. *Wolv* —4A **26**
Froysell St. *W'hall* —1B **46**
Fryer Rd. *B31* —2F **159**
Fryer's Clo. *Wals* —2H **31**
Fryer's Rd. *Wals* —3G **31**
Fryer St. *Wolv*
　　　　　　—1H **43** (2C **170**)
Fuchsia Dri. *Pend* —4D **14**
Fugelmere Clo. *B17* —4D **114**
Fulbrook Gro. *B29* —5D **130**
Fulbrook Rd. *Dud* —6C **76**
Fulford Dri. *Min* —2F **87**
Fulford Gro. *B26* —5G **121**
Fulford Hall Rd. *Earls & Tid G*
　　　　　　—6D **162**
Fulham Rd. *B11* —6B **118**
Fullbrook. —5D 48
Fullbrook Clo. *Shir* —4E **165**
Fullbrook Rd. *Wals* —6C **48**
Fullelove Rd. *Wals* —6C **10**
Fullerton Clo. *Wolv* —6C **14**
Fullwood Cres. *Dud* —3A **94**
Fullwoods End. *Bils* —4E **61**
Fulmer Wlk. *B18* —6C **100**
Fulwell Gro. *B44* —6A **68**
Fulwood Av. *Hale* —3F **113**
Furber Pl. *K'wfrd* —3D **92**
Furlong La. *Hale* —5E **111**
Furlong Mdw. *B31* —5G **145**
Furlongs Rd. *Dud* —1H **75**
Furlongs, The. *Stourb*
　　　　　　—2F **125**
Furlongs, The. *Wolv* —4D **28**
Furlong, The. *W'bry* —6E **47**
Furlong Wlk. *Dud* —3H **75**
Furnace Hill. *Hale* —5B **112**
Furnace La. *Hale* —6B **112**
Furnace Pde. *Tip* —1G **77**
Furnace Rd. *Dud* —1E **95**
Furness Clo. *Wals* —4F **19**
Furst St. *Wals* —5C **10**
Furzebank Way. *W'hall*
　　　　　　—5E **31**
Furze Way. *Wals* —3A **50**

Gables, The. *K'wfrd* —1H **91**
Gaddesby Rd. *B14* —5H **133**
Gadds Dri. *Row R* —5D **96**
Gadsby Av. *Wolv* —2A **30**
Gads Grn. Cres. *Dud* —3G **95**
Gads La. *Dud* —6E **77**
Gads La. *W Brom* —5G **79**
Gadwell Cft. *B23* —4B **84**
Gail Clo. *Wals W* —3D **22**
Gailey Cft. *B44* —2G **67**
Gail Pk. *Wolv* —4B **42**
Gainford Clo. *Pend* —6D **14**
Gainford Rd. *B44* —4C **68**
Gainsborough Cres. *B43*
　　　　　　—1F **67**

Gainsborough Cres. *Know*
　　　　　　—3C **166**
Gainsborough Dri. *Wolv*
　　　　　　—5F **25**
Gainsborough Hill. *Stourb*
　　　　　　—2D **124**
Gainsborough Pl. *Dud* —5A **76**
Gainsborough Rd. *B42*
　　　　　　—1D **82**
Gainsborough Trad. Est.
　　　　　　Stourb —1G **125**
Gainsford Dri. *Hale* —5B **112**
Gains La. *Cann* —3A **8**
Gairloch Rd. *W'hall* —6B **18**
Gaitskell Ter. *Tiv* —5D **78**
Gaitskell Way. *Smeth* —2D **98**
Galahad Way. *W'bry* —3G **63**
Galbraith Clo. *Bils* —5F **61**
Galena Way. *B6* —3G **101**
Gale Wlk. *Row R* —4H **95**
Gallery, The. *Wolv*
　　　　　　—2G **43** (4B **170**)
Galloway Av. *B34* —3D **104**
Galton Clo. *B24* —3D **86**
Galton Dri. *Dud* —3D **94**
Galton Rd. *Smeth* —1D **114**
Galton Tower. *B1* —4A **4**
Gamesfield Grn. *Wolv* —2D **42**
Gammage St. *Dud* —1D **94**
Gandy Rd. *W'hall* —3A **30**
Gannah's Farm Clo. *S Cold*
　　　　　　—2D **70**

Gannow Green. —6D 142

Gannow Grn. La. *Redn*
　　　　　　—6C **142**
Gannow Mnr. Cres. *Redn*
　　　　　　—5E **143**
Gannow Mnr. Gdns. *Redn*
　　　　　　—6F **143**
Gannow Rd. *Redn* —2E **157**
Gannow Shop. Cen. *Redn*
　　　　　　—6E **143**
Gannow Wlk. *Redn* —2E **157**
Ganton Rd. *Wals* —3G **19**
Ganton Wlk. *Wolv* —1D **26**
Garden Clo. *B8* —4G **103**
Garden Clo. *Know* —3B **166**
Garden Clo. *Redn* —5G **143**
Garden Cres. *Wals* —4D **20**
Garden Cft. *Wals* —2D **34**
Gardeners Wlk. *Sol* —3G **151**
Gardeners Way. *Wom* —3F **73**
Garden Gro. *B20* —1A **82**
Gardens, The. *Erd* —4E **85**
Garden St. *Wals* —6C **32**
Garden Wlk. *Bils* —5H **45**
Garden Wlk. *Dud* —6E **77**
　　　　　　(DY2)
Garden Wlk. *Dud* —5G **75**
　　　　　　(DY3)
Garfield Rd. *B26* —3F **121**
Garland Cres. *Hale* —3E **113**
Garland St. *B9* —6C **102**
Garland Way. *B31* —2F **145**
Garman Clo. *B43* —3A **66**
Garner Clo. *Bils* —2F **61**
Garnet Av. *B43* —1D **66**
Garnet Clo. *Ston* —3G **23**
Garnet Ct. *Sol* —4D **136**
Garnett Dri. *S Cold* —5C **54**
Garrard Gdns. *S Cold* —6H **53**
Garratt Clo. *O'bry* —5A **98**
Garratt's La. *Crad H* —1H **111**
Garratt St. *Brie H* —4A **94**
Garratt St. *W Brom* —2H **79**

Garret Clo. *K'wfrd* —1B **92**
Garrett's Green. —3H 121
Garrett's Grn. Ind. Est. *B33*
　　　　　　—2G **121**
Garretts Grn. La. *B26 & B33*
　　　　　　—4D **120**
Garretts Wlk. *B14* —5G **147**
Garrick Clo. *Dud* —4B **76**
Garrick St. *Wolv*
　　　　　　—2H **43** (4C **170**)
Garrington St. *W'bry* —4C **46**
Garrison Cir. *B9* —1A **118**
Garrison La. *B9* —1B **118**
Garrison St. *B9* —1B **118**
Garston Way. *B43* —5H **65**
Garth, The. *B14* —3D **148**
Garway Gro. *B25* —5H **119**
Garwood Rd. *B26* —1D **120**
Gas St. *B1* —1E **117** (5A **4**)
Gatacre St. *Dud* —4H **75**
Gatcombe Clo. *Wolv* —3B **16**
Gatcombe Rd. *Dud* —5A **76**
Gatehouse Fold. *Dud* —6F **77**
Gatehouse Trad. Est. *Bwnhls*
　　　　　　—4D **10**
Gate La. *H'ley H & Dorr*
　　　　　　—5F **165**
Gate La. *S Cold* —3F **69**
Gateley Rd. *O'bry* —4C **114**
Gate St. *B8* —4D **102**
Gate St. *Dud* —6A **60**
Gate St. *Tip* —5A **78**
Gatis St. *Wolv* —5E **27**
Gatwick Rd. *B35* —3G **87**
Gauden Rd. *Stourb* —4H **125**
Gawne La. *Crad H* —5H **95**
Gaydon Clo. *Wolv* —4E **25**
Gaydon Gro. *B29* —3E **131**
Gaydon Pl. *S Cold* —1H **69**
Gaydon Rd. *Sol* —2H **137**
Gaydon Rd. *Wals* —5C **38**
Gayfield Av. *Brie H* —2H **109**
Gay Hill. —2D 160
Gayhill La. *B38* —6D **146**
Gayhurst Dri. *B25* —3C **120**
Gayle Gro. *B27* —5A **136**
Gayton Rd. *W Brom* —1B **80**
Gaywood Cft. *B15* —3E **117**
Geach St. *B19* —3F **101**
Geach Tower. B19 —4F **101**
　　　　　　(off Uxbridge St.)
Gedney Clo. *Shir* —4C **148**
Geeson Clo. *B35* —3F **87**
Gee St. *B19* —3F **101**
Gem Ho. *B4* —2G **5**
Geneva Rd. *Tip* —2F **77**
Genge Av. *Wolv* —1A **60**
Genners App. *N'fld* —5B **130**
Genners La. *Bart G & B31*
　　　　　　—5A **130**
Genners La. *N'fld* —1C **144**
Genthorn Clo. *Wolv* —1B **60**
Gentian. *S Cold* —5F **37**
Gentian Clo. *B31* —1D **144**
Geoffrey Clo. *S Cold* —6F **71**
Geoffrey Pl. *B11* —2C **134**
Geoffrey Rd. *B11* —2C **134**
Geoffrey Rd. *Shir* —4F **149**
George Arthur Rd. *B8*
　　　　　　—5D **102**
George Av. *Row R* —1D **112**
George Bird Clo. *Smeth*
　　　　　　—3E **99**
George Clo. *Dud* —1G **95**
George Frederick Rd. *S Cold*
　　　　　　—1A **68**

George Henry Rd. *Tip* —6E **63**
George Rd. *Bils* —4F **61**
George Rd. *Edg* —3D **116**
George Rd. *Erd* —3B **84**
George Rd. *Gt Barr* —3B **66**
George Rd. *Hale* —1H **127**
George Rd. *O'bry* —1H **113**
George Rd. *S Oak* —2A **132**
George Rd. *Sol* —4G **151**
George Rd. *S Cold* —4D **68**
George Rd. *Tip* —1F **77**
George Rd. *Wat O* —4E **89**
George Rd. *Yard* —5G **119**
George Rose Gdns. *W'bry*
　　　　　　—5C **46**
George St. *B3* —6E **101** (3A **4**)
George St. *Bal H* —6G **117**
George St. *E'shll* —4C **44**
George St. *Hand* —1G **99**
George St. *Loz* —2D **100**
George St. *Stourb* —2D **108**
George St. *Wals* —2C **48**
George St. *W Brom* —5B **80**
George St. *W'hall* —6A **30**
George St. *Wolv*
　　　　　　—2H **43** (5C **170**)
George St. Woods —1D **76**
George St. W. *B18* —5C **100**
Georgian Gdns. *W'bry* —2F **63**
Georgina Av. *Bils* —2F **61**
Geraldine Rd. *B25* —4H **119**
Gerald Rd. *Stourb* —4C **108**
Geranium Gro. *B9* —6F **103**
Geranium Rd. *Dud* —1H **95**
Gerardsfield Rd. *B33* —6H **105**
Germander Dri. *Wals* —2F **65**
Gerrard Clo. *B19* —2E **101**
Gerrard Rd. *W'hall* —2G **45**
Gerrard St. *B19* —2E **101**
Gervase Dri. *Dud* —4E **77**
Geston Rd. *Dud* —1B **94**
Gibbet La. *Kinv* —1A **124**
Gibbins Rd. *B29* —4G **131**
Gibbons Gro. *Wolv* —5D **26**
Gibbons Hill Rd. *Dud* —3H **59**
Gibbon's La. *Brie H* —2E **93**
Gibbons Rd. *S Cold* —6H **37**
Gibbons Rd. *Wolv* —5D **26**
Gibbs Hill Rd. *B31* —2F **159**
Gibbs Rd. *Stourb* —6C **110**
Gibbs St. *Wolv* —5C **27**
Gibb St. *B12 & B9*
　　　　　　—2H **117** (6H **5**)
Gib Heath. —3C 100
Gibson Dri. *B20* —6D **82**
Gibson Rd. *B20* —1D **100**
Gibson Rd. *Pert* —6E **25**
Gideon Clo. *B25* —5B **120**
Gideons Clo. *Dud* —2H **75**
Giffard Rd. *Bush* —4A **16**
Giffard Rd. *Stow H* —4D **44**
Gifford Ct. *Brie H* —1H **109**
　　　　　　(off Hill St.)
Giggetty La. *Wom* —1F **73**
Gigmill Way. *Stourb* —1C **124**
Gilbanks Rd. *Stourb* —4B **108**
Gilberry Clo. *Know* —4C **166**
Gilbert Av. *Tiv* —2B **96**
Gilbert Clo. *Wolv* —2A **30**
Gilbert Ct. Wals —5E **33**
　　　　　　(off Lichfield Rd.)
Gilbert Enterprise Pk. *W'hall*
　　　　　　—5B **30**
Gilbert La. *Wom* —6H **57**
Gilbert Rd. *Smeth* —5F **99**
Gilbertstone. —4C 120

Gilbertstone Av. *B26* —6C **120**
Gilbert St. *Tip* —5A **78**
Gilbeys Clo. *Stourb* —2C **108**
Gilby Rd. *B16* —1C **116**
Gilchrist Dri. *B15* —3A **116**
Gildas Av. *B38* —6C **146**
Giles Clo. *B33* —6C **104**
Giles Clo. *Sol* —6B **138**
Giles Clo. Ho. *B33* —6C **104**
Giles Hill. *Stourb* —5E **109**
Giles Rd. *O'bry* —4H **97**
Gilldown Pl. *B15* —4D **116**
Gillespie Cft. *B6* —2H **101**
Gillhurst Rd. *B17* —4F **115**
Gillies Ct. *Stech* —6B **104**
Gilling Gro. *B34* —3E **105**
Gillingham Clo. *W'bry* —6B **48**
Gillity Av. *Wals* —3F **49**
Gillity Clo. *Wals* —3F **49**
Gillity Ct. *Wals* —4H **49**
Gilliver Rd. *Shir* —5H **149**
Gillman Clo. *B26* —1H **137**
Gillott Clo. *Sol* —4A **152**
Gillott Rd. *B16* —2G **115**
Gillows Cft. *Shir* —2E **165**
Gillscroft Rd. *B33* —5E **105**
Gills Fld. *Brie H* —5G **93**
Gill St. *Dud* —5G **95**
Gill St. *W Brom* —6A **80**
Gilmorton Clo. *B17* —4F **115**
Gilmorton Clo. *Sol* —6G **151**
Gilpin Clo. *B8* —2A **104**
Gilpin Cres. *Wals* —3E **21**
Gilpins Arm. *Wals* —2F **21**
Gilson. —6F 89
Gilson Dri. *Col* —2F **107**
Gilson Rd. *Col* —6F **89**
Gilson St. *Tip* —5C **62**
Gilson Way. *B37* —4C **106**
Gilwell Rd. *B34* —3A **106**
Gimble Wlk. *B17* —3E **115**
(in two parts)
Gin Cridden. *Stourb* —5A **110**
Gipsy Clo. *Bal C* —4H **169**
Gipsy La. *B23* —2A **84**
Gipsy La. *Bal C* —4H **169**
Gipsy La. *W'hall* —2B **46**
Girton Ho. *B36* —1B **106**
Gisborn Clo. *B10* —3B **118**
Gladeside Clo. *Wals* —1H **33**
Glades, The. *Wals* —2D **34**
Glade, The. *B26* —1H **137**
Glade, The. *Stourb* —6A **110**
Glade, The. *S Cold* —2G **51**
Glade, The. *Wolv* —6C **14**
Gladstone Dri. *Stourb*
—6B **108**
Gladstone Dri. *Tiv* —5C **78**
Gladstone Gro. *K'wfrd* —1B **92**
Gladstone Rd. *Dorr* —6H **167**
Gladstone Rd. *Erd* —4D **84**
Gladstone Rd. *S'brk* —5B **118**
Gladstone Rd. *Stourb*
—5B **108**
Gladstone Rd. *Yard* —5B **120**
Gladstone St. *B6* —1A **102**
Gladstone St. *Wals* —5B **32**
Gladstone St. *W'bry* —5E **47**
Gladstone St. *W Brom* —1A **80**
Gladstone Ter. *Hand* —2A **100**
Gladys Rd. *B25* —4H **119**
Gladys Rd. *Smeth* —1D **114**
Gladys Ter. *Smeth* —1D **114**
Glaisdale Gdns. *Wolv* —4E **27**
Glaisdale Rd. *B28* —5G **135**
Glaisedale Gro. *W'hall* —1C **46**

Glaisher Dri. *Wolv* —3G **27**
Glamis Rd. *W'hall* —2B **30**
Glanville Dri. *S Cold* —5G **37**
Glasbury Cft. *B38* —2A **160**
Glascote Clo. *Shir* —3G **149**
Glascote Gro. *B34* —2G **105**
Glasshouse Hill. *Stourb*
—2F **125**
Glastonbury Cres. *Wals*
—5E **19**
Glastonbury Rd. *B14* —3C **148**
Glastonbury Rd. *W Brom*
—4B **64**
Glastonbury Way. *Wals*
—6E **19**
Glaston Dri. *Sol* —6E **151**
Gleads Cft. *Hale* —2G **129**
Gleaston Wlk. *Wolv* —2E **45**
Gleave Rd. *B29* —4A **132**
Glebe Dri. *S Cold* —5F **69**
Glebe Farm. —5F 105
Glebe Farm Rd. *B33* —4E **105**
Glebe Fields. *Curd* —1D **88**
Glebefields Rd. *Tip* —5A **62**
Glebeland Clo. *B16* —2D **116**
Glebe La. *Stourb* —1C **124**
Glebe Pl. *W'bry* —5B **46**
Glebe Rd. *Sol* —2H **151**
Glebe Rd. *W'hall* —3H **45**
Glebe St. *Wals* —3C **48**
Glebe Way. *Bal C* —2G **169**
Glenavon Rd. *B14* —4H **147**
Glen Clo. *Wals* —6E **33**
Glencoe Rd. *B16* —5G **99**
Glen Ct. *Cod* —3G **13**
Glen Ct. *Wolv* —1C **42**
Glencroft Rd. *Sol* —1H **137**
Glendale Clo. *Hale* —1B **128**
Glendale Clo. *Wolv* —3A **42**
Glendale Dri. *B33* —6D **104**
Glendale Dri. *Wom* —1G **73**
Glendale Tower. *B23* —1H **85**
Glendene Cres. *B38* —2G **159**
Glendene Dri. *B43* —5H **65**
Glendevon Clo. *Redn* —5G **143**
Glendon Rd. *B23* —1D **84**
Glendon Way. *Dorr* —6H **165**
Glendower Rd. *B42* —3E **83**
Glendower Rd. *Wals* —6D **22**
Gleneagles Dri. *B43* —2A **66**
Gleneagles Dri. *S Cold* —4A **54**
Gleneagles Rd. *Tiv* —2A **96**
Gleneagles Rd. *B26* —3E **121**
Gleneagles Rd. *Blox* —4F **19**
Gleneagles Rd. *Pert* —4D **24**
Glenelg Dri. *Stourb* —3F **125**
Glenelg M. *Wals* —6H **49**
Glenfern Rd. *Bils* —5C **60**
Glenfield. *Wolv* —5C **14**
Glenfield Clo. *Sol* —1G **165**
Glenfield Clo. *S Cold* —2C **70**
Glenfield Gro. *B29* —4C **132**
Glengarry Clo. *B32* —6H **129**
Glengarry Gdns. *Wolv* —2D **42**
Glenhurst Clo. *Wals* —6D **30**
Glenmead Rd. *B44* —5F **67**
Glenmore Clo. *Wolv* —4C **42**
Glenmore Dri. *B38* —6H **145**
Glenpark Rd. *B8* —4E **103**
Glen Pk. Rd. *Dud* —5H **75**
Glen Ri. *B13* —1C **148**
Glen Rd. *Dud* —1A **76**
Glen Rd. *Stourb* —2D **124**
Glenroyde. *B38* —2A **160**
Glen Side. *B32* —3B **130**
Glenside Av. *Sol* —2F **137**

Glenthorne Dri. *Wals* —2E **7**
Glenthorne Rd. *B24* —5G **85**
Glenthorne Way. *B24* —5G **85**
Glentworth. *S Cold* —3E **71**
Glentworth Gdns. *Wolv*
—4F **27**
Glenville Dri. *B23* —2E **85**
Glenwood Clo. *Brie H*
—3H **109**
Glenwood Dri. *Shir* —5B **164**
Glenwood Ri. *Wals* —4F **23**
Glenwood Rd. *B38* —1H **159**
Globe St. *W'bry* —4H **63**
Gloucester Flats. *Row R*
—5E **19**
Gloucester Ho. Wolv —5G **27**
(off Lomas St.)
Gloucester Pl. *W'hall* —1D **46**
Gloucester Rd. *Dud* —1F **111**
Gloucester Rd. *Wals* —3F **49**
Gloucester Rd. *W'bry* —2A **64**
Gloucester St. *B5*
—2G **117** (6E **5**)
Gloucester St. *Wolv* —5F **27**
Gloucester Way. *B37* —2C **122**
Glover Clo. *B28* —1F **149**
Glover Rd. *S Cold* —6D **54**
Glovers Cft. *B37* —6B **106**
Glovers Fld. Dri. *B7* —2C **102**
Glover's Rd. *B10* —3C **118**
Glover St. *B9* —1A **118**
Glover St. *W Brom* —6B **80**
Glovers Trust Homes. *S Cold*
—5F **69**
Glyme Dri. *Wolv* —4C **26**
Glyn Av. *Bils* —2B **62**
Glyn Dri. *Bils* —2B **62**
Glyn Farm Rd. *B32* —6A **114**
Glynne Av. *K'wfrd* —5B **92**
Glyn Rd. *B32* —5B **114**
Glynside Av. *B32* —5B **114**
Goffs Clo. *B32* —2D **130**
Goldcrest Clo. *Dud* —1E **111**
Goldcrest Cft. *B36* —1C **106**
Goldencrest Dri. *O'bry* —1E **97**
Golden Cft. *B20* —6B **82**
Golden End. —3F 167
Golden End Dri. *Know*
—3F **167**
Golden Hillock Rd. *Dud*
—6E **95**
Golden Hillock Rd. *Small H*
—4D **118**
Golden Hillock Rd. *S'brk &*
New S —6B **118**
Goldfinch Clo. *B30* —5H **131**
Goldfinch Rd. *Stourb* —2H **125**
Goldicroft Rd. *W'bry* —1G **63**
Goldieslie Clo. *S Cold* —3H **69**
Goldieslie Rd. *S Cold* —3H **69**
Golding St. *Dud* —3E **95**
Golds Green. —5E 63
Golds Hill Gdns. *B21* —2B **100**
Golds Hill Rd. *B21* —1B **100**
Golds Hill Way. *Tip* —6D **62**
Goldsmith Rd. *B14* —5H **133**
Goldsmith Rd. *Wals* —2C **32**
Goldstar Way. *B33* —1G **121**
Goldthorn Av. *Wolv* —5F **43**
Goldthorn Cres. *Wolv* —5E **43**
Goldthorne Av. *B26* —1G **137**
Goldthorn Hill. —5F 43
Goldthorn Hill. *Wolv* —5E **43**
Goldthorn Hill Rd. *Wolv*
—5F **43**

Goldthorn Park. —1G 59
Goldthorn Rd. *Wolv* —5F **43**
Goldthorn Ter. *Wolv* —4F **43**
Goldthorn Wlk. *Brie H*
—3H **109**
Golf Club Dri. *Wals* —5E **49**
Golf La. *Bils* —4F **45**
Golson Clo. *S Cold* —5D **54**
Gomeldon Av. *B14* —4H **147**
Gomer St. *W'hall* —1A **46**
Gomer St. W. *W'hall* —1A **46**
Gonville Ho. *B36* —1B **106**
Gooch Clo. *Stourb* —5E **109**
Gooch St. *B5* —3G **117**
Gooch St. N. *B5* —2G **117**
Goodall Gro. *B43* —6G **51**
Goodall St. *Wals* —2D **48**
Goodby Rd. *B13* —2F **133**
Goode Av. *B18* —4C **100**
Goode Clo. *O'bry* —5A **98**
Goodeve Wlk. *S Cold* —6F **55**
Goodison Gdns. *B24* —2H **85**
Goodleigh Av. *B31* —3C **158**
Goodman St. *B28* —1F **149**
Goodman St. *B1* —6D **100**
Goodrest Av. *Hale* —6F **113**
Goodrest Cft. *B14* —3C **148**
Goodrest La. *B38* —3B **160**
(in two parts)
Goodrich Av. *Pert* —6G **25**
Goodrich Covert. *B14* —5E **147**
Goodrick Way. *B7* —3B **102**
Goodway Rd. *B44* —5G **67**
Goodway Rd. *Sol* —2A **138**
Goodwood Clo. *B36* —1B **104**
Goodwood Dri. *S Cold* —4H **51**
Goodwyn Av. *O'bry* —4B **114**
Goodyear Av. *Wolv* —1A **28**
Goodyear Rd. *Smeth* —1C **114**
Goosemoor La. *B23* —6E **69**
Gopsal St. *B4* —6A **102** (2H **5**)
Gordon Av. *B19* —2F **101**
Gordon Av. *W Brom* —5A **64**
Gordon Av. *Wolv* —2B **60**
Gordon Clo. *Tiv* —5D **78**
Gordon Cres. *Brie H* —4A **94**
Gordon Dri. *Tip* —1C **78**
Gordon Pl. *Bils* —6E **45**
Gordon Rd. *Harb* —5H **115**
Gordon Rd. *Loz* —1E **101**
Gordon St. B9 —1B **118**
(off Garrison La.)
Gordon St. *W'bry* —5D **46**
Gordon St. *Wolv*
—3H **43** (6D **170**)
Gorey Clo. *W'hall* —1B **30**
Gorge Rd. *Dud & Bils* —5A **60**
Gorleston Gro. *B14* —5B **148**
Gorleston Rd. *B14* —5B **148**
Gornalwood. —5G 75
Gorsebrook Rd. *Wolv* —4F **27**
Gorse Clo. *F'bri* —1B **122**
Gorse Clo. *S Oak* —5E **131**
Gorse Farm Rd. *B43* —5A **66**
Gorsefield Rd. *B34* —4G **105**
Gorse La. *Try* —1A **87**
Gorsemoor Way. *Ess* —4B **18**
Gorse Rd. *Dud* —3C **76**
Gorse Rd. *Wolv* —1A **30**
Gorseway, The. *S Cold*
—1H **69**
Gorsey La. *Col* —5G **89**
Gorsey La. *Gt Wyr* —4F **7**
Gorsey La. *Pels* —3B **8**
Gorsey La. *Wyt* —5A **162**
Gorsey Way. *Col* —5G **89**

Gorsey Way. *Wals* —4A **34**
Gorsly Piece. *B32* —1A **130**
Gorstie Cft. *B43* —5A **66**
Gorsty Av. *Brie H* —6G **93**
Gorsty Clo. *W Brom* —5D **64**
Gorsty Hayes. *Cod* —4F **13**
Gorsty Hill Rd. *Row R*
—3B **112**
Gorsymead Gro. *B31* —5A **144**
Gorsy Rd. *B32* —1B **130**
Gorton Cft. *Bal C* —2H **169**
Gorway Clo. *Wals* —4D **48**
Gorway Gdns. *Wals* —4E **49**
Gorway Rd. *Wals* —4D **48**
Goscote. —5C 20
Goscote Clo. *Wals* —2D **32**
Goscote Ind. Est. *Wals*
—6C **20**
Goscote La. *Wals* —5C **20**
Goscote Lodge Cres. *Wals*
—2D **32**
Goscote Pl. *Wals* —2E **33**
Goscote Rd. *Wals* —6D **20**
Gosford St. *B12* —5H **117**
Gosford Wlk. *Sol* —4E **137**
Gospel End Rd. *Dud* —5E **59**
Gospel End St. *Dud* —6H **59**
Gospel End Village. —5D 58
Gospel Farm Rd. *B27*
—5H **135**
Gospel La. *B27* —6A **136**
Gospel Oak Rd. *Tip* —4B **62**
Gosport Clo. *Wolv* —4D **44**
Goss Cft. *B29* —4H **131**
Gossey La. *B33* —1G **121**
Goss, The. *Brie H* —2H **109**
Gosta Grn. *B4* —5H **101** (1G **5**)
Gotham Rd. *B26* —5C **120**
Gothersley. —6E 91
Gothersley La. *Stourb* —6D **90**
Goths Clo. *Row R* —5C **96**
Gough Av. *Wolv* —1D **28**
Gough Rd. *Bils* —4E **61**
Gough Rd. *Edg* —4E **117**
Gough Rd. *Greet* —6D **118**
Gough St. *B1* —2F **117** (6C **4**)
Gough St. *W'hall* —6C **30**
Gough St. *Wolv* —1A **44**
Gould Firm La. *Wals* —3G **35**
Gowan Rd. *B8* —5E **103**
Gower Av. *K'wfrd* —5D **92**
Gower Rd. *Dud* —5F **59**
Gower Rd. *Hale* —5E **113**
Gower St. *B19* —2F **101**
Gower St. *Wals* —4H **47**
Gower St. *W'hall* —1A **46**
Gower St. *Wolv* —3A **44**
(in two parts)
Gozzard St. *Bils* —6G **45**
Gracechurch Cen. *S Cold*
—6H **53**
Gracemere Cres. *B28* —4E **149**
Grace Rd. *B11* —4C **118**
Grace Rd. *Tip* —6A **62**
Grace Rd. *Tiv* —1C **96**
Gracewell Homes. *B13*
—4D **134**
Gracewell Rd. *B13* —4D **134**
Grafton Dri. *W'hall* —3F **45**
Grafton Gdns. *Dud* —4F **75**
Grafton Gro. *B19* —2E **101**
Grafton Pl. *Bils* —4G **45**
Grafton Rd. *Hand* —6H **81**
Grafton Rd. *O'bry* —2F **113**
Grafton Rd. *Shir* —5C **148**
Grafton Rd. *S'brk* —4B **118**

Grafton Rd. *W Brom* —3B **80**
Graham Clo. *Tip* —4B **62**
Graham Cres. *Redn* —2G **157**
Graham Rd. *B25* —5A **120**
Graham Rd. *Hale* —3C **112**
Graham Rd. *Stourb* —5B **92**
Graham Rd. *W Brom* —3B **80**
Graham St. *B1*
—6E **101** (2A **4**)
Graham St. *Loz* —2E **101**
Grainger Clo. *Tip* —1D **78**
Graingers La. *Crad H* —3E **111**
Grainger St. *Dud* —2F **95**
Graiseley Ct. *Wolv* —5A **170**
Graiseley Hill. *Wolv*
—3G **43** (6A **170**)
Graiseley La. *Wolv* —4D **28**
Graiseley Row. *Wolv*
—3G **43** (6A **170**)
Graiseley St. *Wolv*
—2F **43** (5A **170**)
Graith Clo. *B28* —4E **149**
Grammar School La. *Hale*
—1A **128**
Grampian Rd. *Stourb* —5E **109**
Granada Ind. Est. *O'bry*
—2F **97**
Granary Clo. *K'wfrd* —1G **91**
Granary La. *S Cold* —2D **70**
Granary Rd. *Wolv* —6C **14**
Granary, The. *A'rdge* —2D **34**
Granbourne Rd. *Wals* —5D **30**
Granby Av. *B33 & Kitts G*
—2G **121**
Granby Bus. Pk. *B33* —2G **121**
Granby Clo. *Sol* —6C **136**
Grandborough Dri. *Sol*
—6E **151**
Grand Clo. *Smeth* —6F **99**
Grand Junct. Way. *Wals*
—5B **48**
Grandys Cft. *B37* —6B **106**
Grange Av. *A'rdge* —5C **22**
Grange Av. *S Cold* —6A **38**
Grange Ct. *Stourb* —2G **125**
Grange Ct. *Wals* —1D **46**
Grange Ct. *Wolv* —2F **43**
Grange Cres. *Hale* —2B **128**
Grange Cres. *Redn* —1E **157**
Grange Cres. *Wals* —1F **33**
Grange Estate. —1G 125
Grange Farm Dri. *B38*
—6H **145**
Grangefield Clo. *Wolv* —6D **14**
Grange Hill. *Hale* —3C **128**
Grange Hill Rd. *B38* —6A **146**
Grange La. *K'wfrd* —5D **92**
Grange La. *Stourb* —2G **125**
Grange La. *S Cold* —6A **38**
Granger Clo. *W'bry* —2E **63**
Grange Ri. *B38* —2B **160**
Grange Rd. *Aston* —1G **101**
Grange Rd. *Bal C* —2F **169**
Grange Rd. *Bils* —6D **60**
Grange Rd. *Crad H* —2A **112**
Grange Rd. *Dud* —6D **76**
Grange Rd. *Erd* —2H **85**
Grange Rd. *Hale* —2B **128**
Grange Rd. *H'ley H & Dorr*
—6F **167**
Grange Rd. *K Hth* —5G **133**
Grange Rd. *S Oak* —2B **132**
Grange Rd. *Small H* —2D **118**
Grange Rd. *Smeth* —6E **99**
Grange Rd. *Sol* —6C **136**
Grange Rd. *Stourb* —1G **125**

Grange Rd. *Tett* —4A **26**
Grange Rd. *W Brom* —4H **79**
Grange Rd. *Wolv* —5F **43**
Grange St. *Dud* —6D **76**
Grange St. *Wals* —4D **48**
Grange, The. *Hale* —5F **113**
Grange, The. *Wom* —6G **57**
Grangewood. *S Cold* —6G **69**
Grangewood Ct. *Sol* —6C **136**
Granmore Ho. *Shir* —6C **150**
Granshaw Clo. *B38* —6B **146**
Grant Clo. *K'wfrd* —1B **92**
Grant Clo. *W Brom* —2A **80**
Grant Ct. *K Nor* —2C **146**
Grantham Rd. *B11* —5B **118**
Grantham Rd. *Smeth* —6F **99**
Grantley Cres. *K'wfrd* —3A **92**
Grantley Dri. *B37* —6D **106**
Granton Clo. *B14* —2F **147**
Granton Rd. *B14* —2F **147**
Grantown Rd. *Wals* —3G **19**
Grant St. *B15* —3F **117**
Grant St. *Wals* —1H **31**
Granville Clo. *Wolv*
—3H **43** (6D **170**)
Granville Dri. *K'wfrd* —4D **92**
Granville Rd. *Crad H* —3B **112**
Granville Rd. *Dorr* —6H **167**
Granville Sq. *B15*
—2E **117** (6A **4**)
Granville St. *B1*
—2E **117** (6A **4**)
Granville St. *W'hall* —6A **30**
Granville St. *Wolv*
—3H **43** (6D **170**)
Grasdene Gro. *B17* —1G **131**
Grasmere Av. *Pert* —6F **25**
Grasmere Av. *S Cold* —1A **52**
Grasmere Clo. *K'wfrd* —2H **91**
Grasmere Clo. *Tett* —1C **26**
Grasmere Clo. *Wed* —2E **29**
Grasmere Ct. *Wals* —2D **6**
Grasmere Ho. *O'bry* —5D **96**
Grasmere Rd. *B21* —2B **100**
Grassington Dri. *B37* —2B **122**
Grassmere Dri. *Stourb*
—2D **124**
Grassmoor Rd. *B38* —5A **146**
Grassy La. *Wolv* —6D **16**
(in two parts)
Graston Clo. *B16* —1C **116**
Gratham Clo. *Brie H* —4F **109**
Grattidge Rd. *B27* —3B **136**
Gravel Bank. *B32* —2B **130**
Gravel Hill. *Wom* —1H **73**
Gravelly Hill. —5E 85
Gravelly Hill. *B23* —6D **84**
Gravelly Hill N. *B23* —5E **85**
Gravelly Ind. Pk. *B24 & Erd*
(in two parts) —1E **103**
Gravelly La. *B23* —2F **85**
Gravelly La. *Wals* —5G **23**
Graydon Ct. *S Cold* —4H **53**
Grayfield Av. *B13* —2H **133**
Grayland Clo. *B27* —3H **135**
Grayling Clo. *W'bry* —2B **62**
Grayling Rd. *Stourb* —5G **109**
Grayling Wlk. *B37* —6E **107**
Grayshott Clo. *B23* —2E **85**
Grays Rd. *B17* —5H **115**
Gray St. *B9* —1B **118**
Grayswood Pk. Rd. *B32*
—5A **114**
Grayswood Rd. *B31* —2D **158**
Grazebrook Cft. *B32* —5B **130**

Grazebrook Ind. Pk. *Dud*
—3D **94**
Grazebrook Rd. *Dud* —2E **95**
Grazewood Clo. *W'hall*
—1B **30**
Greadier St. *W'hall* —4C **30**
Gt. Arthur St. *Smeth* —2D **98**
Great Barr. —2A 66
Gt. Barr St. *B9* —1A **118**
Gt. Brickkiln St. *Wolv* —2E **43**
Great Bridge. —1D 78
Gt. Bri. *Tip* —1D **78**
Gt. Bridge Ind. Est. *Tip*
—6C **62**
Gt. Bridge Rd. *Bils* —1A **62**
Gt. Bridge St. *W Brom &*
Swan V —2D **78**
Gt. Bridge W. Ind. Est. *Tip*
—1D **78**
Gt. Brook St. *B7* —5A **102**
Gt. Charles St. *Wals* —5B **10**
Gt. Charles St. Queensway. *B3*
—6F **101** (3C **4**)
Gt. Colmore St. *B15* —3E **117**
Gt. Cornbow. *Hale* —2B **128**
Gt. Croft Ho. W'bry —5D **46**
(off Lawrence Way)
Gt. Croft St. W'bry —5D **46**
(off Lawrence Way)
Gt. Francis St. *B7* —5B **102**
Gt. Hampton Row. *B19*
—5E **101**
Gt. Hampton St. *B18* —4E **101**
Gt. Hampton St. *Wolv* —6F **27**
(in two parts)
Great Hill. *Dud* —6D **76**
Gt. King St. *B19* —4E **101**
(in two parts)
Gt. King St. N. *B19* —3E **101**
Gt. Lister St. *B7* —5H **101**
Gt. Moor Rd. *Patt* —1A **40**
Great Oaks. *B26* —6F **121**
Greatorex Ct. *W Brom* —5H **63**
Gt. Stone Rd. *B31* —4E **145**
Gt. Tindal St. *B16* —1C **116**
Gt. Western Arc. *B2*
—6G **101** (3E **5**)
Gt. Western Clo. *B18* —3A **100**
Gt. Western Dri. *Crad H*
—2A **112**
Gt. Western Ind. Est. *B18*
—3A **100**
Gt. Western St. *W'bry* —3E **63**
Gt. Western St. *Wolv*
—6H **27** (1C **170**)
Gt. Western Way. *Gt Bri*
—1D **78**
Gt. Wood Rd. *B10* —2C **118**
Great Wyrley. —3E 7
Greaves Av. *Wals* —4G **49**
Greaves Clo. *Wals* —3G **49**
Greaves Cres. *W'hall* —1C **30**
Greaves Rd. *Dud* —4F **95**
Greaves Sq. *B38* —6D **146**
Grebe Clo. *B23* —4B **84**
Greenacre Dri. *Cod* —5H **13**
Greenacre Rd. *Tip* —4A **62**
Green Acres. *B27* —3H **135**
Green Acres. *Dud* —4F **59**
Greenacres. *S Cold* —5E **71**
Greenacres. *Wolv* —4H **25**
Green Acres. *Wom* —2F **73**
Greenacres Av. *Wolv* —5D **16**
Greenacres Clo. *A'rdge*
—1G **51**
Greenacres Rd. *B38* —1H **159**

Greenaleigh Rd. *B14* —3D **148**
Green Av. *B28* —4E **135**
Greenaway Clo. *B43* —2E **67**
Grn. Bank Av. *B28* —4E **135**
Greenbank Gdns. *Word*
—1C **108**
Greenbank Rd. *Bal C* —3F **169**
Grn. Barns La. *Lich* —1A **38**
Greenbush Dri. *Hale* —6A **112**
Green Clo. *Wyt* —6A **162**
Greencoat Tower. *B1*
—1E **117** (4A **4**)
Green Ct. *B24* —5E **85**
Green Ct. *Hall G* —5F **135**
Green Cft. *B9* —6G **103**
Green Cft. *Bils* —5F **45**
Greencroft. *K'wfrd* —5B **92**
Green Dri. *B32* —4A **130**
Green Dri. *Wolv* —2G **27**
Greenend Rd. *B13* —3H **133**
Greenfels Ri. *Dud* —1H **95**
Greenfield Av. *Bal C* —2G **169**
Greenfield Av. *Crad H*
—2D **110**
Greenfield Av. *Stourb* —6D **108**
Greenfield Cres. *B15* —3C **116**
Greenfield Cft. *Bils* —3F **61**
Greenfield La. *Wolv* —2H **15**
Greenfield Rd. *Gt Barr* —6G **67**
Greenfield Rd. *Harb* —6G **115**
Greenfield Rd. *Smeth* —5C **98**
Green Fields. *Wals* —2C **34**
Greenfields Rd. *K'wfrd* —4B **92**
Greenfields Rd. *Wals* —5H **21**
Greenfields Rd. *Wom* —2G **73**
Greenfield Vw. *Dud* —6F **59**
Greenfinch Clo. *B36* —2C **106**
Greenfinch Rd. *B36* —2C **106**
Greenfinch Rd. *Stourb*
—2H **125**
Greenford Rd. *B14* —4C **148**
Grn. Gables. *S Cold* —4H **53**
Grn. Gables Dri. *H'wd*
—2A **162**
Greenhill. *Wom* —1H **73**
Grn. Hill Av. *K Hth* —4H **133**
Greenhill Clo. *W'hall* —4B **30**
Greenhill Ct. *Wom* —2H **73**
Greenhill Dri. *B29* —4G **131**
Greenhill Gdns. *B43* —3A **66**
Greenhill Gdns. *Wom* —2H **73**
Greenhill Rd. *Dud* —2A **76**
Greenhill Rd. *Hale* —4D **112**
Greenhill Rd. *Hand* —5H **81**
Greenhill Rd. *Mose* —4H **133**
Greenhill Rd. *S Cold* —5H **69**
Greenhill Wlk. *Wals* —3D **48**
Grn. Hill Way. *Shir* —2H **149**
Greenhill Way. *Wals* —6D **22**
Greenholm Rd. *B44* —6G **67**
Greening Dri. *B15* —4D **116**
Greenland Clo. *K'wfrd* —1C **92**
Greenland Ct. *B8* —3E **103**
Greenland Ri. *Sol* —6H **137**
Greenland Rd. *B29* —4D **132**
Greenlands. *Wom* —6F **57**
Greenlands. *B14* —4G **147**
Greenlands Rd. *B37 & Chel W*
—1D **122**
Green La. *B38* —1A **160**
Green La. *Bal C* —2H **169**
Green La. *Cas B* —1H **105**
Green La. *Chel W* —6E **107**
Green La. *Col* —4H **107**
(in two parts)
Green La. *Dud* —2B **76**

Green La. *Gt Barr* —5H **65**
Green La. *Hale* —2D **112**
Green La. *Hamm* —3C **10**
Green La. *Hand* —1G **99**
Green La. *K'wfrd* —2B **92**
Green La. *Pels* —3E **21**
Green La. *Quin* —5A **114**
Green La. *Shelf* —6G **21**
Green La. *Shir* —6E **149**
Green La. *Small H* —2C **118**
Green La. *Stourb* —6H **109**
Green La. *Wals* —3A **32**
(WS2)
Green La. *Wals* —2A **32**
(WS3)
Green La. *Wals* —4G **35**
(WS9)
Green La. *Wat O* —1D **106**
Green La. *Wolv* —2C **26**
Green La. Ind. Est. *Bord G*
—2E **119**
Green Lanes. —4E 45
Green Lanes. *Bils* —4E **45**
Green Lanes. *S Cold* —6H **69**
Green La. Wlk. *B38* —1B **160**
Greenleas Gdns. *Hale*
—2C **128**
Green Leigh. *B23* —5F **69**
Greenleighs. *Dud* —2H **59**
Greenly Rd. *Wolv* —6H **43**
Grn. Man Entry. *Dud* —6F **77**
Green Mdw. *Stourb* —5F **125**
Green Mdw. *Wed* —4G **29**
Grn. Meadow Clo. *Wom*
—2E **73**
Green Mdw. Rd. *B29* —6D **130**
Green Mdw. Rd. *W'hall*
—2B **30**
Greenoak Cres. *B30* —5E **133**
Greenoak Cres. *Bils* —6C **60**
Grn. Oak Rd. *Cod* —5H **13**
Green Pk. Av. *Bils* —3E **45**
Green Pk. Dri. *Bils* —3E **45**
Green Pk. Rd. *B31* —5C **144**
Green Pk. Rd. *Dud* —1H **95**
Greenridge Rd. *B20* —2A **82**
Green Rd. *Dud* —2F **95**
Green Rd. *Mose & Hall G*
—4D **134**
Grn. Rock La. *Wals* —6B **20**
Greenroyde. *Stourb* —4F **125**
Greensforge. —3D 90
Greensforge La. *Stourb*
—6E **91**
Greenside. *B17* —6G **115**
Greenside. *Shir* —5B **164**
Greenside Gdns. *Wals* —1F **65**
Greenside Rd. *B24* —2A **86**
Greenside Way. *Wals* —1D **64**
Greensill Av. *Tip* —5H **61**
Greenslade Cft. *B31* —5E **145**
Greenslade Rd. *Dud* —3F **59**
Greenslade Rd. *Shir* —5C **148**
Greenslade Rd. *Wals* —4G **49**
Greensleeves. *S Cold* —2F **53**
Greenstead Rd. *B13* —4D **134**
Green St. *Bils* —5E **61**
Green St. *O'bry* —2G **97**
Green St. *Smeth* —4D **98**
Green St. *Stourb* —6D **108**
Green St. *Wals* —4G **49**
Green St. *W Brom* —6C **80**
Greensway. *Wolv* —1D **28**
Green, The. *A'rdge* —3D **34**
(in two parts)

Green, The. *Blox* —6H **19**
(in two parts)
Green, The. *Cas B* —2F **105**
Green, The. *Darl* —3D **46**
Green, The. *Erd* —2G **85**
Green, The. *K Nor* —5B **146**
Green, The. *O'bry* —1H **113**
Green, The. *Quin* —5G **113**
Green, The. *Sol* —1H **151**
Green, The. *Stourb* —1B **108**
Green, The. *S Cold* —4B **70**
Green, The. *W'bry* —4D **46**
Greenvale. *B31* —2D **144**
Greenvale Av. *B26* —5H **121**
Green Wlk. *B17* —4D **114**
Greenway. *B20* —1B **82**
Greenway. *Dud* —4A **60**
Greenway. *Wals* —5D **22**
Greenway Av. *Stourb* —2C **108**
Greenway Dri. *S Cold* —2C **68**
Greenway Gdns. *B38* —2A **160**
Greenway Gdns. *Dud* —4A **60**
Greenway Rd. *Bils* —1G **61**
Greenways. *Hale* —6E **111**
Greenways. *N'fld* —5D **130**
Greenways. *Stourb* —2A **108**
Greenway St. *B9* —2C **118**
Greenway, The. *B37* —5C **122**
Greenway, The. *S Cold* —2B **68**
Greenway Wlk. *B33* —2A **122**
Greenwood. *B25* —3B **120**
Greenwood Av. *B27* —3G **135**
Greenwood Av. *O'bry* —4H **97**
Greenwood Av. *Row R* —6D **96**
Greenwood Clo. *B14* —2G **147**
Greenwood Cotts. Dud
(off Pine Grn.) —2C **76**
Greenwood Pk. *Wals* —5E **23**
Greenwood Pl. *B44* —4B **68**
Greenwood Rd. *Wals* —5C **22**
Greenwood Rd. *W Brom*
—5H **63**
Greenwood Rd. *Wolv* —2F **27**
Greenwood Sq. *B37* —1D **122**
Greenwoods, The. *Stourb*
—6C **108**
Greenwood Way. *B37*
—1D **122**
Greet. —6D 118
Greethurst Dri. *B13* —3C **134**
Greets Green. —4E 79
Greets Grn. Ind. Est. *W Brom*
—3F **79**
Greets Grn. Rd. *W Brom*
—4F **79**
Greetville Clo. *B34* —4E **105**
Gregory Av. *B29* —5D **130**
Gregory Clo. *W'bry* —3F **63**
Gregory Ct. *Wolv* —4F **29**
Gregory Dri. *Dud* —5C **76**
Gregory Rd. *Stourb* —6A **108**
Gregston Ind. Est. *O'bry*
—2H **97**
Grendon Dri. *S Cold* —2D **68**
Grendon Gdns. *Wolv* —5B **42**
Grendon Rd. *B14* —4A **148**
Grendon Rd. *Sol* —5C **136**
Grenfell Dri. *B15* —3B **116**
Grenfell Rd. *Wals* —4B **20**
Grenville Clo. *Wals* —6D **30**
Grenville Dri. *B23* —4B **84**
Grenville Pl. *W Brom* —4E **79**
Grenville Rd. *Dud* —6A **76**
Grenville Rd. *Shir* —5H **149**
Gresham Rd. *B28* —1F **149**

Gresham Rd. *O'bry* —3A **98**
Gresley Clo. *S Cold* —5G **37**
Gresley Gro. *B23* —6C **84**
Gressel La. *B33* —6G **105**
Grestone Av. *B20* —3A **82**
Greswolde Dri. *B24* —3H **85**
Greswolde Pk. Rd. *B27*
—1H **135**
Greswolde Rd. *B33* —1C **120**
Greswolde Rd. *B11* —2C **134**
Greswolde Rd. *Sol* —1C **150**
Greswold Gdns. *B34* —4E **105**
Greswold St. *W Brom* —2H **79**
Gretton Cres. *Wals* —4A **34**
Gretton Rd. *B23* —6D **68**
Gretton Rd. *Wals* —4B **34**
Greville Dri. *B15* —5E **117**
Grevis Clo. *B13* —1H **133**
Grevis Rd. *B25* —2C **120**
Greyfort Cres. *Sol* —4D **136**
Greyfriars Clo. *Dud* —4A **76**
Greyfriars Clo. *Sol* —1B **150**
Greyhound La. *Stourb*
—3B **124**
Greyhound La. *Wolv* —6E **41**
Greyhurst Cft. *Sol* —1G **165**
Grey Mill Clo. *Shir* —3D **164**
Greystoke Av. *B36* —2B **104**
Greystoke Dri. *K'wfrd* —3B **92**
Greystone Pas. *Dud* —6D **76**
Greystone St. *Dud* —6E **77**
Greytree Cres. *Dorr* —6A **166**
Grice St. *W Brom* —1A **98**
Griffin Clo. *B31* —1F **145**
Griffin Gdns. *B17* —1H **131**
Griffin Ind. Est. *Row R* —6F **97**
Griffin Rd. *B23* —2C **84**
Griffin's Brook Clo. *B30*
—6H **131**
Griffin's Brook La. *B30*
—1G **145**
Griffin St. *Dud* —5E **95**
Griffin St. *W Brom* —4B **80**
Griffin St. *Wolv* —2B **44**
Griffiths Dri. *Wolv* —1H **29**
Griffiths Dri. *Wom* —2G **73**
Griffiths Rd. *Dud* —1C **76**
Griffiths Rd. *W Brom* —4A **64**
Griffiths Rd. *W'hall* —1D **30**
Griffiths St. *Tip* —2G **77**
Grigg Gro. *B31* —6C **144**
Grimley Rd. *B31* —5H **145**
Grimpits La. *B38* —2C **160**
Grimshaw Rd. *B27* —4G **135**
Grimstone St. *Wolv*
—6H **27** (1D **170**)
Grindleford Rd. *B42* —6F **67**
Gristhorpe Rd. *B29* —4C **132**
Grizedale Clo. *Redn* —5H **143**
Grocott Rd. *W'bry* —1B **62**
Grosmont Av. *B12* —5A **118**
Grosvenor Av. *B20* —5E **83**
Grosvenor Av. *S Cold* —2H **51**
Grosvenor Clo. *S Cold* —2A **54**
Grosvenor Clo. *Wolv* —5H **15**
Grosvenor Ct. *B20* —5E **83**
Grosvenor Ct. *Dud* —5H **75**
Grosvenor Ct. Stourb —4F **125**
(off Redlake Rd.)
Grosvenor Ct. *Wolv* —5A **170**
(WV3)
Grosvenor Ct. *Wolv* —4F **29**
(WV11)
Grosvenor Cres. *Wolv* —5H **15**
Grosvenor Rd. *B20 & Hand*
—5E **83**

Grosvenor Rd. *Aston* —1B **102**
Grosvenor Rd. *Bush* —5H **15**
Grosvenor Rd. *Dud* —5H **75**
Grosvenor Rd. *E'shll P* —2A **60**
Grosvenor Rd. *Harb* —5E **115**
Grosvenor Rd. *O'bry* —6G **97**
Grosvenor Rd. *Sol* —6D **150**
Grosvenor Rd. S. *Dud* —5H **75**
Grosvenor Shop. Cen. *N'fld*
   —3E **145**
Grosvenor Sq. *B28* —2F **149**
Grosvenor St. *B5*
   —6H **101** (3G **5**)
Grosvenor St. *Wolv* —6B **28**
Grosvenor St. W. *B16*
   —2D **116**
Grosvenor Ter. *B16* —2D **116**
Grosvenor Way. *Brie H*
   —4H **109**
Grotto La. *Wolv* —4C **26**
Groucutt St. *Bils* —5E **61**
Grounds Dri. *S Cold* —6F **37**
Grounds Rd. *S Cold* —6F **37**
Grout St. *W Brom* —3E **79**
Grove Av. *B29* —4A **132**
Grove Av. *B27* —2H **135**
Grove Av. *Hale* —2H **127**
Grove Av. *Hand* —1B **100**
Grove Av. *Mose* —3A **134**
Grove Av. *Sol* —2G **151**
Gro. Cottage Rd. *B9* —2D **118**
Grove Cotts. *Wals* —1H **31**
Grove Ct. *B42* —1B **82**
Grove Cres. *Brie H* —4G **93**
Grove Cres. *Wals* —4D **20**
Grove Cres. *W Brom* —6C **80**
Gro. Farm Dri. *S Cold* —6D **54**
Grove Gdns. *B20* —5B **82**
Grove Hill. *Wals* —3A **50**
Gro. Hill Rd. *B21* —6B **82**
Groveland Rd. *Tip* —4A **78**
Grovelands Cres. *Wolv*
   —4H **15**
Grove La. *Hand* —5B **82**
  (B20)
Grove La. *Hand* —1B **100**
  (B21)
Grove La. *Harb* —1G **131**
Grove La. *Pels* —4C **8**
Grove La. *Smeth* —4G **99**
  (in two parts)
Grove La. *Wolv* —1H **41**
Groveley La. *Redn & B31*
   —5A **158**
Grovely Fall Rd. *B31* —2F **159**
Grove M. *N'fld* —1F **159**
Grove Pk. *K'wfrd* —1A **92**
Grove Rd. *K Hth* —6F **133**
Grove Rd. *Know* —5C **166**
Grove Rd. *O'bry* —2B **114**
Grove Rd. *Sol* —2G **151**
Grove Rd. *S'hll* —2C **134**
Grove Rd. *Stourb* —1B **126**
Groveside Way. *Wals* —2E **21**
Grove St. *Dud* —1G **95**
Grove St. *Hth T* —6B **28**
Grove St. *Smeth* —5H **99**
Grove St. *Wolv*
   —3H **43** (6C **170**)
Grove Ter. *Wals* —2D **48**
Grove, The. *Brie H* —3G **109**
Grove, The. *Col* —5H **107**
Grove, The. *Gt Barr* —1A **66**
Grove, The. *H Ard* —4A **140**
Grove, The. *Lane* —6A **44**
Grove, The. *N'fld* —1F **159**

Grove, The. *Redn* —5B **158**
Grove, The. *Row R* —1C **112**
Grove, The. *Salt* —5C **102**
Grove, The. *S Cold* —4D **36**
Grove, The. *Wals* —2F **65**
Grove, The. *Wed* —3D **28**
Grove Vale. —4G 65
Grove Va. Av. *B43* —4G **65**
Grove Vs. *Crad H* —4F **111**
Grove Way. *S Cold* —4H **51**
Grovewood Dri. *B38* —6A **146**
Guardian Ct. *Sol* —4H **151**
Guardian Ho. *O'bry* —4A **114**
Guardians Way. *B31* —5C **130**
Guernsey Dri. *B36* —3D **106**
Guest Av. *Wolv* —1E **29**
Guest Gro. *B19* —3E **101**
Guild Av. *Wals* —2B **32**
Guild Clo. *B16* —1C **116**
Guild Cft. *B19* —3F **101**
Guildford Cft. *B37* —3B **122**
Guildford Dri. *B19* —3F **101**
Guildford St. *B19* —2F **101**
Guildhall M., The. Wals
  (off Goodall St.) —2D **48**
Guillemard Ct. *B37* —2D **122**
Guiting Rd. *B29* —6E **131**
Gullane Clo. *B38* —6H **145**
Gullswood Clo. *B14* —5F **147**
Gumbleberrys Clo. *B8*
   —5A **104**
Gun Barrel Ind. Est. *Crad H*
   —5H **111**
Gunmakers Wlk. *B19* —2F **101**
Gunner La. *Redn* —2D **156**
Gunns Way. *Sol* —6B **136**
Guns La. *W Brom* —3H **79**
Gunstock Clo. *S Cold* —4G **51**
Gunstone. —1G 13
Gunstone La. *Cod* —2F **13**
  (in three parts)
Guns Village. —3H 79
Gunter Rd. *B24* —4C **86**
Gurnard Clo. *W'hall* —6B **18**
Gurney Pl. *Wals* —4G **31**
Gurney Rd. *Wals* —4G **31**
Guthrie Clo. *B19* —3F **101**
Guthrum Clo. *Wolv* —4F **25**
Guy Av. *Wolv* —1E **29**
Guys Cliffe Av. *S Cold* —4D **70**
Guy's La. *Dud* —5F **75**
Gwalia Gro. *Erd* —3F **85**
Gwendoline Way. *Wals W*
   —3D **22**
GWS Ind. Est. *W'bry* —4D **62**
Gypsy La. *Wat O* —5F **89**

Habberley Cft. *Sol* —6F **151**
Habberley Rd. *Row R*
   —1D **112**
Habitat Ct. *S Cold* —2D **70**
Hackett Clo. *Bils* —4B **60**
Hackett Ct. O'bry —2G 97
  (off Canal St.)
Hackett Dri. *Smeth* —2B **98**
Hackett Rd. *Row R* —6E **97**
Hackett St. *Tip* —6C **62**
Hackford Rd. *Wolv* —1B **60**
Hack St. *B9* —2A **118**
Hackwood Ho. *O'bry* —4D **96**
Hackwood Rd. *W'bry* —3H **63**
Hadcroft Grange. *Stourb*
   —1H **125**
Hadcroft Rd. *Stourb* —1G **125**
Haddock Rd. *Bils* —4E **45**

Haddon Cres. *W'hall* —2C **30**
Haddon Cft. *Hale* —4E **127**
Haddon Rd. *B42* —1F **83**
Haden Clo. *Crad H* —4A **112**
Haden Clo. *Stourb* —1B **108**
Haden Cres. *Wolv* —3A **30**
Haden Cross Dri. *Crad H*
   —4A **112**
Haden Dale. *Crad H* —4A **112**
Haden Hill. *Wolv* —1E **43**
Haden Hill House. —3H 111
Haden Hill Rd. *Hale* —5A **112**
Haden Pk. Rd. *Crad H*
   —4G **111**
Haden Rd. *Crad H* —1G **111**
Haden Rd. *Tip* —4A **62**
Haden St. *B12* —5H **117**
Haden Wlk. *Row R* —6C **96**
Haden Way. *B12* —5H **117**
Hadfield Clo. *B24* —4B **86**
Hadfield Cft. *B19* —4E **101**
Hadfield Way. *F'bri* —5C **106**
Hadland Rd. *B33* —2F **121**
Hadleigh Cft. *Min* —1E **87**
Hadley Clo. *Wyt* —4A **162**
Hadley Cft. *Smeth* —2E **99**
Hadley Pl. *Bils* —4E **45**
Hadley Rd. *Bils* —4E **45**
Hadley Rd. *Wals* —3F **31**
Hadleys Clo. *Dud* —5G **95**
Hadley St. *O'bry* —5G **97**
Hadley Way. *Wals* —3F **31**
Hadlow Cft. *B33* —4H **121**
Hadrian Dri. *Col* —6H **89**
Hadyn Gro. *B26* —5F **121**
Hadzor Rd. *O'bry* —3B **114**
Hafren Clo. *Redn* —5H **143**
Hafton Gro. *B9* —2D **118**
Haggar St. *Wolv* —5G **43**
Hagley. —6H 125
Hagley Causeway. *Hag*
   —6B **126**
Hagley Hill. *Hag* —6A **126**
Hagley Mall. *Hale* —2B **128**
Hagley Pk. Dri. *Redn* —3G **157**
Hagley Rd. *B17 & Edg*
   —2F **115**
Hagley Rd. *Hale & Hay G*
   —5E **127**
Hagley Rd. *Stourb* —1E **125**
Hagley Rd. W. *B32 & B17*
   —5G **113**
Hagley Rd. W. *Hale & O'bry*
   —5G **113**
Hagley St. *Hale* —2B **128**
Hagley Vw. Rd. *Dud* —1E **95**
Hagley Wood La. *Hag & Rom*
   —5D **126**
Haig Clo. *S Cold* —4A **54**
Haig Pl. *B13* —6A **134**
Haig Rd. *Dud* —6H **77**
Haig St. *W Brom* —2A **80**
Hailes Pk. Clo. *Wolv* —5A **44**
Hailsham Rd. *B23* —2F **85**
Hailstone Clo. *Row R* —4A **96**
Haines Clo. *Tip* —3B **78**
Haines St. *W Brom* —5B **80**
Hainfield Dri. *Sol* —2A **152**
Hainge Rd. *Tiv* —5C **78**
Hainult Clo. *Stourb* —5B **92**
Halberton St. *Smeth* —5H **99**
Haldon Gro. *B31* —2C **158**
Halecroft Av. *Wolv* —4F **29**
Hale Gro. *B24* —3B **86**
Halesbury Ct. Hale —3H 127
  (off Ombersley Rd.)

Hales Cres. *Smeth* —6C **98**
Halescroft Sq. *B31* —1C **144**
Hales Gdns. *B23* —5C **68**
Hales La. *Smeth* —5C **98**
Halesmere Way. *Hale*
   —2C **128**
Halesowen. —1B 128
Halesowen Abbey. —3D 128
Halesowen By-Pass. *Hale*
   —4H **127**
Halesowen Ind. Pk. *Hale*
  (in two parts) —5B **112**
Halesowen Rd. *Crad H*
   —1G **111**
Halesowen Rd. *Dud* —4E **95**
Halesowen Rd. *Hale* —5E **113**
Halesowen Rd. *L Ash*
   —6C **156**
Halesowen St. *O'bry* —2F **97**
Halesowen St. *Row R*
   —2C **112**
Hales Rd. *Hale* —2A **128**
  (in two parts)
Hales Rd. *W'bry* —1G **63**
Hales Way. *O'bry* —2F **97**
Halesworth Rd. *Wolv* —6D **14**
Hale, The. *Tip* —2B **78**
Halewood Gro. *B28* —6G **135**
Haley St. *W'hall* —4C **30**
Halfcot Av. *Stourb* —2G **125**
Halford Cres. *Wals* —4D **32**
Halford Gro. *B24* —3C **86**
Halford Rd. *Sol* —1C **150**
Halford's La. *Smeth & W Brom*
   —2E **99**
Halford's La. Ind. Est. *Smeth*
   —1E **99**
Halfpenny Fld. Wlk. *B35*
   —5E **87**
Halfway Clo. *B44* —1G **83**
Halifax Rd. *Shir* —4H **149**
Haliscombe Gro. *Aston*
   —1G **101**
Halkett Glade. *B33* —6B **104**
Halladale. *B38* —6B **146**
Hallam Clo. *W Brom* —2C **80**
Hallam Ct. *W Brom* —2B **80**
Hallam Cres. *Wolv* —3A **28**
Hallam St. *B12* —6G **117**
Hallam St. *W Brom* —3B **80**
Hallbridge Clo. *Wals* —5D **20**
Hallbridge Way. *Tiv* —5B **78**
Hall Cres. *W Brom* —1A **80**
Hallcroft Clo. *S Cold* —6A **70**
Hallcroft Way. *Know* —3C **166**
Hallcroft Way. *Wals* —4E **35**
Hall Dale Clo. *B28* —2F **149**
Hall Dri. *B37* —4C **122**
Hall End. —1B 80
Hall End. *W'bry* —2F **63**
Hallens Dri. *W'bry* —2D **62**
Hallet Dri. *Wolv*
   —2F **43** (5A **170**)
Hallewell Rd. *B16* —6H **99**
Hall Green. —5F 135
(Acock's Green)
Hall Green. —3G 61
(Coseley)
Hall Green. —4A 64
(Wednesbury)
Hall Grn. Rd. *W Brom* —4A **94**
Hall Grn. St. *Bils* —2G **61**
Hall Gro. *Bils* —5E **61**
Hall Hays Rd. *B34* —2A **106**
Hall La. *Bils* —4B **60**

Hall La. *Dud* —3E **95**
Hall La. *Gt Wyr* —1F **7**
Hall La. *Hag* —6H **125**
Hall La. *Hamm* —1F **11**
Hall La. *Hamm & Lich* —3H **11**
Hall La. *Pels* —4D **20**
Hall La. *Tip* —5B **62**
Hall La. *Wals W* —3A **22**
Hall Mdw. *Hag* —6H **125**
Hallmoor Rd. *B33* —6F **105**
Hallot Clo. *B23* —5D **68**
Halloughton Rd. *S Cold*
—4G **53**
Hallow Ho. *B31* —5H **145**
Hall Pk. St. *Bils* —5D **44**
Hall Rd. *Cas B* —1E **105**
Hall Rd. *Hand* —1C **100**
Hall Rd. *Salt* —5D **102**
Hall Rd. *Smeth* —5C **98**
Hall Rd. Av. *Hand* —1C **100**
Hallstead Rd. *B13* —2B **148**
Hall St. *B18* —5E **101** (1B **4**)
Hall St. *Bils* —6G **45**
Hall St. *Brie H* —1H **109**
Hall St. *Crad H* —1H **111**
Hall St. *Dud* —6F **77**
Hall St. *O'bry* —4H **97**
Hall St. *Sed* —5H **59**
Hall St. *Stourb* —2E **125**
Hall St. *Tip* —2G **77**
Hall St. *Wals* —6B **32**
Hall St. *W'bry* —4B **46**
Hall St. *W Brom* —5A **80**
Hall St. *W'hall* —2B **46**
Hall St. *Wolv* —4E **29**
Hall St. E. *W'bry* —4C **46**
Hall St. S. *W Brom* —1B **98**
Hallswelle Gro. *B43* —1G **67**
Hall Wlk. *Col* —4G **107**
(in two parts)
Halsbury Gro. *B44* —5B **68**
Halstead Gro. *Sol* —1E **165**
Halton Rd. *S Cold* —2D **68**
Halton St. *Dud* —4E **95**
Hamar Way. *B37* —2C **122**
Hamberley Ct. *B18* —5H **99**
Hamble Clo. *Brie H* —3E **93**
Hambledon Clo. *Wolv* —5E **15**
Hamble Gro. *Pert* —6E **25**
Hamble Rd. *B43 & B42*
—4B **66**
Hamble Rd. *Wolv* —5A **42**
Hambleton Rd. *Hale* —3F **127**
Hambletts Rd. *W Brom*
—4G **79**
Hambrook Clo. *Wolv* —4E **27**
Hambury Dri. *B14* —6F **133**
Hamilton Av. *B17* —3E **115**
Hamilton Av. *Hale* —2C **128**
Hamilton Av. *Stourb* —5B **108**
Hamilton Clo. *Dud* —6G **59**
Hamilton Clo. *Stourb* —1A **108**
Hamilton Clo. *B30* —3A **146**
Hamilton Dri. *S Oak* —5H **131**
Hamilton Dri. *Stourb* —1A **108**
Hamilton Dri. *Tiv* —5C **78**
Hamilton Gdns. *Wolv* —4A **16**
Hamilton Ho. *Smeth* —5G **99**
Hamilton Rd. *B21* —1H **99**
Hamilton Rd. *Smeth* —1C **114**
Hamilton Rd. *Tip* —1C **78**
Hamilton St. *Wals* —6A **20**
Ham La. *K'wfrd* —6C **74**
Ham La. *Stourb* —4G **125**
Hamlet Gdns. *B28* —5F **135**

Hamlet Rd. *B28* —5F **135**
Hamlet, The. *Cann* —1C **8**
Hammer Bank. *Brie H*
—3C **110**
Hammersley Clo. *Hale*
—4E **111**
Hammerwich. —2F 11
Hammond Av. *Wolv* —1A **28**
Hammond Dri. *B23* —2F **85**
Hammond Way. *Stourb*
—4E **109**
Hampden Clo. *Brie H*
—3C **110**
Hampden Ct. *O'bry* —1D **96**
Hampden Retreat. *B12*
—5G **117**
Hampshire Dri. *B15* —3A **116**
Hampshire Rd. *W Brom*
—5G **63**
Hampson Clo. *B11* —5B **118**
Hampstead. —6A 66
Hampstead Glade. *Hale*
—3C **128**
Hampton Clo. *S Cold* —3C **68**
Hampton Ct. Rd. *B17*
—5D **114**
Hampton Dri. *S Cold* —3H **53**
Hampton Gro. *Wals* —3D **20**
Hampton in Arden. —6A 140
Hampton La. *Mer* —5E **141**
Hampton La. *Sol & Cath B*
(in two parts) —3H **151**
Hampton Pl. *W'bry* —3C **46**
Hampton Rd. *Aston* —6F **83**
Hampton Rd. *Erd* —3D **84**
Hampton Rd. *Know* —2E **167**
Hampton Rd. *Wolv* —6F **15**
Hampton St. *B19*
—5F **101** (1C **4**)
Hampton St. *Cose* —5D **60**
Hampton St. *Dud* —4E **95**
Hampton Vw. *Wolv* —5B **28**
Hams La. *Col & Lea M*
—2F **89**
Hams Rd. *B8* —5D **102**
Hamstead. —5B 66
Hamstead Clo. *Wolv* —3F **29**
Hamstead Hall Av. *B20*
—2A **82**
Hamstead Hall Rd. *B20*
—3A **82**
Hamstead Hill. *B20* —4B **82**
Hamstead Ho. *B43* —6B **66**
Hamstead Ind. Est. *Hamp I*
—2C **82**
Hamstead Rd. *Gt Barr* —5G **65**
Hamstead Rd. *Hand & Hock*
—6D **82**
Hamstead Ter. *W'bry* —3G **63**
Hanam Clo. *S Cold* —5D **54**
Hanbury Clo. *Hale* —3H **127**
Hanbury Ct. Stourb —1E **125**
(off College Rd.)
Hanbury Cres. *Wolv* —5C **42**
Hanbury Cft. *B27* —2C **136**
Hanbury Hill. *Stourb* —1E **125**
Hanbury Pas. *Stourb* —1E **125**
Hanbury Rd. *Dorr* —5B **166**
Hanbury Rd. *Wals* —3A **10**
Hanbury Rd. *W Brom* —4G **79**
Hanch Pl. *Wals* —3D **48**
Hancock Rd. *B8* —5F **103**
Hancox St. *O'bry* —1H **113**
Handley Gro. *B31* —5A **144**
Handley St. *W'bry* —1G **63**
Handsworth. —6H 81

Handsworth Clo. *B21* —2H **99**
Handsworth Dri. *B43* —2C **66**
(in two parts)
Handsworth New Rd. *B18*
—3A **100**
Handsworth Wood. —5C 82
Handsworth Wood Rd. *B20 &
Hand* —4B **82**
Hanger Rd. *Birm A* —2C **138**
Hanging La. *B31* —5C **144**
Hangleton Dri. *B11* —5B **118**
Hanley Clo. *Hale* —1G **127**
Hanley St. *B19*
—5G **101** (1E **5**)
Hannafore Rd. *B16* —6H **99**
Hannah Rd. *Bils* —2A **62**
Hanney Hay Rd. *Burn* —1C **10**
Hannon Rd. *B14* —2G **147**
Hanover Clo. *B6* —2G **101**
Hanover Ct. *Wals* —2E **47**
Hanover Ct. *Wolv* —5A **26**
Hanover Dri. *Erd* —1F **103**
Hanover Rd. *Row R* —5C **96**
Hansell Dri. *Dorr* —6F **167**
Hansom Rd. *B32* —6A **114**
Hanson Gro. *Sol* —6D **120**
Hansons Bri. Rd. *B24* —2D **86**
Hanwell Clo. *S Cold* —6F **71**
Hanwood Clo. *B12* —3H **117**
Harald Clo. *Wolv* —4E **25**
Harbeck Av. *B44* —5H **67**
Harbet Dri. *B40* —1G **139**
Harbinger Rd. *B38* —5D **146**
Harborne. —5E 115
Harborne La. *Harb & S Oak*
—2H **131**
Harborne Pk. Rd. *B17*
—6G **115**
Harborne Rd. *B15* —2B **116**
Harborne Rd. *O'bry* —2B **114**
Harborough Ct. *S Cold*
—1G **53**
Harborough Dri. *B36* —6H **87**
Harborough Dri. *Wals* —4C **34**
Harborough Wlk. *Stourb*
—3G **125**
Harbours Hill. *Belb & Wild*
—4A **156**
Harbour Ter. *Wolv* —2E **43**
Harbury Clo. *Min* —1F **87**
Harbury Rd. *B12* —6F **117**
Harcourt Dri. *Dud* —5H **75**
Harcourt Dri. *S Cold* —5F **37**
Harcourt Rd. *B23* —1E **85**
Harcourt Rd. *Crad H* —3H **111**
Harcourt Rd. *W'bry* —1F **63**
Harden. —2D 32
Harden Clo. *Wals* —2C **32**
Harden Ct. *N'fld* —6C **144**
Harden Gro. *Wals* —2C **32**
Harden Mnr. Ct. *Hale* —2C **128**
Harden Rd. *Wals* —2B **32**
Harden Va. *Hale* —6G **111**
Harding St. *Bils* —3F **61**
Hardon Rd. *Wolv* —6B **44**
Hardware St. *W Brom* —3B **80**
Hardwick. —1G 51
Hardwick Dri. *Hale* —4A **112**
Hardwick Wlk. *B14* —5F **147**
Hardwicke Way. *Stourb*
—6H **109**
Hardwick Fld. *Dud* —3H **59**
Hardwick Rd. *Sol* —1C **136**
Hardwick Rd. *S Cold* —1H **51**
Hardy Rd. *Wals* —1C **32**
Hardy Rd. *W'bry* —2G **63**

Hardy Sq. *Wolv* —5B **44**
Harebell Clo. *Wals* —2E **65**
Harebell Cres. *Dud* —3C **76**
Harebell Gdns. *B38* —1B **160**
Harebell Wlk. *B37* —1F **123**
Hare Gro. *B31* —4B **144**
Hare St. *Bils* —6H **45**
(in two parts)
Harewell Dri. *S Cold* —2A **54**
Harewood Av. *B43* —3G **65**
Harewood Av. *W'bry* —2A **64**
Harewood Clo. *B28* —2E **149**
Harford St. *B19* —5E **101**
Hargate La. *W Brom* —3A **80**
Hargrave Clo. *Wat O* —4D **88**
Hargrave Rd. *Shir* —5C **148**
Hargreave Clo. *S Cold* —6D **70**
Hargreaves St. *Wolv* —4C **44**
Harland Rd. *S Cold* —6G **37**
Harlech Clo. *B32* —6G **129**
Harlech Clo. *Tiv* —6A **78**
Harlech Ho. Wals —3A **32**
(off Providence Clo.)
Harlech Rd. *W'hall* —3C **30**
Harlech Tower. *B23* —1G **85**
Harlech Way. *Dud* —5B **76**
Harleston Rd. *B44* —5H **67**
Harley Clo. *Wals* —1C **22**
Harley Dri. *Bils* —1D **60**
Harlow Gro. *B28* —1G **149**
Harlstones Clo. *Stourb*
—4E **109**
Harlyn Clo. *Bils* —3A **62**
Harman Rd. *S Cold* —6H **69**
Harmer St. *B18* —4C **100**
Harmon Rd. *Stourb* —6A **108**
Harnall Clo. *Shir* —2C **164**
Harness Clo. *Wals* —1D **64**
Harold Rd. *B16* —2B **116**
Harold Rd. *Smeth* —6C **98**
Harper Av. *Wolv* —2E **29**
Harper Rd. *Bils* —5F **45**
Harpers Bldgs. *B12* —6A **118**
Harpers Rd. *May* —6A **148**
Harpers Rd. *N'fld* —5E **145**
Harper St. *W'hall* —1A **46**
Harpur Clo. *Wals* —5E **33**
Harpur Rd. *Wals* —5E **33**
Harrier Rd. *B27* —3B **136**
Harrier Way. *P Barr* —4F **83**
Harriet Clo. *Brie H* —4F **93**
Harrietts Hayes Rd. *Cod W*
—1A **12**
Harringay Dri. *Stourb* —2C **124**
Harringay Rd. *B44* —3A **68**
Harringworth Ct. *Shelf* —1G **33**
Harris Ct. *Hock* —3C **100**
Harris Dri. *B42* —5C **66**
Harris Dri. *Smeth* —6F **99**
Harrison Clo. *Wals* —6A **20**
Harrison Ct. *Brie H* —2E **109**
Harrison Ct. *Wom* —2F **73**
Harrison Rd. *B23 & B24*
—3F **85**
Harrison Rd. *S Cold* —2E **109**
Harrison Rd. *S Cold* —4E **37**
Harrison Rd. *Wals* —5G **21**
Harrison's Fold. *Dud* —4E **95**
Harrisons Grn. *B15* —5A **116**
Harrisons Pleck. *B13* —2H **133**
Harrison's Rd. *B15* —5A **116**
Harrison St. *Wals* —6H **19**
Harrold Av. *Row R* —6E **97**
Harrold Rd. *Row R* —6E **97**
Harrold St. *Tip* —6C **62**
Harrop Way. *Stourb* —3C **108**

Harrowby Dri. *Tip* —3A **78**
Harrowby Pl. *Bils* —1A **62**
Harrowby Pl. *W'hall* —2D **46**
Harrowby Rd. *Bils* —1A **62**
Harrowby Rd. *Wolv* —4F **15**
Harrow Clo. *Hag* —6E **125**
Harrowfield Rd. *B33* —5C **104**
Harrow Rd. *K'wfrd* —6B **74**
Harrow St. *Wolv* —5F **27**
Harry Perks St. *W'hall* —6A **30**
Harry Price Ho. *O'bry* —4D **96**
Hart Dri. *S Cold* —5G **69**
Hartfield Cres. *B27* —3G **135**
Hartfields Way. *Row R* —4H **95**
Hartford Clo. *B17* —4E **115**
Hartill Rd. *Wolv* —2B **58**
Hartill St. *W'hall* —3B **46**
Hartington Clo. *Dorr* —6A **166**
Hartington Rd. *B19* —1F **101**
Hartland Av. *Bils* —5C **60**
Hartland Rd. *B31* —3C **158**
Hartland Rd. *Tip* —2F **77**
Hartland Rd. *W Brom* —5D **64**
Hartland St. *Brie H* —2H **93**
Hartlebury Clo. *Dorr* —6B **166**
Hartlebury Rd. *Hale* —3H **127**
Hartlebury Rd. *O'bry* —4D **96**
Hartledon Rd. *B17* —6F **115**
Hartley Dri. *Wals* —5D **34**
Hartley Gro. *B44* —2B **68**
Hartley Pl. *Edg* —3B **116**
Hartley Rd. *B44* —2B **68**
Hartley St. *Wolv* —1E **43**
Harton Way. *B14* —2E **147**
Hartopp Rd. *B8* —5E **103**
Hartopp Rd. *S Cold* —2F **53**
Hart Rd. *B24* —2G **85**
Hart Rd. *Wolv* —5F **29**
Hartsbourne Dri. *Hale*
—1D **128**
Harts Green. —6E 115
Harts Grn. Rd. *B17* —6E **115**
Hart's Hill. —4A 94
Hartshill Rd. *A Grn* —3B **136**
Hartshill Rd. *S End* —3E **105**
Hartshorn St. *Bils* —6F **45**
Hartside Clo. *Hale* —3F **127**
Harts Rd. *B8* —4E **103**
Hart St. *Wals* —3C **48**
Hartswell Dri. *B13* —1H **147**
Hartwell Clo. *Sol* —6F **151**
Hartwell La. *Wals* —2G **7**
Hartwell Rd. *B24* —5H **85**
Harvard Clo. *Dud* —3B **76**
Harvard Rd. *Sol* —1E **137**
Harvest Clo. *B30* —1D **146**
Harvest Clo. *Dud* —2A **76**
Harvest Ct. *Row R* —5A **96**
Harvesters Clo. *A'rdge* —1G **51**
Harvesters Rd. *W'hall* —4D **30**
Harvesters Wlk. *Pend* —6C **14**
Harvesters Way. *W'hall*
—4D **30**
Harvester Way. *K'wfrd* —1G **91**
Harvest Gdns. *O'bry* —5G **97**
Harvest Rd. *Row R* —5A **96**
Harvest Rd. *Smeth* —6B **98**
Harvest Wlk. *Row R* —5A **96**
Harvey Ct. *B33* —6H **105**
Harvey Ct. *B30* —6A **132**
Harvey Dri. *S Cold* —1A **54**
Harvey M. *B30* —6A **132**
Harvey Rd. *B26* —4B **120**
Harvey Rd. *Wals* —4H **31**

Harvey's Ter. *Dud* —5F **95**
Harvills Hawthorn. —6F 63
Harvills Hawthorn. *W Brom*
—6F **63**
Harvine Wlk. *Stourb* —2C **124**
Harvington Dri. *Shir* —3F **165**
Harvington Rd. *B29* —5E **131**
Harvington Rd. *Bils* —5D **60**
Harvington Rd. *Hale* —3H **127**
Harvington Rd. *O'bry* —4G **113**
Harvington Wlk. *Row R*
—6C **96**
Harvington Way. *S Cold*
—5E **71**
Harwin Clo. *Wolv* —2D **26**
Harwood Gro. *Shir* —1A **164**
Harwood St. *W Brom* —4H **79**
Hasbury. —3G 127
Hasbury Clo. *Hale* —3G **127**
Hasbury Rd. *B32* —5G **129**
Haseley Rd. *B21* —2A **100**
Haseley Rd. *Sol* —1C **150**
Haselor Rd. *S Cold* —4E **69**
Haselour Rd. *B37* —4B **106**
Haskell St. *Wals* —4D **48**
Haslucks Clo. *Shir* —2E **163**
Haslucks Cft. *Shir* —4G **149**
Haslucks Green. —5F 149
Haslucks Grn. Rd. *Shir*
—2E **163**
Hassop Rd. *B42* —6F **67**
Hastings Ct. *Dud* —5A **76**
Hastings Rd. *B23* —6B **68**
(in two parts)
Haswell Rd. *Hale* —2F **127**
Hatcham Rd. *B44* —3C **68**
Hatchett St. *B19* —4G **101**
Hatchford Av. *Sol* —2G **137**
Hatchford Brook Rd. *Sol*
—2G **137**
Hatchford Ct. *Sol* —2G **137**
Hatchford Wlk. *B37* —2D **122**
Hatch Heath Clo. *Wom* —6F **57**
Hateley Dri. *Wolv* —1A **60**
Hateley Heath. —5A 64
Hatfield Clo. *B23* —6D **68**
Hatfield Rd. *B19* —1F **101**
Hatfield Rd. *Stourb* —1G **125**
Hathaway Clo. *Bal C* —2H **169**
Hathaway Clo. *W'hall* —3H **45**
Hathaway Gro. *Tys* —6H **119**
Hathaway M. *Stourb* —6H **91**
Hathaway Rd. *Shir* —6H **149**
Hathaway Rd. *S Cold* —5G **37**
Hatherden Dri. *S Cold* —3E **71**
Hathersage Rd. *B42* —6F **67**
Hatherton Gdns. *Wolv* —5A **16**
Hatherton Gro. *B29* —4D **130**
Hatherton Pl. *Wals* —2C **34**
Hatherton Rd. *Bils* —5H **45**
Hatherton Rd. *Wals* —1C **48**
Hatherton St. *C Hay* —3C **6**
Hatherton St. *Wals* —1C **48**
Hattersley Gro. *B11* —2G **135**
Hatton Cres. *Wolv* —2C **28**
Hatton Gdns. *B42* —6D **66**
Hatton Rd. *Wolv* —6D **26**
Hattons Gro. *Cod* —5H **13**
Hatton St. *Bils* —1G **61**
Haughton Rd. *B20* —6F **83**
Haunch La. *B13* —1H **147**
Haunchwood Dri. *S Cold*
—6D **70**
Havacre La. *Bils* —3E **61**
Havelock Clo. *Wolv* —3C **42**
Havelock Rd. *Greet* —1E **135**

Havelock Rd. *Hand* —6E **83**
Havelock Rd. *Salt* —4D **102**
Havelock Ter. *Hand* —2A **100**
Haven Cft. *B43* —5H **65**
Haven Dri. *B27* —2H **135**
Haven, The. *B14* —3D **148**
Haven, The. *Stourb* —1B **108**
Haven, The. *Wolv* —3G **43**
Haverford Dri. *Redn* —3H **157**
Havergal Wlk. *Hale* —1D **126**
Haverhill Clo. *Wals* —4G **19**
Hawbridge Clo. *Shir* —3F **165**
Hawbush. —1E 109
Hawbush Gdns. *Brie H*
—2E **109**
Hawbush Rd. *Brie H* —2E **109**
Hawbush Rd. *Wals* —3B **32**
Hawcroft Gro. *B34* —3G **105**
Hawes Clo. *Wals* —5D **48**
Hawes La. *Row R* —5B **96**
Hawes Rd. *Wals* —5D **48**
Haweswater Dri. *K'wfrd*
—3B **92**
Hawfield Clo. *Tiv* —2C **96**
Hawfield Gro. *S Cold* —6A **70**
Hawfield Rd. *Tiv* —2C **96**
Hawker Dri. *B35* —5D **86**
Hawkesbury Rd. *Shir* —6F **149**
Hawkes Clo. *B30* —5G **132**
Hawkesford Clo. *B36* —1E **105**
Hawkesford Clo. *S Cold*
—2H **53**
Hawkesford Rd. *B33* —6H **105**
Hawkes La. *W Brom* —6G **63**
Hawkesley. —1A 160
Hawkesley Cres. *B31* —6D **144**
Hawkesley Dri. *B31* —1D **158**
Hawkesley End. *B38* —1A **160**
Hawkesley Mill La. *B31*
—5D **144**
Hawkesley Rd. *Dud* —1B **94**
Hawkesley Sq. *B38* —2A **160**
Hawkes St. *B10* —3D **118**
Hawkestone Cres. *W Brom*
—1F **79**
Hawkestone Rd. *B29* —6E **131**
Hawkeswell Clo. *Sol* —4C **136**
Hawkesyard Rd. *B24* —6E **85**
Hawkhurst Rd. *B14* —5H **147**
Hawkinge Dri. *B35* —4E **87**
Hawkins Clo. *B5* —5G **117**
Hawkins Cft. *Tip* —4A **78**
Hawkins Dri. *Cann* —1C **6**
Hawkins Pl. *Bils* —2H **61**
Hawkins St. *W Brom* —5G **63**
Hawkley Clo. *Wolv* —1D **44**
Hawkley Rd. *Wolv* —1D **44**
Hawkmoor Gdns. *B38*
—1C **160**
Hawks Clo. *Wals* —3D **6**
Hawksford Cres. *Wolv* —1H **27**
Hawkshead Dri. *Know*
—3B **166**
Hawksmoor Dri. *Pert* —6D **24**
Hawkstone Ct. *Pert* —4D **24**
Hawkswell Av. *Wom* —2G **73**
Hawkswell Dri. *W'hall* —2H **45**
Hawkswood Dri. *Bal C*
—2H **169**
Hawkswood Dri. *W'bry*
—2B **62**
Hawkswood Gro. *B14*
—4B **148**
Hawnby Gro. *S Cold* —3E **71**
Hawne. —5H 111
Hawne Clo. *Hale* —5G **111**

Hawnelands, The. *Hale*
—6H **111**
Hawne La. *Hale* —5G **111**
Hawthorn Av. *Wals* —4G **7**
Hawthorn Brook Way. *B23*
—5E **69**
Hawthorn Clo. *B9* —2B **118**
Hawthorn Clo. *B23* —6F **69**
Hawthorn Coppice. *B30*
—3A **146**
Hawthorn Cft. *O'bry* —4B **114**
Hawthornden Ct. *S Cold*
—6B **70**
Hawthorn Dri. *H'wd* —3B **162**
Hawthorne Gro. *Dud* —5H **75**
Hawthorne Ho. *Wolv* —6B **28**
Hawthorne La. *Cod* —5F **13**
Hawthorne Rd. *Cas B* —2A **106**
Hawthorne Rd. *C Hay* —1E **7**
Hawthorne Rd. *Dud* —3E **77**
Hawthorne Rd. *Edg* —4A **116**
Hawthorne Rd. *Hale* —3G **127**
Hawthorne Rd. *K Nor*
—3H **145**
Hawthorne Rd. *Wals* —6D **48**
Hawthorne Rd. *Wed* —4H **29**
Hawthorne Rd. *W'hall* —2D **30**
Hawthorne Rd. *Wolv* —5H **43**
Hawthorn Gro. *B19* —1E **101**
Hawthorn Pk. *B20* —4A **82**
Hawthorn Pk. Dri. *B20* —4B **82**
Hawthorn Pl. *Wals* —6E **31**
Hawthorn Rd. *B44* —5H **67**
Hawthorn Rd. *Brie H* —3A **110**
Hawthorn Rd. *Ess* —4A **18**
Hawthorn Rd. *Shelf* —6F **21**
Hawthorn Rd. *Stow H* —3D **44**
Hawthorn Rd. *S'tly* —2A **52**
Hawthorn Rd. *Tip* —5A **62**
Hawthorn Rd. *W'bry* —1F **63**
Hawthorn Rd. *W Grn* —4A **70**
Hawthorns Ind. Est. *Hand*
—6F **81**
Hawthorn Ter. *W'bry* —1F **63**
Haxby Av. *B34* —3E **105**
Haybarn, The. *S Cold* —5E **71**
Haybrook Dri. *B11* —1F **135**
Haycock Pl. *W'bry* —4C **46**
Haycroft Av. *B8* —4E **103**
Haycroft Dri. *S Cold* —5G **37**
Haydn Sanders Sq. *Wals*
—3C **48**
Haydock Clo. *B36* —1A **104**
Haydock Clo. *Wolv* —3F **27**
Haydon Clo. *Dorr* —6G **167**
Haydon Cft. *B33* —6E **105**
Hayehouse Gro. *B36* —2C **104**
Hayes Cres. *O'bry* —4B **98**
Hayes Cft. *B38* —2A **160**
Hayes Gro. *B24* —1B **86**
Hayes La. *Stourb* —5C **110**
Hayes Mdw. *S Cold* —6B **70**
Hayes Rd. *O'bry* —4B **98**
Hayes St. *W Brom* —3G **79**
Hayes, The. —5C 110
Hayes, The. *B31* —2G **159**
Hayes, The. *Lye & Stourb*
—6B **110**
Hayes, The. *W'hall* —3B **30**
Hays Vw. Dri. *Wals* —1E **7**
Hayfield Ct. *B13* —3B **134**
Hayfield Gdns. *B13* —3C **134**
Hayfield Rd. *B13* —3B **134**
Hay Green. —6H 109
Hay Grn. *Stourb* —6H **109**
Hay Grn. Clo. *B30* —1H **145**

Hay Grn. La. *B30* —2G **145**
Hay Gro. *Bwnhls* —5B **10**
Hay Hall Rd. *B11* —6F **119**
Hay Hill. *Wals* —3A **50**
Hayland Rd. *B23* —1E **85**
Hay La. *Shir* —3D **164**
Hayle Clo. *B38* —5D **146**
Hayley Ct. *Erd* —1A **86**
Hayley Green. —4F 127
Hayley Grn. Rd. *B32* —5H **129**
Hayley Pk. Rd. *Hale* —5E **127**
Hayling Clo. *Redn* —6F **143**
Hayling Gro. *Wolv* —5F **43**
Haylofts, The. *Hale* —4E **127**
Hay Mills. —5H 119
Haynes La. *Wals* —1F **65**
Hay Pk. *B5* —5F **117**
Haypits Clo. *W Brom* —6C **64**
Hayrick Dri. *K'wfrd* —2G **91**
Hay Rd. *B25* —4G **119**
Hayseech. *Crad H* —4H **111**
Hayseech Rd. *Hale* —5H **111**
Hays Kent Moat, The. *B26*
—2E **121**
Haytor Av. *B14* —2F **147**
Haywain Clo. *Wolv* —5E **15**
Hayward Rd. *S Cold* —4A **54**
Haywards Clo. *B23* —2E **85**
Haywards Clo. *Wals* —4D **20**
Haywards Ind. Est. *Cas V*
—5F **87**
Hayward St. *Bils* —5D **60**
Hayway, The. *Wals* —6G **31**
Haywharf Rd. *Brie H* —4F **93**
Haywood Dri. *Hale* —3C **112**
Haywood Dri. *Wolv* —5A **26**
Haywood Rd. *B33* —1A **122**
Haywood's Farm. *W Brom*
—3D **64**
Hazel Av. *S Cold* —4C **68**
Hazel Av. *W'bry* —1G **63**
Hazelbank. *B38* —5A **146**
Hazelbeach Rd. *B8* —4F **103**
Hazelbeech Rd. *W Brom*
—5H **79**
Hazel Cft. *Chel W* —2D **122**
Hazel Cft. *N'fld* —4E **145**
Hazeldene Gro. *Aston*
—1G **101**
Hazeldene Rd. *B33* —4H **121**
Hazeldene Rd. *Hale* —3G **109**
Hazel Dri. *H'wd* —4B **162**
Hazeley Clo. *B17* —4D **114**
Hazel Gdns. *B27* —1A **136**
Hazel Gdns. *Cod* —3G **13**
Hazel Gro. *Bils* —4G **45**
Hazel Gro. *Stourb* —2A **124**
Hazel Gro. *W Brom* —6A **80**
Hazel Gro. *Wolv* —2E **29**
Hazel Gro. *Wom* —6G **57**
Hazelhurst Rd. *Cas B* —2A **106**
Hazelhurst Rd. *K Hth* —1G **147**
Hazel La. *Wals* —3H **7**
Hazelmead Ct. *S Cold* —6G **69**
Hazelmere Ct. *O'bry* —1D **96**
Hazelmere Dri. *Burn* —1B **10**
Hazelmere Dri. *Wolv* —2G **41**
Hazelmere Rd. *B28* —4F **135**
Hazeloak Rd. *Shir* —6G **149**
Hazel Rd. *Dud* —5E **77**
Hazel Rd. *K'wfrd* —4C **92**
Hazel Rd. *Redn* —3F **157**
Hazel Rd. *Tip* —4C **62**
Hazel Rd. *Wolv* —4C **42**
Hazelton Clo. *Sol* —6F **151**

Hazeltree Cft. *B27* —3H **135**
Hazeltree Gro. *Dorr* —6A **166**
Hazelville Gro. *B28* —1G **149**
Hazelville Rd. *B28* —1G **149**
Hazelwell Cres. *B30* —1D **146**
Hazelwell Fordrough. *B30*
—6D **132**
Hazelwell La. *B30* —6D **132**
Hazelwell Rd. *B30* —1C **146**
Hazelwell St. *B30* —6C **132**
Hazelwood Clo. *Wals* —3D **6**
Hazelwood Dri. *Wolv* —4C **28**
Hazelwood Gro. *W'hall*
—4D **30**
Hazelwood Rd. *B27* —3H **135**
Hazelwood Rd. *Dud* —2B **76**
Hazelwood Rd. *S Cold* —2F **51**
Hazlemere Dri. *S Cold* —3G **53**
Hazlitt Gro. *B30* —3H **145**
Headborough Wlk. *Wals*
—6D **22**
Headingley Rd. *B21* —5A **82**
Headland Dri. *B8* —4D **102**
Headland Rd. *Wolv* —2F **41**
Headlands, The. *S Cold*
—6C **36**
Headley Cft. *B38* —1H **159**
Headley Heath. —3E 161
Headley Heath La. *B38*
—2D **160**
Headley Ri. *Shir* —5B **150**
Heale Clo. *Hale* —4C **110**
Heanor Cft. *B6* —1B **102**
Heantun Cft. *Wolv* —4C **28**
Heantun Ho. *Wolv* —4A **170**
Heantun Mill Ct. *W'bry*
—4D **62**
Heantun Ri. *Wolv* —5G **27**
Heartland M. *Row R* —1B **112**
Heartland Parkway. *B7*
—4C **102**
Heartlands Pl. *B8* —5E **103**
Heath. —1D 124
Heath Acres. *W'bry* —1C **62**
Heath Bri. Clo. *Wals* —1E **33**
Heathbrook Av. *K'wfrd* —2H **91**
Heathcliff Rd. *B11* —1F **135**
Heathcliff Rd. *Dud* —2H **95**
Heath Clo. *B30* —2H **145**
Heath Clo. *Ston* —2G **23**
Heath Clo. *Tip* —2B **78**
Heathcote Av. *Sol* —4C **150**
Heathcote Rd. *B30* —2C **146**
Heath Cft. *B31* —2E **159**
Heath Cft. Rd. *S Cold* —2A **54**
Heath End. —6E 21
Heather Av. *Wals* —1F **65**
Heather Clo. *B36* —1C **106**
Heather Clo. *Wals* —1G **31**
Heather Clo. *Wed* —4G **29**
Heather Ct. Gdns. *S Cold*
—3H **53**
Heather Cft. *B44* —4H **67**
Heather Dale. *B13* —3F **133**
Heather Dri. *Redn* —3F **157**
Heather Gro. *Sol* —1A **152**
Heather Gro. *W'hall* —5E **31**
Heatherleigh Rd. *B36*
—1B **106**
Heather Rd. *B10 & Small H*
—4F **119**
Heather Rd. *Dud* —3E **77**
Heather Rd. *Gt Barr* —5G **65**
Heather Rd. *Smeth* —3C **98**
Heather Rd. *Wals* —1G **31**
Heath Farm Rd. *Cod* —5H **13**

Heath Farm Rd. *Stourb*
—3B **124**
Heathfield Av. *B20* —1D **100**
Heathfield Clo. *Crad H*
—1H **111**
Heathfield Clo. *Know* —4C **166**
Heathfield Ct. *Loz* —2D **100**
Heathfield Dri. *Wals* —5H **19**
Heathfield Gdns. *Stourb*
—1D **124**
Heathfield La. *W'bry* —5C **46**
Heathfield La. W. *W'bry*
—6B **46**
Heathfield Rd. *Hale* —2G **127**
Heathfield Rd. *Hand* —1D **100**
Heathfield Rd. *K Hth* —5G **133**
Heathfield Rd. *S Cold* —6F **37**
Heath Gdns. *Sol* —1H **151**
Heath Grn. *Dud* —2B **76**
Heathgreen Clo. *B37* —6F **107**
Heath Grn. Rd. *B18* —5A **100**
Heath Gro. *Cod* —4H **13**
Heath Hill Rd. *Wolv* —2E **41**
Heath Ho. *B14* —5H **147**
Heath Ho. *Wom* —2D **72**
Heath Ho. La. *Cod* —1E **25**
Heathland Av. *B34* —2E **105**
Heathlands. *Wom* —2D **72**
Heathlands Clo. *K'wfrd*
—1C **92**
Heathlands Cres. *S Cold*
—4F **69**
Heathlands Gro. *N'fld* —6E **145**
Heathlands Rd. *S Cold* —3F **69**
Heathlands, The. *Row R*
—2C **112**
Heathlands, The. *Stourb*
—1F **125**
Heathlands, The. *Wals* —6G **31**
Heath La. *Stourb* —1E **125**
Heath La. *W Brom* —6B **64**
Heathleigh Rd. *B38* —1G **159**
Heathmere Av. *B25* —3B **120**
Heathmere Dri. *B37* —1B **122**
Heath Mill Clo. *Wom* —3D **72**
Heath Mill La. *B9*
—2A **118** (6H **5**)
Heath Mill Rd. *Wom* —3D **72**
Heath Mobile Home Pk. *Cov H*
—1G **15**
Heath Ri. *B14* —6A **148**
Heath Rd. *B30* —2G **145**
Heath Rd. *Dud* —1D **110**
Heath Rd. *H'wd* —2A **162**
Heath Rd. *Sol* —1H **151**
Heath Rd. *W'bry* —3E **47**
Heath Rd. *W'hall* —1C **30**
Heath Rd. S. *B31* —3F **145**
Heathside Dri. *B38* —6D **146**
Heathside Dri. *Wals* —3E **21**
Heath St. *Row R* —2C **112**
Heath St. *Smeth & B18*
—4H **99**
Heath St. *Stourb* —6D **108**
Heath St. S. *B18* —5B **100**
Heath Town. —5D 28
Heath Trad. Est. *Smeth*
—4H **99**
Heath Vw. *Wals* —6F **31**
Heath Way. *B34* —2D **104**
Heathy Farm Clo. *B32*
—4H **129**
Heathy Ri. *B32* —3G **129**
Heaton Clo. *Wolv* —2A **16**
Heaton Dri. *B15* —3B **116**
Heaton Dri. *S Cold* —3F **53**

Heaton Rd. *Sol* —1D **150**
Heaton St. *B18* —4D **100**
Hebden Gro. *B28* —4E **149**
Hebden Gro. *W'hall* —6B **18**
Heddon Pl. *B7* —6A **102**
Hedera Clo. *Wals* —2F **65**
Hedgefield Gro. *Hale* —1E **127**
Hedgerow Dri. *K'wfrd* —6B **74**
Hedgerows, The. *Rom*
—3A **142**
Hedges, The. *Wom* —1E **73**
Hedgetree Cft. *B37* —1E **123**
Hedgings, The. *B34* —3F **105**
Hedgley Gro. *B33* —5E **105**
Hedingham Gro. *B37* —1F **123**
Hedley Cft. *B35* —3F **87**
Hednesford Rd. *Wals* —2G **9**
Heeley Rd. *B29* —3A **132**
Helena Pl. *Smeth* —2A **98**
Helena St. *B1* —6E **101** (3A **4**)
Helenny Clo. *Wolv* —4C **28**
Helford Clo. *Tip* —2F **77**
Hellaby Clo. *S Cold* —1H **69**
Hellier Av. *Tip* —3B **78**
Hellier Rd. *Wolv* —5A **16**
Hellier St. *Dud* —1E **95**
Helming Dri. *Wolv* —6D **28**
Helmsdale Way. *Dud* —6D **60**
Helmsley Clo. *Brie H* —3G **109**
Helmsley Rd. *Wolv* —1E **29**
Helmswood Dri. *B37* —3E **123**
Helston Clo. *Stourb* —1A **108**
Helston Clo. *Wals* —4H **49**
Helstone Gro. *B11* —2G **135**
Helston Rd. *Wals* —5H **49**
Hembs Cres. *B43* —5G **65**
Hemlingford Cft. *B37* —4C **122**
Hemlingford Rd. *B37* —3A **106**
Hemlingford Rd. *S Cold*
—6E **71**
Hemmings Clo. *Stourb*
—6D **108**
Hemmings Clo. *Wolv* —6A **28**
Hemmings St. *W'bry* —3C **46**
Hemplands Rd. *Stourb*
—6D **108**
Hempole La. *Tip* —1D **78**
Hemyock Rd. *B29* —5F **131**
Henbury Rd. *B27* —2B **136**
Henderson Ct. *O'bry* —3H **113**
Henderson Wlk. *Tip* —5B **62**
Henderson Way. *Row R*
—2C **112**
Hendon Clo. *Dud* —5H **75**
Hendon Clo. *Wolv* —1A **28**
Hendon Rd. *B11* —6B **118**
Heneage Pl. *B7* —5A **102**
Heneage St. *B7*
—5A **102** (1H **5**)
Heneage St. W. *B7*
—5H **101** (1H **5**)
(in two parts)
Henfield Clo. *Wolv* —2F **29**
Hengham Rd. *B26* —2E **121**
Henley Clo. *S Cold* —5H **69**
Henley Clo. *Tip* —2D **78**
Henley Clo. *Wals* —6C **20**
Henley Cres. *Sol* —6F **137**
Henley Dri. *S Cold* —6G **37**
Henley Rd. *Wolv* —6F **15**
Henley St. *B11* —4A **118**
Henlow Clo. *Tip* —2F **77**
Henlow Rd. *B14* —5H **147**
Hennalls, The. *B36* —2D **104**
Henn Dri. *Tip* —5G **61**

Henne Dri. *Bils* —4E **61**
Henn St. *Tip* —5A **62**
Henrietta St. *B19*
   —5F **101** (1C **4**)
Henry Rd. *B25* —4A **120**
Henry St. *Wals* —2B **48**
Hensborough. *Shir* —4G **163**
Hensel Dri. *Wolv* —3A **42**
Henshaw Gro. *B25* —4A **120**
Henshaw Rd. *B10* —3D **118**
Henstead St. *B5* —3F **117**
Henwood Clo. *Wolv* —6A **26**
Henwood Cft. *B29* —3D **130**
Henwood La. *Cath B* —2D **152**
Henwood Rd. *Wolv* —1A **42**
Henwood Wharf. *Sol* —5D **152**
Hepburn Clo. *Wals* —5C **34**
Hepburn Edge. *B24* —3H **85**
Hepworth Clo. *Wolv* —5F **25**
Herald Ct. *Dud* —6E **77**
Herbert Rd. *B10 & Small H*
   —2C **118**
Herbert Rd. *Hand* —6B **82**
Herbert Rd. *Smeth* —2E **115**
Herbert Rd. *Sol* —4F **151**
Herbert Rd. *Wals* —6C **22**
Herberts Pk. Rd. *W'bry*
   —5B **46**
Herbert St. *Bils* —5D **44**
Herbert St. *W Brom* —4B **80**
Herbert St. *Wolv*
   —6H **27** (1C **170**)
Herbhill Clo. *Wolv* —1H **59**
Hereford Av. *S'brk* —5A **118**
Hereford Clo. *Redn* —5G **143**
Hereford Clo. *Wals* —1C **34**
Hereford Ho. *Wolv* —5G **27**
   (off Lomas St.)
Hereford Pl. *W Brom* —6H **63**
Hereford Rd. *Dud* —6G **95**
Hereford Rd. *O'bry* —4H **113**
Hereford Sq. *Salt* —4D **102**
Hereford St. *Wals* —5C **32**
Hereward Ri. *Hale* —6B **112**
Heritage Clo. *O'bry* —5A **98**
Heritage, The. *Wals* —3C **48**
   (off Sister Dora Gdns.)
Heritage Way. *B33* —6H **105**
Hermes Ct. *S Cold* —6F **37**
Hermes Ho. *B35* —3E **87**
Hermitage Dri. *S Cold* —1E **71**
Hermitage Rd. *Edg* —3G **115**
Hermitage Rd. *Erd* —4D **84**
Hermitage Rd. *Sol* —2G **151**
Hermitage, The. *Sol* —1G **151**
Hermit St. *Dud* —2H **75**
Hermon Row. *B11* —6D **118**
Hernall Cft. *B26* —4E **121**
Herne Clo. *B18* —5C **100**
Hernefield Rd. *B34* —2E **105**
Hernehurst. *B32* —6H **113**
Hern Rd. *Brie H* —5G **109**
Heron Clo. *Shir* —5B **164**
Heron Ct. *S Cold* —6H **69**
   (off Florence Av.)
Herondale Cres. *Stourb*
   —1A **124**
Herondale Rd. *B26* —5D **120**
Heronfield Dri. *B31* —3D **158**
Heronfield Way. *Sol* —2A **152**
Heron Mill. *Pels* —4C **20**
Heron Rd. *O'bry* —1G **113**
Heronry, The. *Wolv* —1F **41**
Heronsdale Rd. *Stourb*
   —2A **124**

Herons Way. *B29* —2G **131**
Heronswood Dri. *Brie H*
   —2H **109**
Heronswood Rd. *Redn*
   —3H **157**
Heronville Dri. *W Brom*
   —6G **63**
Heronville Ho. *Tip* —4B **78**
Heronville Rd. *W Brom*
   —1F **79**
Heron Way. *Redn* —2F **157**
Herrick Rd. *B8* —4E **103**
Herrick St. *Wolv* —2F **43**
Herringshaw Cft. *S Cold*
   —2C **70**
Hertford St. *B12* —6A **118**
Hertford Ter. *B12* —6A **118**
Hertford Way. *Know* —5D **166**
Hervey Gro. *B24* —1B **86**
Hesketh Cres. *B23* —2C **84**
Heskett Av. *O'bry* —2A **114**
Hessian Clo. *Bils* —3D **60**
Hestia Dri. *B29* —5A **132**
Heston Av. *B42* —5C **66**
Hever Av. *B44* —4A **68**
Hever Clo. *Dud* —4A **76**
Hewell Clo. *B31* —2D **158**
Hewell Clo. *K'wfrd* —6B **74**
Hewitson Gdns. *Smeth*
   —1D **114**
Hewitt St. *W'bry* —5C **46**
Hexham Cft. *B36* —1A **104**
Hexham Way. *Dud* —5B **76**
Hexton Clo. *Shir* —5D **148**
Heybarnes Cir. *Small H*
   —4F **119**
Heybarnes Rd. *B10* —4F **119**
Heycott Gro. *B38* —5E **147**
Heydon Rd. *Brie H* —4F **93**
Heyford Gro. *Sol* —1G **165**
Heyford Way. *B35* —2F **87**
Heygate Way. *Wals* —5D **22**
Heynesfield Rd. *B33* —6G **105**
Heythrop Gro. *B13* —5D **134**
Hickman Av. *Wolv* —2C **44**
Hickman Gdns. *B16* —2B **116**
Hickman Pl. *Bils* —5E **45**
Hickman Rd. *B11* —5B **118**
Hickman Rd. *Bils* —6E **45**
Hickman Rd. *Brie H* —5G **93**
Hickman Rd. *Tip* —5H **61**
Hickman's Av. *Crad H*
   —1G **111**
Hickmans Clo. *Hale* —5G **113**
Hickman St. *Stourb* —5G **109**
Hickmerelands La. *Dud*
   —5H **59**
Hickory Dri. *B17* —1F **115**
Hidcote Av. *S Cold* —5E **71**
Hidcote Gro. *Kitts G* —3G **121**
Hidcote Gro. *Mars G* —4C **122**
Hidson Rd. *B23* —2C **84**
Higgins Av. *Bils* —3F **61**
Higgins La. *B32* —6A **114**
Higgins Wlk. *Smeth* —3F **99**
Higgs Fld. Cres. *Crad H*
   —2A **112**
Higgs Rd. *Wolv* —6A **18**
Highams Clo. *Row R* —6B **96**
Higham Way. *Wolv* —3A **28**
High Arcal Dri. *Dud* —6B **60**
High Arcal Rd. *Dud* —4D **74**
High Av. *Crad H* —3H **111**
High Beeches. *B43* —4H **65**
Highbridge. —1E 21
Highbridge Rd. *Dud* —6C **94**

Highbridge Rd. *S Cold* —4G **69**
High Brink Rd. *Col* —2H **107**
Highbrook Clo. *Wolv* —5E **15**
High Brow. *B17* —4F **115**
High Bullen. *W'bry* —2F **63**
Highbury Av. *Hand* —1B **100**
Highbury Av. *Row R* —6D **96**
Highbury Clo. *Row R* —6D **96**
Highbury Rd. *B14* —5F **133**
Highbury Rd. *O'bry* —4H **97**
Highbury Rd. *Smeth* —2B **98**
Highbury Rd. *S Cold* —6C **36**
Highclere. *Crad H* —4A **112**
Highcliffe Rd. *B23* —2E **159**
High Cft. *B43* —4G **65**
Highcroft. *A'rdge* —5D **22**
High Cft. *Pels* —2F **21**
Highcroft Av. *Stourb* —6A **92**
Highcroft Clo. *Sol* —3G **137**
Highcroft Dri. *S Cold* —6E **37**
Highcroft Rd. *B23* —4E **85**
Highdown Cres. *Shir* —3E **165**
High Ercal. —1G 109
High Ercal Av. *Brie H* —1G **109**
High Farm Rd. *Hasb* —2G **127**
High Farm Rd. *H Grn* —3F **113**
Highfield. *Mer* —4H **141**
Highfield Av. *Shelf* —1G **33**
Highfield Av. *Wolv* —5C **16**
Highfield Clo. *B28* —2D **148**
Highfield Ct. *S Cold* —4H **69**
Highfield Ct. *Wolv* —5A **42**
Highfield Cres. *Hale* —5F **111**
Highfield Cres. *Row R*
   —3B **112**
Highfield Cres. *Wolv* —3D **28**
Highfield Dri. *S Cold* —6F **69**
Highfield La. *B32* —6H **113**
Highfield La. *Hale* —2H **127**
Highfield Pas. *Wals* —3C **48**
Highfield Pl. *B14* —2D **148**
Highfield Rd. *B15 & Edg*
   —3C **116**
Highfield Rd. *Dud* —6G **77**
Highfield Rd. *Gt Barr* —6G **65**
Highfield Rd. *Hale* —6F **111**
Highfield Rd. *Mose* —2B **134**
Highfield Rd. *Pels* —3E **21**
Highfield Rd. *Row R* —2B **112**
Highfield Rd. *Salt* —5E **103**
Highfield Rd. *Sed* —4H **59**
Highfield Rd. *Smeth* —4D **98**
Highfield Rd. *Stourb* —1E **109**
Highfield Rd. *Tip* —6A **62**
Highfield Rd. *Yard W & Hall G*
   —2D **148**
Highfield Rd. N. *Pels* —2D **20**
Highfields. —1B 10
Highfields Av. *Bils* —1G **61**
Highfields Dri. *Bils* —2F **61**
Highfields Dri. *Wom* —2G **73**
Highfields Rd. *Bils* —2E **61**
Highfields Rd. *Chase* —1B **10**
Highfields, The. *Wolv* —1G **41**
Highfield Ter. *Wash H* —4E **103**
Highfield Way. *Wals* —5D **22**
Highgate. —4H 117
Highgate. *Dud* —2A **76**
Highgate. *S Cold* —2A **52**
Highgate Av. *Wals* —3D **48**
Highgate Av. *Wolv* —5B **42**
Highgate Clo. *B12* —4H **117**
Highgate Clo. *Wals* —4D **48**
*Highgate Common Country
   Pk. —1A 90*
Highgate Dri. *Wals* —4D **48**

Highgate Ho. *B5* —3G **117**
   (off Southacre Av.)
Highgate Middleway. *B12*
   —4H **117**
Highgate Pl. *B12* —4A **118**
Highgate Rd. *B12* —5A **118**
Highgate Rd. *Dud* —3B **94**
Highgate Rd. *Wals* —3D **48**
Highgate Sq. *B12* —4H **117**
Highgate St. *B12* —4H **117**
Highgate St. *Crad H* —1H **111**
   (in two parts)
Highgate Trad. Est. *B12*
   —4A **118**
Highgrove. *Tett* —6A **26**
Highgrove Clo. *W'hall* —2B **30**
Highgrove Pl. *Dud* —5B **76**
High Haden Cres. *Crad H*
   —3A **112**
High Haden Rd. *Crad H*
   —3A **112**
High Harcourt. *Crad H*
   —3H **111**
High Heath. —5G 21
(Bloxwich)
High Heath. —3F 55
(Sutton Coldfield)
High Heath Clo. *B30* —2H **145**
High Hill. *Ess* —5A **18**
High Holborn. *Dud* —6H **59**
High Ho. Dri. *Redn* —6F **157**
Highland M. *Bils* —4F **61**
Highland Ridge. *Hale* —6E **113**
Highland Rd. *Crad H* —1G **111**
Highland Rd. *Dud* —4C **76**
Highland Rd. *Erd* —2F **85**
Highland Rd. *Gt Barr* —2A **66**
Highland Rd. *Wals W* —4D **22**
Highlands Ct. *Shir* —1C **164**
Highlands Rd. *Shir* —1C **164**
Highlands Rd. *Wolv* —3B **42**
High Leasowes. *Hale* —1A **128**
High Mdw. Rd. *B38* —5C **146**
High Meadows. *Wolv* —6A **26**
High Meadows. *Wom* —1G **73**
Highmoor Clo. *Bils* —2F **61**
Highmoor Clo. *W'hall* —2B **30**
Highmoor Rd. *Row R* —6B **96**
Highmore Dri. *B32* —5A **130**
High Oak. *Brie H* —2G **93**
Highpark Av. *Stourb* —6B **108**
High Pk. Clo. *Dud* —4H **59**
High Pk. Clo. *Smeth* —4F **99**
High Pk. Cres. *Dud* —4H **59**
High Park Estate. —6A 108
High Pk. Rd. *Hale* —6E **111**
High Point. *B15* —5A **116**
High Ridge. *Wals* —4B **34**
High Ridge Clo. *A'rdge* —4A **34**
High Ridge Clo. *W'bry* —1A **62**
High Rd. *W'hall* —4C **30**
High St. *B4 & B2*
   —1G **117** (4E **5**)
High St. *A'rdge* —3D **34**
   (in two parts)
High St. *Amb* —3D **108**
High St. *Aston* —2G **101**
High St. *Bils* —6F **45**
High St. *Blox* —1H **31**
High St. *Bord* —2A **118**
High St. *Brie H* —1H **109**
High St. *Brock* —5F **93**
High St. *Bwnhls* —6B **10**
High St. *Cann* —1F **9**
High St. *Chase* —1B **10**
   (in two parts)

High St. *C Hay* —3C **6**
High St. *Clay* —1A **22**
High St. *Col* —1H **107**
High St. *Crad H* —3E **111**
High St. *Der* —2H **117** (6H **5**)
High St. *Dud* —6E **77**
High St. *Erd* —3F **85**
High St. *Hale* —1B **128**
High St. *H Ard* —1A **154**
High St. *Harb* —6G **115**
High St. *K Hth* —5G **133**
High St. *K'wfrd* —3B **92**
High St. *Know* —3E **167**
High St. *Lye* —6A **110**
High St. *Mox* —1A **62**
High St. *Pels* —3E **21**
High St. *Pens* —2E **93**
High St. *P End* —5G **61**
High St. *Quar B* —2B **110**
High St. *Quin* —5G **113**
High St. *Row R* —2B **112**
High St. *Salt* —4D **102**
High St. *Sed* —4H **59**
High St. *Shir* —5C **148**
High St. *Smeth* —3D **98**
High St. *Sol* —3G **151**
High St. *Stourb* —5E **109**
High St. *S Cold* —5A **54**
High St. *Swind* —5E **73**
High St. *Tett* —5B **26**
High St. *Tip* —2G **77**
High St. *W Hth* —1H **91**
High St. *Wals* —2C **48**
High St. *Wals W* —4B **22**
High St. *Wed* —4E **29**
High St. *W Brom* —3H **79**
High St. *W'hall* —2G **45**
High St. *Woll* —5C **108**
High St. *Wom* —1H **73**
High St. *Word* —6C **92**
High St. Precinct. *Mox*
　　　　　　　　　—5D **46**
Highters Clo. *B14* —5B **148**
Highter's Heath La. *B14*
　　　　　　　　　—6A **148**
Highters Rd. *B14* —4A **148**
High Timbers. *Redn* —6F **143**
Hightown. *Hale* —5E **111**
High Tower. *B7* —4B **102**
Hightree Clo. *B32* —4H **129**
High Trees. *B20* —4B **82**
High Trees Rd. *Know* —2C **166**
High Vw. *Bils* —4B **60**
Highview. *Wals* —3D **48**
(off Highgate Rd.)
Highview Dri. *K'wfrd* —5D **92**
Highview St. *Dud* —6G **77**
Highwood Av. *Sol* —4E **137**
High Wood Clo. *K'wfrd*
　　　　　　　　　—3A **92**
Highwood Cft. *B38* —6H **145**
Hiker Gro. *B37* —1F **123**
Hilary Cres. *Dud* —1D **76**
Hilary Dri. *S Cold* —2E **71**
Hilary Dri. *Wals* —4C **34**
Hilary Dri. *Wolv* —4B **42**
Hilary Gro. *B31* —3D **144**
Hilden Rd. *B7* —5A **102**
Hilderic Cres. *Dud* —2B **94**
Hilderstone Rd. *B25* —5A **120**
Hildicks Cres. *Wals* —2D **32**
Hildicks Pl. *Wals* —2D **32**
Hill. —5G 37
Hillaire Clo. *B38* —5E **147**
Hillaries Rd. *B23* —5D **84**
Hillary Av. *W'bry* —2A **64**

Hillary Crest. *Dud* —2A **76**
Hillary St. *Wals* —4A **48**
Hill Av. *Wolv* —2B **60**
Hill Bank. *Stourb* —6B **110**
Hillbank. *Tiv* —6D **78**
Hill Bank Dri. *B33* —5B **104**
Hill Bank Rd. *B38* —5C **146**
Hillbank Rd. *Hale* —5F **111**
Hillborough Rd. *B27* —3C **136**
Hillbrook Gro. *B33* —6D **104**
Hillbrow Cres. *Hale* —3F **113**
Hillbury Dri. *W'hall* —1B **30**
Hill Clo. *B31* —6F **145**
Hill Clo. *Dud* —4A **60**
Hillcrest. *Dud* —3G **75**
Hillcrest Av. *B43* —3A **66**
Hillcrest Av. *Brie H* —2G **109**
Hillcrest Av. *Hale* —4D **110**
Hillcrest Av. *Wolv* —4A **16**
Hillcrest Clo. *Dud* —4E **95**
Hillcrest Gdns. *W'hall* —4D **30**
Hillcrest Gro. *B44* —6A **68**
Hillcrest Ind. Est. *Crad H*
　　　　　　　　　—3F **111**
Hillcrest Ri. *Burn* —1D **10**
Hillcrest Rd. *B43* —3A **66**
Hillcrest Rd. *Dud* —6G **77**
Hill Crest Rd. *Mose* —3G **133**
Hillcrest Rd. *Rom* —3A **142**
Hillcrest Rd. *S Cold* —5A **70**
Hillcroft Ho. *B14* —5H **147**
Hill Cft. Rd. *K Hth* —1E **147**
Hillcroft Rd. *K'wfrd* —2C **92**
Hillcross Wlk. *B36* —1D **104**
Hilldene Rd. *K'wfrd* —5A **92**
Hilldrop Gro. *B17* —2H **131**
Hilleys Cft. *B37* —6B **106**
Hillfield. —6E 151
Hillfield M. *Sol* —1F **165**
Hillfield Rd. *B11* —2D **134**
Hillfield Rd. *Sol* —1F **165**
(in three parts)
Hillfields. *Smeth* —6B **98**
Hillfields Rd. *Brie H* —4F **109**
Hillfield Wlk. *Row R* —4H **95**
Hill Gro. *B20* —5E **83**
Hill Hook. —4E 37
Hill Hook Rd. *S Cold* —4E **37**
Hill Ho. La. *B33* —6D **104**
(in two parts)
Hillhurst Gro. *B36* —6H **87**
Hilliards Cft. *B42* —5C **66**
Hillingford Av. *B43* —2E **67**
Hill La. *Bass P* —1F **55**
Hill La. *Gt Barr* —3A **66**
Hillman Dri. *Dud* —2G **95**
Hillman Gro. *B36* —6B **88**
Hillmeads Dri. *Dud* —2G **95**
Hillmeads Rd. *B38* —6C **146**
Hillmorton. *S Cold* —6F **37**
Hillmorton Rd. *Know* —4C **166**
Hill Morton Rd. *S Cold* —5F **37**
Hillmount Clo. *B28* —3E **135**
Hill Pk. *Wals W* —3C **22**
Hill Pas. *Crad H* —1G **111**
Hill Pl. *Wolv* —6A **18**
Hill Rd. *Stourb* —6A **110**
Hill Rd. *Tiv* —5A **78**
Hill Rd. *W'hall* —3F **45**
Hillside. *Dud* —3G **75**
Hillside. *Wals* —1C **22**
Hillside Av. *Brie H* —3C **110**
Hillside Av. *Hale* —5F **111**
Hillside Av. *Row R* —3B **112**
Hillside Clo. *B32* —5G **129**
Hillside Clo. *Wals* —1C **22**

Hillside Ct. *B43* —3H **65**
Hillside Cres. *Wals* —5D **20**
Hillside Cft. *Sol* —1A **138**
Hillside Dri. *Gt Barr* —1C **82**
Hillside Dri. *K'hrst* —5B **106**
Hillside Dri. *S Cold* —4H **51**
Hillside Gdns. *K'hrst* —5B **106**
Hillside Gdns. *Wolv* —6C **28**
Hillside Ho. *Redn* —1F **157**
Hillside Rd. *Dud* —2C **76**
Hillside Rd. *Erd* —5D **84**
Hillside Rd. *Gt Barr* —3H **65**
Hillside Rd. *S Cold* —5F **37**
Hillside Wlk. *Wolv* —6C **28**
Hillstone Gdns. *Wolv* —1B **28**
Hillstone Rd. *B34* —4H **105**
Hill St. *B2 & B5*
　　　　　　　—1F **117** (4C **4**)
Hill St. *Bils* —2G **61**
Hill St. *Brie H* —1H **109**
Hill St. *C Hay* —3C **6**
Hill St. *Ess* —4H **17**
Hill St. *Hale* —2A **128**
Hill St. *Lye* —6B **110**
Hill St. *Neth* —4D **94**
Hill St. *Quar B* —3C **110**
Hill St. *Smeth* —3E **99**
Hill St. *Stourb* —3D **108**
(Brettell La.)
Hill St. *Stourb* —1D **124**
(Worcester St.)
Hill St. *Tip* —3H **77**
Hill St. *Up Gor* —2H **75**
Hill St. *Wals* —2D **48**
Hill St. *W'bry* —5E **47**
Hill, The. *B32* —3C **130**
Hill Top. —6G 63
Hilltop. *Stourb* —2A **126**
Hill Top. *W Brom* —5G **63**
Hill Top Av. *Hale* —4E **113**
Hill Top Clo. *B44* —1G **83**
Hill Top Dri. *B36* —2B **104**
Hill Top Ind. Est. *W Brom*
　　　　　　　　　—5F **63**
Hill Top Rd. *B31* —4D **144**
Hilltop Rd. *Dud* —1G **95**
Hill Top Rd. *O'bry* —1A **114**
Hill Top Wlk. *Wals* —6E **23**
Hillview. *Wals* —5D **22**
Hillview Clo. *Hale* —5G **111**
Hillview Rd. *Redn* —1E **157**
Hill Village Rd. *S Cold* —4G **37**
Hillville Gdns. *Stourb* —2F **125**
Hill Wood. —5A 38
Hillwood. *Wals* —5D **20**
Hillwood Av. *Shir* —3E **165**
Hillwood Clo. *K'wfrd* —5A **92**
Hillwood Comn. Rd. *S Cold*
　　　　　　　　　—5H **37**
Hillwood Rd. *B31* —6C **130**
Hillwood Rd. *Hale* —4C **112**
Hillyfields Rd. *B23* —3G **85**
Hilly Rd. *Bils* —3G **61**
Hilsea Clo. *Pend* —6D **14**
Hilston Av. *Hale* —1H **127**
Hilston Av. *Wolv* —1A **58**
Hilton Av. *B28* —3E **149**
Hilton Clo. *Wals* —6F **19**
Hilton Dri. *S Cold* —5A **70**
Hilton La. *Share & Ess* —6A **6**
Hilton La. *Wals* —3F **7**
Hilton Main Ind. Est. *F'stne*
　　　　　　　　　—2E **17**
Hilton Pl. *Bils* —6H **45**
Hilton Rd. *F'stne* —1D **16**
Hilton Rd. *Lane* —6B **44**

Hilton Rd. *Tiv* —1C **96**
Hilton Rd. *W'hall* —1C **30**
Hilton St. *W Brom* —4G **79**
Hilton St. *Wolv* —6A **28**
Hilton Way. *W'hall* —1C **30**
Himbleton Cft. *Shir* —2E **165**
Himley. —4H 73
Himley Av. *Dud* —5B **76**
Himley By-Pass. *Himl* —4G **73**
Himley Clo. *B43* —3G **65**
Himley Clo. *W'hall* —4B **30**
Himley Cres. *Wolv* —6F **43**
Himley Gdns. *Dud* —3D **74**
Himley Gro. *Redn* —3H **157**
Himley La. *Himl* —5E **73**
(in two parts)
Himley Model Village.
　　　　　　　　　—4A 74
Himley Pk. —2B 74
Himley Ri. *Shir* —5C **164**
Himley Rd. *Dud & Gorn W*
　　　　　　　　　—4D **74**
Himley St. *Dud* —6C **76**
Himley Wood Nature
　　　　　　　　Reserve. —4G 73
Hinbrook Rd. *Dud* —6A **76**
Hinchliffe Av. *Bils* —3D **60**
Hinckes Rd. *Wolv* —4H **25**
Hinckley Ct. *O'bry* —4H **113**
Hinckley St. *B5*
　　　　　　　—2F **117** (6D **4**)
Hincks St. *Wolv* —4C **44**
Hindhead Rd. *B14* —3C **148**
Hindlip Clo. *Hale* —3H **127**
Hindlow Clo. *B7* —5B **102**
Hindon Gro. *B27* —6A **136**
Hindon Sq. *Edg* —3B **116**
Hindon Wlk. *B32* —3A **130**
Hingeston St. *B18* —5D **100**
Hingley Cft. *Wals* —6H **35**
Hingley Rd. *Hale* —5C **110**
Hingley St. *Crad H* —2F **111**
Hinksford. —1F 91
Hinksford Gdns. *Swind*
　　　　　　　　　—5E **73**
Hinksford La. *Swind & K'wfrd*
　　　　　　　　　—5E **73**
Hinksford Mobile Homes.
　　　　　K'wfrd —1E **91**
Hinsford Clo. *K'wfrd* —1C **92**
Hinstock Clo. *Wolv* —1E **59**
Hinstock Rd. *B20* —6B **82**
Hintlesham Av. *B15* —6H **115**
Hinton Gro. *Wolv* —4H **29**
Hintons Coppice. *Know*
　　　　　　　　　—3A **166**
Hipkins St. *Tip* —6G **61**
Hiplands Rd. *Hale* —1F **129**
Hipsley Clo. *B36* —6B **87**
Hipsmoor Clo. *B37* —6B **106**
Hirdemons Way. *Shir* —4G **163**
Histons Dri. *Cod* —5F **13**
Histons Hill. *Cod* —5F **13**
Hitchcock Clo. *Smeth* —4B **98**
Hitches La. *B15* —4D **116**
Hitherside. *Shir* —4H **163**
Hive Ind. Est. *B18* —3C **100**
Hobacre Clo. *Redn* —1G **157**
Hobart Ct. *S Cold* —6G **37**
Hobart Cft. *B7* —5A **102**
Hobart Dri. *Wals* —5G **49**
Hobart Rd. *Tip* —4G **61**
Hobble End. —6H 7
Hobble End La. *Wals* —1G **19**
Hobgate Clo. *Wolv* —5B **28**
Hobgate Rd. *Wolv* —5B **28**

Hob Grn. Rd. *Stourb* —3A **126**
Hobhouse Clo. *B42* —6B **66**
Hob La. *Bars* —3A **168**
Hobley St. *W'hall* —1C **46**
Hobmoor Cft. *B25* —4B **120**
Hob Moor Rd. *Small H & Yard*
　　　　　　—2F **119**
Hobnock Rd. *Ess* —3A **18**
Hobs Hole La. *Wals* —2D **34**
Hob's Mdw. *Sol* —3E **137**
Hobs Moat Rd. *Sol* —3F **137**
Hobson Clo. *B18* —4C **100**
Hobson Rd. *B29* —4D **132**
Hobs Rd. *W'bry* —1G **63**
Hockley. —4D 100
Hockley Brook Clo. *B18*
　　　　　　—4C **100**
Hockley Brook Trad. Est. *B18*
　　　　　　—3C **100**
Hockley Cen. *B18*
　　　　—5E **101** (1A **4**)
Hockley Cir. *B19* —3D **100**
Hockley Clo. *B19* —3F **101**
Hockley Flyover. *B19* —3D **100**
Hockley Hill. *B18* —4E **101**
Hockley Hill Ind. Est. *B18*
　　　　　　—4D **100**
Hockley Ind. Est. *B18*
　　　　　　—4D **100**
Hockley La. *Dud* —6D **94**
Hockley Pool Clo. *B18*
　　　　　　—4D **100**
Hockley Port Bus. Cen. *B18*
　　　　　　—4C **100**
Hockley Rd. *B23* —3D **84**
Hockley Rd. *Bils* —6C **60**
Hockley St. *B18 & B19*
　　　　　　—5E **101**
Hodgehill. —3B 104
Hodge Hill Av. *Stourb*
　　　　　　—2A **126**
Hodge Hill Comn. *B36*
　　　　　　—2C **104**
Hodgehill Ct. *B36* —2C **104**
Hodge Hill Rd. *B34* —3C **104**
Hodgetts Clo. *Smeth* —6B **98**
Hodgetts Dri. *Hale* —5F **127**
Hodgkins Clo. *Wals* —1C **22**
Hodnell Clo. *B36* —6G **87**
Hodnet Clo. *Bils* —6D **44**
Hodnet Dri. *Pens* —3G **93**
Hodnet Gro. *B5* —3G **117**
Hodson Av. *W'hall* —2C **46**
Hodson Clo. *Wolv* —1H **29**
Hoff Beck Ct. *B9* —1B **118**
Hogarth Clo. *B43* —6F **51**
Hogarth Clo. *W'hall* —1G **45**
Hogg's La. *B31* —3C **144**
Holbeache. —6A 74
Holbeache La. *K'wfrd* —6A **74**
Holbeache Rd. *K'wfrd* —1A **92**
Holbeach Rd. *B33* —1F **121**
Holbeche Rd. *Know* —2C **166**
Holbeche Rd. *S Cold* —6F **55**
Holberg Gro. *Wolv* —4H **29**
Holborn Hill. *B6 & B7*
　　　　　　—1B **102**
Holbrook Tower. *B36* —1A **104**
Holbury Clo. *Wolv* —5E **15**
Holcombe Rd. *B11* —1G **135**
Holcroft Rd. *Hale* —6E **111**
Holcroft Rd. *K'wfrd* —6A **74**
Holcroft Rd. *Stourb* —1G **125**
Holcroft St. *Tip* —5A **78**
Holcroft St. *Wolv* —4C **44**
Holden Clo. *B23* —5E **85**

Holden Cres. *Wals* —4C **32**
Holden Cft. *Tip* —4A **78**
Holden Pl. *Wals* —5C **32**
Holden Rd. *W'bry* —3G **63**
Holden Rd. *Wolv* —2B **58**
Holdens, The. *B28* —1E **149**
Holder Rd. *S'brk* —5C **118**
Holder Rd. *Yard* —4A **120**
Holders Gdns. *B13* —3E **133**
Holders La. *B13* —3E **133**
Holdford Rd. *B6 & Witt*
　　　　　　—5H **83**
Holdgate Rd. *B29* —6G **131**
Hole Farm Rd. *B31* —3G **145**
Hole Farm Way. *B38* —2B **160**
Hole La. *B31* —1G **145**
Holford Av. *Wals* —5A **48**
Holford Dri. *P Barr & Holf*
　　　　　　—3G **83**
Holford Way. *Holf* —3H **83**
Holifast Rd. *S Cold* —6H **69**
Holland Av. *Know* —1D **166**
Holland Av. *O'bry* —5B **98**
Holland Clo. *B12* —6A **118**
Holland Flyover. *B19* —4F **101**
　　(off Gt. Hampton Row)
Holland Ind. Pk. *W'bry*
　　　　　　—3D **46**
Holland Rd. *Bils* —4G **45**
Holland Rd. *Gt Barr* —6H **65**
Holland Rd. *S Cold* —2H **69**
Holland Rd. E. *Aston* —3A **102**
Holland Rd. W. *Aston*
　　　　　　—3H **101**
Hollands Pl. *Wals* —6B **20**
Hollands Rd. *Wals* —6B **20**
Holland St. *B3* —6E **101** (3A **4**)
Holland St. *Dud* —1F **94**
Holland St. *S Cold* —1H **69**
Holland St. *Tip* —6C **62**
Hollands Way. *Wals* —3D **20**
Hollemeadow Av. *Wals* —2B **32**
Holliars Gro. *B37* —4B **106**
Holliday Pas. *B1*
　　　　—2E **117** (6B **4**)
Holliday Rd. *Erd* —3G **85**
Holliday Rd. *Hand* —2B **100**
Holliday St. *B1*
　　　　—2E **117** (6A **4**)
Holliday Wharf. *B1*
　　　　—2E **117** (6B **4**)
Hollie Lucas Rd. *B13* —6H **133**
Hollies Cft. *B5* —6E **117**
Hollies Dri. *Hale* —5D **112**
Hollies Dri. *W'bry* —2F **63**
Hollies Ind. Est., The. *Wolv*
　　　　—3G **43** (6A **170**)
Hollies La. *Patt* —5A **24**
Hollies Ri. *Crad H* —3H **111**
Hollies Rd. *Tiv* —1A **96**
Hollies St. *Brie H* —2H **93**
Hollies, The. *B16* —6B **100**
Hollies, The. *B6* —1B **102**
Hollies, The. *Smeth* —5G **99**
Hollies, The. *Wolv*
　　　　—3G **43** (6A **170**)
Hollies, The. *Wom* —6H **57**
Hollin Brow Clo. *Know*
　　　　　　—6D **166**
Hollingbury La. *S Cold*
　　　　　　—2D **70**
Hollings Gro. *Sol* —1F **165**
Hollington Cres. *B33* —5E **105**
Hollington Rd. *Wolv* —3D **44**
Hollington Way. *Shir* —2G **165**
Hollinwell Clo. *Wals* —4G **19**
Hollister Dri. *B32* —2D **130**

Holloway. *B31* —1C **144**
Holloway Bank. *W'bry &*
　　　　W Brom —4F **63**
Holloway Cir. Queensway. *B1*
　　　　—2F **117** (6D **4**)
Holloway Ct. *Hale* —6F **111**
Holloway Dri. *Wom* —2E **73**
Holloway End. —5F 109
Holloway Head. *B1*
　　　　—2F **117** (6C **4**)
Holloway St. *Dud* —3H **75**
Holloway St. *Wolv* —4C **44**
Holloway St. W. *Dud* —2H **75**
Holloway, The. *Stourb*
　　　　　　—4D **108**
Holloway, The. *Swind* —6D **72**
Holloway, The. *Wolv* —1A **42**
Hollow Cft. *B31* —4F **145**
Hollowcroft Rd. *W'hall* —1B **30**
Hollowmeadow Ho. *B36*
　　　　　　—1B **104**
Hollow, The. *B13* —1G **133**
Holly Acre. *Erd* —3A **86**
Holly Av. *B12* —6A **118**
Holly Av. *S Oak* —4D **132**
Holly Bank. —4D 22
Holly Bank Av. *Ess* —4A **18**
Hollybank Clo. *B13* —1A **148**
Hollybank Clo. *Wals* —5G **19**
Hollybank Gro. *Hale* —4F **127**
Hollybank Rd. *B13* —6A **134**
Hollyberry Av. *Sol* —1E **165**
Hollyberry Cft. *B34* —3G **105**
Hollybrow. *B29* —6E **131**
Hollybush Gro. *B32* —4B **114**
Hollybush La. *Cod* —5D **12**
Holly Bush La. *Share* —5A **6**
　(in two parts)
Hollybush La. *Stourb* —4D **108**
Hollybush La. *Wolv* —1B **58**
Holly Bush Wlk. *Crad H*
　　　　　　—2F **111**
Holly Clo. *S Cold* —3D **70**
Holly Clo. *W'hall* —3C **30**
Hollycot Gdns. *B12* —5H **117**
Holly Ct. *B23* —2G **85**
Holly Ct. *Bal C* —6H **169**
Hollycroft Rd. *B21* —6H **81**
Hollydale Rd. *B24* —4A **86**
Hollydale Rd. *Row R* —6D **96**
Holly Dell. *B38* —5D **146**
Holly Dri. *B27* —3H **135**
Holly Dri. *H'wd* —2B **162**
Hollyfaste Rd. *B33* —2F **121**
Hollyfield Av. *Sol* —4C **150**
Hollyfield Ct. *S Cold* —6C **54**
Hollyfield Cres. *S Cold* —1C **70**
Hollyfield Dri. *S Cold* —6C **54**
Hollyfield Rd. *S Cold* —6C **54**
Hollyfield Rd. S. *S Cold*
　　　　　　—1D **70**
Holly Gro. *B29* —3B **132**
　(in two parts)
Holly Gro. *B30* —5B **132**
Holly Gro. *Hand* —1D **100**
Holly Gro. *Stourb* —6D **108**
Holly Gro. *Wolv* —4D **42**
Holly Hall Rd. *Dud* —2C **94**
　(in two parts)
Hollyhedge Clo. *B31* —1B **144**
Hollyhedge Clo. *Wals* —1A **48**
Hollyhedge La. *Wals* —6A **32**
Hollyhedge Rd. *W Brom*
　　　　　　—6C **64**
Holly Hill. *Redn* —6F **143**
Holly Hill Rd. *Redn* —5G **143**

Holly Hill Shop. Cen. *Redn*
　　　　　　—6G **143**
Hollyhock Rd. *B27* —4F **135**
Hollyhock Rd. *Dud* —6H **77**
Hollyhurst. *Wat O* —4E **89**
Hollyhurst Dri. *Stourb* —6B **92**
Hollyhurst Gro. *B26* —5C **120**
Hollyhurst Gro. *Shir* —1H **163**
Hollyhurst Rd. *S Cold* —2B **68**
Holly La. *Bal C* —6H **169**
Holly La. *Erd* —2H **85**
Holly La. *Gt Wyr* —5E **7**
Holly La. *Mars G* —3B **122**
Holly La. *Smeth* —4B **98**
Holly La. *S Cold* —6G **37**
Holly La. *Wals W* —1H **35**
　(Back La.)
Holly La. *Wals W* —3C **22**
　(Wolverson Rd., in two parts)
Holly La. *Wis* —2H **71**
Holly Lodge Wlk. *B37*
　　　　　　—1B **122**
Hollymoor Way. *B31* —6H **143**
Hollymount. *Hale* —4G **113**
Hollyoak Cft. *N'fld* —1F **159**
Hollyoake Clo. *O'bry* —1G **113**
Hollyoak Gro. *Sol* —6E **151**
Hollyoak Rd. *S Cold* —5H **51**
Hollyoak St. *W Brom* —3B **80**
Holly Pk. Dri. *B24* —4H **85**
Holly Pl. *Aston* —1F **101**
Holly Pl. *S Oak* —3D **132**
Holly Rd. *Dud* —4C **76**
Holly Rd. *Edg* —2H **115**
Holly Rd. *Hand* —1B **100**
Holly Rd. *K Nor* —3C **146**
Holly Rd. *O'bry* —3A **114**
Holly Rd. *Row R* —2B **112**
Holly Rd. *W'bry* —6F **47**
Holly Rd. *W Brom* —5C **64**
Holly St. *Dud* —3A **94**
Holly St. *Smeth* —4D **98**
Holly Vw. *Ess* —4A **18**
Hollywell Rd. *B26* —5F **121**
Hollywell Rd. *Know* —4C **166**
Hollywell St. *Bils* —4C **60**
Hollywood. —1A 162
Holly Wood. *B43* —4C **66**
Hollywood By-Pass. *K Nor*
　　　　　　—3G **161**
Hollywood Cft. *B42* —5B **66**
Hollywood Gdns. *H'wd*
　　　　　　—1A **162**
Hollywood La. *H'wd* —1A **162**
Holman Clo. *W'hall* —1G **45**
Holman Rd. *W'hall* —1F **45**
Holman Way. *W'hall* —1G **45**
Holme Mill. *Wolv* —3H **15**
Holmes Clo. *B43* —6A **66**
Holmes Dri. *Redn* —3F **157**
Holmesfield Rd. *B42* —6E **67**
Holmes Rd. *W'hall* —2D **30**
Holmes, The. *Wolv* —4H **15**
Holme Way. *Wals* —2F **33**
Holmwood Rd. *B10* —2D **118**
Holt Ct. N. *B7*
　　　　—5H **101** (1H **5**)
Holt Ct. S. *B7*
　　　　—5H **101** (1H **5**)
Holte Dri. *S Cold* —1B **54**
Holte Rd. *B11* —6D **118**
Holte Rd. *Aston* —6A **84**
Holtes Wlk. *B6* —1B **102**
Holt Rd. *Hale* —2E **113**
Holtshill La. *Wals* —1D **48**
Holt St. *B7* —5H **101** (1G **5**)

Holyhead Rd. *B21* —6F **81**
Holyhead Rd. *Cod* —5B **12**
Holyhead Rd. *W'bry* —1C **62**
(Heath Acres)
Holyhead Rd. *W'bry* —2D **62**
(Portway Rd.)
Holyhead Rd. Ind. Est. *W'bry*
—2D **62**
Holyhead Way. *B21* —1H **99**
Holyoak Rd. *Aston* —6H **83**
Holyrood Gro. *Aston* —1G **101**
Holy Well Clo. *B16* —1C **116**
Holywell La. *Redn* —3D **156**
Home Clo. *B28* —1F **149**
Homecroft Rd. *B25* —3C **120**
Homedene Rd. *B31* —6C **130**
Homefield Rd. *Cod* —4H **13**
Homelands. *B42* —6D **66**
Homelea Rd. *B25* —3B **120**
Homemead Gro. *Redn*
—2F **157**
Homer Hill. *Hale* —4D **110**
Homer Hill Rd. *Hale* —4E **111**
Homer Rd. *Sol* —4F **151**
Homer Rd. *S Cold* —1A **54**
Homers Fold. *Bils* —6F **45**
Homer St. *B12* —6H **117**
Homerton Rd. *B44* —4B **68**
Homestead Clo. *Dud* —2A **76**
Homestead Dri. *S Cold*
—6A **38**
Homestead Rd. *B33* —2F **121**
Home Tower. *B7* —4B **102**
Homewood Clo. *S Cold*
—2C **70**
Honesty Clo. *Clay* —1H **21**
Honeswode Clo. *B20* —1C **100**
Honeyborne Rd. *S Cold*
—4B **54**
Honeybourne Clo. *Hale*
—2A **128**
Honeybourne Cres. *Wom*
—2F **73**
Honeybourne Rd. *B33*
—3G **121**
Honeybourne Rd. *Hale*
—2C **128**
Honeybourne Way. *W'hall*
—1C **46**
Honeysuckle Av. *K'wfrd*
—2C **92**
Honeysuckle Clo. *B32*
—6H **113**
Honeysuckle Dri. *Wals* —2E **65**
Honeysuckle Gro. *B27*
—6A **120**
Honeytree Clo. *K'wfrd* —6D **92**
Honiley Dri. *S Cold* —3C **68**
Honiley Rd. *B33* —1E **121**
Honister Clo. *Brie H* —2B **110**
Honiton Clo. *B31* —3C **144**
Honiton Cres. *B31* —3C **144**
Honiton Wlk. *Smeth* —4F **99**
Honiton Way. *Wals* —4B **22**
Honor Av. *Wolv* —6G **43**
Hood Gro. *B30* —3H **145**
Hook Dri. *S Cold* —6F **37**
Hooper St. *B18* —5B **100**
Hoosen Clo. *Hale* —5G **113**
Hopedale Rd. *B32* —6A **114**
Hope Pl. *B29* —3B **132**
Hope Rd. *Tip* —1C **78**
Hope St. *B5* —3G **117**
Hope St. *Dud* —1E **95**
Hope St. *Hale* —3D **112**
Hope St. *Stourb* —6B **92**

Hope St. *Wals* —3C **48**
Hope St. *W Brom* —5C **80**
Hope Ter. *Dud* —4E **95**
Hope Ter. *W'bry* —1D **62**
Hopkins Ct. *W'bry* —2G **63**
Hopkins Dri. *W Brom* —6C **64**
Hopkins St. *Tip* —5A **78**
Hopstone Gdns. *Wolv* —6D **42**
Hopstone Rd. *B29* —4E **131**
Hopton Clo. *Pert* —6F **25**
Hopton Clo. *Tip* —3C **62**
Hopton Cres. *Wolv* —3G **29**
Hopton Gdns. *Dud* —4C **76**
Hopton Gro. *B13* —2C **148**
Hopwas Gro. *B37* —4B **106**
Hopwood. —6G 159
Hopwood Clo. *Hale* —3A **128**
Hopwood Gro. *B31* —3C **158**
Hopyard Clo. *Dud* —4F **75**
Hopyard Gdns. *Bils* —2D **60**
Hopyard La. *Dud* —5F **75**
Hopyard Rd. *Wals* —1E **47**
Horace Partridge Rd. *W'bry*
—6A **46**
Horace St. *Bils* —5C **60**
Horatio Dri. *Mose* —1H **133**
Hordern Clo. *Wolv* —4D **26**
Hordern Cres. *Brie H*
—3H **109**
Hordern Gro. *Wolv* —4D **26**
Hordern Mobile Home Pk.
Cov H —1G **15**
Hordern Rd. *Wolv* —4D **26**
Hornbeam Clo. *B29* —6F **131**
Hornbeam Wlk. *Wolv* —2E **43**
Hornbrook Gro. *Sol* —6A **136**
Hornby Gro. *B14* —3D **148**
Hornby Rd. *Wolv* —1G **59**
Horner Way. *Row R* —2C **112**
Horne Way. *B34* —4A **106**
Horning Dri. *Bils* —2E **61**
Hornsey Gro. *B44* —3A **68**
Hornsey Rd. *B44* —3A **68**
Hornton Clo. *S Cold* —4D **36**
Horrell Rd. *B26* —4E **121**
Horrell Rd. *Shir* —5F **149**
Horsecroft Dri. *W Brom*
(off Tompstone Rd.) —5E **65**
Horse Fair. *B5 & B1*
—2F **117** (6D **4**)
Horsehills Dri. *Wolv* —1C **42**
Horselea Cft. *B8* —5A **104**
Horseley Fields. *Wolv*
—1H **43** (3D **170**)
Horseley Heath. —1C 78
Horseley Heath. *Tip* —3B **78**
Horseley Rd. *Tip* —1C **78**
Horseshoe Clo. Wals —4H 47
(off Wellington St.)
Horse Shoes La. *B26* —6F **121**
Horseshoe, The. *O'bry*
—1A **114**
Horseshoe Wlk. Tip —2G 77
(off Owen St.)
Horsfall Rd. *S Cold* —6E **55**
Horsham Av. *Stourb* —6A **92**
Horsley Rd. *B43* —1F **67**
Horsley Rd. *S Cold* —1B **52**
Horton Clo. *Dud* —5G **59**
Horton Clo. *W'bry* —4D **46**
Horton Gro. *Shir* —4E **165**
Horton Pl. *Darl* —4D **46**
Horton Sq. *B12* —4G **117**
Horton St. *Tip* —2D **78**
Horton St. *W'bry* —4D **46**
Horton St. *W Brom* —5A **80**

Hospital Dri. *Edg* —1A **132**
Hospital La. *Bils* —6D **60**
(in two parts)
Hospital La. *Tiv* —5B **78**
Hospital Rd. *Burn* —1C **10**
Hospital St. *B19*
—4F **101** (1D **4**)
(in two parts)
Hospital St. *Wals* —5B **32**
Hospital St. *Wolv*
—2H **43** (5D **170**)
Hothersall Dri. *S Cold* —5F **69**
Hotspur Rd. *B44* —4H **67**
Hough Pl. *Wals* —4H **47**
Hough Rd. *B14* —1F **147**
Hough Rd. *Wals* —4G **47**
Houghton Ct. *Hall G* —3D **148**
Houghton St. *O'bry* —3F **97**
Houghton St. *W Brom*
—1B **98**
Houldey Rd. *B31* —6F **145**
Houliston Clo. *W'bry* —6H **47**
Houndsfield Clo. *H'wd*
—3C **162**
Houndsfield Ct. *Wyt* —4A **162**
Houndsfield Gro. *Wyt*
(in two parts) —4A **162**
Houndsfield La. *H'wd & Wyt*
—4A **162**
Houndsfield La. *Shir* —3D **162**
Houndsfield M. *Wyt* —4B **162**
Houx, The. *Stourb* —3C **108**
Hove Rd. *B27* —4A **136**
Howard Rd. *Bils* —2H **61**
Howard Rd. *Gt Barr* —5G **65**
Howard Rd. *Hand* —5D **82**
Howard Rd. *K Hth* —6F **133**
Howard Rd. *Sol* —2C **136**
Howard Rd. *Wolv* —1H **29**
Howard Rd. *Yard* —4A **120**
Howard Rd. E. *B13* —6H **133**
Howard St. *B19*
—5F **101** (1C **4**)
Howard St. *Tip* —2B **78**
Howard St. *W Brom* —6F **63**
Howard St. *Wolv*
—3H **43** (6C **170**)
Howarth Way. *B6* —2A **102**
Howden Pl. *B33* —4E **105**
Howdle's La. *Wals* —3B **10**
Howe Cres. *W'hall* —3C **30**
Howell Rd. *Wolv* —4A **44**
Howes Cft. *B35* —5E **87**
Howe St. *B4* —6H **101** (2H **5**)
Howford Gro. *B7* —5B **102**
Howland Clo. *Wolv* —5D **14**
Howley Av. *B44* —4G **67**
Howley Grange Rd. *Hale*
—6F **113**
Howl Pl. *Tip* —2H **77**
Hoylake Clo. *Wals* —4H **19**
Hoylake Dri. *Tiv* —2A **96**
Hoylake Rd. *Pert* —4D **24**
Hoylake Way. *B30* —5A **132**
Hubert Cft. *B29* —3B **132**
Hubert Rd. *B29* —3B **132**
Hubert St. *B6* —4H **101**
Hucker Clo. *Wals* —4G **47**
Hucker Rd. *Wals* —4G **47**
Huddlestone Clo. *F'stne*
—1D **16**
Huddleston Way. *B29*
—4G **131**
Huddocks Vw. *Wals* —2D **20**
Hudson Av. *Col* —3H **107**
Hudson Gro. *Wolv* —4E **25**

Hudson Rd. *B20* —3B **82**
Hudson Rd. *Tip* —3C **78**
Hudson's Dri. *B30* —3C **146**
Hudswell Dri. *Brie H* —3H **109**
Hughes Av. *Wolv* —3D **42**
Hughes Pl. *Bils* —4F **45**
Hughes Rd. *Bils* —4F **45**
Hughes Rd. *W'bry* —6A **46**
Hugh Rd. *B10* —2E **119**
Hugh Rd. *Smeth* —4B **98**
Hulbert Dri. *Dud* —3D **94**
Hulborn Shop. Cen., The. *Dud*
—6H **59**
Hulland Pl. *Brie H* —6G **93**
Hullbrook Rd. *B13* —2C **148**
Humber Av. *S Cold* —6E **71**
Humber Gro. *B36* —6B **88**
Humber Rd. *Wolv* —2E **43**
Humberstone Rd. *B24* —3C **86**
Humber Tower. *B7* —5A **102**
Hume St. *Smeth* —5F **99**
Humpage Rd. *B9* —1E **119**
Humphrey Middlemore Dri.
B17 —1H **131**
Humphrey's Rd. *Wolv* —2H **27**
Humphrey St. *Dud* —4H **75**
Humphries Cres. *Bils* —4H **61**
Humphries Ho. *Wals* —6B **10**
Hundred Acre Rd. *S Cold*
—4H **51**
Hungary Clo. *Stourb* —6G **109**
Hungary Hill. *Stourb* —6G **109**
Hungerfield Rd. *B36* —6G **87**
Hungerford Rd. *Stourb*
—3C **124**
Hunningham Gro. *Sol*
—1F **165**
Hunnington. —6B 128
Hunnington Clo. *B32* —4G **129**
Hunnington Cres. *Hale*
—3B **128**
Hunscote Clo. *Shir* —6F **149**
Hunslet Rd. *B32* —1D **130**
Hunstanton Av. *B17* —4D **114**
Hunstanton Clo. *Brie H*
—4G **109**
Hunter Ct. *B5* —6F **117**
Hunter Cres. *Wals* —3D **32**
Hunters Clo. *Bils* —4A **46**
Hunter's Heath. —5A 148
Hunters Ride. *Stourb* —6H **91**
Hunters Ri. *Hale* —4F **127**
Hunter's Rd. *B19* —2D **100**
Hunter St. *Wolv* —5E **27**
Hunter's Va. *B19* —3E **101**
Hunters Wlk. *B23* —5C **68**
Huntingdon Gdns. *Hale*
—4E **111**
Huntingdon Rd. *W Brom*
—1H **79**
Huntington Rd. *W'hall* —2D **30**
Huntingtree Rd. *Hale* —1G **127**
Huntlands Rd. *Hale* —3G **127**
Huntley Dri. *Sol* —5H **137**
Huntly Rd. *B16* —2C **116**
Hunton Ct. *B23* —5E **85**
(off Gravelly Hill N.)
Hunton Hill. *B23* —4D **84**
Hunton Rd. *B23* —4E **85**
Hunt's La. *W'hall* —3D **30**
Hunts Mill Dri. *Brie H* —6G **75**
Hunt's Rd. *B30* —6C **132**
Hurdis Rd. *Shir* —4G **149**
Hurdlow Av. *B18* —4D **100**
Hurley Clo. *S Cold* —3A **70**
Hurley Clo. *Wals* —5H **49**

Hurley Gro. *B37* —4B **106**
Hurley's Fold. *Dud* —4D **94**
Hurlingham Rd. *B44* —3A **68**
Hursey Dri. *Tip* —2A **78**
Hurstbourne Cres. *Wolv*
—2D **44**
Hurst Clo. *B36* —2A **106**
Hurstcroft Rd. *B33* —6F **105**
Hurst Dri. *Stourb* —2D **108**
Hurst Grn. Rd. *Ben H* —5B **166**
Hurst Grn. Rd. *Hale* —2E **113**
Hurst Grn. Rd. *Min* —1H **87**
Hurst Hill. —4C 60
Hurst La. *B34* —3H **105**
Hurst La. *Brie H* —6B **94**
Hurst La. *Tip* —2F **77**
Hurst La. N. *B36* —2A **106**
Hurst Rd. *Bils* —4C **60**
Hurst Rd. *Smeth* —6B **98**
Hurst St. *B5* —2G **117** (6E **5**)
(in two parts)
Hurst, The. *H'wd* —3A **162**
Hurst, The. *Mose* —6C **134**
Hurstway, The. *B23* —5C **68**
Hurstwood Rd. *B23* —5C **68**
Husphins La. *Cod W* —2A **12**
Hussey Rd. *Wals* —5A **10**
Hut Hill La. *Wals* —1G **7**
Hutton Av. *B8* —4D **102**
Hutton Rd. *Hand* —6D **82**
Hutton Rd. *Salt* —4D **102**
Huxbey Dri. *Sol* —5B **138**
Huxley Clo. *Pend* —4E **15**
Hyatt Sq. *Brie H* —4G **109**
Hyatts Wlk. *Row R* —4H **95**
Hyde Rd. *B16* —1B **116**
Hyde Rd. *Wolv* —3F **29**
Hydes Rd. *W'bry* —2G **63**
Hydes Rd. *W Brom* —4A **64**
Hyde, The. *Stourb* —3H **125**
Hyett Way. *Bils* —3B **62**
Hylda Rd. *B20* —6D **82**
Hylstone Cres. *Wolv* —3F **29**
Hylton St. *B18* —4E **101**
Hyperion Dri. *Wolv* —2E **59**
Hyperion Rd. *B36* —6C **86**
Hyperion Rd. *Stourb* —4A **108**
Hyron Hall Rd. *B27* —3A **136**
Hyssop Clo. *B7* —4A **102**
Hytall Rd. *Shir* —5C **148**
Hythe Gro. *B25* —3B **120**

Ibberton Rd. *B14* —4B **148**
Ibis Gdns. *K'wfrd* —3E **93**
Ibstock Dri. *Stourb* —1E **125**
Icknield Clo. *S Cold* —2A **52**
Icknield Port Rd. *B16* —5A **100**
Icknield Sq. *B16* —6C **100**
Icknield St. *Hock* —5D **100**
(in two parts)
Icknield St. *K Nor & A'chu*
—1C **160**
Ida Rd. *Wals* —2H **47**
Ida Rd. *W Brom* —6B **80**
Idbury Rd. *B44* —6A **68**
Idmiston Cft. *B14* —5H **147**
Idonia Rd. *Wolv* —4E **25**
Ikon Gallery. —1E 117
Ilford Rd. *B23* —1D **84**
Iliffe Way. *B17* —1H **131**
Ilkley Gro. *B37* —1B **122**
Illey. —5E 129
Illeybrook Sq. *B32* —3B **130**
Illey Clo. *B31* —6H **143**
Illey La. *Hale & B32* —4C **128**

Illshaw. *Wolv* —4F **15**
Illshaw Heath Rd. *H'ley H*
—6B **164**
Ilmington Dri. *S Cold* —2C **68**
Ilmington Rd. *B29* —4D **130**
Ilsham Gro. *B31* —3C **158**
Ilsley Rd. *B23* —3E **85**
Imex Bus. Pk. *B9* —1D **118**
Imex Bus. Pk. *Wolv* —4G **43**
Imperial Ri. *Col* —5G **89**
Imperial Rd. *B9* —1E **119**
Impsley Clo. *B36* —1F **105**
Ince Rd. *W'bry* —4C **46**
Inchcape Av. *B20* —4C **82**
Inchford Rd. *Sol* —6A **138**
Inchlaggan Rd. *Wolv* —3B **28**
Ingatestone Dri. *Stourb*
—6A **92**
Ingestre Clo. *Wals* —4F **19**
Ingestre Dri. *B43* —4H **65**
Inge St. *B5* —2G **117** (6D **4**)
Ingestre Rd. *B28* —6F **135**
Ingestre Rd. *Wolv* —6G **15**
Ingham Way. *B17* —3E **115**
Ingleby Gdns. *Wolv* —4D **26**
Ingledew Clo. *Wals* —6D **30**
Inglefield Rd. *B33* —6D **104**
Inglemere Gro. *B29* —6D **130**
Inglenook Dri. *B20* —5D **82**
Ingleton Rd. *B8* —2G **103**
Inglewood Av. *Wolv* —3D **42**
Inglewood Clo. *K'wfrd* —4B **92**
Inglewood Gro. *S Cold*
—1H **51**
Inglewood Rd. *B11* —6C **118**
Ingoldsby Rd. *B31* —3G **145**
Ingot Clo. *Wals* —3H **31**
Ingram Gro. *B27* —3G **135**
Ingram Pl. *Wals* —6B **20**
Ingram Rd. *Wals* —6A **20**
Inhedge St. *Dud* —2A **76**
Inhedge, The. *Dud* —6E **77**
Inkberrow Rd. *Hale* —3H **127**
Inkerman Gro. *Wolv* —1B **44**
Inkerman St. *B7* —6B **102**
(in two parts)
Inkerman St. *Wolv* —6B **28**
Inland Rd. *B24* —5H **85**
Innage Rd. *B31* —3F **145**
Innage, The. *H'wd* —4A **162**
Innsworth Dri. *B35* —3E **87**
Inshaw Clo. *B33* —6C **104**
Institute Rd. *B14* —5H **133**
Instone Rd. *Hale* —2H **127**
Instow Clo. *W'hall* —1B **30**
Insull Av. *B14* —6B **148**
Intended St. *Hale* —4E **111**
International Dri. *Birm A*
—1E **139**
International Ho. *B37* —6F **123**
Intown. *Wals* —1D **48**
Intown Row. *Wals* —1D **48**
Inverclyde Rd. *B20* —4C **82**
Inverness Ho. Wolv —5G 27
(off Lomas St.)
Inverness Rd. *B31* —4C **144**
Inworth. *Wolv* —4F **15**
Ipsley Gro. *B23* —2A **84**
Ipstones Av. *B33* —5D **104**
Ipswich Cres. *B42* —6D **66**
Ipswich Wlk. *B37* —1D **122**
Ireland Grn. Rd. *W Brom*
—5H **79**
Ireton Rd. *B20* —3C **82**
Ireton Rd. *Wolv* —4A **16**
Iris Clo. *B29* —5F **131**

Iris Clo. *Dud* —6H **77**
Iris Dri. *B14* —3F **147**
Irnham Rd. *S Cold* —1G **53**
Iron Bri. Wlk. *Stourb* —5F **125**
Iron La. *B33* —5B **104**
Irvan Av. *W Brom* —2F **79**
Irvine Clo. *Wals* —2H **31**
Irvine Rd. *Wals* —1H **31**
Irving Clo. *Dud* —3E **75**
Irving Rd. *Sol* —1A **138**
Irving Rd. *Tip* —4A **62**
Irving St. *B1* —2F **117**
Irwin Av. *Redn* —3A **158**
Isaac Walton Pl. *W Brom*
—6E **63**
Isbourne Way. *B9* —1B **118**
Isis Gro. *B36* —1B **106**
Isis Gro. *W'hall* —1C **46**
Island Rd. *B21* —6G **81**
Islington. *Hale* —1A **128**
Islington Row Middleway. *B15*
—2D **116**
Ismere Rd. *B24* —5H **85**
Itchen Gro. *Wolv* —6E **25**
Ithon Gro. *B38* —1A **160**
Ivanhoe Rd. *B43* —2D **66**
Ivanhoe Rd. *Wolv* —5C **44**
Ivanhoe St. *Dud* —2C **94**
Ivatt Clo. *Wals* —2F **33**
Iverley. —5B 124
Iverley Rd. *Hale* —1C **128**
Iverley Wlk. *Stourb* —3F **125**
Ivor Rd. *B11* —1B **134**
Ivy Av. *B12* —6B **118**
(Chesterton Rd.)
Ivy Av. *B12* —6A **118**
(Runcorn Rd.)
Ivybridge Gro. *B42* —4E **83**
Ivy Cft. *Pend* —4D **14**
Ivydale Av. *B26* —6G **121**
Ivyfield Rd. *B23* —2B **84**
Ivyhouse La. *Bils* —5D **60**
Ivyhouse Rd. *B38* —1G **159**
Ivy Ho. Rd. *O'bry* —3D **96**
Ivy La. *B9* —1A **118**
Ivy Lodge Clo. *Mars G*
—4C **122**
Ivy Pl. *B29* —3B **132**
Ivy Rd. *Dud* —3C **76**
Ivy Rd. *Hand* —2C **100**
Ivy Rd. *Stir* —1C **146**
Ivy Rd. *S Cold* —3F **69**
Ivy Rd. *Tip* —6H **61**
Ivy Wlk. *Shir* —3G **163**
Izons La. *W Brom* —6F **79**
Izons La. Ind. Est. *W Brom*
—6F **79**
Izons Rd. *W Brom* —4A **80**

Jacey Rd. *B16* —1H **115**
Jacey Rd. *Shir* —3H **149**
Jack David Ho. *Tip* —2B **78**
Jackdaw Clo. *Dud* —3G **59**
Jackdaw Dri. *B36* —1C **106**
Jack Holden Av. *Bils* —3C **60**
Jack Newell Ct. Cose —5E 61
(off Castle St.)
Jack O Watton Ind. Est. *Wat O*
—4F **89**
Jackson Av. *B8* —5F **103**
Jackson Clo. *Cann* —1C **8**
Jackson Clo. *F'stne* —1C **16**
Jackson Clo. *O'bry* —4H **97**
Jackson Clo. *Tip* —4B **62**

Jackson Ct. *Brie H* —2B **110**
Jackson Dri. *Smeth* —4B **98**
Jackson Ho. *O'bry* —2G **97**
Jackson Rd. *B8* —5F **103**
Jackson St. *O'bry* —5H **97**
Jackson St. *Stourb* —5A **110**
Jackson St. *Wolv* —5F **27**
Jackson Wlk. *B35* —5E **87**
Jackson Way. *B32* —6G **113**
Jacmar Cres. *Smeth* —3C **98**
Jacobean La. *Know* —6C **152**
Jacob's Hall La. *Wals* —4G **7**
Jacoby Pl. *B5* —6D **116**
Jaffray Cres. *B24* —4F **85**
Jaffray Rd. *B24* —4F **85**
Jakeman Rd. *B12* —6G **117**
James Bri. Clo. *Wals* —4H **47**
James Brindley Wlk. *B1*
—1E **117** (4A **4**)
James Clift Ho. *O'bry* —4D **96**
James Clo. *Smeth* —4E **99**
James Clo. *W'bry* —5F **47**
James Dee Clo. *Brie H*
—2C **110**
James Eaton Clo. *W Brom*
—2A **80**
James Ho. B19 —3E 101
(off Newtown Dri.)
James Memorial Homes. B7
(off Stuart St.) —2C **102**
Jameson Rd. *B6* —1C **102**
Jameson St. *Wolv* —5F **27**
James Rd. *Col* —1H **107**
James Rd. *Gt Barr* —6A **66**
James Rd. *Tys* —5F **119**
James Scott Rd. *Hale*
—5C **110**
James St. *B3* —6E **101** (2B **4**)
James St. *Bils* —5G **45**
James St. *W'hall* —6A **30**
James Turner St. *B18*
—3A **100**
James Watt Dri. *B19* —1D **100**
James Watt Ho. *Smeth*
—4F **99**
James Watt Point. *B6*
—1B **102**
James Watt Queensway. *B4*
—6G **101** (2F **5**)
James Watt St. *B4*
—6G **101** (3F **5**)
James Watt St. *W Brom*
(in two parts) —5H **63**
Jane La. Clo. *Wals* —5F **31**
Janice Gro. *B14* —3B **148**
Janine Av. *Wolv* —2G **29**
Jaques Clo. *Wat O* —5D **88**
Jardine Rd. *B6* —6H **83**
Jarvis Cres. *O'bry* —5F **97**
Jarvis Rd. *B23* —1F **85**
Jarvis Way. *B24* —1E **103**
J A S Ind. Pk. *Row R* —5E **97**
Jasmin Cft. *B14* —3G **147**
Jasmine Clo. *Pend* —4D **14**
Jasmine Gro. *Cod* —4H **13**
Jasmine Rd. *Dud* —6H **77**
Jasmine Way. *Darl* —4D **46**
Jason Rd. *Stourb* —1B **126**
Jayne Clo. *W Brom* —4C **64**
Jayne Clo. *Wolv* —2F **29**
Jay Rd. *K'wfrd* —1B **92**
Jay's Av. *Tip* —3B **78**
Jayshaw Av. *B43* —5A **66**
Jeal Clo. *Wyt* —6G **161**
Jean Dri. *Tip* —1D **78**
Jeavons Pl. *Bils* —6E **45**

Jedburgh Av. *Wolv* —5E **25**
Jeddo St. *Wolv*
—3G **43** (6A **170**)
Jeffcock Rd. *Wolv* —3D **42**
Jefferson Clo. *W Brom*
—5H **63**
Jeffrey Av. *Wolv* —6B **44**
Jeffrey Rd. *Row R* —6E **97**
Jeffries Ho. *O'bry* —2G **97**
Jeffs Av. *Wolv*
—3H **43** (6D **170**)
Jenkins Clo. *Bils* —6E **45**
Jenkinson Rd. *W'bry* —4D **62**
Jenkins St. *B10* —3C **118**
Jenks Av. *Wolv* —1A **28**
Jenks Rd. *Wom* —2F **73**
Jennens Rd. *B4 & B7*
—6H **101** (3G **5**)
Jenner Clo. *Wals* —3G **31**
Jenner Ho. *Wals* —3F **31**
Jenner Rd. *Wals* —3F **31**
Jenner St. *Wolv* —2A **44**
Jennifer Wlk. *B25* —3C **120**
Jennings St. *Crad H* —1H **111**
Jenny Clo. *Bils* —4G **61**
Jennyns Ct. *W'bry* —2F **63**
Jenny Walkers La. *Wolv*
—3D **40**
Jephcott Gro. *B8* —5G **103**
Jephcott Rd. *B8* —5G **103**
Jephson Dri. *B26* —4D **120**
Jeremy Gro. *Sol* —1F **137**
Jeremy Rd. *Wolv* —6G **43**
Jerome Ct. *S Cold* —2H **51**
Jerome K Jerome Birthplace
Mus. —1D 48
(Central Library)
Jerome Rd. *S Cold* —1B **70**
Jerome Rd. *Wals* —2H **47**
Jerrard Ct. *S Cold* —6A **54**
Jerrard Dri. *S Cold* —6A **54**
Jerry's La. *B23* —6D **68**
Jersey Cft. *B36* —3D **106**
Jersey Rd. *B8* —5D **102**
Jervis Clo. *Brie H* —2G **93**
Jervis Cit. Wals —1D 48
(off Dog Kennel La.)
Jervis Cres. *S Cold* —6D **36**
Jervoise Dri. *B31* —2F **145**
Jervoise La. *W Brom* —4C **64**
Jervoise Rd. *B29* —4D **130**
Jervoise St. *W Brom* —3G **79**
Jesmond Gro. *B24* —3C **86**
Jessel Rd. *Wals* —1A **48**
Jessie Rd. *Wals* —6C **22**
Jesson Clo. *Wals* —4E **49**
Jesson Ct. *Wals* —3E **49**
Jesson Rd. *Dud* —1C **76**
Jesson Rd. *S Cold* —6E **55**
Jesson Rd. *Wals* —3D **48**
Jesson St. *W Brom* —5C **80**
Jevons Rd. *S Cold* —2C **68**
Jevon St. *Bils* —5D **60**
(in two parts)
Jewellery Quarter. —5D 100
Jewellery Quarter Discovery
Cen. —4E 101
Jew's La. *Dud* —3A **76**
Jiggin's La. *B32* —5A **130**
Jill Av. *B43* —5G **65**
Jillcot Rd. *Sol* —2F **137**
Jinnah Clo. *B12* —3H **117**
Joan St. *Wolv* —5A **44**
Jockey Fld. *Dud* —1A **76**
Jockey La. *W'bry* —1G **63**
Jockey Rd. *S Cold* —3D **68**

Joe Jones Ct. *Dud* —4H **59**
Joey's La. *Cod* —3A **14**
John Bright Clo. *Tip* —5H **61**
John Bright St. *B1*
—1F **117** (5D **4**)
John Feeney Tower. *B31*
—6D **130**
John F Kennedy Wlk. *Tip*
—5A **62**
John Fletcher Clo. *W'bry*
—1H **63**
John Harper St. *W'hall* —1B **46**
John Howell Dri. *Tip* —2A **78**
John Kempe Way. *B12*
—4A **118**
John Riley Dri. *W'hall* —1C **30**
John Rd. *Hale* —2F **129**
Johns Gro. *B43* —5G **65**
John's La. *Tip* —3B **78**
John's La. *Tiv* —4C **78**
Johns La. *Wals* —2F **7**
John Smith Ho. *B1*
—6E **101** (3A **4**)
Johnson Av. *Wolv* —2H **29**
Johnson Clo. *S'hll* —6C **118**
Johnson Clo. *W End* —3A **104**
Johnson Clo. *W'bry* —6D **46**
Johnson Dri. *B35* —4D **86**
Johnson Pl. *Bils* —4H **45**
Johnson Rd. *B23* —2F **85**
Johnson Rd. *W'bry* —6D **46**
(Lodge Rd.)
Johnson Rd. *W'hall* —2D **30**
(Walton Rd.)
Johnson Row. *Bils* —4B **60**
Johnsons Bri. Rd. *W Brom*
—1A **80**
Johnsons Gro. *O'bry* —3A **114**
Johnson St. *B7* —3C **102**
Johnson St. *Bils* —4B **60**
Johnson St. *Wolv* —4H **43**
Johnstone St. *B19* —1F **101**
Johnston St. *W Brom* —6B **80**
John St. *B19* —2D **100**
John St. *Brie H* —5H **93**
John St. *O'bry* —2G **97**
John St. *Row R* —2C **112**
John St. *Stourb* —2D **108**
John St. *Swan V* —2F **79**
John St. *Wals* —6C **32**
John St. *W Brom* —3H **79**
John St. *W'hall* —2B **46**
John St. *Wolv* —5C **44**
John St. N. *W Brom* —2H **79**
John Wooton Ho. W'bry
(off Lawrence Way) —5D 46
Joiners Cft. *Sol* —5A **138**
Joinings Bank. *O'bry* —5H **97**
Jones Fld. Cres. *Wolv* —1C **44**
Jones Ho. *Wals* —6B **32**
Jones Rd. *W'hall* —6D **18**
Jones Rd. *Wolv* —3G **27**
Jones's La. *Wals* —4G **7**
Jones Wood Clo. *S Cold*
—6D **70**
Jordan Clo. *Smeth* —4F **99**
Jordan Clo. *S Cold* —2H **53**
Jordan Ho. *B36* —1C **104**
Jordan Leys. *Tip* —2B **78**
Jordan Pl. *Bils* —2G **61**
Jordan Rd. *S Cold* —2H **53**
Jordan Way. *Wals* —6D **22**
Joseph St. *O'bry* —3F **97**
Josiah Rd. *B31* —5B **144**
Jowett's La. *W Brom* —5H **63**

Joyberry Dri. *Stourb* —2D **124**
Joynson St. *W'bry* —6E **47**
Jubilee Av. *W Brom* —6H **63**
Jubilee Clo. *Gt Wyr* —3F **7**
Jubilee Clo. *Wals* —3C **32**
Jubilee Rd. *Bils* —1A **62**
Jubilee Rd. *Redn* —5E **143**
Jubilee Rd. *Tip* —6A **62**
Jubilee St. *W Brom* —6B **64**
Jubilee Ter. *Dud* —3E **95**
Judge Clo. *O'bry* —2G **97**
Judge Rd. *Brie H* —4B **110**
Julia Av. *B24* —3D **86**
Julia Gdns. *W Brom* —5D **64**
Julian Clo. *Wals* —2G **7**
Julian Clo. *Wolv* —1D **44**
Julian Rd. *Wolv* —1D **44**
Julie Cft. *Bils* —4G **61**
Juliet Rd. *Hale* —2F **129**
Julius Dri. *Col* —6H **89**
Junction Rd. *B21* —1G **99**
Junction Rd. *Stourb* —3C **108**
(Camp Hill)
Junction Rd. *Stourb* —1F **125**
(Church St.)
Junction Rd. *Wolv* —4D **44**
Junction St. *Dud* —1D **94**
Junction St. *O'bry* —6E **79**
Junction St. *Wals* —3B **48**
Junction St. S. *O'bry* —4G **97**
Junction, The. *Stourb*
—3C **108**
June Cft. *B26* —6H **121**
Juniper Clo. *B27* —6H **119**
Juniper Clo. *S Cold* —2D **70**
Juniper Dri. *S Cold* —6E **71**
Juniper Dri. *Wals* —1F **65**
Juniper Ho. *B20* —4B **82**
Juniper Ho. *B36* —2D **104**
Juniper Ri. *Hale* —6E **111**
Jury Rd. *Brie H* —4B **110**
Jutland Rd. *B13* —6B **134**

Karen Way. *Brie H* —3H **109**
Kate's Hill. —6G 77
Katherine Rd. *Smeth*
—1D **114**
Kathleen Rd. *B25* —4A **120**
Kathleen Rd. *S Cold* —1A **70**
Katie Rd. *B29* —4A **132**
Kayne Clo. *K'wfrd* —3A **92**
Keanscott Dri. *O'bry* —5A **98**
Keasden Gro. *W'hall* —6C **30**
Keating Gdns. *S Cold* —5G **37**
Keatley Av. *B33* —1A **122**
Keats Av. *B10* —4D **118**
Keats Clo. *Dud* —2E **75**
Keats Clo. *Stourb* —3E **109**
Keats Clo. *S Cold* —3F **37**
Keats Dri. *Bils* —3F **61**
Keats Gro. *Wolv* —1C **28**
Keats Ho. *O'bry* —5A **98**
Keats Rd. *Wals* —2C **32**
Keats Rd. *W'hall* —2E **31**
Keats Rd. *Wolv* —5C **16**
Keble Gro. *B26* —5F **121**
Keble Gro. *Wals* —4E **49**
Keble Ho. *B37* —1C **122**
Kedleston Clo. *Wals* —4D **20**
Kedleston Ct. *B28* —3F **149**
Kedleston Rd. *B28* —1F **149**
Keegan Wlk. *Wals* —5F **31**
Keel Dri. *B13* —4D **134**
Keele Ho. *B37* —5D **106**

Keeley St. *B9* —1B **118**
Keelinge St. *Tip* —2B **78**
Keen St. *Smeth* —5H **99**
Keepers Clo. *Col* —5H **107**
Keepers Clo. *K'wfrd* —1H **91**
Keepers Clo. *Wals W* —4B **22**
Keepers Ga. Clo. *S Cold*
—4A **54**
Keepers La. *Cod & Wolv*
—5G **13**
Keepers Rd. *S Cold* —4C **36**
Keer Ct. *B9* —1B **118**
Kegworth Rd. *B23* —5C **84**
Keir Hardie Wlk. *Tiv* —5D **78**
Keir Pl. *Stourb* —3C **108**
Keir Rd. *W'bry* —3A **64**
Kelby Clo. *B31* —3C **144**
Kelby Rd. *B31* —3D **144**
Keldy Clo. *Wolv* —4D **26**
Kelfield Av. *B17* —1F **131**
Kelham Pl. *Sol* —4F **137**
Kelia Dri. *Smeth* —3D **98**
Kellett Rd. *B7* —5A **102**
Kelling Clo. *Brie H* —3G **109**
Kellington Clo. *B8* —5F **103**
Kelmarsh Dri. *Sol* —6F **151**
Kelmscott Rd. *B17* —4F **115**
Kelsall Clo. *Wolv* —1H **44**
Kelsall Cft. *B1* —6D **100**
Kelsey Clo. *B7* —5B **102**
Kelso Gdns. *Wolv* —5D **14**
Kelsull Cft. *B37* —1C **122**
Kelton Ct. *B15* —4C **116**
Kelvedon Gro. *Sol* —2G **151**
Kelverdale Gro. *B14* —3E **147**
Kelverley Gro. *W Brom*
—4E **65**
Kelvin Pl. *Wals* —3H **31**
Kelvin Rd. *B31* —6E **145**
Kelvin Rd. *Wals* —3G **31**
Kelvin Way. *W Brom* —6H **79**
Kelvin Way Ind. Est. *W Brom*
—1H **97**
Kelway Av. *B43* —2D **66**
Kelwood Dri. *Hale* —6A **112**
Kelynmead Rd. *B33* —1E **121**
Kemberton Clo. *Wolv* —2A **42**
Kemberton Rd. *B29* —3E **131**
Kemberton Rd. *Wolv* —2A **42**
Kemble Clo. *W'hall* —6D **30**
Kemble Cft. *B5* —4G **117**
Kemble Dri. *B35* —4E **87**
Kemble Tower. *B35* —4E **87**
Kemelstowe Cres. *Hale*
—5E **127**
Kemerton Way. *Shir* —4D **164**
Kempe Rd. *B33* —5E **105**
Kempsey Clo. *Hale* —1G **127**
Kempsey Clo. *O'bry* —5E **97**
Kempsey Clo. *Sol* —2E **137**
Kempsey Covert. *B38*
—2A **160**
Kempsey Ho. *B32* —5G **129**
Kemps Grn. Rd. *Bal C*
—3H **169**
Kempson Av. *S Cold* —4A **70**
Kempson Av. *W Brom* —2H **79**
Kempson Rd. *B36* —1C **104**
Kempsons Gro. *Bils* —2D **60**
Kempthorne Av. *Wolv* —6A **16**
Kempthorne Gdns. *Wals*
—5G **19**
Kempthorne Rd. *Bils* —5H **45**
Kempton Dri. *Wals* —3F **7**
Kempton Pk. Rd. *B36*
—1B **104**

Kempton Way. *Stourb*
—2C **124**
Kemsey Dri. *Bils* —2H **61**
Kemshead Av. *B31* —1C **158**
Kemsley Rd. *B14* —5H **147**
Kenchester Ho. *B16* —1C **116**
(off Shyltons Cft.)
Kendal Av. *Col* —2H **107**
Kendal Av. *Redn* —2H **157**
Kendal Clo. *Wolv* —3D **26**
Kendal Ct. *B23* —4B **84**
Kendal Ct. *Wals W* —3B **22**
Kendal Gro. *Sol* —5B **138**
Kendal Ho. *O'bry* —5D **96**
Kendall Ri. *K'wfrd* —4D **92**
Kendal Ri. *O'bry* —6H **97**
Kendal Ri. *Wolv* —3D **26**
Kendal Ri. Rd. *Redn* —2H **157**
Kendal Rd. *B11* —4B **118**
Kendal Tower. *B17* —1H **115**
—1G **99**
Kendrick Av. *B34* —4A **106**
Kendrick Clo. *Sol* —1B **152**
Kendrick Pl. *Bils* —1A **62**
Kendrick Rd. *Bils* —1A **62**
Kendrick Rd. *S Cold* —2D **86**
Kendrick Rd. *Wolv* —3A **28**
Kendricks Rd. *W'bry* —4F **47**
Kendrick St. *W'bry* —2G **63**
Keneggy M. *B29* —3B **132**
Kenelm Rd. *B10* —3E **119**
Kenelm Rd. *Bils* —4E **61**
Kenelm Rd. *O'bry* —6G **97**
Kenelm Rd. *S Cold* —1H **69**
Kenelm's Ct. *Rom* —3A **142**
Kenilworth Clo. *Stourb*
—1B **108**
Kenilworth Clo. *S Cold* —3G **53**
Kenilworth Clo. *Tip* —3F **77**
Kenilworth Ct. *B16* —3B **116**
Kenilworth Ct. *B24* —5E **85**
Kenilworth Ct. *Dud* —1B **94**
Kenilworth Cres. *Wals* —5G **31**
Kenilworth Cres. *Wolv* —1A **60**
Kenilworth Ho. *Wals* —3A **32**
(off Providence La.)
Kenilworth Rd. *B20* —6G **83**
Kenilworth Rd. *Bal C & Ken*
—6G **155**
Kenilworth Rd. *Col* —2H **123**
Kenilworth Rd. *H Ard*
—1D **154**
Kenilworth Rd. *Know* —3F **167**
Kenilworth Rd. *Mer* —3C **140**
Kenilworth Rd. *O'bry* —3B **114**
Kenilworth Rd. *Pert* —5F **25**
Kenley Gro. *B30* —4D **146**
Kenley Way. *Sol* —3B **150**
Kenmare Way. *Wolv* —5E **29**
Kenmure Rd. *B33* —4G **121**
Kennedy Clo. *S Cold* —1A **70**
Kennedy Cres. *Dud* —3H **75**
Kennedy Cres. *W'bry* —4C **46**
Kennedy Cft. *B26* —4E **121**
Kennedy Gro. *B30* —1D **146**
Kennedy Ho. *O'bry* —3H **113**
Kennedy Rd. *Wolv*
—6H **27** (1D **170**)
Kennedy Tower. *B4* —2D **4**
Kennerley Rd. *B25* —5B **120**
Kennet Clo. *Wals* —3G **9**
Kennet Gro. *B36* —1B **106**
Kenneth Gro. *B23* —2A **84**
Kennford Clo. *Row R* —3C **96**
Kennington Rd. *Wolv* —4B **28**
Kenrick Cft. *B35* —5E **87**
Kenrick Ho. *W Brom* —6C **80**

Kenrick Way. *W Brom* —1B **98**
(B70)
Kenrick Way. *W Brom* —6D **80**
(B71)
Kensington Av. *B12* —1A **134**
Kensington Dri. *S Cold*
—4F **37**
Kensington Gdns. *Stourb*
—2A **108**
Kensington Rd. *B29* —3C **132**
Kensington Rd. *W'hall* —2B **30**
Kensington St. *B19* —3F **101**
Kenstone Cft. *B12* —4H **117**
Kenswick Dri. *Hale* —3A **128**
Kent Av. *Wals* —6H **31**
Kent Clo. *A'rdge* —6D **22**
Kent Clo. *Wals* —4C **32**
Kent Clo. *W Brom* —6H **63**
Kentish Rd. *B21 & Midd I*
—1G **99**
Kentmere Tower. *B23* —1H **85**
Kenton Av. *Wolv* —5D **26**
Kenton Wlk. *B29* —3B **132**
Kent Pl. *Dud* —3C **94**
Kent Rd. *Hale* —5E **113**
Kent Rd. *Redn* —6F **143**
Kent Rd. *Stourb* —4B **108**
Kent Rd. *Wals* —6F **31**
Kent Rd. *W'bry* —1A **64**
Kent Rd. *Wolv* —4A **44**
Kents Clo. *Sol* —2D **136**
Kent St. *B5* —3G **117**
Kent St. *Dud* —2A **76**
Kent St. *Wals* —4C **32**
Kent St. N. *B18* —4B **100**
Kenward Cft. *B17* —4D **114**
Kenway. *H'wd* —2A **162**
Kenwick Rd. *B17* —1F **131**
Kenwood Rd. *B9* —6H **103**
Kenyon Clo. *Stourb* —4E **109**
Kenyon St. *B18*
—5E **101** (1B **4**)
Kerby Rd. *B23* —3C **84**
Keresley Clo. *Sol* —2G **151**
Keresley Gro. *B29* —3D **130**
Kernthorpe Rd. *B14* —3F **147**
Kerr Dri. *Tip* —5G **61**
Kerria Ct. *B15* —3F **117**
Kerridge Clo. *Wolv* —5E **15**
Kerry Clo. *B31* —1D **144**
Kerry Clo. *Brie H* —6G **93**
Kerry Ct. *Wals* —3E **49**
Kersley Gdns. *Wolv* —4H **29**
Kerswell Dri. *Shir* —4H **164**
Kesterton Rd. *S Cold* —4E **37**
Kesterton Tower. *B23* —2B **84**
Kesteven Clo. *B15* —5D **116**
Kesteven Rd. *W Brom* —6A **64**
Keston Rd. *B44* —1H **67**
Kestrel Av. *B25* —3H **119**
Kestrel Clo. *B23* —1D **84**
Kestrel Dri. *S Cold* —4F **37**
Kestrel Gro. *B30* —5H **131**
Kestrel Gro. *W'hall* —1C **30**
Kestrel Ri. *Wolv* —2D **26**
Kestrel Rd. *Dud* —1B **94**
Kestrel Rd. *Hale* —4D **110**
Kestrel Rd. *O'bry* —1F **113**
Kestrel Way. *Wals* —3C **6**
Keswick Dri. *K'wfrd* —3B **92**
Keswick Gro. *S Cold* —1H **51**
Keswick Ho. *O'bry* —5H **97**
Keswick Rd. *Sol* —1D **136**
Ketley Cft. *B12* —4H **117**
Ketley Fields. *K'wfrd* —4E **93**
Ketley Hill Rd. *Dud* —1B **94**

Ketley Rd. *K'wfrd* —3D **92**
(in two parts)
Kettlebrook Rd. *Shir* —3F **165**
Kettlehouse Rd. *B44* —2H **67**
Kettles Bank Rd. *Dud* —5F **75**
(in two parts)
Kettles Wood Dri. *B32*
—3H **129**
Kettlewell Way. *B37* —1B **122**
Ketton Gro. *B33* —4H **121**
Kew Clo. *B37* —6B **106**
Kew Dri. *Dud* —5C **76**
Kew Gdns. *B33* —2B **120**
Kewstoke Clo. *W'hall* —6B **18**
Kewstoke Cft. *B31* —1C **144**
Kewstoke Rd. *W'hall* —6B **18**
Keyes Dri. *K'wfrd* —6B **74**
Key Hill. *B18* —4D **100**
Key Hill Dri. *B18* —4D **100**
Key Ind. Est. *W'hall* —6F **29**
Keynell Covert. *B30* —4E **147**
Keynes Dri. *Bils* —5G **45**
Keys Cres. *W Brom* —1A **80**
Keyse Rd. *S Cold* —4D **54**
Keyte Clo. *Tip* —2A **78**
Keyway. *W'hall* —3A **46**
Keyway Junct. *W'hall* —3B **46**
Keyway, The. *W'hall* —2H **45**
Keyworth Clo. *Tip* —2A **78**
Khyser Clo. *W'bry* —4C **46**
Kidd Cft. *Tip* —3C **62**
Kidderminster Rd. *Hag*
—6G **125**
Kidderminster Rd. *Ism & I'ley*
—6A **124**
Kidderminster Rd. *K'wfrd*
—6G **91**
Kielder Clo. *Wals* —2G **65**
Kielder Gdns. *Stourb* —4F **125**
Kier's Bri. Clo. *Tip* —4A **78**
Kilburn Dri. *K'wfrd* —6C **74**
Kilburn Gro. *B44* —2H **67**
Kilburn Pl. *Dud* —3F **95**
Kilburn Rd. *B44* —2H **67**
Kilby Av. *B16* —1C **116**
(in two parts)
Kilbys Gro. *B20* —5B **82**
Kilcote Rd. *Shir* —5C **148**
Kilmet Wlk. *Smeth* —4E **99**
Kilmore Cft. *B36* —6C **86**
Kilmorie Rd. *B27* —6A **120**
Kiln Cft. *Row R* —5A **96**
Kiln La. *B25* —5H **119**
Kiln La. *Shir* —4G **163**
Kilsby Gro. *Sol* —1G **165**
Kilvert Rd. *W'bry* —3H **63**
Kimbells Wlk. *Know* —3E **167**
Kimberley Av. *B8* —4E **103**
Kimberley Clo. *S Cold* —6A **36**
Kimberley Pl. *Cose* —6D **60**
Kimberley Rd. *Smeth* —2E **99**
Kimberley Rd. *Sol* —3E **137**
Kimberley St. *Wolv* —2E **43**
Kimberley Wlk. *Min* —1H **87**
Kimble Gro. *B24* —4B **86**
Kimpton Clo. *B14* —5G **147**
Kimsan Cft. *S Cold* —4A **52**
Kinchford Clo. *Sol* —1G **165**
Kineton Cft. *B32* —5B **130**
Kineton Grn. Rd. *Sol*
—5B **136**
Kineton Ri. *Dud* —3G **59**
Kineton Rd. *Redn* —2E **157**
Kineton Rd. *S Cold* —4E **69**
Kinfare Dri. *Wolv* —5H **25**
Kinfare Ri. *Dud* —3A **76**

King Alfreds Pl. *B1*
—1E **117** (4A **4**)
King Charles Av. *Wals* —1E **47**
King Charles Ct. *K'sdng*
—3B **68**
King Charles Rd. *Hale*
—1F **129**
King Edmund St. *Dud* —5D **76**
(in two parts)
King Edward Rd. *B13*
—2H **133**
King Edwards Clo. *B20*
—1D **100**
King Edwards Gdns. *B20*
—2D **100**
King Edwards Rd. *B1*
—1D **116** (4A **4**)
King Edwards Rd. *B1* —6C **100**
(Ladywood Middleway)
King Edward's Row. *Wolv*
—3G **43**
King Edwards Sq. *S Cold*
—5A **54**
King Edward St. *W'bry*
—5D **46**
Kingfield Rd. *Shir* —5C **148**
Kingfisher Clo. *B26* —5E **121**
Kingfisher Clo. *Dud* —3G **59**
Kingfisher Dri. *B36* —1C **106**
Kingfisher Dri. *Stourb*
—2A **124**
Kingfisher Gro. *W'hall* —1B **30**
Kingfisher Vw. *B34* —4E **105**
Kingfisher Way. *B30* —5H **131**
King George Cres. *Wals*
—3F **33**
King George Pl. *Wals* —3F **33**
King George VI Av. *Wals*
—3G **49**
Kingham Clo. *Dud* —5G **75**
Kingham Covert. *B14* —5F **147**
Kings Av. *Tiv* —5B **78**
Kingsbridge Rd. *B32* —4B **130**
Kingsbridge Wlk. *Smeth*
—4F **99**
Kingsbrook Dri. *Sol* —1F **165**
Kingsbury Av. *B24* —4B **86**
Kingsbury Clo. *Min* —2H **87**
Kingsbury Clo. *Wals* —5F **33**
Kingsbury Ind. Pk. *Min*
—1A **88**
Kingsbury Rd. *B24 & Erd*
—5E **85**
Kingsbury Rd. *Cas V* —4D **86**
Kingsbury Rd. *Min* —2G **87**
Kingsbury Rd. *Tip* —5A **62**
Kings Bus. Pk. *Gt Barr* —2G **67**
Kingsclere Wlk. *Wolv* —5A **42**
Kingscliff Rd. *B10* —3G **119**
King's Clo. *B14* —1E **147**
Kingscote Rd. *B15* —5H **115**
Kingscote Rd. *Dorr* —6F **167**
Kings Ct. *S Cold* —6H **37**
Kings Ct. *W'bry* —2E **63**
Kings Cft. *B26* —6E **121**
Kings Cft. *Cas B* —2B **106**
Kingscroft Clo. *S Cold* —4A **52**
Kingscroft Rd. *S Cold* —3A **52**
Kingsdene Av. *K'wfrd* —5A **92**
Kingsdown Av. *B42* —1B **82**
Kingsdown Rd. *B31* —4D **130**
Kingsfield Rd. *B14* —5G **133**
Kingsford Clo. *B36* —6H **87**
Kingsford Nouveau. *K'wfrd*
—4E **93**

Kings Gdns. *B30* —3A **146**
Kingsgate Ho. *B37* —1C **122**
Kings Grn. Av. *B38* —5B **146**
Kingshayes Rd. *Wals* —5D **22**
King's Heath. —6A 134
King's Hill. —6E 47
Kings Hill Bus. Pk. *W'bry*
—1E **63**
Kings Hill Clo. *W'bry* —6E **47**
(in two parts)
Kingshill Dri. *B38* —5B **146**
Kings Hill Fld. *W'bry* —6E **47**
Kings Hill M. *W'bry* —6D **46**
Kingshurst. —4C 106
Kingshurst Ho. *B37* —4B **106**
Kingshurst Rd. *B31* —4E **145**
Kingshurst Rd. *Shir* —6F **149**
Kingshurst Way. *B37* —5B **106**
Kingsland Dri. *Dorr* —6A **166**
Kingsland Rd. *B44* —1G **67**
Kingsland Rd. *Wolv* —6F **27**
Kingslea Rd. *Sol* —5C **150**
Kingsleigh Dri. *B36* —1E **105**
Kingsleigh Rd. *B20* —5D **82**
Kingsley Av. *Wolv* —5H **25**
Kingsley Ct. *Yard* —3C **120**
Kingsley Gdns. *Cod* —4E **13**
Kingsley Gro. *Dud* —2E **75**
Kingsley Rd. *Bal H* —5A **118**
Kingsley Rd. *K Nor* —3H **145**
Kingsley Rd. *K'wfrd* —4H **91**
Kingsley St. *Dud* —4E **95**
Kingsley St. *Wals* —4H **47**
Kingslow Av. *Wolv* —5B **42**
Kingsmere Clo. *B24* —5E **85**
King's Norton. —4A 146
King's Norton Bus. Cen. *B30*
—3C **146**
Kings Pde. *B4* —4F **5**
Kingspiece Ho. *B36* —1C **104**
King's Rd. *Dud* —5A **60**
King's Rd. *K Hth* —1E **147**
Kings Rd. *Stock G* —3C **84**
King's Rd. *S Cold* —3C **68**
Kings Rd. *Tys & Yard*
—6G **119**
Kings Rd. *Wals* —2G **33**
Kings Sq. *Bils* —5C **60**
Kings Sq. *W Brom* —4B **80**
Kingstanding. —1H 67
Kingstanding Cen., The. *B44*
—2H **67**
Kingstanding Rd. *B44 &*
Gt Barr —1H **83**
King's Ter. *K Hth* —1F **147**
Kingsthorpe Rd. *B14* —4A **148**
Kingston Ct. *S Cold* —4H **53**
Kingston Rd. *B9* —2B **118**
Kingston Row. *B1*
—1E **117** (4A **4**)
Kingston Way. *K'wfrd* —2A **92**
King St. *B11* —4A **118**
King St. *Bils* —2G **61**
King St. *Brad* —5C **60**
King St. *Brie H* —3C **110**
King St. *Burn* —1B **10**
King St. *Crad H* —2H **111**
King St. *Dud* —1E **95**
King St. *Hale* —1A **128**
King St. *Lye* —1B **126**
King St. *Smeth* —2F **99**
King St. *Stourb* —5C **108**
King St. *Wals* —4B **48**
King St. *Wals W* —5B **22**
King St. *W'bry* —2E **63**
King St. *W'hall* —1B **46**

King St. *Wolv*
—1G **43** (3B **170**)
King St. Pas. *Brie H* —3C **110**
King St. Pas. *Dud* —6E **77**
King St. Precinct. *W'bry*
—5D **46**
Kingsway. *Ess* —3A **18**
Kingsway. *O'bry* —4G **113**
Kingsway. *Stourb* —3B **108**
Kingsway. *Wolv* —3C **28**
Kingsway Av. *Tip* —5A **62**
Kingsway Dri. *B38* —5B **146**
Kingsway Rd. *Wolv* —3C **28**
Kingswear Av. *Wolv* —6F **25**
Kingswinford. —3C 92
Kingswinford Rd. *Dud* —2A **94**
Kingswood. —5A 12
(Codsall)
King's Wood. —1G 161
(Yardley Wood)
Kingswood Clo. *Shir* —6B **150**
Kingswood Common. —5A 12
Kingswood Cft. *B7* —2C **102**
Kingswood Dri. *S Cold*
—1H **67**
Kingswood Dri. *Wals* —1G **7**
Kingswood Gdns. *Wolv*
—5D **42**
Kingswood Ho. *B14* —5G **147**
Kingswood Rd. *K'wfrd* —5A **92**
Kingswood Rd. *Mose* —1A **134**
Kingswood Rd. *N'fld* —3D **158**
Kington Clo. *W'hall* —1B **30**
Kington Gdns. *B37* —2B **122**
Kington Way. *B33* —1B **120**
King William St. *Stourb*
—3D **108**
Kiniths Cres. *W Brom* —2C **80**
Kiniths Way. *Hale* —2E **113**
Kiniths Way. *W Brom* —3C **80**
Kinlet Clo. *Wolv* —3G **41**
Kinlet Gro. *B31* —5G **145**
Kinloch Dri. *Dud* —4B **76**
Kinnerley St. *Wals* —2E **49**
Kinnersley Cres. *O'bry* —4D **96**
Kinnerton Cres. *B29* —3D **130**
Kinross Cres. *B43* —1D **66**
Kinsey Gro. *B14* —3H **147**
Kinsham Dri. *Sol* —1F **165**
Kinswinford Railway Walk
*Vis. Cen. —5G **57**
Kintore Cft. *B32* —6H **129**
Kintyre Clo. *Redn* —6E **143**
Kinver Av. *W'hall* —4B **30**
Kinver Cres. *Wals* —6E **23**
Kinver Cft. *B12* —4G **117**
Kinver Cft. *S Cold* —5E **71**
Kinver Dri. *Hag* —6G **125**
Kinver Dri. *Wolv* —6A **42**
Kinver Rd. *B31* —5H **145**
Kinver St. *Stourb* —2B **108**
Kinver Ter. *Dud* —3A **94**
Kinwarton Clo. *B25* —5B **120**
Kipling Av. *Bils* —4D **60**
Kipling Clo. *Tip* —5A **62**
Kipling Ho. *Hale* —6D **110**
Kipling Rd. *B30* —3G **145**
Kipling Rd. *Dud* —2E **75**
Kipling Rd. *W'hall* —2E **31**
Kipling Rd. *Wolv* —5H **15**
Kirby Clo. *Bils* —2G **61**
Kirby Dri. *Dud* —4A **76**
Kirby Rd. *B18* —3A **100**
Kirkby Grn. *S Cold* —2H **69**
Kirkham Gdns. *Pens* —3G **93**
Kirkham Gro. *B33* —5D **104**

Kirkham Way. *Tip* —2A **78**
Kirkside Gro. *Bwnhls* —6B **10**
Kirkside M. *Bwnhls* —6B **10**
Kirkstall Clo. *Wals* —5F **19**
Kirkstall Cres. *Wals* —5F **19**
Kirkstone Ct. *Brie H* —4F **109**
Kirkstone Cres. *B43* —1B **82**
Kirkstone Cres. *Wom* —1F **73**
Kirkstone Way. *Brie H*
—4F **109**
Kirkwall Rd. *B32* —4B **130**
Kirkwood Av. *B23* —6E **69**
Kirmond Wlk. *Wolv* —4F **27**
Kirstead Gdns. *Wolv* —6H **25**
Kirton Clo. *B33* —5E **105**
Kirton Gro. *Sol* —6E **151**
Kirton Gro. *Wolv* —4A **26**
Kitchener Rd. *B29* —4D **132**
Kitchener Rd. *Dud* —6H **77**
Kitchener St. *Smeth* —3H **99**
Kitchen La. *Ess & Wed*
—6G **17**
Kitebrook Clo. *Shir* —2E **165**
Kitsland Rd. *B34* —3A **106**
Kitswell Gdns. *B32* —5G **129**
Kittermaster Rd. *Mer* —4H **141**
Kittiwake Dri. *Brie H* —4G **109**
Kittoe Rd. *S Cold* —6F **37**
Kitt's Green. —6F 105
Kitts Grn. *B33* —6F **105**
Kitts Grn. Rd. *B33 & Kitts G*
—5E **105**
Kitwell La. *B32* —5G **129**
(in two parts)
Kitwood Dri. *Sol* —6H **137**
Kixley La. *Know* —3E **167**
Knarsdale Clo. *Brie H* —3G **109**
Knaves Castle Av. *Wals*
—3B **10**
Knebworth Clo. *B44* —5G **67**
Knightcote Dri. *Sol* —1F **165**
Knight Ct. *S Cold* —6G **55**
Knightley Rd. *Sol* —5D **150**
Knightlow Rd. *B17* —3E **115**
Knighton Clo. *S Cold* —6F **37**
Knighton Dri. *S Cold* —1F **53**
Knighton Rd. *B31* —3G **145**
Knighton Rd. *Dud* —5F **95**
Knighton Rd. *S Cold* —4D **36**
Knights Av. *Wolv* —3B **26**
Knightsbridge Clo. *S Cold*
—5F **37**
Knightsbridge La. *W'hall*
—3C **30**
Knightsbridge Rd. *Sol*
—4D **136**
Knights Clo. *B23* —5E **85**
Knights Ct. *Cann* —1E **9**
Knights Cres. *Wolv* —2C **26**
Knights Hill. *Wals* —6D **34**
Knight's Rd. *B11* —1G **135**
Knightstowe Av. *B18* —5C **100**
Knightswood Clo. *S Cold*
—4B **54**
Knightwick Cres. *B23* —2C **84**
Knipersley Rd. *S Cold* —1G **85**
Knoll Clo. *Burn* —1C **10**
Knollcroft. *B16* —1C **116**
Knoll Cft. *Shir* —4B **164**
Knoll Cft. *Wals* —6E **23**
Knoll, The. *B32* —4A **130**
Knoll, The. *K'wfrd* —4C **92**
Knott Ct. *Brie H* —1H **109**
Knottsall La. *O'bry* —6H **97**
Knotts Farm Rd. *K'wfrd*
—5E **93**

Knowlands Rd. *Shir* —2E **165**
Knowle. —3E 167
Knowle Clo. *Redn* —2B **158**
Knowle Grove. —6D 166
Knowle Hill Rd. *Dud* —5D **94**
Knowle Rd. *B11* —2D **134**
Knowle Rd. *Know & H Ard*
—1F **167**
Knowle Rd. *Row R* —5H **95**
Knowles Dri. *S Cold* —4G **53**
Knowles Rd. *Wolv* —2B **44**
Knowles St. *W'bry* —2G **63**
Knowle Wood Rd. *Dorr*
—6D **166**
Knox Rd. *Wolv* —5H **43**
Knutsford St. *B12* —5H **117**
Knutswood Clo. *B13* —6D **134**
Kohima Dri. *Stourb* —6C **108**
Kossuth Rd. *Bils* —4C **60**
Kyle Clo. *Wolv* —6F **15**
Kyles Way. *B32* —6H **129**
Kynaston Cres. *Cod* —5H **13**
Kyngsford Rd. *B33* —6H **105**
Kyotts Lake Rd. *B11* —4A **118**
Kyrwicks La. *B11 & B12*
—5A **118**
Kyter La. *B36* —1F **105**

Laburnam Av. *B37* —3B **106**
Laburnum Av. *B12* —6A **118**
Laburnum Av. *Smeth* —5C **98**
Laburnum Clo. *B37* —3B **106**
Laburnum Clo. *H'wd* —4A **162**
Laburnum Clo. *Stourb*
—4C **108**
Laburnum Clo. *Wals* —5E **21**
Laburnum Cotts. *Hand*
—1A **100**
Laburnum Cft. *Tiv* —5B **78**
Laburnum Dri. *S Cold* —2E **71**
Laburnum Gro. *B13* —2H **133**
Laburnum Gro. *Wals* —6F **31**
Laburnum Ho. *B30* —6B **132**
Laburnum Rd. *B30* —5B **132**
Laburnum Rd. *Dud* —3D **76**
Laburnum Rd. *K'wfrd* —3C **92**
Laburnum Rd. *Lane* —2A **60**
Laburnum Rd. *Stow H* —3D **44**
Laburnum Rd. *Tip* —6H **61**
Laburnum Rd. *Wals* —1G **65**
Laburnum Rd. *Wals W*
—4C **22**
Laburnum Rd. *W'bry* —1H **63**
Laburnum St. *Stourb* —4B **108**
Laburnum St. *Wolv* —2E **43**
Laburnum Trees. H'wd
(off May Farm Clo.) —3A **162**
Laburnum Vs. *S'hll* —6C **118**
Laburnum Way. *B31* —6E **145**
Laceby Gro. *B13* —4D **134**
Ladbroke Dri. *S Cold* —3D **70**
Ladbrook Gro. *Dud* —4E **75**
Ladbrook Rd. *Sol* —4G **151**
Ladbury Gro. *Wals* —1D **64**
Ladbury Rd. *Wals* —1E **65**
Ladeler Gro. *B33* —1A **122**
Ladies Wlk. *Dud* —5H **59**
Lady Bank. *B32* —6H **129**
Lady Bracknell M. *N'fld*
—3G **145**
Lady Byron La. *Know* —2B **166**
Ladycroft. *B16* —1C **116**
Lady Grey's Wlk. *Stourb*
—1B **124**

Lady La. *Earls & Shir*
   —6G **163**
Ladymoor Rd. *Bils* —2E **61**
Ladypool Av. *B11* —5B **118**
Ladypool Clo. *Hale* —1C **168**
Ladypool Clo. *Wals* —4E **33**
Ladypool Rd. *B12 & B11*
   —1A **134**
Ladysmith Rd. *Hale* —5E **111**
Ladywell Clo. *Wom* —5G **57**
Ladywell Wlk. *B5*
   —2G **117** (6E **5**)
Ladywood. —1D **116**
Ladywood Clo. *Brie H*
   —2B **110**
Ladywood Middleway.
   B16 & B1 —6C **100**
Ladywood Rd. *B16* —2C **116**
Ladywood Rd. *S Cold* —4G **53**
Laing Ho. *O'bry* —4D **96**
Lake Av. *Wals* —4F **49**
Lake Clo. *Wals* —4G **49**
Lakedown Clo. *B14* —6G **147**
Lakefield Clo. *B28* —5H **135**
Lakefield Rd. *Wolv* —4G **29**
Lakehouse Ct. *B23* —5E **69**
Lakehouse Gro. *B38* —4H **145**
Lakehouse Rd. *S Cold* —5E **69**
Laker Clo. *Stourb* —4E **109**
Lakeside. *S Cold* —4B **36**
Lakeside Clo. *W'hall* —6G **29**
Lakeside Ct. *Brie H* —3F **109**
Lakeside Dri. *Shir* —2D **164**
Lakeside Rd. *W Brom* —1G **79**
Lakeside Wlk. *B23* —4B **84**
Lakes Rd. *B23* —2A **84**
Lake St. *Dud* —4H **75**
Lakey La. *B28* —5G **135**
Lambah Clo. *Bils* —4H **45**
Lamb Clo. *B34* —4A **106**
Lamb Cres. *Wom* —1F **73**
  (in two parts)
Lambert Clo. *B23* —1D **84**
Lambert Ct. *K'wfrd* —1B **92**
Lambert End. *W Brom* —4H **79**
Lambert Fold. *Dud* —1G **95**
Lambert Rd. *Wolv* —3B **28**
Lambert's End. —4G **79**
Lambert St. *W Brom* —4H **79**
Lambeth Clo. *B37* —5D **106**
Lambeth Rd. *B44* —2G **67**
Lambeth Rd. *Bils* —4D **44**
Lambourn Clo. *Wals* —5A **20**
Lambourne Clo. *Gt Wyr* —2F **7**
Lambourne Gro. *B37* —1A **122**
Lambourne Way. *Brie H*
   —3F **109**
Lambourn Rd. *B23* —3D **84**
Lambourn Rd. *W'hall* —2D **46**
Lambscote Clo. *Shir* —5C **148**
Lammas Clo. *Sol* —4G **137**
Lammas Rd. *Stourb* —6A **92**
Lammermoor Av. *B43* —3B **66**
Lamont Av. *B32* —2D **130**
Lanark Clo. *K'wfrd* —4D **92**
Lanark Cft. *B35* —4D **86**
Lancaster Av. *Redn* —1G **157**
Lancaster Av. *Wals* —1D **34**
Lancaster Av. *W'bry* —2A **64**
Lancaster Cen. *B36* —6A **88**
Lancaster Cir. Queensway. *B4*
   —5G **101** (1F **5**)
Lancaster Clo. *B30* —1C **146**
Lancaster Dri. *B35* —5F **87**
Lancaster Gdns. *Wolv* —6C **42**
Lancaster Ho. *Row R* —5E **97**

Lancaster Pl. *Wals* —5A **20**
Lancaster Rd. *Brie H* —1G **109**
Lancaster St. *B4*
   —5G **101** (1F **5**)
Lancelot Clo. *B8* —6E **103**
Lancelot Pl. *W Brom* —3E **79**
Lanchester Rd. *B38* —6C **146**
Lanchester Way. *B36* —6A **88**
Lander Clo. *Redn* —3G **157**
Landgate Rd. *B21* —5G **81**
Land La. *B37* —4C **122**
Landor Rd. *Know* —3C **166**
Landor St. *B8* —6B **102**
Landport Rd. *Wolv* —3B **44**
Landrail Wlk. *B36* —1C **106**
  (in two parts)
Landrake Rd. *K'wfrd* —4D **92**
Landsdale Av. *Sol* —5B **138**
Landsdowne Clo. *Dud* —3H **95**
Landseer Gro. *B43* —1F **67**
Landsgate. *Stourb* —4E **125**
Landswood Clo. *B44* —4A **68**
Landswood Rd. *O'bry* —5A **98**
Landywood. —3G **7**
Landywood Enterprise Pk.
   Gt Wyr —5F **7**
Landywood La. *Gt Wyr* —3D **6**
Lane Av. *Wals* —6H **31**
Lane Clo. *Wals* —6H **31**
Lane Ct. *Wolv* —5G **27**
  (off Boscobel Cres.)
Lane Cft. *S Cold* —5E **71**
Lane End. —4A **14**
Lane Grn. Av. *Cod* —6A **14**
Lane Grn. Ct. *Cod* —4H **13**
Lane Grn. Rd. *Cod* —4H **13**
Lane Head. —4C **30**
Lane Rd. *Wolv* —2C **60**
Lanes Clo. *Wom* —2E **73**
Lanesfield. —1C **60**
Lanesfield Dri. *Wolv* —1C **60**
Lanesfield Ind. Est. *Wolv*
   —1C **60**
Laneside Av. *S Cold* —4H **51**
Laneside Gdns. *Wals* —1H **47**
Lanes Shop. Cen., The. *S Cold*
   —6H **69**
Lane St. *Bils* —2F **61**
Laney Green. —3A **6**
Langcomb Rd. *Shir* —1G **163**
Langdale Clo. *Clay* —1A **22**
Langdale Cft. *B21* —2A **100**
Langdale Dri. *Bils* —4F **45**
Langdale Rd. *B43* —6B **66**
Langdale Way. *Stourb*
   —1H **125**
Langdon St. *B9* —1B **118**
Langdon Wlk. *B26* —1C **136**
Langfield Rd. *Know* —2C **166**
Langford Av. *B43* —5A **66**
Langford Clo. *Wals* —2E **49**
Langford Cft. *Sol* —5G **151**
Langford Gro. *B17* —2G **131**
Langham Clo. *B26* —4E **121**
Langham Grn. *S Cold* —2H **51**
Langholme Dri. *B44* —4D **68**
Langland Dri. *Dud* —5G **59**
Langley. —4G **97**
Langley Av. *Bils* —5E **61**
Langley Ct. *O'bry* —4G **97**
Langley Ct. *Wolv* —5B **42**
Langley Cres. *O'bry* —5H **97**
Langley Dri. *B35* —6E **87**
Langley Gdns. *O'bry* —5H **97**
Langley Gdns. *Wolv* —4B **42**
Langley Green. —5H **97**

Langley Grn. Rd. *O'bry*
   —5G **97**
Langley Gro. *B10* —3D **118**
Langley Hall Dri. *S Cold*
   —6F **55**
Langley Hall Rd. *Sol* —6A **136**
Langley Hall Rd. *S Cold*
   —6F **55**
Langley Heath Dri. *S Cold*
   —2D **70**
Langley High St. *O'bry*
   —4G **97**
Langley Ri. *Sol* —2A **138**
Langley Rd. *B10* —3D **118**
Langley Rd. *O'bry* —5H **97**
Langley Rd. *Wolv* —6E **41**
Langleys Rd. *B29* —4A **132**
Langmead Clo. *Wals* —6D **30**
Langsett Rd. *Wolv* —5A **28**
Langstone Rd. *B14* —5B **148**
Langstone Rd. *Dud* —6A **76**
Langton Clo. *B36* —3D **106**
Langton Pl. *Bils* —5A **46**
Langton Rd. *B8* —5E **103**
Langtree Av. *Sol* —6F **151**
Langworth Av. *B27* —6A **120**
Lannacombe Rd. *B31*
   —3C **158**
Lansbury Av. *W'bry* —1C **62**
Lansbury Grn. *Crad H*
   —3B **112**
Lansbury Rd. *Crad H* —3B **112**
Lansbury Wlk. *Tip* —5A **62**
Lansdowne Av. *Cod* —5E **13**
Lansdowne Clo. *Cose* —6C **60**
Lansdowne Ct. *Stourb*
   —4F **125**
Lansdowne Ho. *B15* —3F **117**
Lansdowne Rd. *Bils* —4G **45**
Lansdowne Rd. *Erd* —4F **85**
Lansdowne Rd. *Hand* —2C **100**
Lansdowne Rd. *Hay G*
   —3F **127**
Lansdowne Rd. *H Grn*
   —3F **113**
Lansdowne Rd. *Smeth*
   —6F **27** (1A **170**)
Lansdowne Rd. *Wolv*
   —6F **27** (1A **170**)
Lansdowne St. *B18* —5B **100**
  (in two parts)
Lansdown Pl. *B18* —4B **100**
Lantern Rd. *Dud* —1E **111**
Lapal. —2F **129**
Lapal La. *B32* —3G **129**
Lapal La. N. *Hale* —2E **129**
Lapal La. S. *Hale* —2E **129**
Lapley Clo. *Wolv* —1D **44**
Lapper Av. *Wolv* —2B **60**
Lapwing Clo. *Wals* —4C **6**
Lapwing Dri. *H Ard* —6B **140**
Lapwood Av. *K'wfrd* —3D **92**
Lapworth Dri. *S Cold* —2C **68**
Lapworth Gro. *B12* —5H **117**
Lapworth Mus. —2B **132**
Lara Clo. *Harb* —3F **115**
Lara Gro. *Tip* —5A **78**
Larch Av. *B21* —5H **81**
Larch Cft. *B37* —1D **122**
Larch Cft. *Tiv* —5B **78**
Larches La. *Wolv* —1E **43**
Larches Pas. *B12* —5A **118**
Larches St. *B11* —5A **118**
Larchfield Clo. *B20* —4D **82**
Larch Gro. *Dud* —6A **60**
Larch Ho. *B36* —1D **104**
Larch Ho. *B20* —4B **82**

Larchmere Dri. *B28* —5F **135**
Larchmere Dri. *Ess* —4B **18**
Larch Rd. *K'wfrd* —3C **92**
Larch Wlk. *B25* —3H **119**
Larchwood Cres. *S Cold*
   —3G **51**
Larchwood Grn. *Wals* —1F **65**
Larchwood Rd. *Wals* —1E **65**
Larcombe Dri. *Wolv* —6H **43**
Large Av. *W'bry* —1C **62**
Lark Clo. *B14* —5A **148**
Larkfield Av. *B36* —1F **105**
Larkhill Rd. *Stourb* —1A **124**
Larkhill Wlk. *B14* —6F **147**
Larkin Clo. *Wolv* —6C **16**
Lark Mdw. *B37* —6A **106**
Larksfield M. *Brie H* —4G **109**
  (off Hillfields Rd.)
Larks Mill. *Pels* —3C **20**
Larkspur Av. *Burn* —1C **10**
Larkspur Cft. *B36* —1B **104**
Larkspur Rd. *Dud* —1H **95**
Larkspur Way. *Clay* —1H **21**
Larkswood Dri. *Dud* —6H **59**
Larkswood Dri. *Wolv* —2A **58**
Larne Rd. *B26* —4E **121**
Lashbrooke Ho. *Redn* —2F **157**
Latches Clo. *Darl* —5E **47**
Lateford Rd. *B33* —1E **121**
Latham Av. *B43* —6A **66**
Latham Cres. *Tip* —4A **78**
Lath La. *Smeth* —1B **98**
Lathom Gro. *B33* —4D **104**
Latimer Gdns. *B15* —4F **117**
Latimer Pl. *B18* —3A **100**
Latimer St. *W'hall* —6B **30**
Latymer Clo. *S Cold* —6E **71**
Lauder Clo. *Dud* —4G **59**
Lauder Clo. *W'hall* —2F **45**
Lauderdale Clo. *Clay* —1A **22**
Lauderdale Gdns. *Wolv*
   —4A **16**
Launceston Clo. *Wals* —4H **49**
Launceston Rd. *Wals* —4H **49**
Launde, The. *B28* —4E **149**
Laundry Rd. *Smeth* —6G **99**
Laureates Wlk. *S Cold* —2G **53**
Laurel Av. *B12* —6A **118**
Laurel Clo. *Dud* —4C **76**
Laurel Ct. *Mose* —3H **133**
Laurel Dri. *Smeth* —1E **98**
Laurel Dri. *S Cold* —3G **51**
Laurel Gdns. *B21* —6A **82**
Laurel Gdns. *A Grn* —6A **120**
Laurel Gro. *B30* —1A **146**
Laurel Gro. *Bils* —1A **62**
Laurel Gro. *Wolv* —4B **42**
Laurel La. *Hale* —2B **128**
Laurel Rd. *Dud* —3B **76**
Laurel Rd. *Hand* —6A **82**
Laurel Rd. *K Nor* —3C **146**
Laurel Rd. *Tip* —6H **61**
Laurel Rd. *Wals* —1F **65**
Laurels Cres. *Bal C* —3H **169**
Laurels, The. *B26* —6G **121**
Laurels, The. B16 —6B **100**
  (off Marroway St.)
Laurels, The. *Smeth* —5G **99**
Laurel Ter. *Aston* —6H **83**
Laurence Ct. *B31* —2F **145**
Laurence Gro. *Wolv* —2C **26**
Lauriston Clo. *Dud* —4H **59**
Lavender Clo. *Pend* —4D **14**
Lavender Ct. W Brom —6A **64**
  (off Sussex Av.)
Lavender Gro. *Bils* —5H **45**

Lavender Hall La. *Berk*
    —1H **169**
Lavender La. *Stourb* —2B **124**
Lavender Rd. *Dud* —4D **76**
Lavendon Rd. *B42* —2D **82**
Lavinia Rd. *Hale* —2E **129**
Law Cliff Rd. *B42* —1D **82**
Law Clo. *Tiv* —5D **78**
Lawden Rd. *B10* —3B **118**
Lawford Clo. *B7* —6A **102**
Lawford Gro. *B5* —3G **117**
Lawford Gro. *Shir* —5D **148**
Lawfred Av. *Wolv* —4F **29**
Lawley Clo. *Wals* —6F **21**
Lawley Middleway. *B4*
    —5A **102** (1H **5**)
Lawley Rd. *Bils* —5D **44**
Lawley St. *Dud* —6C **76**
Lawley St. *W Brom* —4F **79**
Lawley, The. *Hale* —4F **127**
Lawn Av. *Stourb* —1C **124**
Lawn La. *Coven* —2D **14**
Lawn Oaks Clo. *Wals* —3H **9**
Lawn Rd. *Wolv* —5B **44**
Lawnsdale Clo. *Col* —2H **107**
Lawnsdown Rd. *Brie H*
    —4B **110**
Lawnsfield Gro. *B23* —1D **84**
Lawnside Grn. *Bils* —3F **45**
Lawn St. *Stourb* —1C **124**
Lawnswood. *Stourb* —5G **91**
Lawnswood. *S Cold* —5E **71**
Lawnswood Av. *Burn* —1B **10**
Lawnswood Av. *P'flds* —1A **60**
Lawnswood Av. *Shir* —4B **150**
Lawnswood Av. *Stourb*
    —5A **92**
Lawnswood Av. *Tett* —1C **26**
Lawnswood Dri. *Stourb*
    —6G **91**
Lawnswood Dri. *Wals* —4C **22**
Lawnswood Gro. *B21* —6G **81**
Lawnswood Ri. *Wolv* —1D **26**
Lawnswood Rd. *Dud* —2H **75**
Lawnswood Rd. *Stourb*
    —6A **92**
Lawnwood Rd. *Dud* —1D **110**
Lawrence Av. *Hth T* —5C **28**
Lawrence Av. *Wed* —3H **29**
Lawrence Ct. *O'bry* —3H **113**
Lawrence Dri. *Min* —1H **87**
Lawrence La. *Crad H* —2G **111**
Lawrence St. *Stourb* —5G **109**
Lawrence St. *W'hall* —6A **30**
Lawrence Tower. *B4* —2F **5**
Lawrence Wlk. *B43* —1F **67**
Lawson Clo. *Wals* —5D **34**
Lawson St. *B4* —5G **101** (1F **5**)
Law St. *W Brom* —2A **80**
Lawton Av. *B29* —3D **132**
Lawton Clo. *Row R* —3D **96**
Lawyers Wlk. *Wals* —2D **48**
Laxey Rd. *B16* —6H **99**
Laxford Clo. *B12* —5G **117**
Laxton Clo. *K'wfrd* —4E **93**
Laxton Gro. *B25* —2B **120**
Lazy Hill. *B38* —5D **146**
Lazy Hill. *Ston* —5E **23**
Lazy Hill Rd. *A'rdge* —1D **34**
Lea Av. *W'bry* —4D **62**
Lea Bank. *Wolv* —1A **42**
Lea Bank Rd. *Dud* —6D **94**
Leabon Gro. *B17* —1G **131**
Leabrook. *B26* —3D **120**
Leabrook Rd. *Tip & W'bry*
    —4C **62**

Leabrook Rd. N. *W'bry*
    —4D **62**
Leach Grn. La. *Redn* —2G **157**
Leach Heath La. *Redn*
    —2F **157**
Leacliffe Way. *Wals* —6H **35**
Leacote Dri. *Wolv* —5A **26**
Leacroft. *W'hall* —2C **30**
Leacroft Av. *Wolv* —1A **28**
Leacroft Clo. *Wals* —6D **22**
Leacroft Gro. *W Brom* —5H **63**
Lea Cft. La. *C'bri* —1F **7**
Leacroft Rd. *K'wfrd* —1C **92**
Leadbeater Ho. *Wals* —1H **31**
    (off Somerfield Rd.)
Lea Dri. *B26* —5E **121**
Lea End. —6B 160
Lea End La. *A'chu & B38*
    —5G **159**
Leafield Cres. *B33* —4E **105**
Leafield Gdns. *Hale* —3D **112**
Leafield Rd. *Sol* —4F **137**
Lea Ford Rd. *B33* —5G **105**
Leaford Way. *K'wfrd* —4D **92**
Leafy Glade. *S Cold* —6A **36**
Leafy Ri. *Dud* —3H **75**
Lea Gdns. *Wolv* —3F **43**
Lea Grn. Av. *Tip* —2E **77**
Lea Grn. La. *Wyt* —3C **162**
Lea Hall Rd. *B33* —6E **105**
Leahill Cft. *B37* —1B **122**
Lea Hill Rd. *B20* —5E **83**
Leaholme Gdns. *Stourb*
    —3F **125**
Leahouse Gdns. *O'bry* —6G **97**
Lea Ho. Rd. *B30* —6C **132**
Leahouse Rd. *O'bry* —6G **97**
Leahurst Cres. *B17* —1G **131**
Lea La. *Wals* —2G **7**
Leam Cres. *Sol* —4F **137**
Leamington Rd. *Bal H*
    —6B **118**
Leamore. —4H 31
Leamore Clo. *Wals* —2G **31**
Leamore Enterprise Pk. *Wals*
    (in two parts)   —2G **31**
Leamore Ind. Est. *Wals*
    —3H **31**
Leamore La. *Wals* —2G **31**
Leamount Dri. *B44* —3C **68**
Leander Clo. *Wals* —4F **7**
Leander Gdns. *B14* —2H **147**
Leander Rd. *Stourb* —1B **126**
Leandor Dri. *S Cold* —4A **52**
Lea Rd. *B11* —1D **134**
Lea Rd. *Wolv*
    —4E **43** (6A **170**)
Lear Rd. *Wom* —5H **57**
Leason La. *Wolv* —1C **28**
Leasow Dri. *B17 & B15*
    —2H **131**
Leasowe Dri. *Pert* —5D **24**
Leasowe Rd. *Redn* —1F **157**
Leasowe Rd. *Tip* —3G **77**
Leasowes Country Pk., The.
    —1D **128**
Leasowes Dri. *Wolv* —5B **42**
Leasowes La. *Hale* —6D **112**
    (in two parts)
Leasowes Rd. *B14* —4H **133**
Leasow, The. *Wals* —4A **34**
Lea, The. *B33* —1E **121**
Leatherhead Clo. *B6* —3H **101**
Lea Va. Rd. *Stourb* —3D **124**
Leavesden Gro. *B26* —6E **121**

Lea Vw. *Wals* —4A **34**
Lea Vw. *W'hall* —4A **30**
Lea Wlk. *Redn* —1F **157**
Lea Yield Clo. *B30* —6C **132**
Lechlade Rd. *B43* —5A **66**
Leckie Rd. *Wals* —5C **32**
Ledbury Clo. *B16* —1C **116**
Ledbury Clo. *Wals* —6E **23**
Ledbury Dri. *Wolv* —2D **44**
Ledbury Ho. *B33* —1A **122**
Ledbury Way. *S Cold* —5E **71**
Ledsam Gro. *B32* —5D **114**
Ledsam St. *B16* —1C **116**
Lee Bank. —3E 117
Lee Bank Middleway. *B15*
    —3E **117**
Leebank Rd. *Hale* —3G **127**
Leech St. *Tip* —2C **78**
Lee Ct. *Wals* —4B **22**
Lee Cres. *B15* —3E **117**
Lee Gdns. *Smeth* —4C **98**
Lee Rd. *Crad H* —3H **111**
Lee Rd. *H'wd* —2A **162**
Leeson Wlk. *B17* —1H **131**
Lees Rd. *Bils* —2H **61**
Lees St. *B18* —4B **100**
Lees Ter. *Bils* —2H **61**
Lee St. *W Brom* —5G **63**
Legge La. *B1* —6D **100** (2A **4**)
Legge La. *Bils* —3F **61**
Legge St. *B4* —5H **101**
Legge St. *W Brom* —4B **80**
Legge St. *Wolv* —5A **44**
Legion Rd. *Redn* —2E **157**
Legs La. *Wolv* —3A **16**
Leicester Clo. *Smeth* —2C **114**
Leicester Pl. *W Brom* —6A **64**
Leicester Sq. *Wolv* —6E **27**
Leicester St. *Wals* —1C **48**
Leicester St. *Wolv* —5F **27**
Leigham Dri. *B17* —4E **115**
Leigh Clo. *Wals* —5E **33**
Leigh Ct. *Wals* —6E **33**
    (off Leigh Rd.)
Leigh Rd. *B8* —3E **103**
Leigh Rd. *S Cold* —5F **55**
Leigh Rd. *Wals* —6E **33**
Leighs Clo. *Pels* —6G **21**
Leighs Rd. *Pels* —6F **21**
Leighswood. —1C 34
Leighswood Av. *Wals* —2C **34**
Leighswood Ct. *Wals* —3D **34**
Leighswood Gro. *Wals*
    —2C **34**
Leighswood Ind. Est. *Wals*
    (Brickyard Rd.)   —6B **22**
Leighswood Ind. Est. *Wals*
    (Vigo Pl.)   —2C **34**
Leighswood Rd. *Wals* —2C **34**
Leighton Clo. *B43* —2E **67**
Leighton Clo. *Dud* —5A **76**
Leighton Rd. *B13* —3H **133**
Leighton Rd. *Bils* —1A **62**
Leighton Rd. *Wolv* —5D **42**
Leith Gro. *B38* —1A **160**
Lelant Gro. *B17* —6E **115**
Lellow St. *W Brom* —5H **63**
Le More. *S Cold* —1G **53**
Lemox Rd. *W Brom* —5G **63**
Lench Clo. *B13* —3H **133**
Lench Clo. *Hale* —2C **112**
Lenchs Grn. *B5* —4G **117**
Lench St. *B4* —5G **101** (1F **5**)
Lenchs Trust. *B32* —5B **114**
Lench's Trust Houses. *B12*
    (Conybere St.)   —4H **117**

Lench's Trust Houses. *B12*
    (Ravenhurst St.)   —3A **118**
Len Davis Rd. *W'hall* —2B **30**
Lennard Gdns. *Smeth* —3H **99**
Lennox Gdns. *Wolv* —3E **43**
Lennox Gro. *S Cold* —6G **69**
Lennox St. *B19* —3F **101**
Lenton Cft. *B26* —1C **136**
Lenwade Rd. *O'bry* —3B **114**
Leominster Ho. *B33* —1A **122**
Leominster Rd. *B11* —2E **135**
Leominster Wlk. *Redn*
    —1F **157**
Leonard Av. *B19* —1F **101**
Leonard Gro. *B19* —1F **101**
Leonard Rd. *B19* —1E **101**
Leonard Rd. *Stourb* —6A **108**
Leopold Av. *B20* —2A **82**
Leopold St. *B12* —3H **117**
Lepid Gro. *B29* —3H **131**
Lerryn Clo. *K'wfrd* —4D **92**
Lerwick Clo. *K'wfrd* —4D **92**
Lesley Dri. *K'wfrd* —5D **92**
Leslie Bentley Ho. *B1* —3A **4**
Leslie Dri. *Tip* —4A **62**
Leslie Ri. *Tiv* —1C **96**
Leslie Rd. *Edg* —1B **116**
Leslie Rd. *Hand* —5F **83**
Leslie Rd. *S Cold* —1B **52**
Leslie Rd. *Wolv* —4B **28**
Lesscroft Clo. *Wolv* —4E **15**
Lester Gro. *Wals* —1G **51**
Lester St. *Bils* —6H **45**
Levante Gdns. *B33* —1B **120**
Leve La. *W'hall* —1B **46**
Level St. *Brie H* —6H **93**
Leven Cft. *S Cold* —6E **71**
Leven Dri. *W'hall* —6B **18**
Levenwick Way. *K'wfrd*
    —4E **93**
Leverretts, The. *B21* —5G **81**
Lever St. *Wolv*
    —3H **43** (6C **170**)
Leverton Ri. *Wolv* —3G **27**
Leveson Av. *Wals* —3E **7**
Leveson Clo. *Dud* —1G **95**
Leveson Cres. *Bal C* —3H **169**
Leveson Dri. *Tip* —2G **77**
Leveson Rd. *Wolv* —1H **29**
Leveson St. *W'hall* —1A **46**
Leveson Wlk. *Dud* —1G **95**
Levington Clo. *Wolv* —5F **25**
Lewis Av. *Wolv* —6D **28**
Lewis Clo. *W'hall* —4D **30**
Lewis Gro. *Wolv* —3F **29**
Lewisham Ind. Est. *Smeth*
    —2F **99**
Lewisham Rd. *Smeth* —2E **99**
Lewisham Rd. *Wolv* —5F **15**
Lewisham St. *W Brom*
    —3B **80**
Lewis Rd. *B30* —6E **133**
Lewis Rd. *O'bry* —4H **113**
Lewis Rd. *Stourb* —6H **109**
Lewis St. *Bils* —5G **45**
Lewis St. *Tip* —2D **78**
Lewis St. *Wals* —5B **32**
Lewthorn Ri. *Wolv* —1H **59**
Lexington Grn. *Brie H*
    —4G **109**
Leybourne Cres. *Wolv* —5D **14**
Leybourne Gro. *B25* —5H **119**
Leybrook Rd. *Redn* —1H **157**
Leyburn Clo. *Wals* —5D **30**
Leyburn Rd. *B16* —2C **116**

Leycester Clo. *B31* —2E **159**
Leycroft Av. *B33* —5H **105**
Leydon Cft. *B38* —5D **146**
Ley Hill. —2G **53**
Ley Hill Farm Rd. *B31*
　　　　　—2C **144**
Ley Hill Ho. *B31* —1C **144**
Ley Hill Rd. *S Cold* —2A **54**
Leylan Cft. *B13* —6C **134**
Leyland Av. *Wolv* —2D **42**
Leyland Cft. *Wals* —3D **20**
Leyland Dri. *Dud* —1F **95**
Leyman Clo. *B14* —3C **148**
Ley Ri. *Dud* —4G **59**
Leys Clo. *Stourb* —3G **125**
Leys Cres. *Brie H* —6F **93**
Leysdown Gro. *B27* —5A **136**
Leysdown Rd. *B27* —5A **136**
Leys Rd. *Brie H* —6E **93**
Leys, The. *B31* —2F **145**
Leys, The. *Redn* —1H **157**
Leys, The. *W'bry* —5C **46**
Leys Wood Cft. *B26* —5E **121**
Leyton Clo. *Brie H* —3G **109**
Leyton Gro. *B44* —4A **68**
Leyton Rd. *B21* —1B **100**
Libbards Ga. *Sol* —1G **165**
Libbards Way. *Sol* —1F **165**
Library Way. *Redn* —2F **157**
Lich Av. *Wolv* —2G **29**
Lichen Gdns. *B38* —2A **160**
Lichfield Ct. *Shir* —5D **148**
Lichfield Ct. Wals —5E **33**
　(off Lichfield Rd.)
Lichfield Pas. *Wolv*
　　　—1H **43** (2C **170**)
Lichfield Rd. *B6 & Aston*
　　　　　—3A **102**
Lichfield Rd. *Blox* —5H **19**
Lichfield Rd. *Bwnhls* —5B **10**
Lichfield Rd. *Curd* —3F **89**
Lichfield Rd. *Pels* —2E **21**
Lichfield Rd. *S Cold* —4F **37**
Lichfield Rd. *Wals* —5E **33**
Lichfield Rd. *Wals W* —4B **22**
Lichfield Rd. *Wat O & Col*
　　　　　—3F **89**
Lichfield Rd. *Wolv & W'hall*
　　　　　—4F **29**
Lichfield St. *Bils* —5G **45**
Lichfield St. *Tip* —5H **61**
Lichfield St. *Wals* —1D **48**
Lichfield St. *Wolv*
　　　—1G **43** (3B **170**)
Lichwood Rd. *Wolv* —2H **29**
Lickey. —6G **157**
Lickey Coppice. *Redn*
　　　　　—5A **158**
Lickey Hills Country Pk.
　　　　　—5G **157**
Lickey Hills Country Pk.
　　　　Vis. Cen. *—6H* **157**
Lickey Rd. *Redn* —4A **158**
Lickey Rd. *Stourb* —5F **109**
Liddon Gro. *B27* —5A **136**
Liddon Rd. *B27* —5A **136**
Lifford. —2D **146**
Lifford Clo. *B14* —2D **146**
Lifford La. *B30* —2C **146**
Lifton Cft. *K'wfrd* —4D **92**
Lightfields Wlk. *Row R*
　　　　　—4H **95**
Lighthorne Av. *B16* —1C **116**
Lighthorne Rd. *Sol* —1G **151**

Lighthouse, The. *Wolv*
　　　　　—2C **170**
Lightning Way. *B31* —2F **159**
Lightwood Clo. *Know*
　　　　　—1D **166**
Lightwood Rd. *Dud* —4C **76**
Lightwoods Hill. *Smeth*
　　　　　—3C **114**
Lightwoods Rd. *Smeth*
　　　　　—1E **115**
Lightwoods Rd. *Stourb*
　　　　　—4G **125**
Lilac Av. *B12* —6A **118**
Lilac Av. *P Barr* —6G **67**
Lilac Av. *S Cold* —3G **51**
Lilac Av. *Tip* —6G **61**
Lilac Av. *Wals* —1E **65**
Lilac Dri. *Wom* —1F **73**
Lilac Gro. *Wals* —6E **31**
Lilac Gro. *W'bry* —3G **63**
Lilac La. *Wals* —5F **7**
Lilac Rd. *Dud* —3D **76**
Lilac Rd. *W'hall* —2E **31**
Lilac Rd. *Wolv* —3D **44**
Lilac Way. *Hale* —3F **113**
Lilian Gro. *Bils* —4G **61**
Lilleshall Cres. *Wolv* —4H **43**
Lilleshall Rd. *B26* —4F **121**
Lilley La. *B31* —1F **159**
Lillington Clo. *S Cold* —1E **71**
Lillington Gro. *B34* —4H **105**
Lillington Rd. *Shir* —1H **163**
Lillycroft La. *B38* —2C **160**
Lily Cres. *B9* —1A **118**
Lily Rd. *B26* —5B **120**
Lily St. *W Brom* —2A **80**
Limberlost Clo. *B20* —4C **82**
Limbrick Clo. *Shir* —5F **149**
Limbury Gro. *Sol* —5B **138**
Lime Av. *B29* —3B **132**
Lime Av. *Wals* —6E **31**
Lime Clo. *Bntly* —6E **31**
Lime Clo. *Gt Wyr* —1F **7**
Lime Clo. *H'wd* —4A **162**
Lime Clo. *Tip* —2G **77**
Lime Clo. *W Brom* —3G **79**
Lime Ct. *B11* —1C **134**
Lime Gro. *B10* —3D **118**
Lime Gro. *Bal H* —6H **117**
Lime Gro. *Bils* —4E **45**
Lime Gro. *Chel W* —2D **122**
Lime Gro. *Loz* —1E **101**
Lime Gro. *Smeth* —6F **99**
　(Florence Rd.)
Lime Gro. *Smeth* —5F **99**
　(Windmill La.)
Lime Gro. *S Cold* —6H **69**
Lime Gro. *Wals* —3G **33**
Limehurst Av. *Wolv* —3A **42**
Limehurst Rd. *Rus* —4G **33**
Lime Kiln Clo. *B38* —2H **159**
Limekiln La. *B14* —3A **148**
Lime Kiln Wlk. *Dud* —5F **77**
Lime La. *Pels* —3D **8**
Limepit La. *Dud* —4C **76**
Lime Rd. *Dud* —4B **60**
Lime Rd. *W'bry* —1F **63**
Limes Av. *Brie H* —4G **93**
Limes Av. *Row R* —1C **112**
Limes Rd. *Dud* —4D **76**
Limes Rd. *Wolv* —5A **26**
Limes, The. *B16* —6B **100**
Limes, The. *B11* —5C **118**
Limes, The. *Erd* —4F **85**
Limes, The. *Wals* —2H **33**
Lime St. *Bils* —5C **60**

Lime St. *Wals* —2D **48**
Lime St. *Wolv* —3E **43**
Limes Vw. *Dud* —6H **59**
Lime Ter. *Aston* —6H **83**
Lime Tree Av. *Wolv* —6G **25**
Lime Tree Gdns. *Cod* —4H **13**
Lime Tree Gro. *B31* —5F **145**
Lime Tree Rd. *B8* —3F **103**
Lime Tree Rd. *A Grn* —6A **120**
Lime Tree Rd. *Cod* —4H **13**
Limetree Rd. *S Cold* —2F **51**
Lime Tree Rd. *Wals* —1E **65**
Lime Wlk. *B38* —1A **160**
Linacre Ho. *B37* —1B **122**
Linchmere Rd. *B21* —5G **81**
Lincoln Av. *W'hall* —6D **30**
Lincoln Clo. *B27* —2C **136**
Lincoln Grn. *Wolv* —5H **15**
Lincoln Gro. *B37* —2C **122**
Lincoln Ho. *Wolv* —6A **28**
Lincoln Rd. *B27* —3B **136**
Lincoln Rd. *Dud* —6F **95**
Lincoln Rd. *Smeth* —1C **114**
Lincoln Rd. *Wals* —1E **49**
Lincoln Rd. *W Brom* —4B **64**
Lincoln Rd. N. *B27* —2C **136**
Lincoln St. *B12* —6G **117**
Lincoln St. *Wolv* —6A **28**
Lincoln Tower. *B16* —2C **116**
Lindale Av. *B36* —3A **104**
Lindale Cres. *Brie H* —5F **109**
Lindale Rd. *Wom* —1F **73**
Linden Av. *B43* —5H **65**
　(in two parts)
Linden Av. *Hale* —4E **113**
Linden Av. *Tiv* —1D **96**
Linden Clo. *Wals* —1D **46**
Linden Dri. *Stourb* —2E **125**
Linden Glade. *Hale* —1A **128**
Linden La. *W'hall* —2E **31**
Linden Lea. *Wolv* —2B **42**
Linden Rd. *B30* —3A **132**
Linden Rd. *Dud* —4D **76**
Linden Rd. *Smeth* —1E **115**
Lindens Dri. *S Cold* —6H **51**
Lindens, The. *B32* —4C **114**
Lindens, The. *Wolv* —6C **26**
Linden Ter. *Bal H* —6B **118**
Lindenwood. *S Cold* —5H **53**
Lindford Way. *B38* —5D **146**
Lindley Av. *Tip* —4H **77**
Lindon Clo. *Bwnhls* —1C **22**
Lindon Dri. *Wals* —6B **10**
Lindon Rd. *Wals* —2B **22**
Lindon Vw. *Wals* —2C **22**
Lindrick Clo. *Wals* —4F **19**
Lindridge Dri. *Min* —1G **87**
Lindridge Rd. *B23* —3B **84**
Lindridge Rd. *Shir* —6F **149**
Lindridge Rd. *S Cold* —4D **54**
Lindrosa Rd. *S Cold* —6H **35**
Lindsay Rd. *B42* —4D **66**
Lindsey Av. *B31* —3G **145**
Lindsey Gdns. *W Brom*
　　　　　—6A **64**
Lindsey Pl. *Brie H* —6G **93**
Lindsey Rd. *W Brom* —6A **64**
Lindsworth App. *B30* —4E **147**
Lindsworth Ct. *B30* —4E **147**
Lindsworth Rd. *B30* —4D **146**
Linfield Gdns. *Dud* —4G **59**
Linford Gro. *B25* —2A **120**
Linforth Dri. *S Cold* —4A **52**
Lingard Clo. *B7* —4B **102**
Lingard Ho. *S Cold* —5D **70**
Lingard Rd. *S Cold* —6D **54**

Lingfield Av. *B44* —4G **67**
Lingfield Av. *Wolv* —2H **15**
Lingfield Clo. *Wals* —3F **7**
Lingfield Ct. *B43* —6H **65**
Lingfield Dri. *Wals* —3F **7**
Lingfield Gdns. *B34* —3F **105**
Lingfield Gro. *Pert* —5F **25**
Lingfield Way. *K'wfrd* —4E **93**
Lingham Clo. *Sol* —6H **137**
Ling Ho. *Wolv* —6B **28**
Linhope Dri. *K'wfrd* —4E **93**
Link One Ind. Pk. *Tip* —1E **79**
Link Rd. *B16* —6A **100**
Link Rd. *Wals* —4D **22**
Link Rd. *Wom* —6G **57**
Links Av. *Wolv* —2B **26**
Links Cres. *O'bry* —3H **113**
Links Dri. *Redn* —4G **157**
Links Dri. *Sol* —1F **151**
Links Dri. *Stourb* —3C **124**
Links Rd. *B14* —6A **148**
Links Rd. *O'bry* —3H **113**
Links Rd. *Wolv* —2E **59**
Links Side Way. *Wals* —1E **35**
Links Vw. *Hale* —1D **128**
Links Vw. *S Cold* —2B **52**
Linkswood Clo. *B13* —4B **134**
Link, The. *B27* —4G **135**
Linkwood Ind. Est. *Stourb*
　　　　　—5C **108**
Linley Clo. *A'rdge* —4A **34**
Linley Dri. *Wolv* —6A **16**
Linley Gro. *B14* —1E **147**
Linley Gro. *Dud* —5F **75**
Linley Lodge Ind. Est. *A'rdge*
　　　　　—3A **34**
Linley Rd. *Wals* —2H **33**
Linley Wood Rd. *Wals* —4A **34**
Linnet Clo. *B30* —5A **132**
Linnet Clo. *Hale* —5B **112**
　(Lodgefield Rd.)
Linnet Clo. *Hale* —4G **127**
　(Manor Way)
Linnet Gro. *B23* —1B **84**
Linnet Gro. *W'hall* —1B **30**
Linpole Wlk. *B14* —5E **147**
Linsey Rd. *Sol* —3G **137**
Linslade Clo. *Wolv* —1H **59**
Linthouse La. *Wolv* —1F **29**
Linton Av. *Sol* —6E **151**
Linton Clo. *Hale* —6F **111**
Linton Cft. *Bils* —6F **45**
Linton Rd. *Crad H* —6H **95**
Linton Rd. *Gt Barr* —1E **67**
Linton Rd. *Tys* —1G **135**
Linton Rd. *Wolv* —6C **42**
Linton Wlk. *B23* —4B **84**
Linwood Rd. *B21* —1A **100**
Linwood Rd. *Dud* —2D **76**
Linwood Rd. *Sol* —2B **150**
Lionel St. *B3* —6E **101** (3B **4**)
Lion Ind. Est. *Wals* —1C **34**
Lion Pas. *Stourb* —6D **108**
Lion Rd. *Crad H* —2A **112**
Lion's Den. *Hamm* —3G **11**
Lion St. *Stourb* —6D **108**
Liskeard Rd. *Wals* —4H **49**
Lisko Clo. *Brie H* —3E **109**
Lismore Clo. *Redn* —6E **143**
Lismore Dri. *B17* —2E **131**
Lissimore Dri. *Tip* —5A **78**
Lisson Gro. *B44* —1H **67**
Listelow Clo. *B36* —1F **105**
Lister Clo. *Tip* —3A **78**
Lister Clo. *Wals* —4H **31**
Lister Rd. *Dud* —2E **95**

Lister Rd. *Wals* —4H **31**
Lister St. *B7* —5H **101** (1G **5**)
Lister St. *W'hall* —2B **46**
Listowel Rd. *B14* —1F **147**
Lisures Dri. *S Cold* —1B **70**
Lit. Albert St. *Wals* —1C **48**
Lit. Ann St. *B5*
　　　　—1H **117** (5H **5**)
Little Aston. —3C 36
Lit. Aston Hall Dri. *Lit A*
　　　　—4A **36**
Lit. Aston La. *S Cold* —3C **36**
Lit. Aston Pk. Rd. *S Cold*
　　　　—6A **36**
Lit. Aston Rd. *Wals* —3D **34**
Lit. Barr St. *B9* —1A **118**
Lit. Birches. *Wolv* —3D **42**
Little Bloxwich. —4B 20
Lit. Brick Kiln St. *Wolv*
　　　　—2G **43** (5A **170**)
Little Bromwich. —1F 119
Lit. Bromwich Rd. *B9*
　　　　—2H **119**
Lit. Broom St. *B12* —3A **118**
Lit. Caldmore. *Wals* —3C **48**
Lit. Checkhill La. *Stourb*
　　　　—5D **90**
Lit. Clothier St. *W'hall* —6A **30**
Lit. Clover Clo. *B7* —3C **102**
Little Comn. *Wals* —3E **21**
Lit. Cornbow. *Hale* —2B **128**
Littlecote Cft. *B14* —4A **148**
Littlecote Dri. *B23* —6F **69**
Lit. Cottage St. *Brie H*
　　　　—1H **109**
Little Cft. *B43* —4G **65**
Lit. Cross St. *W'bry* —4C **46**
Lit. Edward St. *B9* —1A **118**
Lit. Fields Way. *O'bry* —2F **97**
Lit. Francis Gro. *B7* —4B **102**
Lit. Gorway. *Wals* —4D **48**
Lit. Green La. *B9* —2C **118**
Lit. Grn. Lanes. *S Cold*
　　　　—6H **69**
Lit. Hall Rd. *B7* —5B **102**
Lit. Hardwick Rd. *Wals* —1E **51**
Lit. Hay La. *Lich* —2H **37**
Lit. Heath Cft. *B34* —2F **105**
Lit. Hill. *W'bry* —2F **63**
Lit. Hill Gro. *B38* —6C **146**
Lit. Hill Way. *B32* —3B **130**
Lit. Johnsons La. *Wals*
　　　　—3D **50**
Lit. John St. *Brie H* —5H **93**
Little La. *W Brom* —2B **80**
Little La. *W'hall* —2D **30**
Lit. Lawns Clo. *Wals* —3C **22**
Little London. —6H 29
Lit. London. *Wals* —4C **48**
Lit. London Ho. *Wals* —4D **48**
Littlemead Av. *B31* —6G **145**
Lit. Meadow Cft. *B31* —2D **144**
Lit. Meadow Wlk. *B33*
　　　　—6C **104**
Littlemead Rd. *Shir* —1E **163**
Lit. Moor Hill. *Smeth* —4D **98**
Lit. Newport St. Wals —2C **48**
(off Newport St.)
Lit. Oaks Dri. *Stourb* —6G **91**
Lit. Oaks Rd. *B6* —1G **101**
Littleover Av. *B28* —1F **149**
Little Pk. *B32* —1H **129**
Lit. Park St. *Wolv*
　　　　—1H **43** (3D **170**)
Lit. Pitts Clo. *B24* —2B **86**
Lit. Potter St. *Brie H* —1H **109**

Lit. Pountney St. *Wolv*
　　　　—3G **43** (6B **170**)
Lit. Shadwell St. *B4*
　　　　—5G **101** (1E **5**)
Littleshaw Cft. *Wyt* —5C **162**
Littleshaw La. *Wyt* —5C **162**
Little's La. *Wolv*
　　　　—1H **43** (1C **170**)
(in two parts)
Lit. Station St. *Wals* —1C **48**
Little St. *Dud* —6F **77**
Little St. *Wals* —6B **32**
Little Sutton. —1B 54
Lit. Sutton La. *S Cold* —4A **54**
Lit. Sutton Rd. *S Cold* —1A **54**
Littleton Clo. *S Cold* —3E **71**
Littleton Cft. *Sol* —1G **165**
Littleton Rd. *W'hall* —2C **30**
Littleton St. E. *Wals* —1D **48**
Littleton St. W. *Wals* —1C **48**
Littlewood. —1E 7
Littlewood Clo. *Sol* —1F **165**
Littlewood La. *Wals* —1E **7**
(in two parts)
Littlewood Rd. *Wals* —1E **7**
Lit. Wood St. *W'hall* —1A **46**
Littleworth Av. *Dud* —1D **76**
Littleworth End. —3H 55
Littleworth Gro. *S Cold*
　　　　—1D **70**
Little Wyrley. —5C 8
Liveridge Clo. *Know* —3B **166**
Liverpool Cft. *B37* —3B **122**
Liverpool St. *B9* —1A **118**
Livery St. *B3* —5F **101** (1C **4**)
(in two parts)
Livingstone Av. *Wolv* —4E **25**
Livingstone Rd. *Bils* —6D **44**
Livingstone Rd. *Hand* —6E **83**
Livingstone Rd. *K Hth*
　　　　—1G **147**
Livingstone Rd. *Wals* —5C **20**
Livingstone Rd. *W Brom*
　　　　—6H **79**
Lizafield Ct. *Smeth* —2C **98**
Lloyd Dri. *Wolv* —3A **58**
Lloyd Hill. *Wolv* —2A **58**
Lloyd Ho. B19 —3E 101
(off Newtown Dri.)
Lloyd Rd. *B20* —3C **82**
Lloyd Rd. *Wolv* —4B **26**
Lloyds Rd. *Hale* —3C **112**
Lloyds Sq. *B15* —3A **116**
Lloyd St. *B10* —3D **118**
Lloyd St. *Dud* —1F **95**
Lloyd St. *W'bry* —2E **63**
Lloyd St. *W Brom* —3D **80**
Lloyd St. *Wolv* —5D **26**
Locarno Rd. *Tip* —1H **77**
Lochalsh Gro. *W'hall* —5B **18**
Lochranza Cft. *B43* —3A **66**
Lock Dri. *B33* —6B **104**
Locke Pl. *B7* —6A **102**
Locket Clo. *Wals* —5F **31**
Lockfield Clo. *Stourb*
　　　　—2D **108**
Lockhart Dri. *S Cold* —2A **54**
Locking Cft. *B35* —4F **87**
Lockington Cft. *Hale* —5F **113**
Lock Keepers Clo. *Nort C*
　　　　—1D **8**
Lockley Clo. *Wolv* —5B **28**
Lock Mus., The. —2A 46
Lockside. *A'rdge* —2B **34**
Lock Side. *Tip* —2G **77**
Lockside. *Wom* —6E **57**

Locksmith Clo. *W'hall* —1B **46**
Lock St. *Wolv*
　　　　—6H **27** (1D **170**)
(in two parts)
Locks Vw. *Stourb* —2C **108**
Lockton Rd. *B30* —5E **133**
Lockwood Rd. *B31* —3D **144**
Lode Heath. —2H 151
Lode La. *Sol* —4F **137**
Lode Mill Ct. *Sol* —5F **137**
Lodge Clo. *Hale* —2E **129**
Lodge Clo. *Wals* —5H **49**
Lodge Cres. *Dud* —5C **94**
Lodge Cft. *B31* —1C **144**
Lodge Cft. *Know* —3D **166**
Lodge Dri. *B26* —3D **120**
Lodge Farm Clo. *S Cold*
　　　　—2D **70**
Lodgefield Rd. *Hale* —5B **112**
Lodge Forge Rd. *Crad H*
　　　　—4E **111**
Lodge Gro. *Wals* —4C **34**
Lodge Hill. —3F 131
Lodge Hill Rd. *B29* —4H **131**
Lodge La. *Cann* —1B **6**
Lodge La. *K'wfrd* —3G **91**
Lodge Pool Clo. *B44* —1G **83**
Lodge Rd. *Aston* —1G **101**
Lodge Rd. *Bils* —1H **61**
Lodge Rd. *Hock* —3A **100**
(in three parts)
Lodge Rd. *Know* —3D **166**
Lodge Rd. *Pels* —6F **21**
Lodge Rd. *Smeth* —2C **98**
Lodge Rd. *Wals* —6H **49**
Lodge Rd. *W'bry* —6D **46**
Lodge Rd. *W Brom* —4H **79**
Lodge Rd. *Wolv* —1F **27**
Lodge St. *O'bry* —2G **97**
Lodge St. *W'hall* —4C **30**
Lodge Ter. *Harb* —6G **115**
Lodge Vw. *Wals* —2C **6**
Loeless Rd. *B33* —6E **105**
Lofthouse Cres. *B31* —4D **144**
Lofthouse Gro. *B31* —4D **144**
Lofthouse Rd. *B20* —4A **82**
Loftus Clo. *B29* —5D **130**
Logan Clo. *Wolv* —3G **27**
Lomaine Dri. *B30* —3A **146**
Lomas Dri. *B31* —4C **144**
Lomas St. *Wolv* —5G **27**
Lombard Av. *Dud* —6F **95**
Lombard St. *B12* —3H **117**
Lombard St. *W Brom* —4A **80**
Lombard St. W. *W Brom*
　　　　—4A **80**
Lombardy Cft. *Hale* —5G **113**
Lombardy Gdns. *W'hall*
　　　　—2E **31**
Lomond Clo. *B34* —3A **106**
Lomond Rd. *Dud* —4G **59**
Londonderry. —5B 98
Londonderry Gro. *Smeth*
　　　　—4D **98**
Londonderry La. *Smeth*
　　　　—5B **98**
Londonderry Rd. *O'bry*
　　　　—5B **98**
London Fields. —5A 76
London Heights. *Dud* —5C **76**
London Rd. *B20* —5G **83**
London Rd. *Bass P & Midd*
　　　　—6F **39**
London Rd. *Lich & Can*
　　　　—1D **38**
London St. *Smeth* —4G **99**

London St. Ind. Est. *Smeth*
　　　　—4H **99**
Lones Rd. *W Brom* —1F **99**
Long Acre. *B7* —3B **102**
Long Acre. *Cod* —5F **13**
Longacre. *W'hall* —3A **46**
Long Acre Ind. Est. *B7*
　　　　—2B **102**
Longacres. *S Cold* —5C **36**
Long Acre St. *Wals* —6B **32**
Longbank Rd. *Tiv* —1C **96**
Longboat La. *Stourb* —3C **108**
Longboat Quay. *Dud* —5F **95**
Longbow Rd. *B29* —6D **130**
Longbridge. —1C 158
Longbridge La. *B31* —1C **158**
Longbrook La. *Bal C & Ken*
　　　　—3E **169**
Long Clo. Wlk. *B35* —4F **87**
Longcroft Av. *W'bry* —2G **63**
Longcroft Clo. *B35* —5D **86**
Longcroft, The. *Hale* —2G **127**
Longcroft, The. *Wals* —2G **33**
Longdales Rd. *B38* —2H **159**
Longdon Av. *Wolv* —6H **43**
Longdon Cft. *Know* —1C **166**
Longdon Dri. *S Cold* —5E **37**
Longdon Rd. *Know* —3C **166**
Longfellow Rd. *B30* —3H **145**
Longfellow Rd. *Dud* —2E **75**
Longfield Clo. *B28* —1F **149**
Longfield Dri. *S Cold* —5D **36**
Longfield Ho. *Wolv* —6B **28**
Longfield Rd. *B31* —5C **130**
Longfield Rd. *Stourb* —6H **109**
Longford Clo. *B32* —6G **129**
Longford Clo. *Dorr* —6D **166**
Longford Clo. *Wom* —2D **72**
Longford Gro. *B44* —2A **68**
Longford Rd. *B44* —2A **68**
Longford Rd. *Wolv* —5B **28**
Long Furrow. *Wolv* —6C **14**
Longham Cft. *B32* —1D **130**
Longhurst Cft. *B31* —2F **159**
Long Hyde Rd. *Smeth*
　　　　—2D **114**
Long Innage. *Hale* —5D **110**
Long Knowle La. *Wolv* —1D **28**
Longlake Av. *Wolv* —6G **25**
Longlands Clo. *B38* —1G **159**
Longlands Rd. *Hale* —2E **129**
Longlands, The. *Wom* —1G **73**
Long La. *Cann* —1D **8**
Long La. *Row R & Hale*
　　　　—2D **112**
Long La. *Wals* —2D **18**
Long Leasow. *B29* —6F **131**
Longleat. *B43* —3G **65**
Longleat Dri. *Dud* —5A **76**
Longleat Dri. *Shir* —4C **164**
Longleat Rd. *Wals* —6C **22**
Longleat Tower. *B15* —2E **117**
Long Ley. *Wolv* —6B **28**
Longley Av. *Min* —1H **87**
Longley Cres. *B26* —1C **136**
Long Leys Ct. *Wat O* —4D **88**
Long Leys Cft. *Wat O* —5D **88**
Longley Wlk. *B37* —1E **123**
Longmeadow Clo. *S Cold*
　　　　—6D **54**
Longmeadow Cres. *B34*
　　　　—3A **106**
Long Mdw. Dri. *Dud* —3F **59**
Longmeadow Gro. *B31*
　　　　—3E **159**

Longmeadow Rd. *Wals*
—3A **50**
Long Mill Av. *Wolv* —2D **28**
Long Mill N. *Wolv* —2D **28**
Long Mill S. *Wolv* —2D **28**
Longmoor Clo. *Wolv* —4H **29**
Longmoor Rd. *Hale* —2G **127**
Longmoor Rd. *S Cold* —2B **68**
Longmore Av. *Wals* —2F **47**
Longmore Rd. *Shir* —5A **150**
Longmore St. *B12* —4G **117**
Longmore St. *W'bry* —2F **63**
Long Mynd. *Hale* —4F **127**
Long Mynd Clo. *W'hall*
—6B **18**
Long Mynd Rd. *B31* —1C **144**
Long Nuke Rd. *B31* —6C **130**
Longshaw Gro. *B34* —3H **105**
Longstone Clo. *Shir* —3F **165**
Longstone Rd. *B42* —6E **67**
Long St. *B11* —5A **118**
Long St. *Prem B* —2B **48**
Long St. *Wolv*
—1H **43** (2C **170**)
Long Wood. *B30* —2A **146**
Longwood La. *Wals* —1A **50**
Longwood Pathway. *B34*
—4G **105**
Longwood Ri. *W'hall* —4D **30**
Longwood Rd. *Redn*
—2G **157**
Longwood Rd. *Wals* —6D **34**
Lonicera Clo. *Wals* —2F **65**
Lonsdale Clo. *B33* —1B **120**
Lonsdale Clo. *W'hall* —4B **30**
Lonsdale Rd. *B17* —5F **115**
Lonsdale Rd. *Bils* —5H **45**
Lonsdale Rd. *Smeth* —2B **98**
Lonsdale Rd. *Wals* —5G **49**
Lonsdale Rd. *Wolv* —4F **43**
Lords Dri. *Wals* —6C **32**
Lordsmore Clo. *Cose* —4G **61**
Lord St. *B7* —5H **101**
Lord St. *Bils* —2G **61**
Lord St. *Wals* —4B **48**
Lord St. *Wolv* —1F **43**
(in two parts)
Lord St. W. *Bils* —2G **61**
Lordswood Rd. *B17* —3E **115**
Lordswood Sq. *B17* —4F **115**
Lorimer Way. *B43* —6F **51**
Lorne St. *Tip* —5H **61**
Lorrainer Av. *Brie H* —3E **109**
Lothians Rd. *Wals* —2E **21**
Lothians Rd. *Wolv* —3C **26**
Lottie Rd. *B29* —4A **132**
Lotus Ct. *B16* —2A **116**
Lotus Cft. *Smeth* —5D **98**
Lotus Dri. *Crad H* —1H **111**
Lotus Wlk. *B36* —6B **88**
Lotus Way. *Row R* —5H **95**
Loughton Gro. *Hale* —1H **127**
Louisa Pl. *B18* —4C **100**
Louisa St. *B1* —6E **101** (3A **4**)
Louis Ct. *Smeth* —4D **98**
Louise Ct. *Sol* —6C **150**
Louise Cft. *B14* —5G **147**
Louise Lorne Rd. *B13*
—1H **133**
Louise Rd. *B21* —2B **100**
Louise St. *Dud* —4F **75**
Lount Wlk. *B19* —4G **101**
Lovatt Clo. *Tip* —4C **62**
Lovatt St. *Wolv* —1F **43**
(in two parts)
Loveday Ho. *W Brom* —4B **80**

Loveday St. *B4*
—5G **101** (1E **5**)
(in two parts)
Lovelace Av. *Sol* —1H **165**
Love La. *B7* —5H **101**
Love La. *Gt Wyr* —2G **7**
Love La. *H'wd* —2G **161**
Love La. *Lye* —6B **110**
Love La. *Stourb* —2E **125**
Love La. *Tiv* —6A **78**
Love La. *Wals* —4C **48**
Love La. *Wolv* —3B **26**
Lovell Clo. *B29* —1E **145**
Loveridge Clo. *Cod* —4F **13**
Lovers Wlk. *Aston* —1B **102**
Lovers Wlk. *W'bry* —2F **63**
Lovett Av. *O'bry* —4D **96**
Low Av. *B43* —3B **66**
Lowbridge Clo. *W'hall* —4C **30**
Lowbrook La. *Tid G* —5D **162**
Lowcroft Gdns. *Wolv* —1A **28**
Lowden Cft. *B26* —1C **136**
Lowe Av. *W'bry* —4B **46**
Lowe Dri. *K'wfrd* —5C **92**
Lowe Dri. *S Cold* —2D **68**
Lwr. Beeches Rd. *B31*
—5A **144**
Lower Bradley. —2A 62
Lwr. Chapel St. *Tiv* —5C **78**
Lwr. Church La. *Tip* —2B **78**
Lwr. City Rd. *Tiv* —6C **78**
Lowercroft Way. *S Cold*
—4E **37**
Lwr. Dartmouth St. *B9*
—1B **118**
Lwr. Darwin St. *B12* —3H **117**
Lwr. Derry St. *Brie H* —1H **109**
Lwr. Eldon St. *W'bry* —4D **46**
Lwr. Essex St. *B5* —2G **117**
Lwr. Forster St. *Wals* —1D **48**
Lower Gornal. —4H 75
Lower Grn. *Tip* —2G **77**
Lower Grn. *W'bry* —3D **46**
Lower Grn. *Wolv* —4C **26**
*Lwr. Ground Clo. B6 —6H **83***
(off Emscote Rd.)
Lwr. Hall La. *Wals* —2C **48**
*Lwr. Hall St. W'hall —2B **46***
(off Walsall St.)
Lwr. High St. *Crad H* —3E **111**
Lwr. High St. *Stourb* —5D **108**
Lwr. High St. *W'bry* —3F **63**
Lwr. Higley Clo. *B32* —1C **130**
Lwr. Horseley Fld. *Wolv*
—1B **44**
Lwr. Lichfield St. *W'hall*
—1A **46**
Lwr. Loveday St. *B19* & *B4*
—5F **101** (1D **4**)
Lower Moor. *B30* —5A **132**
Lwr. North St. *Wals* —6D **32**
Lower Pde. *S Cold* —6A **54**
Lower Penn. —1G 57
Lwr. Prestwood Rd. *Wolv*
—2E **29**
Lwr. Queen St. *S Cold* —1A **70**
Lwr. Reddicroft. *S Cold*
—6A **54**
Lwr. Rushall St. *Wals* —1D **48**
Lwr. Severn St. *B1*
—1F **117** (5D **4**)
Lowerstack Cft. *B37* —6B **106**
Lower Stonnall. —3H 23
Lower St. *Wolv* —4C **26**
Lwr. Temple St. *B2*
—1F **117** (4D **4**)

Lwr. Tower St. *B19* —4G **101**
Lwr. Trinity St. *B9*
—2A **118** (6H **5**)
Lwr. Valley Rd. *Brie H*
—1E **109**
Lwr. Vauxhall. *Wolv* —1E **43**
Lwr. Villiers St. *Wolv* —4G **43**
Lwr. Walsall St. *Wolv* —2A **44**
Lwr. White Rd. *B32* —6B **114**
Lowesmoor Rd. *B26* —4G **121**
Lowe St. *B12* —3A **118**
Lowe St. *Wolv* —5E **27**
Lowfield Clo. *Hale* —2G **129**
Low Hill. —2A 28
Low Hill Cres. *Wolv* —1A **28**
Lowhill La. *Redn* —3A **158**
Lowland Clo. *Crad H* —2H **111**
Lowlands Av. *S Cold* —3F **51**
Lowlands Av. *Wolv* —3C **26**
Lowndes Rd. *Stourb*
—5C **108**
Lowry Clo. *Smeth* —3D **98**
Lowry Clo. *W'hall* —1F **45**
Lowry Clo. *Wolv* —5F **25**
Low St. *Wals* —2D **6**
Low Thatch. *B38* —2A **160**
Lowther Ct. *Brie H* —1H **109**
Low Town. *O'bry* —2G **97**
Low Wood Rd. *B23* —2D **84**
Loxdale Sidings. *Bils* —1H **61**
Loxdale St. *Bils* —1H **61**
Loxdale St. *W'bry* —3F **63**
Loxley Av. *B14* —4C **148**
Loxley Av. *Shir* —6F **149**
Loxley Clo. *B31* —5C **130**
Loxley Rd. *Smeth* —2D **114**
Loxley Rd. *S Cold* —5B **38**
Loxton Clo. *Lit A* —4D **36**
Loynells Rd. *Redn* —2H **157**
Loyns Clo. *B37* —6B **106**
Lozells. —2D 100
Lozells Rd. *B19* —2D **100**
Lozells St. *B19* —2E **101**
Lozells Wood Clo. *B19*
—2D **100**
Lucas Way. *Shir* —2A **164**
Luce Clo. *B35* —3F **87**
Lucerne Ct. *B23* —1D **84**
Luce Rd. *Wolv* —3A **28**
Lucknow Rd. *W'hall* —5B **30**
Luddington Rd. *Sol* —5A **138**
Ludford Clo. *S Cold* —4C **54**
Ludford Rd. *B32* —4G **129**
Ludgate Clo. *Wat O* —4C **88**
Ludgate Ct. *Wals* —4H **49**
Ludgate Ct. *Wat O* —4C **88**
Ludgate Hill. *B3*
—6F **101** (2C **4**)
Ludgate St. *Dud* —6D **76**
Ludlow Clo. *B37* —1E **123**
Ludlow Clo. *W'hall* —3B **30**
*Ludlow Ho. Wals —3A **32***
(off Providence La.)
Ludlow La. *Wals* —5G **31**
Ludlow Rd. *B8* —6F **103**
Ludlow Way. *Dud* —5A **76**
Ludstone Av. *Wolv* —6B **42**
Ludstone Rd. *B29* —4D **130**
Lugtrout La. *Sol & Cath B*
—1A **152**
Lulworth Clo. *Hale* —5E **111**
Lulworth Rd. *B28* —5G **135**
Lulworth Wlk. *Wolv* —5A **42**
Lumley Gro. *B37* —1F **123**
Lumley Rd. *Wals* —2E **49**

Lundy Vw. *B36* —4D **106**
Lunt Gro. *B32* —6B **114**
Lunt Pl. *Bils* —5A **46**
Lunt Rd. *Bils* —5H **45**
Lunt, The. —4A 46
Lupin Gro. *B9* —6F **103**
Lupin Rd. *Dud* —6H **77**
Lusbridge Clo. *Hale* —1D **126**
Lutley. —3D 126
Lutley Av. *Hale* —1G **127**
Lutley Clo. *Wolv* —4C **42**
Lutley Dri. *Stourb* —2G **125**
Lutley Gro. *B32* —4H **129**
Lutley La. *Hay G* —2D **126**
(in two parts)
Lutley Mill Rd. *Hale* —1G **127**
Luton Rd. *B29* —2B **132**
Luttrell Rd. *S Cold* —3F **53**
Lyall Gdns. *Redn* —6E **143**
Lyall Gro. *B27* —3G **135**
Lychgate Av. *Stourb* —4G **125**
Lydate Rd. *Hale* —1F **129**
Lydbrook Covert. *B38*
—1A **160**
Lydbury Gro. *B33* —5E **105**
Lyd Clo. *Wolv* —4D **28**
Lydd Cft. *B35* —3F **87**
Lyddington Dri. *Hale* —4B **112**
Lyde Grn. *Hale* —4D **110**
Lydford Gro. *B24* —5G **85**
Lydford Rd. *Wals* —4H **19**
Lydgate Rd. *K'wfrd* —3D **92**
Lydget Gro. *B23* —6D **68**
Lydham Clo. *B44* —1A **84**
Lydham Clo. *Bils* —1D **60**
Lydia Cft. *S Cold* —3E **37**
Lydian Clo. *Wolv* —5F **27**
Lydiate Ash. —6C 156
Lydiate Ash Rd. *L Ash*
—6B **156**
Lydiate Av. *B31* —6B **144**
Lydiates Clo. *Dud* —6F **59**
Lydney Clo. *W'hall* —6D **30**
Lydney Gro. *B31* —4D **144**
Lye. —5B 110
Lye Av. *B32* —3G **129**
Lye Clo. *B32* —3F **129**
Lye Clo. La. *Hale & B32*
—3F **129**
(in two parts)
Lyecroft Av. *B37* —1F **123**
Lye Cross Rd. *Tiv* —2B **96**
Lye Valley Ind. Est. *Stourb*
—5B **110**
Lygon Ct. *Hale* —5B **112**
Lygon Gro. *B32* —1C **130**
Lymedene Rd. *B42* —2D **82**
Lyme Grn. Rd. *B33* —5D **104**
Lymer Rd. *Wolv* —6G **15**
Lymington Rd. *W'hall* —1G **46**
Lymsey Cft. *Stourb* —6A **92**
Lynbrook Clo. *Dud* —3F **95**
Lynbrook Clo. *H'wd* —2A **162**
Lyncourt Gro. *B32* —5H **113**
Lyncroft Rd. *B11* —3F **135**
Lyndale Dri. *Wolv* —3G **29**
Lyndale Rd. *Dud* —3G **95**
Lyndale Rd. *Sed* —3F **59**
Lyndhurst Dri. *Stourb*
—2D **108**
Lyndhurst Rd. *B24* —5F **85**
Lyndhurst Rd. *W Brom*
—6C **64**
Lyndhurst Rd. *Wolv* —4E **43**
Lyndon. —3B 80
Lyndon. *W Brom* —2B **80**
Lyndon Clo. *Cas B* —1G **105**

Lyndon Clo. *Dud* —4A **60**
Lyndon Clo. *Hale* —1G **127**
Lyndon Clo. *Hand* —5E **83**
Lyndon Cft. *B37* —4D **122**
Lyndon Green. —4E 121
Lyndon Gro. *K'wfrd* —1H **91**
Lyndon Gro. *W Brom* —3B **80**
Lyndon Ho. *W Brom* —2B **80**
Lyndon Rd. *Redn* —2E **157**
Lyndon Rd. *Sol* —3D **136**
Lyndon Rd. *Stech* —6C **104**
Lyndon Rd. *S Cold* —6H **53**
Lyndworth Rd. *B30* —6E **133**
Lyneham Gdns. *Min* —1E **87**
Lyneham Way. *B35* —4D **86**
Lynfield Clo. *B38* —2B **160**
Lyng La. *W Brom* —4A **80**
(in two parts)
Lynmouth Clo. *Wals* —4C **34**
Lynn. —2H 23
Lynn Gro. *B29* —2G **131**
Lynn La. *Lynn* —2H **23**
Lynton Av. *Smeth* —3E **99**
Lynton Av. *W Brom* —6A **64**
Lynton Av. *Wolv* —2C **26**
Lynton Ho. *O'bry* —6E **79**
Lynton Rd. *Aston* —2A **102**
Lynval Rd. *Brie H* —4B **110**
Lynwood Av. *K'wfrd* —2H **91**
Lynwood Clo. *W'hall* —1E **31**
Lynwood Wlk. *B17* —1H **131**
Lyon Ct. *S Cold* —6A **54**
(off Midland Dri.)
Lyons Gro. *B11* —2C **134**
Lysander Rd. *Redn* —5G **143**
Lysways St. *Wals* —3D **48**
Lytham Clo. *Min* —1F **87**
Lytham Clo. *Stourb* —3E **125**
Lytham Cft. *B15* —3F **117**
Lytham Gro. *Wals* —3G **19**
Lytham Rd. *Pert* —5D **24**
Lythwood Dri. *Brie H* —3G **109**
Lyttelton Rd. *Edg* —2H **115**
Lyttelton Rd. *Stourb* —6B **108**
Lyttleton Av. *Hale* —4E **113**
Lyttleton Av. *W Brom* —5H **79**
Lyttleton Clo. *Dud* —5E **95**
Lyttleton Rd. *Stech* —1B **120**
Lyttleton St. *W Brom* —5A **80**
Lytton Av. *Wolv* —1B **58**
Lytton Gro. *B27* —4H **135**
Lytton La. *B32* —2D **130**

Maas Rd. *B31* —4E **145**
Macarthur Rd. *Crad H*
—3E **111**
Macaulay Ho. *W Brom* —6B **80**
McBean Rd. *Wolv* —5D **26**
Macdonald Clo. *Tiv* —5D **78**
Macdonald St. *B5* —3G **117**
McDougall Rd. *W'bry* —2A **64**
Mace St. *Crad H* —2G **111**
McGregor Clo. *B6* —6H **83**
Machin Rd. *B23* —3F **85**
Mackadown La. *B33* —1H **121**
Mackay Rd. *Wals* —5B **20**
McKean Rd. *O'bry* —6G **79**
McKen Ct. *W Brom* —5A **80**
Mackenzie Ct. *B31* —5C **130**
Mackenzie Rd. *B11* —3C **134**
Mackmillan Rd. *Row R*
—1B **112**
McLean Rd. *Wolv* —5G **15**
Macmillan Clo. *Tiv* —5C **78**
Macrome Rd. *Wolv* —2C **26**

Madams Hill Rd. *Shir*
—2B **164**
Maddocks Hill. *S Cold* —3A **70**
Madehurst Rd. *B23* —1E **85**
Madeira Av. *Cod* —5G **13**
Madeley Rd. *B11* —6C **118**
Madeley Rd. *K'wfrd* —5D **92**
Madin Rd. *Tip* —3G **77**
Madison Av. *B36* —3B **104**
Madison Av. *Wals* —1H **47**
Madley Clo. *Redn* —1E **157**
Madresfield Dri. *Hale* —3B **128**
Maer Clo. *Row R* —5C **96**
Mafeking Rd. *Smeth* —2E **99**
Magdala St. *B18* —4A **100**
Magdalen Clo. *Dud* —5C **76**
Magdalene Rd. *Wals* —4E **49**
Magna Clo. *Wals* —2E **7**
Magness Cres. *W'hall* —4C **30**
Magnet Wlk. *B23* —4C **84**
Magnolia Clo. *B29* —6E **131**
Magnolia Gro. *Cod* —4G **13**
Magnolia Way. *Stourb*
—3D **108**
Magnum Clo. *S Cold* —4H **51**
Magpie Clo. *Dud* —6G **95**
Magpie La. *Bal C* —2E **169**
Maidenhale Rd. *K'wfrd*
—2H **91**
Maidensbridge Dri. *K'wfrd*
—1A **92**
Maidensbridge Gdns. *K'wfrd*
—6H **73**
Maidensbridge Rd. *K'wfrd*
—6H **73**
Maidstone Dri. *Stourb* —6C **92**
Maidstone Rd. *B20* —6G **83**
Maidwell Dri. *Shir* —1C **164**
Main Av. *Birm A* —1E **139**
Main Rd. *Birm A* —2B **138**
Main Rd. *Mer* —4H **141**
Mainstream 47 Ind. Pk. *B7*
—4C **102**
Mainstream Way. *B7* —5C **102**
Main St. *B11* —4A **118**
Main St. *Ston* —4F **23**
Main Ter. *B11* —4A **118**
Mainwaring Dri. *S Cold*
—1C **54**
Maitland Ho. *B34* —3A **106**
Maitland Rd. *B8* —5F **103**
Maitland Rd. *Dud* —6A **76**
Majestic Way. *Row R* —5C **96**
Major St. *Wolv* —3A **44**
Majuba Rd. *B16* —5G **99**
Malcolm Av. *B24* —2A **86**
Malcolm Ct. *Sheld* —6E **121**
Malcolm Ct. *Wolv* —6E **27**
Malcolm Gro. *Redn* —2G **157**
Malcolm Rd. *Shir* —6H **149**
Malcolmson Clo. *B15* —3B **116**
Malfield Dri. *B27* —2C **136**
Malins Rd. *B17* —6H **115**
Malins Rd. *Wolv* —6A **44**
Malkit Clo. *Wals* —5F **31**
Mallaby Clo. *Shir* —1G **163**
Mallard Clo. *B27* —2A **136**
Mallard Clo. *Brie H* —4G **109**
Mallard Clo. *Wals* —1E **21**
Mallard Dri. *B23* —4B **84**
Mallard Dri. *O'bry* —5F **97**
Mallards Reach. *Sol* —5C **136**
Mallender Dri. *Know* —3B **166**
Mallin Gdns. *Dud* —1A **94**
Mallin St. *Smeth* —2B **98**
Mallory Cres. *Wals* —5B **20**

Mallory Ri. *B13* —4C **134**
Mallory Rd. *Pert* —6E **25**
Mallow Clo. *Wals* —2E **65**
Malmesbury Pk. *B15 & Edg*
—4A **116**
Malmesbury Rd. *B10*
—5E **119**
Malpas Dri. *B32* —5A **130**
Malpass Gdns. *Cod* —3E **13**
Malpass Rd. *Brie H* —4B **110**
Malpas Wlk. *Wolv* —4C **28**
Malt Clo. *B17* —5H **115**
Malthouse. *Smeth* —2C **98**
Malthouse Cft. *B6* —1G **101**
Malthouse Gdns. *B19* —2F **101**
Malthouse Gro. *B25* —2C **120**
Malthouse La. *Chad* —4B **156**
(in three parts)
Malthouse La. *Gt Barr* —5F **67**
Malthouse La. *Wash H*
—3E **103**
Malt Ho. La. *W'hall* —1A **46**
Malthouse La. *Wolv* —3C **26**
Malthouse Rd. *Tip* —2G **77**
Malt Ho. Row. *Mars G*
—3C **122**
Maltings, The. *Wals* —3E **35**
Maltings, The. *Wolv*
—6H **27** (1C **170**)
Maltings, The. *Wom* —1G **73**
Malt Mill La. *Hale* —3C **112**
Malton Av. *O'bry* —3D **96**
Malton Gro. *B13* —6B **134**
Malton Ho. *O'bry* —3D **96**
(off Malton Av.)
Malvern Av. *Stourb* —6G **109**
Malvern Clo. *Edg* —3G **115**
Malvern Clo. *W Brom* —2B **80**
Malvern Clo. *W'hall* —5B **30**
Malvern Ct. *A Grn* —1A **136**
Malvern Ct. *Wolv* —1H **27**
Malvern Cres. *Dud* —3B **94**
Malvern Dri. *S Cold* —5E **71**
Malvern Dri. *Wals* —6E **23**
Malvern Dri. *Wolv* —2D **44**
Malvern Hill Rd. *B7* —2C **102**
Malvern Pk. Av. *Sol* —4H **151**
Malvern Rd. *A Grn* —1A **136**
Malvern Rd. *Hand* —6G **81**
Malvern Rd. *O'bry* —3H **113**
Malvern Rd. *Redn* —6G **157**
Malvern St. *S'brk* —6A **118**
Malvern Vw. Rd. *Dud* —3H **75**
Mamble Rd. *Stourb* —6C **108**
Manby Clo. *Wolv* —5F **27**
Manby Rd. *B35* —3E **87**
Manby St. *Tip* —5H **61**
Mancetter Rd. *Shir* —4A **150**
Manchester St. *B6* —4G **101**
Manchester St. *O'bry* —2H **97**
Mancroft Clo. *K'wfrd* —2H **91**
Mancroft Gdns. *Wolv* —4A **26**
Mancroft Rd. *Wolv* —4A **26**
Mandale Rd. *Wolv* —3B **28**
Mander Cen. *Wolv*
—1G **43** (3B **170**)
Manderley Clo. *Dud* —3G **59**
Mander Sq. *Wolv* —4B **170**
Mander St. *Wolv*
—3F **43** (6A **170**)
Manderville Gdns. *K'wfrd*
—3A **92**
Manderville Ho. *B31* —1D **158**
Mandeville Gdns. *Wals*
—3D **48**
Maney. —1A 70

Maney Corner. *S Cold* —1H **69**
Maney Hill Rd. *S Cold* —2H **69**
Manfield Rd. *W'hall* —6E **29**
Manilla Rd. *B29* —4D **132**
Manitoba Cft. *B38* —1B **160**
Manley Clo. *W Brom* —4H **79**
Manlove St. *Wolv* —3E **43**
Manningford Ct. *B14* —5H **147**
Manningford Rd. *B14*
—5G **147**
Mnr. Abbey Rd. *Hale* —2E **129**
Manor Av. *Wals* —1G **7**
Manor Clo. *Cod* —3H **13**
Manor Clo. *W'hall* —6A **30**
Manor Clo. *Wolv* —1D **58**
Manor Ct. *Dorr* —6G **167**
Manor Ct. *Dud* —4E **95**
Manor Ct. *Wals* —1A **48**
Manor Dri. *Dud* —4F **75**
Manor Dri. *S Cold* —1H **69**
Manor Dri. *Swind* —5E **73**
Mnr. Farm Dri. *W'hall* —4D **30**
Mnr. Farm Rd. *B11* —1E **135**
Manor Fold. *Oaken* —5D **12**
Manorford Av. *W Brom*
—4E **65**
Manor Gdns. *B33* —1B **120**
Manor Gdns. *W'bry* —1F **63**
Manor Gdns. *Wom* —6H **57**
Manor Hill. *S Cold* —1H **69**
Manor Ho. Clo. *B29* —4D **130**
Manor Ho. Dri. *B31* —6F **131**
Manor Ho. La. *B26* —5D **120**
Manor Ho. La. *Wat O* —4D **88**
Manor Ho. Pk. *Cod* —3H **13**
Manor Ho. Rd. *W'bry* —2F **63**
Manor Ind. Est. *Wals* —2A **48**
Manor La. *Chad* —4C **156**
Manor La. *Hale* —2D **128**
Manor La. *Stourb* —2B **124**
Manor Pk. *K'wfrd* —3B **92**
Manor Pk. Gro. *B31* —6A **144**
Manor Pk. Rd. *B36* —2H **105**
Manor Rd. *Aston* —6H **83**
Manor Rd. *Dorr* —6A **166**
Manor Rd. *Edg* —2H **115**
Manor Rd. *E'shll* —6C **44**
Manor Rd. *Oxl* —2G **27**
Manor Rd. *Penn* —1D **58**
Manor Rd. *Smeth* —4B **98**
Manor Rd. *Sol* —2F **151**
Manor Rd. *Stech* —6C **104**
Manor Rd. *Stourb* —1C **108**
Manor Rd. *S'tly* —3A **52**
Manor Rd. *S Cold* —6H **53**
Manor Rd. *Tip* —3H **77**
Manor Rd. *Wals* —1A **48**
Manor Rd. *W'bry* —3B **64**
Manor Rd. *Wolv* —6A **162**
Manor Rd. N. *B16* —2H **115**
Manor Rd. Precinct. *Wals*
—1A **48**
Manor St. *Wolv* —4A **26**
Manor Wlk. *Sol* —4G **151**
Manor Way. *Hale* —4F **127**
Manor Way. *S Cold* —1H **69**
Mansard Clo. *B'mre* —3D **42**
Mansard Clo. *Wed* —1C **28**
Mansard Ct. *Col* —2H **107**
Mansell Clo. *Hale* —4D **110**
Mansell Rd. *Tip* —5A **62**
Mansel Rd. *B10* —4E **119**
Mansfield Ho. *B37* —6E **107**
Mansfield Rd. *Aston* —1F **101**
Mansfield Rd. *Yard* —6A **120**
Mansion Clo. *Dud* —4B **76**

Mansion Cres. Smeth —5C 98
Mansion Dri. Hamm —1F 11
Mansion Dri. Tip —2C 78
Manston Dri. Wolv —4E 25
Manston Rd. B26 —4F 121
Manton Cft. Dorr —6A 166
Manway Clo. B20 —2B 82
Manwoods Clo. Hand —5D 82
Maple Av. W'bry —1A 64
Maplebeck Ct. Sol —2G 151
Maple Bus. Pk. B7 —3B 102
Maple Cen., The. W'bry
—2B 62
Maple Clo. B21 —6A 82
Maple Clo. Bils —6C 60
Maple Clo. Stourb —3B 124
Maple Ct. Smeth —1B 98
Maple Cft. B13 —1H 147
Mapledene Rd. B26 —5H 121
Maple Dri. B44 —5B 68
Maple Dri. Dud —5F 75
Maple Dri. Shelf —1F 33
Maple Dri. Wals —1F 65
Maple Dri. W'bry —1B 62
Maple Grn. Dud —2C 76
Maple Gro. B19 —1E 101
Maple Gro. B37 —3B 106
Maple Gro. Bils —1H 61
Maple Gro. K'wfrd —3C 92
Maple Gro. Wolv —1A 42
Maple Leaf Dri. B37 —3D 122
Maple Leaf Ind. Est. Wals
—6G 31
Maple Leaf Rd. W'bry —4C 62
Maple Ri. O'bry —1A 114
Maple Rd. B30 —5A 132
Maple Rd. Dud —4E 77
Maple Rd. Hale —3D 112
Maple Rd. Redn —3F 157
Maple Rd. S Cold —2A 70
Maple Rd. Wals —5D 20
Maple Rd. Wolv —4C 42
Maple St. Wals —5B 20
Mapleton Gro. B28 —6H 135
Mapleton Rd. B28 —6H 135
Maple Tree La. Hale —5E 111
Maple Way. B31 —6D 144
Maplewood. S Cold —5E 71
Mapperley Gdns. B13 —2E 133
Mappleborough Rd. Shir
—6E 149
Marans Cft. B38 —2H 159
Marbury Clo. B38 —5H 145
Marbury M. Brie H —2H 109
Marchant Rd. Bils —4E 45
Marchant Rd. Wolv —1D 42
March End. —4G 29
March End Rd. Wolv —4F 29
(in two parts)
Marchmont Rd. B9 —1G 119
Marchmount Rd. S Cold
—5A 70
March Way. Wals —6E 23
Marcliff Cres. Shir —5C 148
Marcos Dri. B36 —6B 88
Marcot Rd. Sol —6D 120
Marden Clo. W'hall —2H 45
Marden Gro. B31 —2E 159
Marden Wlk. B23 —4B 84
Mardon Rd. B26 —6F 121
Maree Gro. W'hall —6B 18
Marfield Clo. Min —1E 87
Margam Cres. Wals —5F 19
Margam Ter. Wals —5F 19
Margam Way. Wals —5F 19

Margaret Av. Hale —1H 127
Margaret Clo. Brie H —3A 110
Margaret Dri. Stourb —1F 125
Margaret Gdns. Smeth —4C 98
Margaret Gro. B17 —4G 115
Margaret Rd. B17 —6G 115
Margaret Rd. S Cold —4D 68
Margaret Rd. Wals —6E 31
Margaret Rd. W'bry —1C 62
Margarets Ho. S Cold —2D 70
Margaret St. B3
—6F 101 (3C 4)
Margaret St. W Brom —5H 79
Margaret Va. Tip —4C 62
Margaret Vine Ct. Hale
—2F 113
Marholm Clo. Wolv —5D 14
Marian Cft. B26 —6H 121
Maria St. W Brom —1C 98
Marie Dri. B27 —4H 135
Marigold Cres. Dud —3C 76
Marine Cres. Stourb —2C 108
Marine Dri. B44 —1G 83
Marine Gdns. Stourb —2C 108
Mariner Av. B16 —2A 116
Marion Clo. Brie H —1B 110
Marion Rd. Smeth —3B 98
Marion Way. B28 —6E 135
Marita Clo. Dud —6G 95
Marjoram Clo. B38 —1B 160
Marjorie Av. B30 —4D 146
Mark Av. W'bry —2E 63
Markby Rd. B18 —3A 100
Mark Ct. Wals —6E 33
Market La. Wolv —5F 41
Market Pl. Blox —6H 19
Market Pl. Dud —6E 95
(Halesowen Rd.)
Market Pl. Dud —6E 77
(Stone St.)
Market Pl. Gt Bri —2D 78
Market Pl. Row R —2C 112
Market Pl. W'bry —3F 63
Market Pl. W'hall —2A 46
Market Sq. Crad H —3E 111
Market St. K'wfrd —3B 92
Market St. O'bry —1G 97
Market St. Stourb —6E 109
Market St. Wolv
—1H 43 (3C 170)
Market Way. Bils —6F 45
Market Way. Hag —6G 125
Markfield Rd. B26 —3F 121
Markford Wlk. B19 —3F 101
Markham Cres. Sol —4B 138
Markham Cft. Wolv —5E 15
Markham Dri. K'wfrd —5C 92
Markham Rd. S Cold —2C 68
Mark Ho. B13 —3A 134
Marklew Clo. Wals —2C 22
Marklin Av. Wolv —6H 15
Mark Rd. W'bry —2E 63
Marksbury Clo. Wolv —4E 27
Marlbank Rd. Stourb —2E 109
Marlborough Clo. S Cold
—3E 37
Marlborough Dri. Stourb
—2E 125
Marlborough Gdns. Stourb
—1A 108
Marlborough Gdns. Wolv
—5C 26
Marlborough Gro. B25
—2B 120
Marlborough Rd. B10
—2E 119

Marlborough Rd. Cas B
—1G 105
Marlborough Rd. Dud —6B 60
Marlborough Rd. Smeth
—6E 99
Marlborough St. Wals —6H 19
Marlbrook Clo. Sol —1G 137
Marlbrook Dri. Wolv —5F 43
Marlbrook La. Marl —6D 156
Marlburn Way. Wom —1E 73
Marlcliff Gro. B13 —1A 148
Marldon Rd. B14 —1G 147
Marlene Cft. B37 —2E 123
Marley Rd. K'wfrd —5E 93
Marling Cft. Sol —6A 138
Marlow Clo. Dud —6F 95
Marlowe Dri. W'hall —2A 30
Marlow Rd. B23 —2D 84
Marlow St. Row R —2B 112
Marlpit La. S Cold —6B 38
Marlpool Dri. Pels —6E 21
Marl Top. B38 —5B 146
Marmion Dri. B43 —3B 66
Marmion Gro. Dud —1C 94
Marmion Way. W Brom
—1F 79
Marnel Dri. Wolv —3B 42
Marquis Dri. Hale —4A 112
Marriott Rd. Dud —5E 95
Marriott Rd. Smeth —2B 98
Marroway St. B16 —6B 100
Marrowfat La. B21 —2B 100
Mars Clo. Bils —4C 60
Marsden Clo. Sol —4C 136
Marshall Clo. Wals —5D 34
Marshall Gro. B44 —6H 67
Marshall Ho. Wals —3A 48
(off St Quentin St.)
Marshall Lake Rd. Shir
—1B 164
Marshall Rd. O'bry —2A 114
Marshall Rd. W'hall —2E 45
Marshalls Ind. Est. Wolv
—4G 43
Marshall St. B1
—2F 117 (6C 4)
Marshall St. Smeth —2B 98
Marsham Ct. Rd. Sol —6D 136
Marsham Rd. B14 —4H 147
Marshbrook Rd. B24 —3B 86
Marsh Cres. Stourb —6A 92
Marsh End. B38 —1C 160
Marshfield Gdns. B24 —5E 85
Marsh Gro. Swind —5E 73
Marsh Hill. B23 —3B 84
Marsh Ho. Farm La. Brad M
—4D 154
Marshland Way. Wals —2E 47
Marsh La. B23 —2D 84
Marsh La. Curd —2E 89
Marsh La. H Ard —1A 154
(in two parts)
Marsh La. Sol —3A 152
Marsh La. Wals —1B 48
Marsh La. Wat O —4D 88
Marsh La. W Brom —5B 64
Marsh La. Wolv —4F 15
Marsh La. Pde. Wolv —5G 15
Marshmont Way. B23 —5D 68
Marsh St. Wals —1B 48
Marsh, The. W'bry —2E 63
Marshwood Cft. Hale —2C 128
Marsland Clo. B17 —2G 115
Marsland Rd. Sol —6C 136

Mars St. Wolv —5D 44
Marston Av. W'bry —5C 46
Marston Clo. Stourb —1B 124
Marston Cft. B37 —4B 122
Marston Dri. B37 —4C 106
Marston Green. —3C 122
Marston Gro. B43 —5G 65
Marston Rd. B29 —5D 130
Marston Rd. Dud —1H 93
Marston Rd. S Cold —6G 69
Marston Rd. Wolv —4F 43
Marston Rd. Ind. Est. Wolv
—4F 43
Marston St. W'hall —1C 46
Martham Dri. Wolv —1H 41
Martin Clo. B25 —5B 120
Martin Clo. Bils —6F 61
Martindale Wlk. Brie H
—5F 109
Martin Dri. W'hall —4C 30
Martineau Sq. B2
—1G 117 (4E 5)
Martineau Tower. B19 —4F 101
(off Uxbridge St.)
Martineau Way. B2
—1G 117 (4E 5)
Martingale Clo. Wals —1D 64
Martin Hill St. Dud —1F 95
Martin Ri. B37 —3B 122
Martin Rd. Bils —2H 61
Martin Rd. Tip —2A 78
Martin Rd. Wals —3G 49
Martin St. Wolv —6B 44
Martlesham Sq. B35 —3E 87
Martley Ct. Stourb —1G 125
Martley Cft. B32 —1C 130
Martley Cft. Sol —1F 165
Martley Dri. Stourb —1G 125
Martley Rd. O'bry —3D 96
Martley Rd. Wals —6G 21
Marton Clo. B7 —3B 102
Marwood Cft. S Cold —1A 52
Mary Ann St. B3
—5F 101 (1C 4)
Maryland Av. B34 —4C 104
Maryland Dri. B31 —2F 145
Maryland Rd. Brie H —4B 110
Marylebone Clo. Stourb
—4E 109
Mary Macarthur Dri. Crad H
—2E 111
Mary Rd. Hand —2A 100
Mary Rd. Stech —6B 104
Mary Rd. Tiv —1C 96
Mary Rd. W Brom —6B 80
Mary St. B3 —5E 101 (1B 4)
Mary St. Bal H —6G 117
Mary St. Wals —6B 32
Maryvale Ct. Wals —2C 48
Mary Va. Rd. B30 —1A 146
Marywell Clo. B32 —6H 129
Masefield Av. Dud —6E 61
Masefield Clo. Bils —3H 61
Masefield Ri. Hale —2D 128
Masefield Rd. Dud —3E 75
Masefield Rd. Wals —2C 32
Masefield Rd. Wolv —6C 16
Masefield Sq. B31 —3G 145
Masham Clo. B33 —1C 120
Mashie Gdns. B38 —6H 145
Maslen Pl. Hale —2B 128
Maslin Dri. Bils —4C 60
Mason Cres. Wolv —6C 42
Mason Ho. Shir —6E 149
Masonleys Rd. B31 —4B 144
Mason Rd. B24 —3G 85

Mason Rd. *Wals* —4H **31**
Mason's Clo. *Hale* —5E **111**
Masons Cotts. *B24* —2H **85**
Mason St. *Bils* —6D **60**
Mason St. *W Brom* —3H **79**
Mason St. *Wolv* —4G **43**
Masons Way. *Sol* —3C **136**
Massbrook Gro. *Wolv* —3B **28**
Massbrook Rd. *Wolv* —3B **28**
Masshouse Cir. Queensway.
    B4 —6G **101** (3F **5**)
Masshouse La. *B5*
    —6H **101** (3G **5**)
Masshouse La. *K Nor*
    —6B **146**
Masters La. *Hale* —2E **113**
Matchlock Clo. *S Cold* —4G **51**
Matfen Av. *S Cold* —3F **69**
Math Mdw. *B32* —6D **114**
Matlock Clo. *Dud* —6F **95**
Matlock Clo. *Wals* —4A **20**
Matlock Rd. *B11* —2F **135**
Matlock Rd. *Wals* —4A **20**
Matthew Dri. *Hand* —3A **100**
Matthews Clo. *Row R*
    —2B **112**
Mattox Rd. *Wolv* —3F **29**
Matty Rd. *O'bry* —5H **97**
Maud Rd. *Wat O* —4F **89**
Maud Rd. *W Brom* —6A **80**
Maughan St. *Brie H* —3B **110**
Maughan St. *Dud* —6C **76**
Maurice Gro. *Wolv* —3C **28**
Maurice Rd. *B14* —2G **147**
Maurice Rd. *Smeth* —1C **114**
Mavis Gdns. *O'bry* —3H **113**
Mavis Rd. *B31* —6C **144**
Maw St. *Wals* —5D **48**
Maxholm Rd. *S Cold* —3G **51**
Max Rd. *B32* —6B **114**
Maxstoke Clo. *B32* —6G **129**
Maxstoke Clo. *Mer* —4H **141**
Maxstoke Clo. *S Cold* —3E **69**
Maxstoke Clo. *Wals* —4G **19**
Maxstoke Cft. *Shir* —1A **164**
Maxstoke La. *Mer* —2H **141**
Maxstoke Rd. *S Cold* —3E **69**
Maxstoke St. *B9* —1B **118**
Maxted Rd. *B23* —5C **68**
Maxwell Av. *B20* —6D **82**
Maxwell Rd. *Wolv*
    —3H **43** (6D **170**)
Mayall Dri. *S Cold* —5A **38**
May Av. *B12* —6A **118**
Maybank. *B9* —6F **103**
Maybank Pl. *B44* —1G **83**
Maybank Rd. *Dud* —6E **95**
Mayberry Clo. *B14* —5B **148**
Maybridge Dri. *Sol* —1F **165**
Maybrook Ho. *Hale* —1A **128**
Maybrook Ind. Est. *Wals*
  (in two parts) —2B **22**
Maybrook Rd. *Min* —2E **87**
Maybrook Rd. *Wals* —3B **22**
Maybury Clo. *Cod* —3E **13**
Maybush Gdns. *Wolv* —6G **15**
Maydene Cft. *B12* —5H **117**
Mayers Green. —3C 80
Mayfair. *Stourb* —3H **125**
Mayfair Clo. *B44* —6B **68**
Mayfair Clo. *Dud* —5C **76**
Mayfair Dri. *K'wfrd* —2A **92**
Mayfair Gdns. *Tip* —3A **78**
Mayfair Gdns. *Wolv* —1B **43**
Mayfair Pde. *B44* —6B **68**
May Farm Clo. *H'wd* —3A **162**

Mayfield Av. *B29* —3D **132**
Mayfield Clo. *Sol* —6G **151**
Mayfield Cres. *Row R* —6A **96**
Mayfield Rd. *A Grn* —2G **135**
Mayfield Rd. *Dud* —2E **77**
Mayfield Rd. *Hand* —1E **101**
Mayfield Rd. *Hasb* —3F **127**
Mayfield Rd. *H Grn* —2F **113**
Mayfield Rd. *Mose* —3A **134**
Mayfield Rd. *Stir* —1C **146**
Mayfield Rd. *S'tly* —3H **51**
Mayfield Rd. *B11 & A Grn*
    —1G **135**
Mayfield Rd. *Wolv* —2D **44**
Mayfield Rd. *W Grn* —3G **69**
Mayfields Dri. *Bwnhls* —3F **9**
Mayflower Clo. *B19* —3F **101**
Mayflower Dri. *Brie H* —2E **93**
Mayford Gro. *B13* —1B **148**
Maygrove Rd. *K'wfrd* —2A **92**
Mayhurst Clo. *Tip* —5A **62**
Mayhurst Rd. *H'wd* —2B **162**
Mayland Dri. *S Cold* —6H **51**
Mayland Rd. *B16* —1G **115**
May La. *B14* —2H **147**
May La. *H'wd* —2A **162**
Maynard Av. *Stourb* —2B **124**
Maypole Clo. *Crad H* —3D **110**
Maypole Dri. *Stourb* —6C **108**
Maypole Fields. *Hale* —4C **110**
Maypole Gro. *B14* —5B **148**
Maypole Hill. *Hale* —3C **110**
Maypole La. *B14* —5H **147**
Maypole Rd. *O'bry* —2H **113**
Maypole St. *Wom* —6H **57**
May St. *Wals* —3A **32**
Mayswood Dri. *Wolv* —2F **41**
Mayswood Gro. *B32* —1B **130**
Mayswood Rd. *Sol* —3G **137**
Maythorn Av. *S Cold* —1E **87**
Maythorn Gdns. *Wolv* —6A **26**
Maythorn Gro. *Sol* —1F **165**
Maytree Clo. *B37* —1C **122**
May Tree Gro. *B20* —4B **82**
May Trees. *H'wd* —3H **161**
Maywell Dri. *Sol* —5B **138**
Maywood Clo. *K'wfrd* —3A **92**
Meaburn Clo. *B29* —6E **131**
Mead Clo. *Wals* —3D **34**
Mead Cres. *B9* —6H **103**
Meadfoot Av. *B14* —4H **147**
Meadfoot Dri. *K'wfrd* —2H **91**
Meadlands, The. *Wom* —1E **73**
Meadow Av. *W Brom* —4D **64**
Mdw. Brook Rd. *B31* —2D **144**
Meadowbrook Rd. *Hale*
    —2F **127**
Meadow Clo. *B17* —2F **115**
Meadow Clo. *Shir* —1B **164**
Meadow Clo. *S Cold* —1H **51**
Meadow Clo. *Wals* —1G **33**
Meadow Clo. *W'hall* —1C **30**
Meadow Cft. *Pert* —6D **24**
Meadow Cft. *Wyt* —6A **162**
Meadow Dri. *H Ard* —6B **140**
Meadowfield Rd. *Redn*
    —2G **157**
Meadowfields Clo. *Stourb*
    —1C **108**
Mdw. Grange Dri. *W'hall*
    —2B **30**
Meadow Gro. *Gt Wyr* —3G **7**
Meadow Gro. *Sol* —4B **136**
Mdw. Hill Dri. *Stourb*
    —1C **108**

Mdw. Hill Rd. *B38* —5A **146**
Meadowlands Dri. *Shelf*
    —1H **33**
Meadow La. *Bils* —3D **60**
  (in two parts)
Meadow La. *Cov N* —1G **15**
Meadow La. *W'hall* —4A **30**
Meadow La. *Wom* —5G **57**
Mdw. Park Rd. *Stourb*
    —3B **108**
Meadow Ri. *B30* —6H **131**
Meadow Rd. *Dud* —3C **76**
Meadow Rd. *Hale* —3C **112**
Meadow Rd. *Harb* —2F **115**
Meadow Rd. *O'bry* —1H **113**
Meadow Rd. *Quin* —5G **113**
Meadow Rd. *Smeth* —5E **99**
Meadow Rd. *Wals* —5C **34**
Meadow Rd. *Wolv* —3A **42**
Meadow Rd. *Wyt* —6A **162**
Meadowside Clo. *B43* —4A **66**
Meadowside Rd. *S Cold*
    —5F **37**
Meadows, The. *Stourb*
    —5F **125**
Meadows, The. *Wals* —4A **34**
Meadow St. *Crad H* —3H **111**
Meadow St. *Wals* —3B **48**
Meadow St. *Wolv* —1F **43**
Meadowsweet Av. *B38*
    —6B **146**
Meadowsweet Way. *K'wfrd*
    —3E **93**
Meadow Va. *Cod* —5H **13**
Meadow Vw. *B13* —5C **134**
Meadow Vw. *Dud* —4G **59**
Mdw. View Ter. *Wolv* —5C **26**
  (in two parts)
Meadow Wlk. *B14* —6G **147**
Meadow Wlk. *Crad H* —3F **111**
Meadow Way. *Cod* —5E **13**
Meadow Way. *Stourb* —1A **108**
Mead Ri. *B15* —5B **116**
Mead, The. *Dud* —5F **59**
Meadthorpe Rd. *B44* —5F **67**
Meadvale Rd. *Redn* —3H **157**
Meadway. *B33* —1D **120**
Meadway, The. *Wolv* —4G **25**
Meadwood Ind. Est. *Bils*
    —6G **45**
Mears Clo. *B23* —5D **68**
Mears Coppice. *Brie H*
    —5A **110**
Mears Dri. *B33* —5B **104**
Mearse Clo. *B18* —4C **100**
Mease Cft. *B9* —1B **118**
Measham Gro. *B26* —6C **120**
Measham Way. *Wolv* —2G **29**
Meaton Gro. *B32* —5H **129**
Medcroft Av. *B20* —3A **82**
Medina Clo. *Wolv* —3B **16**
Medina Rd. *B11* —1E **135**
Medina Way. *K'wfrd* —3A **92**
Medley Gdns. *Tip* —3D **78**
Medley Rd. *B11* —6D **118**
Medlicott Rd. *B11* —5C **118**
Medway Clo. *Brie H* —3E **93**
Medway Cft. *B36* —2B **106**
Medway Gro. *B38* —1A **160**
Medway Rd. *Wals* —3G **9**
Medway Tower. *B7* —4B **102**
Medway Wlk. *Wals* —3G **9**
Medwin Gro. *B23* —6D **68**
Meerash La. *Hamm* —2D **10**
Meer End. *B38* —2A **160**
Meerhill Av. *Shir* —3E **165**

Meetinghouse La. *B31*
    —3E **145**
Meeting Ho. La. *Bal C*
    —2H **169**
Meeting La. *Brie H* —2F **109**
  (in two parts)
Meeting La. Ind. Est. *Brie H*
    —2F **109**
Meeting St. *Dud* —4E **95**
Meeting St. *Tip* —1D **78**
Meeting St. *W'bry* —2E **63**
Melbourne Av. *B19* —3E **101**
Melbourne Av. *Smeth* —2F **99**
Melbourne Clo. *K'wfrd* —5C **92**
Melbourne Clo. *W Brom*
    —6G **63**
Melbourne Gdns. *Wals* —5F **49**
Melbourne Ho. *B34* —3A **106**
Melbourne Rd. *Hale* —6B **112**
Melbourne Rd. *Smeth* —2E **99**
Melbourne St. *Wolv*
    —2H **43** (5C **170**)
Melbury Clo. *Wolv* —2E **43**
Melbury Gro. *B14* —2G **147**
Melchett Rd. *B30* —4B **146**
Melcote Gro. *B44* —5G **67**
Meldon Dri. *Bils* —3A **62**
Melford Clo. *Dud* —3A **60**
Melford Hall Rd. *Sol* —6D **136**
Melfort Gro. *B14* —4A **148**
Melksham Sq. *B35* —4E **87**
Mellis Gro. *B23* —2A **84**
Mellish Ct. *Wals* —6E **33**
  (off Mellish Rd.)
Mellish Dri. *Wals* —6F **33**
Mellish Rd. *Wals* —6E **33**
Mellor Dri. *S Cold* —6E **37**
Mellors Clo. *B17* —2F **131**
Mellowdew Rd. *Stourb*
    —6A **92**
Mell Sq. *Sol* —3G **151**
Melplash Av. *Sol* —3E **151**
Melrose Av. *B11* —5B **118**
  (in two parts)
Melrose Av. *S'brk* —5A **118**
Melrose Av. *Stourb* —3D **124**
Melrose Av. *S Cold* —3E **69**
Melrose Av. *W Brom* —5B **64**
Melrose Cotts. *Lich* —4H **11**
Melrose Dri. *Wolv* —5D **24**
Melrose Gro. *Loz* —2D **100**
Melrose Pl. *Smeth* —1B **98**
Melrose Rd. *B20* —6G **83**
Melstock Clo. *Tip* —2F **77**
Melstock Rd. *B14* —6F **133**
Melton Av. *Sol* —1E **137**
Melton Dri. *B15* —4E **117**
Melton Rd. *B14* —5H **133**
Melverley Gro. *B44* —5H **67**
Melverton Av. *Wolv* —1H **27**
Melville Hall. *Edg* —2H **115**
Melville Rd. *B16* —2G **115**
Melvina Rd. *B7* —5B **102**
Membury Rd. *B8* —3D **102**
Memorial Clo. *W'hall* —1A **46**
Memory La. *Darl* —3D **46**
Memory La. *Wolv* —4D **28**
Menai Clo. *W'hall* —3C **30**
Menai Wlk. *B37* —5D **106**
Mendip Av. *B8* —4E **103**
Mendip Clo. *Dud* —4H **75**
Mendip Clo. *Hale* —4F **127**
Mendip Clo. *Wolv* —5B **44**
Mendip Rd. *B8* —4E **103**
Mendip Rd. *Hale* —4E **127**

Mendip Rd.—Mill Green

Mendip Rd. *Stourb* —5F **109**
Menin Cres. *B13* —6B **134**
Menin Pas. *B13* —5B **134**
Menin Rd. *B13* —5B **134**
Menin Rd. *Tip* —2F **77**
Mentone Ct. *B20* —4A **82**
Meon Gro. *B33* —3F **121**
Meon Gro. *Pert* —5F **25**
Meon Ri. *Stourb* —2G **125**
Meon Way. *Wolv* —2H **29**
Meranti Clo. *W'hall* —1C **30**
Mercer Av. *Wat O* —4C **88**
Mercer Gro. *Wolv* —2G **29**
Merchants Way. *Wals* —2C **34**
Mercia Dri. *Wolv* —4E **25**
Mercote Hall La. *Mer* —2G **155**
Mere Av. *B35* —4E **87**
Mere Clo. *W'hall* —4A **30**
Merecote Rd. *Sol* —6B **136**
Meredith Pool Clo. *B18*
　—3B **100**
Meredith Rd. *Dud* —2E **75**
Meredith Rd. *Wolv* —1E **29**
Meredith St. *Crad H* —2F **111**
Mere Dri. *S Cold* —1H **53**
Mere Green. —6H 37
Mere Grn. Clo. *S Cold* —1A **54**
Mere Grn. Rd. *S Cold* —1H **53**
Mere Oak Rd. *Wolv* —4E **25**
Mere Pool Rd. *S Cold* —1B **54**
Mere Rd. *B23* —4C **84**
Mere Rd. *Stourb* —2C **124**
Mereside Way. *Sol* —5C **136**
Meres Rd. *Hale* —6E **111**
Merevale Rd. *Sol* —3F **137**
Mere Vw. *Wals* —1G **33**
Meriden. —4H 141
Meriden Av. *Stourb* —5B **108**
Meriden Clo. *B25* —4H **119**
Meriden Clo. *Stourb* —5B **108**
Meriden Cross. —4H 141
Meriden Dri. *B37* —3C **106**
Meriden Hall Mobile Home Pk.
　Mer —5H **141**
Meriden Ri. *Sol* —2H **137**
Meriden Rd. *H Ard* —6B **140**
Meriden Rd. *Wolv* —1E **27**
Meriden St. *B5*
　—1H **117** (6G **5**)
Merino Av. *B31* —1E **159**
Merlin Clo. *Dud* —1B **94**
Merlin Gro. *B26* —6F **121**
Merrick Clo. *Hale* —3F **127**
Merrick Rd. *Wolv* —3A **30**
Merridale. —2D 42
Merridale Av. *Wolv* —2D **42**
Merridale Cemetery Nature
　Reserve. —3E 43
Merridale Ct. *Wolv* —2D **42**
Merridale Cres. *Wolv* —1E **43**
Merridale Gdns. *Wolv* —2E **43**
Merridale Gro. *Wolv* —2C **42**
Merridale La. *Wolv* —1E **43**
Merridale Rd. *Wolv* —2D **42**
Merridale St. *Wolv*
　—2F **43** (5A **170**)
Merridale St. W. *Wolv* —3E **43**
Merrill Clo. *Wals* —3E **7**
Merrill's Hall La. *Wolv* —5G **29**
Merrington Clo. *Sol* —1G **165**
Merrions Clo. *B43* —1A **66**
Merrishaw Rd. *B31* —1E **159**
Merritts Brook Clo. *B29*
　—2E **145**
Merritt's Brook La. *B31*
　—3C **144**

Merritt's Hill. *B31 & N'fld*
　—1B **144**
Merrivale Rd. *Hale* —3F **127**
Merrivale Rd. *Smeth* —1E **115**
Merryfield Clo. *Sol* —6H **137**
Merryfield Gro. *B17* —1G **131**
Merryfield Rd. *Dud* —1H **93**
Merry Hill. —2B 110
(Brierley Hill)
Merry Hill. —4B 42
(Wolverhampton)
Merry Hill. *Brie H* —2B **110**
Merry Hill Cen. *Brie H* —6B **94**
Merry Hill Ct. *Smeth* —3H **99**
Merryhill Dri. *B18* —3B **100**
Mersey Gro. *B38* —1A **160**
Mersey Pl. *Wals* —6C **20**
Mersey Rd. *Wals* —6C **20**
Merstal Dri. *Sol* —6B **138**
Merstone Clo. *Bils* —5E **45**
Merstowe Clo. *B27* —2H **135**
Merton Clo. *O'bry* —1H **113**
Merton Ho. *B37* —1B **122**
Merton Rd. *B13* —2B **134**
Mervyn Pl. *Bils* —2H **61**
Mervyn Rd. *B21* —6A **82**
Mervyn Rd. *Bils* —2H **61**
Meryhurst Rd. *W'bry* —6G **47**
Messenger La. *W Brom*
　—4B **80**
Messenger Rd. *Smeth* —3F **99**
Mesty Croft. —2H 63
Metchley Ct. *B17* —1H **131**
Metchley Cft. *Shir* —3D **164**
Metchley Dri. *B17* —6G **115**
Metchley Ho. *B17* —6H **115**
Metchley La. *B17* —1H **131**
Metchley Pk. Rd. *B15*
　—1H **131**
Meteor Ho. *B35* —3E **87**
Metfield Cft. *B17* —1H **131**
Metfield Cft. *K'wfrd* —3D **92**
Metlin Gro. *B33* —6A **106**
Metric Wlk. *Smeth* —4E **99**
Metro Triangle. *B7* —2D **102**
Metro Way. *Smeth* —2G **99**
Mews, The. *B44* —6B **68**
Mews, The. *A Grn* —2A **136**
Mews, The. *Row R* —1B **112**
Meynell Ho. *B20* —4B **82**
Meyrick Rd. *W Brom* —1G **79**
Meyrick Wlk. *B16* —2B **116**
Miall Pk. Rd. *Sol* —2C **150**
Miall Rd. *B28* —5G **135**
Michael Blanning Gdns. *Dorr*
　—6A **166**
Michael Dri. *B15* —4E **117**
Michael Rd. *Smeth* —3C **98**
Michael Rd. *W'bry* —4B **46**
Micklehill Dri. *Shir* —1H **163**
Mickle Mdw. *Wat O* —4D **88**
Mickleover Rd. *B8* —4A **104**
Mickleton Av. *B33* —3G **121**
Mickleton Rd. *Sol* —5B **136**
Mickley Av. *Wolv* —4A **28**
Midacre. *W'hall* —2A **46**
Middle Acre Rd. *B32* —3C **130**
Middle Av. *W'hall* —3G **45**
Middle Bickenhill La. *H Ard*
　—1A **140**
Middle Cres. *Wals* —2E **33**
Middle Cross. *Wolv* —2H **43**
Middle Cross St. Wolv —2A *44*
　(off Warwick St.)
Middle Dri. *Redn* —5B **158**
Middlefield. *Wolv* —5C **14**

Middlefield Av. *Hale* —3F **113**
Middlefield Av. *Know* —6D **166**
Middlefield Clo. *Hale* —2F **113**
Middlefield Gdns. Hale
　(off Hurst Grn. Rd.) —3F 113
Middle Fld. Rd. *B31* —5G **145**
Middlefield Rd. *Tiv* —1A **96**
Middle Gdns. *W'hall* —1B **46**
Middlehill Ri. *B32* —3B **130**
Middle La. *Coven* —3D **14**
　(in two parts)
Middle La. *K Nor & Wyt*
　—3E **161**
Middle La. *Oaken* —5C **12**
Middle Leaford. *B34* —4E **105**
Middle Leasowe. *B32* —1A **130**
Middle Mdw. Av. *B32* —6A **114**
Middlemist Gro. *B43* —1B **82**
Middlemore Bus. Pk. *Wals*
　—4H **33**
Middlemore Ind. Est. *Hand*
　—1F **99**
Middlemore La. *A'rdge* —3B **34**
Middlemore La. W. *Wals*
　—3H **33**
Middlemore Rd. *N'fld* —5F **145**
Middlemore Rd. *Smeth &*
　Hand —2F **99**
Middle Pk. Clo. *B29* —5F **131**
Middle Pk. Rd. *B29* —5F **131**
Middlepark Rd. *Dud* —1A **94**
Middle Rd. *Wild* —5A **156**
Middle Roundhay. *B33*
　—6E **105**
Middleton Clo. *Wals* —6D **48**
　(in two parts)
Middleton Gdns. *B30* —3H **145**
Middleton Grange. *B31*
　—3G **145**
Middleton Hall Rd. *B30*
　—3H **145**
Middleton Rd. *B14* —6G **133**
Middleton Rd. *Shir* —5G **149**
Middleton Rd. *S Cold* —2A **52**
Middleton Rd. *Wals* —4C **10**
Middletree Rd. *Hale* —4E **111**
Middle Vauxhall. *Wolv* —1E **43**
Middleway Av. *Stourb* —6A **92**
Middleway Grn. *Bils* —3E **45**
Middleway Rd. *Bils* —3E **45**
Middleway Vw. *B18* —6C **100**
Midford Gro. *B15* —3E **117**
Midgley Dri. *S Cold* —1G **53**
Midhill Dri. *Row R* —3C **96**
Midhurst Gro. *Wolv* —4A **26**
Midhurst Rd. *B30* —4D **146**
Midland Clo. *B21* —2C **100**
Midland Ct. *B3* —1C **4**
Midland Cft. *B33* —6H **105**
Midland Dri. *S Cold* —6A **54**
Midland Rd. *B30* —2B **146**
Midland Rd. *S Cold* —4G **53**
Midland Rd. *Wals* —2B **48**
Midland Rd. *W'bry* —3C **46**
Midland St. *B8 & B9* —6C **102**
Midpoint Boulevd. *Min*
　—2G **87**
Midvale Dri. *B14* —5F **147**
Milburn Rd. *B44* —2A **68**
Milcote Dri. *S Cold* —2C **68**
Milcote Dri. *W'hall* —2F **45**
Milcote Rd. *B29* —5E **131**
Milcote Rd. *Smeth* —1D **114**
Milcote Rd. *Sol* —3F **151**
Milcote Way. *K'wfrd* —2H **91**
Mildenhall Rd. *B42* —4C **66**

Mildred Rd. *Crad H* —1G **111**
Mildred Way. *Row R* —3C **96**
Milebrook Gro. *B32* —5H **129**
Mile Flat. *K'wfrd* —3E **91**
Mile Oak Ct. *Smeth* —3F **99**
Milesbush Av. *B36* —6H **87**
Miles Gro. *Dud* —2H **95**
Miles Mdw. Clo. *W'hall*
　—1C **30**
Milestone Ct. *Wolv* —6G **25**
Milestone La. *Hand* —1H **99**
Milestone Way. *W'hall* —1B **30**
Milford Av. *B12* —5A **118**
Milford Av. *W'hall* —4A **30**
Milford Clo. *Stourb* —6C **92**
Milford Cft. *B19* —4F **101**
Milford Cft. *Row R* —3H **95**
Milford Gro. *Shir* —2G **165**
Milford Pl. *K Hth* —5G **133**
Milford Rd. *B17* —6F **115**
Milford Rd. *Wolv* —4G **43**
Milholme Grn. *Sol* —5H **137**
Milking Bank. *Dud* —5H **75**
Milk St. *B5* —2H **117** (6H **5**)
Millard Rd. *Bils* —4D **60**
Millards Ind. Est. *W Brom*
　—6G **79**
Mill Bank. *Cov* —5H **59**
Millbank Gro. *B23* —1B **84**
　(in two parts)
Millbank St. *Wolv* —6H **17**
Mill Brook Dri. *B31* —1C **158**
Millbrook Rd. *B14* —1E **147**
Millbrook Way. *Brie H*
　—3F **109**
Mill Burn Way. *B9* —1B **118**
Mill Clo. *H'wd* —2A **162**
Mill Cft. *Bils* —5G **45**
Millcroft Clo. *B32* —3C **130**
Millcroft Rd. *S Cold* —3A **52**
Milldale Cres. *Wolv* —3H **15**
Milldale Rd. *Wolv* —3H **15**
Mill Dri. *Smeth* —4F **99**
Millennium Clo. *Wals* —4E **21**
Millennium Point. *B4*
　—6H **101** (3H **5**)
Miller Cres. *Bils* —4C **60**
Millers Clo. *Wals* —2F **47**
Millers Ct. Smeth —4F *99*
　(off Corbett St.)
Millersdale Dri. *W Brom*
　—3D **64**
Millers Grn. Dri. *K'wfrd*
　—1G **91**
Miller St. *B6* —4G **101**
Millers Va. *Wom* —2D **72**
Millers Wlk. *Pels* —4C **20**
Mill Farm Rd. *B17* —2G **131**
Millfield. *N'fld* —3E **145**
Millfield Av. *Pels* —6F **21**
Millfield Av. *Wals* —5B **20**
Millfield Ct. Dud —5C *76*
　(off Eve Hill)
Millfield Rd. *B20* —2A **82**
Millfield Rd. *Wals* —6C **10**
Millfields. *B33* —6H **105**
　(in two parts)
Millfields Clo. *W Brom* —4H **63**
Millfields Rd. *W Brom* —4H **63**
Millfields Rd. *Wolv* —6C **44**
Millfields Way. *Wom* —1E **73**
Millfield Vw. *Hale* —1G **127**
Millford Clo. *B28* —2G **149**
Mill Gdns. *B14* —2D **148**
Mill Gdns. *Smeth* —6D **98**
Mill Green. —2H 35

Mill Grn. *Wolv* —3H **15**
Mill Gro. *Cod* —4A **14**
Millhaven Av. *B30* —1D **146**
Mill Hill. *Smeth* —6D **98**
Millicent Pl. *B12* —5A **118**
Millichip Rd. *W'hall* —2G **45**
Millington Rd. *B36* —1C **104**
Millington Rd. *Tip* —4H **61**
Millington Rd. *Wolv* —3A **28**
Millison Gro. *Shir* —2E **165**
Mill La. *B5* —2H 117 (6G **5**)
Mill La. *A'rdge* —2H **35**
Mill La. *Cod* —1E **13**
Mill La. *Dorr & Ben H*
—5A **166**
Mill La. *Env* —6A **90**
Mill La. *Hale* —1C **128**
Mill La. *Hamm* —2F **11**
Mill La. *N'fld* —6D **144**
Mill La. *O'bry* —5G **97**
Mill La. *Quin* —3B **130**
Mill La. *Sol* —4G **151**
Mill La. *Ston* —3H **23**
Mill La. *Swind* —4D **72**
Mill La. *Tett W* —6G **25**
Mill La. *Wals* —5D **32**
Mill La. *Wed* —2C **28**
Mill La. *Wild* —6A **156**
Mill La. *W'hall* —4B **30**
Mill La. *Wom* —6H **57**
Millmead Lodge. *B13* —5D **134**
Millmead Rd. *B32* —3C **130**
Mill Pl. *Wals* —5C **32**
Mill Pool Clo. *Wom* —2D **72**
Millpool Gdns. *B14* —4H **147**
Millpool Hill. *B14* —3H **147**
Millpool, The. *Seis* —3A **56**
Millpool Way. *Smeth* —5E **99**
Mill Race La. *Stourb* —5E **109**
Mill Rd. *Bwnhls* —6C **10**
Mill Rd. *Crad H* —4G **111**
Mill Rd. *Pels* —6F **21**
Mill Rd. *Yard* —5F **119**
Mills Av. *S Cold* —1C **70**
Mills Clo. *Wolv* —1D **28**
Mills Cres. *Wolv* —3A **44**
Millside. *B28* —4E **149**
Mill Side. *Wom* —2E **73**
Mills Rd. *Wolv* —3A **44**
Millstream Clo. *Cod* —3H **13**
Mill St. *B6* —4H **101**
Mill St. *Bils* —6E **45**
Mill St. *Brie H* —1H **109**
Mill St. *Darl* —5C **46**
Mill St. *Hale* —4E **111**
Mill St. *S Cold* —6A **54**
Mill St. *Tip* —2D **78**
Mill St. *Wals* —6C **32**
Mill St. *W Brom* —3A **80**
Mill St. *W'hall* —1C **46**
Mill St. *Word* —1C **108**
Millsum Ho. Wals —2D 48
(off Paddock La.)
Mills Wlk. *Tip* —6H **61**
Millthorpe Clo. *B8* —4F **103**
Mill Vw. *B33* —5G **105**
Millwalk Dri. *Wolv* —4E **15**
Mill Wlk., The. *B31* —6D **144**
Millward St. *B9* —2C **118**
Millward St. *W Brom* —4G **79**
Millwright Clo. *Tip* —2B **78**
Milner Rd. *B29* —4C **132**
Milner Way. *B13* —5D **134**
Milnes Walker Ct. *B44* —4G **67**
Milsom Gro. *B34* —3H **105**

Milstead Rd. *B26* —2E **121**
Milston Clo. *B14* —6G **147**
Milton Av. *B12* —5A **118**
Milton Clo. *Ben H* —5B **166**
Milton Clo. *Stourb* —4E **109**
Milton Clo. *Wals* —5B **48**
Milton Clo. *W'hall* —2E **31**
Milton Ct. *Pert* —5E **25**
Milton Ct. *Smeth* —2E **115**
Milton Cres. *B25* —4B **120**
Milton Cres. *Dud* —2E **75**
Milton Dri. *Hag* —6G **125**
Milton Gro. *S Oak* —2B **132**
Milton Pl. *Wals* —5B **48**
Milton Rd. *Ben H* —5B **166**
Milton Rd. *Bils* —5F **61**
Milton Rd. *Smeth* —4B **98**
Milton Rd. *Wolv* —4C **28**
Milton St. *B19* —3G **101**
Milton St. *Brie H* —3H **93**
Milton St. *Wals* —3B **48**
Milton St. *W Brom* —2H **79**
Milverton Clo. *Hale* —5A **112**
Milverton Clo. *S Cold* —6D **70**
Milverton Rd. *B23* —3E **85**
Milverton Rd. *Know* —4E **167**
Mimosa Clo. *B29* —5F **131**
Mimosa Wlk. *K'wfrd* —1C **92**
Mincing La. *Row R* —6D **96**
Mindelsohn Way. *Edg*
—1H **131**
Minden Gro. *B29* —4F **131**
Minehead Rd. *Dud* —1H **93**
Minehead Rd. *Wolv* —5F **15**
Miner St. *Wals* —6A **32**
Minerva Clo. *W'hall* —6E **31**
Minerva La. *Wolv* —2A **44**
Minewood Clo. *Wals* —4F **19**
Minith Rd. *Bils* —5F **61**
Miniva Dri. *S Cold* —4E **71**
Minivet Dri. *B12* —5G **117**
Minley Av. *B17* —4D **114**
Minories. *B4* —6G 101 (3E **5**)
Minories, The. *Dud* —6E **77**
Minstead Rd. *B24* —6D **84**
Minster Clo. *Know* —1D **166**
Minster Clo. *Row R* —6E **97**
Minster Ct. *Mose* —1A **134**
Minster Dri. *B10* —4D **118**
Minsterley Clo. *Wolv* —3C **42**
Minster, The. *Wolv* —4D **42**
Mintern Rd. *B25* —3A **120**
Minton Clo. *Wolv* —2C **44**
Minton Rd. *B32* —1D **130**
Minworth. —2H 87
Minworth Ind. Est. *Min*
—1E **87**
Minworth Ind. Pk. *Min*
—1G **87**
Minworth Rd. *Wat O* —4C **88**
Miranda Clo. *Redn* —4G **143**
Mirfield Clo. *Pend* —4E **15**
Mirfield Rd. *B33* —1F **121**
Mirfield Rd. *Sol* —1E **151**
Mission Clo. *Crad H* —2A **112**
Mission Dri. *Tip* —4A **78**
Mistletoe Dri. *Wals* —2F **65**
Mitcham Gro. *B44* —4B **68**
Mitcheldean Covert. *B14*
—5F **147**
Mitchel Av. *Bils* —4D **60**
Mitchel Rd. *K'wfrd* —5C **92**
Mitford Dri. *Sol* —6H **137**
Mitre Clo. *Ess* —4A **18**
Mitre Clo. *W'hall* —2D **30**
Mitre Ct. *S Cold* —5A **54**

Mitre Fold. *Wolv*
—1G 43 (2A **170**)
Mitre Rd. *Stourb* —6A **110**
Mitre Rd. *Wals* —3C **6**
Mitten Av. *Redn* —6F **143**
Mitton Rd. *B20* —5A **82**
Moatbrook Av. *Cod* —3E **13**
Moatbrook La. *Cod* —2C **12**
Moat Coppice. *W'gte*
—4H **129**
Moat Cft. *B37* —1C **122**
Moat Cft. *S Cold* —6F **71**
Moat Dri. *Hale* —2E **113**
Moat Farm Dri. *B32* —4G **129**
Moat Farm Way. *Wals* —2E **21**
Moatfield Ter. *W'bry* —2G **63**
Moat Grn. Av. *Wolv* —2G **29**
Moat Ho. La. E. *Wolv* —2F **29**
Moat Ho. La. W. *Wolv* —2F **29**
Moat Ho. Rd. *B8* —5G **103**
Moat La. *B5* —2G 117 (6F **5**)
Moat La. *Sol* —1G **151**
Moat La. *Wals* —3G **7**
Moat La. *Yard* —4C **120**
Moat Meadows. *B32* —1C **130**
Moatmead Wlk. *B36* —1C **104**
Moat Rd. *O'bry* —1H **113**
Moat Rd. *Tip* —6A **62**
Moat Rd. *Wals* —1H **47**
Moatside Clo. *Wals* —2E **21**
Moat St. *W'hall* —1A **46**
Moatway, The. *B38* —2A **160**
Mobberley Rd. *Bils* —4C **60**
Mob La. *Wals* —5G **21**
Mockleywood Rd. *Know*
—2D **166**
Modbury Av. *B32* —4B **130**
Moden Clo. *Dud* —2H **75**
Moden Hill. *Dud* —1G **75**
Mogul La. *Hale* —4C **110**
Moilliett Ct. *Smeth* —3G **99**
Moilliett St. *B18* —5H **99**
Moira Cres. *B14* —3C **148**
Moises Hall Rd. *Wom* —6H **57**
Moland St. *B4* —5G **101**
Mole St. *B12 & B11* —5B **118**
Molineux All. *Wolv*
—6G 27 (1A **170**)
(in two parts)
Molineux Fold. *Wolv*
—6G 27 (1B **170**)
Molineux St. *Wolv*
—6G 27 (1B **170**)
Molineux Way. *Wolv*
—6G 27 (1B **170**)
Mollington Cres. *Shir* —4A **150**
Molyneux Rd. *Dud* —1G **111**
Monaco Ho. *B5* —3F **117**
Monarch Dri. *Tip* —1C **78**
Monarch's Way. *Hag* —6F **125**
Monarch's Way. *Wolv* —6E **41**
Monarch Way. *Dud* —5E **95**
Mona Rd. *Erd* —2F **85**
Monastery Dri. *Sol* —1B **150**
Monckton Rd. *O'bry* —4G **113**
Moncrieffe Clo. *Dud* —1G **95**
Moncrieffe St. *Wals* —2C **48**
Money La. *Chad* —4A **156**
Monica Rd. *B10* —4F **119**
Monins Av. *Tip* —4A **78**
Monk Clo. *Tip* —4B **78**
Monk Rd. *B8* —4H **103**
Monks Clo. *Wom* —1E **73**
Monkseaton Rd. *S Cold*
—3H **69**
Monksfield Av. *B43* —4H **65**

Monkshood M. *Erd* —6B **68**
Monkshood Retreat. *B38*
—1B **160**
Monks Kirby Rd. *S Cold*
—1D **70**
Monkspath. *S Cold* —4D **70**
Monkspath Bus. Pk. *Shir*
—2D **164**
Monkspath Clo. *Shir* —2B **164**
Monkspath Hall Rd. *Shir &*
Sol —3D **164**
Monkspath Street. —4F 165
Monksway. *B38* —6D **146**
Monkswell Clo. *B10* —4D **118**
Monkswell Clo. *Brie H*
—2H **109**
Monkswood Rd. *B31* —5G **145**
Monkton Rd. *B29* —2E **131**
Monmar Ct. *W'hall* —4B **30**
Monmer Clo. *W'hall* —6B **30**
Monmer La. *W'hall* —5B **30**
Monmore Green. —3A 44
Monmore Pk. Ind. Est. *Wolv*
—4B **44**
Monmore Rd. *Wolv* —3C **44**
Monmouth Dri. *S Cold* —2C **68**
Monmouth Dri. *W Brom*
—6H **63**
Monmouth Ho. *B33* —1A **122**
Monmouth Rd. *B32* —5B **130**
Monmouth Rd. *Smeth*
—3C **114**
Monmouth Rd. *Wals* —6E **31**
Monsal Av. *Wolv* —5A **28**
Monsaldale Clo. *Clay* —1H **21**
Monsal Rd. *B42* —6E **67**
Mons Rd. *Dud* —6G **77**
Montague Rd. *Edg* —2A **116**
Montague Rd. *Erd* —6G **85**
Montague Rd. *Hand* —1B **100**
Montague Rd. *Smeth* —6F **99**
Montague St. *Aston* —1B **102**
Montague St. *Bord* —1A **118**
Montana Av. *B42* —2C **82**
Monteagle Dri. *K'wfrd* —6B **74**
Montfort Gro. *Dud* —6H **59**
Montfort Rd. *Col* —4H **107**
Montfort Rd. *Wals* —5H **47**
Montfort Wlk. *B32* —3G **129**
Montgomery Cres. *Brie H*
—4B **110**
Montgomery Cft. *B11*
—4C **118**
Montgomery Rd. *Wals* —1E **47**
Montgomery St. *B11* —4B **118**
Montgomery Wlk. *W Brom*
—3B **80**
Montgomery Way. *B8*
—5G **103**
Montpelier Rd. *B24* —6G **85**
Montpellier Gdns. *Dud* —5A **76**
Montpellier St. *B12* —5A **118**
Montrose Dri. *B35* —4E **87**
Montrose Dri. *Dud* —1C **94**
Montsford Clo. *Know* —3B **166**
Monument Av. *Stourb*
—1A **126**
Monument La. *Dud* —4A **60**
Monument La. *Hag* —6H **125**
Monument La. *Redn* —5F **157**
Monument Rd. *B16* —2B **116**
(in two parts)
Monway Ind. Est. W'bry
(off Monway Ter.) —2E 63
Monway Ter. *W'bry* —2E **63**
Monwood Gro. *Sol* —5D **150**

Monyhull Hall Rd. *B30*
—5D **146**
Moodyscroft Rd. *B33*
—6G **105**
Moons La. *Wals* —3D **6**
Moor Cen., The. *Brie H*
—1H **109**
Moorcroft Dri. *W'bry* —3C **62**
Moorcroft Pl. *B7* —5A **102**
Moorcroft Rd. *B13* —2G **133**
Moordown Av. *Sol* —3E **137**
Moore Clo. *Pert* —5F **25**
Moore Clo. *S Cold* —3F **37**
Moore Cres. *O'bry* —6A **98**
Moorend Av. *B37* —3B **122**
Moor End La. *B24* —3G **85**
Moore Rd. *W'hall* —1D **30**
Moore's Row. *B5*
—2H **117** (6H **5**)
Moore St. *Wolv* —2B **44**
Moorfield Av. *Know* —3A **166**
Moorfield Dri. *Hale* —5H **111**
Moorfield Dri. *S Cold* —5F **69**
Moorfield Rd. *B34* —3E **105**
Moorfield Rd. *Wolv* —4G **43**
Moorfoot Av. *Hale* —4E **127**
Moor Green. —3E 133
Moor Grn. La. *B13* —4E **133**
Moor Hall Dri. *S Cold* —3A **54**
Moorhills Cft. *Shir* —1H **163**
Moorings, The. *Hurst B*
—5C **94**
Moorings, The. *O'bry* —1E **97**
Moorings, The. *Wolv* —5D **14**
Moorland Av. *Wolv* —3G **27**
Moorland Rd. *B16* —2H **115**
Moorland Rd. *Wals* —1G **31**
Moorlands Ct. *Row R* —5D **96**
Moorlands Dri. *Shir* —4A **150**
Moorlands Rd. *W Brom*
—4A **64**
Moorlands, The. *S Cold*
—2F **53**
Moor La. *B44 & B6* —1H **83**
Moor La. *Row R* —1A **112**
Moor La. Ind. Est. *B6* —2H **83**
Moor Leasow. *B31* —5G **145**
Moor Mdw. Rd. *S Cold*
—4B **54**
Moor Pk. *Pert* —4D **24**
Moor Pk. *Wals* —4H **19**
Moorpark Rd. *B31* —6E **145**
Moor Pool Av. *B17* —5G **115**
Moorpool Ter. *B17* —5G **115**
Moors Cft. *B32* —4H **129**
Moorside Gdns. *Wals* —6H **31**
Moorside Rd. *B14* —3C **148**
Moor's La. *B31* —5C **130**
Moors Mill La. *Tip* —6D **62**
Moorsom St. *B6* —4G **101**
Moors, The. *B36* —1D **104**
Moor Street. —3G 129
Moor St. *B5* —5F **5**
Moor St. *Brie H* —6E **93**
Moor St. *W'bry* —3H **63**
Moor St. *W Brom* —5A **80**
Moor St. Ind. Est. *Brie H*
—1G **109**
Moor St. Queensway. *B4*
—1G **117** (4F **5**)
Moor St. S. *B'hll* —4G **43**
Moor, The. *S Cold* —5E **71**
Moorville Wlk. *B11* —4A **118**
Morar Clo. *B35* —3G **87**
Moray Clo. *Hale* —3E **113**
Morcom Rd. *B11* —6E **119**

Morcroft. *Bils* —2A **62**
Mordaunt Dri. *S Cold* —1C **54**
Morden Rd. *B33* —6B **104**
Moreland Cft. *Min* —1F **87**
Morelands, The. *B31* —6F **145**
Morestead Av. *B26* —6G **121**
Moreton Av. *B43* —3E **67**
Moreton Av. *Wolv* —1A **60**
Moreton Clo. *B32* —6D **114**
(in two parts)
Moreton Clo. *Tip* —3B **62**
Moreton Rd. *Shir* —5A **150**
Moreton Rd. *Wolv* —6H **15**
Moreton St. *B1* —5D **100**
Morford Rd. *Wals* —2C **34**
Morgan Clo. *W'hall* —5B **30**
Morgan Dri. *Bils* —5D **60**
Morgan Gro. *B36* —6B **88**
Morgrove Av. *Know* —3B **166**
Morjon Dri. *B43* —3B **66**
Morland Rd. *B43* —1E **67**
Morley Gro. *Wolv* —5G **27**
Morley Rd. *B8* —3H **103**
Morlich Ri. *Brie H* —3F **109**
Morning Pines. *Stourb*
—1C **124**
Morningside. *S Cold* —5H **53**
Mornington Ct. Col —2H **107**
(off High St.)
Mornington Rd. *Smeth* —2F **99**
Morris Av. *Wals* —1E **47**
Morris Clo. *B27* —1B **136**
Morris Cft. *B36* —6B **88**
Morris Fld. Cft. *B28* —3E **149**
Morrison Av. *Wolv* —1H **27**
Morrison Rd. *Tip* —3C **78**
Morris Rd. *B8* —3H **103**
Morris St. *W Brom* —6A **80**
Mortimers Clo. *B14* —6B **148**
Morton Rd. *Brie H* —4H **109**
Morvale Gdns. *Stourb*
—6A **110**
Morvale St. *Stourb* —6A **110**
Morven Rd. *S Cold* —2G **69**
Morville Clo. *Dorr* —6H **165**
Morville Cft. *Bils* —1D **60**
Morville Rd. *Dud* —5F **95**
Morville St. *B16* —2C **116**
(in two parts)
Mosborough Cres. *B19*
—4E **101**
Mosedale Dri. *Wolv* —4H **29**
Moseley. —2A 134
(Birmingham)
Moseley. —3B 16
(Oxley)
Moseley. —1E 45
(Wolverhampton)
Moseley Ct. *Ess* —4H **17**
Moseley Ct. *W'hall* —2F **45**
Moseley Dri. *B37* —3B **122**
Moseley Hall Dovecote.
—2G **133**
Moseley Old Hall. —2C 16
Moseley Old Hall La. *F'stne*
—2C **16**
Moseley Rd. *B12* —6H **117**
(in two parts)
Moseley Rd. *W'hall & Bils*
—2F **45**
Moseley Rd. *Wolv & Westc*
—2B **16**
Moseley St. *B5 & B12*
—2H **117**
Moseley St. *Tip* —6C **62**
Moseley St. *Wolv* —5G **27**

Moss Clo. *A'rdge* —4C **34**
Moss Clo. *Wals* —6E **33**
Mossdale Way. *Sed* —6A **60**
Moss Dri. *S Cold* —2A **70**
Mossfield Rd. *B14* —6G **133**
Moss Gdns. *Bils* —2D **60**
Moss Gro. *B14* —1F **147**
Moss Gro. *K'wfrd* —2B **92**
Moss Ho. Clo. *B15* —2D **116**
Mossley Clo. *Wals* —6F **19**
Mossley La. *Wals* —5F **19**
Mossvale Clo. *Crad H*
—2H **111**
Mossvale Gro. *B8* —4F **103**
Moss Way. *S Cold* —4H **51**
Mostyn Cres. *W Brom* —6H **63**
Mostyn Pl. *Aston* —6G **83**
Mostyn Rd. *Edg* —1B **116**
Mostyn Rd. *Hand* —1B **100**
Mostyn St. *Wolv* —5F **27**
Mother Teresa Ho. *W Brom*
—4H **79**
Motorway Trad. Est. *B6*
—4H **101**
Mott Clo. *Ock H* —5C **62**
Mottram Clo. *W Brom* —5G **79**
Mottrams Clo. *S Cold* —3A **70**
Mott St. *B19* —5F **101** (1C **4**)
Mott St. Ind. Est. *B19*—5F **101**
Motts Way. *Col* —4H **107**
Moundsley Gro. *B14* —4A **148**
Moundsley Ho. *B14* —5H **147**
Mounds, The. *B38* —1A **160**
Mountain Ash Dri. *Stourb*
—3G **125**
Mountain Ash Rd. *Clay*
—2A **22**
Mount Av. *Brie H* —5G **93**
Mountbatten Clo. *W Brom*
—5D **80**
Mountbatten Rd. *Wals* —1F **47**
Mount Clo. *Dud* —6G **75**
Mount Clo. *Mose* —1H **133**
Mount Clo. *Wals* —3E **7**
Mount Clo. *Wom* —6G **57**
Mount Ct. *Wolv* —6H **25**
Mount Dri. *Wom* —6G **57**
Mountfield Clo. *B14* —5A **148**
Mountford Clo. *Row R* —6C **96**
Mountford Cres. *Wals* —1E **35**
Mountford Dri. *S Cold* —3H **53**
Mountford La. *Bils* —4F **45**
Mountford Rd. *Shir* —6D **148**
Mountford St. *B11* —6D **118**
Mount Gdns. *Cod* —3F **13**
Mountjoy Cres. *Sol* —2G **137**
Mount La. *Dud* —5G **75**
Mt. Pleasant. *B10* —2B **118**
Mt. Pleasant. *Bils* —5G **45**
Mt. Pleasant. *Brie H* —2A **110**
Mt. Pleasant. *K Hth* —4H **133**
Mt. Pleasant. *Wals* —3D **6**
Mt. Pleasant Av. *B21* —6A **82**
Mt. Pleasant Av. *Wom* —6F **57**
Mt. Pleasant St. *Bils* —5D **60**
Mt. Pleasant St. *W Brom*
—5A **80**
Mountrath St. *Wals* —2C **48**
Mount Rd. *B21* —2H **99**
Mount Rd. *Lane* —3B **60**
Mount Rd. *Pels* —3E **21**
Mount Rd. *Penn* —6E **43**
Mount Rd. *Row R* —6E **97**
Mount Rd. *Stourb* —6F **109**
Mount Rd. *Tett W* —1G **41**

Mount Rd. *Tiv* —1C **96**
Mount Rd. *W'hall* —3G **45**
Mount Rd. *Wom* —6G **57**
Mount Rd. *Word* —1B **108**
Mounts Rd. *W'bry* —3F **63**
Mount St. *B7 & Nech* —3C **102**
Mount St. *Hale* —3A **128**
Mount St. *Stourb* —6E **109**
Mount St. *Tip* —1C **78**
Mount St. *Wals* —3C **48**
Mount St. Ind. Est. *B7*
—2D **102**
Mounts Way. *B7* —2C **102**
Mount, The. *B23* —6D **84**
Mount, The. *Crad H* —2A **112**
Mount, The. *Curd* —1E **89**
Mount, The. *S Cold* —1C **70**
Mount Vw. *S Cold* —1C **70**
Mountwood Covert. *Wolv*
—6H **25**
Mousehall Farm Rd. *Brie H*
—3H **109**
Mouse Hill. *Wals* —4D **20**
Mouse Sweet. —6G 95
Mousesweet Clo. *Dud* —5G **95**
Mousesweet La. *Dud* —6G **95**
Mousesweet Wlk. *Crad H*
—3D **110**
Mowbray Clo. *Redn* —5G **143**
Mowbray St. *B5* —3G **117**
Mowe Cft. *B37* —4C **122**
Moxhull Clo. *W'hall* —6C **18**
Moxhull Dri. *S Cold* —5C **70**
Moxhull Gdns. *W'hall* —6C **18**
Moxhull Rd. *B37* —4C **106**
Moxley. —1B 62
Moxley Ct. *W'bry* —1A **62**
Moxley Ind. Cen. *W'bry*
—1C **62**
Moxley Rd. *W'bry* —1B **62**
Moyle Dri. *Hale* —4D **111**
Moyses Cft. *Smeth* —1E **99**
Muchall Rd. *Wolv* —6E **43**
Muckley Corner. —4H 11
Mucklow Hill. *Hale* —1C **128**
Mucklow Hill Trad. Est. *Hale*
—6C **112**
Muirfield Clo. *Blox* —4G **19**
Muirfield Cres. *Tiv* —2B **96**
Muirfield Gdns. *B38* —6H **145**
Muirhead Ho. *B5* —5E **117**
Muirville Clo. *Stourb* —6B **92**
Mulberry Dri. *B13* —4B **134**
Mulberry Grn. *Dud* —2C **76**
Mulberry Pl. *Wals* —6F **19**
Mulberry Rd. *B30* —2G **145**
Mulberry Rd. *Wals* —6F **19**
Mulberry Wlk. *S Cold* —3G **51**
Mull Clo. *Redn* —6E **143**
Mull Cft. *B36* —2C **106**
Mullens Gro. Rd. *B37*
—4C **106**
Mullett Rd. *Wolv* —2D **28**
Mullett St. *Brie H* —4F **93**
Mulliners Clo. *B37* —1E **123**
Mullion Cft. *B38* —6A **146**
Mullion Rd. *S Cold* —5H **53**
Mulwych Rd. *B33* —1A **122**
Munslow Gro. *B31* —1D **158**
Muntz St. *B10* —3D **118**
Murcroft Rd. *Stourb* —4H **125**
Murdock Rd. *Bils* —5A **46**
Murdock Gro. *B21* —2A **100**
Murdock Pl. Smeth —5F **99**
(off Corbett St.)
Murdock Point. *B6* —1B **102**

Murdock Rd. *B21* —1A **100**
Murdock Rd. *Smeth* —3H **99**
Murdock Way. *Wals* —3F **31**
(in two parts)
Murray Ct. *S Cold* —2G **69**
Murrell Clo. *B5* —4F **117**
Musborough Clo. *B36* —6G **87**
Muscott Gro. *B17* —6F **115**
Muscovy Rd. *B23* —4C **84**
Musgrave Clo. *S Cold* —2C **70**
Musgrave Rd. *B18* —3B **100**
Mushroom Green. —1D 110
Mushroom Grn. *Dud* —2D **110**
Mushroom Hall Rd. *O'bry*
—4H **97**
Musk La. *Dud* —4F **75**
Musk La. W. *Dud* —4F **75**
Muswell Clo. *Sol* —2H **151**
Muxloe Clo. *Wals* —4G **19**
Myatt Av. *A'rdge* —4B **34**
Myatt Av. *Wolv* —5A **44**
Myatt Clo. *Wolv* —5A **44**
Myatt Way. *Wals* —4B **34**
Myddleton St. *B18* —5C **100**
Myles Ct. *Brie H* —5H **93**
Mynors Cres. *H'wd* —4A **162**
Myring Dri. *S Cold* —5D **54**
Myrtle Av. *B12* —6A **118**
Myrtle Av. *K Hth* —5H **147**
Myrtle Clo. *W'hall* —2E **31**
Myrtle Gro. *B19* —1E **101**
Myrtle Gro. *Wolv* —5C **42**
Myrtle Pl. *S Oak* —3D **132**
Myrtle Rd. *Dud* —4D **76**
Myrtle St. *Wolv* —5B **44**
Myrtle Ter. *Tip* —3B **62**
Myton Dri. *Shir* —5D **148**
Mytton Clo. *Dud* —6G **77**
Mytton Gro. *Tip* —2G **77**
Mytton Rd. *B30* —2G **145**
Mytton Rd. *Wat O* —4C **88**
Myvod Rd. *W'bry* —6G **47**

Naden Rd. *B19* —3D **100**
Nadin Rd. *S Cold* —5G **69**
Nafford Gro. *B14* —5H **147**
Nagersfield Rd. *Brie H* —6E **93**
Nailers Clo. *B32* —3F **129**
Nailors Fold. *Cose* —3F **61**
Nailstone Cres. *B27* —5A **136**
Nairn Clo. *B28* —2F **149**
Nairn Rd. *Wals* —3G **19**
Nally Dri. *Bils* —3C **60**
Nanaimo Way. *K'wfrd* —5E **93**
Nansen Rd. *Salt* —4E **103**
Nansen Rd. *S'hll* —2C **134**
Nantmel Gro. *B32* —5A **130**
Naomi Way. *Wals W* —3D **22**
Napier Dri. *Tip* —1C **78**
Napier Rd. *Wals* —4G **31**
Napier Rd. *Wolv* —4A **44**
Napton Gro. *B29* —3D **130**
Narraway Gro. *Tip* —5G **62**
Narrowboat Way. *Dud* —4C **94**
Narrowboat Way. *Hurst B*
—5C **94**
Narrow La. *Bwnhls* —5B **10**
Narrow La. *Hale* —3E **113**
Narrow La. *Wals* —4H **47**
Naseby Dri. *Hale* —3F **127**
Naseby Rd. *B8* —4F **103**
Naseby Rd. *Sol* —1F **151**
Naseby Rd. *Wolv* —6F **25**
Nash Av. *Wolv* —6E **25**
Nash Clo. *Row R* —2C **112**

Nash Ho. *B15* —3F **117**
Nash Sq. *B42* —3F **83**
Nash Wlk. Smeth —4G 99
(off Poplar St.)
Nately Gro. *B29* —3G **131**
Nathan Clo. *S Cold* —3H **53**
National Distribution Pk. *Col*
—2H **89**
National Motorcycle Mus.
—3H 139
National Sea Life Cen.
—1D 116
Naunton Clo. *B29* —6E **131**
Naunton Rd. *Wals* —6G **31**
Navenby Clo. *Shir* —4C **148**
Navigation Dri. *Hurst B*
—5C **94**
Navigation La. *W'bry* —3D **64**
Navigation Roundabout. *Tip*
—1E **79**
Navigation St. *B2 & B5*
—1F **117** (5C **4**)
Navigation St. *Wals* —1B **48**
Navigation St. *Tip* —4A **44**
Navigation Way. *W Brom*
—5F **79**
Nayland Cft. *B28* —2G **149**
Naylors Gro. *Dud* —3A **76**
Neachell. —1F 45
Neachells La. *Wolv & W'hall*
—4F **29**
Neachless Av. *Wom* —2G **73**
Neachley Gro. *B33* —5D **104**
Neale Ho. *W Brom* —6B **80**
Neale St. *Wals* —1A **48**
Nearhill Rd. *B38* —1G **159**
Near Lands Clo. *B32* —1H **129**
Nearmoor Rd. *B34* —3H **105**
Neasden Gro. *B44* —5B **68**
Neath Rd. *Wals* —5F **19**
Neath Way. *Dud* —1C **76**
Neath Way. *Wals* —5F **19**
Nebsworth Clo. *Shir* —2B **150**
Nechells. —2D 102
Nechells Pk. Rd. *B7* —3B **102**
Nechell's Parkway. *B7*
—5A **102**
Nechells Pl. *B7* —3B **102**
NEC Ho. *B37* —6F **123**
(in two parts)
Needham St. *B7* —2C **102**
Needhill Clo. *Know* —3B **166**
Needlers End. —3H 169
Needlers End La. *Bal C*
—3F **169**
Needless All. *B2*
—1F **117** (4D **4**)
Needwood Clo. *Wolv* —5F **43**
Needwood Dri. *Wolv* —1B **60**
Needwood Gro. *W Brom*
—4C **64**
Nelson Av. *Bils* —4E **45**
Nelson Building. *B4* —1G **5**
Nelson Ho. *Tip* —5A **62**
Nelson Rd. *B6* —6H **83**
Nelson Rd. *Dud* —6D **76**
Nelson St. *B1* —6D **100**
Nelson St. *O'bry* —3H **97**
Nelson St. *W Brom* —2A **80**
Nelson St. *W'hall* —6B **30**
Nelson St. *Wolv*
—3G **43** (6B **170**)
Nene Clo. *Stourb* —1E **125**
Nene Way. *B36* —1B **106**
Neptune Ind. Est. *W'hall*
—3B **46**

Neptune St. *Tip* —2G **77**
Nesbit Gro. *B9* —6H **103**
Nesfield Clo. *B38* —6G **145**
Nesfield Gro. *H Ard* —6B **140**
Nesscliffe Gro. *B23* —6D **68**
Nest Comn. *Wals* —2D **20**
(in three parts)
Neston Gro. *B33* —1A **120**
Netheravon Clo. *B14* —5F **147**
Netherby Rd. *Dud* —5G **59**
Nethercote Gdns. *Shir*
—4E **149**
Netherdale Clo. *S Cold* —6A **70**
Netherdale Rd. *B14* —6A **148**
Netherend. —4C 110
Netherend Clo. *Hale* —4C **110**
Netherend La. *Hale* —4D **110**
Netherend Sq. *Hale* —4C **110**
Netherfield Gdns. *B27*
—2H **135**
Nethergate. *Dud* —2B **76**
Netherstone Gro. *S Cold*
—4F **37**
Netherton. —4D 94
Netherton Bus. Pk. *Dud*
—5F **95**
Netherton Gro. *B33* —6H **105**
Netherton Hill. *Dud* —4E **95**
Netherton Lodge. *Dud* —4E **95**
Netherton Tunnel. —2H 95
Netherwood Clo. *Sol* —1G **165**
Nethy Dri. *Wolv* —4H **25**
Netley Gro. *B11* —2F **135**
Netley Rd. *Wals* —5E **19**
Netley Way. *Wals* —5E **19**
Nevada Way. *B37* —2E **123**
Neve Av. *Wolv* —6B **16**
Neve's Opening. *Wolv* —1B **44**
Neville Av. *Wolv* —6H **43**
Neville Rd. *Cas B* —6A **88**
Neville Rd. *Erd* —4C **84**
Neville Rd. *Shir* —6F **149**
Neville Wlk. *B35* —5E **87**
Nevin Gro. *B42* —2E **83**
Nevis Ct. *Wolv* —1C **42**
Nevis Gro. *W'hall* —6B **18**
Nevison Gro. *B43* —1D **66**
Newark Cft. *B26* —5F **121**
Newark Rd. *Dud* —1F **111**
Newark Rd. *W'hall* —2C **30**
New Bank Gro. *B9* —6G **103**
New Bartholomew St. *B5*
—1H **117** (4G **5**)
New Birmingham Rd. *Tiv*
—5H **77**
Newbold Clo. *Ben H* —4B **166**
Newbold Cft. *B7* —4B **102**
Newbolds. —3C 28
Newbolds Rd. *Wolv* —3C **28**
Newbolt Rd. *Bils* —5G **45**
Newbolt St. *Wals* —6C **48**
New Bond St. *B9* —2B **118**
New Bond St. *Dud* —1F **95**
Newborough Gro. *B28*
—3F **149**
Newborough Rd. *Hall G & Shir*
—3F **149**
Newbridge. —6C 26
Newbridge Av. *Wolv* —6C **26**
Newbridge Cres. *Wolv* —5C **26**
Newbridge Dri. *Wolv* —5C **26**
Newbridge Gdns. *Wolv*
—5C **26**
Newbridge M. *Wolv* —5D **26**
Newbridge Rd. *B9* —3H **119**
Newbridge Rd. *K'wfrd* —1A **92**

Newbridge St. *Wolv* —5D **26**
Newburn Cft. *B32* —6H **113**
Newbury Clo. *Hale* —2D **128**
Newbury Clo. *Wals* —2F **7**
Newbury Ho. *O'bry* —4D **96**
Newbury La. *O'bry* —3C **96**
Newbury Rd. *B19* —2G **101**
Newbury Rd. *Stourb* —1A **108**
Newbury Rd. *Wolv* —5G **15**
Newbury Wlk. *Row R* —3C **96**
Newby Gro. *B37* —4D **106**
New Canal St. *B5*
—1H **117** (5G **5**)
New Cannon Pas. *B2*
—1G **117** (4E **5**)
Newcastle Cft. *B35* —4G **87**
Newchurch Gdns. *B24* —5E **85**
New Chu. Rd. *S Cold* —5G **69**
New Cole Hall La. *B34*
—4F **105**
New College Clo. *Wals* —4E **49**
Newcombe Rd. *B21* —5H **81**
Newcomen Ct. *Wals* —2F **33**
Newcomen Dri. *Tip* —4H **77**
Newcott Clo. *Wolv* —5D **14**
New Ct. Brie H —1H 109
(off Promenade, The)
New Coventry Rd. *B26*
—6D **120**
New Cft. *B19* —2G **101**
Newcroft Gro. *B26* —4C **120**
New Cross. —4D 28
New Cross Ind. Est. *Wolv*
—6C **28**
New Cross St. *Tip* —2G **77**
New Cross St. *W'bry* —6D **46**
Newdigate Rd. *S Cold* —6E **55**
New Dudley Rd. *K'wfrd*
—1A **92**
Newells Dri. *Tip* —6D **62**
Newells Rd. *B26* —3E **121**
New England. *Hale* —4E **113**
New England Clo. *O'bry*
—6E **79**
Newent Clo. *W'hall* —6D **30**
New Enterprise Workshops.
B7 —3C **102**
Newent Rd. *B31* —3G **145**
Newey Clo. *Redn* —3G **157**
Newey Rd. *B28* —1F **149**
Newey Rd. *Wolv* —1A **30**
Newey St. *Dud* —5C **76**
New Farm Rd. *Stourb*
—1G **125**
Newfield Clo. *Sol* —1H **151**
Newfield Clo. *Wals* —3A **32**
Newfield Cres. *Hale* —6A **112**
Newfield Dri. *K'wfrd* —5C **92**
Newfield La. *Hale* —6A **112**
Newfield Rd. *O'bry* —1F **97**
New Forest Rd. *Wals* —4C **32**
New Gas St. *W Brom* —2G **79**
(in two parts)
New Hall Dri. *S Cold* —1B **70**
(in two parts)
Newhall Farm Clo. *S Cold*
—1B **70**
Newhall Hill. *B1*
—6E **101** (2A **4**)
Newhall Ho. Wals —3C 48
(off Newhall St.)
Newhall Pl. *B1* —6E **101** (2A **4**)
New Hall Rd. *W'bry* —2G **63**
Newhall Rd. *Row R* —6C **96**
Newhall St. *B3*
—6E **101** (2B **4**)

Newhall St. *Tip* —5G **61**
Newhall St. *Wals* —3C **48**
Newhall St. *W Brom* —5A **80**
Newhall St. *W'hall* —1A **46**
Newhall Wlk. *S Cold* —1A **70**
New Hampton Rd. E. *Wolv*
—6F **27** (1A **170**)
New Hampton Rd. W. *Wolv*
—5D **26**
Newhaven Clo. *B7* —5A **102**
Newhay Cft. *B19* —2E **101**
New Heath Clo. *Wolv* —4D **28**
New Henry St. *O'bry* —5G **97**
Newholme Gdns. *Sol* —4H **151**
Newhope Clo. *B15* —3F **117**
New Hope Rd. *Smeth* —5G **99**
New Horse Rd. *Wals* —2E **7**
New Ho. Cres. *Bal C* —3H **169**
Newhouse Farm Clo. *S Cold*
—2D **70**
Newick Av. *S Cold* —6B **36**
Newick Gro. *B14* —2E **147**
Newick St. *Dud* —5E **95**
Newington Rd. *B37* —3D **122**
New Inn Rd. *B19* —6F **83**
New Inns Clo. *B21* —1H **99**
New Inns La. *Redn* —6E **143**
New Invention. —2D **30**
New John St. *B6* —4G **101**
New John St. *Hale* —2C **112**
New John St. W. *B19* —3E **101**
New King St. *Dud* —6E **77**
Newland Clo. *Wals* —5G **21**
Newland Ct. *B23* —5C **84**
Newland Gdns. *Crad H*
—4G **111**
Newland Gro. *Dud* —2B **94**
Newland Rd. *B9* —2F **119**
Newlands Clo. *W'hall* —2A **46**
Newlands Dri. *Hale* —4E **113**
Newlands Grn. *Smeth* —5E **99**
Newlands La. *B37* —5C **122**
Newlands Rd. *B30* —6D **132**
Newlands Rd. *Ben H* —5B **166**
Newlands, The. *B34* —2G **105**
Newlands Wlk. *O'bry* —5H **97**
(off Jackson St.)
New Landywood La. *Ess*
—1E **19**
New Leasow. *S Cold* —6E **71**
Newlyn Rd. *B31* —4D **144**
Newlyn Rd. *Crad H* —3F **111**
Newman Av. *Wolv* —1B **60**
Newman College Clo. *B32*
—5A **130**
Newman Ct. *Hand* —6A **82**
Newman Pl. *Bils* —4H **45**
Newman Rd. *B23 & B24*
—3F **85**
Newman Rd. *Tip* —4C **62**
Newman Rd. *Wolv* —6C **16**
Newmans Clo. *Smeth* —5G **99**
Newman Way. *Redn* —2G **157**
Newmarket Clo. *Wolv* —4E **27**
New Mkt. St. *B3*
—6F **101** (3C **4**)
Newmarket Way. *B36*
—1H **103**
Newmarsh Rd. *Min* —1E **87**
New Mdw. Clo. *B31* —5F **145**
New Meeting St. *B4*
—1G **117** (4F **5**)
New Meeting St. *O'bry* —1G **97**
New Mills St. *Wals* —4B **48**
New Mill St. *Dud* —6E **77**
Newmore Gdns. *Wals* —6G **49**

New Moseley Rd. *B12*
—3A **118**
Newnham Gro. *B23* —1E **85**
Newnham Ho. *B36* —4D **106**
Newnham Ri. *Shir* —4B **150**
Newnham Rd. *B16* —1G **115**
New Oscott. —4C **68**
New Pool Rd. *Crad H*
—3D **110**
Newport Rd. *B36* —1D **104**
Newport Rd. *Bal H* —1A **134**
Newport St. *Wals* —2C **48**
Newport St. *Wolv* —5A **28**
Newquay Clo. *Wals* —4A **50**
Newquay Rd. *Wals* —4H **49**
New Railway St. *W'hall*
—1B **46**
New Rd. *A'rdge* —4C **34**
New Rd. *Bwnhls* —6B **10**
New Rd. *Dud* —3E **95**
New Rd. *Hale* —1B **128**
New Rd. *H'wd* —1H **161**
New Rd. *N'bri* —5C **26**
New Rd. *Redn* —2F **157**
New Rd. *Sol* —4G **151**
New Rd. *Stourb* —6E **109**
New Rd. *Swind* —4A **72**
New Rd. *Tip* —1D **78**
New Rd. *Wat O* —4D **88**
New Rd. *W'bry* —5D **46**
New Rd. *Wed* —1D **28**
New Rd. *W'hall* —2A **46**
New Rowley Rd. *Dud* —2G **95**
New Spring St. *B18* —5C **100**
New Spring St. N. *B18*
—4C **100**
Newstead Rd. *B44* —2B **68**
New St. *B2* —1F **117** (4C **4**)
New St. *Blox* —6H **19**
New St. *Cas B* —1F **105**
New St. *Dud* —6E **77**
New St. *Erd* —2F **85**
New St. *Ess* —4A **18**
New St. *E'shll* —5C **44**
New St. *Gorn W* —4G **75**
New St. *Gt Wyr* —3G **7**
New St. *Hill T* —6G **63**
New St. *K'wfrd* —1A **92**
New St. *Mer H* —5B **42**
New St. *P'flds* —6A **44**
New St. *Quar B* —3C **110**
New St. *Redn* —5F **143**
New St. *Rus* —2F **33**
New St. *Shelf* —6H **21**
New St. *Smeth* —3E **99**
New St. *Tip* —2H **77**
New St. *Wals* —2D **48**
New St. *W'bry* —4F **63**
(Potter's La.)
New St. *W'bry* —5D **46**
(St Lawrence Way)
New St. *W Brom* —4B **80**
(in two parts)
New St. *W'hall* —2G **45**
New St. *Word* —6D **108**
(Bath Rd.)
New St. *Word* —1B **108**
(Ryder St.)
New St. N. *W Brom* —4B **80**
New Summer St. *B19* —5F **101**
New Swan La. *W Brom*
—2G **79**
Newton. —5G **65**
Newton Clo. *B43* —4G **65**
Newton Gdns. *B43* —5F **65**
Newton Gro. *B29* —3B **132**

Newton Ho. *W'hall* —2B **46**
Newton Mnr. Clo. *B43* —5H **65**
Newton Pl. *B18* —2B **100**
Newton Pl. *Wals* —3H **31**
Newton Rd. *Know* —2D **166**
Newton Rd. *S'hll* —6B **118**
Newton Rd. *Wals* —4H **31**
Newton Rd. *W Brom & Gt Barr*
—1C **80**
Newton Sq. *B43* —4A **66**
Newton St. *B4* —6G **101** (2F **5**)
Newton St. *W Brom* —6C **64**
Newtown. —3F **101**
(Birmingham)
Newtown. —2G **19**
(Bloxwich)
New Town. —3B **10**
(Brownhills)
Newtown. —1E **111**
(Netherton)
New Town. —3D **78**
(West Bromwich)
New Town. *Brie H* —5G **93**
(in two parts)
Newtown. *Dud* —2F **111**
Newtown Dri. *B19* —3E **101**
Newtown La. *Crad H* —2F **111**
Newtown La. *Rom* —6C **142**
Newtown Middleway. *B6*
—4G **101**
New Town Row. —3G **101**
New Town Row. *B6* —3G **101**
Newtown Shop. Cen. *B19*
—3G **101**
Newtown St. *Crad H* —1F **111**
New Village. *Dud* —2E **111**
New Wood. —3A **108**
New Wood Clo. *Stourb*
—3A **108**
New Wood Gro. *Wals* —4C **22**
Ney Ct. *Tip* —5H **77**
Niall Clo. *B15* —3A **116**
Nicholas Rd. *S Cold* —3G **51**
Nicholds Clo. *Bils* —4D **60**
Nicholls Fold. *Wolv* —4F **29**
Nicholls Rd. *Tip* —4G **61**
Nicholls St. *W Brom* —5C **80**
Nichols Clo. *Sol* —6B **138**
Nigel Av. *B31* —2E **145**
Nigel Rd. *B8* —3E **103**
Nigel Rd. *Dud* —5C **76**
Nightingale Av. *B36* —1C **106**
Nightingale Cres. *Brie H*
—4H **109**
Nightingale Cres. *W'hall*
—1B **30**
Nightingale Dri. *Tip* —2C **78**
Nightingale Pl. *Bils* —5F **45**
Nightingale Wlk. *B15* —4E **117**
Nightjar Gro. *B23* —1C **84**
Nighwood Dri. *S Cold* —4H **51**
Nijon Clo. *B21* —6G **81**
Nimmings Clo. *B31* —3D **158**
Nimmings Rd. *Hale* —3D **112**
Nineacres Dri. *B37* —1C **122**
Nine Elms La. *Wolv* —4A **28**
Nine Leasowes. *Smeth*
—2C **98**
Nine Locks Ridge. *Brie H*
—1H **109**
Nine Pails Wlk. *W Brom*
—5B **80**
Nineveh Av. *B21* —2B **100**
Nineveh Rd. *B21* —2A **100**
Ninfield Rd. *B27* —2G **135**
Nith Pl. *Dud* —5D **76**

Noakes Ct. *W'bry* —4F **47**
Nocke Rd. *Wolv* —6H **17**
Nock St. *Tip* —6C **62**
Noddy Pk. *Wals* —2D **34**
Noddy Pk. Rd. *Wals* —2D **34**
Noel Av. *B12* —5A **118**
Noel Rd. *B16* —2B **116**
Nolton Clo. *B43* —5H **65**
Nooklands Cft. *B33* —1E **121**
Nook, The. *Brie H* —4F **93**
Nook, The. *Wals* —4C **6**
Noose Cres. *W'hall* —1G **45**
Noose La. *W'hall* —1G **45**
Nora Rd. *B11* —2C **134**
Norbiton Rd. *B44* —5A **68**
Norbreck Clo. *B43* —4A **66**
Norbury Av. *Wals* —4D **20**
Norbury Cres. *Wolv* —1B **60**
Norbury Dri. *Brie H* —2H **109**
Norbury Gro. *Sol* —2E **137**
Norbury Rd. *B44* —2H **67**
Norbury Rd. *Bils* —5H **45**
Norbury Rd. *W Brom* —6G **63**
Norbury Rd. *Wolv* —3B **28**
Norcombe Gro. *Shir* —4E **165**
Nordley Rd. *Wolv* —4E **29**
Nordley Wlk. *Wolv* —3E **29**
Norfolk Av. *W Brom* —6B **64**
Norfolk Clo. *B30* —1D **146**
Norfolk Cres. *Wals* —1D **34**
Norfolk Dri. *W'bry* —1B **64**
Norfolk Gdns. *S Cold* —3H **53**
Norfolk Gro. *Wals* —4F **7**
Norfolk New Rd. *Wals* —5G **31**
Norfolk Pl. *Wals* —4B **32**
Norfolk Rd. *Dud* —2C **94**
Norfolk Rd. *Edg* —4H **115**
Norfolk Rd. *Erd* —2F **85**
Norfolk Rd. *O'bry* —4H **113**
Norfolk Rd. *Redn* —5F **143**
Norfolk Rd. *Stourb* —3B **108**
Norfolk Rd. *S Cold* —4H **53**
Norfolk Rd. *Wolv* —3E **43**
Norfolk Tower. *Hock* —4D **100**
Norgrave Rd. *Sol* —3G **137**
Norlan Dri. *B14* —4H **147**
Norland Rd. *B27* —4A **136**
Norley Gro. *B13* —6C **134**
Norley Trad. Est. *B33*
—3G **121**
Norman Av. *B32* —4C **114**
Normandy Rd. *B20* —6G **83**
Norman Rd. *N'fld* —4F **145**
Norman Rd. *Smeth* —2B **114**
Norman Rd. *Wals* —3G **49**
Norman St. *B18* —4A **100**
Norman St. *Dud* —1F **95**
Norman Ter. *Row R* —5C **96**
Normanton Av. *B26* —6H **121**
Normanton Tower. *B23*
—1G **85**
Norrington Gro. *B31* —4A **144**
Norrington Rd. *B31* —4A **144**
Norris Dri. *B33* —6D **104**
Norris Rd. *B6* —6H **83**
Norris Way. *S Cold* —6B **54**
Northampton St. *B18* —5E **101**
Northam Wlk. *Wolv* —5F **27**
Northanger Rd. *B27* —3H **135**
North Av. *B40* —6G **123**
North Av. *Wolv* —3E **29**
Northbrook Ct. *Shir* —2A **150**
Northbrook Rd. *Shir* —2A **150**
Northbrook St. *B16* —5B **100**
Northcote Rd. *B33* —5B **104**
Northcote St. *Wals* —5B **32**

Northcott Rd. *Bils* —1H **61**
Northcott Rd. *Dud* —5F **95**
North Cres. *F'stne* —1D **16**
North Dale. *Wolv* —5H **25**
Northdown Rd. *Sol* —6D **150**
North Dri. *B5* —6E **117**
North Dri. *Hand* —1D **100**
North Dri. *S Cold* —5A **54**
Northfield. —4E 145
Northfield Gro. *Wolv* —4A **42**
Northfield Rd. *B30 & K Nor* —3H **145**
Northfield Rd. *Dud* —4F **95**
Northfield Rd. *Harb* —2E **131**
Northfields Way. *Clay* —1H **21**
Northfleet Tower. *B31* —5A **144**
North Ga. *B17* —4G **115**
Northgate. *Crad H* —3E **111**
Northgate. *Wals* —5C **22**
Northgate Way. *Wals* —1C **34**
North Grn. *Wolv* —5B **42**
North Holme. *B9* —1C **118**
Northland Rd. *Shir* —6C **150**
Northlands Rd. *B13* —4A **134**
Northleach Av. *B14* —5F **147**
Northleigh Rd. *B8* —3G **103**
Northmead. *B33* —1E **121**
Northolt Dri. *B35* —4E **87**
Northolt Gro. *B42* —4B **66**
North Oval. *Dud* —2A **76**
Northover Clo. *Wolv* —5E **15**
N. Park Rd. *B23* —4B **84**
North Pathway. *B17* —4F **115**
North Rd. *Hand* —5G **83**
North Rd. *Harb* —5H **115**
North Rd. *S Oak* —2B **132**
North Rd. *Tip* —5B **62**
North Rd. *Wolv* —5G **27**
North Roundhay. *B33* —5E **105**
Northside Dri. *S Cold* —3H **51**
North-South Link Rd. *W'bry* —3E **47**
North Springfield. *Dud* —4A **60**
North St. *Brie H* —1G **109**
North St. *Dud* —6F **77**
North St. *Smeth* —4D **98**
North St. *Wals* —5C **32**
North St. *W'bry* —1F **63**
North St. *Wolv*
—1G **43** (2B **170**)
(in two parts)
North St. Ind. Est. *Brie H*
—1G **109**
Northumberland St. *B7*
—6A **102**
N. View Dri. *Brie H* —4H **93**
North Wlk. *B31* —6G **145**
N. Warwick St. *B9* —2D **118**
Northway. *B37* —5H **123**
Northway. *Dud* —2G **59**
N. Western Arc. *B2*
—6G **101** (3E **5**)
N. Western Rd. *Smeth* —3D **98**
N. Western Ter. *B18* —2B **100**
Northwick Cres. *Sol* —6F **151**
Northwood Ct. *Brie H*
—1H **109**
Northwood Pk. Clo. *Wolv*
—4H **15**
Northwood Pk. Rd. *Wolv*
—4A **16**
Northwood St. *B3*
—5E **101** (2B **4**)
Northwood Way. *Brie H*
—3F **109**

N. Worcestershire Path. *Rom*
—6A **142**
Northycote Farm Country Pk.
—4C **16**
Norton. —3C 124
Norton Canes. —1E 9
Norton Clo. *B31* —4E **145**
Norton Clo. *Smeth* —4G **99**
Norton Clo. *Wolv* —2A **58**
Norton Cres. *B9* —6H **103**
Norton Cres. *Bils* —4F **61**
Norton Cres. *Dud* —6G **95**
Norton Dri. *Wyt* —5C **162**
Norton E. Rd. *Cann* —1E **9**
Norton Grange. *Cann* —1D **8**
Norton Grange Cres. *Cann*
—1D **8**
Norton Green. —2D 8
Norton Grn. La. *Cann* —1C **8**
Norton Grn. La. *Know*
—6E **167**
Norton Hall La. *Cann* —2B **8**
Norton La. *Cann* —1B **8**
Norton La. *Earls* —6E **163**
Norton La. *Gt Wyr* —1G **7**
Norton La. *Wyt & Tid G*
—5C **162**
Norton Rd. *Col* —6H **89**
Norton Rd. *Pels* —1E **21**
Norton Rd. *Stourb* —4B **124**
Norton St. *B18* —4C **100**
Norton Tower. *B1* —4A **4**
Norton Vw. *B14* —6F **133**
Norton Wlk. *B23* —4C **84**
Nortune Clo. *B38* —5H **145**
Norwich Cft. *B37* —2B **122**
Norwich Dri. *B17* —3D **114**
Norwich Rd. *Dud* —1F **111**
Norwich Rd. *Wals* —2H **47**
Norwood Av. *Crad H* —4G **111**
Norwood Gro. *B19* —2D **100**
Norwood Rd. *B9* —1E **119**
Norwood Rd. *Brie H* —6G **93**
Nottingham Dri. *W'hall*
—2C **30**
Nottingham New Rd. *Wals*
—4G **31**
Nottingham Way. *Brie H*
—1B **110**
Nova Ct. *B43* —4D **66**
Nova Scotia St. *B4*
—6H **101** (3G **5**)
Novotel Way. *Birm A* —1E **139**
Nowell St. *W'bry* —6E **47**
Nuffield Ho. *B36* —1C **106**
Nugent Clo. *B6* —2G **101**
Nugent Gro. *Shir* —5B **164**
Nursery Av. *B12* —6H **117**
Nursery Av. *Wals* —4D **34**
Nursery Clo. *B30* —2B **146**
Nursery Dri. *B30* —2B **146**
Nursery Dri. *Wom* —3F **73**
Nursery Gdns. *Cod* —3F **13**
Nursery Gdns. *Shir* —1E **163**
Nursery Gdns. *Stourb*
—2D **108**
Nursery Rd. *Edg* —5H **115**
Nursery Rd. *Hock* —3D **100**
Nursery Rd. *Wals* —1H **31**
Nursery St. *Wolv*
—6G **27** (1B **170**)
Nursery Vw. Clo. *A'rdge*
—1G **51**
Nursery Wlk. *Wolv* —5B **26**
Nurton. —6A 24

Nurton Bank. *Patt* —6A **24**
Nutbush Dri. *B31* —1B **144**
Nutfield Wlk. *B32* —6D **114**
Nutgrove Clo. *B14* —6H **133**
Nuthatch Dri. *Brie H* —4G **109**
Nuthurst. *S Cold* —1F **71**
Nuthurst Dri. *Cann* —1F **7**
Nuthurst Gro. *B14* —5H **147**
Nuthurst Gro. *Ben H* —5C **166**
Nuthurst Rd. *B31* —3D **158**
Nutley Dri. *Tip* —5D **62**
Nuttall Gro. *B21* —2G **99**

Oak Av. *B12* —6A **118**
Oak Av. *Gt Wyr* —4G **7**
Oak Av. *Wals* —6E **31**
Oak Av. *W Brom* —4H **79**
Oak Bank. *B18* —3C **100**
Oak Barn Rd. *Hale* —3E **113**
Oak Clo. *B17* —5E **115**
Oak Clo. *Tip* —4A **62**
Oak Cotts. *B7* —6B **102**
Oak Ct. *Hale* —3H **127**
Oak Ct. *Smeth* —1A **98**
Oak Ct. *Stourb* —1E **125**
Oak Cres. *Tiv* —6B **78**
Oak Cres. *Wals* —3B **32**
Oak Cft. *B37* —6B **106**
Oakcroft Rd. *B13* —6B **134**
Oakdale Clo. *Brie H* —2F **93**
Oakdale Clo. *O'bry* —1G **113**
Oakdale Rd. *B36* —1C **104**
Oakdale Rd. *O'bry* —1G **113**
Oakdale Trad. Est. *K'wfrd*
—6B **74**
Oakdene Clo. *Wals* —3D **6**
Oak Dri. *B23* —6C **68**
Oak Dri. *Seis* —3A **56**
Oaken. —5D 12
Oaken Covert. *Cod* —5E **13**
Oaken Dri. *Cod* —5D **12**
Oaken Dri. *Sol* —2D **150**
Oaken Dri. *W'hall* —2E **31**
Oaken Gro. *Cod* —5E **13**
Oakenhayes Cres. *Min* —2G **87**
Oakenhayes Cres. *Wals*
—4B **10**
Oaken La. *Oaken* —4C **12**
Oaken Lanes. *Cod* —4E **13**
Oaken Pk. *Cod* —5G **13**
Oakenshaw Rd. *Shir* —6B **150**
Oakeswell St. *W'bry* —2G **63**
Oakeywell St. *Dud* —6F **77**
Oakfarm. —6C 74
Oak Farm Clo. *S Cold* —6E **71**
Oak Farm Rd. *B30* —2H **145**
Oakfield Av. *B12* —5A **118**
Oakfield Av. *B11* —5C **118**
Oakfield Av. *Dud* —6D **60**
Oakfield Av. *Hand* —2H **99**
Oakfield Av. *K'wfrd* —4C **92**
Oakfield Clo. *Smeth* —3G **99**
Oakfield Clo. *Stourb* —2D **108**
Oakfield Ct. Brie H —1H 109
(off Promenade, The)
Oakfield Dri. *Redn* —5B **158**
Oakfield Dri. *Wals* —2F **21**
Oakfield Rd. *Bal H* —6G **117**
Oakfield Rd. *Cod* —5H **13**
Oakfield Rd. *Erd* —4B **85**
Oakfield Rd. *S Oak* —2C **132**
Oakfield Rd. *Smeth* —3G **99**
Oakfield Rd. *W'cte* —3B **126**
Oakfield Rd. *Word* —2E **109**

Oakfields Way. *Cath B*
—2D **152**
Oakfield Trad. Est. *Crad H*
—3F **111**
Oak Grn. *Dud* —2C **76**
Oak Grn. *Wolv* —6H **25**
Oak Gro. *B31* —6D **144**
Oak Gro. *Wolv* —2D **28**
Oakhall Dri. *Dorr* —5B **166**
Oakham. —2A 96
Oakham Av. *Dud* —2G **95**
Oakham Ct. *Dud* —1G **95**
Oakham Cres. *Dud* —2G **95**
Oakham Dri. *Dud* —1H **95**
Oakham Rd. *B17* —4F **115**
Oakham Rd. *Dud* —1G **95**
Oakham Rd. *Tiv* —2A **96**
Oakham Way. *Sol* —4E **137**
Oak Hill. *Wolv* —3A **42**
Oakhill Cres. *B27* —5H **135**
Oak Hill Dri. *B15* —4A **116**
Oakhill Dri. *Brie H* —4F **109**
Oak House Mus. —5H 79
Oakhurst Rd. *B27* —4H **135**
Oakhurst Rd. *S Cold* —5A **70**
Oakington Ho. *B35* —4E **87**
Oakland Clo. *Sol* —3A **152**
Oakland Dri. *Dud* —5F **75**
Oakland Rd. *Hand* —1A **100**
(in two parts)
Oakland Rd. *Mose* —2A **134**
Oakland Rd. *Wals* —2C **32**
Oaklands. *Curd* —1D **88**
Oaklands. *Hale* —1G **129**
Oaklands Av. *B17* —6F **115**
Oaklands Cft. *S Cold* —6F **71**
Oaklands Dri. *B20* —5B **82**
Oaklands Dri. *S Cold* —2H **51**
Oaklands Grn. *Bils* —3F **45**
Oaklands Rd. *S Cold* —3H **53**
Oaklands Rd. *Wolv* —3F **43**
Oaklands, The. *B37* —4C **122**
Oaklands Way. *B31* —6H **143**
Oaklands Way. *Wals* —4E **21**
Oak La. *Bars* —6B **154**
Oak La. *K'wfrd* —6C **74**
Oak La. *W Brom* —4H **79**
Oaklea Dri. *Crad H* —1H **111**
Oakleaf Clo. *B32* —3B **130**
Oak Leaf Dri. *Mose* —2A **134**
Oak Leasow. *B32* —1H **129**
Oakleigh. *B31* —5G **145**
Oakleigh Dri. *Cod* —4G **13**
Oakleigh Dri. *Dud* —6G **59**
Oakleigh Rd. *Stourb* —3E **125**
Oakleighs. *Stourb* —2A **108**
Oakleigh Wlk. *K'wfrd* —1C **92**
Oakley Av. *A'rdge* —4C **34**
Oakley Av. *Tip* —1A **78**
Oakley Gro. *Wolv* —6B **42**
Oakley Rd. *B10 & Small H*
—4C **118**
(in two parts)
Oakley Rd. *K Nor* —2D **146**
Oakley Rd. *Wolv* —6B **42**
Oak Leys. *Wolv* —2A **42**
Oakley Wood Dri. *Sol*
—3A **152**
Oakmeadow Clo. *B33*
—1H **121**
Oakmeadow Clo. *Yard*
—6B **120**
Oakmeadow Way. *Erd* —4B **86**
Oakmount Clo. *Wals* —4D **20**
Oak Mt. Rd. *S Cold* —4A **52**
Oak Pk. Rd. *Stourb* —2D **108**
Oakridge Dri. *W'hall* —5C **30**

Oakridge Dri. *W'hall* —5C **30**
Oak Ri. *Col* —4H **107**
Oak Rd. *Dud* —4E **77**
Oak Rd. *O'bry* —4A **114**
Oak Rd. *Pels* —2D **20**
Oak Rd. *Tip* —6G **61**
Oak Rd. *Wals* —6G **21**
Oak Rd. *Wals W* —4C **22**
Oak Rd. *W Brom* —5H **79**
Oak Rd. *W'hall* —1G **45**
Oaks Cres. *Wolv* —2E **43**
Oaks Dri. *Wolv* —1E **43**
Oaks Dri. *Wom* —2G **73**
Oakslade Dri. *Sol* —5A **138**
Oaks, The. *B17* —3F **115**
Oaks, The. *B34* —2F **105**
Oaks, The. *K Nor* —3B **160**
Oaks, The. *Smeth* —4D **98**
Oaks, The. *S Cold* —2E **71**
Oak St. *Bils* —6D **60**
Oak St. *Crad H* —2F **111**
Oak St. *Dud* —5G **95**
Oak St. *K'wfrd* —4A **92**
Oak St. *Quar B* —2B **110**
Oak St. *Wolv* —5D **44**
 (WV2)
Oak St. *Wolv* —2E **43**
 (WV3)
Oak St. Trad. Est. *Brie H*
 —2B **110**
Oakthorpe Dri. *B37* —4B **106**
Oakthorpe Gdns. *Tiv* —5A **78**
Oak Tree Clo. *Ben H* —5A **166**
Oaktree Cres. *Hale* —5F **113**
Oak Tree Gdns. *Stourb*
 —2E **109**
Oak Tree La. *H'wd* —3B **162**
Oak Tree La. *S Oak & B'vlle*
 —4A **132**
Oaktree Rd. *W'bry* —2H **63**
Oak Trees. *H'wd* —3H **161**
Oak Vw. *Wals* —6E **31**
Oak Wlk., The. *B31* —6E **145**
Oak Way. *S Cold* —3D **70**
Oakwood Clo. *Ess* —4B **18**
Oakwood Clo. *Wals* —3A **22**
Oakwood Cres. *Dud* —3B **94**
Oakwood Cft. *Sol* —6G **151**
Oakwood Dri. *B14* —3F **147**
Oakwood Dri. *S Cold* —3G **51**
Oakwood Rd. *H'wd* —3A **162**
Oakwood Rd. *Smeth* —5D **98**
Oakwood Rd. *S'hll* —2C **134**
Oakwood Rd. *S Cold* —3E **69**
Oakwood Rd. *Wals* —2C **32**
Oakwood St. *W Brom* —2H **79**
Oasthouse Clo. *K'wfrd* —2G **91**
Oaston Rd. *B36* —1H **105**
Oatfield Clo. *Burn* —1C **10**
Oatlands Wlk. *B14* —5E **147**
Oatlands Way. *Pert* —6D **24**
Oat Mill Clo. *W'bry* —6E **47**
Oban Rd. *Sol* —4D **136**
Oberon Clo. *Redn* —5G **143**
Oberon Dri. *Shir* —6G **149**
Occupation Rd. *Wals* —3C **22**
Occupation St. *Dud* —5C **76**
Ocean Dri. *W'bry* —4D **62**
Ockam Cft. *B31* —5G **145**
Ocker Hill. —5C 62
Ocker Hill Rd. *Tip* —4B **62**
O'Connor Dri. *Tip* —4C **62**
Oddingley Ct. *B23* —5B **84**
Oddingley Rd. *B31* —5G **145**
Odell Cres. *Wals* —2A **32**
Odell Pl. *B5* —6E **117**

Odell Rd. *Wals* —2H **31**
Odell Way. *Wals* —2H **31**
Odensil Grn. *Sol* —3F **137**
Offa's Dri. *Wolv* —4E **25**
Offenham Covert. *B38*
 —1A **160**
Offini Clo. *W Brom* —5D **80**
Offmoor Rd. *B32* —5H **129**
Ogbury Clo. *B14* —5E **147**
Ogley Cres. *Wals* —6C **10**
Ogley Dri. *S Cold* —6D **54**
Ogley Hay Rd. *Bwnhls*
 —3C **10**
Ogley Rd. *Wals* —6C **10**
O'Hare Ho. *Wals* —6D **32**
O'Keefe Clo. *B11* —5B **118**
Okement Dri. *Wolv* —4D **28**
Old Abbey Gdns. *B17*
 —1H **131**
Oldacre Clo. *S Cold* —1B **86**
Old Acre Dri. *Hand* —2A **100**
Oldacre Rd. *O'bry* —4G **113**
Old Bank Pl. *S Cold* —6A **54**
Old Bank Top. *B31* —5F **145**
Old Barn Rd. *B30* —1H **145**
Old Barn Rd. *Stourb* —2E **109**
Old Beeches. *B23* —5C **68**
Old Bell Rd. *B23* —1H **85**
Oldberrow Clo. *Shir* —3E **165**
Old Birchills. *Wals* —6A **32**
Old Birmingham Rd. *L End &*
 Marl —6F **157**
Old Bri. St. *B19* —3E **101**
Old Bri. Wlk. *Row R* —4H **95**
Old Bromford La. *B8* —2H **103**
Old Brookside. *B33* —1C **120**
Oldbury. —1G 97
Oldbury Bus. Cen. *O'bry*
 —1G **113**
Oldbury Grn. Retail Pk. *O'bry*
 —1E **97**
Oldbury Ho. *O'bry* —1A **114**
Oldbury Ringway. *O'bry*
 —1F **97**
Oldbury Rd. *Row R* —1D **112**
Oldbury Rd. *Smeth* —2A **98**
Oldbury Rd. *W Brom* —4E **79**
Oldbury Rd. Ind. Est. *Smeth*
 —2B **98**
Oldbury Rd. Ind. Est. *W Brom*
 —5F **79**
Oldbury St. *W'bry* —2H **63**
Old Bush St. *Brie H* —6A **94**
Old Camp Hill. *B11* —3A **118**
Old Canal Wlk. *Tip* —2B **78**
Old Castle Gro. *Bwnhls*
 —3B **10**
Old Chapel Rd. *Smeth* —6D **98**
Old Chapel Wlk. *O'bry* —5G **97**
Old Chu. Av. *Harb* —6G **115**
Old Chu. Grn. *B33* —1C **120**
Old Chu. Rd. *B17 & Harb*
 —6F **115**
Old Chu. Rd. *Wat O* —4D **88**
Old Ct. Cft. *B9* —2C **118**
Old Cft. La. *B36 & B34*
 —2G **105**
Old Cross. *B4* —2G **5**
Old Cross St. *B4*
 —6H **101** (2G **5**)
Old Cross St. *Tip* —2G **77**
Old Crown Clo. *B32* —4H **129**
Old Damson La. *Sol* —3C **138**
Old Dickens Heath Rd. *Shir*
 —4G **163**
Olde Hall La. *Gt Wyr* —1F **7**

Olde Hall Rd. *F'stne* —1E **17**
Old End La. *Bils* —6E **61**
Old Fallings. —1B 28
Old Fallings Cres. *Wolv*
 —2A **28**
Old Fallings La. *Wolv* —6B **16**
Old Falls Clo. *C Hay* —2D **6**
Old Farm Gro. *B14* —2D **148**
Old Farm Mdw. *Wolv* —3A **42**
Old Farm Rd. *B33* —5C **104**
Oldfield Dri. *Stourb* —2E **125**
Oldfield Rd. *B12* —5A **118**
Old Fld. Rd. *Bils* —5C **60**
Old Fld. Rd. *W'bry* —4E **63**
Oldfields. *Crad H* —3F **111**
Old Fire Sta., The. *B17*
 —5H **115**
Old Fordrove. *S Cold* —2B **70**
Old Forest Way. *B34* —3F **105**
Old Forge Clo. *Wals* —3D **48**
Old Forge Trad. Est. *Stourb*
 —5A **110**
Old Grange Rd. *B11* —1C **134**
Old Grn. La. *Know & Ken*
 —6B **168**
Old Gro. Gdns. *Stourb*
 —2H **125**
Old Hall Clo. *Stourb* —3E **109**
Old Hall La. *A'rdge* —6D **50**
Old Hall St. *Wolv*
 —2H **43** (4C **170**)
Old Ham La. *Stourb* —3G **125**
Old Hampton La. *Westc*
 —5E **17**
Old Hawne La. *Hale* —6A **112**
Old Heath Cres. *Wolv* —2C **44**
Old Heath Rd. *Wolv* —2C **44**
Old High St. *Brie H* —2B **110**
Old Hill. —1H 111
Old Hill. *Wolv* —4B **26**
Old Hill By-Pass. *Crad H*
 —1H **111**
Old Hobicus La. *O'bry* —4H **97**
Old Horns Cres. *B43* —3E **67**
Oldhouse Farm Clo. *B28*
 —1F **149**
Old Ho. La. *Rom* —6B **142**
Oldington Gro. *Sol* —1F **165**
Old Kingsbury Rd. *Min*
 —2G **87**
Oldknow Rd. *B10* —5E **119**
Old Landywood La. *Ess*
 —1C **18**
Old La. *Wals* —2A **32**
Old La. *Wolv* —1F **41**
Old Level Way. *Neth* —5F **95**
Old Lime Gdns. *B38* —1A **160**
Old Lindens Clo. *S Cold*
 —4G **51**
Old Lode La. *Sol* —1F **137**
Old Mnr., The. *Wolv* —4B **26**
Old Marsh La. *Curd* —2E **89**
Old Mdw. Rd. *B31* —2G **159**
Old Meeting Rd. *Bils* —5E **61**
Old Meeting St. *W Brom*
 (in two parts) —2H **79**
Old Mill Clo. *Shir* —5D **148**
Old Mill Ct. *Col* —2H **107**
Old Mill Gdns. *B33* —1C **120**
Old Mill Gdns. *Wals* —5G **21**
Old Mill Gro. *B20* —5E **83**
Old Mill Rd. *Col* —2H **107**
Old Moat Dri. *B31* —4F **145**
Old Moat Way. *B8* —3H **103**
Old Moxley. —1B 62
Oldnall Clo. *Stourb* —1B **126**

Oldnall Rd. *Stourb & Hale*
 —1B **126**
Old Oak Clo. *Wals* —1D **34**
Old Oak Rd. *B38* —5C **146**
Old Oscott. —4G 67
Old Oscott Hill. *B44* —4H **67**
Old Oscott La. *B44* —5G **67**
Old Pk. *B31 & B29* —2E **145**
Old Pk. Clo. *Aston* —2G **101**
Old Pk. La. *O'bry* —4G **97**
Old Pk. Rd. *Dud* —3B **76**
Old Pk. Rd. *W'bry* —5E **47**
Old Pk. Rd. Ind. Est. *W'bry*
 —1E **63**
Old Pk. Wlk. *Aston* —2G **101**
Old Penns La. *Col* —2H **107**
 (off Penns La.)
Old Pl. *Wals* —1A **32**
Old Pleck Rd. *Wals* —3H **47**
Old Port Clo. *Tip* —5B **78**
Old Portway. *B38* —2A **160**
Old Postway. *B19* —2F **101**
 (in two parts)
Old Quarry Clo. *Redn* —1F **157**
Old Quarry Dri. *Dud* —2H **75**
Old Rectory Gdns. *Wals*
 —3E **35**
Old School Clo. *W'hall* —1A **46**
Old School Dri. *Row R* —6C **96**
Old Scott Clo. *B33* —1G **121**
Old Smithy Pl. *B18* —4C **100**
Old Snow Hill. *B4*
 —5F **101** (1D **4**)
Old Sq. *B4* —6G **101** (3F **5**)
Old Sq. Shop. Cen. *Wals*
 —2C **48**
Old Stables Wlk. *B7* —2C **102**
Old Sta. Rd. *B33* —5B **104**
Old Sta. Rd. *H Ard* —3H **139**
Old Stone Clo. *Redn* —6F **143**
Old Stow Heath La. *Wolv*
 —2E **45**
Old Swinford. —3E 125
Old Tokengate. *B17* —5H **115**
Old Town Clo. *B38* —5B **146**
Old Town La. *Wals* —4D **20**
Old Vicarage Clo. *Wals* —5E **21**
Old Vicarage Clo. *Wom*
 —6H **57**
Old Walsall Rd. *B42 & Hamp I*
 —2B **82**
Old Warstone La. *Ess* —5B **6**
Old Warwick Ct. *Sol* —4C **136**
Old Warwick Rd. *Sol* —4C **136**
Oldway Dri. *Sol* —5A **152**
Old Well Clo. *Rus* —2F **33**
Old Wharf Rd. *Stourb*
 —5D **108**
Olga Dri. *Tip* —4B **62**
Olinthus Av. *Wolv* —2G **29**
Olive Av. *Wolv* —6A **44**
Olive Dri. *Hale* —3D **112**
Olive Hill Rd. *Hale* —3D **112**
Olive La. *Hale* —3C **112**
Olive Mt. *O'bry* —1D **96**
Olive Pl. *B14* —6H **133**
Oliver Clo. *Dud* —1G **95**
Oliver Ct. *Row R* —1B **112**
Oliver Cres. *Bils* —3G **61**
Oliver Rd. *Erd* —1F **85**
Oliver Rd. *Lady* —1B **116**
Oliver Rd. *Smeth* —6G **99**
Oliver St. *B7* —4A **102**
Ollerton Rd. *B26* —4D **120**
Ollison Dri. *S Cold* —1H **51**
Olliver Clo. *Hale* —2G **129**

Olorenshaw Rd. *B26* —6H **121**
Olton. —4B 136
Olton Boulevd. E. *B27*
    —3G **135**
Olton Boulevd. W. *B11*
    —2F **135**
Olton Cft. *B27* —2B **136**
Olton Mere. *Sol* —4C **136**
Olton Rd. *Shir* —3H **149**
Olton Wharf. *Sol* —3C **136**
Olympus Dri. *Gt Bri* —1D **78**
Ombersley Clo. *O'bry* —4D **96**
Ombersley Ho. *B31* —5H **145**
Ombersley Rd. *B12* —5A **118**
Ombersley Rd. *Hale* —3H **127**
One Stop Shop. Cen. *P Barr*
    —4F **83**
Onibury Rd. *B21* —6H **81**
Onslow Cres. *Sol* —4E **137**
Onslow Rd. *B11* —1G **135**
Ontario Clo. *B38* —1C **160**
Oozells Pl. *B1* —5A **4**
Oozells Sq. *B1* —5A **4**
Oozells St. *B1* —1E **117** (5A **4**)
Oozells St. N. *B1*
    —1E **117** (5A **4**)
Open Fld. Clo. *B31* —5F **145**
Openfield Cft. *Wat O* —5E **89**
Orchard Av. *Sol* —2H **151**
Orchard Blythe. *Col* —3H **107**
Orchard Clo. *C Hay* —2E **7**
Orchard Clo. *Col* —2H **107**
Orchard Clo. *Curd* —1D **88**
Orchard Clo. *Hale* —5E **111**
Orchard Clo. *Hand* —5B **82**
Orchard Clo. *Row R* —6B **96**
Orchard Clo. *Rus* —4G **33**
Orchard Clo. *S Cold* —5G **69**
Orchard Clo. *W'hall* —2B **46**
Orchard Clo. *Wolv* —4H **41**
Orchard Ct. *Erd* —3B **84**
Orchard Ct. *K'wfrd* —3B **92**
Orchard Ct. *Row R* —6B **96**
Orchard Cres. *Wolv* —4H **41**
Orchard Dri. *B31* —2D **158**
Orchard Gro. *Dud* —4F **75**
Orchard Gro. *S Cold* —6F **37**
Orchard Gro. *Wals* —5D **34**
Orchard Gro. *Wolv* —1E **59**
Orchard La. *Cod* —4H **13**
Orchard La. *Stourb* —5A **110**
Orchard Mdw. Wlk. *B35*
    —4F **87**
Orchard Ri. *B26* —4D **120**
Orchard Rd. *B24* —2G **85**
Orchard Rd. *Bal H* —5H **117**
Orchard Rd. *Dud* —1E **111**
Orchard Rd. *Wals* —2F **65**
Orchard Rd. *W'hall* —2B **46**
Orchard Rd. *Wolv* —2E **29**
Orchards, The. *Four O* —3G **53**
Orchards, The. *H'wd* —2A **162**
Orchards, The. *Shir* —5B **164**
Orchard St. *Brie H* —5G **93**
Orchard St. *Tip* —5H **77**
Orchards Way. *B12* —5G **117**
Orchard, The. *B37* —3B **122**
Orchard, The. *Bils* —6G **45**
Orchard, The. *Blox* —5B **20**
Orchard, The. *O'bry* —5A **98**
Orchard, The. *Wolv* —3C **26**
Orchard Tower. *B31* —6D **102**
Orchard Way. *B27* —1H **135**
Orchard Way. *Crad H* —2H **111**
Orchard Way. *Gt Barr* —4B **66**
Orchard Way. *H'wd* —1A **162**

Orcheston Wlk. *B14* —6F **147**
Orchid Clo. *Smeth* —2B **98**
Orchid Dri. *Hock* —3F **101**
Oregon Clo. *K'wfrd* —3D **92**
Oregon Dri. *W'hall* —2E **31**
Orford Gro. *B21* —1G **99**
Oriel Clo. *Dud* —5A **76**
Oriel Dri. *Wolv* —4H **15**
Oriel Ho. *B37* —6C **106**
Orion Clo. *B8* —5H **103**
Orion Clo. *Wals* —4F **7**
Orkney Av. *B34* —3D **104**
Orkney Cft. *B36* —2D **106**
Orlando Clo. *Wals* —3C **48**
Orlando Ho. *Wals* —3D **48**
    (off Barleyfield Row)
Orme Clo. *Brie H* —3E **109**
Ormes La. *Wolv* —6A **26**
Ormonde Clo. *Hale* —4D **110**
Ormond Pl. *Bils* —5H **45**
Ormond Rd. *Redn* —6E **143**
Ormsby Ct. *B15* —4B **116**
Ormsby Gro. *B27* —6H **135**
Ormscliffe Rd. *Redn* —3H **157**
Orphanage Rd. *B24 & Erd*
    —2G **85**
Orphanage Rd. *S Cold* —1A **86**
Orpington Rd. *B44* —2G **67**
Orpwood Rd. *B33* —1E **121**
Orslow Wlk. *Wolv* —4C **28**
Orton Av. *S Cold* —1D **86**
Orton Clo. *Wat O* —4C **88**
Orton Gro. *Wolv* —1B **58**
Orton La. *Wolv* —2F **57**
Orton Way. *B35* —6E **87**
Orwell Clo. *Stourb* —1A **124**
Orwell Clo. *Wolv* —4H **29**
Orwell Dri. *B38* —1F **159**
Orwell Dri. *W Brom* —1B **80**
Orwell Pas. *B5*
    —1G **117** (5F **5**)
Orwell Rd. *Wals* —3F **49**
Osberton Dri. *Dud* —5B **76**
Osborne Dri. *Darl* —3D **46**
Osborne Gro. *B19* —2E **101**
Osborne Rd. *Erd* —2F **85**
Osborne Rd. *Hand* —1B **100**
Osborne Rd. *W Brom* —4A **80**
Osborne Rd. *Wolv* —6D **42**
Osborne Rd. S. *B23* —3F **85**
Osborn Rd. *B11* —5C **118**
Osbourne Clo. *B6* —2A **102**
Osbourne Clo. *Brie H* —3B **110**
Osbourne Cft. *Shir* —4B **164**
Oscott Ct. *B23* —5E **69**
Oscott Gdns. *P Barr* —4G **83**
Oscott Rd. *P Barr & Holf*
    —4G **83**
Oscott School La. *B44* —3G **67**
Osier Gro. *B23* —1B **84**
Osier Pl. *Wolv* —1B **44**
Osier St. *Wolv* —1B **44**
Oslar St. *B16* —1B **116**
Osmaston Rd. *B17* —2E **131**
Osmaston Rd. *Stourb*
    —3C **124**
Osmington Gro. *Hale* —5F **111**
Osprey Dri. *Dud* —6B **76**
Osprey Rd. *B27* —3B **136**
Osprey Rd. *Erd* —1C **84**
Ostler Clo. *K'wfrd* —2G **91**
Oswin Pl. *Wals* —4D **32**
Oswin Rd. *Wals* —4D **32**
Other Rd. *Redn* —4A **158**
Otley Gro. *B9* —6A **104**
Otter Cft. *B34* —4H **105**

Otterstone Clo. *Dud* —3G **59**
Oughton Rd. *B12* —4A **118**
Oundle Rd. *B44* —6H **67**
Ounsdale. —1F 73
Ounsdale Cres. *Wom* —6G **57**
Ounsdale Dri. *Dud* —6E **95**
Ounsdale Rd. *Wom* —6E **57**
Ounty John La. *Stourb*
    —5D **124**
Outmore Rd. *B33* —2F **121**
Oval Rd. *B24* —6E **85**
Oval Rd. *Tip* —1H **77**
Oval, The. *Dud* —1A **94**
Oval, The. *Smeth* —6B **98**
Oval, The. *W'bry* —1F **63**
Overbrook Clo. *Dud* —5G **75**
Over Brunton Clo. *B31*
    —5F **145**
Overbury Clo. *B31* —4G **145**
Overbury Clo. *Hale* —3B **128**
Overbury Rd. *B31* —3G **145**
Overdale Av. *S Cold* —2D **86**
Overdale Clo. *Wals* —6C **30**
Overdale Dri. *Wals* —6C **30**
Overdale Rd. *B32* —1C **130**
Overend Rd. *Hale & Crad H*
    —4F **111**
Overend St. *W Brom* —4B **80**
Overfield Dri. *Bils* —2C **60**
Overfield Rd. *B32* —4C **130**
Overfield Rd. *Dud* —1A **94**
Over Grn. Dri. *B37* —3B **106**
Overhill Rd. *Burn* —1C **10**
Overlea Av. *B27* —2H **135**
Over Mill Dri. *B29* —3D **132**
Over Moor Clo. *B19* —2E **101**
Over Pool Rd. *B8* —3G **103**
Overseal Rd. *Wolv* —1G **29**
Overslade Rd. *Sol* —6D **150**
Oversley Rd. *Min* —1E **87**
Overstrand. *Wolv* —4D **14**
Overton Clo. *B28* —1G **149**
Overton Dri. *Wat O* —4E **89**
Overton Gro. *B27* —5A **136**
Overton La. *Hamm* —1E **11**
Overton Pl. *B7* —6A **102**
Overton Pl. *W Brom* —1B **80**
Overton Rd. *B27* —5H **135**
Overton Wlk. *Wolv* —5A **42**
Over Wood Cft. *B8* —6E **103**
Owen Pl. *Bils* —5F **45**
Owen Rd. *Bils* —5F **45**
Owen Rd. *W'hall* —2B **46**
Owen Rd. *Wolv* —2E **43**
Owen Rd. Ind. Est. *W'hall*
    —2C **46**
Owens Cft. *B38* —6C **146**
Owen St. *Dud* —1G **95**
Owen St. *Tip* —2G **77**
Owen St. *W'bry* —4D **46**
Owens Way. *Crad H* —2A **112**
Ownall Rd. *B34* —3G **105**
Oxbarn Av. *Wolv* —4C **42**
Oxenton Cft. *Hale* —3F **127**
Oxford Clo. *B8* —4H **103**
Oxford Clo. *Wals* —2F **7**
Oxford Dri. *B27* —1B **136**
Oxford Dri. *Stourb* —1D **124**
Oxford Pas. *Dud* —6D **76**
Oxford Rd. *A Grn* —2A **136**
Oxford Rd. *Erd* —3F **85**
Oxford Rd. *Mose* —3H **133**
Oxford Rd. *Smeth* —1E **99**
    (in two parts)
Oxford Rd. *W Brom* —4H **79**
Oxford St. *B5* —2H **117** (6G **5**)

Oxford St. *Bils* —6G **45**
Oxford St. *Dud* —6D **76**
Oxford St. *Stir* —6C **132**
Oxford St. *Wals* —4A **48**
Oxford St. *W'bry* —2H **63**
Oxford St. *Wolv* —2A **44**
Oxford St. Ind. Pk. *Bils*
    —6H **45**
Oxford Ter. *W'bry* —3H **63**
Oxhill Rd. *B21* —5G **81**
Oxhill Rd. *Shir* —5C **148**
Ox Leasow. *B32* —3A **130**
Oxley. —6F 15
Oxley Av. *Wolv* —3G **27**
Oxley Clo. *Dud* —1D **110**
Oxley Clo. *Wals* —4F **7**
Oxley Gro. *B29* —5E **131**
Oxley La. *Wolv* —6G **27**
Oxley Links Rd. *Wolv* —1F **27**
Oxley Moor Rd. *Wolv* —1D **26**
Ox Leys Rd. *S Cold & Wis*
    —1F **71**
Oxley St. *Wolv* —5G **27**
Oxlip Clo. *Wals* —2E **65**
Oxpiece Dri. *B36* —1B **104**
Oxstall Clo. *Min* —1H **87**
Ox St. *Dud* —2H **75**
Oxted Clo. *Wolv* —4H **29**
Oxted Cft. *B23* —4E **85**
Oxwood La. *Rom & Quin*
    —3D **142**
Oxygen St. *B7* —5H **101**

Pace Cres. *Bils* —3A **62**
Pacific Av. *W'bry* —4D **62**
Packhorse La. *K Nor & H'wd*
    —3F **161**
Packington Av. *B34* —4G **105**
Packington Ct. *S Cold* —5E **37**
Packington La. *Col* —5H **107**
Packington La. *Col & Mer*
    —5H **107**
Packwood Clo. *B20* —5C **82**
Packwood Clo. *Ben H*
    —5A **166**
Packwood Clo. *W'hall* —3H **45**
Packwood Ct. *Sol* —2G **151**
Packwood Dri. *B43* —4H **65**
Packwood Gullet. —6F 167
Packwood Ho. *B15* —3E **117**
    (off Gaywood Cft.)
Packwood Rd. *B26* —3F **121**
Packwood Rd. *Tiv* —6A **78**
Padarn Clo. *Dud* —4G **59**
Padbury. *Wolv* —4F **15**
Paddington Rd. *B21* —6G **81**
Paddington Wlk. *Wals* —5F **31**
Paddock Dri. *B26* —5E **121**
Paddock Dri. *Dorr* —6H **167**
Paddock La. *A'rdge* —4C **34**
Paddock La. *Gt Wyr* —2G **7**
Paddock La. *Wals* —2D **48**
    (in two parts)
Paddocks Dri. *H'wd* —3H **161**
Paddocks Grn. *B18* —4C **100**
Paddocks Rd. *H'wd* —3A **162**
Paddocks, The. *Edg* —3D **116**
Paddock, The. *B31* —3G **145**
Paddock, The. *Bils* —4F **61**
Paddock, The. *Cod* —5F **13**
Paddock, The. *Dud* —2A **76**
Paddock, The. *Pert* —5D **24**
Paddock, The. *Stourb*
    —4F **125**
Paddock, The. *Wolv* —5F **43**

Paddock, The. *Wom* —1E **73**
Paddock Vw. *Wolv* —3F **27**
Padgate Clo. *B35* —4F **87**
Padstow Rd. *B24* —3B **86**
Paganal Dri. *W Brom* —6C **80**
Paganel Dri. *Dud* —4E **77**
Paganel Rd. *B29* —3E **131**
Pages Clo. *S Cold* —6A **54**
Pages Ct. *B43* —4A **66**
Pages La. *B43* —4A **66**
Paget Clo. *Bils* —5D **60**
Paget Ho. *Tip* —4B **78**
Paget M. *S Cold* —3D **70**
Paget Rd. *B24* —3B **86**
Paget Rd. *Wolv* —1D **42**
Paget St. *Wolv*
　　　　—6F **27** (1A **170**)
Pagham Clo. *Wolv* —5D **14**
Pagnell Gro. *B13* —1C **148**
Paignton Rd. *B16* —6H **99**
Pailton Gro. *B29* —4F **131**
Pailton Rd. *Shir* —2H **149**
Painswick Clo. *Wals* —2F **65**
Painswick Rd. *B28* —6E **135**
Paintcup Row. *Dud* —1E **111**
Painters Corner. Smeth
　(off Grove La.) 　　　—4G **99**
Painters Cft. *Cose* —4G **61**
Pakefield Rd. *B30* —4E **147**
Pakenham Clo. *S Cold*
　　　　　　　—5D **70**
Pakenham Rd. *B15 & Edg*
　　　　　　　—4E **117**
Pakfield Wlk. *B6* —1H **101**
Palace Clo. *Row R* —5D **96**
Palace Dri. *Smeth* —1B **98**
Palace Rd. *B9* —1E **119**
Palefield Rd. *Shir* —3D **164**
Pale La. *B17* —3D **114**
Pale St. *Dud* —2A **76**
Palethorpe Rd. *Tip* —5A **62**
Palfrey. —4B 48
Palfrey Rd. *Stourb* —6B **108**
Pallasades Shop. Cen., The.
　B2 —1F **117** (5D **4**)
Palmcourt Av. *B28* —6E **135**
Palm Cft. *Brie H* —3G **109**
Palmer Clo. *Wolv* —6H **17**
Palmer's Clo. *Cod* —6A **14**
Palmers Clo. *Shir* —2H **149**
Palmers Gro. *B36* —1C **104**
Palmerston Dri. *Tiv* —5D **78**
Palmerston Rd. *B11* —5B **118**
Palmer St. *B9* —1A **118**
Palmer's Way. *Cod* —6A **14**
Palm Ho. *B20* —4B **82**
Palmvale Cft. *B26* —5E **121**
Palomino Pl. *B16* —1B **116**
Pamela Rd. *B31* —5E **145**
Pan Cft. *B36* —2A **104**
Pannel Cft. *B19* —3F **101**
Panther Cft. *B34* —4H **105**
Paper Mill End. *B44* —1F **83**
Paper Mill End Ind. Est. *B44*
　　　　　　　—1F **83**
Papyrus Way. *B36* —6D **86**
Parade. *B1* —6E **101** (3A **4**)
Parade. *S Cold* —6A **54**
Parade, The. *Bwnhls* —4A **10**
Parade, The. *Crad H* —3G **111**
Parade, The. *Dud* —5D **76**
Parade, The. *K'hrst* —3C **106**
Parade, The. *K'wfrd* —2H **91**
Parade Vw. *Wals* —5A **10**
Paradise. —1F 95
Paradise. *Dud* —1F **95**

Paradise Cir. Queensway. *B1*
　　　　—1E **117** (3B **4**)
Paradise La. *B28* —1E **149**
Paradise La. *Wals* —4D **20**
Paradise Pl. *B3*
　　　　　　—1F **117** (4C **4**)
Paradise St. *B1*
　　　　　　—1F **117** (4C **4**)
Paradise St. *W Brom* —4A **80**
　(in two parts)
Pardington Clo. *Sol* —5A **138**
Pargeter Ct. *Wals* —1A **48**
Pargeter Rd. *Smeth* —1D **114**
Pargeter St. *Stourb* —1D **124**
Pargeter St. *Wals* —1A **48**
Par Grn. *B38* —6H **145**
Parish Gdns. *Stourb* —4F **125**
Park App. *B23* —5C **84**
Park Av. *Bal H* —6H **117**
Park Av. *Col* —3H **107**
Park Av. *Gold P* —6G **43**
Park Av. *Hock* —2C **100**
Park Av. *K Nor* —2C **146**
Park Av. *O'bry* —6H **97**
Park Av. *Row R* —6C **96**
Park Av. *Smeth* —5D **98**
Park Av. *Sol* —4H **151**
Park Av. *Tip* —2G **77**
Park Av. *W'hall* —1H **45**
Park Av. *Wolv*
　　　　—6F **27** (1A **170**)
Park Av. *Wom* —2F **73**
Park Bldgs. Lwr G —3G **75**
　(off Park Rd.)
Park Cir. *Aston* —2H **101**
　(in two parts)
Park Clo. *B24* —2B **86**
Park Clo. *Bwnhls* —5B **10**
Park Clo. *C Hay* —2E **7**
Park Clo. *Dud* —6D **60**
Park Clo. *Sol* —3H **137**
Park Clo. *Tiv* —2C **96**
Park Ct. *Row V* —6C **96**
Park Ct. *S Cold* —4F **69**
Park Cres. *W Brom* —3B **80**
Park Cres. *Wolv* —1F **43**
Park Cft. *H'wd* —4A **162**
Park Dale. —6E 27
Parkdale. *Dud* —5H **59**
Park Dale. *Wals* —5G **49**
Parkdale Av. *W'bry* —1G **63**
Parkdale Clo. *B24* —5F **85**
Park Dale Clo. *Wolv* —6E **27**
Parkdale Dri. *B31* —2E **159**
Park Dale E. *Wolv* —6E **27**
Parkdale Rd. *B26* —6G **121**
Park Dale W. *Wolv* —6E **27**
Park Dri. *Four O* —1G **53**
Park Dri. *Lit A* —5C **36**
Park Dri. *Wolv* —6G **43**
Park Edge. *B17* —4G **115**
Park End. *B32* —4B **130**
Parker Rd. *Wolv* —6H **17**
Parker St. *B16* —2B **116**
Parker St. *Wals* —6G **19**
Parkes Av. *Cod* —5H **13**
Parkes Hall Rd. *Dud* —1C **76**
Parkes La. *Dud* —6C **60**
Parkes La. *Tip* —5H **61**
Parkes St. *Brie H* —6H **93**
Parkes St. *Smeth* —5D **98**
Parkes St. *W'hall* —2B **46**
Parkeston Cres. *B44* —4C **68**
Park Farm Rd. *B43* —2D **66**
Parkfield. —6B 44
Parkfield. *B32* —3F **129**

Parkfield Clo. *B15* —4E **117**
Parkfield Clo. *Hale* —6G **113**
Parkfield Ct. *Col* —2H **107**
　(in two parts)
Parkfield Cres. *Wolv* —5A **44**
Parkfield Dri. *B36* —6G **87**
Parkfield Gro. *Wolv* —5A **44**
Parkfield Pl. *Stourb* —6E **109**
Parkfield Rd. *B8* —6E **103**
Parkfield Rd. *Col* —2H **107**
Parkfield Rd. *Dud* —3F **95**
Parkfield Rd. *O'bry* —6G **97**
Parkfield Rd. *Stourb* —6E **109**
Parkfield Rd. *Wolv* —5H **43**
Park Gdns. *Stourb* —2B **126**
Park Gro. *B10* —3D **118**
Park Gro. *Wat O* —4E **89**
Park Hall Clo. *Wals* —5G **49**
Park Hall Cres. *B36* —1F **105**
Parkhall Cft. *B34* —2G **105**
Park Hall Rd. *Wals* —4G **49**
Park Hall Rd. *Wolv* —1H **59**
Parkhead Cres. *Dud* —1D **94**
Parkhead Rd. *Dud* —1D **94**
Park Hill. *B13* —1G **133**
Park Hill. *Row R* —2B **112**
Park Hill. *W'bry* —1H **63**
Park Hill Dri. *B20* —3B **82**
Park Hill Rd. *B17* —5G **115**
Park Hill Rd. *Smeth* —4D **98**
Parkhill Rd. *S Cold* —1D **86**
Parkhill St. *Dud* —1F **95**
Park Ho. *Ess* —4A **18**
Park Ho. *Smeth* —4G **99**
Parkhouse Av. *Wolv* —3D **28**
Parkhouse Dri. *B23* —2A **84**
Parkhouse Gdns. *Dud* —3G **75**
Parklands. *Redn* —1G **157**
Parklands. *Sol* —4E **151**
Parklands Ct. *Blox* —6H **19**
Parklands Dri. *S Cold* —3F **53**
Parklands Gdns. *Wals* —3E **49**
Parklands Rd. *Bils* —3F **61**
Parklands Rd. *W'bry* —6E **47**
Parklands Rd. *Wolv* —2C **44**
Parklands, The. *B23* —1D **84**
Parklands, The. *Stourb*
　　　　　　　—2G **125**
Parklands, The. *Wolv* —2B **42**
Park La. *Aston* —2G **101**
Park La. *Berk* —5G **155**
Park La. *Birm A* —1E **139**
Park La. *Cas V & Min* —2F **87**
Park La. *Hale* —5C **110**
Park La. *Hand* —2F **81**
Park La. *K'wfrd* —2C **92**
Park La. *Min* —3G **87**
Park La. *O'bry* —3G **97**
Park La. *Wals* —2F **7**
Park La. *W'bry* —4F **47**
Park La. *Wolv* —3A **28**
Park La. E. *Tip* —3A **78**
Park La. Ind. Est. *W Brom*
　　　　　　　—6F **81**
Park La. Trad. Est. *O'bry*
　　　　　　　—3F **97**
Park La. W. *Tip* —2G **77**
Park Lime Dri. *Wals* —5F **33**
Pk. Lime Pits Nature Reserve.
　　　　　　　—4G **33**
Park Mall. *Wals* —1C **48**
Park Mdw. Av. *Bils* —3E **45**
Park M. *B29* —4F **131**
Park Mill Wlk. *B7* —2C **102**
Park Pl. *B7* —2C **102**
Park Retreat. *Smeth* —5F **99**

Park Ridge. *S Cold* —4G **53**
Park Ridge Dri. *Hale* —5D **110**
Park Ri. *Wolv* —1C **42**
Park Rd. *Aston* —2A **102**
Park Rd. *Bils* —6E **45**
Park Rd. *Blox* —6H **19**
　(in two parts)
Park Rd. *Brie H* —3B **110**
Park Rd. *Col* —3H **107**
Park Rd. *Erd* —5C **84**
Park Rd. *Hale* —6C **110**
Park Rd. *Hock* —3B **100**
Park Rd. *Lwr G* —3G **75**
Park Rd. *Mose* —1H **133**
Park Rd. *Neth* —3E **95**
Park Rd. *Rus* —4G **33**
Park Rd. *Smeth* —1D **114**
Park Rd. *Sol* —4G **151**
Park Rd. *S'hll* —2C **134**
Park Rd. *Stourb* —6B **108**
Park Rd. *S Cold* —6H **53**
Park Rd. *Tiv* —1C **96**
Park Rd. *Wals* —6H **49**
Park Rd. *W'hall* —6H **29**
Park Rd. *Woods* —1D **76**
Park Rd. E. *Wolv* —6F **27**
Park Rd. N. *B6* —2A **102**
Park Rd. S. *B18* —4D **100**
Park Rd. W. *Stourb* —6A **108**
Park Rd. W. *Wolv* —6E **27**
Parkrose Ind. Est. *Smeth*
　　　　　　　—1F **99**
Parks Cres. *Ess* —4A **18**
Parkside. *B32* —3A **130**
Parkside. *Birm P* —4F **123**
Parkside Av. *W'hall* —1G **45**
Parkside Clo. *W'bry* —2H **63**
Parkside Ind. Est. *Wolv*
　　　　　　　—2B **44**
Parkside Rd. *B20* —1A **82**
Parkside Rd. *Hale* —6F **111**
Parkside Way. *B31* —6A **144**
Parkside Way. *S Cold* —2A **52**
Park Sq. *Birm P* —3F **123**
Parkstone Clo. *Wals* —6G **21**
Park St. *B5* —1G **117** (5F **5**)
Park St. *Aston* —2A **102**
　(in two parts)
Park St. *C Hay* —2E **7**
Park St. *Crad H* —1G **111**
Park St. *Darl* —6C **46**
Park St. *Dud* —3B **94**
Park St. *K'wfrd* —3B **92**
Park St. *Lye* —6B **110**
Park St. *O'bry* —3F **97**
Park St. *Row R* —2D **112**
Park St. *Stourb* —3D **108**
　(Brettell La.)
Park St. *Stourb* —1E **125**
　(Chapel St.)
Park St. *Tip* —2A **78**
Park St. *Wals* —1C **48**
Park St. *W'bry* —2F **63**
Park St. *W Brom* —4B **80**
Park St. Arc. Wals —1C **48**
　(off Park St.)
Park St. S. *Wolv* —5G **43**
Park Ter. *Hand* —1A **100**
Park Ter. *W'bry* —5B **46**
Park Vw. *B18* —5A **100**
Park Vw. *B10* —4D **118**
Park Vw. *S Cold* —5G **53**
Park Vw. *Wolv* —5H **43**
Park Vw. *W'bry* —5C **46**
Parkview Cres. *Wals* —5G **31**
Parkview Dri. *B8* —3G **103**
Parkview Dri. *Bwnhls* —3B **10**

Pk. View Rd. *B31* —4C **144**
Pk. View Rd. *Bils* —3E **45**
Pk. View Rd. *Stourb* —1B **126**
Pk. View Rd. *S Cold* —6D **36**
Park Vw. Trad. Est. *B30*
　　　　　—4B **146**
Park Village. —4B 28
Park Vs. *B9* —1B **118**
Parkville Av. *B17* —1F **131**
Park Wlk. *Brie H* —3B **110**
Parkway. *B8* —4G **103**
Park Way. *Redn* —6H **143**
Park Way. *Wolv* —6A **18**
Parkway Ind. Cen. *B7*
　　　　　—5A **102** (1H **5**)
Parkway Ind. Est., The. *W'bry*
　　　　　—4E **63**
Parkway Rd. *Dud* —5C **76**
Parkway Roundabout. *W'bry*
　　　　　—4E **63**
Parkway, The. *Pert* —3D **24**
Parkway, The. *Wals* —1G **33**
Parkwood Clo. *Wals* —2C **22**
Park Wood Ct. *S Cold* —1F **53**
Parkwood Cft. *B43* —4D **66**
Parkwood Dri. *S Cold* —3C **68**
Parkyn St. *Wolv* —3A **44**
Parliament St. *Aston* —3G **101**
Parliament St. *Small H*
　　　　　—3C **118**
Parliament St. *W Brom*
　　　　　—6B **80**
Parlows End. *B38* —2H **159**
Parry Rd. *Wolv* —1A **30**
Parsonage Dri. *Hale* —4C **110**
Parsonage Dri. *Redn* —5B **158**
Parsonage St. *O'bry* —2H **97**
Parsonage St. *W Brom*
　　　　　—1B **80**
Parson's Hill. *B30* —5C **146**
Parsons Hill. *O'bry* —2H **113**
Parson's St. *Dud* —6E **77**
Parsons Way. *Wals* —3F **31**
Partons Rd. *B14* —1F **147**
Partridge Av. *W'bry* —5B **46**
Partridge Clo. *B37* —6E **107**
Partridge Ct. *W'bry* —2F **63**
Partridge Mill. *Pels* —4C **20**
Partridge Rd. *B26* —2E **121**
Partridge Rd. *Stourb* —1A **124**
Passey Rd. *B13* —3D **134**
Passfield Rd. *B33* —6E **105**
Pastures, The. *Pert* —5D **24**
Pastures Wlk. *B38* —2H **159**
Pasture Vw. *Pels* —5D **20**
Patent Dri. *W'bry* —2C **62**
Patent Shaft Roundabout.
　　　　W'bry —2D **62**
Paternoster Row. *B5*
　　　　　—1G **117** (4F **5**)
Paternoster Row. *Wolv*
　　　　　—1G **43** (2A **170**)
Paterson Ct. *Know* —3E **167**
Paterson Pl. *Wals* —2D **22**
Pathlow Cres. *Shir* —6F **149**
Pathway, The. *B14* —2D **146**
Paton Gro. *B13* —3H **133**
Patricia Av. *B14* —3C **148**
Patricia Av. *Wolv* —6G **43**
Patricia Cres. *Dud* —1D **76**
Patricia Dri. *Tip* —5A **78**
Patrick Collection, The.
　　　　　—4C **146**
Patrick Gregory Rd. *Wolv*
　　　　　—2H **29**
Patrick Rd. *B26* —4C **120**

Patriot Clo. *Wals* —5B **48**
Patshull Av. *Wolv* —4F **15**
Patshull Clo. *B43* —4H **65**
Patshull Gro. *Wolv* —4F **15**
Patshull Pl. *B19* —2E **101**
Patterdale Rd. *B23* —3D **84**
Patterdale Way. *Brie H*
　　　　　—3F **109**
Patterton Dri. *S Cold* —5E **71**
Pattingham Rd. *Pert & Wolv*
　　　　　—6A **24**
Pattison Gdns. *B23* —5D **84**
Pattison St. *Wals* —6C **48**
Paul Byrne Ct. *B20* —6D **82**
Paul Pursehouse Rd. *Bils*
　　　　　—2F **61**
Pauls Coppice. *Wals* —2B **22**
Paul St. *Bils* —4C **60**
Paul St. *W'bry* —3G **63**
Paul St. *Wolv*
　　　　　—3G **43** (6A **170**)
Paul Va. *Tip* —2B **78**
Pavenham Dri. *B5* —1E **133**
Pavilion Av. *Smeth* —6B **98**
Pavilion Clo. *A'rdge* —2D **34**
Pavilion Gdns. *Dud* —1E **111**
Pavilion Rd. *Witt* —4H **83**
Pavilions, The. *B4*
　　　　　—1G **117** (4F **5**)
Pavior's Rd. *Burn* —1A **10**
Paxford Way. *B31* —1D **144**
Paxton Av. *Pert* —6E **25**
Paxton Rd. *B18* —4C **100**
Paxton Rd. *Stourb* —1C **126**
Payne St. *Row R* —2C **112**
Paynton Wlk. *B15* —3F **117**
Payton Clo. *O'bry* —6E **79**
Payton Rd. *B21* —1H **99**
Peace Clo. *Wals* —2E **7**
Peace Wlk. *B37* —2D **122**
Peach Av. *W'bry* —5C **46**
Peachley Clo. *Hale* —2B **128**
Peach Ley Rd. *B29* —6D **130**
Peach Rd. *W'hall* —3A **30**
Peacock Av. *Wolv* —1A **30**
Peacock Clo. *Tip* —3B **78**
Peacock Cft. *Wals* —3G **7**
Peacock Rd. *B13* —1H **147**
Peacock Rd. *W'bry* —4B **46**
Peak Cft. *B36* —1B **104**
Peak Dri. *Dud* —4H **75**
Peake Cres. *Wals* —2B **22**
Peake Dri. *Tip* —3B **78**
Peake Rd. *Wals* —2C **22**
Peak Ho. Rd. *B43* —2A **66**
Peakman Clo. *Redn* —3G **157**
Peak Rd. *Stourb* —5F **109**
Peal St. *Wals* —2D **48**
Pearce Clo. *Dud* —1A **94**
Pearl Gro. *B18* —5A **100**
Pearl Gro. *B27* —2H **135**
Pearman Rd. *Redn* —6D **142**
Pearman Rd. *Smeth* —6E **99**
Pearmans Cft. *H'wd* —3A **162**
Pearsall Dri. *O'bry* —1E **97**
Pearson Ct. *W'hall* —5D **30**
Pearson St. *Brie H* —6H **93**
Pearson St. *Crad H* —2G **111**
Pearson St. *Stourb* —6B **108**
Pearson St. *W Brom* —3H **79**
Pearson St. *Wolv*
　　　　　—3G **43** (6B **170**)
Pear Tree Av. *Tip* —2H **77**
Peartree Av. *W'hall* —6B **46**
Pear Tree Clo. *B43* —4F **65**
Peartree Clo. *Shir* —5D **148**

Pear Tree Clo. *Stech* —1B **120**
Pear Tree Ct. *B43* —5G **65**
Peartree Cres. *Shir* —4C **148**
Pear Tree Dri. *B43* —5F **65**
Peartree Dri. *Stourb* —3E **125**
Peartree Gro. *Shir* —5C **148**
Peartree Ho. *O'bry* —4A **98**
Peartree Ind. Est. *Dud* —3C **94**
Peartree La. *Bils* —5F **61**
Peartree La. *Crad H* —2G **111**
Peartree La. *Dud* —4B **94**
Pear Tree La. *Wals* —3G **9**
Pear Tree La. *Wolv* —6D **16**
Pear Tree Rd. *Gt Barr* —4F **65**
Pear Tree Rd. *S End* —3G **105**
Pear Tree Rd. *Smeth* —5C **98**
Peascroft La. *Bils* —4G **45**
　　(in two parts)
Peasefield Clo. *B21* —1G **99**
Pebble Clo. *Stourb* —6F **109**
Pebble Mill Rd. *B5* —1E **133**
Pebworth Av. *Shir* —3F **165**
Pebworth Clo. *S Oak* —3D **132**
Pebworth Gro. *B33* —3G **121**
Pebworth Gro. *Dud* —4C **76**
Peckham Rd. *B44* —3A **68**
Peckingham St. *Hale* —2B **128**
Peckover Clo. *Row R* —2C **112**
Peddimore La. *Min* —1F **87**
　　(in two parts)
Pedmore. —4H 125
Pedmore Ct. Rd. *Stourb*
　　　　　—4F **125**
Pedmore Gro. *B44* —3H **67**
Pedmore Hall La. *Stourb*
　　　　　—5G **125**
Pedmore La. *Stourb* —4G **125**
Pedmore Rd. *Brie H & Dud*
　　　　　—6B **94**
Pedmore Rd. *Stourb* —6H **109**
Pedmore Rd. Ind. Est. *Brie H*
　　　　　—5B **94**
Pedmore Wlk. *O'bry* —4D **96**
Peel Clo. *Darl* —3D **46**
Peel Clo. *H Ard* —1B **154**
Peel Clo. *W'hall* —2A **46**
Peel St. *B18* —4A **100**
Peel St. *Dud* —1G **95**
Peel St. *Tip* —3A **78**
Peel St. *W Brom* —2A **80**
Peel St. *W'hall* —2A **46**
Peel St. *Wolv*
　　　　　—2G **43** (4A **170**)
Peel Wlk. *B17* —4D **114**
Peel Way. *Tiv* —5C **78**
Pegasus Wlk. *B29* —4H **131**
Pegleg Wlk. *B14* —5E **147**
Pelham Dri. *Dud* —5C **76**
Pelham Rd. *B8* —5H **103**
Pelham St. *Wolv* —2E **43**
Pelsall. —4E 21
Pelsall La. *Blox* —4B **20**
Pelsall La. *Wals* —6E **21**
Pelsall La. *Wals* —1G **21**
Pelsall Wood. —2D 20
Pemberley Rd. *B27* —3G **135**
Pemberton Clo. *Smeth* —6F **99**
Pemberton Cres. *W'bry*
　　　　　—6A **48**
Pemberton Rd. *Bils* —4F **61**
Pemberton Rd. *W Brom*
　　　　　—1G **79**
Pemberton St. *B18* —5D **100**
Pembridge Clo. *B32* —6G **129**
Pembridge Clo. *Brie H*
　　　　　—2B **110**

Pembridge Rd. *Dorr* —6H **165**
Pembroke Av. *Wolv* —4C **44**
Pembroke Clo. *W Brom*
　　　　　—4H **63**
Pembroke Clo. *W'hall* —3C **30**
Pembroke Cft. *B28* —2G **149**
Pembroke Gdns. *Stourb*
　　　　　—2A **108**
Pembroke Ho. Wals —3A **32**
　　(off Cornwall Clo.)
Pembroke Rd. *B12* —1A **134**
Pembroke Rd. *W Brom*
　　　　　—5H **63**
Pembroke Way. *B28* —2G **149**
Pembroke Way. *Salt* —4C **102**
Pembroke Way. *W Brom*
　　　　　—6H **63**
Pembury Clo. *S Cold* —5H **51**
Pembury Cft. *B44* —4A **68**
Pencombe Dri. *Wolv* —6H **43**
Pencroft Rd. *B34* —2F **105**
Penda Ct. *Hand* —1C **100**
Penda Gro. *Wolv* —4F **25**
Pendeen Rd. *B14* —3B **148**
Pendeford. —5D 14
Pendeford Av. *Wolv* —1C **26**
Pendeford Bus. Pk. *Wolv*
　　　　　—4D **14**
Pendeford Clo. *Wolv* —1C **26**
Pendeford Hall La. *Coven*
　　　　　—2H **13**
Pendeford La. *Wolv* —3E **15**
Pendeford Mill La. *Cod*
　　　　　—4H **13**
Pendennis Clo. *B30* —2H **145**
Pendennis Dri. *Tiv* —5A **78**
Penderel Clo. *F'stne* —1C **16**
Penderel St. *Wals* —1A **32**
Pendigo Way. *B40* —1G **139**
Pendinas Dri. *Wolv* —4H **13**
Pendleton Gro. *B27* —5H **135**
Pendragon Rd. *B42* —3E **83**
Pendrel Clo. *Wals* —5F **7**
Pendrell Clo. *B37* —6C **106**
Pendrell Clo. *Cod* —4G **13**
Pendrell Ct. *Cod* —4G **13**
Pendrill Rd. *Wolv* —4A **16**
Penfields Rd. *Stourb* —5E **109**
Penge Gro. *B44* —2G **67**
Penhallow Dri. *Wolv* —6A **44**
Penkridge Clo. *Wals* —5B **32**
Penkridge Gro. *B33* —5D **104**
Penkridge St. *Wals* —6B **32**
Penk Ri. *Wolv* —5G **25**
Penleigh Gdns. *Wom* —6F **57**
Penley Gro. *B8* —3H **103**
Penn. —6C 42
Pennant Ct. *Row R* —6B **96**
Pennant Gro. *B29* —3E **131**
Pennant Rd. *Crad H* —2F **111**
Pennant Rd. *Row R* —6B **96**
Pennard Gro. *B32* —1D **130**
Penn Clo. *Wals* —1A **32**
Penn Comn. Rd. *Wolv* —4C **58**
Penncricket La. *Row R &*
　　　　O'bry —6E **97**
Penn Fields. —5E 43
Penn Gro. *B29* —3F **131**
Pennhouse Av. *Wolv* —6D **42**
Penn Ind. Est. *Crad H* —2E **111**
Pennine Dri. *Dud* —4H **75**
Pennine Way. *Salt* —4D **102**
Pennine Way. *Stourb* —5E **109**
Pennine Way. *W'hall* —4D **30**
Pennington Clo. *W Brom*
　　　　　—5G **79**

Pennington Ho. O'bry —1D 96
Pennis Ct. S Cold —6D 70
Penn Rd. Dud —4D 58
Penn Rd. Row R —6E 97
Penn Rd. Wolv
  —2B 58 (6A 170)
Penn Rd. Island. Wolv
  —2G 43 (5A 170)
Penns Lake Rd. S Cold
  —5C 70
Penns La. Col —2H 107
Penns La. S Cold —6A 70
Penn St. B4 —6A 102 (2H 5)
Penn St. Crad H —3H 111
Penn St. Wolv —3F 43
Penns Wood Clo. Dud —3G 59
Penns Wood Dri. S Cold
  —6D 70
Pennwood La. Wolv —2D 58
Pennyacre Rd. B14 —5F 147
Penny Ct. Wals —5F 7
Pennycress Grn. Cann —1D 8
Pennycroft Ho. B33 —6C 104
Pennyfield Cft. B33 —6C 104
Pennyhill La. W Brom —6C 64
Penny Royal Clo. Dud —5H 75
Pennyroyal Clo. Wals —2F 65
Penrice Dri. Tiv —6H 77
Penrith Clo. Brie H —3F 109
Penrith Cft. B32 —5B 130
Penrith Gro. B37 —1E 123
Penryn Clo. Wals —4H 49
Penryn Rd. Wals —4H 49
Pensby Clo. B13 —5D 134
Pensford Rd. B31 —4G 145
Pensham Cft. Shir —3E 165
Penshaw Clo. Wolv —4E 15
Penshaw Gro. B13 —4D 134
Penshurst Av. B20 —6F 83
Pensnett. —3G 93
Pensnett Rd. Brie H —4G 93
Pensnett Rd. Brie H & Dud
  —2A 94
Pensnett Trad. Est. K'wfrd
  —1D 92
Penstone La. Wolv —1E 57
Pentland Cft. B12 —4H 117
Pentland Gdns. Wolv —1C 42
Pentos Dri. B11 —1D 134
Pentridge Clo. S Cold —2D 86
Penzer St. K'wfrd —2B 92
Peolsford Rd. Pels —3E 21
Peony Wlk. B23 —4B 84
Peplins Way. B30 —4D 146
Peplow Rd. B33 —5E 105
Pepperbox Dri. Tip —2A 78
Peppercorn Pl. W Brom
  —3A 80
Pepper Hill. Stourb —1E 125
Pepys Ct. B43 —6A 66
Perch Av. B37 —6C 106
Perch Rd. Wals —5G 31
Percival Rd. B16 —2G 115
Percy Bus. Pk. O'bry —2F 97
Percy Rd. B11 —2D 134
Percy Ter. B11 —2D 134
Peregrine Clo. Dud —6B 76
Pereira Rd. B17 —4G 115
Perimeter Rd. B40 —1F 139
  (in two parts)
Perivale Gro. Bils —5F 61
Perivale Way. Stourb —3E 109
Periwinkle Clo. Clay —1H 21
Perkins Clo. Dud —1E 77
Perks Rd. Wolv —6A 18
Perott Dri. S Cold —1B 54

Perrins Gro. B8 —3G 103
Perrin's La. Stourb —1B 126
Perrins Ri. Stourb —1B 126
Perrott Gdns. Brie H —2E 109
Perrott's Folly. B16
Perrott St. B18 —3H 99
Perry. —1G 83
Perry Av. B42 —2E 83
Perry Av. Wolv —1B 28
Perry Barr. —2D 82
Perry Beeches. —6C 66
Perry Clo. Dud —1F 95
Perry Common. —5D 68
Perry Comn. Rd. B23 —6B 68
Perryford Dri. Sol —1G 165
Perry Hall Dri. W'hall —4B 30
Perry Hall Rd. Wolv —3H 29
Perry Hill Cres. O'bry —4H 113
Perry Hill Ho. O'bry —3A 114
Perry Hill La. O'bry —4H 113
Perry Hill Rd. O'bry —4H 113
Perry Pk. Cres. B42 —1E 83
Perry Pk. Rd. Brie H &
  Row R —2B 112
Perry St. Bils —2G 61
Perry St. Darl —3D 46
  (in two parts)
Perry St. Smeth —2D 98
Perry St. Tip —3A 78
Perry St. W'bry —3F 63
Perry Trad. Est. Bils —2G 61
Perry Villa Dri. B42 —2F 83
Perry Wlk. B23 —1B 84
Perrywell Rd. B6 —2H 83
Perry Wood Rd. B42 —5C 66
Persehouse St. Wals —1D 48
Pershore Av. B29 —3D 132
Pershore Clo. Wals —5F 19
Pershore Rd. Hale —3A 128
Pershore Rd. B30 & B29
  —3C 146
Pershore Rd. Wals —5F 19
Pershore Rd. S. B30 —3B 146
Pershore St. B5
  —2G 117 (6E 5)
Pershore Tower. B31 —5A 144
Pershore Way. Wals —5F 19
Perth Rd. W'hall —3B 30
Perton. —5D 24
Perton Brook Va. Wolv —-1F 41
Perton Gro. B29 —4E 131
Perton Gro. Wolv —1F 41
Perton Rd. Wolv —1E 41
Peter Av. Bils —3H 61
Peterbrook. Shir —6C 148
Peterbrook Ri. Shir —6D 148
Peterbrook Rd. Shir —5C 148
Peterdale Dri. Wolv —2D 58
Peters Av. B31 —5D 144
Petersfield Ct. Hall G —5F 135
Petersfield Dri. Row R —6E 97
Petersfield Rd. B28 —6E 135
Petersham Pl. B15 —5A 116
Petersham Rd. B44 —4C 68
Peter's Hill Rd. Brie H
  —4G 109
Petershouse Dri. S Cold
  —4F 37
Peter's St. W Brom —6G 63
Petford St. Crad H —2G 111
Pettitt Clo. B14 —5G 147
Pettyfield Clo. Stourb —5F 121
Pettyfields Clo. Know —4B 166
Petworth Clo. W'hall —3H 45
Petworth Gro. B26 —5C 120
Pevensey Clo. Tiv —1H 95

Peverell Dri. B28 —6F 135
Peveril Gro. S Cold —1C 70
Peveril Rd. Pert —5F 25
Peverill Rd. Wolv —2A 60
Peveril Way. B43 —3B 66
Pheasant Cft. B36 —1C 106
Pheasant Rd. Smeth —1B 114
Pheasant St. Brie H —6G 93
Pheasey. —1F 67
Philip Ct. S Cold —2D 70
Philip Rd. Hale —2H 127
Philip Rd. Tip —2D 78
Philip Sidney Rd. B11
  —2C 134
Philip St. Bils —4F 61
Philip Victor Rd. B20 —6B 82
Phillimore Rd. B8 —4D 102
Phillip Rd. Wals —5A 48
Phillips Av. Wolv —6H 17
Phillips St. B6 —3G 101
Phillips St. Ind. Est. B6
  —3H 101
Phipson Rd. B11 —2B 134
Phoenix Dri. Wals —2C 34
Phoenix Grn. B15 —4A 116
Phoenix Ind. Est. Bils —1H 61
Phoenix Ind. Est. W Brom
  —2F 79
Phoenix Pk. B7 —3A 102
Phoenix Ri. B23 —6B 68
Phoenix Ri. W'bry —1D 62
Phoenix Rd. Tip —1H 77
Phoenix Rd. Wolv —6F 29
Phoenix Rd. Ind. Est. Wolv
  —6F 29
Phoenix St. W Brom —3F 79
Phoenix St. Wolv —5H 43
Piccadilly Arc. B2 —4D 4
Piccadilly Clo. B37 —2E 123
Pickenham Rd. B14 —6A 148
Pickering Cft. B32 —4A 130
Pickering Rd. Wolv —4F 29
Pickersleigh Clo. Hale
  —2A 128
Pickford St. B5
  —1H 117 (5H 5)
Pickrell Rd. Bils —4D 60
Pickwick Gro. B13 —3C 134
Pickwick Pl. Bils —1G 61
Picton Cft. B37 —1F 123
Picton Gro. B13 —2B 148
Picturedrome Way. Darl
  —5D 46
Piddock Rd. Smeth —4E 99
Pierce Av. Sol —2C 136
Piercy St. W'bry —2H 63
Piercy St. W Brom —4G 79
Piers Rd. B21 —2C 100
  (in two parts)
Pier St. Wals —6B 10
Piggotts Cft. B37 —6B 106
Pike Clo. Hand —6B 82
Pike Dri. B37 —6E 107
Pikehelve St. W Brom —6E 63
Pikehorne Cft. B36 —5H 87
Pike Rd. Wals —5G 31
Pikes, The. Redn —1F 157
Pikewater Rd. B9 —1E 119
Pikington Av. S Cold —2H 69
Pilson Clo. B36 —1D 104
Pimbury Rd. W'hall —3D 30
Pimlico Ct. Dud —4H 75
Pimpernel Dri. Wals —2E 65
Pinbury Cft. B37 —3D 122
Pineapple Gro. B30 —5E 133
Pineapple Rd. B30 —6E 133

Pine Av. Smeth —2C 98
Pine Av. W'bry —6F 47
Pine Clo. Gt Wyr —1F 7
Pine Clo. K'wfrd —4B 92
Pine Clo. Sol —5D 150
Pine Clo. Wolv —2E 43
Pine Grn. Dud —1C 76
Pine Gro. K Hth —2A 148
Pine Ho. B36 —1D 104
Pinehurst Dri. B38 —4B 146
Pine Leigh. S Cold —2H 53
Pine Needle Cft. W'hall —5E 31
Pine Rd. Dud —2E 77
Pine Rd. Tiv —1A 96
Pine Sq. B37 —1D 122
Pines, The. Redn —6G 143
Pines, The. Shir —4B 164
Pines, The. Wals —3D 48
Pines, The. Wolv —2B 42
Pine St. Wals —5B 20
Pinetree Dri. S Cold —2F 51
Pineview. B31 —5D 144
Pine Wlk. B31 —4F 145
Pine Wlk. Cod —5F 13
Pine Wlk. Stourb —2H 125
Pinewall Av. B38 —6C 146
Pineways. S Cold —6C 36
Pineways. Stourb —1A 108
Pineways Dri. Wolv —5C 26
Pineways, The. O'bry —4C 96
Pinewood Clo. Bwnhls —3A 10
Pinewood Clo. Gt Barr —6G 67
Pinewood Clo. Redn —1D 156
Pinewood Clo. Wals —1F 65
Pinewood Clo. W'hall —3D 30
Pinewood Clo. Wolv —3G 41
Pinewood Clo. Wom —1G 73
Pinewood Dri. B32 —4G 129
Pinewood Gro. Sol —5D 150
Pinewoods. Bart G —3G 129
Pinewoods. Hale —4G 113
Pinewoods. N'fld —5D 130
Pinewood Wlk. K'wfrd —1C 92
Pinfold Ct. W'bry —6C 46
Pinfold Cres. Wolv —5B 42
Pinfold Gdns. Wolv —4F 29
Pinfold Gro. Wolv —5B 42
Pinfold La. Cann —1C 8
Pinfold La. C Hay —3C 6
Pinfold La. Wals —4D 50
Pinfold La. Wolv —5B 42
Pinfold Rd. Sol —2A 152
Pinfold St. B2 —1F 117 (4C 4)
Pinfold St. Bils —6F 45
Pinfold St. O'bry —1G 97
Pinfold St. W'bry —6C 46
  (in two parts)
Pinfold St. Extension. W'bry
  —6C 46
Pinfold, The. Wals —1A 32
Pingle Clo. W Brom —4D 64
Pingle La. Hamm —1F 11
Pinkney Pl. O'bry —6A 98
Pink Pas. Smeth —5F 99
Pinley Gro. B43 —2D 66
Pinley Way. Sol —1E 165
Pinner Gro. B32 —1C 130
Pinson Rd. W'hall —2H 45
Pintail Dri. B23 —5C 84
Pinto Clo. B16 —1B 116
Pinza Cft. B36 —1B 104
Pioli Pl. Wals —4B 32
Piper Clo. Pert —5F 25
Piper Pl. Stourb —3D 108
Piper Rd. Wolv —3A 42
Pipers Grn. B28 —2F 149

Piper's Row. *Wolv*
—1H **43** (3D **170**)
Pipes Mdw. *Bils* —6G **45**
Pippin Av. *Hale* —4D **110**
Pirbright Clo. *Bils* —2G **61**
Pirrey Clo. *Cose* —4G **61**
Pitcairn Clo. *B30* —1D **146**
Pitcairn Dri. *Hale* —6B **112**
Pitcairn Rd. *Smeth* —2B **114**
Pitclose Rd. *B31* —4F **145**
Pitfield Rd. *B33* —2H **121**
Pitfield Row. *Dud* —6D **76**
Pitfields Clo. *O'bry* —3G **113**
Pitfields Rd. *O'bry* —3G **113**
Pitfield St. *Dud* —6E **77**
Pithall Rd. *B34* —4H **105**
Pit Leasow Clo. *B30* —5D **132**
Pitman Rd. *B32* —6A **114**
Pitmaston Ct. *B13* —2F **133**
Pitmaston Rd. *B28* —1G **149**
Pitney St. *B7* —5B **102**
Pitsford St. *B18* —4C **100**
Pitt La. *Bick* —3F **139**
Pitts Farm Rd. *B24* —2A **86**
Pitt St. *B4* —6A **102**
Pitt St. *Wolv* —2G **43** (4A **170**)
Pixall Dri. *Edg* —4D **116**
Pixhall Wlk. *B35* —4F **87**
Plainview Clo. *A'rdge* —1G **51**
Plaistow Av. *B36* —2A **104**
Plane Gro. *B37* —2D **122**
Planetary Ind. Est. *W'hall*
—6E **29**
Planetary Rd. *W'hall* —5E **29**
Plane Tree Rd. *S Cold* —3F **51**
Plane Tree Rd. *Wals* —1F **65**
Planet Rd. *Brie H* —5H **93**
Plank La. *Wat O* —5C **88**
Planks La. *Wom* —1F **73**
Plantation La. *Himl* —3H **73**
Plantation Rd. *Wals* —2E **65**
Plantation, The. *Brie H* —2F **93**
Plant Ct. Brie H —1H 109
(off Hill St.)
Plants Brook Nature
Reserve. *—2E 87*
Plants Brook Rd. *S Cold*
—1D **86**
Plants Clo. *Gt Wyr* —5G **7**
Plant's Clo. *S Cold* —4D **68**
Plants Gro. *B24* —2A **86**
Plants Hollow. *Brie H* —2A **110**
Plant St. *Crad H* —2G **111**
Plant St. *Stourb* —1C **108**
Plant Way. *Wals* —3D **20**
Plascom Rd. *Wolv* —2C **44**
Platts Cres. *Stourb* —3C **108**
Platts Dri. *Stourb* —3C **108**
Platts Rd. *Stourb* —3C **108**
Platt St. *W'bry* —6D **46**
Playdon Gro. *B14* —4A **148**
Pleasant Clo. *K'wfrd* —5A **92**
Pleasant Mead. *Wals* —4A **34**
Pleasant St. *Hill T* —5G **63**
Pleasant St. *Lyng* —5A **80**
Pleasant Vw. *Dud* —5H **75**
Pleck. *—4H 47*
Pleck Bus. Pk. *Wals* —2A **48**
Pleck Ind. Est. *Wals* —3A **48**
Pleck Rd. *Wals* —3A **48**
Pleck, The. *Hock* —2B **100**
Pleck Wlk. *B38* —6C **146**
Plestowes Clo. *Shir* —2H **149**
Plimsoll Gro. *B32* —6A **114**
Plough & Harrow Rd. *B16*
—2B **116**

Plough Av. *B32* —3A **130**
Ploughmans Wlk. *K'wfrd*
—2G **91**
Ploughmans Wlk. *Wolv*
—6C **14**
Plover Clo. *F'stne* —1D **16**
Ploverdale Cres. *K'wfrd*
—2E **93**
Plowden Rd. *B33* —5D **104**
Plume St. *B6* —1C **102**
Plumstead Rd. *B44* —5A **68**
Plym Clo. *Wolv* —4E **29**
Plymouth Clo. *B31* —2E **159**
Plymouth Rd. *K Nor* —6D **132**
Pocklington Pl. *B31* —1G **145**
Poets Corner. *Small H*
—4D **118**
Pointon Clo. *Bils* —3C **60**
Polden Clo. *Hale* —4E **127**
Polesworth Gro. *B34* —3F **105**
Pollard Rd. *B27* —4A **136**
Pollards, The. *B23* —5E **69**
Polo Fields. *Stourb* —4F **125**
Pomeroy Rd. *Bart G* —4A **130**
Pomeroy Rd. *Gt Barr* —1F **67**
Pommel Clo. *Wals* —1D **64**
Pond Cres. *Wolv* —4A **44**
Pond Gro. *Wolv* —4A **44**
Pond La. *Wolv* —3H **43**
Pool Cotts. *Burn* —1A **10**
Poole Cres. *B17* —2G **131**
Poole Cres. *Bils* —3F **61**
Poole Cres. *Wals* —3G **9**
Poole Ho. Rd. *B43* —2A **66**
Pool End Clo. *Know* —3B **166**
Pooles La. *W'hall* —1E **31**
Poole St. *Stourb* —1C **124**
Pool Farm Rd. *B27* —4H **135**
Pool Fld. Av. *B31* —1C **144**
Poolfield Dri. *Sol* —4D **150**
Pool Green. —4C 34
Pool Grn. *Wals* —4C **34**
Pool Grn. Ter. *Wals* —4C **34**
Pool Hall Cres. *Wolv* —3F **41**
Pool Hall Rd. *Wolv* —3F **41**
Pool Hayes La. *W'hall* —4A **30**
Pool Ho. Rd. *Wom* —2D **72**
Pool La. *O'bry* —5F **97**
Poolmeadow. *S Cold* —5E **71**
Pool Mdw. Clo. *B13* —4D **134**
Pool Mdw. Clo. *Sol* —6B **152**
Pool Rd. *Burn & Bwnhls*
(in three parts) —1A **10**
Pool Rd. *Hale* —2B **128**
Pool Rd. *Smeth* —4F **99**
Pool Rd. *Wolv* —3A **30**
Pool St. *B6* —3H **101**
Pool St. *Dud* —1C **76**
Pool St. *Wals* —2D **48**
Pool St. *Wolv*
—3G **43** (6A **170**)
(in two parts)
Pooltail Wlk. *B31* —6B **144**
Pool Vw. *Gt Wyr* —1G **7**
Pool Vw. *Rus* —2H **33**
Pool Way. *B26 & B33*
—2E **121**
Pope Rd. *Wolv* —1C **28**
Popes La. *B30 & B38*
—3H **145**
Pope's La. *O'bry* —3H **97**
Popes La. *Wolv* —3G **25**
Pope St. *B1* —6D **100**
Pope St. *Smeth* —2F **99**
Poplar Av. *B19* —1E **101**
Poplar Av. *B12* —1A **134**

Poplar Av. *B11* —5B **118**
Poplar Av. *Bntly* —6D **30**
Poplar Av. *Bwnhls* —5C **10**
Poplar Av. *Chel W* —3E **123**
Poplar Av. *Edg* —2E **115**
Poplar Av. *Erd* —3F **85**
Poplar Av. *K Hth* —5H **133**
Poplar Av. *O'bry* —5G **97**
Poplar Av. *S Cold* —4D **54**
Poplar Av. *Tip* —2F **77**
Poplar Av. *Tiv* —1B **96**
Poplar Av. *Wals* —1E **65**
Poplar Av. *W Brom* —5C **80**
Poplar Av. *Wolv* —2D **28**
Poplar Clo. *Tiv* —6C **78**
Poplar Clo. *Wals* —5E **31**
Poplar Clo. *Wom* —1H **73**
Poplar Cres. *Dud* —4D **76**
Poplar Cres. *Stourb* —2C **124**
Poplar Dri. *Witt* —2H **83**
Poplar Grn. *Dud* —1C **76**
Poplar Gro. *B19* —1E **101**
Poplar Gro. *Smeth* —4F **99**
Poplar Gro. *W Brom* —6C **80**
Poplar La. *Rom* —3A **142**
Poplar Ri. *S Cold* —4D **36**
Poplar Ri. *Tiv* —1C **96**
Poplar Rd. *Bils* —4H **45**
Poplar Rd. *Bwnhls* —5C **10**
Poplar Rd. *Dorr* —5B **166**
Poplar Rd. *Gt Wyr* —4F **7**
Poplar Rd. *K Hth* —5G **133**
Poplar Rd. *K'wfrd* —4C **92**
Poplar Rd. *O'bry* —1G **97**
Poplar Rd. *Smeth* —2E **115**
Poplar Rd. *Sol* —3G **151**
Poplar Rd. *S'hll* —6B **118**
Poplar Rd. *Stourb* —2C **124**
Poplar Rd. *W'bry* —5G **47**
Poplar Rd. *Wolv* —5E **43**
Poplars Dri. *B36* —1F **105**
Poplars Dri. *Cod* —5F **13**
Poplars Ind. Est., The. *B6*
—2H **83**
Poplars, The. *B16* —5B **100**
Poplars, The. *B11* —5C **118**
Poplars, The. *Smeth* —5G **99**
Poplars, The. *Stourb* —1D **108**
Poplar St. *Smeth* —4G **99**
Poplar St. *Wolv* —5H **43**
Poplar Trees. H'wd —3A 162
(off May Farm Clo.)
Poplar Way Shop. Cen. *Sol*
—3G **151**
Poplarwoods. *B32* —3H **129**
Poppy Dri. *Wals* —2E **65**
Poppy Gro. *Salt* —5F **103**
Poppy La. *B24* —2A **86**
Poppymead. *Erd* —5B **68**
Porchester Clo. *Wals W*
—4C **22**
Porchester Dri. *B19* —3F **101**
Porchester St. *B19* —3F **101**
Porlock Cres. *B31* —4B **144**
Porlock Rd. *Stourb* —5E **109**
Portal Rd. *Wals* —1F **47**
Porter Clo. *S Cold* —6H **69**
Porters Cft. *B17* —3E **115**
Porter's Fld. *Dud* —6F **77**
Portersfield Ind. Est. *Crad H*
—4F **111**
Portersfield Rd. *Crad H*
—3E **111**
Portershill Dri. *Shir* —6A **150**
Porter St. *Dud* —6F **77**

Porters Way. *B9* —1E **119**
Portfield Dri. *Tip* —4A **78**
Portfield Gro. *B23* —1G **85**
Porth Kerry Gro. *Dud* —6F **59**
Port Hope Rd. *B11* —4A **118**
Porthouse Gro. *Bils* —2D **60**
Portia Av. *Shir* —5H **149**
Portland Av. *Wals* —4D **34**
Portland Ct. *Wals* —4D **34**
Portland Cres. *Stourb* —4F **125**
Portland Dri. *Stourb* —4F **125**
Portland Pl. *Bils* —6D **60**
Portland Rd. *B17 & B16*
—6F **99**
Portland Rd. *Wals* —3D **34**
Portland St. *B6* —2A **102**
Portland St. *Wals* —6C **32**
Port La. *Coven* —1H **13**
Portman Rd. *B13* —6H **133**
Portobello. —3G 45
Portobello Clo. *W'hall* —2F **45**
Portobello Rd. *W Brom*
—5F **63**
Portrush Av. *B38* —6H **145**
Portrush Rd. *Pert* —5D **24**
Portsdown Clo. *Wolv* —2B **28**
Portsdown Rd. *Hale* —4E **127**
Portsea St. *Wals* —3A **32**
Port St. *Wals* —4B **48**
Portswood Clo. *Wolv* —6D **14**
Portway. —4C 96
Portway Clo. *K'wfrd* —4C **92**
Portway Clo. *Sol* —6C **150**
Portway Hill. *Row R* —3B **96**
Portway La. *W'bry* —3E **63**
Portway Rd. *Bils* —4G **45**
Portway Rd. *O'bry* —2E **97**
Portway Rd. *Row R* —5B **96**
Portway Rd. *W'bry* —3E **63**
Portway, The. *K'wfrd* —4B **92**
Portway Wlk. *Row R* —3C **96**
Posey Clo. *B21* —4H **81**
Post Office Rd. *Seis* —2A **56**
Poston Cft. *B14* —3F **147**
Potter Clo. *B23* —5D **68**
Potter Ct. Brie H —1H 109
(off Promenade, The)
Potters La. *Aston* —3G **101**
Potter's La. *W'bry* —3E **63**
Potterton Way. *Smeth* —1D **98**
Pottery Rd. *O'bry* —2A **114**
Pottery Rd. *Smeth* —2E **99**
Pouk Hill Clo. *Wals* —6G **31**
Pouk La. *Lich* —5G **11**
Poultney St. *W Brom* —6F **63**
Poulton Clo. *B13* —3A **134**
Pound Clo. *O'bry* —6F **97**
Pound Grn. *B8* —3F **103**
Pound La. *Fran* —4F **143**
Poundley Clo. *B36* —1G **105**
Pound Rd. *B14* —6G **147**
Pound Rd. *O'bry* —6F **97**
(in two parts)
Pound Rd. *W'bry* —2G **63**
Pountney St. *Wolv*
—3G **43** (6A **170**)
Powell Av. *B32* —5G **113**
Powell Pl. *Bils* —2G **61**
Powell Pl. *Tip* —2C **78**
Powell St. *B1* —6D **100**
Powell St. *Hale* —2B **128**
Powell St. *Wolv & Hth T*
—5B **28**
Power Cres. *B16* —1C **116**
Power Way. *Tip* —5D **62**
Powick Pl. *B19* —2E **101**

Powick Rd. *B23* —6D **84**
Powis Av. *Tip* —1A **78**
Powke Ind. Est. *Row R*
　　　　　　　　—1A **112**
Powke La. *Crad H* —6H **95**
Powke La. *Row R* —1A **112**
Powlers Clo. *Stourb* —3A **126**
Powlett St. *Wolv*
　　　　　　—2H **43** (5D **170**)
Poxon Rd. *Wals* —3C **22**
Poynings, The. *Wolv* —4A **26**
Precinct, The. *W'hall* —4B **30**
Premier Bus. Pk. *Prem B*
　　　　　　　　—2B **48**
Premier Ct. *B30* —4E **147**
Premier Partnership Ind. Est.
　　　K'wfrd —6F **93**
Premier St. *B7* —1D **102**
Premier Trad. Est. *B7* —4H **101**
Premier Way. *S Cold* —3D **68**
Prescot Rd. *Stourb* —1G **125**
Prescott St. *Hock* —5D **100**
Presidential Pk. *S Cold* —3F **53**
Prestbury Rd. *B6* —1G **101**
Presthope Rd. *B29* —6F **131**
Preston Av. *S Cold* —2C **70**
Preston Ho. *Wals* —2D **48**
　　(off Paddock La.)
Preston Rd. *Hock* —3A **100**
Preston Rd. *Yard* —5B **120**
Prestons Row. *Bils* —2C **60**
Prestwick Clo. *S Cold* —3A **54**
Prestwick Rd. *B35* —3F **87**
Prestwick Rd. *K'wfrd* —3A **92**
Prestwood Av. *Wolv* —2F **29**
Prestwood Rd. *B29* —5F **131**
Prestwood Rd. *Wolv* —4C **28**
Prestwood Rd. W. *Wolv*
　　　　　　　　—3C **28**
Pretoria Rd. *B9* —6E **103**
Priam Gro. *Pels* —1F **21**
Price Cres. *Bils* —4F **45**
Price Rd. *W'bry* —2A **64**
Prices Rd. *Dud* —4G **75**
Price St. *B4* —5G **101** (1E **5**)
Price St. *Bils* —6H **45**
Price St. *Dud* —6G **77**
Price St. *Smeth* —4F **99**
Price St. *W Brom* —4A **80**
Priestfield. —5D 44
Priestfield Clo. *B44* —3E **67**
Priestfield St. *Bils* —5D **44**
Priestland Rd. *B34* —2F **105**
Priestley Clo. *B20* —6C **82**
Priestley Clo. *Hale* —5D **110**
Priestley Point. *B6* —1B **102**
Priestley Rd. *B11* —4A **118**
Priestley Rd. *Wals* —4G **31**
Priest St. *Crad H* —2H **111**
Primley Av. *B36* —2B **104**
Primley Av. *Wals* —2H **47**
Primley Clo. *Wals* —1H **47**
Primrose Av. *S'hll* —5C **118**
Primrose Av. *Tip* —5C **62**
Primrose Av. *Wolv* —4H **15**
Primrose Bank. *O'bry* —5H **97**
Primrose Clo. *Crad H*
　　　　　　　　—3D **110**
Primrose Clo. *Wals* —2E **21**
Primrose Cres. *Dud* —3E **77**
Primrose Gdns. *B38* —1B **160**
Primrose Gdns. *Cod* —4G **13**
Primrose Hill. —5F 95
Primrose Hill. *B38* —6B **146**
　　(in two parts)

Primrose Hill. *Smeth* —5B **98**
Primrose Hill. *Stourb* —1C **108**
Primrose Hill Trad. Est. *Dud*
　　　　　　　　—5F **95**
Primrose La. *B28* —2F **149**
Primrose La. *Shir* —4G **163**
Primrose La. *Wolv* —1B **28**
Primrose Pk. *Brie H* —2G **93**
Primrose Rd. *Dud* —5E **95**
Primrose Woods. *B32*
　　　　　　　　—3H **129**
Primsland Clo. *Shir* —2G **165**
Prince Albert St. *B9* —2D **118**
　　(in two parts)
Prince Andrew Cres. *Redn*
　　　　　　　　—5E **143**
Prince Charles Clo. *Redn*
　　　　　　　　—5E **143**
Prince Charles Rd. *Bils*
　　　　　　　　—2H **61**
Prince Edward Dri. *Redn*
　　　　　　　　—5E **143**
Prince George Rd. *W'bry*
　　　　　　　　—6G **47**
Prince of Wales Ct. *Dud*
　　　　　　　　—5C **76**
Prince of Wales La. *B14*
　　　　　　　　—5C **148**
Prince of Wales Way. *Smeth*
　　　　　　　　—4G **99**
Princep Clo. *B43* —1F **67**
Prince Philip Clo. *Redn*
　　　　　　　　—5E **143**
Prince Rd. *B30* —4C **146**
Princes Av. *Wals* —3E **49**
Princes Dri. *Cod* —4G **13**
Princes End. —5G 61
Princes End Ind. Est. *Tip*
　　　　　　　　—4G **61**
Princes Gdns. *Cod* —4F **13**
Princes Ga. *Sol* —3F **151**
Princes Rd. *Stourb* —3B **124**
Princes Rd. *Tiv* —5A **78**
Princess Alice Dri. *S Cold*
　　　　　　　　—3D **68**
Princess All. *Wolv*
　　　　　—1H **43** (3C **170**)
Princess Anne Dri. *Redn*
　　　　　　　　—5E **143**
Princess Anne Rd. *Bils*
　　　　　　　　—2H **61**
Princess Anne Rd. *Wals*
　　　　　　　　—6F **31**
Princess Ct. *Wolv* —3C **28**
Princess Cres. *Hale* —5G **111**
Princess Diana Way. *Redn*
　　　　　　　　—5E **143**
Princess Gro. *W Brom* —5B **64**
Princess Pde. *W Brom* —4B **80**
Princes Sq. *Wolv*
　　　　　—1H **43** (2C **170**)
Princess Rd. *B5* —5G **117**
Princess Rd. *O'bry* —1B **114**
Princess Sq. *Bils* —2H **61**
Princess St. *Wolv*
　　　　　—1H **43** (3C **170**)
Princess Way. *Darl* —3C **46**
Prince St. *Crad H* —3F **111**
Prince St. *Dud* —3E **95**
Prince St. *Wals* —3A **48**
Prince St. *Wals W* —5B **22**
Prince's Way. *Sol* —3F **151**
Princethorpe Clo. *B34*
　　　　　　　　—2H **105**
Princethorpe Clo. *Shir*
　　　　　　　　—5G **149**

Princethorpe Rd. *B29* —4E **131**
Princeton Gdns. *Wolv* —5D **14**
Prince William Clo. *B23*
　　　　　　　　—5D **84**
Princip St. *B4* —5G **101** (1E **5**)
Printing Ho. St. *B4*
　　　　　　—6G **101** (2E **5**)
Priors Clo. *Bal C* —3H **169**
Priors Mill. *Dud* —2A **76**
Priors Way. *B23* —5D **68**
Priory Av. *Hand* —6A **82**
Priory Av. *S Oak* —3D **132**
Priory Clo. *Col* —4H **107**
Priory Clo. *Dud* —5D **76**
Priory Clo. *Smeth* —5G **99**
Priory Clo. *Stourb* —2F **125**
Priory Clo. *W Brom* —5D **80**
Priory Ct. *Dud* —6E **77**
Priory Ct. *Shir* —2F **165**
Priory Ct. *Stourb* —2F **125**
Priory Dri. *O'bry* —4A **98**
Priory Fld. Clo. *Bils* —4B **60**
Priory Fields Nature Reserve.
　　　　　　　　—4D **148**
Priory Ga. Way. *B9* —1E **119**
Priory Ho. Ind. Est. *B18*
　　　　　　　　—4C **100**
Priory La. *Dud* —6H **59**
Priory New Way Ind. Est. *B6*
　　　　　　　　—4H **101**
Priory Queensway, The. *B4*
　　　　　—6G **101** (3E **5**)
Priory Rd. *Aston* —1B **102**
Priory Rd. *Dud* —3E **77**
Priory Rd. *Edg* —5D **116**
Priory Rd. *Hale* —1E **129**
Priory Rd. *Hall G* —2D **148**
Priory Rd. *K Hth* —6E **133**
Priory Rd. *Stourb* —2F **125**
Priory Sq. Shop. Cen. *B4*
　　　　　　　　—3F **5**
Priory St. *Dud* —6E **77**
Priory, The. *Dud* —5H **59**
Priory Wlk. *B4* —6G **101** (3F **5**)
Priory Wlk. *S Cold* —6A **70**
Pritchard Av. *Wolv* —3G **29**
Pritchard Clo. *Smeth* —4F **99**
Pritchard St. *Brie H* —4F **93**
Pritchard St. *W'bry* —2G **63**
Pritchatts Rd. *B15* —6A **116**
Pritchett Av. *Wolv* —2B **60**
Pritchett Rd. *B31* —2F **159**
Pritchett St. *B6* —4G **101**
Private Way. *Redn* —6A **158**
Privet Clo. *Gt Barr* —2G **67**
Probert Rd. *Wolv* —1E **27**
Proctor St. *B7* —4A **102**
Proffitt Clo. *Bwnhls* —2C **22**
Proffitt Clo. *Wals* —5C **32**
Proffitt St. *Wals* —5C **32**
Prole St. *Wolv* —5A **28**
Promenade, The. *Brie H*
　　　　　　　　—1H **109**
Prospect Gdns. *Stourb*
　　　　　　　　—1E **125**
Prospect Hill. *Stourb* —1E **125**
Prospect La. *Sol* —2B **150**
Prospect Pl. *B12* —6H **117**
Prospect Rd. *B13* —4H **133**
Prospect Rd. *Dud* —5F **75**
Prospect Rd. *Hale* —6C **112**
Prospect Row. *Dud* —2F **95**
Prospect Row. *Stourb*
　　　　　　　　—2E **125**
Prospect St. *Bils* —5G **45**

Prospect St. *Tip* —4C **62**
Prospect Trad. Est. *B1* —3A **4**
Prosper Mdw. *K'wfrd* —2C **92**
Prospero Clo. *Redn* —5G **143**
Prosser St. *Bils* —6F **45**
Prosser St. *Wolv* —4A **28**
Prossers Wlk. *Col* —2H **107**
Prouds La. *Bils* —3F **45**
Provence Clo. *Wolv* —5B **28**
Providence Clo. *Wals* —2A **32**
　　(in two parts)
Providence Dri. *Stourb*
　　　　　　　　—5B **110**
Providence La. *Wals* —2A **32**
Providence Row. *Bils* —5D **60**
Providence St. *Crad H*
　　　　　　　　—2F **111**
Providence St. *Stourb*
　　　　　　　　—5A **110**
Providence St. *Tip* —2C **78**
Pruden Av. *Wolv* —2B **60**
Pryor Rd. *O'bry* —6A **98**
Pudsey Dri. *S Cold* —6A **38**
Pugh Cres. *Wals* —1E **47**
Pugh Rd. *B6* —2A **102**
Pugh Rd. *Bils* —3B **60**
Pugh Rd. *Woodc* —2G **61**
Pugin Clo. *Wolv* —6D **24**
Pugin Gdns. *B23* —5D **68**
Pump St. *Wolv* —4C **44**
Puppy Grn. *Tip* —2A **78**
Purbeck Clo. *Hale* —4F **127**
Purbeck Cft. *B32* —6D **114**
Purbrook Rd. *Wolv* —3C **44**
Purcel Rd. *Wolv* —1H **27**
Purdy Rd. *Bils* —3G **61**
Purefoy Rd. *B13* —2C **148**
Purley Gro. *B23* —2A **84**
Purnells Way. *Know* —4C **166**
Purslet Rd. *Wolv* —2C **44**
Purslow Gro. *B31* —5E **145**
Putney Av. *B20* —6E **83**
Putney La. *Rom* —5A **142**
Putney Rd. *B20* —6D **82**
Putney Wlk. *B37* —6D **106**
Pype Hayes Rd. *B24* —4B **86**
Pytchley Ho. *B20* —4B **82**
Pytman Dri. *S Cold* —6E **71**

Quadrangle, The. *B30*
　　　　　　　　—1B **146**
Quadrangle, The. *Shir*
　　　　　　　　—1C **164**
Quadrant, The. *Dud* —4H **59**
Quadrille Lawns. *Wolv* —5D **14**
Quail Grn. *Wolv* —1F **41**
Qualcast Rd. *Wolv* —1B **44**
Quantock Clo. *Hale* —3F **127**
Quantock Clo. *Redn* —5H **143**
Quantock Rd. *Stourb* —5F **109**
Quantry La. *Belb* —1A **156**
Quarrington Gro. *B14*
　　　　　　　　—4A **148**
Quarry Bank. —2C 110
Quarry Brow. *Dud* —2A **76**
Quarry Clo. *Wals* —2E **7**
Quarry Hill. *Hale* —3H **127**
Quarry Ho. *Redn* —1F **157**
Quarry Ho. Clo. *Redn* —6F **143**
Quarry La. *B31* —4D **144**
Quarry La. *Hale* —3H **127**
Quarry Pk. Rd. *Stourb*
　　　　　　　　—5E **125**
Quarry Ri. *Tiv* —1B **96**
Quarry Rd. *B29* —4D **130**

Quarry Rd. *Dud* —1D **110**
Quarry Wlk. *Redn* —2G **157**
Quasar Cen. *Wals* —1C **48**
Quatford Gdns. *Wolv* —4A **28**
Quayle Gro. *Stourb* —6B **92**
Quayside Clo. *O'bry* —1E **97**
Quayside Dri. *Wals* —3A **48**
Queen Eleanors Dri. *Know*
　—1D **166**
Queen Elizabeth Av. *Wals*
　—6F **31**
Queen Elizabeth Ct. *B19*
　—3E **101**
Queen Elizabeth Ct. *Redn*
　—5E **143**
Queen Mary St. *Wals* —5B **48**
Queen Mother Gdns. *Harb*
　—5E **115**
Queen's Arc. *Wolv*
　—1G **43** (3B **170**)
Queens Av. *B18* —3B **100**
Queen's Av. *K Hth* —5G **133**
Queen's Av. *Shir* —6H **149**
Queens Av. *Tiv* —6A **78**
Queensbridge Rd. *B13*
　—3G **133**
Queens Clo. *B24* —5F **85**
Queens Clo. *Smeth* —4E **99**
Queens Ct. *B3*
　—5F **101** (1C **4**)
Queens Ct. *Wolv* —3C **28**
Queens Ct. Trad. Est. *W Brom*
　—4F **79**
Queens Cres. *Bils* —4C **60**
Queens Cres. *Stourb* —4E **109**
Queens Cross. *Dud* —1D **94**
Queens Dri. *B5*
　—1F **117** (5D **4**)
Queens Dri. *B30* —3C **146**
Queen's Dri. *Row R* —5D **96**
Queens Dri., The. *Hale*
　—6C **112**
Queens Gdns. *Bils* —4F **45**
Queens Gdns. *Cod* —4F **13**
Queens Gdns. *Dud* —5E **95**
Queen's Gdns. *W'bry* —2E **63**
Queen's Head Rd. *B21*
　—2A **100**
Queens Hospital Clo. *B15*
　—2E **117**
Queens Lea. *W'hall* —4C **30**
Queens Pde. *Wals* —6H **19**
Queen's Pk. Rd. *B32* —5D **114**
Queen Sq. *Wolv*
　—1G **43** (3B **170**)
Queen's Ride. *B5* —1F **133**
Queens Rd. *Aston* —1A **102**
Queens Rd. *Dud* —5A **60**
Queens Rd. *Erd* —4C **84**
Queens Rd. *Rus* —2G **33**
Queen's Rd. *Smeth* —5B **98**
Queen's Rd. *Stourb* —5D **108**
Queens Rd. *Tip* —2G **77**
Queens Rd. *Wals* —5F **49**
Queens Rd. *Yard* —2D **120**
Queens Sq. *W Brom* —4B **80**
Queens Tower. *B7* —4B **102**
Queen St. *B12* —6B **118**
Queen St. *Bils* —6G **45**
Queen St. *Bils & Mox* —1B **62**
Queen St. *Burn* —1B **10**
Queen St. *C Hay* —2D **6**
Queen St. *Crad H* —2F **111**
Queen St. *Darl* —3D **46**
Queen St. *Hale* —1A **128**
Queen St. *K'wfrd* —2B **92**

Queen St. *O'bry* —1G **97**
Queen St. *Pens* —3G **93**
　(in two parts)
Queen St. *Prem B* —2B **48**
Queen St. *Quar B* —3C **110**
Queen St. *Stourb* —6D **108**
Queen St. *S Cold* —1A **70**
Queen St. *Tip* —5H **61**
Queen St. *Wals W* —5A **22**
Queen St. *W'bry* —2E **63**
Queen St. *W Brom* —4B **80**
Queen St. *Wolv*
　—1H **43** (3C **170**)
　(in two parts)
Queen St. *Word* —6B **92**
Queen St. Pas. *Brie H*
　—3C **110**
Queensway. *Hale* —2A **128**
Queensway. *O'bry* —2H **113**
Queensway. *Stourb* —3A **126**
Queensway. *S Cold* —3A **52**
Queensway. *Witt* —4H **83**
Queensway Clo. *O'bry*
　—2H **113**
Queensway Mall. *Hale*
　—2B **128**
Queensway Trad. Est. *B5*
　—3G **5**
Queenswood Rd. *B13*
　—1A **134**
Queenswood Rd. *S Cold*
　—2H **53**
Quenby Dri. *Dud* —4C **76**
Quendale. *Wom* —1E **73**
Quentin Dri. *Dud* —1B **94**
Queslade Clo. *B43* —4C **66**
Queslett. —3E 67
Queslett Rd. *B43* —4B **66**
　(in two parts)
Queslett Rd. E. *B43 & S Cold*
　—1G **67**
Quicksand La. *Wals* —5B **34**
Quigley Av. *B9* —1B **118**
Quillets Rd. *Stourb* —6A **92**
Quilter Clo. *Bils* —5C **60**
Quilter Clo. *Wals* —6F **31**
Quilter Rd. *B24* —5H **85**
Quincey Dri. *B24* —4A **86**
Quincy Ri. *Brie H* —4G **109**
Quinton. —5F 113
Quinton Av. *Wals* —1F **7**
Quinton Clo. *Sol* —2H **137**
Quintondale. *Shir* —1A **164**
Quinton Expressway. *Quin*
　—1H **129**
Quinton La. *B32* —5A **114**
Quinton Rd. *B17* —2E **131**
Quinton Rd. W. *B32* —6H **113**
Quorn Cres. *Stourb* —6A **92**
Quorn Gro. *B24* —5H **85**
Quorn Ho. *B20* —4B **82**

Rabone La. *Smeth* —3F **99**
Raby Clo. *Tiv* —1H **95**
Raby St. *Wolv*
　—3H **43** (6D **170**)
Racecourse La. *Stourb*
　—3C **124**
Racecourse Rd. *Wolv* —4E **27**
Rachael Gdns. *W'bry* —1A **64**
Rachel Clo. *Tip* —4C **62**
Rachel Gdns. *B29* —3H **131**
Radbourn Dri. *S Cold* —4A **54**
Radbourne Dri. *Hale* —4C **110**
Radbourne Rd. *Shir* —4B **150**

Radcliffe Dri. *Hale* —5E **113**
Raddens Rd. *Hale* —2F **129**
Raddington Dri. *Sol* —5B **136**
Raddlebarn Farm Dri. *B29*
　—4B **132**
Raddlebarn Rd. *B29 & S Cold*
　—4A **132**
Radford Clo. *Wals* —2E **65**
Radford Dri. *Wals* —5G **21**
Radford La. *Wolv* —5F **41**
Radford Ri. *Sol* —3A **152**
Radford Rd. *W Cas* —1E **145**
Radley Gro. *B29* —3E **131**
Radley Rd. *Stourb* —1B **126**
Radley Rd. *Wals* —2G **33**
Radleys, The. *B33* —4G **121**
Radley's Wlk. *B33* —4G **121**
Radnell Ho. *O'bry* —3D **96**
Radnor Clo. *Redn* —5H **143**
Radnor Ct. *Wals* —3B **22**
Radnor Cft. *Wals* —2G **65**
Radnor Grn. *W Brom* —6A **64**
Radnor Rd. *B20* —1D **100**
Radnor Rd. *Dud* —5G **59**
Radnor Rd. *O'bry* —4H **113**
Radnor St. *B18* —3C **100**
Radstock Av. *B36* —2A **104**
Radstock Rd. *W'hall* —6C **18**
Radway Rd. *Shir* —2C **164**
Raeburn Rd. *B43* —1E **67**
Raford Rd. *B23* —1D **84**
Ragees Rd. *K'wfrd* —5D **92**
Raglan Av. *Smeth* —5G **99**
Raglan Av. *Wolv* —6F **25**
Raglan Clo. *Dud* —6F **59**
Raglan Clo. *Wals* —6H **35**
Raglan Rd. *B5* —5F **117**
Raglan Rd. *Hand* —1G **99**
Raglan Rd. *Smeth* —5G **99**
Raglan St. *Brie H* —5G **93**
Raglan St. *Wolv*
　—1F **43** (4A **170**)
Raglan Way. *B37* —1F **123**
Ragley Clo. *Know* —2D **166**
Ragley Clo. *Wals* —6G **19**
Ragley Dri. *Gt Barr* —3H **65**
Ragley Dri. *Sheld* —5G **121**
Ragley Dri. *W'hall* —3H **45**
Ragley Wlk. *Row R* —6C **96**
Ragnall Av. *B33* —4H **121**
Rail Bri. Est. *W Brom* —6G **79**
Railswood Dri. *Wals* —4E **21**
Railway Dri. *Bils* —6G **45**
　(in two parts)
Railway Dri. *Wolv*
　—1H **43** (2D **170**)
Railway La. *W'hall* —2A **46**
Railway Rd. *B20* —5H **83**
Railway Rd. *S Cold* —6H **53**
Railwayside Clo. Smeth
　(off Forest Clo.) —2C **98**
Railway St. *Bils* —6G **45**
Railway St. *Gt Bri* —2C **78**
Railway St. *W Brom* —3H **79**
Railway St. *W'hall* —2A **46**
Railway St. *Wolv*
　—1H **43** (2D **170**)
Railway Ter. *B42* —1B **82**
Railway Ter. *Nech* —3B **102**
Railway Ter. *W'bry* —3F **63**
Railway Vw. *B10* —4C **118**
Railway Wlk. *Cann* —1E **9**
Rainbow St. *Bils* —2F **61**
Rainbow St. *Wolv* —3G **43**
Rainford Way. *B38* —1G **159**
Rainham Clo. *Tip* —2F **77**

Rainsbrook Dri. *Shir* —3D **164**
Rake Way. *B15*
　—2D **116** (6A **4**)
Raleigh Clo. *B21* —6F **81**
Raleigh Cft. *B43* —2A **66**
Raleigh Ind. Est. *Hand* —6F **81**
Raleigh Rd. *B9* —1D **118**
Raleigh Rd. *Bils* —2H **61**
Raleigh St. *Wals* —1A **48**
Raleigh St. *W Brom* —3A **80**
Ralph Barlow Gdns. *B44*
　—5B **68**
Ralph Rd. *B8* —5D **102**
Ralph Rd. *Shir* —3H **149**
Ralphs Mdw. *B32* —3B **130**
Ralston Clo. *Blox* —3G **19**
Ramillies Cres. *Wals* —4F **7**
Ramp Rd. *Birm A* —6E **123**
Ramsay Rd. *O'bry* —2A **114**
Ramsden Clo. *B29* —6F **131**
Ramsey Clo. *Redn* —6E **143**
Ramsey Clo. *W Brom* —5D **64**
Ramsey Ho. *Wals* —4A **48**
Ramsey Rd. *B7* —2C **102**
Ramsey Rd. *Tip* —6G **61**
Ramsey Rd. *Wals* —4G **31**
Randall Clo. *K'wfrd* —5D **92**
Randle Dri. *S Cold* —6A **38**
Randle Rd. *Stourb* —1G **125**
Randwick Gro. *B44* —4F **67**
Ranelagh Rd. *Wolv* —5G **43**
Rangeways Rd. *K'wfrd*
　—5D **92**
Rangoon Rd. *Sol* —1A **138**
Ranleigh Av. *K'wfrd* —5D **92**
Rann Clo. *B16* —2C **116**
Rannoch Clo. *Brie H* —3F **109**
Ranscombe Dri. *Dud* —5H **75**
Ransom Rd. *B23* —3C **84**
Ranworth Ri. *Wolv* —1H **59**
Ratcliffe Clo. *Dud* —6B **60**
Ratcliffe Rd. *Sol* —6G **137**
Ratcliffe Rd. *Wolv* —3A **30**
Ratcliff Wlk. *O'bry* —2G **97**
Ratcliff Way. *Tip* —6D **62**
Rathbone Clo. *B5* —4G **117**
Rathbone Clo. *Bils* —6F **45**
Rathbone Rd. *Smeth* —1D **114**
Rathlin Clo. *Pend* —4E **15**
Rathlin Cft. *B36* —3D **106**
Rathmore Clo. *Stourb*
　—3B **124**
Rathwell Clo. *Wolv* —5E **15**
Rattle Cft. *B33* —6C **104**
Ravenall Clo. *B34* —2F **105**
Raven Clo. *Wals* —3D **6**
Raven Ct. Brie H —1H **109**
　(off Hill St.)
Raven Cres. *Wolv* —1H **29**
Ravenfield Clo. *B8* —4F **103**
Ravenhayes La. *B32* —6G **129**
Raven Hays Rd. *B31* —5A **144**
Ravenhill Dri. *Cod* —4G **13**
Ravenhurst Dri. *B43* —2A **66**
Ravenhurst M. *Erd* —4E **85**
Ravenhurst Rd. *B17* —4G **115**
Ravenhurst St. *B12* —3A **118**
Raven Rd. *Wals* —5F **49**
Ravensbourne Gro. *W'hall*
　—1C **46**
Ravensbury Ho. *Edg* —4C **116**
Ravens Ct. *Wals* —6B **19**
Ravenscroft. *Stourb* —5A **108**
Ravenscroft Rd. *Sol* —5E **137**
Ravenscroft Rd. *W'hall*
　—4B **30**

Ravensdale Clo. *Wals* —4F **49**
Ravensdale Gdns. *Wals*
      —5F **49**
Ravensdale Rd. *B10* —4F **119**
Ravenshaw. *Sol* —5D **152**
Ravenshaw La. *Sol* —3C **152**
Ravenshaw Rd. *B16* —1G **115**
Ravenshaw Way. *Sol* —5C **152**
Ravenshill Rd. *B14* —3C **148**
Ravensholme. *Wolv* —1F **41**
Ravenside Retail Pk. *Erd*
      —4C **86**
Ravensitch Wlk. *Brie H*
      —2A **110**
Ravenswood. *B15* —3A **116**
Ravenswood Clo. *S Cold*
      —3H **53**
Ravenswood Dri. *Sol* —6D **150**
Ravenswood Dri. S. *Sol*
      —6C **150**
Ravenswood Hill. *Col* —2H **107**
Raven Wlk. *B15* —4F **117**
Rawdon Gro. *B44* —5B **68**
Rawlings Rd. *Smeth* —1D **114**
Rawlins Cft. *B35* —4G **87**
Rawlins St. *B16* —2C **116**
Raybon Cft. *Redn* —3G **157**
Rayboulds Bri. Rd. *Wals*
      —5A **32**
Raybould's Fold. *Dud* —4E **95**
Rayford Dri. *W Brom* —3D **64**
Ray Hall La. *B43* —4E **65**
Rayleigh Rd. *Wolv* —3E **43**
Raymond Av. *B42* —1D **82**
Raymond Clo. *Wals* —4B **32**
Raymond Gdns. *Wolv* —4G **29**
Raymond Rd. *B8* —5E **103**
Raymont Gro. *B43* —1D **66**
Rayners Cft. *B26* —2D **120**
Raynor Rd. *Wolv* —3B **28**
Rea Av. *Redn* —1E **157**
Reabrook Rd. *B31* —1C **158**
Rea Clo. *B31* —2E **159**
Readers Wlk. *B43* —4B **66**
Rea Fordway. *Redn* —6F **143**
Reansway Sq. *Wolv* —5E **27**
Reapers Clo. *W'hall* —4D **30**
Reapers Wlk. *Pend* —6D **14**
Reaside Cres. *B14* —2D **146**
Reaside Cft. *B12* —5G **117**
Rea St. *B5* —2H **117** (6G **5**)
Rea St. S. *B5* —3G **117**
Rea Ter. *B5* —1H **117** (5H **5**)
Rea Tower. B19 —4E 101
(off Mosborough Cres.)
Rea Valley Dri. *B31* —5F **145**
Reaview Dri. *S Oak* —3D **132**
Reaymer Clo. *Wals* —3H **31**
Reay Nadin Dri. *S Cold*
      —1B **68**
Rebecca Dri. *B29* —3A **132**
Rebecca Gdns. *Penn* —1D **58**
Recreation St. *Dud* —4F **95**
Rectory Av. *W'bry* —5D **46**
Rectory Clo. *Stourb* —2F **125**
Rectory Fields. *Stourb*
      —1C **108**
Rectory Gdns. *B36* —1E **105**
Rectory Gdns. *O'bry* —4H **97**
Rectory Gdns. *Sol* —4G **151**
Rectory Gdns. *Stourb* —2F **125**
Rectory Gro. *B18* —3A **100**
Rectory La. *B36* —1E **105**
Rectory Pk. Av. *S Cold* —1C **70**
Rectory Pk. Clo. *S Cold*
      —1C **70**

Rectory Pk. Rd. *B26* —6F **121**
Rectory Rd. *B31* —4F **145**
Rectory Rd. *Sol* —4G **151**
Rectory Rd. *Stourb* —2F **125**
Rectory Rd. *S Cold* —6A **54**
Rectory St. *Stourb* —6B **92**
Redacre Rd. *S Cold* —3F **69**
Redacres. *Wolv* —3C **26**
Redbank Av. *B23* —4C **84**
Redbourn Rd. *Wals* —3G **19**
Red Brick Clo. *Crad H*
      —4F **111**
Redbrook Covert. *B38*
      —1A **160**
Red Brook Rd. *Wals* —4G **31**
Redbrooks Clo. *Sol* —6E **151**
Redburn Dri. *B14* —5F **147**
Redcar Cft. *B36* —1A **104**
Redcar Rd. *Wolv* —3H **15**
Redcliffe Dri. *Wom* —1H **73**
Redcott's Clo. *Wolv* —1C **28**
Redcroft Dri. *B24* —2A **86**
Redcroft Rd. *Dud* —3G **95**
Reddal Hill Rd. *Crad H*
      —2G **111**
Reddicap Heath. —1C 70
Reddicap Heath Rd. *S Cold*
      —1D **70**
Reddicap Hill. *S Cold* —1C **70**
Reddicap Trad. Est. *S Cold*
      —6B **54**
Reddicroft. *S Cold* —6A **54**
Reddings La. *Hall G & Tys*
      —3E **135**
Reddings Rd. *B13* —3F **133**
Reddings, The. *H'wd* —4A **162**
Redditch Ho. *B33* —1A **122**
Redditch Rd. *B31 & B38*
      —2G **159**
Redditch Rd. *A'chu* —6G **159**
Redfern Clo. *Sol* —4F **137**
Redfern Dri. *Burn* —1D **10**
Redfern Pk. Way. *B11*
      —6G **119**
Redfern Rd. *B11* —6F **119**
Redfly La. *Brie H* —3G **93**
Redford Clo. *B13* —3B **134**
Redgate Clo. *B38* —5H **145**
Redhall Rd. *B32* —4C **114**
Redhall Rd. *Dud* —5G **75**
Redhill. *Dud* —1F **95**
Red Hill. *Stourb* —1F **125**
Redhill Av. *Wom* —1G **73**
Red Hill Clo. *Stourb* —1F **125**
Red Hill Gro. *B38* —2B **160**
Redhill La. *Chad & Redn*
      —4C **156**
Redhill Pl. *Hunn* —6A **128**
Redhill Rd. *N'fld & K Nor*
      —1F **159**
Redhill Rd. *Yard* —5G **119**
Red Hill St. *Wolv* —6G **27**
Redhill Ter. *Yard* —5H **119**
Redholme Ct. *Stourb* —1E **125**
Red Ho. Av. *W'bry* —2H **63**
Redhouse Clo. *Ben H*
      —4A **166**
Redhouse Glassworks Mus.
      —2C **108**
Redhouse Ind. Est. *A'rdge*
      —3H **33**
Redhouse La. *Wals* —4A **34**
Red Ho. Pk. Rd. *B43* —3A **66**
Redhouse Rd. *B33* —6C **104**
Redhouse Rd. *Wolv* —4G **25**
Redhouse St. *Wals* —4C **48**

Redhurst Dri. *Wolv* —4F **15**
Redlake Dri. *Stourb* —4F **125**
Redlake Rd. *Stourb* —4F **125**
Redlands Clo. *Sol* —2H **151**
Redlands Rd. *Sol* —2G **151**
Redliff Clo. *S Cold* —2A **52**
Red La. *Dud* —5F **59**
Red Leasowes Rd. *Hale*
      —2H **127**
Redliff Av. *B36* —6H **87**
Red Lion Av. *Cann* —1E **9**
Red Lion Clo. *Tiv* —1A **96**
Red Lion Cres. *Cann* —1E **9**
Red Lion La. *Cann* —1E **9**
Red Lion St. *Wals* —6C **32**
Red Lion St. *Wolv*
      —1G **43** (2A **170**)
Redmead Clo. *B30* —3G **145**
Redmoor Gdns. *Wolv* —6E **43**
Redmoor Way. *Min* —1G **87**
Rednal. —3A 158
Rednal Hill La. *Redn* —3F **157**
Rednall Dri. *S Cold* —6A **38**
Rednal Mill Dri. *Redn*
      —2B **158**
Rednal Rd. *B38* —1G **159**
Redoak Ho. *Wolv* —6B **28**
Redpine Crest. *W'hall* —5D **30**
Red River Rd. *Wals* —4G **31**
Red Rock Dri. *Cod* —5F **13**
Redruth Clo. *K'wfrd* —1B **92**
Redruth Clo. *Wals* —4H **49**
Redruth Rd. *Wals* —4H **49**
Redstone Dri. *Wolv* —4H **29**
Redstone Farm Rd. *B28*
      —1H **149**
Redthorn Gro. *B33* —6B **104**
Redvers Rd. *B9* —2E **119**
Redway Ct. *S Cold* —1C **70**
Redwing Clo. *Hamm* —1F **11**
Redwing Gro. *Erd* —6B **68**
Red Wing Wlk. *B36* —1C **106**
Redwood Av. *Dud* —2B **76**
Redwood Clo. *B30* —3A **146**
Redwood Clo. *S Cold* —1H **51**
Redwood Cft. *B14* —6G **133**
Redwood Dri. *Tiv* —5B **78**
Redwood Gdns. *B27* —6H **119**
Redwood Ho. *B37* —4C **106**
Redwood Rd. *B30* —3A **146**
Redwood Rd. *Bils* —3F **61**
Redwood Rd. *Wals* —1F **65**
Redwood Way. *W'hall* —1B **30**
Redworth Ho. Redn —1F 157
(off Deelands Rd.)
Reedham Gdns. *Wolv* —6B **42**
Reedly Rd. *W'hall* —6C **18**
Reedmace Clo. *B38* —1B **160**
Reed Sq. *B35* —3F **87**
Reedswood Clo. *Wals* —6A **32**
Reedswood Gdns. *Wals*
      —6A **32**
Reedswood La. *Wals* —6A **32**
Reedswood Way. *Wals*
      —5G **31**
Rees Dri. *Wom* —6H **57**
Reeves Gdns. *Cod* —3G **13**
Reeves Rd. *B14* —1E **147**
Reeves St. *Wals* —1H **31**
Reflex Ind. Pk. *W'hall* —6H **29**
Reform St. *W Brom* —4B **80**
Regal Cft. *B36* —1H **103**
Regal Dri. *Wals* —3A **48**
Regan Av. *Shir* —6G **149**
Regan Ct. *S Cold* —6G **55**
Regan Cres. *B23* —1E **85**

Regency Clo. *B9* —2D **118**
Regency Ct. *Wolv*
      —6G **27** (1A **170**)
Regency Dri. *B38* —5B **146**
Regency Gdns. *B14* —4C **148**
Regency Wlk. *S Cold* —4D **36**
Regent Av. *Tiv* —6A **78**
Regent Clo. *B5* —5F **117**
Regent Clo. *Hale* —1A **128**
Regent Clo. *K'wfrd* —3B **92**
Regent Clo. *Tiv* —1A **96**
Regent Ct. *Smeth* —4E **99**
Regent Dri. *Tiv* —6A **78**
Regent Ho. Wals —6B 32
(off Green La.)
Regent Pde. *B1*
      —5E **101** (1A **4**)
Regent Pk. Rd. *B10* —2C **118**
Regent Pl. *B1* —5E **101** (1A **4**)
Regent Pl. *Tiv* —5B **78**
Regent Rd. *Hand* —1H **99**
Regent Rd. *Harb* —5H **115**
Regent Rd. *Tiv* —1A **96**
Regent Rd. *Wolv* —6C **42**
Regent Row. *B1*
      —5E **101** (1A **4**)
Regents, The. *Edg* —3H **115**
Regent St. *B1* —5E **101** (1A **4**)
Regent St. *Bils* —5F **45**
Regent St. *Crad H* —1H **111**
Regent St. *Dud* —1E **77**
Regent St. *Smeth* —3E **99**
Regent St. *Stir* —6C **132**
Regent St. *Tip* —5G **61**
Regent St. *W'hall* —6A **30**
Regent Wlk. *B8* —2H **103**
Regina Av. *B44* —5G **67**
Regina Clo. *Redn* —5E **143**
Regina Cres. *Wolv* —5H **25**
Regina Dri. *B42* —4E **83**
Regina Dri. *Wals* —5E **33**
Reginald Rd. *B8* —5D **102**
Reginald Rd. *Smeth* —1D **114**
Regis Beeches. *Wolv* —4A **26**
Regis Gdns. *Row R* —1C **112**
Regis Heath Rd. *Row R*
      —1D **112**
Regis Ho. *O'bry* —1A **114**
Regis Rd. *Row R* —2C **112**
Regis Rd. *Wolv* —4H **25**
Reid Av. *W'hall* —3D **30**
Reid Rd. *O'bry* —2A **114**
Reigate Av. *B8* —5H **103**
Reliance Trad. Est. *Bils*
      —6D **44**
Relko Dri. *B36* —2A **104**
Remembrance Rd. *W'bry*
      —2A **64**
Remington Pl. *Wals* —4A **32**
Remington Rd. *Wals* —3H **31**
Renfrew Clo. *Stourb* —6A **92**
Renfrew Sq. *B35* —3F **87**
Rennie Gro. *B32* —6B **114**
Rennison Dri. *Wom* —1G **73**
Renown Clo. *Brie H* —1F **93**
Renton Gro. *Wolv* —6E **15**
Renton Rd. *Wolv* —6E **15**
Repington Way. *S Cold*
      —5F **55**
Repton Av. *Wolv* —6E **25**
Repton Gro. *B9* —6H **103**
Repton Ho. *B23* —1F **85**
Repton Rd. *B9* —6H **103**
Reservoir Clo. *Wals* —3H **47**
Reservoir Pas. *W'bry* —2F **63**
Reservoir Pl. *Wals* —3H **47**

Reservoir Retreat. *B16*
—2B **116**
Reservoir Rd. *Edg* —1B **116**
Reservoir Rd. *Erd* —3D **84**
Reservoir Rd. *O'bry* —5A **98**
Reservoir Rd. *Redn* —6A **158**
Reservoir Rd. *Row R* —6C **96**
Reservoir Rd. *S Oak* —2F **131**
Reservoir Rd. *Sol* —5D **136**
Reservoir St. *Wals* —3H **47**
Retallack Clo. *Smeth* —1F **99**
Retford Dri. *S Cold* —1C **70**
Retford Gro. *B25* —5A **120**
Retreat Gdns. *Dud* —6A **60**
Retreat St. *Wolv*
—3F **43** (6A **170**)
Retreat, The. *Crad H* —4G **111**
Revesby Wlk. *B7* —5A **102**
Revival St. *Wals* —6H **19**
Reynards Clo. *Dud* —6C **60**
Reynolds Clo. *Swind* —5E **73**
Reynolds Ct. *O'bry* —4H **113**
Reynolds Gro. *Wolv* —4F **25**
Reynolds Rd. *B21* —2A **100**
Reynoldstown Rd. *B36*
—1A **104**
Reynolds Wlk. *Wolv* —1B **30**
Rhayader Rd. *B31* —2C **144**
Rhodes Clo. *Dud* —3E **75**
Rhone Clo. *B11* —2C **134**
Rhoose Cft. *B35* —5F **87**
Rhys Thomas Clo. *W'hall*
—5D **30**
Ribbesford Av. *Wolv* —1F **27**
Ribbesford Clo. *Hale* —6F **111**
Ribbesford Cres. *Bils* —4F **61**
Ribblesdale Rd. *B30* —6C **132**
Ribble Wlk. *B36* —1B **106**
Richard Lighton Ho. *B1* —3A **4**
Richard Pl. *Wals* —3G **49**
Richard Rd. *Wals* —3G **49**
Richards Clo. *B31* —3D **158**
Richards Clo. *Row R* —5E **97**
Richards Ho. *O'bry* —5E **97**
*Richards Ho. Wals —6B **32***
(off Burrowes St.)
Richardson Dri. *Stourb*
—3C **108**
Richards Rd. *Tip* —4H **61**
Richard St. *W'bry* —3D **46**
Richard St. *B7* —4H **101**
Richard St. *W Brom* —4H **79**
Richard St. S. *W Brom*
—5A **80**
Richard St. W. *W Brom*
—5H **79**
Richard Williams Rd. *W'bry*
—3H **63**
Richborough Dri. *Dud* —4A **76**
Riches St. *Wolv* —6D **26**
Richford Gro. *B33* —1H **121**
Richmere Ct. *Wolv* —6H **25**
Richmond Ashton Dri. *Tip*
—2A **78**
Richmond Av. *B12* —6H **117**
Richmond Av. *Wolv* —2D **42**
Richmond Clo. *B20* —4C **82**
Richmond Clo. *H'wd* —2B **162**
Richmond Ct. *Hale* —2G **127**
Richmond Ct. *O'bry* —4A **98**
*Richmond Ct. Stourb —4F **125***
(off Redlake Rd.)
Richmond Ct. *S Cold* —6H **69**
Richmond Cft. *B42* —1B **82**
Richmond Dri. *Pert* —5F **25**
Richmond Dri. *Wolv* —2C **42**

Richmond Gdns. *Amb*
—4D **108**
Richmond Gdns. *Wom*
—2G **73**
Richmond Gro. *Stourb*
—3C **108**
Richmond Hill. *O'bry* —4A **98**
Richmond Hill Gdns. *B15*
—4A **116**
Richmond Hill Rd. *B15*
—5A **116**
Richmond Ho. *B37* —2E **123**
Richmond Pk. *K'wfrd* —1A **92**
Richmond Pl. *B14* —5H **133**
Richmond Rd. *Dud* —1E **95**
Richmond Rd. *Hock* —3D **100**
Richmond Rd. *Redn* —2E **157**
Richmond Rd. *Sed* —6A **60**
Richmond Rd. *Smeth* —1E **115**
Richmond Rd. *Sol* —4C **136**
Richmond Rd. *Stech* —1B **120**
Richmond Rd. *S Cold* —5H **53**
Richmond Rd. *Wolv* —1C **42**
Richmond St. *Hale* —1A **128**
Richmond St. *Wals* —2D **48**
Richmond St. *W Brom* —1F **79**
Richmond St. S. *W Brom*
—2E **79**
Richmond Way. *B37* —6E **107**
Rickard Clo. *Know* —4A **166**
Rickman Dri. *B15* —3F **117**
Rickyard Clo. *S Oak* —1E **145**
Rickyard Clo. *Yard* —2B **120**
Rickyard Piece. *B32* —1C **130**
Riddfield Rd. *B36* —1C **104**
Ridding La. *W'bry* —3F **63**
Riddings Cres. *Wals* —3D **20**
Riddings, The. *B33* —5C **104**
Riddings, The. *Stourb*
—3H **125**
Riddings, The. *S Cold* —5F **71**
Riddings, The. *Wolv* —2C **28**
Ridgacre. —5B 114
Ridgacre Enterprise Pk.
W Brom —1H **79**
Ridgacre La. *B32* —5H **113**
Ridgacre Rd. *B32* —5H **113**
Ridgacre Rd. *W Brom* —1H **79**
Ridgacre Rd. W. *B32* —5G **113**
Ridge Clo. *B13* —1C **148**
Ridge Clo. *Wals* —6D **30**
Ridgefield Rd. *Hale* —3C **112**
Ridge Gro. *Stourb* —6G **109**
Ridge Hill. *Stourb* —6D **92**
Ridge La. *Wolv* —2F **29**
Ridgemount Dri. *B38* —2H **159**
Ridge Rd. *K'wfrd* —4H **91**
Ridge St. *Stourb* —5A **108**
Ridgewater Clo. *Redn*
—3H **157**
Ridgeway. *A'rdge* —5D **34**
Ridgeway. *Edg* —1F **115**
Ridgeway Av. *Hale* —5G **113**
Ridgeway Dri. *Wolv* —2D **58**
Ridgeway Rd. *Stourb* —1D **108**
Ridgeway Rd. *Tip* —5A **62**
Ridgeway, The. *Burn* —1C **10**
Ridgeway, The. *Dud* —1H **75**
Ridgeway, The. *Erd* —1A **84**
Ridgewood. *B34* —3F **105**
Ridgewood Av. *Stourb*
—4A **108**
Ridgewood Clo. *Wals* —3D **48**
Ridgewood Dri. *S Cold*
—2H **53**
Ridgewood Gdns. *B44* —6G **67**

Ridgmont Cft. *B32* —6C **114**
Riding Clo. *W Brom* —5D **64**
Riding Way. *W'hall* —3D **30**
Ridley St. *B1* —2E **117** (6B **4**)
Ridpool Rd. *B33* —6F **105**
Rifle St. *Bils* —5C **60**
Rigby St. *W'bry* —4F **63**
Riland Av. *S Cold* —6B **54**
Riland Ct. *S Cold* —6A **70**
Riland Gro. *S Cold* —6A **54**
Riland Ind. Est. *S Cold*
—6B **54**
Riland Rd. *S Cold* —6B **54**
Riley Cres. *Wolv* —5D **42**
Riley Dri. *B36* —6C **88**
Riley Rd. *B14* —4D **148**
Riley St. *W'hall* —1B **46**
Rilstone Rd. *B32* —6D **114**
Rindleford Av. *Wolv* —5A **42**
Ringhills Rd. *Cod* —5H **13**
Ringinglow Rd. *B44* —3E **67**
Ringmere Av. *B36* —1F **105**
Ring Rd. St Andrews. *Wolv*
—1F **43** (3A **170**)
Ring Rd. St Davids. *Wolv*
—1H **43** (3D **170**)
Ring Rd. St Georges. *Wolv*
—2H **43** (5C **170**)
Ring Rd. St Johns. *Wolv*
—2G **43** (5A **170**)
Ring Rd. St Marks. *Wolv*
—2F **43** (4A **170**)
Ring Rd. St Patricks. *Wolv*
—6H **27** (1C **170**)
Ring Rd. St Peters. *Wolv*
—1G **43** (2A **170**)
Ringswood Rd. *Sol* —1C **136**
Ring, The. *B25* —3A **120**
Ringwood Av. *Wals* —4D **34**
Ringwood Dri. *Redn* —6G **143**
Ringwood Rd. *Wolv* —6H **15**
Ripley Clo. *Tiv* —1H **95**
Ripley Gro. *B23* —2B **84**
Ripon Dri. *W Brom* —4B **64**
Ripon Rd. *B14* —3C **148**
Ripon Rd. *Wals* —1H **47**
Ripon Rd. *Wolv* —2G **27**
Rippingille Rd. *B43* —1E **67**
Ripple Rd. *B30* —6D **132**
Risborough Ho. *B31* —1D **158**
Rischale Way. *Wals* —1H **33**
Rise Av. *Redn* —2G **157**
Riseley Cres. *B5* —4F **117**
Rise, The. *A'chu* —5F **159**
Rise, The. *Gt Barr* —5C **66**
Rise, The. *K'wfrd* —4C **92**
Rise, The. *Mars G* —4C **122**
Rising Brook. *Wolv* —5H **25**
Rissington Av. *B29* —5C **132**
Ritchie Clo. *B13* —4A **134**
Rivendell Gdns. *Wolv* —4H **25**
Riverbank Rd. *W'hall* —1D **46**
River Brook Dri. *B30* —5D **132**
River Lee Rd. *B11* —6E **119**
Rivermead Pk. *B34* —4E **105**
Riversdale Rd. *B14* —4D **148**
Riverside Ct. *B31 & B38*
—4H **145**
*Riverside Ct. Col —2H **107***
(off Prossers Wlk.)
Riverside Cres. *B28* —3D **148**
Riverside Dri. *Sol* —5B **152**
Riversleigh Dri. *Stourb*
—3C **108**
River St. *B5* —1A **118** (5H **5**)
Riverway. *W'bry* —3H **63**

Rivington Clo. *Stourb*
—1C **124**
Rivington Cres. *B44* —4C **68**
Roach Clo. *B37* —6E **107**
Roach Clo. *Brie H* —4H **93**
Roach Cres. *Wolv* —1H **29**
Roach Pool Cft. *B16* —1G **115**
Robert Av. *B23* —1E **85**
Robert Rd. *B20* —6D **82**
Robert Rd. *Tip* —1H **77**
Roberts Clo. *Wals* —5B **22**
Roberts Clo. *W'bry* —1B **62**
Roberts Ct. *Erd* —1A **86**
Roberts Grn. Rd. *Dud* —3A **76**
Roberts La. *Stourb* —5F **125**
Robertson Knoll. *B36*
—2D **104**
Robertsons Gdns. *B7* —2C **102**
Roberts Rd. *B27* —2A **136**
Roberts Rd. *Wals* —4D **32**
Roberts Rd. *W'bry* —2C **64**
Robert St. *Dud* —3H **75**
Robert Wynd. *Bils* —4B **60**
Robeson Clo. *Tip* —2F **77**
Robin Clo. *B36* —1C **106**
Robin Clo. *K'wfrd* —3E **93**
Robin Gro. *Wolv* —2E **29**
Robin Hood Cres. *B28*
—6E **135**
Robin Hood Cft. *B28* —1F **149**
Robin Hood La. *B13 & B28*
—6D **134**
Robin Hood Rd. *Brie H*
—1B **110**
Robin Rd. *B23* —3E **85**
Robins Bus. Pk. *Tip* —6E **63**
Robins Clo. *C Hay* —4D **6**
Robins Clo. *Stourb* —2E **125**
Robinsfield Dri. *B31* —2E **159**
Robinsons Way. *Min* —2H **87**
Robin Wlk. *Wals* —6F **31**
Robottom Clo. *Wals* —3H **31**
Robson Clo. *Wals* —2B **22**
Rocester Av. *Wolv* —2G **29**
Rochdale Wlk. *B10* —4C **118**
Roche Rd. *Wals* —6F **19**
Rochester Cft. *Wals* —5G **31**
Rochester Rd. *B31* —3E **145**
Roche Way. *Wals* —6F **19**
Rochford Clo. *Hale* —3H **127**
Rochford Clo. *Redn* —2E **157**
Rochford Clo. *S Cold* —5E **71**
Rochford Clo. *Wals* —4A **48**
Rochford Ct. *Shir* —3E **165**
Rochford Gro. *Wolv* —6B **42**
Rock Av. *Redn* —2A **158**
Rocket Pool Dri. *Bils* —3H **61**
Rockford Rd. *B42* —6C **66**
Rock Gro. *Sol* —2C **136**
Rockingham Clo. *Dorr*
—6H **165**
Rockingham Clo. *Dud* —4F **75**
Rockingham Clo. *Wals*
—6H **19**
Rockingham Dri. *Wolv* —6E **25**
Rockingham Gdns. *S Cold*
—5H **53**
Rockingham Hall Gdns. *Hag*
—6H **125**
Rockingham Rd. *B25* —3B **120**
Rockland Dri. *B33* —5C **104**
Rockland Gdns. *W'hall*
—3H **45**
Rocklands Dri. *S Cold* —3H **53**
Rockley Gro. *Redn* —2H **157**
Rockley Rd. *Row R* —3A **96**

Rockmead Av. *B44* —3H **67**
Rockmoor Clo. *B37* —6A **106**
Rock Rd. *Bils* —5B **60**
Rock Rd. *Sol* —2C **136**
Rocks Hill. *Brie H* —2H **109**
Rock St. *Dud* —2A **76**
Rock, The. *Wolv* —4B **26**
Rockville Rd. *B8* —5G **103**
Rocky La. *B7* —3B **102**
Rocky La. *Aston & Nech*
　　　　　　　　—3A **102**
Rocky La. *Gt Barr & P Barr*
　　　　　　　　—1C **82**
Rocky La. Ind. Est. *B7*
　　　　　　　　—3A **102**
Rodborough Rd. *B26* —5F **121**
Rodborough Rd. *Dorr*
　　　　　　　　—6F **167**
Rodbourne Rd. *B17* —2G **131**
Roddis Clo. *B23* —5D **68**
Roderick Dri. *Wolv* —2F **29**
Roderick Rd. *B11* —6C **118**
Rodlington Av. *B44* —4H **67**
Rodman Clo. *B15* —3H **115**
Rodney Clo. *B16* —1C **116**
Rodney Clo. *Sol* —4F **137**
Rodney Rd. *Sol* —4F **137**
Rodway Clo. *B19* —2G **101**
Rodway Clo. *Brie H* —4H **109**
Rodway Clo. *Wolv* —1H **59**
Rodwell Gro. *B44* —5A **68**
Roebuck Clo. *B34* —4A **106**
Roebuck Glade. *W'hall* —5E **31**
Roebuck La. *Smeth* —2C **98**
Roebuck La. *W Brom* —6C **80**
Roebuck Pl. *Wals* —3C **32**
Roebuck Rd. *Wals* —3C **32**
Roebuck St. *W Brom* —6D **80**
Roebuck Wlk. *Erd* —5C **68**
Roedean Clo. *B44* —6B **68**
Roford Ct. *Dud* —1A **76**
Rogerfield Rd. *B23* —1G **85**
Rogers Clo. *Wolv* —6A **18**
Rogers Rd. *B8* —4H **103**
Rokeby Clo. *S Cold* —1C **70**
Rokeby Clo. *B43* —3B **66**
Rokeby Wlk. *B34* —3E **105**
Rokewood Clo. *K'wfrd* —6B **74**
Roland Clo. *B19* —1E **101**
Roland Gro. *B19* —1E **101**
Rolan Dri. *Shir* —1E **163**
Roland Rd. *B19* —1E **101**
Rolfe St. *Smeth* —3E **99**
Rollason Rd. *B24* —4G **85**
Rollason Rd. *Dud* —1F **95**
Rollesby Dri. *W'hall* —3H **45**
Rolling Mill Clo. *B5* —4G **117**
Rollingmill St. *Wals* —2A **48**
Rollswood Dri. *Sol* —3D **150**
Roman Clo. *Wals* —3A **10**
Roman La. *S Cold* —5B **36**
Roman Pk. *S Cold* —5B **36**
Roman Rd. *Stourb* —1A **124**
　(in two parts)
Roman Rd. *S Cold* —4C **36**
Roman Vw. *Cann* —1F **7**
Roman Way. *B15* —2H **131**
Roman Way. *Col* —5G **89**
Roman Way. *Row R* —5C **96**
Romany Rd. *Redn* —6D **142**
Romany Way. *Stourb* —2A **124**
Roma Rd. *B11* —6E **119**
Romford Clo. *B26* —5F **121**
Romilly Av. *B20* —5D **82**
Romilly Clo. *Stourb* —5C **108**
Romilly Clo. *S Cold* —1E **71**

Romney Clo. *B28* —6F **135**
Romney Ho. Ind. Est. W'bry
　　　　　　　　—4B **46**
　(off Wolverhampton St.)
Romney Way. *B43* —1F **67**
Romsey Gro. *Wolv* —4G **15**
Romsey Rd. *Wolv* —4G **15**
Romsey Way. *Wals* —4F **19**
Romsley. —3A 142
Romsley Clo. *Hale* —3B **128**
Romsley Clo. *Redn* —1E **157**
Romsley Clo. *Wals* —5G **21**
Romsley Ct. *Dud* —1D **94**
Romsley Hill. —5A 142
Romsley Rd. *B32* —5H **129**
Romsley Rd. *O'bry* —1H **113**
Romsley Rd. *Stourb* —6G **109**
Romulus Clo. *B20* —4D **82**
Ronald Gro. *B36* —6H **87**
Ronald Pl. *B9* —1E **119**
Ronald Rd. *B9* —1D **118**
Ron Davis Clo. *Smeth* —4F **99**
Rood End. —3A 98
Rood End Rd. *O'bry* —2A **98**
Rooker Av. *Wolv* —4A **44**
Rooker Cres. *Wolv* —5B **44**
Rookery Av. *Brie H* —1E **109**
Rookery Av. *Wolv* —2C **60**
Rookery La. *A'rdge* —3D **34**
Rookery La. *Hale* —2F **129**
Rookery Pde. *Wolv* —5E **43**
Rookery Pde. *A'rdge* —3D **34**
Rookery Pk. *Brie H* —4F **93**
Rookery Ri. *Wom* —1H **73**
Rookery Rd. *Hand* —1A **100**
Rookery Rd. *S Oak* —3B **132**
Rookery Rd. *Wolv* —2C **60**
Rookery Rd. *Wom* —1H **73**
Rookery St. *Wolv* —4E **29**
Rookery, The. *Hale* —3G **129**
Rookwood Dri. *Wolv* —1F **41**
Rookwood Rd. *B27* —1H **135**
Rooth St. *W'bry* —1H **63**
Roper Wlk. *Dud* —1B **76**
Roper Way. *Dud* —1B **76**
Rope Wlk. *Wals* —2E **49**
Rosafield Av. *Hale* —5F **113**
Rosalind Av. *Dud* —6D **60**
Rosalind Gro. *Wolv* —4A **30**
Rosamond St. *Wals* —4B **48**
Rosary Rd. *B23* —4D **84**
Rosary Vs. *S'hll* —6C **118**
Rose Av. *K'wfrd* —4D **92**
Rose Av. *O'bry* —4B **114**
Rose Bank. *S Cold* —4D **36**
Rose Bank Dri. *Wals* —5C **32**
Rosebay Av. *B38* —1B **160**
Rosebery Rd. *Smeth* —5G **99**
Rosebery St. *B18* —5C **100**
Rosebery St. *Wolv* —2F **43**
Rosebury Gro. *Wom* —1E **73**
Rose Clo. *Smeth* —4G **99**
Rose Cotts. *B29* —3B **132**
Rose Ct. *Bal C* —1H **169**
Rosecroft Rd. *B26* —5G **121**
Rosedale Av. *B23* —4E **85**
Rosedale Av. *Smeth* —4G **99**
Rosedale Gro. *B25* —3A **120**
Rosedale Pl. *W'hall* —3A **46**
Rosedale Rd. *B25* —3A **120**
Rosedale Wlk. *K'wfrd* —1C **92**
Rosedene Dri. *B20* —5B **82**
Rose Dri. *Wals* —1A **22**
Rosefield Ct. *Smeth* —5E **99**
Rosefield Cft. *B6* —2H **101**
Rosefield Rd. *Smeth* —5E **99**

Rosefields. *B31* —2F **145**
Rosehall Clo. *Sol* —6D **150**
Rose Hill. *Brie H* —2C **110**
Rose Hill. *Redn* —6G **157**
Rose Hill. *W'hall* —3A **46**
Rose Hill Clo. *B36* —1F **105**
Rose Hill Gdns. *W'hall* —2A **46**
Rose Hill Rd. *B21* —2C **100**
Rosehip Clo. *Wals* —2E **65**
Roseland Av. *Dud* —1H **95**
Roseland Way. *B15* —2D **116**
Rose La. *Tiv* —5C **78**
Rose La. *W Brom* —3D **78**
Roseleigh Rd. *Redn* —3H **157**
Rosemary Av. *Bils* —5H **45**
Rosemary Av. *Wals* —2D **6**
Rosemary Av. *Wolv* —5G **43**
Rosemary Clo. *Clay* —1H **21**
Rosemary Cres. *Dud* —1B **76**
Rosemary Cres. *Wolv* —6G **43**
Rosemary Cres. W. *Wolv*
　　　　　　　　—6F **43**
Rosemary Dri. *S Cold* —6C **36**
Rosemary Hill Rd. *S Cold*
　　　　　　　　—6C **36**
Rosemary La. *Stourb* —2B **124**
Rosemary Nook. *S Cold*
　　　　　　　　—4D **36**
Rosemary Rd. *B33* —1D **120**
Rosemary Rd. *Hale* —3F **127**
Rosemary Rd. *Tip* —1A **78**
Rosemary Rd. *Wals* —1D **6**
　(in two parts)
Rosemoor Dri. *Brie H* —4F **109**
Rosemount. *B32* —1C **130**
Rose Pl. *B1* —5E **101** (1A **4**)
Rose Rd. *B17* —5H **115**
Rose Rd. *Col* —1H **107**
Rose St. *Bils* —3H **61**
Roseville. —6D 60
Roseville Ct. Bils —5E **61**
　(off Castle St.)
Roseville Gdns. *Cod* —3G **13**
Roseville Precinct. Bils
　　　　　　　　—5E **61**
　(off Castle St.)
Rosewood Clo. *Lit A* —4D **36**
Rosewood Dri. *B23* —5D **84**
Rosewood Dri. *W'hall* —1B **30**
Rosewood Gdns. *Ess* —4B **18**
Rosewood Pk. *Wals* —3D **6**
Rosewood Rd. *Dud* —2D **76**
Roshven Av. *B12* —1A **134**
Roshven Rd. *B12* —1A **134**
Roslin Gro. *B19* —3E **101**
Roslyn Clo. *Smeth* —3E **99**
Ross. *Row R* —1B **112**
Ross Clo. *Wolv* —1C **42**
Ross Dri. *K'wfrd* —2A **92**
Rosse Ct. *Sol* —5B **138**
Rossendale Clo. *Hale* —5F **111**
Ross Heights. *Row R* —6B **96**
Rosslyn Rd. *S Cold* —1D **86**
Ross Rd. *Wals* —3D **32**
Rostrevor Rd. *B10* —2F **119**
Rotherby Gro. *Mars G*
　　　　　　　　—4D **122**
Rotherfield Rd. *B26* —3F **121**
Rothesay Cft. *B32* —6H **129**
Rothesay Dri. *Stourb* —6A **92**
Rothesay Way. *W'hall* —3B **30**
Rothley Wlk. *B38* —1G **159**
Rothwell Dri. *Sol* —2B **150**
Rotten Row. —5E 167
Rotten Row. *Know* —5E **167**
Rotton Pk. Rd. *B16* —5H **99**
　(in two parts)

Rotton Pk. St. *Edg* —6B **100**
Rough Coppice Wlk. *B35*
　　　　　　　　—5E **87**
Rough Hay. —4C 46
Rough Hay Pl. *W'bry* —4C **46**
Rough Hay Rd. *W'bry* —4C **46**
Rough Hill Dri. *Row R* —3H **95**
Rough Hills Clo. *Wolv* —5B **44**
Rough Hills Rd. *Wolv* —5B **44**
Roughlea Av. *B36* —2D **104**
Roughley. —6B 38
Roughley Dri. *S Cold* —1A **54**
Rough Rd. *B44* —2A **68**
Rough Wood Country Pk.
　　　　　　　　—3E **31**
Rouncil Clo. *Sol* —6H **137**
Roundabout, The. *B31*
　　　　　　　　—6B **144**
Round Cft. *W'hall* —1A **46**
Round Hill. *Dud* —3H **59**
Round Hill Av. *Stourb*
　　　　　　　　—4G **125**
Roundhill Clo. *S Cold* —2C **70**
Roundhill Ho. *K'wfrd* —6B **74**
Roundhills Rd. *Hale* —3F **113**
Roundhill Ter. *Hale* —2E **113**
Roundhill Way. *Wals* —3B **10**
Roundhouse Rd. *Dud* —3A **76**
Roundlea Clo. *W'hall* —1B **30**
Roundlea Rd. *B31* —5C **130**
Round Moor Wlk. *B35* —4E **87**
Round Oak. —5H 93
Round Oak Rd. *W'bry* —1E **63**
Round Rd. *B24* —5H **85**
Roundsaw Cft. *Redn* —1F **157**
Round's Grn. Rd. *O'bry*
　　　　　　　　—2E **97**
Rounds Hill Rd. *Bils* —5F **61**
Rounds Rd. *Bils* —2F **61**
Round St. *Dud* —3E **95**
Roundway Down. *Wolv*
　　　　　　　　—6E **25**
Rousay Clo. *Redn* —6F **143**
Rousdon Gro. *B43* —5H **65**
Rover Dri. *B36* —6B **88**
Rover Dri. A *Grn* —1B **136**
Rovex Bus. Pk. *B11* —6F **119**
Rowallan Rd. *S Cold* —2B **54**
Rowan Clo. *H'wd* —4B **162**
Rowan Clo. *S Cold* —3D **70**
Rowan Ct. *Smeth* —1B **98**
Rowan Cres. *Bils* —4D **60**
Rowan Cres. *Wolv* —4C **42**
Rowan Dri. *B28* —2G **149**
Rowan Dri. *Ess* —4B **18**
Rowan Ri. *K'wfrd* —3C **92**
Rowan Rd. *Dud* —4B **60**
Rowan Rd. *S Cold* —3A **70**
Rowan Rd. *Wals* —1D **64**
Rowantrees. *Redn* —4H **157**
Rowan Way. *Chel W* —2E **123**
Rowan Way. *N'fld* —1D **158**
Roway La. *O'bry* —6E **79**
Rowbrook Clo. *Shir* —1E **163**
Rowcroft Covert. *B14* —4E **147**
Rowdale Rd. *B42* —6E **67**
Rowden Dri. *B23* —1G **85**
Rowden Dri. *Sol* —5C **150**
Rowena Gdns. *Dud* —3G **59**
Rowheath Rd. *B30* —3B **146**
Rowington Av. *Row R* —6D **96**
Rowington Rd. *B34* —3A **106**
Rowland Gdns. *Wals* —6E **31**
Rowland Hill Dri. *Tip* —2C **78**
Rowlands Av. *Wals* —6E **31**
Rowlands Av. *Wolv* —1D **44**

Rowlands Clo. *Wals* —5E **31**
Rowlands Cres. *Sol* —5F **137**
Rowlands Rd. *B26* —4C **120**
Rowland St. *Wals* —6A **32**
Rowley Gro. *B33* —6H **105**
Rowley Hall Av. *Row R*
     —5C **96**
Rowley Hill Vw. *Crad H*
     —3H **111**
Rowley Pl. *Wals* —2F **33**
Rowley Regis. —6B 96
Rowley St. *Wals* —1D **48**
Rowley Vw. *Bils* —2A **62**
Rowley Vw. *W'bry* —1C **62**
Rowley Vw. *W Brom* —4H **79**
Rowley Village. *Row R* —6C **96**
Rowney Cft. *B28* —3E **149**
Rowood Dri. *Sol* —6G **137**
Rowthorn Clo. *S Cold* —4A **52**
Rowthorn Dri. *Shir* —3E **165**
Rowton Av. *Wolv* —6E **25**
Rowton Dri. *S Cold* —6H **51**
Roxburgh Gro. *B43* —1E **67**
Roxburgh Rd. *S Cold* —2G **69**
Roxby Gdns. *Wolv* —4E **27**
Royal Birmingham Society
  of Artists Gallery. —1F 117
Royal Brierley Crystal.
     —6H **93**
Royal Clo. *Brie H* —3G **109**
Royal Clo. *Row R* —4C **96**
Royal Ct. *S Cold* —3H **69**
Royal Doulton Crystal.
     —4D **108**
Royal Mail St. *B1*
     —1F **117** (5C **4**)
Royal Oak Rd. *Hale* —1F **129**
Royal Oak Rd. *Row R* —4H **95**
Royal Rd. *S Cold* —6A **54**
Royal Scot Gro. *Wals* —6C **48**
Royal Star Clo. *B33* —1G **121**
Royal, The. —2A 44
Royal Way. *Tip* —5A **78**
Roydon Rd. *B27* —2A **136**
Roylesden Cres. *S Cold*
     —3C **68**
Royston Chase. *S Cold*
     —6B **36**
Royston Cft. *B12* —5H **117**
Royston Way. *Dud* —5G **59**
Rubens Clo. *Dud* —2H **75**
Rubery. —2F 157
     —2E **157**
Rubery Ct. *W'bry* —4C **46**
Rubery Farm Gro. *Redn*
     —1F **157**
Rubery La. *Redn* —6F **143**
Rubery La. S. *Redn* —1F **157**
Rubery St. *W'bry* —3D **46**
Ruckley Av. *B19* —2E **101**
Ruckley Rd. *B29* —5F **131**
Ruddington Way. *B19*
     —4G **101**
Rudge Av. *Wolv* —6D **28**
Rudge Clo. *W'hall* —5C **30**
Rudge Cft. *B33* —5E **105**
Rudge St. *Bils* —3G **61**
Rudge Wlk. *B18* —6C **100**
Rudgewick Cft. *B6* —3H **101**
Rudyard Clo. *Wolv* —3A **16**
Rudyard Gro. *B33* —6F **105**
Rudyngfield Dri. *B33* —6D **104**
Rufford Clo. *B23* —5D **68**
Rufford Rd. *Stourb* —1G **125**
Rufford St. *Stourb* —5H **109**

Rufford Way. *Wals* —2A **34**
Rugby Rd. *Stourb* —4B **108**
Rugby St. *Wolv* —6F **27**
Rugeley Av. *W'hall* —1D **30**
Rugeley Cl. *Tip* —2G **77**
Rugeley Rd. *B7* —3B **102**
Ruislip Clo. *B35* —3E **87**
Ruiton. —3H 75
Ruiton St. *Dud* —3H **75**
Rumbow. *Hale* —1B 128
Rumbush. —6E 163
Rumbush La. *Earls* —6E **163**
Rumbush La. *Shir* —3G **163**
Runcorn Clo. *B37* —5E **107**
Runcorn Rd. *B12* —6H **117**
Runnymede Rd. *B11* —2E **135**
Rupert St. *B7* —5A **102**
Rupert St. *Wolv* —1E **43**
Rushall. —2G 33
Rushall Clo. *Stourb* —3C **108**
Rushall Clo. *Wals* —5F **33**
Rushall Ct. B43 —6A 66
  (off West Rd.)
Rushall Mnr. Clo. *Wals* —5F **33**
Rushall Mnr. Rd. *Wals* —5F **33**
Rushall Rd. *Wolv* —5A **16**
Rushbrook Clo. *Clay* —1A **22**
Rushbrook Clo. *Sol* —3C **136**
Rushbrooke Clo. *B13* —1H **133**
Rushbrooke Dri. *S Cold*
     —2C **68**
Rushbrook Gro. *B14* —4E **147**
Rushbury Clo. *Bils* —6D **44**
Rushbury Clo. *Shir* —3B **150**
Rushden Cft. *B44* —4H **67**
Rushes Mill. *Pels* —4C **20**
Rushey La. *B11* —6G **119**
Rushford Av. *Wom* —1G **73**
Rushford Clo. *Shir* —2E **165**
Rush Grn. *B32* —3C **130**
Rushlake Grn. *B34* —4F **105**
Rushleigh Rd. *Shir* —1E **163**
Rushmead Gro. *Redn*
     —2G **157**
Rushmere Rd. *Tip* —5A **62**
Rushmoor Clo. *S Cold*
     —5H **53**
Rushmore Ho. *Redn* —1F **157**
Rushwater Clo. *Wom* —1E **73**
Rushwick Cft. *B34* —3H **105**
Rushwick Gro. *Shir* —3E **165**
Rushwood Clo. *Wals* —6E **33**
Rushy Piece. *B32* —2B **130**
Ruskin Av. *Dud* —2E **75**
Ruskin Av. *Row R* —1D **112**
Ruskin Av. *Wolv* —3B **60**
Ruskin Clo. *B6* —2H **101**
Ruskin Gro. *B27* —3H **135**
Ruskin Rd. *Wolv* —1B **28**
Ruskin St. *W Brom* —2A **80**
Russell Bank Rd. *S Cold*
     —5E **37**
Russell Clo. *Tip* —4C **62**
Russell Clo. *Tiv* —5D **78**
Russell Clo. *Wolv* —6H **17**
Russell Ct. *Wolv* —2F **43**
Russell Ho. *Cod* —3E **13**
Russell Ho. *W'bry* —3F **63**
Russell Rd. *Bils* —4H **45**
Russell Rd. *Hall G* —3E **135**
Russell Rd. *Mose* —2F **133**
Russell's Hall. —6B 76
Russells Hall Rd. *Dud* —6A **76**
Russells, The. *Mose* —2F **133**
Russell St. *Dud* —6D **76**
Russell St. *W'bry* —3F **63**

Russell St. *W'hall* —1B **46**
Russell St. *Wolv* —2F **43**
Russett Clo. *Wals* —3A **50**
Russett Way. *Brie H* —2F **93**
Russet Wlk. *Pend* —6C **14**
Russet Way. *B31* —1C **144**
Ruston St. *B16* —2D **116**
Ruthall Clo. *B29* —6G **131**
Ruth Clo. *Tip* —3C **62**
Rutherford Rd. *B23* —6E **69**
Rutherford Rd. *Wals* —3G **31**
Rutland Av. *Wolv* —1B **58**
Rutland Ct. *B29* —6G **131**
Rutland Cres. *Bils* —4F **45**
Rutland Cres. *Wals* —6D **22**
Rutland Dri. *B26* —4C **120**
Rutland Pas. *Dud* —6E **77**
Rutland Pl. *Stourb* —3B **108**
Rutland Rd. *Smeth* —2E **115**
Rutland Rd. *W'bry* —1A **64**
Rutland Rd. *W Brom* —6A **64**
Rutland St. *Wals* —4C **32**
Rutley Gro. *B32* —1D **130**
Rutters Mdw. *B32* —1H **129**
Rutter St. *Wals* —4B **48**
Ryan Av. *Wolv* —1A **30**
Ryan Pl. *Dud* —3E **95**
  (in two parts)
Rycroft Gro. *B33* —1G **121**
Rydal Clo. *S Cold* —1H **51**
Rydal Clo. *Wolv* —2E **29**
Rydal Dri. *Pert* —5F **25**
Rydal Ho. *O'bry* —4D **96**
Rydal Way. *B28* —6F **135**
Rydding La. *W Brom* —5H **63**
Rydding Sq. *W Brom* —5H **63**
Ryde Gro. *B27* —4G **135**
Ryde Pk. Rd. *Redn* —3A **158**
Ryder Ho. *W Brom* —4E **79**
Ryders Grn. Rd. *W Brom*
     —3E **79**
Ryders Hayes La. *Wals*
     —3E **21**
Ryder St. *B4* —6G **101** (2F **5**)
Ryder St. *Stourb* —1B **108**
Ryder St. *W Brom* —2E **79**
Ryebank Clo. *B30* —2G **145**
Ryeclose Cft. *B37* —6F **107**
Ryecroft. —5C 32
Rye Cft. *B27* —6A **120**
Rye Cft. *H'wd* —4A **162**
Rye Cft. *Stourb* —3A **126**
Ryecroft Av. *Wolv* —6F **43**
Ryecroft Clo. *Dud* —5G **59**
Ryecroft Pk. *Wals* —6C **32**
Ryecroft Pl. *Wals* —3D **32**
Ryecroft St. *Wals* —6C **32**
Ryefield. *Wolv* —5C **14**
Ryefield Clo. *Sol* —3C **150**
Rye Grass Wlk. *B35* —4F **87**
Rye Gro. *B11* —1F **135**
Ryemarket. *Stourb* —6E **109**
Ryhope Wlk. *Wolv* —4E **15**
  (in two parts)
Ryknild Clo. *S Cold* —3F **37**
Ryland Clo. *Hale* —3G **127**
Ryland Clo. *Tip* —2B **78**
Ryland Ho. B19 —4F 101
  (off Gt. Hampton Row)
Ryland Rd. *Edg* —4E **117**
Ryland Rd. *Erd* —6F **85**
Ryland Rd. *S'hll* —1D **134**
Rylands Dri. *Wolv* —1D **58**
Ryland St. *B16* —2D **116**
Ryle St. *Wals* —5A **20**
Rymond Rd. *B34* —3C **104**

Ryton Clo. *S Cold* —6H **53**
Ryton Clo. *Wolv* —4C **28**
Ryton End La. *Bars* —6C **154**
Ryton Gro. *B34* —2H **105**

Sabell Rd. *Smeth* —3D **98**
Sabrina Rd. *Wolv* —2E **41**
Saddle Dri. *B32* —2D **130**
Saddlers Cen. *Wals* —2C **48**
Saddlers Ct. *Wals* —4H **47**
Saddlers Ct. Ind. Est. *Wals*
     —2G **31**
Saddlers M. *Sol* —6G **151**
Saddlestones, The. *Pert*
     —5D **24**
Saddleworth Rd. *Wals* —3G **19**
Sadler Ho. *B19* —3E **101**
Sadler Rd. *S Cold* —4D **54**
Sadler Rd. *Wals* —6C **10**
Sadlers Mill. *Wals* —6C **10**
Sadlers Wlk. *B16* —2C **116**
Saffron Gdns. *Wolv* —1E **59**
Sage Cft. *B31* —2D **144**
St Agatha's Rd. *B8* —4H **103**
St Agnes Clo. *B13* —3B **134**
St Agnes Rd. *B13* —3B **134**
St Aidans Wlk. *B10* —3C **118**
St Albans Clo. *Smeth* —3C **98**
St Albans Clo. *Wolv* —1A **30**
St Albans Rd. *B13* —2A **134**
St Alban's Rd. *Smeth* —3C **98**
St Alphege Clo. *Sol* —4G **151**
St Andrew's Av. *Wals* —2E **21**
St Andrews Clo. *B32* —2E **131**
St Andrews Clo. *Dud* —4E **75**
St Andrews Clo. *Stourb*
     —3D **124**
St Andrew's Clo. *Wolv* —5E **27**
St Andrews Dri. *Pert* —4D **24**
St Andrews Dri. *Tiv* —2B **96**
St Andrew's Ho. *Wolv* —5F **27**
St Andrews Ind. Est. *B9*
     —1C **118**
St Andrew's Rd. *B9* —1B **118**
St Andrews Rd. *S Cold*
     —4A **54**
St Andrews St. *B9* —1B **118**
St Andrew's St. *Dud* —4E **95**
St Annes Clo. *B20* —3B **82**
St Anne's Clo. *Burn* —1A **10**
St Annes Ct. *B44* —6A **68**
St Annes Ct. *B13* —1G **133**
St Annes Ct. *Crad H* —2E **111**
St Anne's Ct. *W'hall* —2B **46**
St Annes Gro. *Know* —3C **166**
St Annes Ind. Est. *W'hall*
     —6B **30**
St Anne's Rd. *Dud & Crad H*
     —2E **111**
St Annes Rd. *W'hall* —6B **30**
St Anne's Rd. *Wolv* —5G **15**
St Anne's Way. *B44* —6A **68**
St Ann's Ter. *W'hall* —6B **30**
St Anthony's Dri. *Wals* —2F **21**
St Athan Cft. *B35* —4F **87**
St Audries Ct. *Sol* —5D **150**
St Augustine's Rd. *B16*
     —2H **115**
St Augustus Clo. *W Brom*
     —5D **80**
St Austell Rd. *Wals* —4A **50**
St Bartholomew's Ter. *W'bry*
     —2F **63**
St Benedict's Clo. *W Brom*
     —5D **80**

St Benedicts Rd. *B10*
—4F **119**
St Benedicts Rd. *Wom*
—1G **73**
St Bernard's Rd. *Sol* —2B **150**
St Bernards Rd. *S Cold*
—3A **70**
St Blaise Av. *Wat O* —5D **88**
St Blaise Rd. *S Cold* —6B **38**
St Brades Clo. *Tiv* —2C **96**
St Brides Clo. *Dud* —5G **59**
Saintbury Dri. *Sol* —2G **165**
St Caroline Clo. *W Brom*
—5D **80**
St Catharines Clo. *Wals*
—4E **49**
St Catherine's Clo. *Dud*
—6A **78**
St Catherines Clo. *S Cold*
—4D **54**
St Catherine's Cres. *Wolv*
—1D **58**
St Chads Cir. Queensway. *B4*
—5F **101** (1D **4**)
St Chad's Clo. *Dud* —4F **75**
St Chads Ind. Est. *B19*
—4G **101**
St Chad's Queensway. *B4*
—5G **101** (2D **4**)
St Chads Rd. *Bils* —4H **45**
St Chad's Rd. *Redn* —2F **157**
St Chads Rd. *S Cold* —6C **54**
St Chads Rd. *Wolv* —1B **28**
St Christopher Clo. *W Brom*
—5D **80**
St Christophers. *B20* —3B **82**
St Clements Av. *Wals* —2B **32**
St Clements Ct. *Hale* —2A **128**
St Clements La. *W Brom*
—3B **80**
St Clements Rd. *B7* —3C **102**
St Columbas Dri. *Redn*
—2B **158**
St Cuthbert's Clo. *W Brom*
—5D **80**
St David's Clo. *Wals* —2F **21**
St David's Clo. *W Brom*
—5D **80**
St Davids Dri. *B32* —6H **113**
St Davids Gro. *B20* —3B **82**
St Davids Pl. *Wals* —5B **20**
St Denis Rd. *B29* —1E **145**
St Dominic's Rd. *B24* —6E **85**
(in two parts)
St Edburgh's Rd. *B25*
—2C **120**
St Edmund's Clo. *W Brom*
—5D **80**
St Edmund's Clo. *Wolv*
—6D **26**
St Edwards Rd. *B29* —3B **132**
St Eleanors Clo. *W Brom*
—5D **80**
St Francis Av. *Sol* —1C **150**
St Francis' Clo. *Wals* —2F **21**
St Francis Factory Est.
W Brom —5B **80**
St George Dri. *Smeth* —2E **99**
St Georges. —2H 43 (4C 170)
St Georges Av. *B23* —2G **85**
St Georges Rd. *B15* —4C **116**
St George's Clo. *S Cold*
—5D **54**
St George's Clo. *W'bry*
—4D **46**
St Georges Ct. *B'vlle* —6A **132**

St Georges Ct. *S Cold* —4E **37**
St Georges Ct. Wals —1D **48**
(off Persehouse St.)
St George's Ct. W'bry —4D **46**
(off St George's St.)
St George's Pde. *Wolv*
—2H **43** (4C **170**)
St Georges Pl. *Wals* —1D **48**
St Georges Pl. *W Brom*
—3A **80**
St George's Rd. *Dud* —3F **95**
St Georges Rd. *Shir* —1B **164**
St George's Rd. *Stourb*
—3B **124**
St George's St. *B19* —5F **101**
St George's St. *W'bry* —4D **46**
St Gerards Ct. *Sol* —5C **150**
St Gerards Rd. *Sol* —5C **150**
St Giles Av. *Row R* —5B **96**
St Giles Clo. *Row R* —5C **96**
St Giles Ct. *Row R* —6D **96**
St Giles Ct. *W'hall* —2B **46**
St Giles Cres. *Wolv* —1C **44**
St Giles Rd. *B33* —1H **121**
St Giles Rd. *W'hall* —2B **46**
St Giles Rd. *Wolv* —1C **44**
St Giles St. *Dud* —4E **95**
St Helens Av. *Tip* —2C **78**
St Helens Pas. *B1*
—6E **101** (1A **4**)
St Helens Rd. *Sol* —1E **151**
St Heliers Rd. *B31* —3C **144**
St Ives Rd. *Wals* —4H **49**
St James Av. *Row R* —5B **96**
St James' Clo. *Wals* —2F **21**
St James Clo. *W Brom*
—5D **80**
St James Pl. *B7* —6A **102**
St James Pl. *Shir* —5H **149**
St James' Rd. *Edg* —3D **116**
St James' Rd. *Hand* —1H **99**
St James Rd. *O'bry* —1D **96**
St James Rd. *S Cold* —1A **54**
St James's Priory. —4E 77
St James's Rd. *Dud* —5D **76**
St James's Ter. *Dud* —5C **76**
St James' St. *Dud* —4H **75**
St James' St. *W'bry* —3E **63**
St James St. *Wolv* —2A **44**
St James Wlk. *Wals* —6B **10**
St John Bosco Clo. *W Brom*
—6H **63**
St John Clo. *S Cold* —5B **38**
St John's Arc. *Wolv*
—1G **43** (3B **170**)
St Johns Av. *Row R* —5B **96**
St John's Clo. *Know* —3D **166**
St John's Clo. *Wals* —4B **22**
St John's Clo. *W Brom*
—5D **80**
St Johns Ct. Brie H —1H **109**
(off Hill St.)
St Johns Ct. *Wals* —6H **19**
St Johns Gro. *B37* —6B **106**
St John's Ho. *W Brom* —5A **80**
St Johns Retail Pk. *Wolv*
—2G **43** (5B **170**)
St John's Rd. *Dud* —1G **95**
St Johns Rd. *Ess* —4A **18**
St John's Rd. *Hale* —1G **127**
St John's Rd. *Harb* —5H **115**
St John's Rd. *O'bry* —4A **98**
St John's Rd. *S'hll* —6C **118**
St Johns Rd. *Stourb* —5E **109**
St Johns Rd. *Tip* —6H **61**

St John's Rd. *Wals* —3H **47**
(WS2)
St John's Rd. *Wals* —2F **21**
(WS3)
St Johns Rd. *Wals* —2C **22**
(WS8)
St John's Rd. *W'bry* —6C **46**
St John's Sq. *Wolv*
—2G **43** (5B **170**)
St John's St. *Dud* —4E **95**
St Johns St. Wolv
—2G **43** (4B **170**)
(off Victoria St.)
St Johns Wlk. *B42* —3F **83**
St John's Way. *Know* —3E **167**
St Johns Wood. *Redn*
—4H **157**
St Joseph's Av. *B31* —2F **145**
St Josephs Clo. *Wals* —3E **21**
St Joseph's Ct. *Wolv* —5A **42**
St Joseph's Rd. *B8* —4A **104**
St Joseph St. *Dud* —6F **77**
St Jude's Clo. *B14* —5H **147**
St Judes Clo. *S Cold* —5D **54**
St Judes Pas. *B5*
—2F **117** (6D **4**)
St Jude's Rd. *Wolv* —6D **26**
St Jude's Rd. W. *Wolv* —6D **26**
St Katherines Rd. *O'bry*
—1H **113**
St Kenelms Av. *Hale* —4G **127**
St Kenelm's Clo. *W Brom*
—5D **80**
St Kenelm's Rd. *Rom* —3A **142**
St Kilda's Rd. *B8* —5E **103**
St Laurence M. *B31* —4E **145**
St Laurence Rd. *B31* —2F **145**
St Lawrence Clo. *Know*
—4D **166**
St Lawrence Way. *W'bry*
—4D **46**
St Leonard's Clo. *B37*
—4C **122**
St Loye's Clo. *Hale* —4D **112**
St Lukes Clo. *Row R* —5B **96**
St Luke's Rd. *B5* —3F **117**
(in two parts)
St Luke's Rd. *W'bry* —2G **63**
(in two parts)
St Lukes St. *Crad H* —2F **111**
St Luke's Ter. *Dud* —1C **94**
St Margaret's. *S Cold* —6C **36**
St Margarets Av. *B8* —3H **103**
St Margarets Dri. *Hale*
—3H **127**
St Margaret's Rd. *B8* —3G **103**
St Margaret's Rd. *Gt Barr*
—3B **66**
St Margarets Rd. *Sol* —4C **136**
St Margarets Rd. *Wals* —3E **21**
St Marks Cres. *B1* —6C **100**
St Marks Rd. *Bwnhls* —2C **22**
St Marks Rd. *Dud* —5H **77**
St Mark's Rd. *Pels* —3E **21**
St Marks Rd. *Smeth* —6B **98**
St Marks Rd. *Stourb* —6H **109**
St Marks Rd. *Tip* —5H **61**
St Mark's Rd. *Wolv* —2E **43**
(in two parts)
St Mark's St. *Wolv*
—2F **43** (4A **170**)
St Martin's Cir. Queensway. *B2*
—1G **117** (5E **5**)
St Martin's Clo. *W Brom*
—5D **80**

St Martins Clo. *Wolv* —5A **44**
St Martins Dri. *Tip* —2A **78**
St Martins La. *B5*
—1G **117** (5F **5**)
St Martin's Rd. *S Cold* —6D **54**
St Martin's St. *B15* —2D **116**
St Martin's Ter. *Bils* —1G **61**
St Mary's Clo. *B24* —3B **86**
St Marys Clo. *B27* —2H **135**
St Marys Clo. *Dud* —5B **60**
St Marys Ct. *Brie H* —1H **109**
St Mary's Ct. W'hall —1A **46**
(off Wolverhampton St.)
St Mary's La. *Stourb* —2F **125**
St Mary's Mobile Home Pk.
Wyt —6G **161**
St Mary's Rd. *Harb* —6G **115**
St Mary's Rd. *Smeth* —2D **114**
St Mary's Rd. *W'bry* —2F **63**
St Mary's Row. *B4*
—6G **101** (2E **5**)
St Marys Row. *Mose* —2H **133**
St Mary's St. *Wolv*
—1H **43** (2C **170**)
St Mary's Vw. *B23* —5D **68**
St Marys Way. *Wals* —4C **34**
St Matthew's Clo. *Pels* —2F **21**
St Matthews Clo. *Wals*
—2D **48**
St Matthews Rd. *O'bry*
(in two parts) —1G **113**
St Matthews Rd. *Smeth*
—4G **99**
St Matthews St. *Wolv* —2B **44**
St Mawes Rd. *Pert* —6F **25**
St Mawgan Clo. *B35* —3G **87**
St Michaels Clo. *Wals* —5E **21**
St Michaels Ct. *W Brom*
—4A **80**
St Michaels Ct. *Wolv* —4C **26**
St Michaels Cres. *O'bry*
—5F **97**
St Michael's Gro. *Dud* —6A **78**
St Michael's Hill. *B18* —2C **100**
St Michael's M. *Tiv* —5A **78**
St Michael's Rd. *B18* —2C **100**
St Michael's Rd. *Dud* —2D **74**
St Michael's Rd. *S Cold*
—5F **69**
St Michael St. *Wals* —3C **48**
St Michael St. *W Brom*
—4A **80**
St Michaels Way. *Tip* —4A **78**
St Nicholas Clo. *Wals* —3E **21**
St Nicholas Ct. *B38* —5B **146**
St Nicholas Gdns. *B38*
—5B **146**
St Nicholas Wlk. *Curd* —1D **88**
St Oswald's Rd. *B10* —3E **119**
St Patricks Clo. *B14* —2G **147**
St Paul's Av. *B12* —6A **118**
St Paul's Clo. *Wals* —1C **48**
St Pauls Ct. *B3*
—5E **101** (1B **4**)
St Pauls Ct. *Row R* —2D **112**
St Paul's Ct. *Wat O* —4D **88**
St Paul's Cres. *Col* —2H **107**
St Paul's Cres. *Wals* —3F **21**
St Paul's Cres. *W Brom*
—6E **63**
St Pauls Dri. *Hale* —2D **112**
St Pauls Dri. *Tip* —3B **78**
St Paul's Rd. *B12* —5H **117**
St Paul's Rd. *Dud* —4F **95**
St Paul's Rd. *Smeth* —2B **98**
St Paul's Rd. *W'bry* —6H **47**

St Paul's Sq. *B3*
—6E **101** (2B **4**)
St Paul's St. *Wals* —1C **48**
St Pauls Ter. *B3*
—5E **101** (1B **4**)
St Peters Clo. *B28* —1D **148**
St Peter's Clo. *Ston* —3G **23**
St Peters Clo. *S Cold* —2H **69**
St Peter's Clo. *Tip* —3D **78**
St Peters Clo. *Wat O* —5D **88**
St Peters Clo. *Wolv*
—1G **43** (2B **170**)
St Peters Ct. *Blox* —6H **19**
St Peter's Dri. *Wals* —3E **21**
St Peters La. *Sol* —4F **139**
St Peter's Rd. *Dud* —3F **95**
St Peter's Rd. *Hand* —6E **83**
St Peter's Rd. *Harb* —6F **115**
St Peters Rd. *Stourb* —4G **125**
St Peter's Sq. *Wolv*
—1G **43** (2B **170**)
St Peters Ter. *Wals* —5C **32**
St Philips Av. *Wolv* —4D **42**
St Philips Gro. *Wolv* —4D **42**
St Philips Pl. *B3*
—6G **101** (3E **5**)
St Phillips Ct. *Col* —2H **107**
St Quentin St. *Wals* —3A **48**
St Saviours Clo. *Wolv* —5B **44**
St Saviour's Rd. *B8* —5D **102**
St Silas' Sq. *B19* —2D **100**
St Simons Clo. *S Cold* —5D **54**
St Stephens Av. *W'hall*
—1H **45**
St Stephen's Ct. *W'hall*
—2H **45**
St Stephens Gdns. *W'hall*
—1A **46**
St Stephens Rd. *S Oak*
—5D **132**
St Stephens Rd. *W Brom*
—1F **99**
St Stephen's St. *B6* —3G **101**
St Thomas' Clo. *A'rdge*
—6D **22**
St Thomas Clo. *S Cold*
—6D **54**
St Thomas Clo. *Wals* —3C **32**
St Thomas' Rd. *B23* —4D **84**
St Thomas St. *Dud* —4E **95**
St Thomas St. *Stourb*
—6D **108**
St Valentines Clo. *W Brom*
—5D **80**
St Vincent Cres. *W Brom*
—1F **79**
St Vincent St. *B16* —1D **116**
St Vincent St. W. *B16*
—1C **116**
Saladin Av. *O'bry* —4E **97**
Salcombe Av. *B26* —6G **121**
Salcombe. *Brie H* —4G **109**
Salcombe Gro. *Bils* —4F **61**
Salcombe Rd. *Smeth* —4F **99**
Saldavian Ct. *Wals* —5H **47**
Salem St. *Tip* —2D **78**
Salford Circ. *B6* —6D **84**
Salford St. *B6* —1C **102**
Salford Trad. Est. *B6* —1C **102**
Salisbury Clo. *B13* —1G **133**
Salisbury Clo. *Dud* —4B **76**
Salisbury Ct. *Sol* —3G **151**
Salisbury Dri. *Wat O* —4E **89**
Salisbury Gro. *S Cold* —6A **70**
Salisbury Pl. Ind. Est. Wolv
(off Rosebery St.) —2F **43**

Salisbury Rd. *B'fld* —1F **101**
Salisbury Rd. *Mose* —1G **133**
Salisbury Rd. *Salt* —4E **103**
Salisbury Rd. *Smeth* —5F **99**
Salisbury St. *W'bry* —4E **47**
Salisbury St. *Wolv* —2F **43**
Salisbury Tower. *B18* —6C **100**
Sallow Gro. *Wals* —4B **10**
Sally Ward Dri. *Wals* —3C **22**
Salop Clo. *W Brom* —1H **79**
Salop Dri. *O'bry* —1A **114**
Salop Rd. *O'bry* —6A **98**
Salop St. *B12* —3H **117**
Salop St. *Bils* —1G **61**
Salop St. *Dud* —5D **76**
Salop St. *O'bry* —6E **79**
Salop St. *Wolv*
—2G **43** (4A **170**)
Salstar Clo. *B6* —3G **101**
Saltash Gro. *B25* —2A **120**
Saltbrook Rd. *Stourb & Hale*
(in two parts) —5B **110**
Saltbrook Trad. Est. *Hale*
—4C **110**
Salter Rd. *Tip* —6H **61**
Salter's La. *W Brom* —3C **80**
Salter's Rd. *Wals* —3C **22**
Salter St. *Earls & H'ley H*
—6A **164**
Salters Va. *W Brom* —6C **80**
Saltley. —5D 102
Saltley Bus. Pk. *Salt* —3D **102**
Saltley Ind. Est. *B8* —6C **102**
Saltley Rd. *B7* —4B **102**
Saltley Trad. Est. *B8* —3D **102**
Saltley Viaduct. *B7* —4C **102**
Saltney Clo. *B24* —2B **86**
Saltwells. *Brie H* —1C **110**
Saltwells La. *Brie H* —1B **110**
Saltwells Rd. *Dud* —1D **110**
**Saltwells Wood Nature
Reserve. —6C 94**
Salwarpe Gro. *B29* —3D **130**
Sambourn Clo. *Sol* —1A **152**
Sambourne Dri. *B34* —2H **105**
Sambrook Rd. *Wolv* —3C **28**
Sampson Clo. *B21* —6G **81**
Sampson Clo. *Tiv* —2C **96**
Sampson Rd. *B11* —4B **118**
Sampson Rd. N. *B11* —3B **118**
Sampson St. *W'bry* —2H **63**
Sams La. *W Brom* —5A **80**
Samuels Rd. *B32* —6G **113**
Samuel St. *Wals* —6H **19**
Sanda Cft. *B36* —3D **106**
Sandalls Clo. *B31* —6B **144**
Sandal Ri. *Sol* —4A **152**
Sandals Ri. *Hale* —2D **128**
Sandalwood Clo. *W'hall*
—1B **30**
Sandbank. *Wals* —6G **19**
Sandbarn Clo. *Shir* —3D **164**
Sandbeds Rd. *W'hall* —5C **30**
Sandbourne Rd. *B8* —5G **103**
Sandcroft, The. *B33* —2H **121**
Sanderling Ri. *K'wfrd* —3E **93**
Sanders Clo. *Dud* —2G **95**
Sanders St. *Tip* —2B **78**
Sandfield. *Smeth* —2C **98**
Sandfield Bri. *K'wfrd* —6F **75**
Sandfield Clo. *Shir* —1G **163**
Sandfield Gro. *Dud* —5F **75**
Sandfield Rd. *Stourb* —1D **108**
Sandfield Rd. *W Brom* —4C **64**
Sandfields Av. *B10* —3B **118**

Sandfields Rd. *O'bry* —1A **114**
Sandford Av. *Row R* —6C **96**
Sandford Ri. *Wolv* —3C **26**
Sandford Rd. *B13* —1A **134**
Sandford Rd. *Dud* —6A **76**
Sandford Wlk. *B12* —6H **117**
Sandgate Rd. *B28* —3F **149**
Sandgate Rd. *Tip* —5A **62**
Sandhill Farm Clo. *B19*
—2F **101**
Sandhills Cres. *Sol* —1F **165**
Sandhill St. *Wals* —6G **19**
Sandhurst Av. *B36* —3B **104**
Sandhurst Av. *Stourb*
—3H **125**
Sandhurst Dri. *Wolv* —1E **59**
Sandhurst Gro. *Stourb* —6C **92**
Sandhurst Rd. *B13* —3G **133**
Sandhurst Rd. *K'wfrd* —5E **93**
Sandhurst Rd. *S Cold* —4F **37**
Sandland Clo. *Bils* —5H **45**
Sandland Rd. *W'hall* —1D **30**
Sandmartin Clo. *Dud* —1E **111**
Sandmere Gro. *B14* —4D **148**
Sandmere Ri. *Wolv* —6A **16**
Sandmere Rd. *B14* —4D **148**
Sandon Gro. *B24* —3H **85**
Sandon Rd. *Smeth & B17*
—1E **115**
Sandon Rd. *Stourb* —1B **126**
Sandon Rd. *Wolv* —5F **15**
Sandown Av. *Wals* —2E **7**
Sandown Dri. *Pert* —5F **25**
Sandown Rd. *B36* —1B **104**
Sandown Tower. *B31* —6E **145**
Sandpiper Clo. *Stourb*
—6B **110**
Sandpiper Gdns. *B38* —2B **160**
Sandpit Clo. *W'bry* —3C **64**
Sand Pits. *B1* —6D **100** (3A **4**)
Sandpits Clo. *Curd* —1D **88**
Sandpits Ind. Est. *B1* —6D **100**
Sandpits, The. *B30* —5A **132**
Sandra Clo. *Wals* —4D **34**
Sandringham Av. *W'hall*
—2B **30**
Sandringham Dri. *Row R*
—5C **96**
Sandringham Dri. *Wals*
—6D **22**
Sandringham Pl. *Stourb*
—2B **108**
Sandringham Rd. *B42* —1D **82**
Sandringham Rd. *Hale*
—4B **112**
Sandringham Rd. *Stourb*
—2A **108**
Sandringham Rd. *Wolv*
—1E **59**
Sandringham Rd. *Wom*
—1F **73**
Sandringham Way. *Brie H*
—3G **109**
Sandstone Av. *Redn* —1G **157**
Sandstone Clo. *Dud* —3H **75**
Sand St. *W Brom* —3E **79**
Sandway Gdns. *B8* —3D **102**
Sandway Gro. *B13* —6C **134**
Sandwell. —1E 99
Sandwell Av. *W'bry* —6B **46**
Sandwell Bus. Development
Cen. *Smeth* —2A **98**
Sandwell Bus. Pk. *Smeth*
—1A **98**
Sandwell Cen. *W Brom*
(in two parts) —4B **80**

Sandwell Ind. Est. *Smeth*
—1A **98**
Sandwell Pk. Farm & Mus.
—4D 80
Sandwell Pl. *Smeth* —1E **99**
Sandwell Pl. *W'hall* —2D **30**
Sandwell Rd. *B21* —6H **81**
Sandwell Rd. *W Brom* —3A **80**
Sandwell Rd. *Wolv* —6F **15**
Sandwell Rd. N. *W Brom*
—3B **80**
Sandwell Rd. Pas. *W Brom*
—3A **80**
Sandwell St. *Wals* —3D **48**
**Sandwell Valley Bird
Sanctuary. —1G 81**
Sandwell Valley Country Pk.
—4D 80
Sandwell Wlk. *Wals* —3D **48**
Sandwood Dri. *B44* —5H **67**
Sandyacre Way. *Stourb*
—6F **109**
Sandy Cres. *Wolv* —1A **30**
Sandy Cft. *B13* —6C **134**
Sandycroft. *S Cold* —2A **70**
Sandyfields Est. *Dud* —6G **59**
Sandyfields Rd. *Dud* —2D **74**
Sandy Gro. *Bwnhls* —4B **10**
Sandy Hill Ri. *Shir* —2G **149**
Sandy Hill Rd. *Shir* —3G **149**
Sandy Hollow. *Wolv* —1A **42**
Sandy La. *Aston* —2B **102**
Sandy La. *Cod* —2F **13**
Sandy La. *Gt Barr* —5E **67**
Sandy La. *Stourb* —1B **124**
Sandy La. *Tett* —3C **26**
Sandy La. *W'bry* —2D **64**
Sandy La. *Wild & L Ash*
—4A **156**
Sandy La. *Wolv & Bush*
—6A **16**
Sandy Mt. *Wom* —6H **57**
Sandymount Rd. *Wals* —3D **48**
Sandy Rd. *Stourb* —4B **124**
Sandys Gro. *Tip* —2G **77**
Sandy Way. *B15*
—2D **116** (6A **4**)
Sangwin Rd. *Bils* —6E **61**
Sansome Ri. *Shir* —5F **149**
Sansome Rd. *Shir* —5F **149**
Sanstone Clo. *Wals* —4A **20**
Sanstone Rd. *Wals* —4H **19**
Santolina Dri. *Wals* —2E **65**
Sant Rd. *B31* —2F **159**
Sapcote Trad. Est. *Crad H*
—6H **95**
Saplings, The. *S Cold* —5E **71**
Sapphire Ct. *B3*
—5E **101** (1B **4**)
Sapphire Ct. *Sol* —4D **136**
Sapphire Tower. Aston
(off Park La.) —3H **101**
Saracen Dri. *Bal C* —3E **169**
Sara Clo. *S Cold* —6G **37**
Sarah Clo. *Bils* —4G **61**
Sarah Gdns. *Wals* —1D **64**
Sarah St. *B9* —1B **118**
Saredon Clo. *Pels* —6E **21**
Saredon Rd. *C Hay* —1H **6**
Sarehole Rd. *B28* —6D **134**
Sarehole Watermill. —5D 134
Sargent Clo. *B43* —1F **67**
Sargent Ho. *B16* —1D **116**
Sargent's Hill. *Wals* —5G **49**
Sark Dri. *B36* —3D **106**
Saunton Rd. *Wals* —4G **19**

Saunton Way. *B29* —4G **131**
Saveker Dri. *S Cold* —1C **70**
Savernake Clo. *Redn*
—5G **143**
Saville Clo. *Redn* —2H **157**
Savoy Clo. *B32* —6D **114**
Saw Mill Clo. *Wals* —6C **32**
Saxelby Clo. *B14* —5G **147**
(in two parts)
Saxelby Ho. *B14* —5G **147**
Saxon Clo. *Wals* —3G **7**
Saxon Ct. *Wolv* —4A **26**
Saxondale Av. *B26* —5D **120**
Saxon Dri. *Row R* —5C **96**
Saxonfields. *Wolv* —4A **26**
Saxons Way. *B14* —5A **148**
Saxon Way. *B37* —6B **106**
Saxon Wood Clo. *B31*
—3E **145**
Saxon Wood Rd. *Shir*
—4B **164**
Saxton Dri. *S Cold* —3F **37**
Sayer Ho. *B19* —3F **101**
Scafell Clo. *B23* —2D **84**
Scafell Dri. *Bils* —4H **45**
Scafell Rd. *Stourb* —5F **109**
Scampton Clo. *Wolv* —4E **25**
Scarborough Clo. *Wals*
—3H **47**
Scarborough Rd. *Wals*
—3H **47**
Scarsdale Rd. *B42* —5F **67**
Schofield Av. *W Brom* —5H **63**
Schofield Rd. *B37* —4C **106**
Scholars Ga. *B33* —1F **121**
Scholefield Tower. B19
(off Uxbridge St.) —4F **101**
Schoolacre Ri. *S Cold* —2G **51**
Schoolacre Rd. *B34* —3F **105**
School Av. *Wals* —1A **32**
(WS3)
School Av. *Wals* —5B **10**
(WS8)
School Clo. *B37* —3C **106**
School Clo. *Tiv* —2C **96**
School Clo. *Try* —5C **56**
School Clo. *Wolv* —4H **41**
School Dri. *Bils* —3A **62**
School Dri. *Stourb* —3D **108**
School Dri. *Wyt* —6A **162**
School Dri., The. *Dud* —2F **95**
Schoolgate Clo. *B8* —3G **103**
Schoolgate Clo. *Shelf* —6H **21**
School Grn. *Bils* —3E **45**
Schoolhouse Clo. *B38*
—5D **146**
School La. *Brie H* —5F **93**
School La. *Buc E* —2F **105**
School La. *Hag* —6H **125**
School La. *Hale* —3H **127**
School La. *Kitts G* —2D **120**
School La. *Pels* —3C **8**
(Gorsey La.)
School La. *Pels* —3D **20**
(Wolverhampton Rd.)
School La. *Sol* —2H **151**
School La. *Wolv*
(WV3) —2G **43** (4A **170**)
School La. *Wolv* —5H **15**
(WV10)
School Pas. *Brie H* —2C **110**
School Rd. *Brie H* —1C **110**
School Rd. *Hall G* —5F **135**
School Rd. *Himl* —4H **73**
School Rd. *Mose* —4H **133**
School Rd. *Redn* —3E **157**

School Rd. *Shir* —5H **149**
School Rd. *Tett W* —5G **25**
School Rd. *Try* —5C **56**
School Rd. *W'bry* —3B **64**
School Rd. *Wed* —3D **28**
School Rd. *Wom* —6H **57**
School Rd. *Yard W* —3B **148**
School St. *Bils* —6E **61**
School St. *Brie H* —2H **93**
School St. *Crad H* —2F **111**
School St. *Darl* —5C **46**
School St. *Dud* —6D **76**
(in two parts)
School St. *Sed* —5A **60**
School St. *Stourb* —5D **108**
School St. *Wals* —6H **21**
School St. *W'bry* —6D **46**
(in two parts)
School St. *W'hall* —1H **45**
School St. *Wolv*
—2G **43** (4A **170**)
School Ter. *B29* —3B **132**
School Wlk. *Bils* —3E **45**
Scorers Clo. *Shir* —1H **149**
Scotchings, The. *B36* —1C **104**
Scotland La. *B32* —5H **129**
Scotland Pas. *W Brom* —4B **80**
Scotlands. —1C **28**
Scotland St. *B1*
—6E **101** (3A **4**)
Scott Arms Shop. Cen. *Gt Barr*
—4B **66**
Scott Av. *W'bry* —3H **63**
Scott Av. *Wolv* —1C **58**
Scott Clo. *W Brom* —2B **80**
Scott Gro. *Sol* —2C **136**
Scott Ho. *B43* —6B **66**
Scott Rd. *B43* —3B **66**
Scott Rd. *Sol* —2C **136**
Scott Rd. *Wals* —5H **49**
Scott's Green. —1C **94**
Scotts Grn. Clo. *Dud* —1B **94**
Scott's Rd. *Stourb* —5D **108**
Scott St. *Tip* —2C **78**
Scotwell Clo. *Row R* —6B **96**
Scout Clo. *B33* —1G **121**
Scribbans Clo. *Smeth* —5F **99**
Scriber's La. *B28* —3E **149**
Scrimshaw Ho. *Wals* —4A **48**
(off Pleck Rd.)
Seacroft Av. *B25* —2C **120**
Seafield Clo. *K'wfrd* —5C **92**
Seaforth Gro. *W'hall* —6B **18**
Seagar St. *W Brom* —3C **80**
Seagers La. *Brie H* —1H **109**
Seagull Bay Dri. *Cose* —4F **61**
Seal Clo. *S Cold* —1C **70**
Seals Grn. *B38* —2H **159**
Seamless Dri. *Wolv* —5F **29**
Sear Hills Clo. *Bal C* —3H **169**
Seaton Clo. *Wolv* —4H **29**
Seaton Gro. *B13* —4F **133**
Seaton Pl. *Stourb* —1A **108**
Seaton Rd. *Smeth* —4F **99**
Seaton Tower. *B31* —5A **144**
Second Av. *Bord G* —2E **119**
Second Av. *K'wfrd* —2D **92**
Second Av. *S Oak* —2D **132**
Second Av. *Wals* —4C **10**
Second Av. *Witt* —4H **83**
Second Av. *Wolv* —2A **28**
Second Exhibition Av. *B40*
—6F **123**
Security Ho. *Wolv* —4B **170**
Sedge Av. *B38* —4B **146**

Sedgeberrow Covert. *B38*
—1A **160**
Sedgeberrow Rd. *Hale*
—3A **128**
Sedgefield Clo. *Dud* —4A **76**
Sedgefield Gro. *Pert* —5F **25**
Sedgeford Clo. *Brie H*
—3H **109**
Sedgehill Av. *B17* —1F **131**
Sedgemere Gro. *Wals* —1G **33**
Sedgemere Rd. *B26* —2D **120**
Sedgley. —4H **59**
Sedgley Gro. *B20* —3A **82**
Sedgley Hall Av. *Dud* —5G **59**
Sedgley Hall Est. *Dud* —4G **59**
Sedgley Rd. *Dud & Tip*
—1D **76**
Sedgley Rd. *Wolv* —2C **58**
Sedgley Rd. E. *Tip* —3A **78**
Sedgley Rd. W. *Tip* —1F **77**
Sedgley St. *Wolv* —4G **43**
Seedhouse Ct. *Crad H*
—3A **112**
Seeds La. *Wals* —5B **10**
Seeleys Rd. *B11* —6D **118**
Sefton Dri. *Row R* —3H **95**
Sefton Gro. *Tip* —3C **62**
Sefton Rd. *B16* —1B **116**
Segbourne Rd. *Redn* —1E **157**
Segundo Clo. *Wals* —1D **64**
Segundo Rd. *Wals* —1D **64**
Seisdon. —2A **56**
Seisdon Rd. *Try* —3A **56**
Selborne Clo. *Wals* —2E **49**
Selborne Gro. *B13* —2C **148**
Selborne Rd. *B20* —5C **82**
Selborne Rd. *Dud* —2F **95**
Selborne St. *Wals* —2E **49**
Selbourne Cres. *Wolv* —2D **44**
Selby Clo. *B26* —2D **120**
Selby Gro. *B13* —2B **148**
Selby Ho. *O'bry* —3D **96**
Selby Way. *Wals* —5E **19**
Selcombe Way. *B38* —2B **160**
Selcroft Av. *B32* —6C **114**
Selecta Av. *B44* —3F **67**
Selkirk Clo. *W Brom* —1A **80**
Selly Av. *B29* —3C **132**
Selly Clo. *B29* —3D **132**
Selly Hall Cft. *B30* —1C **146**
Selly Hill Rd. *B29* —3B **132**
Selly Manor Mus. —6B 132
Selly Oak. —3H **131**
Selly Oak Rd. *B30* —6A **132**
Selly Park. —3D **132**
Selly Pk. Rd. *B29* —2C **132**
Selly Wharf. *S Oak* —3A **132**
Selly Wick Dri. *B29* —3D **132**
Selly Wick Rd. *B29* —3C **132**
Sellywood Rd. *B30* —5A **132**
Selma Gro. *B14* —2D **148**
Selman's Hill. *Wals* —4A **20**
Selman's Pde. *Wals* —5A **20**
Selsdon Clo. *Wyt* —4C **162**
Selsdon Rd. *Wals* —4F **19**
Selsey Av. *B17* —6F **99**
Selsey Rd. *B17* —6F **99**
Selston Rd. *B6* —2G **101**
Selvey Av. *B43* —2D **66**
Selworthy Rd. *B36* —2B **106**
Selwyn Clo. *Wolv* —4G **43**
Selwyn Ho. *B37* —6F **107**
Selwyn Rd. *B16* —6H **99**
Selwyn Rd. *Bils* —5H **45**
Selwyn Wlk. *S Cold* —5C **36**
Senator Ho. *Shir* —1C **164**

Senior Clo. *Ess* —4A **18**
Senneley's Pk. Rd. *B31*
—5C **130**
Sennen Clo. *W'hall* —2H **45**
Sensall Rd. *Stourb* —2B **126**
Serpentine Rd. *Aston* —6A **84**
Serpentine Rd. *Harb* —5G **115**
Serpentine Rd. *S Oak* —2C **132**
Servite Ct. *B14* —5A **148**
Settle Av. *B34* —3E **105**
Settle Cft. *B37* —2B **122**
Setton Dri. *Dud* —6A **60**
Seven Acres. *Wals* —4D **34**
Seven Acres Rd. *B31* —6G **145**
Seven Acres Rd. *Hale*
—6G **113**
Seven Star Rd. *Sol* —2E **151**
Seven Stars Rd. *O'bry* —2G **97**
Severn Clo. *B36* —2B **106**
Severn Clo. *Tip* —2H **77**
Severn Clo. *W'hall* —2A **30**
Severn Ct. *B23* —4B **84**
Severn Dri. *Brie H* —2F **93**
Severn Dri. *Wolv* —5E **25**
Severne Gro. *B27* —4A **136**
Severne Rd. *B27* —5A **136**
Severn Gro. *B19* —2E **101**
(in two parts)
Severn Gro. *B11* —5C **118**
Severn Rd. *Bwnhls* —3G **9**
Severn Rd. *Hale* —6D **110**
Severn Rd. *Stourb* —2D **124**
Severn Rd. *Wals* —6C **20**
Severn St. *B1* —2F **117** (6C **4**)
Severn Tower. *B7* —4B **102**
Severn Way. *Wyt* —6G **161**
Sevington Clo. *Sol* —1G **165**
Seymour Clo. *B29* —3C **132**
Seymour Clo. *Wals* —4D **6**
Seymour Gdns. *S Cold* —6E **37**
Seymour Rd. *O'bry* —2A **98**
Seymour Rd. *Stourb* —6B **110**
Seymour Rd. *Tip* —4C **62**
Seymour St. *B5*
—6H **101** (4G **5**)
Seymour St. *B12* —4H **117**
Shackleton Dri. *Wolv* —4E **25**
Shackleton Rd. *Wals* —5B **20**
Shadowbrook La. *H Ard*
—5F **139**
Shadwell Dri. *Dud* —4H **75**
Shadwell St. *B4*
—5F **101** (1D **4**)
Shady La. *B44* —3F **67**
Shadymoor Dri. *Brie H*
—3G **109**
Shaftesbury Av. *Hale* —4D **110**
Shaftesbury Av. *Stourb*
—2G **125**
Shaftesbury Rd. *W'bry*
—3H **63**
Shaftesbury Sq. *W Brom*
—2A **80**
Shaftesbury St. *W Brom*
—3A **80**
Shaftmoor Ind. Est. *Hall G*
—3F **135**
Shaftmoor La. *Hall G & A Grn*
—3E **135**
Shaftsbury Clo. *Bils* —4H **45**
Shaftsbury Rd. *B26* —6G **121**
Shakespeare Clo. *Bils* —3F **61**
Shakespeare Cres. *Wals*
—1C **32**
Shakespeare Dri. *Shir*
—6G **149**

Shakespeare Pl. *Wals* —2C **32**
Shakespeare Rd. *B23* —4B **84**
Shakespeare Rd. *Dud* —3E **75**
Shakespeare Rd. *Shir*
　　　—6B **150**
Shakespeare Rd. *Smeth*
　　　—5C **98**
Shakespeare Rd. *Tip* —5A **62**
Shakespeare St. *B11* —6C **118**
Shakespeare St. *Wolv* —2A **44**
Shaldon Wlk. *Smeth* —4F **99**
Shales, The. *Wom* —2E **73**
Shale St. *Bils* —6E **45**
Shalford Rd. *Sol* —1C **136**
Shallcross La. *Dud* —4H **75**
Shalnecote Gro. *B14* —2E **147**
Shambles. *W'bry* —3F **63**
Shandon Clo. *B32* —2D **130**
Shanklin Clo. *Wals* —2F **7**
Shannon Dri. *Wals* —3G **9**
Shannon Rd. *B38* —2H **159**
Shannon Wlk. *Wals* —3G **9**
Shanti Niketan. *Wolv* —4H **43**
(off Johnson St.)
Shapinsay Dri. *Redn* —6F **143**
Shard End. —2G 105
Shard End Cres. *B34* —3G **105**
Shardlow Rd. *Wolv* —1G **29**
Shardway, The. *B34* —4G **105**
Sharesacre St. *W'hall* —6B **30**
Sharington Clo. *Dud* —1G **95**
Sharman Rd. *Wolv* —3A **28**
Sharmans Cross. —4B 150
Sharmans Cross Rd. *Sol*
　　　—3C **150**
Sharon Clo. *Wolv* —6A **44**
Sharps Clo. *Redn* —2G **157**
Sharrat Fld. *S Cold* —1B **54**
Sharrocks St. *Wolv* —2A **44**
Shaver's End. —4D 76
Shawberry Av. *B35* —4E **87**
Shawberry Rd. *B37* —4B **106**
Shawbrook. —5A 162
Shawbrook Gro. *B14* —4A **148**
Shawbury Gro. *B12* —3H **117**
Shawbury Gro. *Wolv* —4E **25**
Shawbury Rd. *Wolv* —4B **28**
Shaw Dri. *B33* —1C **120**
Shawfield. *H'wd* —4A **162**
Shaw Hall La. *Cov H* —1G **15**
Shawhellier Av. *Brie H*
　　　—1A **110**
Shaw Hill Gro. *B8* —5G **103**
Shaw Hill Rd. *B8* —5G **103**
Shawhurst Cft. *H'wd* —2A **162**
Shawhurst La. *H'wd* —4A **162**
Shaw La. *Wolv* —6H **25**
Shawley Cft. *B27* —1C **136**
Shaw Pk. Bus. Village. *Wolv*
　　　—3H **27**
Shaw Rd. *Bils* —4D **60**
Shaw Rd. *B'hll* —5G **43**
Shaw Rd. *Dud* —2D **94**
(in two parts)
Shaw Rd. *Tip* —3C **78**
Shaw Rd. *Wolv* —3G **27**
(in two parts)
Shawsdale Rd. *B36* —2D **104**
Shaws La. *Wals* —3G **7**
Shaw's Pas. *B5*
　　　—1H **117** (5G **5**)
Shaw St. *Wals* —1B **48**
(in two parts)
Shaw St. *W Brom* —5E **63**
Shayler Gro. *Wolv* —4H **43**
Sheaf La. *B26* —6F **121**

Shearwater Clo. *Redn* —3F **157**
Shearwater Dri. *Brie H*
　　　—4G **109**
Shearwater Wlk. *Erd* —6B **68**
Sheaves Clo. *Bils* —2D **60**
Shedden St. *Dud* —1F **95**
Sheddington Rd. *B23* —6D **68**
Sheen Rd. *B44* —1G **67**
Sheepclose Dri. *B37* —6C **106**
Sheepcote St. *B16*
　　　—1D **116** (6A **4**)
Sheepfold Clo. *Row R* —5A **96**
Sheepmoor Clo. *B17* —3D **114**
Sheep St. *B4* —5H **101** (1G **5**)
Sheepwash La. *Tip* —2D **78**
Sheffield Rd. *S Cold* —6G **69**
Sheffield St. *Brie H* —2C **110**
Shefford Rd. *B6* —4H **101**
Sheila Av. *Wolv* —2G **29**
Shelah Rd. *Hale* —5H **111**
Shelbourne Clo. *Tiv* —5D **78**
Sheldon. —6H 121
Sheldon Av. *W'bry* —1G **63**
Sheldon Clo. *Bils* —2F **61**
Sheldon Country Pk.
　　　—4A **122**
Sheldon Dri. *B31* —5B **144**
Sheldonfield Rd. *B26* —6H **121**
Sheldon Gro. *B26* —6F **121**
Sheldon Hall Av. *B33* —6H **105**
(in two parts)
Sheldon Heath Rd. *B26*
　　　—2E **121**
Sheldon Rd. *W Brom* —5C **64**
Sheldon Rd. *Wolv* —6E **15**
Sheldon Wlk. *B33* —2G **121**
Shelfield. —6H 21
Shelfield Rd. *B14* —4E **147**
Shelley Av. *Tip* —5A **62**
Shelley Clo. *Dud* —2E **75**
Shelley Clo. *Stourb* —3E **109**
Shelley Dri. *B23* —4B **84**
Shelley Dri. *S Cold* —3F **37**
Shelley Rd. *W'hall* —2E **31**
Shelley Rd. *Wolv* —5H **15**
Shelley Tower. *B31* —4G **145**
Shelly Clo. *B37* —1B **122**
Shelly Cres. *Shir* —2F **165**
Shelly Cft. *B33* —6E **105**
Shelly Ho. *O'bry* —5H **97**
Shelly La. *Shir* —3F **165**
Shelly Shop. Cen. *Shir*
　　　—2F **165**
Shelsley Av. *O'bry* —4D **96**
Shelsley Dri. *B13* —4B **134**
Shelsley Way. *Sol* —6F **151**
Shelton La. *Hale* —6G **111**
Shelwick Gro. *Dorr* —5A **166**
Shenley Av. *Dud* —1D **76**
Shenley Fields. —6D 130
Shenley Fields Dri. *B31*
　　　—5C **130**
Shenley Fields Rd. *B29*
　　　—6D **130**
Shenley Gdns. *B29* —6E **131**
Shenley Grn. *B29* —1D **144**
Shenley Hill. *B31* —1C **144**
Shenley La. *B29* —4D **130**
Shenstone Av. *Hale* —6E **113**
Shenstone Av. *Stourb*
　　　—2B **124**
Shenstone Clo. *S Cold* —3E **37**
Shenstone Ct. *Shir* —6B **148**
Shenstone Ct. *Wolv* —5E **43**
Shenstone Dri. *Bal C* —3G **169**

Shenstone Dri. *Wals* —1C **34**
Shenstone Flats. *Hale* —6F **113**
Shenstone Rd. *Edg* —6G **99**
Shenstone Rd. *Gt Barr* —5A **66**
Shenstone Rd. *May* —6A **148**
Shenstone Trad. Est. *Hale*
　　　—1C **128**
Shenstone Valley Rd. *Hale*
　　　—5E **113**
Shenstone Wlk. *Hale* —6D **112**
Shenton Wlk. *B37* —4C **106**
Shepheard Rd. *B26* —6H **121**
Shepherd Dri. *W'hall* —4C **30**
Shepherds Brook Rd. *Stourb*
　　　—6H **109**
Shepherds Fold. *Row R*
　　　—1B **112**
Shepherds Gdns. *B15*
　　　—2D **116**
Shepherds Grn. Rd. *B24*
　　　—5F **85**
Shepherds La. *Mer* —2G **141**
Shepherds Pool Rd. *S Cold*
　　　—1C **54**
Shepherds Standing. *B34*
　　　—3F **105**
Shepherds Wlk. *Wolv* —5D **14**
Shepherds Way. *B23* —5C **68**
Shepley Rd. *Redn* —3H **157**
Sheppey Dri. *B36* —4D **106**
Shepwell Green. —1D 46
Shepwell Grn. *W'hall* —2C **46**
Sherard Cft. *B36* —3D **106**
Sheraton Clo. *Wals* —3D **34**
Sheraton Grange. *Stourb*
　　　—3D **124**
Sherborne Clo. *Col* —5H **107**
Sherborne Clo. *Wals* —2A **32**
Sherborne Gdns. *Cod* —4G **13**
Sherborne Gro. *B1* —6C **100**
Sherborne Rd. *Wolv* —6H **15**
Sherborne St. *B16* —1D **116**
Sherbourne Ct. *A Grn*
　　　—1A **136**
Sherbourne Dri. *B27* —1A **136**
Sherbourne Rd. *A Grn*
　　　—1A **136**
Sherbourne Rd. *Bal H*
　　　—4G **117**
Sherbourne Rd. *Crad H*
　　　—3A **112**
Sherbourne Rd. *Stourb*
　　　—1F **125**
Sherbourne Rd. E. *Bal H*
　　　—5H **117**
Sherdmore Cft. *Shir* —3E **165**
Sheridan Clo. *Wals* —4H **47**
Sheridan Gdns. *Dud* —2D **74**
Sheridan St. *Wals* —4H **47**
Sheridan St. *W Brom* —3B **80**
Sheridan Wlk. *B35* —4E **87**
Sheriff Dri. *Brie H* —1B **110**
Sherifoot La. *S Cold* —5H **37**
Sheringham. *B15* —3A **116**
Sheringham Rd. *B30* —4D **146**
Sherington Dri. *Wolv* —6H **43**
Sherlock Clo. *W'hall* —4D **30**
Sherlock St. *B5* —3G **117**
Sherrans Dell. *Wolv* —2A **60**
Sherratt Clo. *S Cold* —5D **70**
Sherringham Dri. *Ess* —6C **18**
Sherron Gdns. *B12* —6H **117**
Sherston Covert. *B30* —5E **147**
Shervale Clo. *Wolv* —1A **44**
Sherwin Av. *Bils* —3C **60**
Sherwood Av. *Tip* —3H **77**

Sherwood Clo. *B28* —2F **149**
Sherwood Clo. *Sol* —6D **136**
Sherwood Dri. *Brie H* —2B **110**
Sherwood M. *B28* —1E **149**
Sherwood Rd. *B28* —6E **135**
Sherwood Rd. *Smeth* —2E **115**
Sherwood Rd. *Stourb*
　　　—4C **108**
Sherwood St. *Wolv* —6G **27**
Sherwood Wlk. *Redn* —4H **143**
Sherwood Wlk. *Wals* —2A **34**
Shetland Clo. *B16* —1B **116**
Shetland Clo. *Wolv* —4F **27**
Shetland Dri. *Smeth* —2B **98**
Shetland Wlk. *B36* —3D **106**
Shidas La. *O'bry* —2E **97**
Shifnal Rd. *Alb* —6A **12**
Shifnal Wlk. *B31* —1D **158**
Shillcock Gro. *B19* —4G **101**
Shilton Clo. *Shir* —3D **164**
Shilton Gro. *B29* —5D **130**
Shinwell Cres. *Tiv* —5D **78**
Shipbourne Clo. *B32* —6D **114**
Shipley Fields. *B24* —4G **85**
Shipley Gro. *B29* —5E **131**
Shipston Rd. *B31* —6F **145**
Shipton Clo. *Dud* —4A **76**
Shipton Rd. *S Cold* —2A **70**
Shipway Rd. *B25* —4G **119**
Shirebrook Clo. *B6* —1G **101**
Shire Brook Ct. *B19* —2F **101**
Shire Clo. *B16* —1B **116**
Shire Clo. *O'bry* —1H **113**
Shireland Brook Gdns. *B18*
　　　—5H **99**
Shireland Clo. *B20* —4A **82**
Shireland Rd. *Smeth* —5F **99**
Shire Lea. *Bwnhls* —1D **22**
Shire Oak. —2C 22
Shire Ridge. *Wals W* —3C **22**
Shirestone Rd. *B33* —1H **121**
Shireview Gdns. *Wals* —3F **21**
Shireview Rd. *Wals* —3E **21**
Shirley. —6A 150
Shirley Dri. *S Cold* —1A **70**
Shirley Heath. —6H 149
Shirley Pk. Rd. *Shir* —5H **149**
Shirley Rd. *Dud* —1G **95**
Shirley Rd. *Hall G & A Grn*
　　　—1G **149**
Shirley Rd. *K Nor* —2C **146**
Shirley Rd. *O'bry* —3A **98**
Shirley Street. —4A 150
Shirley Trad. Est. *Shir*
　　　—1C **164**
Shirrall Dri. *Dray B* —5G **39**
Shirrall Gro. *B37* —4B **106**
Sholing Clo. *Pend* —6D **14**
Shooters Clo. *B5* —5F **117**
Shooters Hill. *S Cold* —3B **70**
Shop La. *Oaken* —6C **12**
Shop La. *Tres* —4B **40**
Shopton Rd. *B34* —2E **105**
Shoreham Clo. *W'hall* —2F **45**
Short Acre St. *Wals* —6B **32**
Short Cross. —6A 112
Shorters Av. *B14* —3B **148**
Shortfield Clo. *Bal C* —2H **169**
Short Heath. —3E 31
Short Heath. —1D 84
Short Heath Rd. *B23 & Erd*
　　　—1D **84**
Shortland Clo. *Know* —2C **166**
Shortlands Clo. *B30* —5C **146**
Shortlands La. *Wals* —3D **20**
Short La. *Wals* —2E **7**

Short Rd. *Smeth* —6B **98**
Short Rd. *Wolv* —6A **16**
Short St. *Bils* —5F **45**
Short St. *Bwnhls* —5B **10**
Short St. *Darl* —4F **47**
Short St. *Dud* —5C **76**
Short St. *Hale* —1H **127**
Short St. *Prem B* —2B **48**
Short St. *Row R* —1C **112**
(in two parts)
Short St. *Stourb* —6D **108**
Short St. *Tip* —5G **61**
Short St. *W'bry* —2E **63**
Short St. *W'hall* —4C **30**
Short St. *Wolv*
    —1H **43** (2C **170**)
Shortwood Clo. *B34* —3E **105**
Shorwell Pl. *Brie H* —3F **109**
Shottery Clo. *S Cold* —4D **70**
Shottery Gro. *S Cold* —4D **70**
Shottery Gro. *Tys* —6H **119**
Shottery Rd. *Shir* —6H **149**
Shotteswell Rd. *Shir* —2H **163**
Showell Cir. *Wolv* —2A **28**
Showell Green. —1B 134
Showell Grn. La. *B11* —2B **134**
Showell Ho. *O'bry* —2G **97**
Showell La. *Wolv* —2G **57**
Showell Rd. *Wolv* —2H **27**
Showells Gdns. *B7* —2C **102**
Shrawley Clo. *Hale* —3A **128**
Shrawley Clo. *Redn* —2F **157**
Shrawley Ho. *B31* —5H **145**
Shrawley Rd. *B31* —5G **145**
Shrewley Cres. *B33* —2A **122**
Shrewsbury Clo. *Wals* —6F **19**
Shrewton Av. *B14* —6F **147**
Shrops Row. *K'wfrd* —6E **75**
Shrubbery Av. *Tip* —2F **77**
Shrubbery Clo. *S Cold* —1B **86**
Shrubbery Pl. *Tip* —1G **77**
Shrubbery, The. *B16* —6B **100**
Shrubbery, The. *Tip* —1C **78**
Shrublands Av. *O'bry* —4H **113**
Shrub La. *B24* —4H **85**
Shugborough Clo. *Blox*
    —6H **19**
Shugborough Dri. *Dud*
    —5A **76**
Shustoke La. *Wals* —1F **65**
Shustoke Rd. *B34* —3G **105**
Shustoke Rd. *Sol* —2H **151**
Shut End. —6E 75
Shut La. *B4* —1G **117** (4F **5**)
Shutlock La. *B13* —4F **133**
Shyltons Cft. *B16* —1C **116**
Sibdon Gro. *B31* —1F **159**
Sidcup Clo. *Bils* —2D **60**
Sidcup Rd. *B44* —4A **68**
Sidbury Gro. *Dorr* —6A **166**
Siddeley Wlk. *B36* —6B **88**
Siddons Factory Est. *W Brom*
    —5F **63**
Siddons Rd. *Bils* —3F **61**
Siddons Way. *W Brom*
    —6G **63**
Sidenhill Clo. *Shir* —1H **163**
Sidford Gdns. *B24* —4A **86**
Sidford Gro. *B23* —6E **69**
Sidings, The. *Hand* —1E **101**
Sidlaw Clo. *Hale* —3F **127**
Sidlaw Clo. *Wolv* —3G **27**
Sidney St. *Wolv*
    —3G **43** (6A **170**)

Sidwick Cres. *Wolv* —5D **44**
Sigmund Clo. *Wolv* —6D **28**
Signal Gro. *Wals* —6G **19**
Signal Hayes Rd. *S Cold*
(in two parts) —3D **70**
Silesbourne Clo. *B36* —1G **105**
Silhill Hall Rd. *Sol* —1E **151**
Silva Av. *K'wfrd* —5D **92**
Silver Birch Coppice. *S Cold*
    —4D **36**
Silverbirch Ct. *B24* —1H **85**
Silver Birch Dri. *H'wd*
    —3B **162**
Silver Birch Rd. *Erd* —1H **85**
Silver Birch Rd. *K'hrst*
    —3B **106**
Silver Birch Rd. *Nort C* —1F **9**
Silverbirch Rd. *Sol* —4A **152**
Silver Birch Rd. *S Cold*
    —2H **51**
Silver Birch Rd. *Wolv* —4A **44**
Silver Ct. *Wals* —6B **10**
Silver St. Gdns. *Wals* —6B **10**
Silvercroft Av. *B20* —4H **81**
Silverdale Dri. *Wolv* —5A **28**
Silverdale Gdns. *Stourb*
    —6A **92**
Silverdale Rd. *B24* —2B **86**
Silver End. —2G 109
Silver End Ind. Est. *Brie H*
    —2F **109**
Silver End Trad. Est. *Brie H*
    —2G **109**
Silverfield Clo. *B14* —5G **133**
Silver Innage. *Hale* —4E **111**
Silverlands Av. *O'bry* —6H **97**
Silverlands Clo. *B28* —4F **135**
Silvermead Rd. *S Cold* —4G **69**
Silvermere Rd. *B26* —5H **121**
Silvers Clo. *Wals* —2D **20**
Silverstone Clo. *Wals* —6E **31**
Silverstone Dri. *S Cold*
    —5H **51**
Silver Street. —4G 161
Silver St. *Brie H* —1F **109**
Silver St. *Bwnhls* —6A **10**
Silver St. *K Hth* —5G **133**
Silver St. *K Nor & Wyt*
    —4F **161**
Silverthorne Av. *Tip* —2F **77**
Silverthorne La. *Crad H*
    —2D **110**
Silverton Cres. *B13* —4D **134**
Silverton Heights. *Smeth*
    —3D **98**
Silverton Rd. *Smeth* —3C **98**
Silverton Way. *Wolv* —4H **29**
Silvester Ct. *W Brom* —4B **80**
Silvester Rd. *Bils* —5G **45**
Silvester Way. *Brie H* —3F **109**
Silvington Clo. *B29* —6G **131**
Simcox Gdns. *B32* —3B **130**
Simcox Rd. *W'bry* —6F **47**
Simeon Bissell Clo. *Tip*
    —2A **78**
Simeon's Wlk. *Brie H* —4B **110**
Simmonds Clo. *Wals* —4B **20**
Simmonds Pl. *Wals* —4B **20**
Simmonds Pl. *W'bry* —4E **47**
Simmonds Rd. *Wals* —4B **20**
Simmonds Way. *Wals* —2C **22**
Simmons Dri. *B32* —6A **114**
Simmons Leasow. *B32*
    —3B **130**
Simmons Rd. *Wolv* —6B **18**
Simms La. *Dud* —4E **95**

Simms La. *H'wd* —4A **162**
(in two parts)
Simon Clo. *Tip* —2G **77**
Simon Clo. *W Brom* —4C **64**
Simon Rd. *H'wd* —2A **162**
Simpkins Clo. *Wals* —4C **22**
Simpson Gro. *Wolv* —3A **28**
Simpson Rd. *S Cold* —4A **70**
Simpson Rd. *Wals* —4H **31**
Simpson Rd. *Wolv* —3A **28**
Simpson St. *O'bry* —2G **97**
Singer Cft. *B36* —6B **88**
Singh Clo. *B21* —6A **82**
Singing Cavern Experience.
    —3F **77**
(Black Country Mus.)
Sion Clo. *Brie H* —6H **93**
Sir Alfred's Way. *S Cold*
    —2C **70**
Sir Harrys Rd. *Edg & B5*
    —5D **116**
Sir Hilton's Rd. *B31* —2F **159**
Sir Johns Rd. *B29* —2E **133**
Sir Richards Dri. *B17*
    —4D **114**
Sisefield Rd. *B38* —6C **146**
Siskin Clo. *Hamm* —1F **11**
Siskin Dri. *B12* —5G **117**
Siskin Rd. *Stourb* —2H **125**
Sister Dora Gdns. *Wals*
    —2C **48**
Siviters Clo. *Row R* —6C **96**
Siviters La. *Row R* —6B **96**
Siviter St. *Hale* —1B **128**
Six Acres. *B32* —1A **130**
Six Foot Rd. *Dud* —4E **95**
Six Towers Rd. *Wals* —5A **32**
Six Ways. *B23* —3F **85**
Skelcher Rd. *Shir* —3G **149**
Skemp Clo. *Bils* —2F **61**
Sketchley Clo. *Smeth* —3E **99**
Skiddaw Clo. *B23* —1D **84**
Skidmore Av. *Wolv* —3D **42**
Skidmore Dri. *W Brom*
    —4G **79**
Skidmore Rd. *Bils* —3F **61**
Skinner La. *B5* —2G **117**
Skinner St. *Wolv*
    —1G **43** (3A **170**)
Skip La. *Wals* —6H **49**
Skipton Grn. *Wolv* —4E **27**
Skipton Rd. *B16* —2C **116**
Skomer Clo. *Redn* —6E **143**
Skye Clo. *B36* —3D **106**
Skye Wlk. *Crad H* —2G **111**
Sky Lark Clo. *Brie H* —6G **75**
Skywalk. *B40* —1G **139**
Slack La. *B20* —5A **82**
Slacky La. *Wals* —6C **20**
Slade Clo. *W Brom* —3D **64**
Sladefield Rd. *B8* —4G **103**
Slade Gdns. *Cod* —3G **13**
Slade Gro. *Know* —3B **166**
Slade Hill. *Wolv* —6D **26**
Slade La. *B28* —4E **149**
Slade La. *S Cold* —6E **39**
Slade Lanker. *B34* —4E **105**
Sladepool Farm Rd. *B14*
    —4H **147**
Slade Rd. *B23* —3D **84**
Slade Rd. *Hale* —5E **111**
Slade Rd. *S Cold & Can*
    —6C **38**
Slade Rd. *Wolv* —4G **15**
Slaithwaite Rd. *W Brom*
    —3C **80**

Slaney Ct. *Wals* —4A **48**
Slaney Rd. *Wals* —5H **47**
Slatch Ho. Rd. *Smeth*
    —1C **114**
Slate La. *Cod* —2D **12**
Slateley Cres. *Shir* —3E **165**
Slate Row. *Wals* —4E **21**
Slater Rd. *Ben H* —5A **166**
Slater's La. *Wals* —4H **47**
Slater's Pl. *Wals* —4H **47**
Slater St. *Bils* —1G **61**
Slater St. *Gt Bri* —2D **78**
Slater St. *Tip* —3A **62**
Slater St. *W'bry* —4D **46**
Slater St. *W'hall* —6C **30**
Sleaford Gro. *B28* —6G **135**
Sleaford Rd. *B28* —6H **135**
Sledmore Rd. *Dud* —2F **95**
Slieve, The. *B20* —4C **82**
Slim Av. *Bils* —2G **61**
Slimbridge Clo. *Shir* —3E **165**
Slim Rd. *Wals* —1E **47**
Slims Ga. *Hale* —1A **128**
Slingfield Rd. *B31* —5G **145**
Sling, The. *Dud* —3E **95**
Slitting Mill Clo. *B21* —1G **99**
Sloane Ho. *B1* —2A **4**
Sloane St. *B1* —6E **101** (3A **4**)
Slough La. *K Nor & H'wd*
(in two parts) —1G **161**
Smallbrook La. *Wom* —6H **57**
Smallbrook Queensway. *B5*
    —2F **117** (6D **4**)
Small Clo. *Smeth* —4B **98**
Smalldale Rd. *B42* —6F **67**
Small Heath. —3D 118
Small Heath Bri. *B11* —4B **118**
Small Heath Bus. Pk. *B10*
    —4F **119**
Small Heath Highway. *B10*
    —3B **118**
Small Heath Trad. Est. *B11*
    —5D **118**
Smallshire Way. *Stourb*
    —3B **108**
Small St. *Wals* —3C **48**
Small St. *W Brom* —1H **79**
Smallwood Clo. *B24* —4B **86**
Smallwood Clo. *S Cold*
    —2C **70**
Smallwood Rd. *Pend* —5C **14**
Smarts Av. *Lich* —2G **37**
Smeaton Gdns. *B18* —5A **100**
Smeed Gro. *B24* —4H **85**
Smestow. —3C 72
Smestow La. *Swind* —3C **72**
Smestow St. *Wolv* —5H **27**
Smestow Wildlife Cen.
    —3D **72**
Smethwick. —3D 98
Smethwick Ho. *O'bry* —1A **114**
Smethwick New Enterprise
    Cen. *Smeth* —3E **99**
Smirrells Rd. *B28* —2E **149**
Smith Av. *W'bry* —1D **62**
Smith Clo. *Bils* —4C **60**
Smith Clo. *Smeth* —6B **98**
Smithfield Rd. *Wals* —6B **20**
Smithfields. *Stourb* —6E **109**
Smithfield St. *B5*
    —2H **117** (6G **5**)
Smith Ho. *Wals* —4A **20**
Smithmoor Cres. *W Brom*
    —5D **64**
Smith Pl. *Tip* —3B **78**
Smith Rd. *Wals* —5A **48**

Smith Rd. *W'bry* —4E **63**
Smiths Clo. *B32* —3H **129**
Smiths La. *Know* —3A **166**
Smith St. *B19* —4E **101**
Smith St. *Bils* —6F **45**
Smith St. *Dud* —2F **95**
Smiths Way. *Wat O* —4C **88**
Smith's Wood. —2C 106
Smithy Dri. *Wals* —3E **21**
Smithy La. *Brie H* —6F **75**
Smithy, The. *B26* —5G **121**
Smout Cres. *Bils* —3B **60**
Snapdragon Dri. *Wals* —2E **65**
Snape Rd. *Wolv* —6A **18**
Snapes Lodge. *W'hall* —3C **30**
Sneyd Hall Clo. *Wals* —1G **31**
Sneyd Hall Rd. *Wals* —6G **19**
Sneyd La. *Ess* —5B **18**
Sneyd La. *Wals* —6F **19**
Snowberry Dri. *Brie H* —6G **75**
Snowberry Gdns. *B27*
—6A **120**
Snowdon Gro. *Hale* —4F **127**
Snowdon Ri. *Dud* —1H **75**
Snowdon Rd. *Stourb* —5F **109**
Snowdon Way. *W'hall* —6B **18**
Snowdon Way. *Wolv* —3F **27**
Snowdrop Clo. *Clay* —1H **21**
Snowford Clo. *Shir* —6F **149**
Snow Hill. *B4* —6F **101** (2D 4)
Snow Hill. *Wolv*
—2H **43** (4C 170)
Snow Hill Junct. *Wolv*
—2H **43** (5C 170)
Snow Hill Queensway. *B4*
—6F **101** (2D 4)
Snowshill Dri. *Shir* —4B **164**
Snowshill Gdns. *Dud* —3B **76**
Soberton Clo. *Wolv* —2H **29**
Soho. —3F 99
Soho Av. *B18* —2C **100**
Soho Clo. *Smeth* —4G **99**
Soho Hill. *B19* —2C **100**
Soho Ho. *Smeth* —4G **99**
Soho Rd. *B21* —1A **100**
Soho St. *Smeth* —3G **99**
Soho Way. *Smeth* —3F **99**
Solari Clo. *Ock H* —5C **62**
Solent Clo. *Wolv* —5D **14**
Solihull. —4G 151
Solihull By-Pass. *Sol* —2G **151**
Solihull La. *B28* —1G **149**
Solihull Lodge. —5C 148
Solihull Parkway. *Birm P*
—4F **123**
Solihull Retail Pk. *Shir*
—6B **150**
Solihull Rd. *B11* —2D **134**
Solihull Rd. *H Ard* —1E **153**
Solihull Rd. *Shir* —4A **150**
Solihull Tourist Info. Cen.
—4G **151**
Solly Gro. *Tip* —6D **62**
Solva Clo. *Wolv* —2D **44**
Solway Clo. *W'bry* —1A **64**
Somerby Rd. *Sol* —1E **165**
Somercotes Rd. *B42* —5F **67**
Somerdale Rd. *B31* —3G **145**
Somerfield Clo. *Wals* —6G **21**
Somerfield Rd. *Wals* —1H **31**
Somerford Clo. *Wals* —4E **7**
Somerford Gdns. *Wolv*
—5A **16**
Somerford Pl. *W'hall* —2H **45**
Somerford Rd. *B29* —5D **130**
Somerford Way. *Bils* —5D **60**

Somerland Rd. *B26* —2E **121**
Somerset Cres. *W'bry* —1B **64**
Somerset Dri. *B31* —2D **158**
Somerset Dri. *Stourb* —4B **108**
Somerset Rd. *Edg* —5A **116**
Somerset Rd. *Erd* —1F **85**
Somerset Rd. *Hand* —5B **82**
Somerset Rd. *Wals* —5E **33**
Somerset Rd. *W Brom* —1B **80**
Somerset Rd. *W'hall* —1D **46**
Somers Rd. *Hale* —6C **112**
Somers Rd. *Mer* —4F **141**
Somers Rd. *Wals* —4G **47**
Somerton Dri. *B23* —1G **85**
Somerton Dri. *Mars G*
—4C **122**
Somerville Ct. *S Cold* —3G **69**
Somerville Dri. *S Cold* —1G **69**
Somerville Ho. *B37* —6F **107**
Somerville Rd. *B10* —3D **119**
Somerville Rd. *S Cold* —1G **69**
Somery Rd. *B29* —3E **131**
Somery Rd. *Dud* —4E **77**
Sommerfield Rd. *B32*
—3A **130**
Sonning Dri. *Wolv* —5D **14**
Sopwith Cft. *B35* —5E **87**
Sorrel Clo. *Tiv* —5B **78**
Sorrel Dri. *Wals* —2E **65**
Sorrel Gro. *B24* —4B **86**
Sorrel Ho. *B24* —4B **86**
Sorrell Dri. *B27* —3H **135**
Sorrel Wlk. *Brie H* —5F **109**
Southacre Av. *B5* —3G **117**
(in two parts)
Southall Cres. *Bils* —4E **61**
Southall Rd. *Wolv* —1A **30**
Southalls La. *Dud* —6D **76**
Southam Clo. *B28* —5E **135**
Southam Dri. *S Cold* —4H **69**
Southampton St. *Wolv*
—6H **27** (1D **170**)
Southam Rd. *B28* —5E **135**
South Av. *Stourb* —1D **124**
South Av. *Wolv* —4E **29**
Southbank Rd. *Crad H*
—2G **111**
Southbank Vw. *K'wfrd* —5C **92**
Southbourne Av. *B34* —3B **104**
Southbourne Av. *Wals* —2H **47**
Southbourne Clo. *B29*
—3C **132**
Southbourne Rd. *Wolv*
—4G **15**
S. Car Pk. Rd. *B40* —2G **139**
Southcote Gro. *B38* —6H **145**
Southcott Av. *Brie H* —3H **109**
South Cres. *F'stne* —1E **17**
South Dene. *Smeth* —4D **98**
Southdown Av. *B18* —3C **100**
South Dri. *B5* —1E **133**
South Dri. *Col* —2F **107**
South Dri. *S Cold* —5A **54**
S. Eastern Arc. *B2* —4E **5**
Southern By-Pass. *Dud*
—2E **93**
Southern Clo. *K'wfrd* —6D **92**
Southerndown Rd. *Dud*
—6F **59**
Southern Rd. *B8* —4A **104**
Southern Way. *W'bry* —2C **62**
Southey Clo. *Sol* —1F **165**
Southey Clo. *W'hall* —1E **31**
Southfield Av. *Cas B* —1E **105**
Southfield Av. *Edg* —6H **99**
Southfield Dri. *B28* —2G **149**

Southfield Gro. *Wolv* —4A **42**
Southfield Rd. *B16* —6H **99**
Southfield Rd. *Wolv* —4H **29**
Southfields Clo. *Col* —5H **107**
Southfields Rd. *Sol* —6D **150**
Southfield Way. *Wals* —3F **7**
Southgate. *Crad H* —3F **111**
Southgate. *Wolv* —1F **43**
Southgate Rd. *B44* —3G **67**
South Grn. *Wolv* —6B **42**
South Gro. *Aston* —1F **101**
South Gro. *Erd* —2F **85**
South Gro. *Hand* —1D **100**
South Holme. *B9* —1C **118**
Southlands Rd. *B13* —4A **134**
Southmead Clo. *B30* —3A **146**
Southminster Dri. *B14*
—1G **147**
South Oval. *Dud* —2A **76**
South Pde. *S Cold* —6A **54**
S. Park M. *Brie H* —1G **109**
South Range. *B11* —5B **118**
South Rd. *Erd* —3F **85**
South Rd. *Hock* —2C **100**
South Rd. *K Hth* —5G **133**
South Rd. *N'fld* —5D **144**
South Rd. *Smeth* —4D **98**
South Rd. *S'brk* —4B **118**
South Rd. *Stourb* —1B **124**
South Rd. *Tip* —5B **62**
South Rd. Av. *B18* —3C **100**
South Roundhay. *B33*
—6E **105**
S. Staffordshire Bus. Pk. *Cann*
—1C **6**
South St. *B17* —6H **115**
South St. *Bils* —5E **61**
South St. *Brie H* —1G **109**
South St. *Wals* —3B **48**
South St. *W'hall* —2H **45**
South St. *Wolv* —3G **27**
South St. Gdns. *Wals* —3B **48**
South Tower. *B7* —5B **102**
South Vw. *B43* —6A **66**
S. View Clo. *Cod* —5H **13**
S. View Clo. *F'stne* —1D **16**
S. View Rd. *Dud* —5F **59**
Southville Bungalows. *B14*
—3B **148**
South Wlk. *B31* —6G **145**
South Way. *B40* —2G **139**
Southway Ct. *K'wfrd* —5D **92**
Southwick Pl. *Bils* —4F **45**
Southwick Rd. *Hale* —3D **112**
Southwold Av. *B30* —4E **147**
Southwood Av. *B34* —2F **105**
Southwood Clo. *K'wfrd*
—4C **92**
Southwood Covert. *B14*
—5F **147**
South Yardley. —5B 120
Sovereign Ct. *B1*
—6E **101** (2A 4)
Sovereign Dri. *Dud* —5A **76**
Sovereign Heights. *B31*
—6A **144**
Sovereign Rd. *B30* —3B **146**
Sovereign Wlk. *Wals* —1E **49**
Sovereign Way. *Mose*
—1H **133**
Sowerby March. *Erd* —3B **86**
Sowers Clo. *W'hall* —4D **30**
Sowers Gdns. *W'hall* —4D **30**
Spa Gro. *B30* —5E **133**
Sparkbrook. —4B 118
Sparkhill. —1D 134

Spark St. *B11* —4A **118**
Sparrey Dri. *B30* —5C **132**
Sparrow Clo. *W'bry* —6H **47**
Spartan Ind. Est. *W Brom*
—1E **79**
Speed Rd. *Tip* —1G **77**
Speedwell Clo. *Wals* —4B **34**
Speedwell Clo. *Wed* —4G **29**
Speedwell Clo. *Yard* —5G **119**
Speedwell Dri. *Bal C* —3G **169**
Speedwell Gdns. *Brie H*
—5F **109**
Speedwell Rd. *B5* —5F **117**
Speedwell Rd. *Yard* —5G **119**
Spelter Works. *Wals* —2G **31**
Spencer Av. *Bils* —5E **61**
Spencer Clo. *Dud* —3E **75**
Spencer Clo. *W Brom* —5D **64**
Spencer St. *B18*
—4E **101** (1A 4)
(in two parts)
Spen La. Trad. Est. *W Brom*
—5B **80**
Spenser Av. *Pert* —5F **25**
Spernall Gro. *B29* —4E **131**
Spey Clo. *B5* —5F **117**
Spiceland Rd. *B31* —1D **144**
Spiers Clo. *Know* —3C **166**
Spies Clo. *Hale* —5F **113**
Spies La. *Hale* —6F **113**
Spills Mdw. *Dud* —2A **76**
Spilsbury Cft. *Sol* —1E **165**
Spindle La. *Shir* —3G **163**
Spinners End Ind. Est. *Crad H*
—3F **111**
Spinney Clo. *B31* —4E **145**
Spinney Clo. *Stourb* —6A **92**
Spinney Clo. *Wals* —5E **21**
Spinney Dri. *Shir* —5B **164**
Spinney, The. *B20* —3A **82**
Spinney, The. *Dud* —5G **75**
Spinney, The. *Lit A* —4B **36**
Spinney, The. *Wolv* —2B **42**
Spinney, The. *Wyt* —5B **162**
Spinney Wlk. *S Cold* —6D **70**
Spiral Clo. *Hale* —3E **113**
Spiral Ct. *B24* —5E **85**
Spiral Ct. *Stourb* —1E **125**
Spiral Grn. *B24* —3A **86**
Spitfire Rd. *B24* —5A **86**
Spitfire Way. *Cas V* —5E **87**
Spondon Gro. *B34* —4G **105**
Spondon Rd. *Wolv* —1G **29**
Spon La. *W Brom* —6B **80**
Spon La. Ind. Est. *Smeth*
—1B **98**
Spon La. S. *W Brom & Smeth*
—1B **98**
Spoon Dri. *B38* —5H **145**
Spooner Cft. *B5* —3G **117**
Spooners Clo. *Sol* —6B **138**
Spot La. *Wals* —1B **22**
Spouthouse La. *B43* —6A **66**
Spout La. *Wals* —4C **48**
(in two parts)
Spreadbury Clo. *B17* —3D **114**
Sprig Cft. *B36* —1A **104**
Spring Av. *Row R* —1C **112**
Spring Avon Cft. *B17* —5F **115**
Spring Bank. —6B 30
Springbank. *B9* —6F **103**
Spring Bank Ho. *W'hall*
—6A **30**
Springbank Rd. *Edg* —4E **117**
Springbrook Clo. *B36* —6H **87**
Spring Clo. *Sol* —4D **150**

Spring Clo. *Wals* —5G **21**
Spring Coppice Dri. *Dorr*
　　　　　　　　　　—6C **166**
Spring Ct. *Smeth* —4G **99**
Spring Ct. *Wals* —4E **49**
Spring Ct. *W Brom* —5B **80**
Spring Cres. *Crad H* —4H **111**
Springcroft Rd. *B11* —3F **135**
Spring Dri. *Gt Wyr* —3G **7**
Spring Dri. Ind. Est. *Wolv*
　　　　　　　　　　—1C **60**
Springfield. —4A 96
　(nr. Dudley)
Springfield. —4D 134
　(nr. Shirley)
Springfield. —6A 28
　(nr. Wolverhampton)
Springfield. *B23* —4D **84**
Springfield Av. *B12* —5A **118**
Springfield Av. *Dud* —4A **60**
Springfield Av. *O'bry* —5A **98**
Springfield Av. *Stourb*
　　　　　　　　　　—1A **126**
Springfield Clo. *Row R*
　　　　　　　　　　—4A **96**
Springfield Ct. *Hall G* —5F **135**
Springfield Ct. *S Cold* —6G **55**
Springfield Cres. *Dud* —1H **95**
Springfield Cres. *Sol* —2G **137**
Springfield Cres. *S Cold*
　　　　　　　　　　—1E **71**
Springfield Cres. *W Brom*
　　　　　　　　　　—6C **80**
Springfield Dri. *Hale* —4D **112**
Springfield Dri. *K Hth*
　　　　　　　　　　—4G **133**
Springfield Grn. *Dud* —4A **60**
Springfield Gro. *Dud* —4H **59**
Springfield Ind. Est. *O'bry*
　　　　　　　　　　—2H **97**
Springfield La. *Row R* —4H **95**
Springfield La. *Wolv* —3H **15**
Springfield Rd. *Bils* —4G **45**
Springfield Rd. *Brie H*
　　　　　　　　　　—1F **109**
Springfield Rd. *Cas B*
　　　　　　　　　　—1H **105**
Springfield Rd. *Hale* —4D **112**
Springfield Rd. *K Hth* —5H **133**
Springfield Rd. *Mose* —4D **134**
Springfield Rd. *O'bry* —5A **98**
Springfield Rd. *S Cold* —3D **70**
Springfield Rd. *Wolv* —5A **28**
Springfields. *Col* —4H **107**
Springfields. *Wals* —2F **33**
Springfield St. *B18* —6C **100**
Springfield Ter. *Row R* —4H **95**
Spring Gdns. *Dud* —1F **95**
　(DY2)
Spring Gdns. *Dud* —5G **75**
　(DY3)
Spring Gdns. *Hand* —2A **100**
Spring Gdns. *Smeth* —6F **99**
Spring Gro. *B19* —3D **100**
Spring Gro. Gdns. *B18*
　　　　　　　　　　—3B **100**
Spring Head. *W'bry* —3F **63**
Springhill. —2D 18
　(Bloxwich)
Springhill. —6G 11
　(Brownhills)
Spring Hill. —1A 58
　(Wolverhampton)
Spring Hill. *Erd* —4F **85**
Spring Hill. *Hock* —5C **100**
Springhill Av. *Wolv* —2A **58**

Springhill Clo. *Wals* —6H **21**
Springhill Clo. *W'hall* —2D **30**
Springhill Ct. *Wals* —3E **49**
Springhill Gro. *Wolv* —1A **58**
Springhill La. *Wolv* —6F **41**
Springhill Pk. *Wolv* —2H **57**
Spring Hill Pas. *B18* —6C **100**
Springhill Rd. *Bwnhls* —6C **10**
Springhill Rd. *Wals* —2D **48**
Springhill Rd. *Wolv* —1G **29**
Spring Hill Ter. *Wolv* —5E **43**
Spring La. *B24* —4G **85**
Spring La. *Wals* —5G **21**
Spring La. *W'hall* —5B **30**
Spring Mdw. *C Hay* —4D **6**
Spring Mdw. *Crad H* —2H **111**
Spring Mdw. *Hale* —3H **127**
Spring Mdw. *Tip* —1C **78**
Springmeadow Rd. *B19*
　　　　　　　　　　—3F **101**
Springmeadow Rd. *Dud*
　　　　　　　　　　—1E **111**
Spring Parklands. *Dud* —1C **94**
Spring Rd. *Dud* —3F **95**
Spring Rd. *Edg* —4F **117**
Spring Rd. *Smeth* —1B **98**
Spring Rd. *Tys* —2F **135**
Spring Rd. *Wals* —6H **21**
Spring Rd. *Wolv* —6C **44**
Spring Rd. Ind. Est. *Wolv*
　　　　　　　　　　—1C **60**
Springslade Dri. *B24* —4B **86**
Springs Mire. —1A 94
Springs, The. *Crad H* —2A **112**
Spring St. *B15* —3F **117**
Spring St. *Hale* —5E **111**
Spring St. *Ock H* —5C **62**
Spring St. *Stourb* —1A **126**
Spring St. *Tip* —2A **78**
Springthorpe Grn. *B24* —3A **86**
Springthorpe Rd. *B24* —4B **86**
Spring Vale. —1D 60
Springvale Av. *Bils* —1D **60**
Springvale Av. *Wals* —4G **49**
Springvale Bus. Pk. *Bils*
　　　　　　　　　　—1E **61**
Spring Va. Clo. *Bils* —4C **60**
Spring Va. Ind. Pk. *Bils*
　　　　　　　　　　—6E **45**
Spring Va. Rd. *Row R* —4A **96**
Springvale St. *W'hall* —6B **30**
Springvale Way. *Bils* —1E **61**
Spring Vs. *Hale* —2A **128**
Spring Wlk. *Hale* —4F **127**
Spring Wlk. *O'bry* —4G **97**
Spring Wlk. *S Cold* —6B **31**
Sproat Av. *W'bry* —6C **46**
Spruce Gro. *B24* —5H **85**
Spruce Rd. *Wals* —2F **65**
Spruce Way. *Wolv* —2B **42**
Spur Tree Av. *Wolv* —2G **41**
Squadron Clo. *B35* —3G **87**
Square Clo. *B32* —2A **130**
Square, The. *B15* —2D **116**
Square, The. *A'rdge* —3D **34**
Square, The. *Cod* —3F **13**
Square, The. *Dud* —3B **94**
Square, The. *Harb* —5F **115**
Square, The. *Sol* —4G **151**
Square, The. *Tip* —6D **62**
Square, The. *W'hall* —1D **30**
Square, The. *Wolv*
　　　　　　　　　—3H **43** (6D **170**)
Squires Ct. *Brie H* —4G **109**
Squires Cft. *S Cold* —3E **71**
Squires Ga. Wlk. *B35* —4E **87**

Squires Wlk. *W'bry* —2F **63**
Squirrel Hollow. *S Cold*
　　　　　　　　　　—3E **71**
Squirrels Hollow. *O'bry*
　　　　　　　　　　—4B **114**
Squirrel Wlk. *Penn* —1E **59**
Squirrel Wlk. *S Cold* —4C **36**
Stable Ct. *Dud* —1A **76**
Stable Cft. *W Brom* —6D **64**
Stableford Clo. *B32* —2D **130**
Stables, The. *B29* —3C **132**
Stablewood Gro. *Wals* —4E **49**
Stacey Clo. *Crad H* —2G **111**
Stacey Dri. *B13* —2A **148**
Stacey Grange Gdns. *Redn*
　　　　　　　　　　—3G **157**
Stackhouse Clo. *Wals* —3C **22**
Stackhouse Dri. *Wals* —3E **21**
Stadium Clo. *W'hall* —6B **30**
Stafford Clo. *Wals* —5H **19**
Stafford Ct. *B43* —6A **66**
　(off West Rd.)
Stafford Dri. *W Brom* —1H **79**
Stafford Ho. *B33* —1A **122**
Stafford La. *Cod* —6D **12**
Stafford Rd. *B21* —1B **100**
Stafford Rd. *Cov H* —1H **15**
Stafford Rd. *Wals* —3H **19**
Stafford Rd. *W'bry* —5C **46**
Stafford Rd. *Wolv* —5G **27**
Staffordshire Pool Clo. *B6*
　　　　　　　　　　—6H **83**
Stafford St. *Bils* —6F **45**
Stafford St. *Dud* —6D **76**
Stafford St. *Wals* —6C **32**
Stafford St. *W'bry* —3E **63**
Stafford St. *W'hall* —1A **46**
　(in two parts)
Stafford St. *Wolv*
　　　　　　　—5G **27** (1C **170**)
Stafford St. Junct. *Wolv*
　　　　　　　—6G **27** (1B **170**)
Stafford Tower. *B4* —2G **5**
Stafford Way. *B43* —6A **66**
Stag Cres. *Wals* —3C **32**
Stag Hill Rd. *Wals* —2C **32**
Stag Wlk. *S Cold* —6B **70**
Stainsby Av. *B19* —4E **101**
Stainsby Cft. *Shir* —4F **165**
Stallings La. *K'wfrd* —1B **92**
Stambermill Clo. *Stourb*
　　　　　　　　　　—6H **109**
Stambermill Ho. *Stourb*
　　　　　　　　　　—6A **110**
Stambermill Ind. Est. *Stourb*
　　　　　　　　　　—5G **109**
Stamford Cft. *Sol* —5F **151**
Stamford Gro. *B20* —6E **83**
Stamford Rd. *B20* —6E **83**
Stamford Rd. *Brie H* —4G **109**
Stamford Rd. *Stourb* —6F **109**
　(in two parts)
Stamford St. *Stourb* —4D **108**
Stamford Way. *Wals* —5D **22**
Stanbridge Way. *Tip* —2A **78**
Stanbrook Rd. *Shir* —3E **165**
Stanbury Av. *W'bry* —5B **46**
Stanbury Rd. *B14* —3B **148**
Stancroft Gro. *B26* —3E **121**
Standard Way. *Erd* —6F **85**
Standbridge Way. *Tip* —2A **78**
Standhills Rd. *K'wfrd* —3C **92**
Standlake Av. *B36* —2B **104**
Stanfield Rd. *B43* —6F **51**
Stanfield Rd. *Quin* —4B **114**
Stanford Av. *B42* —6C **66**

Stanford Dri. *Row R* —5B **96**
Stanford Gro. *Hale* —4E **127**
Stanford Rd. *Wolv* —4G **43**
Stanford St. *B4*
　　　　　　　—6H **101** (2F **5**)
Stanford Way. *O'bry* —5E **97**
Stanhoe Clo. *Brie H* —3H **109**
Stanhope Rd. *Smeth* —6D **98**
Stanhope St. *B12* —4H **117**
Stanhope St. *Dud* —5G **95**
Stanhope St. *Wolv*
　　　　　　　　　—2F **43** (4A **170**)
Stanhope Way. *B43* —1F **67**
Stanhurst Way. *W Brom*
　　　　　　　　　　—3E **65**
Stanier Clo. *Wals* —2F **33**
Stanier Gro. *Hand* —5D **82**
Stanier Ho. *B1* —1F **117** (5C **4**)
Staniforth St. *B4* —5G **101**
Stanley Av. *B32* —4C **114**
Stanley Av. *Shir* —4H **149**
Stanley Av. *S Cold* —1D **70**
Stanley Clo. *B28* —2G **149**
Stanley Clo. *Wolv* —1H **29**
Stanley Ct. *Pert* —5E **25**
Stanley Dri. *Swind* —5E **73**
Stanley Gro. *B11* —5B **118**
Stanley Pl. *Bils* —6D **44**
Stanley Pl. *Mose* —2H **133**
Stanley Pl. *Wals* —3F **33**
Stanley Rd. *K Hth* —6F **133**
Stanley Rd. *Nech* —2C **102**
Stanley Rd. *O'bry* —3A **114**
Stanley Rd. *Stourb* —2D **124**
Stanley Rd. *Wals* —3F **33**
Stanley Rd. *W'bry* —6D **46**
Stanley Rd. *W Brom* —6C **64**
Stanley Rd. *Wolv* —6H **15**
Stanley St. *Wals* —1A **32**
Stanmore Gro. *Hale* —2G **129**
Stanmore Rd. *B16* —2G **115**
Stansbury Ho. *Wals* —3A **48**
　(off St Quentin St.)
Stanton Av. *Dud* —1B **76**
Stanton Gro. *B26* —3D **120**
Stanton Gro. *Shir* —3G **149**
Stanton Gro. *Tip* —2A **78**
Stanton Ho. *W Brom* —4D **64**
Stanton Rd. *B43* —6H **65**
Stanton Rd. *Shir* —3G **149**
Stanton Rd. *Wolv* —1B **44**
Stanville Rd. *B26* —5G **121**
Stanway Gdns. *W Brom*
　　　　　　　　　　—1B **80**
Stanway Gro. *B44* —2H **67**
Stanway Rd. *Shir* —4H **149**
Stanway Rd. *W Brom* —1B **80**
Stanwell Rd. *B23* —1E **85**
Stanwick Av. *B33* —6A **106**
Stapenhall Rd. *Shir* —3E **165**
Stapleford Cft. *B14* —5E **147**
Stapleford Gro. *Stourb* —6C **92**
Staplehall Rd. *B31* —5F **145**
Staplehurst Rd. *B28* —5F **135**
Staple Lodge Rd. *B31*
　　　　　　　　　　—6F **145**
Stapleton Clo. *Min* —1F **87**
Stapleton Dri. *F'bri* —6D **106**
Stapleton Rd. *Wals* —4B **34**
Stapylton Av. *B17* —6F **115**
Stapylton Ct. *Harb* —6F **115**
　(off Old Church Rd.)
Starbank Rd. *B10* —3G **119**
Starbold Clo. *Know* —3D **166**
Starbold Cres. *Know* —4C **166**
Star City. *B24* —1D **102**

Star Clo. *Tip* —2C **78**
Star Clo. *Wals* —5F **31**
Starcross Rd. *B27* —3A **136**
Star Hill. *B15* —3D **116**
Starkey Cft. *B37* —1E **123**
Starkie Dri. *O'bry* —5A **98**
Starley Way. *B37* —5E **123**
Star St. *Stourb* —6B **110**
Star St. *Wolv* —3C **42**
Statham Dri. *B16* —1G **115**
Station App. *Dorr* —6G **167**
Station App. *Sol* —3E **151**
Station App. *S Cold* —5H **53**
(B73)
Station App. *S Cold* —3F **37**
(B74)
Station Av. *B16* —2G **115**
Station Bldgs. Wat O —4D **88**
(off Minworth Rd.)
Station Clo. *Cod* —4F **13**
Station Clo. *Wals* —1H **31**
Station Dri. *Brie H* —1A **110**
(Boulevard, The)
Station Dri. *Brie H* —2F **109**
(Brettell La.)
Station Dri. *Dud* —5F **77**
Station Dri. *Hall G* —4F **135**
Station Dri. *Sol* —4C **136**
Station Dri. *S Cold* —3H **53**
Station Dri. *Tip* —3B **78**
Station Dri. *Wat O* —4D **88**
Station Pl. *Wals* —1H **31**
Station Rd. *A Grn* —2A **136**
Station Rd. *A'rdge* —4C **34**
Station Rd. *Aston* —6H **83**
Station Rd. *Bal C* —3G **169**
Station Rd. *Bils* —6G **45**
Station Rd. *Brie H* —5G **93**
Station Rd. *Cod* —4E **13**
Station Rd. *Col* —1H **107**
Station Rd. *Crad H* —2H **111**
Station Rd. *Dorr & Know*
—6C **166**
Station Rd. *Erd* —2F **85**
Station Rd. *Gt Wyr* —1F **7**
Station Rd. *Hamm* —2G **11**
Station Rd. *H Ard* —6B **140**
Station Rd. *Hand* —1G **99**
Station Rd. *Harb* —5G **115**
Station Rd. *K Hth* —5F **133**
Station Rd. *K Nor* —2A **146**
Station Rd. *Mars G* —3B **122**
Station Rd. *N'fld* —5E **145**
Station Rd. *O'bry* —4G **97**
Station Rd. *Pels* —4E **21**
Station Rd. *Row R* —1D **112**
Station Rd. *Rus* —3E **33**
Station Rd. *Sol* —3F **151**
Station Rd. *Stech* —5B **104**
Station Rd. *Stourb* —5A **110**
Station Rd. *S Cold* —4G **69**
Station Rd. *Wom* —5G **57**
Station Rd. *Wyt* —6A **162**
Station Rd. Ind. Est. *Col*
—5H **89**
Station Rd. Ind. Est. *Row R*
—1D **112**
Station St. *B5* —2F **117** (6D **4**)
Station St. *Blox* —1H **31**
Station St. *C Hay* —2E **7**
Station St. *Crad H* —3E **111**
Station St. *S Cold* —6A **54**
Station St. *Tip* —2B **78**
Station St. *Wals* —2B **48**
Station St. *W'bry* —5E **47**
Station Ter. *Bils* —4E **61**

Station Way. *B40* —1F **139**
Staulton Grn. *O'bry* —5E **97**
Staveley Rd. *B14* —1F **147**
Staveley Rd. *Wolv* —5G **27**
Stead Clo. *Tip* —4B **62**
Stead Clo. *Wals* —4A **32**
Steadman Cft. *Tip* —5D **62**
Stechford. —1C 120
Stechford La. *B8* —4A **104**
Stechford Retail Pk. *B33*
—5C **104**
Stechford Rd. *B34* —4B **104**
Stechford Trad. Est. *B33*
—6C **104**
Steel Bright Rd. *Smeth*
—3G **99**
Steel Dri. *Wolv* —1H **27**
Steel Gro. *B25* —4A **120**
Steelhouse La. *B4*
—6G **101** (2E **5**)
Steelhouse La. *Wolv* —2A **44**
Steelmans Rd. *W'bry* —4F **47**
Steelpark Way. *Wolv* —5F **29**
Steel Rd. *B31* —5D **144**
Steel Roundabout. *W'bry*
—3E **63**
Steene Gro. *B31* —4B **144**
Steeples, The. *Stourb* —2F **125**
Steepwood Cft. *B30* —3H **145**
Steetley Ind. Est. *K'wfrd*
—2E **93**
Stella Cft. *B37* —1E **123**
Stella Gro. *B43* —5F **65**
Stella Rd. *Tip* —1H **77**
Stenbury Clo. *Wolv* —3B **16**
Stencills Dri. *Wals* —6F **33**
Stencills Rd. *Wals* —5F **33**
Stennels Av. *Hale* —1E **129**
Stennels Cres. *Hale* —1E **129**
Stephens Clo. *Wolv* —1H **29**
(in two parts)
Stephenson Av. *Wals* —3G **31**
Stephenson Dri. *B37* —6D **106**
Stephenson Dri. *Pert* —3E **25**
Stephenson Pl. *B2*
—1G **117** (4E **5**)
Stephenson Sq. *Wals* —4H **31**
Stephenson St. *B2*
—1F **117** (4D **4**)
Stephenson St. *Wolv* —2F **43**
Stephenson Tower. *B5* —5D **4**
Stephens Rd. *S Cold* —1E **71**
Stepping Stone Clo. *Wals*
—5F **31**
Stepping Stones. *Stourb*
—6F **109**
Steppingstone St. *Dud*
—6D **76**
Sterling Pk. *Brie H* —5B **94**
Sterndale Rd. *B42* —1E **83**
Steven Dri. *Bils* —4G **61**
Stevens Av. *B32* —3B **130**
Stevens Ga. *Wolv*
—3G **43** (6B **170**)
Stevens Rd. *Hale* —6D **110**
Stevens Rd. *Stourb* —2H **125**
Steward Cen., The. *Erd*
—3B **84**
Steward St. *B18* —6C **100**
Stewart Rd. *K'wfrd* —5B **92**
Stewart Rd. *Wals* —4C **22**
Stewarts Rd. *Hale* —4D **112**
Stewart St. *Wolv*
—3G **43** (6B **170**)
Stewkins. *Stourb* —3C **108**
Steyning Rd. *B26* —6C **120**

Stickley La. *Dud* —3G **75**
Stilehouse Cres. *Row R*
—1C **112**
Stilthouse Gro. *Redn* —2G **157**
Stirchley. —1D 146
Stirchley Trad. Est. *B30*
—1D **146**
Stirling Cres. *W'hall* —3B **30**
Stirling Rd. *B16* —2B **116**
Stirling Rd. *Bils* —2H **61**
Stirling Rd. *Dud* —3G **95**
Stirling Rd. *Shir* —1C **164**
Stirling Rd. *S Cold* —3D **68**
Stirrup Clo. *Wals* —1D **64**
Stockbridge Clo. *Wolv* —1F **41**
Stockdale Pde. *Tip* —2G **77**
Stockdale Pl. *B15* —3H **115**
Stockfield. —6B 120
Stockfield Rd. *A Grn & Yard*
—1H **135**
Stockhill Dri. *Redn* —3H **157**
Stocking St. *Stourb* —6B **110**
Stockland Ct. *S Cold* —3A **52**
Stockland Green. —3B 84
Stockland Rd. *B23* —3D **84**
Stockmans Clo. *B38* —1A **160**
Stocks Wood. *B30* —5B **132**
Stockton Clo. *Know* —5D **166**
Stockton Clo. *Min* —2G **87**
Stockton Clo. *Wals* —5B **32**
Stockton Ct. *Bils* —5D **60**
Stockton Gro. *B33* —2H **121**
Stockwell End. —4B 26
Stockwell End. *Wolv* —3B **26**
Stockwell Ri. *Sol* —6H **137**
Stockwell Rd. *B21* —5A **82**
Stockwell Rd. *Tett* —4B **26**
Stokes Av. *Tip* —5A **62**
Stokes Av. *W'hall* —3H **45**
Stokesay Av. *Wolv* —6F **25**
Stokesay Clo. *Tiv* —1A **96**
Stokesay Gro. *B31* —1D **158**
Stokesay Ho. *B23* —1F **85**
Stokesay Ri. *Dud* —4A **76**
Stokes St. *Wals* —1H **31**
Stoke Way. *B15*
—2E **117** (6A **4**)
Stom Rd. *Bils* —6D **44**
Stoneacre Clo. *Wolv* —2G **41**
Stone Av. *S Cold* —6E **55**
Stonebow Av. *Sol* —1F **165**
Stonebridge. —3C 140
Stonebridge Cres. *B37*
—4B **106**
Stonebridge Rd. *Col* —2H **107**
(in three parts)
Stonebrook Way. *B29*
—3D **130**
Stonechat Dri. *B23* —5C **84**
Stone Clo. *B38* —5B **146**
Stonecroft Av. *Redn* —2G **157**
Stonecrop Clo. *B38* —1B **160**
Stonecrop Clo. *Clay* —1H **21**
Stonecross. *Wat O* —4D **88**
Stonedown Clo. *Bils* —2C **60**
Stonefield Dri. *Brie H* —2F **93**
Stonefield Rd. *Bils* —6F **45**
Stonefield Wlk. *Bils* —6F **45**
Stoneford Rd. *Shir* —3G **149**
Stonehaven Gro. *B28* —5H **135**
Stonehenge Cft. *B14* —6F **147**
Stone Hill Cft. *Shir* —3D **164**
Stonehouse Av. *W'hall* —5H **29**
Stonehouse Cres. *W'bry*
—3H **63**

Stonehouse Dri. *S Cold*
—5C **36**
Stonehouse Gro. *B32* —3B **130**
Stonehouse Hill. *B29* —2E **131**
Stonehouse La. *B32 & Quin*
—3B **130**
Stonehouse Rd. *S Cold*
—2F **69**
Stonehurst Rd. *B43* —1E **67**
Stone Lea. *Wals* —4D **34**
Stonelea Clo. *W Brom* —5C **64**
Stoneleigh Clo. *S Cold* —3F **53**
Stoneleigh Gdns. *Cod* —3F **13**
Stoneleigh Rd. *B20* —6G **83**
Stoneleigh Rd. *Sol* —2B **150**
Stoneleigh Way. *Dud* —1H **75**
Stone Rd. *B15* —4F **117**
Stonerwood Av. *B28* —6E **135**
Stones Grn. *B23* —1F **85**
Stone St. *Bils* —6G **45**
Stone St. *Dud* —6E **77**
(DY1)
Stone St. *Dud* —2H **75**
(DY3)
Stone St. *O'bry* —2G **97**
Stoneton Cres. *Bal C* —3G **169**
Stoneton Gro. *B29* —5E **131**
Stone Yd. *B12*
—2H **117** (6H **5**)
Stone Yd. *Crad H* —3E **111**
Stoneybrook Leys. *Wom*
—2E **73**
Stoney Clo. *Sol* —6A **138**
Stoneycroft Tower. *B36*
—1C **104**
Stoneyford Gro. *B14* —3B **148**
Stoneyhurst Rd. *B24* —6F **85**
Stoney La. *Bal H* —6B **118**
Stoney La. *Dud* —6E **95**
Stoney La. *Quin* —5H **113**
Stoney La. *Wals* —4H **19**
(in two parts)
Stoney La. *W Brom* —3B **80**
Stoney La. *Wolv* —6F **43**
Stoney La. *Yard* —3B **120**
Stoneymoor Dri. *B36* —6G **87**
Stoneythorpe Clo. *Sol*
—6F **151**
Stonnal Gro. *B23* —1G **85**
Stonnall. —3F 23
Stonnall Ga. *Wals* —1E **35**
Stonnall Rd. *Wals* —1E **35**
Stonor Pk. Rd. *Sol* —2D **150**
Stonor Rd. *B28* —2G **149**
Stony La. *Smeth* —4D **98**
Stony St. *Smeth* —3D **98**
Stornoway Rd. *B35* —3F **87**
Storrs Clo. *B9* —2D **118**
Storrs Pl. *B10* —2D **118**
Storrs Way, The. *B32* —6H **129**
Stotfold Rd. *B14* —5H **147**
Stourbridge. —6E 109
Stourbridge Ind. Est. *Stourb*
—5E **109**
Stourbridge Rd. *Brie H & Dud*
—4A **94**
Stourbridge Rd. *Hag* —6G **125**
Stourbridge Rd. *Hale* —6G **111**
Stourbridge Rd. *Stourb*
—6G **109**
Stourbridge Rd. *Wom & Wolv*
—3A **74**
Stour Clo. *Hale* —5G **111**
Stourdale Rd. *Crad H* —3E **111**
Stourdell Rd. *Hale* —5G **111**
Stour Hill. *Brie H* —4C **110**

Stourmore Clo. *W'hall* —3D **30**
Stour St. *B18* —6C **100**
Stour St. *W Brom* —4E **79**
Stourton Clo. *Know* —2D **166**
Stourton Clo. *S Cold* —1D **70**
Stourton Dri. *Wolv* —6A **42**
Stourton Rd. *B32* —6H **113**
Stour Va. Rd. *Stourb* —5B **110**
Stour Valley Clo. *Brie H*
—4H **109**
Stow Dri. *Brie H* —5F **109**
Stowell Rd. *B44* —6H **67**
Stowe St. *Wals* —2A **32**
Stow Gro. *B36* —2C **104**
Stow Heath. —4D 44
Stowheath La. *Wolv & Mose V*
—4D **44**
Stow Heath Pl. *Wolv* —4D **44**
Stow Lawn. —3D 44
Stowmans Clo. *Bils* —2D **60**
Straight Rd. *W'hall* —3C **30**
Straits Est. *Dud* —3E **75**
Straits Grn. *Dud* —3F **75**
Straits Rd. *Dud* —4F **75**
Straits, The. —3F 75
Straits, The. *Dud* —2D **74**
Stratford Clo. *Dud* —5A **76**
Stratford Ct. *S Cold* —2H **69**
Stratford Dri. *Wals* —1E **35**
Stratford Pl. *S'brk* —3A **118**
Stratford Rd. *B28 & Shir*
—2G **149**
Stratford Rd. *H'ley H & Lapw*
—6F **165**
Stratford Rd. *S'hll* —6C **118**
Stratford Rd. *S'hll & Hall G*
(in two parts) —4A **118**
Stratford St. N. *B11* —3A **118**
Stratford Wlk. *B36* —2A **104**
Strathdene Gdns. *B29*
—4G **131**
Strathdene Rd. *B29* —3G **131**
Strathern Dri. *Cose* —4C **60**
Strathfield Wlk. *Wolv* —5A **42**
Strathmore Cres. *Wom*
—4G **57**
Strathmore Rd. *Tip* —5A **62**
Stratton St. *Wolv* —5A **28**
Strawberry Clo. *Tiv* —2C **96**
Strawberry Fields. *Mer*
—4H **141**
Strawberry La. *Wals* —5E **7**
Strawberry La. *W'hall* —6E **29**
Strawmoor La. *Cod* —5B **12**
Stray, The. *Brie H* —3G **93**
Stream Mdw. *Wals* —6G **21**
Stream Pk. *K'wfrd* —5C **92**
Stream Rd. *K'wfrd & Stourb*
(in two parts) —4B **92**
Streamside Way. *Shelf*
—1H **33**
Streamside Way. *Sol* —1H **137**
Streatham Gro. *B44* —3A **68**
Streather Rd. *S Cold* —1A **54**
Streetly. —2H 51
Streetly Cres. *S Cold* —6D **36**
Streetly Dri. *S Cold* —6D **36**
Streetly La. *S Cold* —1C **52**
Streetly Rd. *B23* —2D **84**
Streetly Wood. *S Cold* —1A **52**
Streetsbrook Rd. *Shir*
—1H **149**
Streetsbrook Rd. *Sol* —2C **150**
Streets Corner Gdns. *Wals*
—3C **22**
Streets La. *C Hay* —5E **7**

Strensham Hill. *B13* —1G **133**
Strensham Rd. *B12* —1G **133**
Stretton Ct. *B24* —5E **85**
Stretton Gdns. *Cod* —3F **13**
Stretton Gro. *B19* —2E **101**
Stretton Gro. *B8* —3A **104**
Stretton Gro. *B11* —5C **118**
Stretton Gro. *Bal H* —6B **118**
Stretton Pl. *Bils* —4C **60**
Stretton Pl. *Dud* —5F **95**
Stretton Rd. *Aston* —3A **102**
Stretton Rd. *Shir* —1H **163**
Stretton Rd. *W'hall* —1C **30**
Stringer Clo. *S Cold* —5G **37**
Stringes Clo. *W'hall* —6C **30**
Stringes La. *W'hall* —6B **30**
Strode Rd. *Wolv* —5G **43**
Stronsay Clo. *Redn* —6F **143**
Stroud Av. *W'hall* —5C **30**
Stroud Clo. *W'hall* —5C **30**
Stroud Rd. *Shir* —5F **149**
Strutt Clo. *B15* —3H **115**
Stuart Cres. *Dud* —6G **77**
Stuart Ho. *Col* —2H **107**
Stuart Rd. *Hale* —6F **113**
Stuart Rd. *Row R* —5C **96**
Stuarts Dri. *B33* —2B **120**
Stuarts Grn. *Stourb* —5F **125**
Stuarts Rd. *B33* —1B **120**
Stuart St. *B7* —2C **102**
Stuart St. *Wals* —1H **31**
Stuarts Way. *B32* —6H **129**
Stubbers Green. —1A 34
Stubbers Grn. Rd. *Wals*
—6H **21**
Stubbington Clo. *W'hall*
—2F **45**
Stubbs Rd. *Wolv* —4E **43**
Stubby La. *Wolv* —3H **29**
Studland Rd. *B28* —5G **135**
Stud La. *B33* —6D **104**
Studley Cft. *Sol* —1H **137**
Studley Dri. *Brie H* —3G **109**
Studley Ga. *Stourb* —1B **124**
Studley Rd. *Wolv* —3A **42**
Studley St. *B12* —5B **118**
Sturman Dri. *Row R* —2B **112**
Suckling Grn. La. *Cod* —5F **13**
Sudbury Clo. *Wolv* —1G **29**
Sudbury Gro. *B44* —3B **68**
Sudeley Clo. *B36* —6F **87**
Sudeley Gdns. *Dud* —5H **75**
Suffield Gro. *B23* —2B **84**
Suffolk Clo. *O'bry* —5H **97**
Suffolk Clo. *Wed* —2E **29**
Suffolk Dri. *Brie H* —4G **109**
Suffolk Gro. *Wals* —1D **34**
Suffolk Pl. *B1* —2F **117** (6D **4**)
Suffolk Pl. *Wals* —4B **32**
Suffolk Rd. *Dud* —2C **94**
Suffolk Rd. *W'bry* —2A **64**
Suffolk St. Queensway. *B1*
—1F **117** (5C **4**)
Suffrage St. *Smeth* —4F **99**
Sugar Loaf La. *Ism & I'ley*
(in two parts) —5A **124**
Sugden Gro. *B5* —3G **117**
Sulgrave Clo. *Dud* —4B **76**
Sumburgh Cft. *B35* —4E **87**
Summercourt Dri. *K'wfrd*
—3A **92**
Summercourt Sq. *K'wfrd*
—4A **92**
Summer Cft. *B19* —3F **101**
Summer Dri. *Dud* —4G **75**

Summerfield Av. *K'wfrd*
—2A **92**
Summerfield Av. *W Brom*
(in two parts) —3A **80**
Summerfield Ct. *Edg* —3G **115**
Summerfield Cres. *B16*
—6A **100**
Summerfield Dri. *B29*
—6E **131**
Summerfield Gro. *B18*
—5A **100**
Summerfield Ind. Est. *B18*
—5C **100**
Summerfield Rd. *B16*
—6A **100**
Summerfield Rd. *Dud* —2F **95**
Summerfield Rd. *Sol* —3E **137**
Summerfield Rd. *Wolv* —1F **43**
Summerfields Av. *Hale*
—3F **113**
Summergate. *Dud* —4G **75**
Summerhill. —4H 11
(Brownhills)
Summer Hill. —6A 62
(Dudley)
Summer Hill. *Hale* —2B **128**
Summer Hill. *K'wfrd* —3A **92**
Summer Hill Ind. Pk. B1
(off Goodman St.) —6D **100**
Summer Hill Rd. *B1* —6D **100**
Summer Hill Rd. *Bils* —4F **61**
Summerhill Rd. *Tip* —6H **61**
Summer Hill St. *B1* —6D **100**
Summer Hill Ter. *B1*
—6D **100** (3A **4**)
Summerhouse Rd. *Bils*
—4C **60**
Summer La. *B19*
—5F **101** (1D **4**)
Summer La. *Dud* —4G **75**
Summer La. *Min* —1H **87**
Summer La. *Wals* —5G **21**
Summerlee Rd. *B24* —5H **85**
Summer Rd. *A Grn* —3G **135**
Summer Rd. *Col* —3H **107**
Summer Rd. *Dud* —3C **76**
Summer Rd. *Edg* —4E **117**
(in two parts)
Summer Rd. *Erd* —2F **85**
Summer Rd. *Row R* —6D **96**
Summer Row. *B3*
—6E **101** (3B **4**)
Summer Row. *Wolv*
—2G **43** (4B **170**)
Summer St. *K'wfrd* —3B **92**
Summer St. *Lye* —6A **110**
Summer St. *Stourb* —6D **108**
Summer St. *W Brom* —3B **80**
Summer St. *W'hall* —1H **45**
Summerton Rd. *O'bry* —6D **78**
Summerville Ter. *B17*
—6G **115**
Summit Cres. *Smeth* —1C **98**
Summit Gdns. *Hale* —2H **127**
Summit Pl. *Dud* —5F **75**
Summit, The. *Stourb* —1H **125**
Sumpner Building. *B4* —2G **5**
Sunbeam Clo. *B36* —6B **88**
Sunbeam Dri. *Wals* —2F **7**
Sunbeam St. *Wolv* —4G **43**
Sunbeam Way. *B33* —1G **121**
Sunbury Clo. *Bils* —4G **61**
Sunbury Cotts. *N'fld* —3E **145**
Sunbury Rd. *B31* —2C **158**
Sunbury Rd. *Hale* —1H **127**
Suncroft. *B32* —6A **114**

Sundbury Ri. *B31* —2F **145**
Sunderland Dri. *Stourb*
—3E **109**
Sunderton Rd. *B14* —2G **147**
Sundew Cft. *B36* —1B **104**
Sundial La. *B43* —4B **66**
Sundour Cres. *Wolv* —6D **16**
Sundridge Rd. *B44* —1G **67**
Sundridge Wlk. *Wolv* —5A **42**
Sunfield Gro. *B11* —1E **135**
Sunleigh Gro. *B27* —1C **136**
Sunningdale. *Hale* —1E **129**
Sunningdale Av. *Pert* —4D **24**
Sunningdale Clo. *B20* —3A **82**
Sunningdale Clo. *Stourb*
—3D **124**
Sunningdale Clo. *S Cold*
—3G **69**
Sunningdale Dri. *Tiv* —2A **96**
Sunningdale Rd. *B11* —2G **135**
Sunningdale Rd. *Dud* —5F **59**
Sunningdale Way. *Wals*
—4G **19**
Sunny Av. *B12* —6A **118**
Sunnybank Av. *B44* —6B **68**
Sunnybank Clo. *A'rdge*
—1G **51**
Sunny Bank Ct. *O'bry* —4A **114**
Sunnybank Rd. *Dud* —2A **76**
Sunny Bank Rd. *O'bry*
—4A **114**
Sunnybank Rd. *S Cold* —5G **69**
Sunnydale Wlk. *W Brom*
—3A **80**
Sunnydene. *B8* —4G **103**
Sunny Hill Clo. *Wom* —1H **73**
Sunnymead Rd. *B26* —5D **120**
Sunnymead Way. *S Cold*
—4H **51**
Sunnymede Rd. *K'wfrd*
—5E **93**
Sunnyside. *Tiv* —2B **96**
Sunnyside. *Wals* —5C **22**
Sunnyside Av. *B23* —4E **85**
Sunridge Av. *B19* —3F **101**
Sunridge Av. *Wom* —6G **57**
Sunrise Wlk. *O'bry* —6A **98**
Sunset Clo. *Wals* —2F **7**
Sunset Pl. *Wolv* —2B **60**
Sun St. *Brie H* —2B **110**
Sun St. *Wals* —4B **48**
(in two parts)
Sun St. *Wolv* —1A **44**
Surfeit Hill Rd. *Crad H*
—3F **111**
Surrey Cres. *W Brom* —5G **63**
Surrey Dri. *K'wfrd* —5D **92**
Surrey Dri. *Wolv* —2C **42**
Surrey Rd. *B44* —1G **67**
Surrey Rd. *Dud* —2C **94**
Surrey Wlk. *Wals* —6C **22**
Sussex Av. *Wals* —1C **34**
Sussex Av. *W'bry* —1B **64**
Sussex Av. *W Brom* —1A **80**
Sussex Dri. *Wolv* —2C **42**
Sutherland Av. *Shir* —4A **150**
Sutherland Av. *Wolv* —3B **44**
Sutherland Dri. *B43* —1F **67**
Sutherland Dri. *B13* —1H **133**
Sutherland Dri. *Wom* —5G **57**
Sutherland Gro. *Pert* —5F **25**
Sutherland Ho. *Wolv* —1E **43**
Sutherland Pl. *Wolv*
—2H **43** (5D **170**)
Sutherland Rd. *Crad H*
—3G **111**

Sutherland Rd. *Wals* —2E **7**
Sutherland Rd. *Wolv* —6F **43**
Sutherland St. *B6* —1B **102**
Sutton App. *B8* —5G **103**
Sutton Coldfield. —6H 53
Sutton Coldfield By-Pass.
(B75) *S Cold* —1F **55**
Sutton Coldfield By-Pass.
(B76) *S Cold* —1G **87**
Sutton Ct. *B43* —6A **66**
Sutton Ct. *S Cold* —4A **54**
Sutton Ct. *Wolv* —3A **60**
Sutton Cres. *W Brom* —4G **79**
Sutton New Rd. *B23* —3F **85**
Sutton Oak Corner. *S Cold*
—6A **52**
Sutton Oak Rd. *S Cold* —1A **68**
Sutton Pk. Vis. Cen. —6G 53
Sutton Rd. *B23* —2G **85**
Sutton Rd. *Wals* —3D **48**
(WS1)
Sutton Rd. *Wals* —3F **49**
(WS5)
Sutton Rd. *W'bry* —6A **46**
Suttons Dri. *B43* —1B **66**
Sutton Sq. *Min* —1B **88**
Sutton St. *B1* —2F **117**
Sutton St. *B6 & Aston*
—3H **101**
Sutton St. *Stourb* —2C **108**
Swains Gro. *B44* —1H **67**
Swale Gro. *B38* —6B **146**
Swale Gro. *W'hall* —1D **46**
Swale Rd. *S Cold* —4E **71**
Swallow Av. *B36* —1C **106**
Swallow Clo. *B12* —6B **118**
Swallow Clo. *Dud* —1F **111**
Swallow Clo. *W'bry* —1H **63**
Swallow Ct. *Wolv* —2H **27**
Swallowdale. *Wals W* —3D **22**
Swallowdale. *Wolv* —1F **41**
Swallowfall Av. *Stourb*
—1A **124**
Swallowfields Rd. *Dud* —3G **59**
Swallows Clo. *Wals* —2E **21**
Swallows Mdw. *Shir* —1B **164**
(in two parts)
Swallow St. *B2*
—1F **117** (5C **4**)
Swanage Rd. *B10* —3D **118**
Swan Av. *Smeth* —2C **98**
Swan Bank. *Wolv* —1D **58**
Swan Clo. *Wals* —3D **6**
Swan Copse. *B25* —6A **120**
Swancote Dri. *Wolv* —5A **42**
Swancote Rd. *B33* —4D **104**
Swancote Rd. *Dud* —6D **76**
Swancote St. *Dud* —1C **94**
Swan Cres. *O'bry* —5F **97**
Swancroft Rd. *Tip* —5H **61**
Swanfield Rd. *Stourb* —2D **108**
Swan Gdns. *B23* —3F **85**
Swan La. *Stourb* —1D **108**
Swan La. *W Brom* —2G **79**
Swan La. Ind. Est. *W Brom*
—2G **79**
Swanley Clo. *Hale* —2G **129**
Swanmore Clo. *Wolv* —3C **42**
Swann Rd. *Bils* —3C **60**
Swann Wlk. *Tip* —5A **62**
Swan Pool Gro. *Shelf* —6H **21**
Swan Roundabout. *W Brom*
—2F **79**
Swansbrook Gdns. *B38*
—5E **147**

Swan Shop. Cen., The. *Yard*
—5B **120**
Swanshurst La. *B13* —5C **134**
Swan St. *Brie H* —2G **93**
Swan St. *Dud* —3E **95**
Swan St. *Stourb* —6C **108**
Swan St. *Wolv* —1B **44**
Swanswell Rd. *Sol* —5B **136**
Swanswood Gro. *B37*
—6E **107**
Swan Village. —6D 60
(Sedgley)
Swan Village. —2G 79
(West Bromwich)
Swan Village. *W Brom* —2G **79**
Swan Village Ind. Est. *W Brom*
—2G **79**
Swarthmore Rd. *B29* —6E **131**
Sweetbriar Dri. *Stourb*
—2C **108**
Sweetbriar La. *W'hall* —4D **30**
Sweetbriar Rd. *Wolv* —4C **44**
Sweetman Pl. *Wolv* —6E **27**
Sweetman St. *Wolv* —5E **27**
(in two parts)
Sweetmoor Clo. *B36* —1G **105**
Swift Clo. *B36* —1C **106**
Swinbrook Gro. *B44* —4G **67**
Swinbrook Way. *Shir* —3B **150**
Swincross Rd. *Stourb*
—1F **125**
Swindell Rd. *Stourb* —4G **125**
Swindon. —5E 73
Swindon Rd. *B17* —6F **99**
Swindon Rd. *K'wfrd* —1F **91**
Swinford Gro. *Dorr* —6A **166**
Swinford Leys. *Wom* —2D **72**
Swinford Rd. *B29* —2E **131**
Swinford Rd. *Stourb* —3E **125**
Swinford Rd. *Wolv* —4A **28**
Swin Forge Way. *Swind*
—5E **73**
Swiss Dri. *Stourb* —1D **108**
Swynnerton Dri. *Ess* —3H **17**
Sycamore Av. *B12* —6A **118**
Sycamore Clo. *Stourb*
—3B **124**
Sycamore Clo. *S Cold* —3D **70**
Sycamore Clo. *Wals* —1F **33**
Sycamore Cres. *B37* —3C **122**
Sycamore Cres. *Erd* —4F **85**
Sycamore Cres. *Tip* —6H **61**
Sycamore Dri. *H'wd* —4A **162**
Sycamore Dri. *Wolv* —2B **42**
Sycamore Grn. *Dud* —2B **76**
Sycamore Paddock. *Word*
—2E **109**
Sycamore Pl. *Bils* —2A **62**
Sycamore Pl. *Smeth* —5D **98**
Sycamore Rd. *Aston* —1A **102**
Sycamore Rd. *B'vlle* —6B **132**
Sycamore Rd. *Erd* —6F **69**
Sycamore Rd. *Gt Barr* —2A **66**
Sycamore Rd. *Hand* —2H **99**
Sycamore Rd. *K'wfrd* —3C **92**
Sycamore Rd. *O'bry* —5G **97**
Sycamore Rd. *Shelf* —1F **33**
Sycamore Rd. *Smeth* —6F **99**
Sycamore Rd. *Tip* —6H **61**
Sycamore Rd. *Wals* —6D **48**
Sycamore Rd. *W'bry* —3G **63**
Sycamores, The. *Wolv* —1B **28**
Sycamore Ter. *K Hth* —1E **147**
Sycamore Way. *B27* —1A **136**
Sydenham Rd. *B11 & New S*
—5C **118**

Sydenham Rd. *Smeth* —2E **99**
Sydenham Rd. *Wolv* —1D **44**
Sydney Clo. *W Brom* —6G **63**
Sydney Ho. *B34* —3A **106**
Sydney Rd. *B9* —1C **118**
Sydney Rd. *Crad H* —2E **111**
Sydney Rd. *Smeth* —1C **114**
Sylvan Av. *B31* —4D **144**
Sylvan Grn. *Hale* —6D **112**
Sylvan Gro. *Shir* —2H **149**
Sylvia Av. *B31* —1F **159**
Symphony Ct. *B16* —1D **116**
Sytch La. *Wom* —2G **73**

Tack Farm Rd. *Stourb*
—2B **108**
Tackford Clo. *B36* —6G **87**
Tackley Clo. *Shir* —1H **163**
Tadmore Clo. *Bils* —6E **45**
Tadworth Clo. *Wolv* —1C **44**
Tait Cft. *Sol* —5B **138**
Talaton Clo. *Wolv* —5E **15**
Talbot Av. *S Cold* —6B **36**
Talbot Clo. *B23* —5D **68**
Talbot Clo. *Wals* —3A **32**
Talbot Pl. *Bils* —5E **45**
Talbot Rd. *Dud* —5D **94**
Talbot Rd. *Smeth* —6E **99**
Talbot Rd. *Wolv* —5G **43**
Talbots La. *Brie H* —2A **110**
Talbot St. *B18* —3B **100**
Talbot St. *Brie H* —6H **93**
Talbot St. *Hale* —5E **111**
Talbot St. *Lye* —6B **110**
Talbot St. *Stourb* —6E **109**
Talbot Way. *B10* —5F **119**
Talfourd St. *B9* —2D **118**
Talgarth Covert. *B38* —2A **160**
Talke Rd. *Wals* —6D **48**
Talladale. *B32* —6H **129**
Tallington Rd. *B33* —4G **121**
Tall Trees Clo. *S Cold* —5D **36**
Tall Trees Clo. *W'hall* —3D **30**
Tall Trees Dri. *Stourb* —3H **125**
Talton Clo. *Shir* —4E **165**
Tamar Clo. *Wals* —3G **9**
Tamar Dri. *B36* —1B **106**
Tamar Dri. *Dud* —1B **76**
Tamar Dri. *S Cold* —6F **71**
Tamar Gro. *Pert* —5E **25**
Tamar Gro. *W'hall* —1C **46**
Tamarisk Clo. *B29* —5F **131**
Tamar Ri. *Stourb* —3E **109**
Tame Av. *W'bry* —1A **64**
Tame Bri. *Wals* —1D **64**
Tame Bri. Factory Est. *Wals*
—3F **65**
Tamebridge Ind. Est. *P Barr*
—3G **83**
Tame Clo. *Wals* —5C **48**
Tame Cres. *W Brom* —1A **80**
Tame Dri. *Wals* —6E **21**
Tame Ri. *O'bry* —3H **113**
Tame Rd. *B6* —5A **84**
Tame Rd. *O'bry* —3G **113**
Tame Rd. *Tip* —2C **78**
Tame Rd. Ind. Est. *B6* —6A **84**
Tamerton Rd. *B32* —4B **130**
Tameside Dri. *B35 & Cas V*
—6D **86**
Tameside Dri. *Holf* —3H **83**
Tame St. *Bils* —6A **45**
Tame St. *Wals* —5C **48**
Tame St. *W Brom* —5F **63**
Tame St. E. *Wals* —5D **48**

Tamworth Clo. *Wals* —3B **10**
Tamworth Rd. *Bass P* —1F **35**
Tamworth Rd. *Four O & S Cold*
—4A **54**
Tanacetum Dri. *Wals* —2F **65**
Tandy Dri. *B14* —4H **147**
Tanfield Clo. *Wolv* —6H **25**
Tanfield Rd. *B33* —6D **104**
Tanfield Rd. *Dud* —2D **94**
Tanford Rd. *Sol* —2G **137**
Tanglewood Clo. *B34* —4G **105**
Tanglewood Clo. *Quin*
—6H **113**
Tanglewood Gro. *Dud* —3G **59**
Tangmere Clo. *Wolv* —4E **25**
Tangmere Dri. *B35* —5D **86**
Tanhouse Av. *B43* —6G **65**
Tanhouse Farm Rd. *Sol*
—3G **137**
Tanhouse La. *Hale* —5D **110**
Tanners Clo. *S Cold* —4D **54**
Tanners Ct. *Wals* —3C **48**
Tannery Clo. *Wals* —6B **32**
Tansey. *S Cold* —4F **37**
Tansey Ct. *Brie H* —2F **93**
Tansey Green. —2F 93
Tansey Grn. Rd. *Brie H* —1E **93**
Tansley Clo. *Dorr* —5B **166**
Tansley Gro. *B44* —4H **67**
Tansley Hill Av. *Dud* —1H **95**
Tansley Hill Rd. *Dud* —1G **95**
Tansley Rd. *B44* —5H **67**
Tansley Vw. *Wolv* —4H **43**
Tantallan Dri. *B32* —4B **130**
Tantany La. *W Brom* —3A **80**
Tantarra St. *Wals* —2D **48**
(in two parts)
Tanwood Clo. *Sol* —1F **165**
Tanworth Gro. *B12* —5H **117**
Tanworth La. *Shir* —2H **163**
Tanyards. *B27* —2A **136**
Tapestries Av. *W Brom*
—3G **79**
Tapton Clo. *Wals* —4A **20**
Tarmac Rd. *Wolv* —6D **44**
Tarragon Gdns. *B31* —5A **144**
Tarrant Gro. *B32* —6D **114**
Tarrington Covert. *B38*
—1A **160**
Tarry Hollow Rd. *Brie H*
—1F **93**
Tarry Rd. *B8* —5E **103**
Tarvin M. *Brie H* —2H **109**
Taryn Dri. *Darl* —4D **46**
Tasker St. *Wals* —3B **48**
Tasker St. *W Brom* —3E **79**
Tasman Gro. *Wolv* —4E **25**
Tat Bank. —3H 97
Tat Bank Rd. *O'bry* —2G **97**
Taunton Av. *Wolv* —3H **15**
Taunton Rd. *B12* —1A **134**
Taunton Tower. *B31* —5A **144**
Taverners Clo. *W'hall* —6C **18**
Taverners Grn. *B20* —4B **82**
Tavistock Rd. *B27* —6A **136**
Taw Clo. *B36* —1B **106**
Tay Cft. *B37* —5E **107**
Tay Gro. *B38* —1A **160**
Tay Gro. *Hale* —3E **113**
Taylor Av. *Wals* —1B **32**
Taylor Ho. Wals —4A 48
(off Oxford St.)
Taylor Rd. *B13* —2H **147**
Taylor Rd. *Dud* —1G **111**
Taylor Rd. *Wolv* —6B **44**
Taylor's La. *O'bry* —2E **97**

Taylors La. *Smeth* —4D **98**
Taylor's La. *W Brom* —3B **80**
Taylors Orchard. *B23* —3B **84**
Taylor St. *Wolv* —4F **29**
Taynton Covert. *B30* —4E **147**
Tay Rd. *Redn* —6H **143**
Taysfield Rd. *B31* —1C **144**
Taywood Dri. *B10* —4C **118**
Tealby Gro. *B29* —4C **132**
Teal Dri. *B23* —4B **84**
Teal Gro. *W'bry* —3B **62**
Teall Ct. *B27* —2A **136**
Teall Rd. *B8* —4E **103**
Tean Clo. *B11* —2G **135**
Teasdale Way. *Stourb*
  —1H **125**
Teasel Rd. *Wed* —4G **29**
Teazel Av. *B30* —1H **145**
Tebworth Clo. *Wolv* —5D **14**
Tedbury Cres. *B23* —1E **85**
Tedder Rd. *Wals* —1F **47**
Teddesley Gro. *B33* —5G **105**
Teddesley St. *Wals* —6D **32**
Teddington Clo. *S Cold*
  —3G **69**
Teddington Gro. *B42* —4F **83**
Tedstone Rd. *B32* —6C **114**
Teesdale Av. *B34* —3D **104**
Teesdale Clo. *Wolv* —1C **44**
Tees Gro. *B38* —6B **146**
Teignmouth Rd. *B29* —3B **132**
Telford Av. *Wals* —2F **7**
Telford Clo. *Smeth* —2B **114**
Telford Clo. *Wals* —4G **31**
Telford Clo. *W Brom* —5G **63**
Telford Gdns. *Wolv* —4B **42**
Telford Rd. *Wals* —4G **31**
Teme Gro. *W'hall* —1D **46**
Teme Rd. *Hale* —6D **110**
Teme Rd. *Stourb* —2D **124**
Tempest St. *Wolv*
  —2H **43** (4C **170**)
Templars, The. *O'bry* —4E **97**
Temple Av. *B28* —1G **149**
Temple Av. *Bal C* —3F **169**
Temple Balsall. —4B 168
Temple Bar. *W'hall* —1A **46**
Temple Ct. *Col* —6H **89**
Templefield Gdns. *B9* —2C **118**
Templefield Sq. *B15* —4D **116**
Templefield St. *B9* —2C **118**
Temple La. *Know* —6A **168**
Temple Meadows Rd. *W Brom*
  —2C **80**
Templemore Dri. *B43* —6A **66**
Temple Pas. *B2*
  —1F **117** (4D **4**)
Temple Rd. *Dorr* —6C **166**
Temple Rd. *W'hall* —6A **30**
Temple Row. *B2*
  —1F **117** (4D **4**)
Temple Row W. *B2*
  —1F **117** (3D **4**)
Temple Sq. *W'hall* —6B **30**
Temple St. *B2* —1F **117** (4D **4**)
Temple St. *Bils* —6G **45**
Temple St. *Dud* —4H **75**
Temple St. *W Brom* —3A **80**
Temple St. *Wolv*
  —2G **43** (4B **170**)
Templeton Clo. *Dorr* —6C **166**
Templeton Rd. *B44* —3G **67**
Temple Way. *Col* —6H **89**
Temple Way. *Tiv* —5C **78**
Tenacre La. *Dud* —1A **76**
Ten Acres. —5D 132

Ten Ashes La. *Redn* —5A **158**
Tenbury Clo. *A'rdge* —1E **35**
Tenbury Clo. *Bntly* —6D **30**
Tenbury Ct. *Wolv* —6B **42**
Tenbury Gdns. *Wolv* —1B **58**
Tenbury Rd. *B14* —1F **147**
Tenby Rd. *B13* —4D **134**
Tenby St. *B1* —5D **100** (1A **4**)
Tenby St. N. *B1*
  —5D **100** (1A **4**)
Tenby Tower. *B31* —6E **145**
Tenlands Rd. *Hale* —2H **127**
Tennal Dri. *B32* —5D **114**
Tennal Gro. *B32* —5D **114**
Tennal La. *B32* —6C **114**
Tennal Rd. *B32* —5C **114**
Tennant St. *B15*
  —2D **116** (6A **4**)
Tennis Ct., The. *B15* —6C **116**
Tennscore Av. *Wals* —2E **7**
Tennyson Av. *S Cold* —3F **37**
Tennyson Ho. *O'bry* —5A **98**
Tennyson Rd. *B10* —4E **119**
Tennyson Rd. *Dud* —2E **75**
Tennyson Rd. *Wals* —1C **32**
Tennyson Rd. *W'hall* —1E **31**
Tennyson Rd. *Wolv* —6C **16**
Tennyson St. *Brie H* —3H **93**
Tenter Ct. *Hale* —1B **128**
Tenter Dri. *Hale* —1B **128**
Tenterfields. *Hale* —1B **128**
Tern Clo. *Wolv* —2H **59**
Tern Gro. *B38* —6A **146**
Terrace Rd. *B19* —2C **100**
Terrace St. *Brie H* —4A **94**
Terrace St. *Row R* —2B **112**
Terrace St. *W'bry* —2G **63**
Terrace, The. *Crad H* —3G **111**
Terrace, The. *Wolv* —2A **42**
Terry Dri. *S Cold* —3D **70**
Terry St. *Dud* —6F **77**
Tessall La. *B31* —6H **143**
(in two parts)
Tetbury Gro. *B31* —4B **144**
Tetley Av. *Wals* —5E **33**
Tetley Rd. *B11* —2E **135**
Tetnall St. *Dud* —1F **95**
Tettenhall. —5A 26
Tettenhall Rd. *Wolv* —5C **26**
Tettenhall Wood. —6A 26
Teviot Gdns. *Brie H* —3E **93**
Teviot Gro. *B38* —1B **160**
Teviot Tower. *B19* —4E **101**
(off Mosborough Cres.)
Tewkesbury Dri. *Dud* —6F **95**
Tewkesbury Rd. *B20* —6G **83**
Tewkesbury Rd. *Wals* —5E **19**
Tew Pk. Rd. *B21* —2A **100**
Thackeray Rd. *B30* —2H **145**
Thames Clo. *Brie H* —2F **93**
Thames Ct. *S Cold* —6H **53**
Thames Ct. *Wyt* —6G **161**
(off Chapel La.)
Thames Gdns. *Bils* —4C **60**
Thames Rd. *Wals* —1B **32**
Thames Tower. *B7* —4B **102**
Thanet Clo. *K'wfrd* —3A **92**
Thanet Gro. *B42* —3E **83**
Thatchway Gdns. *B38*
  —2A **160**
Thaxted Rd. *B33* —6A **106**
Theatre App. *B5*
  —2G **117** (6E **5**)
Thelbridge Rd. *B31* —3C **158**
Thelma Rd. *Tip* —2G **77**
Thelma St. *Wals* —4B **48**

Thelsford Way. *Sol* —5H **137**
Theodore Clo. *B17* —1H **131**
Theodore Clo. *O'bry* —6E **79**
Theresa Rd. *B11* —4B **118**
Thetford Clo. *Tip* —2F **77**
Thetford Gdns. *Wolv* —3F **29**
Thetford Rd. *B42* —6D **66**
Thetford Way. *Wals* —2G **65**
Thickett Clo. *Wals* —3H **47**
Thicknall Dri. *Stourb* —3F **125**
Thimble End. —4D 70
Thimble End Rd. *S Cold*
  —2D **70**
Thimble Mill La. *B6 & B7*
  —2B **102**
Thimblemill Rd. *Smeth*
  —5B **98**
Third Av. *Bord G* —1F **119**
Third Av. *K'wfrd* —1D **92**
Third Av. *S Oak* —2E **133**
Third Av. *Wals* —4C **10**
Third Av. *Witt* —4H **83**
Third Av. *Wolv* —2A **28**
Third Exhibition Av. *B40*
  —6F **123**
Third Rd. *Wild* —5A **156**
Thirlmere Clo. *Tett* —1B **26**
Thirlmere Dri. *B13* —5C **134**
Thirlmere Dri. *Ess* —5A **18**
Thirlmere Gro. *Pert* —5F **25**
Thirlmere Rd. *Tett* —1B **26**
Thirlmere Wlk. *Brie H*
  —4F **109**
Thirsk Cft. *B36* —1A **104**
Thirston Clo. *Wolv* —4A **30**
Thistle Clo. *Dud* —1B **76**
Thistle Cft. *Wed* —4F **29**
Thistle Down Clo. *S Cold*
  —1A **52**
Thistledown Rd. *B34* —2G **105**
Thistledown Wlk. *Dud* —4G **59**
Thistle Grn. *B38* —1A **160**
Thistle Grn. Clo. *Row R*
  —4H **95**
Thistlegreen Rd. *Dud* —5G **95**
Thistle Ho. *B36* —1B **104**
Thistle La. *Bart G* —5H **129**
Thomas Cres. *Smeth* —4G **99**
Thomas Guy Rd. *W Brom*
  —6E **63**
Thomas Ho. *Wals* —4B **20**
Thomas Mason Clo. *Wolv*
  —2F **29**
Thomas St. *B6* —3H **101**
Thomas St. *Smeth* —4F **99**
Thomas St. *Wals* —1B **48**
Thomas St. *W Brom* —5B **80**
Thomas St. *Wolv*
  —3G **43** (6B **170**)
Thomas Wlk. *Cas V* —4F **87**
Thompson Av. *Wolv* —4H **43**
Thompson Clo. *Dud* —1D **110**
Thompson Clo. *W'hall* —6A **30**
Thompson Dri. *Erd* —1F **103**
Thompson Gdns. *Smeth*
  —5D **98**
Thompson Ho. *Tip* —5C **62**
Thompson Rd. *O'bry* —5H **97**
Thompson Rd. *Smeth* —5D **98**
Thompson St. *Bils* —6F **45**
Thompson St. *W'hall* —6A **30**
Thomson Av. *B38* —6H **145**
Thoresby Cft. *Dud* —4B **76**
Thornberry Dri. *Dud* —1H **93**
Thornberry Wlk. *B7* —3C **102**
Thornbridge Av. *B42* —6E **67**

Thorn Brook Ct. *Wals* —6D **32**
(off Butts Rd.)
Thornbury Ct. *Pert* —6G **25**
Thornbury Rd. *B20* —5F **83**
Thornby Av. *Sol* —2F **151**
Thornby Rd. *B23* —5C **68**
Thorncliffe Rd. *B44* —3G **67**
Thorn Clo. *W'bry* —1F **63**
Thorncroft Way. *Wals* —1F **65**
Thorne Av. *Wolv* —2A **28**
Thorne Pl. *Row R* —1C **112**
Thorne Rd. *W'hall* —6A **30**
Thornes. —4G 23
Thornes Cft. *Wals* —3G **23**
Thornes St. *Wolv* —4C **44**
Thorneycroft La. *Wolv* —4C **28**
Thorneycroft Pl. *Bils* —2B **62**
Thorneycroft Rd. *Bils* —2A **62**
Thorneyfield Rd. *Shir* —4A **150**
Thorney Rd. *S Cold* —2H **51**
Thornfield Cft. *Sed* —6A **60**
Thornfield Rd. *B27* —3A **136**
Thorngrove Av. *Sol* —1G **165**
Thornham Way. *B14* —6F **147**
Thornhill Gro. *B21* —1B **100**
Thornhill Pk. *S Cold* —3A **52**
Thornhill Rd. *Brie H* —2A **110**
Thornhill Rd. *Dud* —3E **77**
Thornhill Rd. *Hale* —2G **127**
Thornhill Rd. *Hand* —2B **100**
Thornhill Rd. *Sol* —6G **137**
Thornhill Rd. *S'hll* —2D **134**
Thornhill Rd. *S Cold* —5A **52**
Thornhurst Av. *B32* —4C **114**
Thornleigh. *Dud* —2H **75**
Thornleigh Trad. Est. *Dud*
  —2C **94**
Thornley Clo. *B13* —4A **134**
Thornley Clo. *Wolv* —6H **17**
Thornley Gro. *Min* —1G **87**
Thornley Rd. *Wolv* —6H **17**
Thornley St. *Wolv*
  —1H **43** (2C **170**)
Thorn Rd. *B30* —6A **132**
Thorns Av. *Brie H* —2A **110**
Thornsett Gro. *Shir* —1H **149**
Thorns Rd. *Brie H* —4A **110**
Thornthwaite Clo. *Redn*
  —5H **143**
Thornton Clo. *Tiv* —5C **78**
Thornton Dri. *Brie H* —2A **110**
Thornton Rd. *B8* —4H **103**
Thornton Rd. *Shir* —3D **164**
Thornton Rd. *Wolv* —2D **44**
Thornwood Clo. *O'bry* —4A **98**
Thornyfield Clo. *Shir* —4A **150**
Thornyhurst La. *Hltn* —6H **11**
Thorpe Clo. *S Cold* —3A **54**
Thorpe Rd. *Wals* —4C **48**
Thorp St. *B5* —2F **117** (6D **4**)
Three Corner Clo. *Shir*
  —1E **163**
Three Maypoles. —2H 163
Three Oaks Rd. *Wyt* —5C **162**
Three Shires Oak Rd. *Smeth*
  —1D **114**
Three Tuns La. *Wolv* —5G **15**
Three Tuns Pde. *Wolv* —5G **15**
Threshers Dri. *W'hall* —3D **30**
Threshers Way. *W'hall* —3D **30**
Throne Clo. *Row R* —4C **96**
Throne Cres. *Row R* —4D **96**
Throne Rd. *Row R* —4C **96**
Throstles Clo. *Gt Barr* —6A **66**
Thrushel Wlk. *Wolv* —4E **29**
Thrush Rd. *O'bry* —1F **113**

Thruxton Clo. *B14* —4H **147**
Thurcroft Clo. *B8* —5F **103**
Thuree Rd. *Smeth* —1C **114**
Thurleigh Clo. *Stourb*
   —3G **125**
Thurlestone Rd. *B31* —2C **158**
Thurloe Cres. *Redn* —6E **143**
Thurlston Av. *Sol* —1D **136**
Thurlstone Dri. *Penn* —1D **58**
Thurlstone Rd. *Wals* —4H **19**
Thursfield Rd. *Tip* —1A **78**
Thursfield Rd. *W Brom*
   —5C **64**
Thurston Av. *O'bry* —3F **97**
Thynne St. *W Brom* —5C **80**
Tibbats Clo. *B32* —2A **130**
Tibberton Clo. *Hale* —2C **128**
Tibberton Clo. *Sol* —1E **165**
Tibberton Clo. *Wolv* —4B **42**
Tibbets La. *B17* —1E **131**
Tibbington Rd. *Tip* —6G **61**
Tibbington Ter. *Tip* —6G **61**
Tibbits Ho. Wals —6B 32
   (off Burrowes St.)
Tiberius Clo. *Col* —6H **89**
Tibland Rd. *B27* —4A **136**
Tidbury Green. —5D 162
Tiddington Clo. *B36* —6F **87**
Tideswell Rd. *B42* —1E **83**
Tidmarsh Clo. *Bal C* —3G **169**
Tidworth Cft. *B14* —4A **148**
Tierney Dri. *Tip* —1C **78**
Tiffany La. *Wolv* —5D **14**
Tiffield Rd. *B25* —6A **120**
Tigley Av. *B32* —4B **130**
Tilbury Clo. *Wolv* —3G **41**
Tilbury Gro. *B13* —4F **133**
Tildasley St. *W Brom* —2H **79**
Tildesley Dri. *W'hall* —4B **30**
Tile Cross. —2H 121
Tile Cross Rd. *B33* —2H **121**
Tile Cross Trad. Est. *B33*
   —2H **121**
Tiled Ho. La. *Brie H* —4F **93**
Tile Gro. *B37* —4C **106**
Tilehouse Green. —3A 166
Tilehouse Grn. La. *Know*
   —2B **166**
Tilehouse La. *Tid G & Shir*
   —5E **163**
Tilesford Clo. *Shir* —4E **165**
Tilley St. *W'bry* —5E **47**
Tillyard Cft. *B29* —4G **131**
Tilshead Clo. *B14* —4G **147**
Tilsley Gro. *B23* —2B **84**
Tilston Dri. *Brie H* —2H **109**
Tilton Rd. *B9* —2C **118**
   (in two parts)
Timbercombe Way. *Hand*
   —1H **99**
Timberdine Clo. *Hale* —5F **111**
Timberlake Clo. *Shir* —4B **164**
Timberley La. *B34* —3G **105**
   (in two parts)
Timber Mill Ct. *Harb* —5F **115**
Timbers Way. *Erd* —3D **86**
Timbers Way. *S'brk* —5A **118**
Timbertree Cres. *Crad H*
   —4G **111**
Timbertree Rd. *Crad H*
   —4G **111**
Times Sq. Av. *Brie H* —1A **110**
Timmins Clo. *Sol* —2A **152**
Timmis Clo. *Bils* —2D **60**
Timmis Rd. *Stourb* —5G **109**
Timothy Rd. *Tiv* —2C **96**

Tinacre Hill. *Wolv* —1E **41**
Tinchbourne St. *Dud* —6E **77**
Tindal St. *B12* —6H **117**
   (in two parts)
Tinker's Farm Gro. *B31*
   —4C **144**
Tinker's Farm Rd. *B31*
   —4C **144**
Tinmeadow Cres. *Redn*
   —2A **158**
Tinsley St. *Tip* —2E **79**
Tintagel Clo. *Wolv* —6F **25**
Tintagel Dri. *Dud* —5A **76**
Tintagel Way. *A'rdge* —3A **34**
Tintern Clo. *S Cold* —4A **52**
Tintern Ct. *Wolv* —5E **25**
Tintern Cres. *Wals* —4F **19**
Tintern Rd. *B20* —6G **83**
Tintern Way. *Wals* —5F **19**
Tipperary Clo. *B36* —1C **104**
Tipperary Wlk. *O'bry* —2F **97**
Tipper Trad. Est. *Stourb*
   —5C **110**
Tippity Grn. *Row R* —5B **96**
Tipps Stone Clo. *Tip* —3G **77**
Tipton. —2G 77
Tipton Ind. Est. *Bils* —6F **61**
Tipton Rd. *Dud* —3G **77**
Tipton Rd. *Tip & Tiv* —4B **78**
Tipton Rd. *Woods* —6A **60**
Tipton St. *Dud* —6A **60**
Tipton Trad. Est. *Bils* —6F **61**
Tipton Trad. Est. *Bloom*
   —1F **77**
Tirley Rd. *B33* —4E **105**
Titania Clo. *Redn* —4H **143**
Titchfield Clo. *Wolv* —3A **16**
Titford Clo. *O'bry* —5F **97**
Titford La. *Row R* —5E **97**
Titford Rd. *O'bry* —5F **97**
   (in two parts)
Tithe Cft. *Wolv* —6B **28**
Tithe Rd. *Wolv* —3F **29**
Titterstone Rd. *B31* —1E **159**
Tiverton Clo. *K'wfrd* —6D **92**
Tiverton Rd. *B29* —3B **132**
Tiverton Rd. *Smeth* —4F **99**
Tividale. —6A 78
Tividale Ho. *O'bry* —1D **96**
Tividale Rd. *Tip & Tiv* —5H **77**
Tividale Rd. *Tiv* —5H **77**
Tividale St. *Tip* —4A **78**
Tivoli, The. B25 & B26
   (off Church Rd.) —5B **120**
Tixall Rd. *B28* —2E **149**
Tobruk Wlk. *Brie H* —6H **93**
Tobruk Wlk. *W'hall* —2G **45**
Toll End Rd. *Tip* —6C **62**
Tollgate Clo. *B31* —1D **158**
Tollgate Dri. *B20* —2C **100**
Tollgate Precinct. *Smeth*
   —3D **98**
Toll Ho. Rd. *Redn* —2A **158**
Tollhouse Way. *Smeth* —2D **98**
Tolworth Gdns. *Wolv* —4A **44**
Tolworth Hall Rd. *B24* —4H **85**
Tomey Rd. *B11* —6D **118**
Tomlan Rd. *B31* —2G **159**
Tomlinson Rd. *B36* —6H **87**
Tompstone Rd. *W Brom*
   —5D **64**
Tonadine Clo. *Wolv* —6A **18**
Tonbridge Rd. *B24* —6G **85**
Tong Ct. Wolv —2E 43
   (off Boscobel Cres.)
Tong St. *Wals* —2E **49**

Topcroft Rd. *B23* —6F **69**
Top Fld. Wlk. *B14* —5F **147**
Topland Gro. *B31* —5A **144**
Top Rd. *Wild* —4A **156**
Topsham Cft. *B14* —2F **147**
Topsham Rd. *Smeth* —3C **98**
Torfield. *Wolv* —5C **14**
Tor Lodge Dri. *Wolv* —1H **41**
Toronto Gdns. *B32* —5C **114**
Torre Av. *B31* —5C **144**
Torrey Gro. *B8* —5A **104**
Torridge Dri. *Wolv* —4E **29**
Torridon Cft. *B13* —2F **133**
Torridon Rd. *W'hall* —6B **18**
Tor Va. Rd. *Wolv* —1G **41**
Tor Way. *Wals* —4D **20**
Totnes Gro. *S Oak* —3B **132**
Totnes Rd. *Smeth* —3D **98**
Tottenham Cres. *B44* —3B **68**
Touchwood Hall Clo. *Sol*
   —3G **151**
Towcester Cft. *B36* —1B **104**
Tower Cft. *B37* —5D **106**
Tower Hill. —1D 82
Tower Hill. *B42* —1C **82**
Tower Ri. *Tiv* —2C **96**
Tower Rd. *B6* —2H **101**
   (in two parts)
Tower Rd. *S Cold* —6H **37**
Tower Rd. *Tiv* —2B **96**
Tower St. *B19* —4F **101**
Tower St. *Dud* —6E **77**
Tower St. *Sed* —4H **59**
Tower St. *Wals* —1C **48**
Tower St. *Wolv*
   —1H **43** (3C **170**)
Tower Vw. Rd. *Gt Wyr* —5F **7**
Townend Sq. Wals —1C 48
   (off Park St.)
Townend St. *Wals* —1C **48**
Town Fold. *Wals* —3E **21**
Townley Gdns. *B6* —6G **83**
Townsend Av. *Dud* —5H **59**
Townsend Dri. *S Cold* —6D **70**
Townsend Pl. *K'wfrd* —3B **92**
Townsend Way. *B1*
   —6D **100** (3A **4**)
Townshend Gro. *B37* —5B **106**
Townson Rd. *Wolv* —1A **30**
Townwell Fold. *Wolv*
   —1G **43** (3A **170**)
Town Wharf Bus. Pk. *Wals*
   —2B **48**
Town Yd. *W'hall* —2A **46**
Towpath Clo. *B9* —1B **118**
Towyn Rd. *B13* —3D **134**
Toy's La. *Hale* —6E **111**
Tozer St. *Tip* —6H **61**
Traceys Mdw. *Redn* —2G **157**
Trafalgar Ct. *Tiv* —6B **78**
Trafalgar Gro. *Yard* —5G **119**
Trafalgar Rd. *Erd* —4F **85**
Trafalgar Rd. *Hand* —1A **100**
Trafalgar Rd. *Mose* —2H **133**
Trafalgar Rd. *Smeth* —5F **99**
Trafalgar Rd. *Tiv* —6B **78**
Trafalgar Ter. *Smeth* —5F **99**
Trajan Hill. *Col* —6H **89**
Tram Way. *Smeth* —2A **98**
Tramway Clo. *Bils* —4H **45**
Tramway Clo. *W'bry* —4E **47**
Tranter Rd. *B8* —4G **103**
Tranwell Clo. *Wolv* —5D **14**
Traquain Dri. *Dud* —4C **76**
Travellers Way. *B37* —6F **107**
Treaford La. *B8* —5H **103**

Treddles La. *W Brom* —4B **80**
Tredington Clo. *B29* —6E **131**
Tree Acre Gro. *Hale* —1F **127**
Treeford Clo. *Sol* —6D **150**
Trees Rd. *Wals* —5D **48**
Treeton Cft. *B33* —1E **121**
Treetops Dri. *W'hall* —4E **31**
Trefoil Clo. *B29* —6E **131**
   (in two parts)
Tregarron Rd. *Hale* —6E **111**
Tregea Ri. *B43* —6G **65**
Trehern Clo. *Know* —4C **166**
Trehernes Dri. *Stourb* —4F **125**
Trehurst Av. *B42* —5E **67**
Trejon Rd. *Crad H* —3G **111**
Tremaine Gdns. *Wolv* —5H **27**
Tremont Ho. *Wolv* —6A **28**
Tremont St. *Wolv* —6A **28**
Trenchard Clo. *S Cold* —6D **54**
Trent Clo. *Stourb* —1E **125**
Trent Clo. *Wolv* —5E **25**
Trent Cres. *Wyt* —6G **161**
Trent Dri. *B36* —1B **106**
Trentham Av. *W'hall* —4A **30**
Trentham Gro. *B26* —6C **120**
Trentham Ri. *Wolv* —4B **44**
Trent Pl. *Wals* —1B **32**
Trent Rd. *Wals* —6E **21**
Trent St. *B5* —1H **117** (5H **5**)
Trent Tower. *B7* —5A **102**
Trenville Av. *B11* —6B **118**
Trenville Av. *Bal H* —6B **118**
Tresco Clo. *Redn* —6E **143**
Trescott. —4B 40
Trescott Rd. *B31* —4B **144**
Tresham Rd. *B44* —4H **67**
Tresham Rd. *K'wfrd* —1B **92**
Trevanie Av. *B32* —5A **114**
Trevelyan Ho. *B37* —2E **123**
Trevor Av. *Gt Wyr* —2G **7**
Trevorne Clo. *B12* —5H **117**
Trevor Rd. *Wals* —3D **20**
Trevor St. *B7* —3C **102**
Trevor St. W. *B7* —3C **102**
Trevose Clo. *Wals* —4F **19**
Trevose Retreat. *B12* —6H **117**
Trewman Clo. *S Cold* —5D **70**
Treyamon Rd. *Wals* —4H **49**
Treynham Clo. *Wolv* —2E **45**
Triangle. —1C 10
Tricorn Ho. *B16* —2C **116**
Trident Cen. *Dud* —6E **77**
Trident Clo. *Erd* —6G **69**
Trident Clo. *S Cold* —6D **70**
Trident Dri. *B20* —4C **82**
Trident Dri. *O'bry* —4H **97**
Trident Dri. *W'bry* —2D **62**
Trigo Cft. *B36* —1C **104**
Trimpley Clo. *Dorr* —6A **166**
Trimpley Gdns. *Wolv* —2C **58**
Trimpley Rd. *B32* —5H **129**
Trinder Rd. *Smeth* —1B **114**
Trindle Clo. *Dud* —6F **77**
Trindle Rd. *Dud* —6F **77**
Tring Ct. *Wolv* —5D **26**
Trinity Cen. *Crad H* —1G **111**
Trinity Clo. *Sol* —4F **137**
Trinity Clo. *Stourb* —1B **108**
Trinity Ct. *Crad H* —2G **111**
Trinity Ct. S Cold —6A 54
   (off Midland Dri.)
Trinity Ct. *W'hall* —2H **45**
Trinity Ct. *Wolv* —1E **43**
Trinity Gro. *W'bry* —2G **63**
Trinity Hill. *S Cold* —6A **54**
Trinity Pk. *B40 & B37* —2F **139**

Trinity Rd. *B6 & Aston* —6F **83**
Trinity Rd. *Bils* —6H **45**
(in two parts)
Trinity Rd. *Dud* —6E **77**
Trinity Rd. *Stourb* —3E **109**
Trinity Rd. *S Cold* —2H **53**
Trinity Rd. *W'hall* —3D **30**
Trinity Rd. N. *W Brom* —6B **80**
(in two parts)
Trinity Rd. S. *W Brom* —6B **80**
Trinity St. *Brie H* —6H **93**
Trinity St. *Crad H* —2G **111**
Trinity St. *O'bry* —4G **97**
Trinity St. *Smeth* —3E **99**
Trinity St. *W Brom* —5B **80**
Trinity Ter. *B11* —3A **118**
Trinity Way. *W Brom* —6B **80**
Trippleton Av. *B32* —5H **129**
(in two parts)
Tristram Av. *B31* —6F **145**
Triton Clo. *Wals* —4F **7**
Trittiford Rd. *B13* —1B **148**
Triumph Wlk. *B36* —6C **88**
Troon Clo. *S Cold* —3B **54**
Troon Clo. *Wals* —4G **19**
Troon Ct. *Pert* —4D **24**
Troon Pl. *Stourb* —6A **92**
Trotter's La. *W Brom* —6G **63**
Trouse La. *W'bry* —2E **63**
Troutbeck Dri. *Brie H* —3F **109**
Troy Gro. *B14* —3F **147**
Truda St. *Wals* —4B **48**
Trueman's Heath. —2C 162
Trueman's Heath La. *H'wd & Shir* —2B **162**
Truro Clo. *Row R* —5E **97**
Truro Rd. *Wals* —4H **49**
Truro Tower. *B16* —1C **116**
Truro Wlk. *B37* —1C **122**
Trustin Cres. *Sol* —5A **138**
Tryon Pl. *Bils* —5G **45**
Trysull. —4C 56
Trysull Av. *B26* —1G **137**
Trysull Gdns. *Wolv* —4B **42**
Trysull Holloway. *Try* —1C **56**
Trysull Rd. *Wolv* —4B **42**
Trysull Rd. *Wom* —5E **57**
Trysull Way. *Dud* —6E **95**
Tudbury Rd. *B31* —3B **144**
Tudman Clo. *S Cold* —6E **71**
Tudor Clo. *B13* —1H **147**
Tudor Clo. *Bal C* —3G **169**
Tudor Clo. *C Hay* —2E **7**
Tudor Clo. *May* —6A **148**
Tudor Clo. *S Cold* —3D **68**
Tudor Ct. *Ess* —4H **17**
Tudor Ct. *S Cold* —6A **54**
(B72)
Tudor Ct. *S Cold* —1G **53**
(B74)
Tudor Ct. *Tip* —3A **78**
Tudor Cres. *Wolv* —5F **43**
Tudor Cft. *B37* —2B **122**
Tudor Gdns. *B23* —4E **85**
Tudor Gdns. *Stourb* —6C **108**
Tudor Gro. *S Cold* —3A **52**
Tudor Hill. —5H 53
Tudor Hill. *S Cold* —5G **53**
Tudor Pk. Ct. *S Cold* —6E **37**
Tudor Pl. *Dud* —1A **76**
Tudor Rd. *B13* —3H **133**
Tudor Rd. *Bils* —1B **62**
Tudor Rd. *Dud* —1A **76**
Tudor Rd. *O'bry* —5A **98**
Tudor Rd. *Row R* —4C **96**
Tudor Rd. *S Cold* —6H **53**

Tudor Rd. *Wolv* —5C **28**
Tudors Clo. *B10* —3C **118**
Tudor St. *B18* —5H **99**
Tudor St. *Tip* —3A **78**
Tudor Ter. *B17* —5G **115**
Tudor Ter. *Dud* —6G **77**
Tudor Va. *Dud* —1A **76**
Tudor Way. *C Hay* —4D **6**
Tufnell Gro. *B8* —2G **103**
Tugford Rd. *B29* —6G **131**
Tulip Wlk. *B37* —3E **123**
Tulsi Cen. *B19* —5E **101**
Tulyar Clo. *B36* —1A **104**
Tunnel La. *K Nor & K Hth*
(in three parts) —3D **146**
Tunnel Rd. *W Brom* —5G **63**
Tunnel St. *Bils* —5E **61**
Tunstall Rd. *K'wfrd* —4E **93**
Turchill Dri. *S Cold* —5E **71**
Turfpits La. *B23* —1D **84**
Turf Pitts La. *Can* —6D **38**
Turley St. *Dud* —1C **76**
Turls Hill Rd. *Dud & Bils*
(in two parts) —5A **60**
Turls St. *Dud* —5A **60**
Turnberry Clo. *Wolv* —4D **24**
Turnberry Rd. *B42* —5D **66**
Turnberry Rd. *Wals* —4F **19**
Turner Av. *Bils* —3B **60**
Turner Dri. *Brie H* —4H **109**
Turner Gro. *Pert* —5G **25**
Turners Bldgs. *B18* —3B **100**
Turners Cft. *W Brom* —5E **65**
Turners Gro. *Dud* —3G **75**
Turner's Hill. —3B 96
Turner's Hill. *Row R* —3B **96**
Turners Hill Rd. *Dud* —3G **75**
Turners La. *Brie H* —3G **109**
Turner St. *B11* —5A **118**
Turner St. *Dud* —1D **94**
Turner St. *Lwr G* —4H **75**
Turner St. *Tip* —6H **61**
Turner St. *W Brom* —3G **79**
Turney Rd. *Stourb* —5D **108**
Turnham Grn. *Wolv* —6E **25**
Turnhouse Rd. *B35* —3F **87**
Turnley Rd. *B34* —3G **105**
Turnpike Clo. *B11* —5A **118**
Turnpike Dri. *Wat O* —4E **89**
Turnstone Dri. *F'stne* —1D **16**
Turton Clo. *Wals* —3G **19**
Turton Rd. *Tip* —4H **61**
Turton Rd. *W Brom* —5H **79**
Turtons Cft. *Bils* —2D **60**
Turves Green. —1E 159
Turves Grn. *B31* —2D **158**
Turville Rd. *B20* —6E **83**
Tustin Gro. *B27* —5A **136**
Tutbury Av. *Pert* —6F **25**
Tuxford Clo. *Wolv* —5A **28**
Twatling Rd. *B Grn* —6G **157**
Tweeds Well. *B32* —6H **129**
Twelve Row. *B12* —4H **117**
Twickenham Ct. *Stourb*
—4A **108**
Twickenham Rd. *B44* —4B **68**
Two Gates. *Hale* —6D **110**
Two Gates La. *Hale* —6E **111**
Two Locks. *Hurst B* —5C **94**
Two Woods La. *Brie H*
—2A **110**
Two Woods Trad. Est. *Brie H*
—2A **110**
Twycross Gro. *B36* —2B **104**
Twydale Av. *Tiv* —5C **78**
Twyford Clo. *A'rdge* —4D **34**

Twyford Gro. *Wolv* —2H **29**
Twyford Rd. *B8* —4A **104**
Twyning Rd. *Edg* —5H **99**
Twyning Rd. *Stir* —6D **132**
Tyber Dri. *B20* —4D **82**
Tyberry Clo. *Shir* —6G **149**
Tyburn. —4D 86
Tyburn Gro. *B24* —4B **86**
Tyburn Rd. *B6 & B24* —6D **84**
Tyburn Rd. *Wolv* —2E **45**
Tyburn Sq. *B24* —4B **86**
Tyburn Trad. Est. *B35* —5B **86**
Tyebeams. *B34* —4G **105**
Tye Gdns. *Stourb* —4F **125**
Tyler Ct. *B24* —4F **85**
Tyler Gdns. *W'hall* —2B **46**
Tyler Gro. *B43* —4D **66**
Tyler Rd. *W'hall* —3A **46**
Tylers Grn. *B38* —5D **146**
Tylers Gro. *Shir* —3D **164**
Tylney Clo. *B5* —4F **117**
Tyndale Cres. *B43* —2E **67**
Tyndall Wlk. *B32* —3G **129**
Tyne Clo. *B37* —5D **106**
Tyne Clo. *Bwnhls* —3G **9**
Tynedale Cres. *Wolv* —2A **60**
Tynedale Rd. *B11* —2F **135**
Tyne Gro. *B25* —3B **120**
Tyne Pl. *Brie H* —1B **110**
Tyning Clo. *Wolv* —5E **15**
Tyninghame Av. *Wolv* —3B **26**
Tynings La. *Wals* —4C **34**
Tyrley Clo. *Wolv* —1H **41**
Tyrol Clo. *Stourb* —6B **108**
Tyseley. —6G 119
Tyseley Hill Rd. *B11* —1G **135**
Tyseley Ind. Est. *B11* —6E **119**
Tyseley Ind. Est. *B10* —5E **119**
Tyseley La. *B11* —1G **135**
Tysoe Dri. *S Cold* —1D **70**
Tysoe Rd. *B44* —6H **67**
Tythebarn Dri. *K'wfrd* —2G **91**
Tythe Barn La. *Shir* —3E **163**
Tyzack Clo. *Brie H* —1G **109**

Udall Rd. *Bils* —2F **61**
Uffculme Rd. *B30* —5F **133**
Uffmoor Est. *Hale* —3G **127**
Uffmoor La. *Rom & Hale*
(in two parts) —6F **127**
**Uffmoor Wood Nature
Reserve. —6G 127**
Ufton Clo. *Shir* —4C **150**
Ufton Cres. *Shir* —4B **150**
Ullenhall Rd. *Know* —3C **166**
Ullenhall Rd. *S Cold* —4D **70**
Ullenwood. *B21* —2H **99**
Ulleries Rd. *Sol* —3D **136**
Ulleswater Ho. *O'bry* —4D **96**
Ullrik Grn. *B24* —5F **85**
Ullswater Clo. *B32* —3D **130**
Ullswater Gdns. *K'wfrd*
—3B **92**
Ullswater Ri. *Brie H* —4H **93**
Ullswater Rd. *W'hall* —6B **18**
Ulster Dri. *K'wfrd* —5C **92**
Ulverley Cres. *Sol* —5D **136**
Ulverley Green. —5D 136
Ulverley Grn. Rd. *Sol*
—4C **136**
Ulwine Dri. *B31* —3D **144**
Umberslade Rd. *S Oak & Stir*
—4B **132**
Underhill La. *Wolv* —4B **16**
Underhill Rd. *B8* —6F **103**

Underhill Rd. *Tip* —1C **78**
Underhill St. *O'bry* —4G **97**
Underhill Wlk. *O'bry* —4G **97**
Underley Clo. *K'wfrd* —2H **91**
Underpass, The. *B40* —1F **139**
Underwood Clo. *Edg*
—1H **131**
Underwood Clo. *Erd* —3C **84**
Underwood Rd. *B20* —2A **82**
Unett Ct. *Smeth* —4G **99**
Unett St. *B19* —4E **101**
(in two parts)
Unett St. *Smeth* —5G **99**
Unett Wlk. *B19* —4E **101**
Union Cen. *W'bry* —3F **63**
Union Dri. *S Cold* —3F **69**
Union La. *Try* —4D **56**
Union Mill St. *Wolv* —1A **44**
Union Pas. *B2*
—1G **117** (4E **5**)
Union Pas. *Small H* —3C **118**
Union Rd. *B6* —1B **102**
Union Rd. *O'bry & W Brom*
—6E **79**
Union Rd. *Shir* —5A **150**
Union Rd. *Sol* —3G **151**
Union Row. *B21* —1B **100**
Union St. *B2* —1G **117** (4E **5**)
Union St. *Bils* —6E **45**
Union St. *Dud* —6E **77**
Union St. *Lye* —6A **110**
Union St. *P End* —5H **61**
Union St. *Row R* —2C **112**
Union St. *Stourb* —6E **109**
Union St. *Tip* —2H **77**
Union St. *Wals* —1B **48**
Union St. *W'bry* —3F **63**
Union St. *W Brom* —1B **98**
Union St. *W'hall* —1A **46**
Union St. *Wolv*
—1H **43** (3D **170**)
Unity Pl. *B29* —3B **132**
Unity Pl. *O'bry* —1G **97**
University Rd. E. *Edg* —1B **132**
University Rd. W. *Edg*
—1A **132**
Unketts Rd. *Smeth* —6C **98**
Unwin Cres. *Stourb* —6C **108**
Upavon Clo. *B35* —3E **87**
Upland Rd. *S Park* —3C **132**
Uplands. *Hale* —3G **127**
Uplands Av. *Row R* —6D **96**
Uplands Av. *W'hall* —2F **45**
Uplands Av. *Wolv* —3B **42**
Uplands Clo. *Dud* —2H **95**
Uplands Dri. *Dud* —5H **59**
Uplands Dri. *Wolv* —3C **42**
Uplands Dri. *Wom* —1G **73**
Uplands Gro. *W'hall* —2E **45**
Uplands Rd. *Dud* —2H **95**
Uplands Rd. *Hand* —5H **81**
Uplands Rd. *W'hall* —2E **45**
Uplands, The. *Smeth* —4D **98**
Up. Ashley St. *Hale* —2C **112**
Up. Balsall Heath Rd. *B12*
—5H **117**
Up. Brook St. *Prem B* —2B **48**
Up. Castle St. *W'bry* —3D **46**
Up. Chapel St. *Tiv* —5B **78**
Up. Church La. *Tip* —5H **61**
Up. Clifton Rd. *S Cold* —6H **53**
Up. Dean St. *B32* —2B **130**
Up. Conybere St. *B12*
—4H **117**
Up. Dean St. *B5*
—2G **117** (6E **5**)

Up. Ettingshall Rd. *Bils*
—5C **60**
Up. Forster St. *Wals* —6D **32**
Upper Gornal. —2B 76
Up. Gough St. *B1*
—2F **117** (6C **4**)
Upper Grn. *Wolv* —4B **26**
Up. Grosvenor Rd. *B20*
—5D **82**
Up. Hall La. *Wals* —2C **48**
Up. Highgate St. *B12* —4H **117**
Up. High St. *Crad H* —2F **111**
Up. High St. *W'bry* —2F **63**
Up. Holland Rd. *S Cold*
—1A **70**
Upper Landywood. —5E 7
Up. Landywood La. *Wals*
—4D **6**
Up. Lichfield St. *W'hall*
—1A **46**
Up. Marshall St. *B1*
—2F **117** (6C **4**)
Up. Meadow Rd. *B32* —6A **114**
Up. Navigation St. *Wals*
—1B **48**
Up. Portland St. *B6* —2A **102**
Up. Rushall St. *Wals* —2D **48**
Up. Russell St. *W'bry* —3F **63**
Up. St Mary's Rd. *Smeth*
—2D **114**
Up. Short St. *Prem B* —2B **48**
Up. Sneyd Rd. *Ess* —5B **18**
Up. Stone Clo. *S Cold* —1C **70**
Upper St. *Wolv* —4B **26**
Up. Sutton St. *B6* —2H **101**
Up. Thomas St. *B6* —2H **101**
Up. Trinity St. *B9* —2A **118**
Up. Vauxhall. *Wolv* —1E **43**
Up. Villiers St. *Wolv* —5G **43**
Up. William St. *B1*
—2E **117** (6A **4**)
Up. Zoar St. *Wolv* —3F **43**
Upton Ct. *B23* —4B **84**
Upton Gdns. *Bils* —6E **45**
Upton Gro. *B33* —2A **120**
Upton Rd. *B33* —1A **120**
Upton St. *Dud* —4E **95**
Upwey Av. *Sol* —3E **151**
USAM Trad. Est. *Wolv* —5H **15**
Usk Way. *B36* —1B **106**
Uttoxeter Clo. *Wolv* —3F **27**
Uxbridge Clo. *Dud* —4H **75**
Uxbridge St. *B19* —4F **101**

Valbourne Rd. *B14* —3E **147**
Vale Av. *Dud* —1H **75**
Vale Av. *Wals* —6F **35**
Vale Clo. *B32* —2D **130**
Vale Head Dri. *Wolv* —1G **41**
Valencia Cft. *B35* —3F **87**
Valentine Clo. *S Cold* —5H **51**
Valentine Ct. *B14* —4H **133**
Valentine Rd. *B14* —4G **133**
Valentine Rd. *O'bry* —1A **114**
Valepits Rd. *B33* —2G **121**
Valerian. *S Cold* —5F **37**
Valerie Gro. *B43* —5G **65**
Vale Rd. *Dud* —5G **95**
Vale Row. *Dud* —2H **75**
Vales Clo. *S Cold* —6C **70**
Vale St. *Dud* —2H **75**
Vale St. *Stourb* —3E **109**
Vale St. *W Brom* —1C **80**
Vale St. *Wolv* —5C **44**
Vale, The. *Edg* —5C **116**

Vale, The. *S'hll* —3C **134**
Vale Vw. *Wals* —5D **34**
Valiant Ho. *B35* —2F **87**
Valiant Way. *Sol* —5G **137**
Valley Country Pk. —6B 26
Valley Farm Rd. *Redn*
—3F **157**
Valley Rd. *B43* —6G **65**
Valley Rd. *Crad H* —4G **111**
Valley Rd. *Dud* —1A **76**
Valley Rd. *Hale* —3F **113**
Valley Rd. *Smeth* —6D **98**
Valley Rd. *Sol* —2G **137**
Valley Rd. *Stourb* —6B **110**
Valley Rd. *S Cold* —4H **51**
Valley Rd. *Wals* —1A **32**
Valley Rd. *Wolv* —4B **28**
Valleyside. *Pels* —5D **20**
Valley Vw. *Wals* —6C **10**
Vallian Cft. *B36* —2D **104**
Vallord Ct. *Wolv*
—6G **27** (1A **170**)
Vanborough Wlk. *Dud* —5C **76**
Vanbrugh Ct. *Wolv* —6E **25**
Van Diemans Rd. *Wom*
—2E **73**
Vanguard Clo. *B36* —1C **104**
Vann Clo. *B10* —3C **118**
Varden Cft. *B5* —4F **117**
Vardon Way. *B38* —6H **145**
Varley Rd. *B24* —3B **86**
Varley Va. *B24* —3B **86**
Varlins Way. *B38* —2H **159**
Varney Av. *W Brom* —5B **80**
Vaughan Clo. *S Cold* —3F **37**
Vaughan Gdns. *Cod* —3F **13**
Vaughan Rd. *W'hall* —2F **45**
Vaughan Trad. Est. *Tip*
—4B **78**
Vaughton Dri. *S Cold* —5C **54**
Vaughton St. *B12* —3H **117**
Vaughton St. S. *B5 & B12*
—3G **117**
Vauxhall. —4B 102
Vauxhall Av. *Wolv* —1E **43**
Vauxhall Bus. Pk. *B7* —4C **102**
Vauxhall Cres. *B36* —6B **88**
Vauxhall Gdns. *Dud* —2G **95**
Vauxhall Gro. *B7* —6B **102**
Vauxhall Ho. *B4* —2G **5**
Vauxhall Pl. *B7* —6A **102**
Vauxhall Rd. *B7* —6A **102**
Vauxhall Rd. *Stourb* —6E **109**
Vauxhall St. *Dud* —1D **94**
Vauxhall Ter. *B7* —5B **102**
Vauxhall Trad. Est. *B7*
—5B **102**
Vector Ind. Est. *W Brom*
—1A **80**
Velsheda Rd. *Shir* —5G **149**
Venetia Rd. *B9* —1C **118**
Venning Gro. *B43* —6H **65**
Ventnor Av. *Loz* —2E **101**
Ventnor Av. *W End* —2B **104**
Ventnor Clo. *O'bry* —4A **114**
Ventnor Rd. *Sol* —2G **137**
Venture Way. *B7*
—5H **101** (1H **5**)
Vera Rd. *B26* —4C **120**
Verbena Gdns. *B7* —4A **102**
Verbena Rd. *B31* —1D **144**
Vercourt. *S Cold* —6B **36**
Verdun Cres. *Dud* —6H **77**
Vere St. *B5* —3F **117**
Verity Wlk. *Stourb* —2C **108**
Verney Av. *B33* —4H **121**

Vernier Av. *K'wfrd* —4E **93**
Vernolds Cft. *B5* —3G **117**
Vernon Av. *B20* —3B **82**
Vernon Av. *Tip* —3G **77**
Vernon Av. *Wals* —5C **10**
Vernon Clo. *Ess* —3H **17**
Vernon Clo. *Hale* —3C **112**
Vernon Clo. *S Cold* —4E **37**
Vernon Clo. *W'hall* —2G **45**
Vernon Ct. *O'bry* —4H **113**
Vernon Ind. Est. *Hale* —3C **112**
Vernon Rd. *B16* —2H **115**
Vernon Rd. *Bils* —5H **45**
Vernon Rd. *Hale* —3C **112**
Vernon Rd. *O'bry* —3A **98**
Vernon St. *Bils* —3G **61**
Vernon St. *W Brom* —4E **79**
Vernon Way. *Wals* —6D **18**
Veronica Av. *Wolv* —6A **44**
Veronica Clo. *B29* —1D **144**
Veronica Rd. *K'wfrd* —3E **93**
Verstone Cft. *B31* —4E **145**
Verstone Rd. *Shir* —3A **150**
Verwood Clo. *W'hall* —2F **45**
Vesey Clo. *S Cold* —1F **53**
Vesey Clo. *Wat O* —5D **88**
Vesey Rd. *S Cold* —4H **69**
Vesey St. *B4* —5G **101** (1E **5**)
Vestry Clo. *Crad H* —2H **111**
Vestry Ct. *Woll* —5C **108**
Viacount Ho. *Birm A* —1E **139**
Viaduct Dri. *Wolv* —3F **27**
Viaduct St. *B7* —6A **102**
Vibart Rd. *B26* —3D **120**
Vicarage Clo. *B42* —6F **67**
Vicarage Clo. *Brie H* —3G **109**
Vicarage Clo. *Bwnhls* —6C **10**
Vicarage Clo. *Stir* —6E **133**
Vicarage Clo. *Tip* —2G **77**
Vicarage Ct. *Bwnhls* —6C **10**
Vicarage Gdns. *Hale* —2D **112**
Vicarage Gdns. *S Cold* —6D **70**
Vicarage La. *Brie H* —1H **93**
Vicarage La. *Wat O* —5D **88**
Vicarage Pl. *Wals* —2C **48**
Vicarage Prospect. *Dud*
—6D **76**
Vicarage Rd. *Amb* —4D **108**
Vicarage Rd. *Aston* —2A **102**
(in two parts)
Vicarage Rd. *Bils* —6E **61**
Vicarage Rd. *Brie H* —4G **109**
Vicarage Rd. *Bwnhls* —6B **10**
Vicarage Rd. *Dud* —2B **76**
Vicarage Rd. *Earls* —6A **164**
Vicarage Rd. *Edg* —3B **116**
Vicarage Rd. *Hale* —2C **112**
Vicarage Rd. *Harb* —6F **115**
Vicarage Rd. *Hock* —2C **100**
Vicarage Rd. *K Hth* —1E **147**
Vicarage Rd. *Lye* —6A **110**
Vicarage Rd. *O'bry* —5H **97**
Vicarage Rd. *Penn* —2B **58**
Vicarage Rd. *Smeth* —4D **98**
Vicarage Rd. *Stourb* —4A **108**
Vicarage Rd. *Wals* —5E **21**
Vicarage Rd. *W'bry* —2F **63**
Vicarage Rd. *Wed* —3D **28**
Vicarage Rd. *W Brom* —1B **80**
Vicarage Rd. *Wolv*
—3H **43** (6D **170**)
Vicarage Rd. *Yard* —2C **120**
Vicarage Rd. W. *Dud* —1E **77**
Vicarage St. *O'bry* —4H **97**
Vicarage Ter. *Wals* —3A **48**
Vicarage Wlk. *Wals* —2C **48**

Vicar St. *Dud* —6E **77**
Vicar St. *Sed* —5H **59**
Vicar St. *W'bry* —2G **63**
Vicars Wlk. *Stourb* —3A **126**
Viceroy Clo. *B5* —5E **117**
Viceroy Clo. *K'wfrd* —4E **93**
Victor Clo. *Wolv* —5D **44**
Victoria Arc. *Wolv* —3B **170**
Victoria Av. *B10* —3D **118**
Victoria Av. *Hale* —5F **113**
Victoria Av. *Hand* —1B **100**
Victoria Av. *Smeth* —4E **99**
Victoria Av. *Wals* —6H **19**
Victoria Ct. *Brie H* —6H **93**
Victoria Ct. *Smeth* —3F **99**
Victoria Fold. *Wolv*
—2G **43** (4A **170**)
Victoria Gdns. *Crad H*
—1H **111**
Victoria Gro. *B18* —5A **100**
Victoria Gro. *Wom* —5G **57**
Victoria Ho. B16 —1C 116
(off Bellcroft)
Victoria Ho. *Wals* —1B **32**
Victoria Ho. W'bry —5C 46
(off Factory St.)
Victoria M. *O'bry* —6F **97**
Victoria M. *Wals* —6E **33**
Victoria Pk. Rd. *Smeth*
—4F **99**
Victoria Pas. *Stourb* —6E **109**
Victoria Pas. *Wolv*
—1G **43** (3B **170**)
Victoria Rd. *A Grn* —3A **136**
(in two parts)
Victoria Rd. *Aston* —2A **102**
(Park Rd. N.)
Victoria Rd. *Aston* —2G **101**
(Witton Rd.)
Victoria Rd. *B'mre* —4C **42**
Victoria Rd. *Brie H* —2C **110**
Victoria Rd. *Crad H* —1H **111**
Victoria Rd. *Dud* —5A **60**
Victoria Rd. *Erd* —4D **84**
Victoria Rd. *Fall P* —4B **28**
Victoria Rd. *Hale* —2D **112**
Victoria Rd. *Hand* —2A **100**
Victoria Rd. *Harb* —6F **115**
Victoria Rd. *O'bry* —3A **98**
Victoria Rd. *Stech* —6B **104**
Victoria Rd. *Stir* —6C **132**
Victoria Rd. *S Cold* —6A **54**
Victoria Rd. *Tett* —4C **26**
Victoria Rd. *Tip* —2H **77**
Victoria Rd. *Wals* —4E **21**
Victoria Rd. *W'bry* —5D **46**
Victoria Rd. *Wed* —3D **28**
Victoria Sq. *B2*
—1F **117** (4C **4**)
Victoria Sq. *Wolv* —3C **170**
Victoria St. *B9* —2D **118**
Victoria St. *Brie H* —2G **93**
Victoria St. *Hale* —1A **128**
Victoria St. *Stourb* —6E **109**
Victoria St. *Swan V* —2F **79**
Victoria St. *W Hth* —1H **91**
Victoria St. *W'bry* —3E **63**
Victoria St. *W Brom* —4A **80**
Victoria St. *W'hall* —6A **30**
Victoria St. *Wolv*
—2G **43** (4B **170**)
Victoria Ter. *Hand* —1A **100**
Victoria Ter. *Wals* —6D **32**
Victor Rd. *B18* —3A **100**
Victor Rd. *Sol* —2H **137**
Victor St. *Pels* —6E **21**

Victor St. *Wals* —4C **48**
Victor Tower. *B7* —4B **102**
Victory Av. *Row R* —1B **112**
Victory Av. *W'bry* —1C **62**
Victory La. *Wals* —5G **31**
Victory Ri. *W Brom* —2A **80**
View Dri. *Dud* —1G **95**
Viewfield Cres. *Dud* —6H **59**
Viewlands Dri. *Wolv* —1G **41**
Vigo. —5B 22
Vigo Clo. *Wals* —5B **22**
Vigo Pl. *Wals* —1B **34**
Vigo Rd. *Wals* —5B **22**
Vigo Ter. *Wals* —5B **22**
Viking Ri. *Row R* —5C **96**
Village Rd. *B6* —6A **84**
Village Sq. *B31* —6A **144**
Village, The. —2D 92
Village, The. *K'wfrd* —2C **92**
Village Wlk. *W'bry* —2H **63**
Village Way. *Bils* —6E **45**
Village Way. *S Cold* —5D **70**
Villa Rd. *B19* —2C **100**
Villa St. *B19* —2D **100**
(in two parts)
Villa St. *Stourb* —3E **109**
Villa Wlk. *B19* —3E **101**
Villette Gro. *B14* —3C **148**
Villiers Av. *Bils* —4F **45**
Villiers Pl. *Bils* —4F **45**
Villiers Sq. *Bils* —4F **45**
Villiers St. *Wals* —4C **48**
Villiers St. *W'hall* —1A **46**
Villiers Trad. Est. *Wolv*
—4F **43**
Vimy Rd. *B13* —5B **134**
Vimy Rd. *W'bry* —1G **63**
Vimy Ter. *W'bry* —1G **63**
Vincent Clo. *B12* —5H **117**
Vincent Dri. *B15* —2H **131**
Vincent Pde. *B12* —5H **117**
Vincent Rd. *S Cold* —4C **54**
Vincent St. *B12* —6H **117**
(in two parts)
Vincent St. *Wals* —4D **48**
Vince St. *Smeth* —6E **99**
Vinculum Way. *W'hall* —3B **46**
Vine Av. *B12* —6A **118**
Vine Cres. *W Brom* —1B **80**
Vine La. *Hale* —2B **128**
Vineries, The. *B27* —1B **136**
Vine St. *Aston* —2B **102**
Vine St. *Brie H* —4A **94**
Vine St. *Stourb* —2C **108**
Vine Ter. *Harb* —6G **115**
Vineyard Clo. *B18* —2B **100**
Vineyard Rd. *B31* —2D **144**
Vinnall Gro. *B32* —5H **129**
Vintage Clo. *B34* —4E **105**
Violet Cft. *Tip* —4C **62**
Virginia Dri. *Penn* —1D **58**
Viscount Clo. *B35* —5E **87**
Vista Grn. *B38* —6C **146**
(in three parts)
Vista, The. *Dud* —4H **59**
Vittoria St. *B1* —5E **101** (1A **4**)
Vittoria St. *Smeth* —3H **99**
Vivian Clo. *B17* —6G **115**
Vivian Rd. *B17* —6G **115**
Vixen Clo. *S Cold* —6B **70**
Vulcan Ind. Est. *Wals* —3A **32**
Vulcan Rd. *Bils* —6H **45**
Vulcan Rd. *Sol* —6G **137**
Vulcan Rd. Ind. Est. *Sol*
—6G **137**
Vyrnwy Gro. *B38* —1A **160**

Vyse St. *B18 & Hock*
—4E **101** (1A **4**)
Vyse St. *Aston* —1B **102**

Waddell Clo. *Bils* —3B **60**
Waddens Brook La. *Wolv*
—4G **29**
Waddington Av. *B43* —4A **66**
Wadesmill Lawns. *Wolv*
—3A **16**
Wadham Clo. *Row R* —3C **96**
Wadham Ho. *B37* —6E **107**
Wadhurst Rd. *B17* —1F **115**
Wadley's Rd. *Sol* —1D **150**
Waen Clo. *Tip* —5B **62**
Waggoners La. *Hints* —2H **39**
Waggon St. *Crad H* —1H **111**
Waggon Wlk. *B38* —1G **159**
(in two parts)
Wagoners Clo. *B8* —3F **103**
Wagon La. *Sol & B26*
—1D **136**
Wagstaff Clo. *Bils* —5F **61**
Waine Ho. *Bwnhls* —1C **22**
Wainwright Clo. *K'wfrd*
—2G **91**
Wainwright St. *B6 & Aston*
—2A **102**
Waite Rd. *W'hall* —3G **45**
Wakefield Clo. *S Cold* —3G **69**
Wakefield Ct. *B13* —3B **134**
Wakefield Gro. *Wat O* —4D **88**
Wakeford Rd. *B31* —6G **145**
Wake Green. —3A 134
Wake Grn. Pk. *B13* —3B **134**
Wake Grn. Rd. *B13* —2H **133**
Wake Grn. Rd. *Tip* —4A **62**
Wakelam Gdns. *B43* —4H **65**
Wakelams Fold. *Dud* —4G **75**
Wakeley Hill. *Wolv* —1D **58**
Wakelin Rd. *Shir* —2H **163**
Wakeman Gro. *B33* —4H **121**
Wakes Clo. *W'hall* —2B **46**
Wakes Rd. *W'bry* —3G **63**
Walcot Clo. *S Cold* —6H **37**
Walcot Dri. *B43* —1B **82**
Walcot Gdns. *Bils* —1D **60**
Walcot Grn. *Dorr* —6H **167**
Waldale Clo. *Ess* —6C **18**
Walden Gdns. *Wolv* —5C **42**
Walden Rd. *B11* —2G **135**
Waldeve Gro. *Sol* —5B **138**
Waldley Gro. *B24* —4A **86**
Waldon Wlk. *B36* —1B **106**
Waldron Av. *Brie H* —1F **109**
Waldron Clo. *W'bry* —5F **47**
Waldrons Moor. *B14* —2E **147**
Walford Av. *Wolv* —3D **42**
Walford Dri. *Sol* —2H **137**
Walford Grn. *B32* —6H **129**
Walford Rd. *B11* —5B **118**
Walford St. *Tiv* —5A **78**
Walhouse Clo. *Wals* —1D **48**
Walhouse Rd. *Wals* —1D **48**
(in two parts)
Walker Av. *Brie H* —4H **109**
Walker Av. *Stourb* —2H **125**
Walker Av. *Tiv* —2C **96**
Walker Av. *Wolv* —1A **28**
Walker Dri. *B24* —1E **103**
Walker Grange. *Tip* —6H **61**
Walker Pl. *Wals* —1C **32**
Walker Rd. *Wals* —1B **32**
Walkers Fold. *W'hall* —3D **30**
Walker's Heath. —5C 146

Walkers Heath Rd. *B38*
—6D **146**
Walker St. *Dud* —5E **95**
Walker St. *Tip* —6B **62**
Walk La. *Wom* —6G **57**
Walkmill Bridge. —1C 6
Walkmill La. *Cann* —1D **6**
Walk, The. *Dud* —4H **59**
Wallace Clo. *Cann* —1D **8**
Wallace Clo. *O'bry* —3D **96**
Wallace Ho. *O'bry* —4D **96**
Wallace Ri. *Crad H* —4G **111**
Wallace Rd. *B29* —3D **132**
Wallace Rd. *Bils* —2A **62**
Wallace Rd. *O'bry* —3D **96**
Wallace Rd. *Wals* —5A **10**
Wallheath Cres. *Wals* —2G **23**
Wallbrook. —5F 61
Wallbrook St. *Bils* —5F **61**
Wall Cft. *Wals* —2D **34**
Wall Dri. *S Cold* —5F **37**
Wall End Clo. *Wals* —2G **31**
Wallface. *W Brom* —6G **63**
Wall Heath. —1H 91
Wallheath Cres. *Wals* —2G **23**
Wall Heath La. *Wals* —2H **23**
Walling Cft. *Bils* —2D **60**
Wallington Clo. *Wals* —5H **19**
Wallington Heath. —5G 19
Wallington Heath. *Wals*
—5H **19**
Wallows Cres. *Wals* —5A **48**
Wallows Ind. Est., The. *Brie H*
—4H **93**
Wallows La. *Wals* —5A **48**
(WS1, in two parts)
Wallows La. *Wals* —5A **48**
(WS2)
Wallows Pl. *Brie H* —4G **93**
Wallows Rd. *Brie H* —5G **93**
Wallows Wood. *Dud* —3E **75**
Wall St. *Wolv* —1D **44**
Wall Well. *Hale* —2H **127**
Wall Well La. *Hale* —2H **127**
Walmead Cft. *B17* —4D **114**
Walmer Gro. *B23* —2B **84**
Walmer Mdw. *Wals* —2D **34**
Walmers, The. *Wals* —2D **34**
Walmers Wlk., The. *B31*
—6B **144**
Walmer Way. *B37* —6E **107**
Walmley. —5D 70
Walmley Ash. —2D 86
Walmley Ash La. *Min* —1F **87**
Walmley Ash Rd. *S Cold &*
Min —6D **70**
Walmley Clo. *Hale* —4D **110**
Walmley Rd. *S Cold* —1C **70**
Walnut Av. *Cod* —4G **13**
Walnut Clo. *B37* —2D **122**
Walnut Clo. *Stourb* —4F **125**
Walnut Dri. *Smeth* —4F **99**
Walnut Dri. *Wolv* —2B **42**
Walnut Ho. *B20* —4B **82**
Walnut La. *W'bry* —3G **63**
Walnut Rd. *Wals* —1E **65**
Walnut Way. *B31* —1D **158**
Walpole St. *Wolv* —6E **27**
Walpole Wlk. *W Brom* —6B **80**
Walsal End La. *H Ard* —4H **153**
Walsall. —2C 48
Walsall Arboretum. —1E 49
Walsall Leather Mus. —1C 48
Walsall Mus. & Art Gallery.
(Central Library) —1D **48**

Walsall New Firms Cen., The.
Wals —3B **48**
Walsall Retail Pk. *Wals*
—5H **31**
Walsall Rd. *A'rdge* —6A **34**
Walsall Rd. *Cann* —2D **8**
Walsall Rd. *Four O* —1F **53**
Walsall Rd. *Gt Barr & P Barr*
—4B **66**
Walsall Rd. *Gt Wyr* —1F **7**
Walsall Rd. *Lit A & S Cold*
—3C **36**
Walsall Rd. *Pels* —5E **21**
Walsall Rd. *Spring* —6F **11**
Walsall Rd. *Wals* —6H **21**
(WS4)
Walsall Rd. *Wals* —1D **64**
(WS5)
Walsall Rd. *W'bry* —5D **46**
Walsall Rd. *W Brom* —6B **64**
Walsall Rd. *W'hall* —1B **46**
Walsall St. *Bils* —5F **45**
Walsall St. *W'bry* —4D **46**
(Foster St.)
Walsall St. *W'bry* —2F **63**
(Up. High St.)
Walsall St. *W Brom* —4B **80**
Walsall St. *W'hall* —2B **46**
Walsall St. *Wolv* —2A **44**
Walsall Wood. —3B 22
Walsall Wood Rd. *Wals*
—5C **22**
Walsgrave Clo. *Sol* —1H **151**
Walsgrave Dri. *Sol* —6H **137**
Walsham Cft. *B34* —4G **105**
Walsh Dri. *S Cold* —1D **70**
Walsh Gro. *B23* —5D **68**
Walsingham St. *Wals* —2E **49**
Walstead Clo. *Wals* —6G **49**
Walstead Rd. *Wals* —6D **48**
Walstead Rd. W. *Wals* —6C **48**
Walt Dene Clo. *B43* —3A **66**
Walter Burden Ho. *Smeth*
—6G **99**
Walter Cobb Dri. *S Cold*
—4G **69**
Walter Rd. *Bils* —2G **61**
Walter Rd. *Smeth* —3C **98**
Walters Clo. *B31* —3D **158**
Walters Rd. *O'bry* —4G **113**
Walters Row. *Dud* —6C **76**
Walter St. *B7* —3B **102**
Walter St. *Wals* —6E **21**
Walter St. *W Brom* —5C **80**
Waltham Gro. *B44* —3B **68**
Waltham Ho. *W Brom* —4B **80**
Walthamstow Ct. *Brie H*
—2H **109**
Walton Av. *Row R* —3B **112**
Walton Clo. *Hale* —3H **127**
Walton Clo. *Row R* —5A **96**
Walton Ct. *Hale* —2H **127**
Walton Cres. *Wolv* —6A **44**
Walton Cft. *Sol* —6F **151**
Walton Dri. *Stourb* —6G **109**
Walton Gdns. *Cod* —3F **13**
Walton Gro. *B30* —5D **146**
Walton Heath. *Wals* —4F **19**
Walton Ho. *B16* —1D **116**
Walton Rd. *O'bry* —1H **113**
Walton Rd. *Stourb* —5E **109**
Walton Rd. *Wals* —6C **22**
Walton Rd. *W'bry* —3A **64**
Walton Rd. *Wolv* —6A **44**
Walton St. *Tip* —2H **77**
Wanderers Av. *Wolv* —5G **43**

Wanderer Wlk. *B36* —6C 86
Wandle Gro. *B11* —2G 135
Wandsworth Rd. *B44* —2G 67
Wansbeck Gro. *B38* —1A 160
Wansbeck Wlk. *Dud* —1B 76
Wanstead Gro. *B44* —4A 68
Wantage Rd. *Col* —6G 89
Ward Clo. *B8* —4G 103
Warden Av. *S Cold* —5F 69
Ward End. —3G 103
Ward End Clo. *B8* —3F 103
Ward End Hall Gro. *B8*
—3G 103
Ward End Pk. Rd. *B8* —4F 103
Warden Rd. *S Cold* —5F 69
Ward Gro. *Wolv* —2A 60
Wardle Clo. *S Cold* —5G 37
Wardles La. *Wals* —3F 7
Wardlow Clo. *Wolv* —5F 43
Wardlow Rd. *B7* —4B 102
(in two parts)
Wardour Dri. *B37* —1E 123
Wardour Gro. *B44* —5C 68
Ward Rd. *Cod* —4F 13
Ward Rd. *Wolv* —6H 43
Ward St. *B19* —5G 101
Ward St. *Bils* —5D 60
Ward St. *E'shll* —4D 44
Ward St. *Wals* —1D 48
Ward St. *W'hall* —6B 30
Ward St. *Wolv* —1A 44
(in two parts)
Wareham Clo. *Wals* —4D 32
Wareham Rd. *Redn* —5H 143
Wareing Dri. *B23* —5D 68
Warewell Clo. *Wals* —1D 48
Warewell St. *Wals* —2D 48
Waring Clo. *Tip* —5G 61
Waring Rd. *Tip* —5A 62
Warings, The. *Wom* —3F 73
War La. *B17* —6F 115
Warley Cft. *O'bry* —3C 114
Warley Hall Rd. *O'bry*
—3B 114
Warley Rd. *O'bry* —4A 98
Warmington Dri. *S Cold*
—1H 69
Warmington Rd. *H'wd*
—3A 162
Warmington Rd. *Shield*
—6G 121
Warmley Clo. *Sol* —2H 151
Warmley Clo. *S Cold* —5D 70
Warmley Clo. *Wolv* —4F 27
Warner Dri. *Brie H* —2H 109
Warner Pl. *Wals* —3D 32
Warner Rd. *Cod* —4F 13
Warner Rd. *Wals* —3D 32
Warner Rd. *W'bry* —3A 64
Warner St. *B12* —3A 118
Warners Wlk. *B10* —3C 118
Warnford Wlk. *Wolv* —5A 42
Warple Rd. *B32* —6A 114
Warren Av. *B13* —3H 133
Warren Av. *Wolv* —4B 28
Warren Clo. *Tip* —6A 62
Warren Dri. *Dorr* —6C 166
Warren Dri. *Dud* —4G 59
Warren Dri. *Row R* —4H 95
Warren Farm Rd. *B44*
—5H 67
Warren Gdns. *K'wfrd* —3A 92
Warren Gro. *B8* —3E 103
Warren Hill Rd. *B44* —1H 83
Warren La. *Redn* —6H 157

Warren Pl. *Wals* —6C 10
Warren Rd. *B44* —6A 68
Warren Rd. *Stir* —6C 132
Warren Rd. *Wash H* —3E 103
Warrens Cft. *Wals* —6H 49
Warrens End. *B38* —1B 160
Warrens Hall Rd. *Dud* —2F 95
Warrington Clo. *S Cold*
—4E 71
Warrington Dri. *B23* —6D 68
Warsash Clo. *Wolv* —3D 44
Warstock. —4B 148
Warstock La. *B14* —2A 148
Warstock Rd. *B14* —4A 148
Warston Av. *B32* —2B 130
Warstone. —5B 6
Warstone Dri. *W Brom*
—3C 80
Warstone La. *B18*
—5D 100 (1A 4)
Warstone M. *B18* —1A 4
Warstone Pde. E. *B18*
—5D 100
Warstone Rd. *Share & Ess*
—3A 6
Warstones Cres. *Wolv* —6B 42
Warstones Dri. *Wolv* —5A 42
Warstones Gdns. *Wolv*
—5A 42
Warstones Ho. *Wolv* —5B 42
Warstones Rd. *Wolv* —2A 58
Warstone Ter. *B21* —1A 100
Warstone Tower. *B36* —1A 104
Wartell Bank. *K'wfrd* —2B 92
Wartell Bank Ind. Est. *K'wfrd*
—2B 92
Warwards La. *B29* —4C 132
Warwell La. *B26* —5B 120
Warwick Av. *Pert* —6F 25
Warwick Av. *W'bry* —1A 64
Warwick Av. *W'hall* —1D 46
Warwick Clo. *Dud* —4H 75
Warwick Clo. *O'bry* —1H 113
Warwick Clo. *W Brom* —6E 63
Warwick Ct. *B29* —6G 131
Warwick Ct. *B37* —1F 123
Warwick Ct. *B13* —3A 134
Warwick Ct. *Sol* —2F 151
Warwick Crest. *Edg* —4D 116
Warwick Cft. *B36* —1A 104
Warwick Dri. *Cod* —3E 13
Warwick Gdns. *Tiv* —5C 78
Warwick Grange. *Sol* —6D 136
Warwick Gro. *Sol* —6D 136
Warwick Pk. Ct. *Sol* —5D 136
Warwick Pas. *B2*
—1G 117 (4E 5)
Warwick Rd. *B11* —6D 118
Warwick Rd. *A Grn & Sol*
—1H 135
Warwick Rd. *Dud* —6G 95
Warwick Rd. *Know* —6C 152
(in two parts)
Warwick Rd. *O'bry* —4B 114
Warwick Rd. *Stourb* —2B 108
Warwick Rd. *S Cold* —3C 68
Warwick Rd. *Tys & S'hll*
—6C 118
(in two parts)
Warwick Rd. *Witt* —5G 83
(in two parts)
Warwick Rd. Trad. Est. *B11*
—1D 134
Warwick St. *B12*
—2A 118 (6H 5)
Warwick St. *Bils* —6G 45
Warwick St. *Wals* —6D 32

Warwick St. *Wolv* —2A 44
Warwick Way. *Wals* —6C 22
Wasdale Dri. *K'wfrd* —3C 92
Wasdale Rd. *B31* —3D 144
Wasdale Rd. *Clay* —1H 21
**Waseley Hills Country Pk. &
Vis. Cen. —6C 142**
Washbrook La. *Cann* —1A 8
Washbrook Rd. *B8* —3G 103
Washford Gro. *B25* —3H 119
Washington Dri. *B20* —4D 82
Washington St. *B1*
—2E 117 (6B 4)
Washington St. *Dud* —6F 95
Wash La. *B25* —4A 120
Washwood Heath. —3F 103
Washwood Heath Rd. *B8*
—4D 102
Wasperton Clo. *B36* —1F 105
Wassell Ct. *Hale* —3G 127
Wassell Gro. La. *Hag* —5B 126
Wassell Rd. *Bils* —4F 45
Wassell Rd. *Hale* —3G 127
Wassell Rd. *Stourb* —3A 126
Wast Hill Gro. *B38* —2B 160
Wast Hills La. *A'chu & K Nor*
—5H 159
Wastwater Ct. *Wolv* —5F 25
Watchbury Clo. *B36* —6G 87
Watchman Av. *Brie H* —4B 110
Waterdale. *Shir* —4B 164
Water Dale. *Wolv* —1C 42
Waterdale. *Wom* —2E 73
Waterfall Clo. *Smeth* —2C 98
Waterfall La. *Crad H & Row R*
—2A 112
Waterfall La. Trad. Est. *Crad H*
—2A 112
Waterfall Rd. *Brie H* —4G 109
Waterfield Clo. *Tip* —2E 77
Waterfield Ho. *Wom* —6H 57
Waterford Pl. *B33* —6H 105
Waterford Rd. *K'wfrd* —2B 92
Waterfront Bus. Pk. *Brie H*
—6H 93
Waterfront E., The. *Brie H*
—5A 94
Waterfront, The. *Brie H*
—5A 94
Waterfront Way. *Brie H*
—5A 94
Waterfront W. *Brie H* —5A 94
Waterglade La. *W'hall* —2A 46
Waterhaynes Clo. *Redn*
—3G 157
Waterhead Clo. *Wolv* —5C 16
Waterhead Dri. *Wolv* —5C 16
Water La. *W Brom* —6D 64
Waterlinks Boulevd. *B6*
—2A 102
Waterlinks Ho. *B7* —4H 101
(off Richard St.)
Waterloo Av. *B37* —5D 106
Waterloo Ind. Est. *B37*
—5D 106
Waterloo Rd. *K Hth* —5G 133
Waterloo Rd. *Smeth* —6E 99
Waterloo Rd. *Wolv*
—1G 43 (2A 170)
Waterloo Rd. *Yard* —5H 119
Waterloo Rd. Junct. *Wolv*
—1G 43 (2A 170)
Waterloo St. *B2*
—1F 117 (4C 4)
Waterloo St. *Dud* —1C 94

Waterloo St. *Tip* —2G 77
Waterloo St. E. *Tip* —2H 77
Waterloo Ter. *Wolv* —6F 27
Watermeadow Dri. *Shelf*
—6H 21
Watermere. *Shelf* —1H 33
Water Mill Clo. *B29* —2H 131
Watermill Clo. *Wolv* —4H 15
Water Orton. —4D 88
Water Orton La. *Min* —2H 87
Water Orton Rd. *B36 & Cas B*
—1G 105
Water Rd. *Dud* —5G 75
Waters Dri. *S Cold* —6D 36
Waters Edge, The. *B1*
—1E 117 (5A 4)
Waterside. *B43* —6A 66
Waterside. *B15* —3E 117
Waterside Clo. *B24* —2E 87
Waterside Clo. *Bord G*
—1C 118
Waterside Ind. Est. *Wolv*
—5C 44
Waterside Orchard Cvn. Pk.
A'chu —6F 159
Waterside Trad. Est. *Crad H*
—5H 95
Waterside Vw. *B18* —4C 100
Waterside Vw. *Brie H* —3F 109
Waterside Way. *Wals* —3G 9
Waterside Way. *Wolv* —4E 15
Waterson Cft. *B37* —6F 107
Water St. *B3* —6F 101 (2C 4)
Water St. *K'wfrd* —2B 92
Water St. *W Brom* —5B 80
Water St. *Wolv* —6H 27
Waters Vw. *Pels* —2F 21
Waterward Clo. *B17* —6G 115
Waterways Dri. *O'bry* —6E 79
Waterways Gdns. *Word*
—2C 108
Waterworks Cotts. *W Brom*
—6C 64
Water Works Dri. *B31*
—2B 144
Waterworks Rd. *B16* —2B 116
Waterworks St. *B6* —1B 102
Watery La. *A'chu* —6A 160
Watery La. *Cod* —3G 13
Watery La. *Quin* —2G 129
Watery La. *Shir* —5A 164
Watery La. *Smeth* —4E 99
Watery La. *Stourb* —1C 108
Watery La. *Tip* —2H 77
Watery La. *Wals* —4B 48
(in two parts)
Watery La. *W'hall* —6F 29
Watery La. Middleway. *Bord*
—1B 118
Watford Gap. —2G 37
Watford Gap Rd. *Lich* —2G 37
Watford Rd. *B30 & K Nor*
—2B 146
Wathan Av. *Bils* —3B 60
Watkins Gdns. *B31* —4F 145
Watkins Rd. *W'hall* —4C 30
Watland Grn. *B34* —4E 105
Watling St. *Bwnhls* —4H 9
Watling St. *Cann* —1F 7
Watney Gro. *B44* —5C 68
Watson Clo. *S Cold* —3A 70
Watson Rd. *Alum R* —4F 103
Watson Rd. *Bils* —3C 60
Watson Rd. *Nech* —2D 102
(in two parts)
Watson Rd. *W'bry* —6A 46

Watson Rd. *Wolv* —5F **15**
Watsons Clo. *Dud* —1G **95**
Watson's Grn. Fields. *Dud*
—1H **95**
Watson's Grn. Rd. *Dud*
—6G **77**
Wattisham Sq. *B35* —3E **87**
Wattis Rd. *Smeth* —1E **115**
Wattle Grn. *W Brom* —4G **79**
Wattle Rd. *W Brom* —4F **79**
Watton Clo. *Bils* —4C **60**
Watton Grn. *B35* —5E **87**
(in two parts)
Watton La. *Wat O* —5E **89**
Watton St. *W Brom* —5B **80**
Watt Rd. *B23* —3E **85**
Watt Rd. *Tip* —5B **62**
Watts Clo. *Tip* —2E **77**
Watt's Rd. *B10* —3D **118**
Watt St. *B21* —2H **99**
Watt St. *Smeth* —3F **99**
Wattville Av. *Hand* —1G **99**
Wattville Rd. *Smeth & B21*
—2F **99**
Watwood Rd. *Shir & B28*
—4F **149**
Waugh Clo. *B37* —1D **122**
Waugh Dri. *Hale* —5F **127**
Wavell Rd. *B8* —4E **103**
Wavell Rd. *Brie H* —4B **110**
Wavell Rd. *Wals* —1E **47**
Waveney Av. *Pert* —5E **25**
Waveney Cft. *B36* —1B **106**
Wavenham Clo. *S Cold*
—4E **37**
Waverhill Rd. *B21* —2B **100**
Waverley Av. *B43* —1D **66**
Waverley Cres. *Lane* —2B **60**
Waverley Cres. *Penn* —5F **43**
Waverley Cres. *Rom* —3A **142**
Waverley Gdns. *Wom* —6H **57**
Waverley Gro. *Sol* —4D **150**
Waverley Rd. *B10* —4D **118**
Waverley Rd. *Wals* —5F **19**
Waverley Rd. *W'bry* —5D **46**
Waverley St. *Dud* —1C **94**
Waxland Rd. *Hale* —3B **128**
Wayfield Clo. *Shir* —4A **150**
Wayfield Rd. *Shir* —4A **150**
Wayford Dri. *S Cold* —6B **70**
Wayford Glade. *W'hall* —3H **45**
Wayford Gro. *B8* —5H **103**
Waynecroft Rd. *B43* —3A **66**
Wayside. *B37* —3B **122**
Wayside. *Wolv* —5C **14**
Wayside Acres. *Cod* —5F **13**
Wayside Dri. *S Cold* —6C **36**
Wayside Gdns. *W'hall* —5E **31**
Wayside Wlk. *Wals* —6G **31**
Wealden Hatch. *Wolv* —3A **16**
Wealdstone Dri. *Dud* —5H **75**
Weaman St. *B4*
—6G **101** (2E **5**)
Weates Yd. *A Grn* —1A **136**
Weatheroak Rd. *B11* —6C **118**
Weather Oaks. *B17* —6F **115**
Weatheroaks. *Hale* —4G **113**
Weatheroaks. *Wals W* —3D **22**
Weaver Av. *B26* —5F **121**
Weaver Av. *S Cold* —4E **71**
Weaver Clo. *Brie H* —3E **93**
Weaver Gro. *W'hall* —1D **46**
Weavers Ri. *Dud* —6F **95**
Webb Av. *Pert* —4E **25**
Webbcroft Rd. *B33* —5C **104**
Webb La. *B28* —1E **149**

Webb Rd. *Tip* —6C **62**
Webb St. *Bils* —3E **61**
Webb St. *W'hall* —1H **45**
Webley Ri. *Wolv* —3B **16**
Webnor Ind. Est. *Wolv* —5C **44**
Webster Clo. *B11* —5B **118**
Webster Clo. *S Cold* —6H **69**
Webster Rd. *Wals* —4B **32**
Webster Rd. *W'hall* —6A **30**
Webster Way. *S Cold* —4E **71**
Weddell Wynd. *Bils* —4G **61**
Wedgebury Way. *Brie H*
—2F **109**
Wedge Ct. *Wals* —2D **48**
(off Union St.)
Wedge St. *Wals* —1D **48**
Wedgewood Av. *W Brom*
—6F **63**
Wedgewood Ct. *Shelf* —6G **21**
(off Green La.)
Wedgewood Ho. *B37* —5D **106**
Wedgewood Pl. *W Brom*
—6F **63**
Wedgewood Rd. *B32* —6A **114**
Wedgwood Clo. *Wolv* —2C **44**
Wedgwood Dri. *B20* —5D **82**
Wednesbury. —3F 63
*Wednesbury Art Galley &
Mus.* **—3F 63**
Wednesbury New Enterprise
Cen. *W'bry* —2C **62**
Wednesbury Oak Rd. *Tip*
—4A **62**
Wednesbury Rd. *Wals* —4A **48**
Wednesbury Trad. Est. *W'bry*
—1E **63**
Wednesfield. —4F 29
Wednesfield Rd. *W'hall*
—6A **30**
Wednesfield Rd. *Wolv*
—6H **27** (1D **170**)
Wednesfield Way. *Wolv*
—5C **28**
Weeford Dri. *B20* —3B **82**
Weeford Rd. *S Cold* —2C **54**
Weirbrook Clo. *B29* —6G **131**
Weland Clo. *Wat O* —5D **88**
Welbeck Av. *Wolv* —2H **27**
Welbeck Dri. *Wals* —2H **33**
Welbeck Gro. *B23* —2B **84**
Welbury Gdns. *Wolv* —4D **26**
Welby Rd. *B28* —4F **135**
Welches Clo. *B31* —2F **145**
Welcombe Dri. *S Cold* —6D **70**
Welcombe Gro. *Sol* —4D **150**
Welford Av. *B26* —3D **120**
Welford Gro. *S Cold* —6F **37**
Welford Rd. *B20* —1C **100**
Welford Rd. *Shir* —3A **150**
Welford Rd. *S Cold* —4E **69**
Welham Cft. *Shir* —3E **165**
Welland Dri. *Stourb* —3E **109**
Welland Gro. *B24* —4A **86**
Welland Gro. *W'hall* —1C **46**
Welland Rd. *Hale* —3A **128**
Welland Way. *S Cold* —6E **71**
Wellcroft Rd. *B34* —2E **105**
Wellcroft St. *W'bry* —2F **63**
Wellesbourne Clo. *Wolv*
—3H **41**
Wellesbourne Dri. *Cose*
—6D **60**
Wellesbourne Rd. *B20* —6D **82**
Wellesley Dri. *Tip* —2H **77**
Wellesley Gdns. *B13* —4D **134**

Wellesley Rd. *O'bry* —3H **97**
Wellfield Gdns. *Dud* —3G **95**
Wellfield Rd. *B28* —1H **149**
Wellfield Rd. *Wals* —1D **34**
Wellhead La. *B42* —5G **83**
Wellhead Way. *Holf* —5G **83**
Wellington Av. *Wolv* —4D **42**
Wellington Clo. *K'wfrd* —5C **92**
Wellington Ct. *Crad H*
—1H **111**
Wellington Ct. *Hand* —5E **83**
Wellington Cres. *Hand* —5D **82**
Wellington Gro. *Sol* —1D **150**
Wellington Ho. *B32* —1D **130**
Wellington Ind. Est. *Bils*
—6E **61**
Wellington Pl. *W'hall* —6H **29**
Wellington Rd. *Bils* —4D **44**
Wellington Rd. *Dud* —1D **94**
Wellington Rd. *Edg* —5D **116**
Wellington Rd. *Hand* —5D **82**
Wellington Rd. *Smeth* —6E **99**
Wellington Rd. *Tip* —3A **78**
Wellington Rd. *Wals* —5G **49**
Wellington St. *Crad H*
—1H **111**
Wellington St. *O'bry* —3H **97**
Wellington St. *Smeth & B18*
—3H **99**
Wellington St. *Wals* —4H **47**
Wellington St. *W Brom*
—3A **80**
Wellington St. S. *W Brom*
—3A **80**
Wellington Ter. *B19* —2D **100**
Wellington Tower. *B31*
—6E **145**
Wellington Way. *B35* —5F **87**
Well La. *B5* —1H **117** (5F **5**)
Well La. *Gt Wyr* —4G **7**
Well La. *Wals* —2C **32**
Well La. *Wolv* —5E **29**
Wellman Cft. *B29* —3D **130**
(Dormston Dri.)
Wellman Cft. *B29* —4H **131**
(Lodge Hill Rd.)
Wellman's Rd. *W'hall* —2C **46**
Well Mdw. *Redn* —3G **157**
Wellmeadow Gro. *H Ard*
—6A **140**
Wellmead Wlk. *Redn* —1F **157**
Well Pl. *Wals* —1C **32**
Wells Av. *W'bry* —5B **46**
Wells Clo. *Pert* —5D **24**
Wells Clo. *Tip* —4A **62**
Wellsford Av. *Sol* —1E **137**
Wells Green. —1F 137
Wells Grn. Rd. *Sol* —1D **136**
Wells Grn. Shop. Cen. *B26*
—1F **137**
Wells Rd. *Bils* —2G **61**
Wells Rd. *Brie H* —6F **93**
Wells Rd. *Row R* —5E **97**
Wells Rd. *Sol* —1G **137**
Wells Rd. *Wolv* —6D **42**
Wells Tower. *B16* —1C **116**
Well St. *B19* —3F **101**
(Bridge St. W.)
Well St. *B19* —4E **101**
(Hockley Hill)
Well St. *W'bry* —5E **47**
Wells Wlk. *B37* —2C **122**
Welney Gdns. *Pend* —4E **15**
Welsby Av. *B43* —6A **66**
Welsh Ho. Farm Rd. *B32*
—1D **130**

Welshmans Hill. *S Cold*
—3B **68**
Welton Clo. *S Cold* —3E **71**
Welwyndale Rd. *S Cold*
—1A **86**
Wembley Gro. *B25* —3A **120**
Wem Gdns. *Wolv* —3F **29**
Wendell Crest. *Wolv* —3B **16**
Wendover Ho. *B31* —1D **158**
Wendover Rd. *B23* —6C **68**
Wendover Rd. *Row R* —4A **96**
Wendover Rd. *Wolv* —3B **60**
Wendron Gro. *B14* —3F **147**
Wenlock Av. *Wolv* —3C **42**
Wenlock Clo. *Dud* —6G **59**
Wenlock Clo. *Hale* —3F **127**
Wenlock Gdns. *Wals* —4C **32**
Wenlock Rd. *B20* —6H **83**
Wenlock Rd. *Stourb* —5F **109**
Wenman St. *B12* —5H **117**
Wensley Cft. *Shir* —1H **149**
Wensleydale Rd. *B42* —1C **82**
Wensley Rd. *B26* —5D **120**
Wentbridge Rd. *Wolv* —2E **45**
Wentworth Av. *B36* —1F **105**
Wentworth Ct. *Erd* —5F **85**
Wentworth Dri. *Tiv* —2A **96**
Wentworth Ga. *B17* —5F **115**
Wentworth Gro. *Pert* —4D **24**
Wentworth Pk. Av. *B17*
—5F **115**
Wentworth Ri. *Hale* —1D **128**
Wentworth Rd. *B17* —5E **115**
Wentworth Rd. *Sol* —2D **136**
Wentworth Rd. *Stourb*
—4B **108**
Wentworth Rd. *S Cold* —4G **53**
Wentworth Rd. *Wals* —3F **19**
Wentworth Rd. *Wolv* —5A **16**
Wentworth Way. *B32* —2D **130**
Wenyon Clo. *Tip* —3B **78**
Weoley Av. *B29* —3G **131**
Weoley Castle. —4D 130
Weoley Castle. **—3E 131**
Weoley Castle Rd. *B29*
—4D **130**
Weoley Hill. *B29* —5G **131**
Weoley Pk. Rd. *B29* —4F **131**
Wergs. —3F 25
Wergs Dri. *Wolv* —2G **25**
Wergs Hall Rd. *Wergs & Wolv*
—6F **13**
Wergs Rd. *Wolv* —3F **25**
Werneth Gro. *Wals* —3G **19**
Wesley Av. *Cod* —5H **13**
Wesley Av. *Hale* —3D **110**
Wesley Av. *Wals* —2D **6**
Wesley Clo. *Wom* —2F **73**
Wesley Ct. *Crad H* —3H **111**
Wesley Ct. *W'hall* —2G **45**
Wesley Gro. *W'bry* —2E **63**
Wesley Ho. Wals —4A **48**
(off Oxford St.)
Wesley Pl. *Tip* —6C **62**
Wesley Rd. *B23* —2F **85**
Wesley Rd. *Brie H* —4F **93**
Wesley Rd. *Cod* —5H **13**
Wesley Rd. *W'hall* —3C **30**
Wesley's Fold. *W'bry* —5D **46**
Wesley St. *Bils* —3G **61**
Wesley St. *O'bry* —1G **97**
Wesley St. *W Brom* —4H **79**
Wesley St. *Wolv* —5C **44**
Wessex Clo. *Wals* —6B **10**
Wessex Rd. *Wolv* —5B **44**
Wesson Gdns. *Hale* —2A **128**

Wesson Rd. *W'bry* —4C **46**
Westacre. *W'hall* —2H **45**
Westacre Cres. *Wolv* —3H **41**
W. Acre Dri. *Brie H* —3B **110**
Westacre Gdns. *B33* —6D **104**
West Av. *Cas B* —1H **105**
West Av. *Hand* —3C **82**
West Av. *Tiv* —2B **96**
West Av. *Wolv* —3E **29**
West Boulevd. *B32* —5C **114**
Westbourne Av. *B34* —3C **104**
Westbourne Av. *Wals* —1E **7**
Westbourne Ct. *Wals* —6E **33**
(off Lichfield Rd.)
Westbourne Cres. *Edg*
—3C **116**
Westbourne Gdns. *B15*
—4C **116**
Westbourne Gro. *Hand*
—2B **100**
Westbourne Rd. *Edg* —4B **116**
Westbourne Rd. *Hale* —5E **113**
Westbourne Rd. *Hand* —6H **81**
Westbourne Rd. *Sol* —5D **136**
Westbourne Rd. *Wals* —5D **32**
Westbourne Rd. *W'bry*
—4F **47**
Westbourne Rd. *W Brom*
—5H **79**
Westbourne Rd. *Wolv* —6E **43**
Westbourne St. *Wals* —6D **32**
West Bromwich. —5B 80
W. Bromwich Parkway.
W Brom —4H **79**
(Dartmouth St.)
W. Bromwich Parkway.
W Brom —6C **80**
(Trinity Way)
W. Bromwich Ringway.
W Brom —4A **80**
W. Bromwich Rd. *Wals*
(in two parts) —5C **48**
W. Bromwich St. *O'bry* —6F **79**
W. Bromwich St. *Wals* —3C **48**
Westbrook Av. *Wals* —4A **34**
Westbrook Way. *Wom* —2F **73**
Westbury Av. *W'bry* —5F **47**
Westbury Ct. *Brie H* —1H **109**
(off Hill St.)
Westbury Rd. *B17* —6F **99**
Westbury Rd. *W'bry* —5F **47**
Westbury St. *Wolv*
—1H **43** (2C **170**)
Westcliffe Pl. *B31* —3D **144**
Westcombe Gro. *B32*
—4G **129**
W. Coppice Rd. *Wals* —5G **9**
Westcote Av. *B31* —5A **144**
Westcote Clo. *Sol* —3E **137**
Westcott Clo. *K'wfrd* —6D **92**
Westcott Rd. *B26* —3E **121**
Westcroft Av. *Wolv* —6C **16**
Westcroft Gro. *B38* —4G **145**
Westcroft Rd. *Dud* —3F **59**
Westcroft Rd. *Wolv* —3F **25**
Westcroft Way. *B14* —6B **148**
W. Dean Clo. *Hale* —1C **128**
West Dri. *B5* —6E **117**
West Dri. *Hand* —1D **100**
W. End Av. *Smeth* —2B **98**
Westerdale Clo. *Dud* —6C **60**
Westerham Clo. *Know*
—3B **166**
Westeria Clo. *B36* —1G **105**
Westering Parkway. *Wolv*
—3A **16**

Westerings. *B20* —5E **83**
Western Av. *B19* —2E **101**
Western Av. *Brie H* —1F **109**
Western Av. *Dud* —5F **59**
Western Av. *Hale* —1E **129**
Western Av. *Wals* —6D **30**
Western Bus. Pk. *Hale*
—4B **112**
Western Clo. *Wals* —6D **30**
Western Rd. *B18 & Hock*
—5B **100**
Western Rd. *Crad H* —3G **111**
Western Rd. *Erd* —4G **85**
Western Rd. *O'bry* —4H **97**
Western Rd. *Stourb* —1D **124**
Western Rd. *S Cold* —4G **69**
Western Way. *W'bry* —1C **62**
Westfield Av. *B14* —6B **148**
Westfield Clo. *Dorr* —6F **167**
Westfield Dri. *Wom* —6F **57**
Westfield Gro. *Wolv* —3A **42**
Westfield Ho. *B36* —2C **106**
Westfield Mnr. *S Cold* —5G **37**
Westfield Rd. *B15 & Edg*
—3H **115**
Westfield Rd. *A Grn* —2H **135**
Westfield Rd. *Bils* —4D **44**
Westfield Rd. *Brie H* —3B **110**
Westfield Rd. *Dud* —2F **95**
Westfield Rd. *Hale* —2E **113**
Westfield Rd. *K Hth* —5F **133**
Westfield Rd. *Sed* —4H **59**
Westfield Rd. *Smeth* —5D **98**
Westfield Rd. *W'hall* —3G **45**
Westford Gro. *B28* —4E **149**
West Ga. *B16* —6A **100**
Westgate. *A'rdge* —2H **33**
Westgate. *O'bry* —5E **97**
Westgate Clo. *Sed* —6A **60**
Westgate Trad. Est. *A'rdge*
—3A **34**
West Grn. *Wolv* —6A **42**
West Grn. Clo. *B15* —3D **116**
W. Grove Av. *Shir* —3D **164**
Westham Ho. *B37* —5D **106**
Westhaven Dri. *B31* —6C **130**
Westhaven Rd. *S Cold* —5A **54**
Westhay Rd. *B28* —6H **135**
West Heath. —6G 145
W. Heath Rd. *N'fld* —5F **145**
W. Heath Rd. *Win G* —5H **99**
Westhill. *Wolv* —1A **42**
Westhill Clo. *Sol* —5C **136**
Westhill Rd. *B38* —4B **146**
West Holme. *B9* —1C **118**
Westholme Cft. *B30* —5A **132**
Westhorpe Gro. *B19* —4E **101**
Westhouse Gro. *B14* —3F **147**
Westland Av. *Wolv* —1D **42**
Westland Clo. *B23* —2F **85**
Westland Gdns. *Stourb*
—4D **108**
Westland Gdns. *Wolv* —1E **43**
Westland Rd. *Wolv* —1D **42**
Westlands Est. *Stourb*
—2C **108**
Westlands Rd. *B13* —4A **134**
Westlands Rd. *S Cold* —1D **86**
Westland Wlk. *B35* —5D **86**
Westleigh Rd. *Wom* —2F **73**
Westley Brook Clo. *B26*
—6F **121**
Westley Clo. *B28* —1H **149**
Westley Rd. *B27* —2H **135**
Westley St. *B9* —1A **118**
Westley St. *Dud* —1D **94**

Westmead Cres. *B24* —3A **86**
W. Mead Dri. *B14* —1G **147**
Westmead Dri. *O'bry* —5H **97**
West M. *B44* —3F **67**
W. Mill Cft. *B38* —2A **160**
Westminster Av. *Wolv* —6F **43**
Westminster Clo. *Dud* —5C **76**
Westminster Ct. *B37* —4B **106**
Westminster Ct. *Hand* —5E **83**
Westminster Dri. *B14*
—1G **147**
Westminster Ind. Est. *Dud*
—1F **111**
Westminster Rd. *B20 & Hand*
—5E **83**
Westminster Rd. *S Oak*
—4C **132**
Westminster Rd. *Stourb*
—1A **108**
Westminster Rd. *Wals* —2F **33**
Westminster Rd. *W Brom*
—4B **64**
Westmore Way. *W'bry* —6A **48**
Westmorland Ct. *W Brom*
—6B **64**
Westmorland Rd. *W Brom*
—6B **64**
Weston Av. *B11* —5C **118**
Weston Av. *Tiv* —6B **78**
Weston Clo. *Dorr* —6H **167**
Weston Clo. *Wals* —5C **48**
Weston Ct. *Wolv* —5G **27**
(off Boscobel Cres.)
Weston Cres. *Wals* —4D **34**
Weston Dri. *Bils* —1D **60**
Weston Dri. *Tip* —3C **62**
Weston Ho. *B19* —3G **101**
Weston Ind. Est. *B11* —2D **118**
Weston La. *B11* —1E **135**
Weston Rd. *B19* —2D **100**
Weston Rd. *Smeth* —1D **114**
Weston St. *Wals* —5C **48**
Westover Rd. *B20* —3A **82**
W. Park Av. *B31* —5C **144**
W. Park Rd. *Smeth* —2B **98**
West Pathway. *B17* —5G **115**
Westport Cres. *Wolv* —4H **29**
Westray Clo. *Redn* —6E **143**
Westridge. *Dud* —5G **59**
Westridge Rd. *B13* —6C **134**
West Ri. *S Cold* —5A **54**
West Rd. *B24* —6A **86**
West Rd. *B43* —6A **66**
West Rd. *Hale* —5D **110**
West Rd. *Tip* —5B **62**
West Rd. *Witt* —5G **83**
West Rd. S. *Hale* —5D **110**
Westside Dri. *B32* —4B **130**
West Smethwick. —2B 98
West St. *Brie H* —3B **110**
West St. *Dud* —5D **76**
(DY1)
West St. *Dud* —4H **75**
(DY3)
West St. *Row R* —2C **112**
West St. *Stourb* —6D **108**
West St. *Wals* —2A **32**
West St. *Wolv* —4G **27**
West Vw. *B8* —5A **104**
W. View Dri. *K'wfrd* —4C **92**
W. View Rd. *S Cold* —5C **54**
Westville Rd. *Wals* —6G **31**
Westward Clo. *B44* —5H **67**
West Way. *B31* —2F **159**
West Way. *Wals* —5F **21**

Westwick Clo. *Wals* —3G **23**
Westwood Av. *B11* —1D **134**
Westwood Av. *Stourb*
—2A **124**
Westwood Gro. *Sol* —5D **150**
Westwood Rd. *B6* —6A **84**
Westwood Rd. *S Cold* —1A **68**
Westwood St. *Brie H* —2E **109**
Westwood Vw. *B24* —4A **86**
Wetherby Clo. *B36* —1B **104**
Wetherby Clo. *Wolv* —3H **15**
Wetherby Rd. *B27* —3A **136**
Wetherby Rd. *Wals* —3G **19**
Wetherfield Rd. *B11* —2G **135**
Wexford Clo. *Dud* —5B **76**
Weybourne Rd. *B44* —3G **67**
Weycroft Rd. *B44 & B23*
—6B **68**
Weyhill Clo. *Wolv* —5D **14**
Weymoor Rd. *B17* —2E **131**
Weymouth Dri. *S Cold* —5F **37**
Wharf App. *A'rdge* —2B **34**
Wharfdale Rd. *B11* —6G **119**
Wharfedale Clo. *K'wfrd*
—2H **91**
Wharfedale St. *W'bry* —3G **63**
Wharf La. *B18* —3C **100**
Wharf La. *Sol* —1H **151**
Wharf La. *Wals & Burn*
—2B **10**
Wharf Rd. *K Nor* —5C **146**
Wharf Rd. *Tys* —6H **119**
Wharfside. *O'bry* —2F **97**
Wharf St. *Hock* —3C **100**
Wharf St. *Wolv* —2A **44**
Wharf, The. *B1*
—1E **117** (5B **4**)
Whar Hall Rd. *Sol* —5A **138**
Wharton Av. *Sol* —6A **138**
Wharton Rd. *Smeth* —2G **99**
Wharton St. *B7* —1D **102**
Wharwell La. *Gt Wyr* —4G **7**
Whatcote Grn. *Sol* —5H **137**
Whatecroft, The. *B17* —5F **115**
Whateley Av. *Wals* —3D **32**
Whateley Cres. *B36* —1H **105**
Whateley Grn. *B36* —1G **105**
Whateley Grn. *S Cold* —3G **53**
Whateley Hall Clo. *Know*
—2E **167**
Whateley Hall Rd. *Know*
—2E **167**
Whateley Lodge Dri. *B36*
—1G **105**
Whateley Pl. *Wals* —3D **32**
Whateley Rd. *B21* —1A **100**
Whateley Rd. *Wals* —3D **32**
Wheatcroft Clo. *Hale* —3F **113**
Wheatcroft Dri. *B37* —2E **123**
Wheatcroft Gro. *Dud* —6H **77**
Wheatcroft Rd. *B33* —1D **120**
Wheaten Clo. *B37* —6F **107**
Wheatfield Clo. *B36* —2C **106**
Wheatfield Vw. *B31* —1B **144**
Wheat Hill. *Wals* —3A **50**
Wheathill Clo. *Wolv* —2C **58**
Wheatlands Cft. *B33* —6A **106**
Wheatlands, The. *Pert* —6D **24**
Wheatley Clo. *O'bry* —3B **114**
Wheatley Clo. *Sol* —6A **138**
Wheatley Clo. *S Cold* —6A **38**
Wheatley Grange. *Col*
—3H **107**
Wheatley Rd. *O'bry* —3B **114**
Wheatley St. *W Brom* —4G **79**
Wheatley St. *Wolv* —5A **44**

Wheatmoor Ri. *S Cold* —5C **54**
Wheaton Clo. *Wolv* —2G **27**
Wheaton Va. *B20* —4A **82**
Wheatridge Clo. *K'wfrd*
—1G **91**
Wheats Av. *B17* —2F **131**
Wheatsheaf Dri. *B16* —1H **115**
Wheatsheaf Rd. *Tiv* —1A **96**
Wheatsheaf Rd. *Wolv* —6C **14**
Wheatstone Clo. *Sed* —1A **76**
Wheatstone Gro. *B33*
—4D **104**
Wheel Av. *Cod* —4F **13**
Wheeler Clo. *Cod* —3E **13**
Wheeler Ho. *O'bry* —2G **97**
Wheeler Rd. *Wolv* —1E **29**
Wheeler's Fold. *Wolv*
—1H **43** (3C **170**)
Wheeler's La. *B13* —1H **147**
Wheeler St. *B19* —3F **101**
Wheeler St. *Dud* —1E **77**
Wheeler St. *Stourb* —6D **108**
Wheeley Moor Rd. *B37*
—4C **106**
Wheeley Rd. *Sol* —6H **137**
Wheeley's La. *B15* —3E **117**
Wheeley's Rd. *B15* —4D **116**
Wheelfield. *Cod* —4F **13**
Wheelock Clo. *S Cold* —4H **51**
Wheelwright Ct. *B24* —5E **85**
Wheelwright Rd. *B24* —5E **85**
Wheldrake Av. *B34* —4G **105**
Whernside Dri. *Wolv* —4E **27**
Wherretts Well La. *Sol*
—2A **152**
Whetstone Clo. *Edg* —6B **116**
Whetstone Grn. *Wolv* —6H **15**
Whetstone Clo. *Wolv* —1H **27**
Whetstone La. *Wals* —5D **34**
Whetstone Rd. *Wolv* —1H **27**
Whetty Bri. Rd. *Redn* —3E **157**
Whetty La. *Redn* —2E **157**
Whichbury Ct. *Row R* —5D **96**
Whichford Clo. *S Cold* —1H **86**
Whichford Dri. *B9* —1H **119**
While Rd. *S Cold* —1H **69**
Whilmot Clo. *F'stne* —1D **16**
Whinberry Ri. *Brie H* —6G **75**
Whiston Av. *Wolv* —2A **30**
Whiston Gro. *B29* —5F **131**
*Whiston Ho. Wals —2D 48
(off New St.)*
Whitacre La. *Lich* —6G **11**
Whitacre Rd. *B9* —6E **103**
Whitacre Rd. *Know* —2D **166**
Whitbourne Clo. *Bal H*
—6B **118**
Whitburn Av. *B42* —2C **82**
Whitburn Clo. *Wolv* —5E **15**
Whitby Clo. *Wals* —4F **19**
Whitby Rd. *B12* —1A **134**
Whitcot Gro. *B31* —1D **158**
Whitebeam Clo. *Clay* —2A **22**
Whitebeam Clo. *Dud* —3G **75**
Whitebeam Cft. *B38* —6A **146**
Whitebeam Rd. *B37* —3E **123**
White City Rd. *Brie H* —2C **110**
White Clo. *Stourb* —3G **125**
Whitecrest. *B43* —3B **66**
Whitecroft Rd. *B26* —6G **121**
White Falcon Ct. *Sol* —5D **150**
White Farm Rd. *S Cold*
—4E **37**
Whitefield Av. *B17* —5E **115**
Whitefield Clo. *Cod* —5H **13**
Whitefields Cres. *Sol* —5F **151**

Whitefields Ga. *Sol* —6E **151**
Whitefields Rd. *Sol* —6E **151**
(in two parts)
Whitefriars Dri. *Hale* —1A **128**
Whitegates Rd. *Bils* —2F **61**
Whitehall Dri. *Dud* —5C **76**
Whitehall Dri. *Hale* —1B **128**
Whitehall Ind. Est. *Tip* —2E **79**
Whitehall Rd. *Crad H* —3E **111**
Whitehall Rd. *Hale* —1B **128**
Whitehall Rd. *Hand* —2C **100**
Whitehall Rd. *K'wfrd* —3A **92**
Whitehall Rd. *Small H*
—1D **118**
Whitehall Rd. *Stourb* —3F **125**
Whitehall Rd. *Tip* —2D **78**
Whitehall Rd. *Wals* —4C **48**
Whitehall Rd. *W Brom & Tip*
—2D **78**
Whitehall Rd. *Wolv* —1F **59**
White Hart, The. *Wals* —3C **48**
(off Caldmore Grn.)
Whitehead Gate. —5E 97
Whitehead Gro. *Bal C*
—2H **169**
Whitehead Rd. *B6* —2G **101**
*Whiteheath Ct. O'bry —5E 97
(off Throne Rd.)*
White Hill. *B31* —2F **145**
Whitehill La. *B29* —2E **145**
White Hollies. *Wals* —3D **20**
White Horse Rd. *Wals* —3A **10**
White Ho. *B19* —3F **101**
Whitehouse Av. *Darl* —4B **46**
Whitehouse Av. *Finc* —3A **42**
Whitehouse Av. *W'bry* —2F **63**
Whitehouse Av. *Wed* —2H **29**
White Ho. Clo. *Sol* —4D **150**
Whitehouse Common.
—4D 54
Whitehouse Comn. Rd. *S Cold*
—3C **54**
Whitehouse Ct. *S Cold* —5D **54**
Whitehouse Cres. *S Cold*
—3C **54**
Whitehouse Cres. *Wolv*
—6H **17**
White Ho. Grn. *Sol* —4D **150**
Whitehouse La. *Cod* —1B **12**
White Ho. La. *Env & Swind*
—6A **72**
White Ho. Pl. *Redn* —3F **157**
White Houses La. *F'stne*
(in two parts) —1C **16**
Whitehouse St. *B6* —3H **101**
Whitehouse St. *Bils* —5E **61**
Whitehouse St. *Tip* —5A **78**
Whitehouse St. *Wals* —6B **32**
White Ho. Way. *Sol* —4E **151**
Whitehouse Way. *Wals*
—5B **34**
Whitemoor Dri. *Shir* —2E **165**
White Oak Dri. *K'wfrd* —3A **92**
White Oak Dri. *Wolv* —3A **42**
White Rd. *Quin* —5B **114**
White Rd. *Smeth* —3C **98**
White Rd. *S'brk* —4C **118**
White Row. *Try* —4C **56**
Whites Dri. *Dud* —5A **60**
Whiteslade Clo. *Know*
—2C **166**
Whitesmith Clo. *Sed* —5H **59**
Whitesmiths Cft. *B14* —5G **133**
Whites Rd. *W Brom* —1A **80**
White Stitch. —1H 141

Whitestitch La. *Mer* —2H **141**
Whitestone Rd. *Hale* —5A **112**
White St. *B12* —6A **118**
White St. *Wals* —3C **48**
Whites Wood. *Wom* —2G **73**
Whitethorn Cres. *S Cold*
—2F **51**
Whitethorn Rd. *Stourb*
—2E **109**
Whitewood Glade. *W'hall*
—5E **31**
Whitfield Gro. *B15* —3F **117**
Whitford Dri. *Shir* —2F **165**
Whitgreave Av. *F'stne* —1D **16**
Whitgreave Av. *Wolv* —1A **28**
Whitgreave St. *W Brom*
—4E **79**
Whitland Clo. *Redn* —3H **157**
Whitland Dri. *B14* —4H **147**
Whitley Clo. *Wolv* —1H **41**
Whitley Ct. Rd. *B32* —5A **114**
Whitley Dri. *S Cold* —3A **52**
Whitley St. *W'bry* —2E **63**
Whitlock Gro. *B14* —4A **148**
Whitlocks End. —3E 163
Whitminster Av. *B24* —4H **85**
Whitminster Clo. *W'hall*
—5C **30**
Whitmore Hill. *Wolv*
—1G **43** (2A **170**)
Whitmore Ho. *Wolv* —5E **27**
Whitmore Reans. —5E 27
Whitmore Rd. *B10* —3C **118**
Whitmore Rd. *Stourb* —6B **108**
Whitmore St. *B18* —4D **100**
Whitmore St. *Wals* —4B **48**
Whitmore St. *Wolv*
—1H **43** (2C **170**)
Whitnash Clo. *Bal C* —3G **169**
Whitney Av. *Stourb* —5B **108**
Whittaker St. *Wolv* —5A **44**
Whittall St. *B4* —6G **101** (2E **5**)
Whittimere St. *Wals* —1D **48**
Whittingham Gro. *Wolv*
—3H **29**
Whittingham Rd. *Hale*
—6H **111**
Whittington Clo. *B14* —2G **147**
Whittington Clo. *W Brom*
—5D **64**
Whittington Gro. *B33* —1D **120**
Whittington Hall La. *Kinv*
—1A **124**
Whittington Oval. *B33*
—1E **121**
Whittington Rd. *Stourb*
—2B **124**
Whittle Cft. *B35* —4D **86**
Whittleford Gro. *B36* —6G **87**
Whitton St. *W'bry* —5E **47**
Whitwell Clo. *Shir* —4E **165**
Whitworth Clo. *W'bry* —4E **47**
Whitworth Dri. *W Brom*
—4C **64**
Whitworth Ind. Pk. *B9*
—1C **118**
Whyle St. *Hale* —1B **128**
Whyley St. *W Brom* —3G **79**
Whyley Wlk. *O'bry* —4G **97**
Whynot St. *Hale* —6D **110**
Wibert Clo. *B29* —4C **132**
Wichnor Rd. *Sol* —6D **120**
Wicketts Tower. *B5* —6E **117**
Wickham Gdns. *Wolv* —3D **28**
Wickham Sq. *W Brom* —5H **79**
Wicklow Clo. *Hale* —4F **127**

Wideacre Dri. *B44* —6G **67**
Wide Acres. *Redn* —6F **143**
Widney Av. *B29* —4G **131**
Widney Av. *Wals* —6D **22**
Widney Clo. *Ben H* —4B **166**
Widney La. *Sol* —6C **150**
Widney Mnr. Rd. *Sol & Know*
—5G **151**
Widney Rd. *Know & Ben H*
—4A **166**
Wiggin Cotts. *B17* —6G **115**
Wiggin Ho. *Wals* —4A **20**
Wiggins Cft. *S Cold* —2D **70**
Wiggins Hill Rd. *Wis* —1B **88**
Wigginsmill Rd. *W'bry*
—4D **62**
Wiggin St. *B16* —6B **100**
Wiggin Tower. *B19* —2F **101**
Wight Cft. *B36* —3D **106**
Wightman Clo. *Wals* —6H **19**
Wightwick Bank. *Wolv* —2G **41**
Wightwick Clo. *Wals* —6H **19**
Wightwick Ct. *Wolv* —1G **41**
Wightwick Gro. *Wolv* —1G **41**
Wightwick Hall Rd. *Wolv*
—2E **41**
Wightwick Leys. *Wolv* —1F **41**
Wightwick Manor. —2F 41
Wigland Way. *B38* —6C **146**
Wigmore Gro. *B44* —5B **68**
Wigmore La. *W Brom* —5E **65**
Wigorn La. *Stourb* —5F **125**
Wigorn Rd. *Smeth* —2D **114**
Wilberforce Way. *Sol* —6B **138**
Wilbraham Rd. *Wals* —2A **48**
Wilcote Gro. *B27* —3A **136**
Wildacres. *Stourb* —5A **108**
Wilday Clo. *Tip* —2A **78**
Wilde Clo. *B14* —3F **147**
Wilden Clo. *B31* —4A **144**
Wilderness La. *B43* —3H **65**
Wildfell Rd. *B27* —3B **136**
Wildmoor La. *Cats & Wild*
—6A **156**
Wildmoor Rd. *Shir* —2H **149**
Wildtree Av. *Wolv* —5C **16**
Wiley Av. *W'bry* —5C **46**
Wiley Av. S. *W'bry* —6C **46**
Wilford Gro. *Min* —1F **87**
Wilford Gro. *Sol* —5F **151**
Wilford Rd. *W Brom* —1B **80**
Wilkes Av. *Wals* —1F **47**
Wilkes Clo. *Pels* —4C **20**
Wilkes Cft. *Dud* —6H **59**
Wilkes Rd. *Cod* —3F **13**
Wilkes St. *W Brom* —6C **64**
Wilkes St. *W'hall* —2A **46**
Wilkin Rd. *Wals* —3G **9**
Wilkins Ho. *Wals* —6G **19**
(off Sandbank)
Wilkinson Av. *Bils* —2G **61**
Wilkinson Clo. *S Cold* —3H **69**
Wilkinson Cft. *B8* —3A **104**
Wilkinson Rd. *W'bry* —6A **46**
Wilkins Rd. *Bils* —4F **45**
Wilkin, The. *Wals* —3G **9**
Wilks Grn. *B21* —4H **81**
Willard Rd. *B25* —5A **120**
Willaston Rd. *B33* —4H **121**
Willclare Rd. *B26* —5E **121**
Willcock Rd. *Wolv* —4A **44**
Willenhall. —2A 46
Willenhall Ind. Est. *W'hall*
—6B **30**
Willenhall La. *Wals* —2F **31**
Willenhall La. Ind. Est. *Wals*
—1G **31**

Willenhall Mus. —2B 46
Willenhall Rd. Bils —5H 45
Willenhall Rd. W'bry & W'hall
—2D 46
Willenhall Rd. Wolv —2C 44
Willenhall St. W'bry —3C 46
Willenhall Trad. Est. W'hall
—2A 46
Willerby Fold. Wolv —3B 16
Willersey Rd. B13 —5D 134
Willes Rd. B18 —3A 100
Willett Av. Burn —1A 10
Willett Rd. W Brom —5C 64
Willetts Dri. Hale —1D 126
Willetts Rd. B31 —6E 145
Willetts Way. Crad H —1H 111
Willey Gro. B24 —5H 85
William Booth La. B4
—5F 101 (1D 4)
William Cook Rd. B8 —4H 103
William Ct. B13 —1H 133
William Grn. Rd. W'bry
—2A 64
William Harper Rd. W'hall
—2B 46
William Henry St. B7 —3A 102
William Kerr Rd. Tip —2C 78
William Rd. Smeth —6B 98
William's Clo. W'hall —4C 30
Williamson St. Wolv
—3F 43 (6A 170)
William St. B15
—2E 117 (6A 4)
William St. Brie H —6G 93
William St. Wals —6D 32
William St. W Brom —2E 79
William St. N. B19 —5F 101
William St. W. Smeth —2F 99
Willingsworth Rd. W'bry
—4C 62
Willingworth Clo. Bils —2C 60
Willis Pearson Av. Bils —3H 61
Willmore Gro. B38 —1C 160
Willmore Rd. B20 —5F 83
Willmott Clo. S Cold —6B 38
Willmott Rd. S Cold —6B 38
Willoughby Dri. Sol —6F 151
Willoughby Gro. B29 —4E 131
Willow Av. B17 —1E 115
Willow Av. W'bry —1F 63
Willow Av. Wolv —1C 28
Willow Bank. Wolv —2A 42
Willowbank Rd. Know
—3B 166
Willow Clo. Crad H —2G 111
Willow Clo. Hand —1H 99
Willow Coppice. B32 —4A 136
Willow Ct. Smeth —1B 98
Willow Dri. B21 —6G 81
Willow Dri. Cod —4H 13
Willow Dri. Shir —5B 164
Willow Dri. Tiv —2C 96
Willow End. Stourb —2H 125
Willow Gdns. B16 —5B 100
Willow Gro. Ess —4B 18
Willow Heights. Crad H
—3A 112
Willowherb Clo. Wals —2E 65
Willowherb Way. Shir
—4G 163
Willow Ho. B7 —5A 102
(off Vauxhall Rd.)
Willow M. B29 —4F 131
Willow Pk. Dri. Stourb
—3E 125
Willow Ri. Brie H —2G 109

Willow Rd. B'vlle —5B 132
Willow Rd. Dud —3C 76
Willow Rd. Gt Barr —4B 66
Willow Rd. Sol —5C 150
Willow Rd. Wolv —3B 42
Willowsbrook Rd. Hale
—3F 113
Willows Cres. B12 —6F 117
Willowside. Wals —1G 33
Willows Rd. B12 —6G 117
Willows Rd. Shelf —1G 33
Willows Rd. Wals —2E 49
Willows, The. B27 —3H 135
Willows, The. H'wd —3A 162
Willows, The. S Cold —1F 53
(B74)
Willows, The. S Cold —3D 70
(B76)
Willows, The. Wom —2E 73
Willow Wlk. S Cold —6D 70
Willow Way. B37 —1D 122
Wills Av. W Brom —5H 63
Willsbridge Covert. B14
—5F 147
Wills Ho. W Brom —5A 80
Willson Cft. B28 —4D 148
Wills St. B19 —2D 100
Wills Way. Smeth —5G 99
Wilmcote Clo. B12 —5G 117
Wilmcote Dri. S Cold —6H 37
Wilmcote Rd. Sol —1D 150
Wilmington Rd. B32 —5H 113
Wilmore La. Wyt —5H 161
Wilmot Av. Col —3H 107
Wilmot Dri. B23 —1G 85
Wilmot Dri. Tip —1G 77
Wilmot Gdns. Dud —5C 76
Wilnecote Gro. B42 —3F 83
Wilner's Vw. Wals —2D 20
Wilsford Clo. B14 —6F 147
Wilsford Clo. Wals —1G 33
Wilson Dri. S Cold —6E 55
(in two parts)
Wilson Ho. O'bry —4E 97
Wilson Rd. B19 —1F 101
Wilson Rd. Bils —6E 61
Wilson Rd. Brie H —5G 93
Wilson Rd. O'bry —3B 114
Wilson Rd. Smeth —6F 99
Wilsons Rd. Know —3E 167
Wilson St. Tip —2A 78
Wilson St. Wolv —6H 27
Wilton Clo. Dud —6A 60
Wilton Pl. Aston —6G 83
Wilton Rd. Bal C —3H 169
Wilton Rd. Erd —2G 85
Wilton Rd. Hand —6D 82
Wilton Rd. S'hll —6B 118
Wilton St. B19 —1F 101
Wiltshire Clo. Wals —5B 32
Wiltshire Clo. W Brom —1A 80
Wiltshire Dri. Hale —4D 110
Wiltshire Way. W Brom
—6A 64
Wimbledon Dri. Stourb
—3F 125
Wimborne Rd. Wolv —3C 28
Wimbourne Rd. B16 —6H 99
Wimbourne Rd. S Cold
—1E 71
Wimhurst Mdw. Wolv —3B 16
Wimperis Way. B43 —1F 67
Wimpole Gro. B44 —6B 68
Wincanton Cft. B36 —1A 104
Winceby Rd. Wolv —6F 25
Winchcombe Clo. Dud —4A 76

Winchcombe Clo. Sol —3F 137
Winchcombe Rd. Sol —3F 137
Winchester Clo. Hag —6E 125
Winchester Clo. Row R
—5E 97
Winchester Dri. B37 —1C 122
Winchester Dri. Stourb
—2E 125
Winchester Gdns. B31
—4E 145
Winchester Gro. B21 —1G 99
Winchester Ri. Dud —5C 76
Winchester Rd. B20 —6F 83
Winchester Rd. W Brom
—5H 63
Winchester Rd. Wolv —4G 15
Winchfield Dri. B17 —3D 114
Wincote Dri. Wolv —5A 26
Wincrest Way. B34 —4G 105
Windermere Dri. K'wfrd
—3B 92
Windermere Dri. S Cold
—6H 35
Windermere Ho. O'bry —4D 96
Windermere Rd. Hand —5A 82
Windermere Rd. Mose
—4B 134
Windermere Rd. Wolv —1B 26
Winding Mill N. Brie H
—4A 110
Winding Mill S. Brie H
—4A 110
Windlass Cft. B31 —2D 144
Windleaves Rd. B36 —1A 106
Windley Clo. B19 —4E 101
Windmill Av. Col —2H 107
Windmill Av. Redn —1E 157
Windmill Bank. Wom —6G 57
Windmill Clo. B31 —2F 145
Windmill Clo. Bal C —2H 169
Windmill Cres. Smeth —4G 99
Windmill Cres. Wolv —2G 41
Windmill End. Dud —5G 95
Windmill Gro. K'wfrd —1H 91
Windmill Hill. B31 —2F 145
Windmill Hill. Hale —5E 111
Windmill La. Smeth —5F 99
Windmill La. Wolv —2G 41
Windmill Precinct. Smeth
—4F 99
Windmill Rd. Shir —5E 149
Windmill St. B1
—2F 117 (6D 4)
Windmill St. Dud —5C 76
(DY1)
Windmill St. Dud —2H 75
(DY3)
Windmill St. Wals —3C 48
Windmill St. W'bry —2G 63
Windmill Ter. W'bry —2G 63
Windmill Vw. Dud —6D 60
Windridge Cres. Sol —5B 138
Windrow, The. Pert —5D 24
Windrush Clo. Sol —3E 137
Windrush Gro. B29 —5C 132
Windrush Rd. H'wd —2B 162
Windsor Arc. B4 & B2
—6G 101 (3E 5)
Windsor Av. O'bry —6G 97
Windsor Av. Wolv —5C 42
Windsor Clo. B31 —3E 159
Windsor Clo. Dud —6F 75
Windsor Clo. Hale —2H 127
Windsor Clo. Redn —5G 143
Windsor Clo. Row R —5C 96
Windsor Cres. Dud —3F 95

Windsor Dri. B24 —2A 86
Windsor Dri. Sol —2F 137
Windsor Gdns. Cas —4G 41
Windsor Gdns. Cod —4F 13
Windsor Ga. W'hall —5C 30
Windsor Gro. Stourb —2C 108
Windsor Gro. Wals —5G 21
Windsor Ho. B23 —1F 85
Windsor Ind. Est. B7 —4A 102
Windsor Lodge. Sol —5B 136
Windsor Pl. B23 —4E 85
Windsor Pl. Nech —6A 102
Windsor Rd. Cas B —2B 106
Windsor Rd. Hale —1H 127
Windsor Rd. O'bry —6G 97
Windsor Rd. Row R —5C 96
Windsor Rd. Stir —2D 146
Windsor Rd. Stourb —2B 124
Windsor Rd. S Cold —4D 68
Windsor Rd. Tip —5A 62
Windsor Rd. Wals —1E 7
Windsor Rd. W Brom —5H 63
Windsor Rd. Wolv —6B 44
Windsor Rd. Wom —1F 73
Windsor St. B7 —4H 101
Windsor St. Bils —5E 45
Windsor St. Wals —4C 48
Windsor St. S. B7 —5A 102
Windsor Ter. B16 —2B 116
Windsor Vw. B32 —6H 129
Windsor Wlk. Darl —3D 46
Windsor Way. Wals —2H 33
Winds Point. Hag —6E 125
Windward Way. B36 —1B 106
Windward Way Ind. Est. B36
—1B 106
Windyridge Rd. S Cold
—1D 86
Winford Av. K'wfrd —5C 92
Wingate Clo. B30 —3B 146
Wingate Ct. S Cold —5E 37
Wingate Rd. Wals —1E 47
Wing Clo. Wals —5F 31
Wingfield Clo. B37 —6B 106
Wingfield Ho. B37 —4B 106
Wingfield Rd. Col —4H 107
Wingfield Rd. Gt Barr —6E 67
Wingfoot Av. Wolv —1A 28
Wing Yip Cen. B7 —3B 102
Winifride Ct. Harb —6F 115
Winkle St. W Brom —3H 79
Winleigh Rd. B20 —5B 82
Winnall Clo. Bils —3F 61
Winn Ho. Wals —6B 32
(off Burrowes St.)
Winnie Rd. B29 —4A 132
Winnington Rd. B8 —2G 103
Winnipeg Rd. B38 —1C 160
Winrush Clo. Dud —4H 75
Winscar Cft. Dud —4A 76
Winsford Clo. Bal C —3G 169
Winsford Clo. Hale —5A 112
Winsford Clo. S Cold —2C 70
Winsham Gro. B21 —1A 100
Winslow Av. B8 —5H 103
Winslow Dri. Wolv —5D 26
Winson Green. —4B 100
Winson Grn. Rd. B18 —4A 100
Winson St. B18 —5H 99
Winspear Clo. Mer —4H 141
Winstanley Rd. B33 —1B 120
Winster Av. Dorr —5A 166
Winster Gro. B44 —3F 67
Winster Gro. Ind. Est. B44
—3F 67
Winster Rd. B43 —5H 65

Winster Rd. *Wolv* —2D **44**
Winston Dri. *B20* —6D **82**
Winston Dri. *Rom* —3A **142**
Winston Rd. *Swind* —5E **73**
Winterbourne Cft. *B14*
—6E **147**
Winterbourne Rd. *Sol*
—3D **150**
Winterdene. *Bal C* —2H **169**
Winterley Gdns. *Sed* —1A **76**
Winterley La. *Wals* —2G **33**
Winterton Rd. *B44* —2A **68**
Winthorpe Dri. *Sol* —1G **165**
Wintney Clo. *B17* —4E **115**
Winton Gro. *Min* —1E **87**
Winwood Rd. *Row R* —6E **97**
Winwoods Gro. *B32* —5G **129**
Wiremill Clo. *B44* —1G **83**
Wirral Rd. *B31* —1D **144**
Wiseacre Cft. *Shir* —5E **149**
Wiseman Gro. *B23* —4D **68**
Wisemore. *Wals* —1C **48**
(in two parts)
Wishaw Clo. *Shir* —5E **149**
Wishaw Gro. *B37* —4B **106**
Wishaw La. *Curd* —1D **88**
Wishaw La. *Min* —1H **87**
Wisley Way. *B32* —6D **114**
Wistaria Clo. *B31* —1E **145**
Wisteria Gro. *B44* —3G **67**
Wistmans Clo. *Dud* —5A **76**
Wistwood Hayes. *Wolv*
—3B **16**
Witham Clo. *S Cold* —4E **71**
Witham Cft. *Sol* —6G **151**
Withdean Clo. *B11* —6D **118**
Witherford Clo. *B29* —5G **131**
Witherford Cft. *Sol* —5B **150**
Witherford Way. *B29* —5G **131**
Withern Way. *Dud* —4G **75**
Withers Rd. *Cod* —4H **13**
Withers Way. *W Brom* —3B **80**
Withington Covert. *B14*
—5F **147**
Withington Gro. *Dorr* —5A **166**
Withybrook Rd. *Shir* —1H **163**
Withy Gro. *B37* —4B **106**
Withy Hill Rd. *S Cold* —4D **54**
Withymere La. *Wom* —5A **58**
Withymoor Rd. *Dud* —5G **95**
Withymoor Rd. *Stourb*
—4E **109**
Withymoor Village. —2H 109
Withy Rd. *Bils* —2E **61**
Withywood Clo. *W'hall*
—6C **18**
Witley Av. *Hale* —1G **127**
Witley Av. *Sol* —5G **151**
Witley Cres. *O'bry* —4E **97**
Witley Farm Clo. *Sol* —5G **151**
Witley Rd. *B31* —5H **145**
Witney Dri. *B37* —1B **122**
Witney Gro. *Wolv* —4F **15**
Wittersham Ct. *W'hall* —1B **46**
(off Birmingham St.)
Witton. —4H 83
Witton Bank. *Hale* —4F **113**
Witton La. *B6* —6H **83**
Witton La. *W Brom* —5G **63**
Witton Lodge Rd. *B23*
—6B **68**
Witton Rd. *B6* —1G **101**
Witton Rd. *Wolv* —5E **43**
Witton St. *B9* —1B **118**
Witton St. *Stourb* —1C **124**
Wixford Cft. *B34* —2E **105**

Wixford Gro. *Shir* —5B **150**
Wobaston Rd. *Wolv & F'hses*
—4B **14**
Woburn Av. *W'hall* —3B **30**
Woburn Cres. *B43* —4H **65**
Woburn Dri. *Brie H* —4F **109**
Woburn Dri. *Hale* —4B **112**
Woburn Gro. *B27* —4A **136**
Wodehouse Clo. *Wom* —2E **73**
Wodehouse La. *Wom & Dud*
—5A **58**
Woden Av. *Wolv* —3E **29**
Woden Clo. *Wom* —6F **57**
Woden Cres. *Wolv* —3E **29**
Woden Pas. *W'bry* —3F **63**
Woden Rd. *Wolv* —5A **28**
Woden Rd. E. *W'bry* —1H **63**
Woden Rd. N. *W'bry* —6E **47**
Woden Rd. S. *W'bry* —4F **63**
Woden Rd. W. *W'bry* —1D **62**
Woden Way. *Wolv* —3E **29**
Wolcot Gro. *B6* —2H **83**
Wold Wlk. *B13* —1B **148**
Wolfsbane Dri. *Wals* —2E **65**
Wollaston. —6B 108
Wollaston Ct. *Stourb* —5A **108**
Wollaston Ct. *Wals* —1D **48**
(off Lwr. Rushall St.)
Wollaston Cres. *Wolv* —3F **29**
Wollaston Rd. *Stourb*
(DY7) —4A **108**
Wollaston Rd. *Stourb*
(DY8) —3D **108**
Wollerton Gro. *S Cold* —5D **54**
Wollescote. —6C 110
Wollescote Dri. *Sol* —6F **151**
Wollescote Rd. *Stourb*
—2G **125**
Wolmer Rd. *Wolv* —5H **17**
Wolseley Av. *B27* —1B **136**
Wolseley Bank. *Wolv* —2B **28**
Wolseley Clo. *B36* —6C **88**
Wolseley Clo. *Wolv* —2B **28**
Wolseley Dri. *B8* —2H **103**
Wolseley Ga. *Wolv* —2B **28**
Wolseley Rd. *Bils* —4D **44**
Wolseley Rd. *W Brom* —1E **79**
Wolseley St. *Bord* —1B **118**
(in two parts)
Wolston Clo. *Shir* —3H **149**
Wolverhampton.
—1H **43** (3D **170**)
Wolverhampton Art Gallery.
—1G **43**
Wolverhampton Rd. *Blox*
—6H **19**
Wolverhampton Rd. *C Hay*
—4B **6**
Wolverhampton Rd. *Cod*
(in two parts) —3F **13**
Wolverhampton Rd. *Dud*
—4H **59**
Wolverhampton Rd. *Ess*
—4H **17**
Wolverhampton Rd. *Hth T*
—6B **28**
Wolverhampton Rd. *K'wfrd*
—6A **74**
Wolverhampton Rd. *O'bry*
—2D **96**
Wolverhampton Rd. *Patt*
—6A **24**
Wolverhampton Rd. *Pels*
—4C **20**
Wolverhampton Rd. *Share*
—3A **6**

Wolverhampton Rd. *Wals*
(in three parts) —1G **47**
Wolverhampton Rd. E. *Wolv*
—6H **43**
Wolverhampton Rd. S. *B32*
—4C **114**
Wolverhampton Rd. W.
W'hall & Wals —1C **46**
Wolverhampton Science Pk.
Wolv —3G **27**
Wolverhampton St. *Bils*
—5E **45**
Wolverhampton St. *Dud*
—6D **76**
Wolverhampton St. *Wals*
—1B **48**
Wolverhampton St. *W'bry*
—4B **46**
Wolverhampton St. *W'hall*
—2H **45**
Wolverhampton Tourist Info.
Cen. —1G **43**
Wolverley Av. *Stourb* —5A **108**
Wolverley Av. *Wolv* —6B **42**
Wolverley Cres. *O'bry* —4D **96**
Wolverley Rd. *B32* —5H **129**
Wolverley Rd. *Hale* —3H **127**
Wolverley Rd. *Sol* —3H **137**
Wolverson Clo. *W'hall* —5C **30**
Wolverson Rd. *Wals* —3C **22**
Wolverton Rd. *Dud* —6G **77**
Wolverton Rd. *Mars G*
—4D **122**
Wolverton Rd. *Redn* —3A **158**
Wombourne. —1H 73
Wombourne Clo. *Dud* —5G **59**
Wombourne Pk. *Wom* —2F **73**
Wombourne Rd. *Swind*
—5E **73**
Wombrook Dale. *Wom*
—1D **72**
Woodacre Rd. *Erd* —3A **86**
Woodall Rd. *B6* —6H **83**
Woodall St. *Crad H* —2E **111**
Woodall St. *Wals* —6A **20**
Woodard Rd. *Tip* —6C **62**
Wood Av. *Dud* —3G **75**
Wood Av. *Wolv* —3F **29**
Wood Bank. *B26* —4C **120**
Wood Bank Rd. *Dud* —6G **59**
Wood Bank Rd. *Wolv* —3G **41**
Woodberry Dri. *S Cold* —3E **71**
Woodberry Wlk. *B27* —2B **136**
Woodbine Av. *B10* —3D **118**
Woodbine Cft. *B26* —5E **121**
Woodbine Wlk. *B37* —1F **123**
Woodbourne. *B15 & Edg*
—3H **115**
Woodbourne Rd. *Harb & Edg*
—3G **115**
Woodbourne Rd. *Smeth*
—1C **114**
Woodbridge Clo. *Blox* —4G **19**
Woodbridge Clo. *Rus* —6H **21**
Woodbridge Rd. *B13* —2H **133**
Woodbrooke *B30*
—6H **131**
Woodbrook Ho. *B37* —1D **122**
Woodburn Rd. *Smeth* —2H **99**
Woodbury Clo. *Brie H*
—1A **110**
Woodbury Clo. *Hale* —3F **113**
Woodbury Gro. *Sol* —6F **151**
Woodbury Rd. *Hale* —3F **113**
Woodchester Rd. *Dorr*
—6F **167**

Wood Clo. *Col* —2H **107**
Woodclose Rd. *B37* —6B **106**
Woodcock Clo. *B31* —6H **143**
Woodcock Hill. —6B 130
Woodcock La. *A Grn* —2B **136**
(in two parts)
Woodcock La. *N'fld* —6C **130**
Woodcock La. N. *B27 & B26*
—1B **136**
Woodcock St. *B7*
—5H **101** (1G **5**)
Woodcombe Clo. *Brie H*
—4F **109**
Wood Comn. Grange. *Wals*
—3D **20**
Woodcote Dri. *B8* —4F **103**
Woodcote Dri. *Dorr* —6H **167**
Woodcote Pl. *B19* —2E **101**
Woodcote Rd. *B24* —2B **86**
Woodcote Rd. *Wolv* —5A **26**
Woodcote Way. *B18* —4C **100**
Woodcote Way. *S Cold*
—5H **51**
Woodcroft. *H'wd* —3B **162**
Woodcroft Av. *B20* —4A **82**
Woodcroft Av. *Tip* —2E **77**
Woodcroft Clo. *Crad H*
—3H **111**
Woodcross. —3B 60
Woodcross La. *Bils* —3C **60**
Woodcross St. *Bils* —3B **60**
Wood End. —2E 29
Woodend. *B20* —1A **82**
Wood End La. *B23 & B24*
—4F **85**
Woodend Pl. *Wolv* —5H **25**
Wood End Rd. *B24* —4F **85**
Wood End Rd. *Wals* —3H **49**
Wood End Rd. *Wolv* —2F **29**
Woodend Way. *Wals* —6D **22**
Woodfall Av. *B30* —2B **146**
Woodfield Av. *Brie H* —2F **93**
Woodfield Av. *Crad H* —3F **111**
Woodfield Av. *O'bry* —5G **97**
Woodfield Av. *Stourb* —3B **126**
Woodfield Av. *Wolv* —5D **42**
Woodfield Clo. *S Cold* —3H **53**
Woodfield Clo. *Wals* —6A **50**
Woodfield Cres. *S'brk*
—5A **118**
Woodfield Heights. *Wolv*
—5B **26**
Woodfield Rd. *Bal H* —5A **118**
Woodfield Rd. *Dud* —3G **75**
Woodfield Rd. *K Hth* —5H **133**
Woodfield Rd. *Sol* —1F **151**
Woodfold Cft. *Wals* —2D **34**
Woodford Av. *B36* —1F **105**
Woodford Clo. *Wolv* —5D **14**
Woodford Grn. Rd. *B28*
—5G **135**
Woodford La. *Try* —5C **56**
Woodford Way. *Wom* —1D **72**
Woodfort Rd. *B43* —6A **66**
Woodgate. —4H 129
Woodgate Bus. Pk. *B32*
—3H **129**
Woodgate Dri. *B32* —4G **129**
Woodgate Gdns. *B32* —3G **129**
Woodgate La. *B32* —3G **129**
Woodgate Valley Country
Pk. —2A **130**
Woodgate Valley Country
Pk. Vis. Cen. —3H **129**
Woodglade Cft. *B38* —5A **146**
Wood Green. —6G 47

Wood Grn. *C Hay* —1E **7**
Woodgreen Cft. *O'bry*
—4A **114**
Wood Grn. Rd. *B18* —5H **99**
Woodgreen Rd. *O'bry*
—4A **114**
Wood Grn. Rd. *W'bry* —1G **63**
Woodhall Clo. *Tip* —5A **62**
Woodhall Cft. *Sol* —2D **136**
Woodhall Ho. Wals —1A *32*
(off Woodhall St.)
Woodhall Rd. *Wolv* —1C **58**
Woodham Clo. *Redn* —6E **143**
Woodhaven. *Wals* —6H **21**
Wood Hayes. —6E 17
Wood Hayes Rd. *Wolv* —5D **16**
Woodhill Clo. *Wom* —1F **73**
Wood Hill Dri. *Wom* —2F **73**
Wood Ho. *Wals* —4D **48**
Woodhouse Fold. *Wolv*
—4F *29*
Woodhouse Rd. *B32* —5C **114**
Woodhouse Rd. *Wolv* —5H **25**
Woodhouse Rd. N. *Wolv*
—5H **25**
Woodhouse Way. *Crad H*
—2E **111**
Woodhurst Rd. *B13* —1A **134**
Wooding Cres. *Tip* —4B **62**
Woodington Rd. *S Cold*
—6E **55**
Woodland Av. *Brie H* —2C **109**
Woodland Av. *Dud* —4E **77**
Woodland Av. *Wolv* —6H **25**
Woodland Clo. *Stourb*
—3H **125**
Woodland Clo. *W'hall* —3D **30**
Woodland Ct. *Shen W* —2G **37**
Woodland Cres. *Wolv* —4B **42**
Woodland Dri. *Smeth* —2C **98**
Woodland Dri. *Wals* —1E **7**
Woodland Gro. *B43* —2A **66**
Woodland Gro. *Dud* —5F **75**
Woodland Ri. *Crad H* —3H **111**
Woodland Ri. *S Cold* —1H **69**
Woodland Rd. *Hale* —3D **112**
Woodland Rd. *Hand* —1G **99**
Woodland Rd. *N'fld* —4F **145**
Woodland Rd. *Wolv* —4A **42**
Woodlands Av. *Wals* —6A **50**
Woodlands Av. *Wat O* —5D **88**
Woodlands Cotts. *Wolv*
—1C **58**
Woodlands Cres. *Wals* —2D **20**
Woodlands Farm Rd. *B24*
—3D **86**
Woodlands La. *Shir* —1H **163**
Woodlands Pk. Rd. *B30*
—1G **145**
Woodlands Rd. *Redn* —3D **144**
Woodlands Rd. *Salt* —5F **103**
Woodlands Rd. *S'hll* —2B **134**
Woodlands Rd. *Wom* —2G **73**
Woodlands St. *Smeth* —4G **99**
Woodlands, The. *Cod* —5G **13**
Woodlands, The. *Crad H*
—4A **112**
Woodlands, The. *Stourb*
—3E **125**
Woodlands Wlk. *Wolv* —6C **42**
Woodlands Way. *B37* —6F **107**
Wood La. *A'rdge & Lich*
—6H **23**
Wood La. *Bars* —6G **153**
Wood La. *Erd* —6H **85**
Wood La. *Hand* —5C **82**

Wood La. *Harb* —5E **115**
Wood La. *Mars G* —3C **122**
Wood La. *Pels* —2D **20**
Wood La. *S Cold* —2G **51**
Wood La. *W Brom* —4G **79**
Wood La. *W'hall* —2E **31**
Wood La. *Wolv* —6H **15**
Wood La. *W'gte* —4G **129**
(in two parts)
Wood La. Clo. *W'hall* —2E **31**
Woodlawn Gro. *K'wfrd*
—4B **92**
Woodlea Dri. *B24* —5F **85**
Woodlea Dri. *Sol* —2C **150**
Wood Leasow. *B32* —3B **130**
Wood Leaves. *H'wd* —1H **161**
Woodleigh Av. *B17* —1H **131**
Woodleigh Clo. *Hale* —5A **112**
Woodleigh Rd. *S Cold* —4A **70**
Woodleys, The. *B14* —3B **148**
Woodloes Rd. *Shir* —1H **163**
Woodman Clo. *Hale* —2C **128**
Woodman Clo. *W'bry* —1H **63**
Woodman La. *Wals* —1E **7**
Woodman Rd. *B14* —6A **148**
Woodman Rd. *Hale* —2C **128**
Woodman Wlk. *B23* —2A **84**
Woodmeadow Rd. *B30*
—4D **146**
Woodnorton Dri. *B13*
—3G **133**
Woodnorton Rd. *Row R*
—1F **113**
Woodpecker Gro. *B36*
—2C **106**
Woodperry Av. *Sol* —6G **151**
Woodridge. *B6* —6G **83**
Woodridge Av. *B32* —6H **113**
Woodridge Rd. *Hale* —6A **112**
Wood Rd. *Cod* —2D **12**
Wood Rd. *Dud* —4G **75**
Wood Rd. *Smeth* —2A **98**
Wood Rd. *Wolv & Tett W*
—6H **25**
Wood Rd. *Wom* —5H **57**
Woodrough Dri. *B13* —3H **133**
Woodrow Cres. *Know*
—4C **166**
Woodrow La. *Cats* —6B **156**
Woodruff Way. *Wals* —1D **64**
Woodrush Dri. *H'wd* —4A **162**
Woods Bank. —6D 46
Woods Bank Ter. *W'bry*
—6C **46**
Woods Bank Trad. Est. *W'bry*
—1D **62**
Woods Cres. *Brie H* —2C **110**
Woodsetton. —1A 76
Woodsetton Clo. *Dud* —1D **76**
Woodshires Rd. *Sol* —6C **136**
Woodside. —3B 94
Woodside. *B37* —4A **106**
Woodside. *S Cold* —1E **53**
Wood Side. *Wolv* —1A **30**
Woodside Clo. *Wals* —6H **49**
Woodside Cres. *Know*
—5D **166**
Woodside Dri. *S Cold* —4C **36**
Woodside Gro. *Cod* —4H **13**
Woodside Rd. *B29* —4C **132**
(in two parts)
Woodside Rd. *Dud* —2B **94**
Woodside Rd. *Wals* —5H **49**
Woodside Way. *Sol* —2C **150**
Woodside Way. *Wals* —4D **34**
Woodside Way. *W'hall* —2E **31**

Woodside Way. *W'gte*
—5G **129**
Woods La. *Brie H* —3H **109**
Woods La. *Crad H* —3E **111**
Woodsome Gro. *B23* —6C **68**
Woodsorrel Rd. *Dud* —3B **76**
Woods, The. —2B 64
Woods, The. *B14* —4H **133**
Woodstile Clo. *S Cold* —6B **38**
Woodstile Way. *B34* —3F **105**
Woodstock Clo. *Dud* —1C **94**
Woodstock Clo. *Stourb*
—2A **108**
Woodstock Clo. *Wals* —2E **65**
Woodstock Cres. *Dorr*
—6B **166**
Woodstock Dri. *Stourb*
—2A **108**
Woodstock Dri. *S Cold*
—5D **36**
Woodstock Rd. *Hand* —1B **100**
Woodstock Rd. *Mose*
—1A **134**
Woodstock Rd. *Wolv* —2D **44**
Woodston Gro. *Sol* —1G **165**
Wood St. *B16* —1C **116**
Wood St. *Bils* —6F **45**
Wood St. *Dud* —3B **94**
Wood St. *Lane* —2C **60**
Wood St. *Lye* —6B **110**
Wood St. *Park V* —4B **28**
Wood St. *Tip* —1G **77**
Wood St. *W'bry* —5F **47**
Wood St. *W'hall* —1A **46**
Wood St. *Woll* —4B **108**
Woodthorne Clo. *Dud* —5H **75**
Woodthorne Rd. *Wolv* —3G **25**
Woodthorne Rd. S. *Wolv*
—5G **25**
Woodthorne Wlk. *K'wfrd*
—1C **92**
Woodthorpe Dri. *Stourb*
—2H **125**
Woodthorpe Gdns. *B14*
—2G **147**
Woodthorpe Rd. *B14* —2F **147**
Woodvale Dri. *B28* —3H **149**
Woodvale Rd. *Hall G* —3E **149**
Woodvale Rd. *W'gte* —4G **129**
Wood Vw. Dri. *B15* —4E **117**
Woodville Gdns. *Dud* —4B **60**
Woodville Rd. *Harb* —5E **115**
Woodville Rd. *K Hth* —5H **133**
Woodward Pl. *Stourb*
—1G **125**
Woodwards Clo. *Wals* —3H **47**
Woodwards Pl. *Wals* —3H **47**
Woodwards Rd. *Wals* —3H **47**
Woodward St. *W Brom*
—3C **80**
Woodway. *B24* —2H **85**
Woodwells Rd. *B8* —4G **103**
Woolacombe Lodge Rd. *B29*
—3G **131**
Woolmore Rd. *B23* —3C **84**
Woolpack Clo. *Row R* —5A **96**
Woolpack St. *Wolv*
—1G **43** (3B **170**)
Wooton Gro. *B44* —5C **68**
Wootton Av. *Wolv* —2F **29**
Wootton Clo. *Brie H* —3F **109**
Wootton Green. —6F 155
Wootton Grn. La. *Bal C*
—6G **155**
Wootton La. *Bal C* —6E **155**
Wootton Rd. *B31* —2E **159**

Wootton Rd. *Wolv* —4B **42**
Woottons Sq. *Bils* —3G **61**
Worcester Clo. *S Cold* —6B **38**
Worcester Ct. *Wolv* —5E **43**
Worcester Grn. *W Brom*
—6A **64**
Worcester Gro. *Pert* —5D **24**
Worcester Ho. *B36* —1C **106**
Worcester La. *Stourb & Hag*
—4F **125**
Worcester La. *S Cold* —6B **38**
Worcester Ri. *B29* —4D **132**
Worcester Rd. *Dud* —6G **95**
Worcester Rd. *Hag* —6F **125**
Worcester Rd. *O'bry* —3G **113**
Worcester Rd. *W'hall* —1D **46**
Worcester Rd. *Witt* —5H **83**
Worcester St. *Stourb* —1D **124**
Worcester St. *Wolv*
—2G **43** (5A **170**)
Worcester Wlk. *B2*
—1G **117** (5E **5**)
Worcester Wlk. *B37* —3B **122**
Word Hill. *B17* —4D **114**
Wordsley. —1B 108
Wordsley Ct. *Stourb* —6B **92**
Wordsley Grn. *Stourb*
(in two parts) —1B **108**
Wordsley Grn. Shop. Cen.
Stourb —1B **108**
Wordsworth Av. *Pert* —5E **25**
Wordsworth Av. *Wolv* —1A **60**
Wordsworth Clo. *Tip* —5A **62**
Wordsworth Ho. *O'bry* —5A **98**
Wordsworth Rd. *B10* —4D **118**
Wordsworth Rd. *Dud* —2F **75**
Wordsworth Rd. *Wals* —1C **32**
Wordsworth Rd. *W'hall*
—2E **31**
Wordsworth Rd. *Wolv* —1C **28**
Wordsworth St. *W Brom*
—2A **80**
Worfield Clo. *Wals* —5E **33**
Worfield Gdns. *Wolv* —5D **42**
Works Rd. *Birm A* —2B **138**
Worlds End. —1E 151
Worlds End Av. *B32* —5B **114**
Worlds End La. *B32* —5B **114**
Worlds End Rd. *B20* —4C **82**
Worleys Wharf Av. *W'bry*
—3C **64**
Worsey Dri. *Tip* —1D **78**
Worthen Gro. *B31* —1E **159**
Worthings, The. *B30* —1D **146**
Worthy Down. *Wolv* —4H **29**
Worthy Down Wlk. *B35*
—4F **87**
Wortley Av. *Wolv* —3A **28**
Worton Rd. *Stourb* —3A **126**
Wragby Clo. *Wolv* —4F **15**
Wrekin Clo. *Hale* —4E **127**
Wrekin Dri. *B'mre* —3C **42**
Wrekin Dri. *Stourb* —1H **125**
Wrekin Dri. *Wergs* —4G **25**
Wrekin Gro. *W'hall* —6B **18**
Wrekin La. *Wolv* —4G **25**
Wrekin Rd. *B44* —1H **83**
Wrekin Rd. *S Cold* —4G **69**
Wrekin Vw. *Wals* —2C **22**
Wrekin Vw. *Wolv*
—6G **27** (2A **170**)
Wrekin Vw. Rd. *Dud* —5G **59**
Wren Av. *Wolv* —6D **24**
Wrens Av. *K'wfrd* —5E **93**
Wrens Av. *Tip* —2E **77**
Wrens Hill Rd. *Dud* —2D **76**

Wren's Nest. —3D 76
Wren's Nest Nature Reserve.
—2D 76
Wrens Nest Pl. Dud —2C 76
Wrens Nest Rd. Dud —2C 76
Wrens Pk. Av. S Cold —6C 70
Wren St. Neth —4D 94
Wren St. Woods —1D 76
Wrentham St. B5 —3F 117
Wretham Rd. B19 —3D 100
Wrexham Av. Wals —2F 47
Wright Av. Wolv —2G 29
Wrighton Clo. W'hall —1C 30
Wrighton Dri. Brie H —6G 75
Wright Rd. B8 —4E 103
Wright's La. Crad H —1H 111
Wright St. B10 —3D 118
Wright St. Bils —1G 61
Wright St. Hale —1B 128
Wright St. Wolv —5H 27
Wrottesley Pk. Rd. Pert
—1D 40
Wrottesley Rd. B43 —4H 65
Wrottesley Rd. Wolv —4H 25
Wrottesley Rd. W. Wolv
—3F 25
Wrottesley St. B5
—2G 117 (6E 5)
Wroxall Clo. Brie H —3F 109
Wroxall Gro. B13 —1A 148
Wroxall Rd. Sol —1C 150
Wroxham Glen. W'hall —4H 45
Wroxton Rd. B26 —3C 120
Wulfruna Ct. Wolv —2F 43
Wulfruna Gdns. Wolv —2D 42
Wulfruna St. Wolv
—1G 43 (2B 170)
Wulfrun Cen. Wolv
—2G 43 (4B 170)
Wulfrun Sq. Wolv
—2H 43 (4C 170)
Wulfrun Trad. Est. Wolv
—4G 27
Wulfrun Way. Wolv
—2G 43 (4B 170)
Wyatt Clo. B5 —6E 117
Wyatt Rd. S Cold —5F 55
Wychall Dri. Wolv —3A 16
Wychall La. B31 & B38
—5H 145
Wychall Pk. Gro. B38 —5H 145
Wychall Rd. B31 —4F 145
Wychbold Clo. W'hall —6D 18
Wychbold Ct. Stourb —5G 125
Wychbold Cres. B33 —6G 105
Wychbold Way. W'hall —6D 18
Wychbury. S Cold —4E 71
Wychbury Ct. Dud —1D 94
Wychbury Ct. Hale —2A 128
Wychbury Dri. Hag —6G 125
Wychbury Rd. B32 —5G 129
Wychbury Rd. Brie H —3A 110
Wychbury Rd. Stourb
—4H 125
Wychbury Rd. Wolv —4A 42
Wyche Av. B14 —3F 147

Wychelm Farm Rd. B14
—6A 148
Wych Elm Rd. Clay —2A 22
Wychnor Gro. W Brom
—3C 64
Wychwood Av. Know —1D 166
Wychwood Cres. B26
—5D 120
Wyckham Clo. B17 —1E 131
Wyckham Rd. B36 —1A 106
Wycome Rd. B28 —1F 149
Wye Cliff Rd. B20 —1D 100
Wye Clo. S Cold —6E 71
Wye Clo. Wolv —5F 25
Wyemanton Clo. B43 —4G 65
Wye Rd. Wals —6C 20
Wykeham Gro. Wolv —6D 24
Wyken Clo. Dorr —6F 167
Wyld Clo. W Brom —5G 63
Wylde Cres. Row R —5C 96
Wylde Green. —4A 70
Wylde Grn. Rd. S Cold —4A 70
Wymering Av. Wolv —2H 29
Wynall La. Stourb —1B 126
Wynall La. S. Stourb —2C 126
Wynbrook Gro. Shir —3F 165
Wynchcombe Av. Wolv
—1B 58
Wyndcliff Rd. B9 —2D 118
Wyndham Gdns. K Nor
—3H 145
Wyndham Rd. B16 —2B 116
Wyndhurst Rd. B33 —5C 104
Wyndley Dri. S Cold —1H 69
Wyndley La. S Cold —1G 69
Wyndmill Cres. W Brom
—4D 64
Wynds Covert. B14 —5F 147
Wynds Point. B31 —2F 145
Wynd, The. Dud —4H 59
Wynfield Gdns. B14 —2H 147
Wynford Rd. B27 —6A 120
Wynford Rd. Ind. Est. B27
—6A 120
Wynne Cres. Wolv —2A 58
Wynn Griffith Dri. Tip —4A 78
Wynn Rd. Wolv —5G 42
Wynn St. B15 —3F 117
Wynstead Covert. B14
—5E 147
Wyntor La. W Brom —5H 63
Wyre Clo. Redn —6H 143
Wyre Clo. Wals —3B 22
Wyre Rd. Stourb —4C 108
Wyrley Clo. Wals —2B 10
Wyrley Clo. W'hall —2D 30
Wyrley Ho. Tip —4B 78
Wyrley La. Pels —4C 8
Wyrley Rd. B6 —4A 84
Wyrley Rd. S Cold —2B 54
Wyrley Rd. Wolv —3A 30
Wyrley St. Wolv —1B 44
Wyrley Way. B23 —1A 84
Wythall. —6A 162
Wythall Grn. Way. Wyt
—5G 161

Wythall Rd. Hale —3A 128
Wythwood Clo. Stourb
—4H 125
Wythwood Gro. H'wd —3C 162
Wythwood Gro. Tip —5A 62
Wythwood Rd. H'wd —3B 162
Wyvern Clo. S Cold —4H 53
Wyvern Clo. W'hall —2A 30
Wyvern Gro. B29 —3G 131
Wyvern Rd. S Cold —4H 53
Wyvis Clo. Wolv —1C 42

Yale Dri. Wed —4G 29
Yardley. —3B 120
Yardley Clo. O'bry —2H 113
Yardley Fields Rd. B33
—1B 120
Yardley Grn. Rd. Bord G &
Stech —2F 119
Yardley Rd. A Grn & Yard
—1A 136
Yardley St. Stourb —5G 109
Yardley St. W'bry —4C 46
Yardley Wood. —2E 149
Yardley Wood Rd. B13
—2B 134
Yardley Wood Rd. B14 & Shir
—2B 148
Yare Gro. W'hall —1D 46
Yarnborough Hill. Stourb
—3E 125
Yarnbury Clo. B14 —6G 147
Yarn Clo. H'wd —4A 162
Yarner Clo. Dud —5A 76
Yarnfield Rd. B11 —2G 135
Yarningale Rd. B14 —3E 147
Yarrow Clo. Wals —2E 21
Yarrow Clo. Wed —4H 29
Yarrow Dri. B38 —1B 160
Yarwell Clo. Wolv —5H 27
Yateley Av. B42 —6C 66
Yateley Cres. B42 —6C 66
Yateley Rd. B15 —4A 116
Yatesbury Av. B35 —4D 86
Yates Cft. S Cold —3F 37
Yates La. Row R —1F 113
Yeadon Gdns. Wolv —3B 42
Yeames Clo. B43 —1E 67
Yelverton Av. Wals —3H 19
Yelverton Dri. B15 —3A 116
Yeman Rd. O'bry —6B 98
Yemscroft. Gt Wyr —5G 7
Yems Cft. Rus —3E 33
Yenton Gro. B24 —1A 86
Yeomans Way. S Cold —5D 54
Yeovil Ct. Brie H —1H 109
(off Hill St.)
Yerbury Gro. B23 —3B 84
Yew Cft. Av. B17 —5E 115
Yewhurst Rd. Sol —3C 150
Yew St. Wolv —2E 43
Yew Tree. —1F 65
Yew Tree Av. B26 —4C 120
Yew Tree Gdns. Wals —1F 65
Yew Tree Hills. Dud —5E 95

Yewtree La. Bils —4F 61
Yew Tree La. Quin —4D 142
Yewtree La. Row R —1B 112
Yew Tree La. Sol —2A 152
Yew Tree La. W'bry —3G 63
Yew Tree La. Wolv —3G 25
Yew Tree La. Yard —4C 120
Yew Tree Pl. Rom —2A 142
Yew Tree Pl. Wals —4B 20
Yew Tree Ri. S Cold —1D 70
Yew Tree Rd. Aston —6A 84
Yew Tree Rd. Cas B —1A 106
Yew Tree Rd. Dud —5E 95
Yew Tree Rd. Edg —3E 117
Yewtree Rd. Hale —2H 127
Yew Tree Rd. Mose —3F 133
Yew Tree Rd. Shelf —6F 21
Yew Tree Rd. Smeth —5C 98
Yew Tree Rd. S'tly —3F 51
Yew Tree Rd. S Cold —6G 69
Yew Tree Rd. Wals —6E 49
Yew Tree Vs. S Cold —6G 69
Yew Wlk. B37 —1D 122
Yockleton Rd. B33 —6G 105
York Av. Wals —1H 47
York Av. W'hall —1D 46
York Av. Wolv —2C 42
Yorkbrook Dri. B26 —6F 121
York Clo. B30 —2C 146
York Clo. Tip —3F 77
York Cres. Stourb —4B 108
York Cres. W'bry —5D 46
York Cres. W Brom —1G 79
York Cres. Wolv —2C 42
Yorkdale Clo. Dud —4H 75
York Dri. B36 —1H 103
Yorke Av. Brie H —2E 109
York Gdns. Wolv —2C 42
Yorklea Cft. B37 —1B 122
Yorkminster Dri. B37 —1E 123
York Rd. Dud —6G 95
York Rd. Edg —2A 116
York Rd. Erd —3F 85
York Rd. Hall G —3E 135
York Rd. Hand —1B 100
York Rd. K Hth —5G 133
York Rd. Row R —6E 97
York Rd. Wals —3H 33
York Rd. Wolv —3H 41
York St. B17 —5H 115
York St. Wolv —2A 44
Yorks Wood Dri. B37 —3B 106
York Ter. Hock —4E 101
Young St. W Brom —4G 79
Yoxall Gro. B33 —6E 105
Yoxall Rd. Shir —5B 150

Zion Clo. Wals —2D 6
Zions Clo. Crad H —2H 111
Zion St. Tip —5H 61
Zoar St. Dud —4G 75
Zoar St. Wolv —2F 43
Zouche Clo. Stourb —3C 108

HOSPITALS and HOSPICES
covered by this atlas
with their map square reference

N.B. Where Hospitals and Hospices are not named on the map, the reference given is for the road in which they are situated.

Acorns Childrens Hospice —5A **132**
103 Oak Tree La., Selly Oak,
BIRMINGHAM
B29 6HZ
Tel: 0121 2484850

Acorns Walsall Childrens Hospice
—6D **48**
Walstead Rd.,
WALSALL
WS5 4NL
Tel: 01922 422 500

ALL SAINTS HOSPITAL (BIRMINGHAM)
—4B **100**
Lodge Rd., Hockley,
BIRMINGHAM
B18 5SD
Tel: 0121 6856220

BIRMINGHAM CHILDREN'S HOSPITAL
(DIANA PRINCESS OF WALES
HOSPITAL) —6G **101** (2F **5**)
Steelhouse La.,
BIRMINGHAM
B4 6NH
Tel: 0121 3339999

BIRMINGHAM DENTAL HOSPITAL
—6G **101** (2E **5**)
St Chad's Queensway,
BIRMINGHAM
B4 6NN
Tel: 0121 2368611

BIRMINGHAM HEARTLANDS HOSPITAL
—1H **119**
Bordesley Green E.,
BIRMINGHAM
B9 5SS
Tel: 0121 7666611

BIRMINGHAM NUFFIELD HOSPITAL,THE
—6B **116**
22 Somerset Rd., Edgbaston,
BIRMINGHAM
B15 2QQ
Tel: 0121 4562000

BIRMINGHAM WOMENS HOSPITAL
—1H **131**
Metchley Park Rd.,
BIRMINGHAM
B15 2TG
Tel: 0121 4721377

BLOXWICH HOSPITAL—1H **31**
Reeves St., WALSALL
WS3 2JJ
Tel: 01922 858600

BUSHEY FIELDS HOSPITAL—2A **94**
Bushey Fields Rd., DUDLEY,
West Midlands
DY1 2LZ
Tel: 01384 457373

CITY HOSPITAL BIRMINGHAM —5B **100**
Dudley Rd.,
BIRMINGHAM
B18 7QH
Tel: 0121 5543801

Compton Hospice —1A **42**
Compton Rd. W.,
WOLVERHAMPTON
WV3 9DH
Tel: 01902 758151

CORBETT HOSPITAL —4E **109**
Vicarage Rd.,
STOURBRIDGE
West Midlands
DY8 4JB
Tel: 01384 456111

DOROTHY PATTISON HOSPITAL
—2H **47**
Alumwell Clo.,
WALSALL
WS2 9XH
Tel: 01922 858000

EDWARD STREET HOSPITAL —4A **80**
Edward St.,
WEST BROMWICH
West Midlands
B70 8NL
Tel: 0121 553 7676

GOOD HOPE HOSPITAL —5B **54**
Rectory Rd.,
SUTTON COLDFIELD
West Midlands
B75 7RR
Tel: 0121 3782211

GOSCOTE HOSPITAL —1D **32**
Goscote La.,
WALSALL
WS3 1SJ
Tel: 01922 710710

GUEST HOSPITAL —4G **77**
Tipton Rd.,
DUDLEY
West Midlands
DY1 4SE
Tel: 01384 456111

HALLAM DAY HOSPITAL —2B **80**
Lewisham St.,
WEST BROMWICH
West Midlands
B71 4HJ
Tel: 0121 553 1831

HAMMERWICH HOSPITAL —1D **10**
Hospital Rd.,
BURNTWOOD
Staffordshire
WS7 0EH
Tel: 01543 675754

HEATH LANE HOSPITAL —6B **64**
Heath La.,
WEST BROMWICH
West Midlands
B71 2BQ
Tel: 0121 553 1831

HIGHCROFT HOSPITAL —4D **84**
Fentham Rd.,
Erdington,
BIRMINGHAM
B23 6AL
Tel: 0121 6235500

John Taylor Hospice —2A **86**
76 Grange Rd.,
Erdington,
BIRMINGHAM
B24 0DF
Tel: 0121 3735526

KINGS HILL DAY HOSPITAL —6E **47**
School St.,
WEDNESBURY
West Midlands
WS10 9JB
Tel: 0121 5264405

LITTLE ASTON BUPA HOSPITAL —4B **36**
Little Aston Hall Dri.,
Little Aston,
SUTTON COLDFIELD
West Midlands
B74 3UP
Tel: 0121 3532444

Little Bloxwich Day Hospice —4B **20**
Stoney La.,
WALSALL
WS3 3DW
Tel: 01922 858736

MANOR HOSPITAL (WALSALL) —2A **48**
Moat Rd.,
WALSALL
WS2 9PS
Tel: 01922 721172

Mary Stevens Hospice —3F **125**
221 Hagley Rd.,
STOURBRIDGE
West Midlands
DY8 2JR
Tel: 01384 443010

MOSELEY HALL HOSPITAL —2G **133**
Alcester Rd.,
BIRMINGHAM
B13 8JL
Tel: 0121 4424321

MOSSLEY DAY HOSPITAL —6F **19**
Sneyd La.,
WALSALL
WS3 2LW
Tel: 01922 858680

Hospitals & Hospices

NEW CROSS HOSPITAL
(WOLVERHAMPTON) —4D **28**
Wolverhampton Rd.,
Heath Town,
WOLVERHAMPTON
WV10 0QP
Tel: 01902 307999

NORTHCROFT HOSPITAL —3D **84**
Reservoir Rd.,
Erdington,
BIRMINGHAM
B23 6DW
Tel: 0121 3782211

PARKWAY BUPA HOSPITAL —2A **152**
1 Damson Parkway,
SOLIHULL
West Midlands
B91 2PP
Tel: 0121 7041451

PENN HOSPITAL —1C **58**
Penn Rd.,
WOLVERHAMPTON
WV4 5HN
Tel: 01902 444141

PRIORY HOSPITAL, THE —6D **116**
Priory Rd.,
Edgbaston,
BIRMINGHAM
B5 7UG
Tel: 0121 4402323

QUEEN ELIZABETH HOSPITAL —1A **132**
Edgbaston,
BIRMINGHAM
B15 2TH
Tel: 0121 6271627

QUEEN ELIZABETH PSYCHIATRIC
HOSPITAL—1A **132**
Mindelsohn Way,
Edgbaston,
BIRMINGHAM
B15 2QZ
Tel: 0121 6272999

RIDGE HILL HOSPITAL —6C **92**
Brierly Hill Rd.,
STOURBRIDGE
West Midlands
DY8 5ST
Tel: 01384 456111

ROWLEY REGIS HOSPITAL —1B **112**
Moor La.,
ROWLEY REGIS
West Midlands
B65 8DA
Tel: 0121 607 3465

ROYAL ORTHOPAEDIC HOSPITAL
—2F **145**
Bristol Rd. S., Northfield,
BIRMINGHAM
B31 2AP
Tel: 0121 685 4000

RUSSELLS HALL HOSPITAL —2H **93**
Pensnett Rd.,
DUDLEY
West Midlands
DY1 2HQ
Tel: 01384 456111

ST DAVID'S HOUSE (DAY HOSPITAL)
—6G **57**
Planks La., Wombourne,
WOLVERHAMPTON
WV5 8DU
Tel: 01902 326001

St Mary's Hospice —4C **132**
176 Raddlebarn Rd.,
BIRMINGHAM
B29 7DA
Tel: 0121 4721191

SANDWELL DISTRICT GENERAL
HOSPITAL —2B **80**
Lyndon,
WEST BROMWICH
West Midlands
B71 4HJ
Tel: 0121 553 1831

SELLY OAK HOSPITAL —4B **132**
Raddlebarn Rd.,
BIRMINGHAM
B29 6JD
Tel: 0121 6721627

Sister Dora Hospice
(Due Open Late 2000) —1D **32**
Goscote La.,
WALSALL
WS3 1SJ
Tel: 01922 858736

SOLIHULL HOSPITAL —3G **151**
Lode La.,
SOLIHULL
West Midlands
B91 2JL
Tel: 0121 7114455

SUTTON COLDFIELD COTTAGE
HOSPITAL —1H **69**
Birmingham Rd.,
SUTTON COLDFIELD
West Midlands
B72 1QH
Tel: 0121 3556031

Warren Pearl Marie Curie Hospice
—3A **152**
911-913 Warwick Rd.,
SOLIHULL
West Midlands
B91 3ER
Tel: 0121 7054607

WEST HEATH HOSPITAL —1G **159**
Rednal Rd.,
BIRMINGHAM
B38 8HR
Tel: 0121 6271627

WEST MIDLANDS HOSPITAL —6F **111**
Colman Hill,
HALESOWEN
West Midlands
B63 2AH
Tel: 01384 560123

WEST PARK HOSPITAL —1E **43**
Park Rd. W.,
WOLVERHAMPTON
WV1 4PW
Tel: 01902 444000

WOLVERHAMPTON EYE INFIRMARY
—1E **43**
Compton Rd.,
WOLVERHAMPTON
WV3 9QR
Tel: 01902 307999

WOLVERHAMPTON NUFFIELD
HOSPITAL—5A **26**
Wood Rd.,
WOLVERHAMPTON
WV6 8LE
Tel: 01902 754177

WOODBOURNE PRIORY HOSPITAL
—3G **115**
23 Woodbourne Rd.,
Harborne
BIRMINGHAM
B17 8BY
Tel: 0121 4344343

WORDSLEY HOSPITAL —6C **92**
Stream Rd.,
STOURBRIDGE
West Midlands
DY8 5QX
Tel: 01384 456111

YARDLEY GREEN HOSPITAL —2G **119**
Yardley Green Rd.,
BIRMINGHAM
B9 5PX
Tel: 0121 7666611